Comentário Bíblico
Beacon

COMENTÁRIO BÍBLICO
BEACON

Gênesis a Deuteronômio

1

8ª impressão

CPAD

Rio de Janeiro
2024

Todos os direitos reservados. Copyright © 2005 para a língua portuguesa da Casa Publicadora das Assembleias de Deus. Aprovado pelo Conselho de Doutrina.

É proibida a duplicação ou reprodução deste volume, no todo ou em parte, sob quaisquer formas ou meios (eletrônico, mecânico, gravação, fotocópia, distribuição na web e outros), sem permissão expressa da Editora

Beacon Bible Commentary 10 Volume Set
Copyright © 1969. Publicado pela Beacon Hill Press of Kansas City, uma divisão da Nazarene Publishing House, Kansas City, Missouri 64109, EUA.

Edição brasileira publicada sob acordo com a Nazarene Publishing House.

Tradução deste volume: Luís Aron de Macedo
Preparação de originais e revisão: Reginaldo de Souza
Capa e projeto gráfico: Rafael Paixão
Editoração: Joede Bezerra

CDD: 220 - Bíblia
ISBN: 978-85-263-1140-4 (Brochura)
ISBN: 978-85-263-1479-5 (Capa Dura)

Para maiores informações sobre livros, revistas, periódicos e os últimos lançamentos da CPAD, visite nosso site: https://www.cpad.com.br

Casa Publicadora das Assembleias de Deus
Av. Brasil, 34.401, Bangu, Rio de Janeiro – RJ
CEP 21.852-002

8ª impressão 2024 - Tiragem: 2.000 (Brochura)
8ª impressão 2022 - Tiragem: 1.000 (Capa Dura)
Impresso no Brasil

BEACON HILL PRESS

COMISSÃO EDITORIAL

A. F. Harper, Ph.D., D.D.
Presidente

W. M. Greathouse, M.A., D.D.
Secretário

W. T. Purkiser, Ph.D., D.D.
Editor do Antigo Testamento

Ralph Earle, B.D., M.A., Th.D.
Editor do Novo Testamento

CORPO CONSULTIVO

E. S. Phillips
Presidente

J. Fred Parker
Secretário

G. B. Williamson
A. F. Harper
Norman R. Oke
M. A. Lunn

EDIÇÃO BRASILEIRA

DIREÇÃO-GERAL
Ronaldo Rodrigues de Souza
Diretor-Executivo da CPAD

SUPERVISÃO EDITORIAL
Claudionor de Andrade
Gerente de Publicações

COORDENAÇÃO EDITORIAL
Isael de Araujo
*Chefe do Setor de Bíblias
e Obras Especiais*

Prefácio

"Toda Escritura divinamente inspirada é proveitosa para ensinar, para redargüir, para corrigir, para instruir em justiça, para que o homem de Deus seja perfeito e perfeitamente instruído para toda boa obra" (2 Tm 3.16,17).

Cremos na inspiração plenária da Bíblia. Deus fala com os homens pela Palavra. Ele fala conosco pelo Filho. Mas sem a palavra escrita como saberíamos que o Verbo (ou Palavra) se fez carne? Ele fala conosco pelo Espírito, mas o Espírito usa a Palavra escrita como veículo de revelação, pois Ele é o verdadeiro Autor das Santas Escrituras. O que o Espírito revela está de acordo com a Palavra.

A fé cristã deriva da Bíblia. Esta é o fundamento da fé, da salvação e da santificação. É o guia do caráter e conduta cristãos. "Lâmpada para os meus pés é tua palavra e luz, para o meu caminho" (Sl 119.105).

A revelação de Deus e sua vontade para os homens são adequadas e completas na Bíblia. A grande tarefa da igreja é comunicar o conhecimento da Palavra, iluminar os olhos do entendimento e despertar e aclarar a consciência para que os homens aprendam a viver "neste presente século sóbria, justa e piamente". Este processo conduz à posse da "herança [que é] incorruptível, incontaminável e que se não pode murchar, guardada nos céus" (Tt 2.12; 1 Pe 1.4).

Quando consideramos a tradução e a interpretação da Bíblia, admitimos que somos guiados por homens que não são inspirados. A limitação humana, como também o fato inconteste de que nenhuma escritura é de particular interpretação, ou seja, não tem uma única interpretação, permite variação na exegese e exposição da Bíblia.

O *Comentário Bíblico Beacon* (CBB) é oferecido em dez volumes com a apropriada modéstia. Não suplanta outros. Nem pretende ser exaustivo ou conclusivo. O empreendimento é colossal. Quarenta dos escritores mais capazes foram incumbidos dessa tarefa. São pessoas treinadas com propósito sério, dedicação sincera e devoção suprema. Os patrocinadores e editores, bem como todos os colaboradores, oram com fervor para que esta nova contribuição entre os comentários da Bíblia seja útil a pregadores, professores e leigos na descoberta do significado mais profundo da Palavra de Deus e na revelação de sua mensagem a todos que a ouvirem.

— G. B. Williamson

Agradecimentos

Somos gratos pela permissão para citar material protegido por direitos autorais, cuja relação apresentamos a seguir:

- Abingdon Press, *The Interpreter's Bible*, editado por George A. Buttrick, *et al.*, Volumes 1 e 2; e *The Interpreter's Dictionary of the Bible*, editado por George A. Buttrick, *et al.*
- John Knox Press, *The Layman's Bible Commentary*, editado por Balmer H. Kelly, *et al.*
- Moody Press, *The Wycliffe Bible Commentary*, editado por Charles F. Pfeiffer e Everett F. Harrison.
- Fleming H. Revell Company, *An Exposition of the Whole Bible*, de G. Campbell Morgan; *The Book of Leviticus*, de Charles R. Erdman.
- Soncino Press, *The Pentateuch and Haftorahs*, editado por J. H. Hertz.

O *Comentário Bíblico Beacon* (CBB) cita as seguintes versões bíblicas inglesas protegidas por direitos autorais:

- *The Amplified Old Testament*. Copyright 1964, Zondervan Publishing House.
- *The Berkeley Version in Modern English*. Copyright 1958, 1959, Zondervan Publishing House.
- *The Bible: A New Translation*, James Moffatt. Copyright 1950, 1952, 1953, 1954 de James A. R. Moffatt. Usado com a permissão de Harper & Row.
- *The Bible: An American Translation*, J. M. Powis Smith, Edgar J. Goodspeed. Copyright 1923, 1927, 1948 de The University of Chicago Press.
- *Revised Standard Version of the Holy Bible*. Copyright 1946 e 1952 pela Division of Christian Education of the National Council of Churches.
- *The Basic Bible: Containing the Old and New Testaments in Basic English*. Copyright 1950 de E. P. Dutton & Company, Incorporated.

Citações e Referências

O tipo negrito na exposição de todo este comentário indica a citação bíblica extraída da versão feita por João Ferreira de Almeida, edição de 1995, Revista e Corrigida (RC). Referências a outras versões bíblicas são colocadas entre aspas seguidas pela indicação da versão.

Nas referências bíblicas, uma letra (a, b, c, etc.) designa parte de frase dentro do versículo. Quando nenhum livro é citado, compreende-se que se refere ao livro sob análise.

Dados bibliográficos sobre uma obra citada por um escritor podem ser encontrados consultando a primeira referência que o autor fez à obra ou reportando-se à bibliografia.

As bibliografias não têm a pretensão de serem exaustivas, mas são incluídas para fornecer dados de publicação completos para os volumes citados no texto.

Referências a autores no texto ou a inclusão de seus livros na bibliografia não constitui endosso de suas opiniões. Toda a leitura no campo da interpretação bíblica deve ter característica discriminadora e ser feita de modo reflexivo.

Como Usar o Comentário Bíblico Beacon

A Bíblia é um livro para ser lido, entendido, obedecido e compartilhado com as pessoas. O *Comentário Bíblico Beacon* (CBB) foi planejado para auxiliar dois destes quatro itens: o entendimento e o compartilhamento.

Na maioria dos casos, a Bíblia é sua melhor intérprete. Quem a lê com a mente aberta e espírito receptivo se conscientiza de que, por suas páginas, Deus está falando com *o indivíduo* que a lê. Um comentário serve como valioso recurso quando o significado de uma passagem não está claro sequer para o leitor atento. Mesmo depois de a pessoa ter visto seu particular significado em determinada passagem da Bíblia, é recompensador descobrir que outros estudiosos chegaram a interpretações diferentes no mesmo texto. Por vezes, esta prática corrige possíveis concepções errôneas que o leitor tenha formado.

O *Comentário Bíblico Beacon* (CBB) foi escrito para ser usado com a Bíblia em mãos. Muitos comentários importantes imprimem o texto bíblico ao longo das suas páginas. Os editores se posicionaram contra esta prática, acreditando que o usuário comum tem sua compreensão pessoal da Bíblia e, por conseguinte, traz em mente a passagem na qual está interessado. Outrossim, ele tem a Bíblia ao alcance para checar qualquer referência citada nos comentários. Imprimir o texto integral da Bíblia em uma obra deste porte teria ocupado aproximadamente um terço do espaço. Os editores resolveram dedicar este espaço a recursos adicionais para o leitor. Ao mesmo tempo, os escritores enriqueceram seus comentários com tantas citações das passagens em debate que o leitor mantém contato mental fácil e constante com as palavras da Bíblia. Estas palavras citadas estão impressas em tipo negrito para pronta identificação.

Esclarecimento de Passagens Relacionadas

A Bíblia é sua melhor intérprete quando determinado capítulo ou trecho mais longo é lido para descobrir-se o seu significado. Este livro também é seu melhor intérprete quando o leitor souber o que a Bíblia diz em outros lugares sobre o assunto em consideração. Os escritores e editores do *Comentário Bíblico Beacon* (CBB) se esforçaram continuamente para proporcionar o máximo de ajuda neste campo. Referências cruzadas, relacionadas e cuidadosamente selecionadas, foram incluídas para que o leitor encontre a Bíblia interpretada e ilustrada pela própria Bíblia.

Tratamento dos Parágrafos

A verdade da Bíblia é melhor compreendida quando seguimos o pensamento do escritor em sua seqüência e conexões. As divisões em versículos com que estamos familiarizados foram introduzidas tardiamente na Bíblia (no século XVI, para o Novo Testamento, e no século XVII, para o Antigo Testamento). As divisões foram feitas às pressas e, por vezes, não acompanham o padrão de pensamento dos escritores inspirados. O mesmo é verdadeiro acerca das divisões em capítulos. A maioria das traduções de hoje organiza as palavras dos escritores bíblicos de acordo com a estrutura de parágrafo conhecida pelos usuários da língua portuguesa.

Os escritores deste comentário consideraram a tarefa de comentar de acordo com este arranjo de parágrafo. Sempre tentaram responder a pergunta: O que o escritor inspirado estava dizendo nesta passagem? Os números dos versículos foram mantidos para facilitar a identificação, mas os significados básicos foram esboçados e interpretados nas formas mais amplas e mais completas de pensamento.

Introdução dos Livros da Bíblia

A Bíblia é um livro aberto para quem a lê refletidamente. Mas é entendida com mais facilidade quando obtemos um maior entendimento de suas origens humanas. Quem escreveu este livro? Onde foi escrito? Quando viveu o escritor? Quais foram as circunstâncias que o levaram a escrever? Respostas a estas perguntas sempre acrescentam mais compreensão às palavras das Escrituras.

Estas respostas são encontradas nas introduções. Nesta parte há um esboço de cada livro. A Introdução foi escrita para dar-lhe uma visão geral do livro em estudo, fornecer-lhe um roteiro seguro antes de você enfronhar-se no texto comentado e proporcionar-lhe um ponto de referência quando você estiver indeciso quanto a que caminho tomar. Não ignore o sinal de advertência: "Ver Introdução". Ao final do comentário de cada livro há uma bibliografia para aprofundamento do estudo.

Mapas, Diagramas e Ilustrações

A Bíblia trata de pessoas que viveram em terras distantes e estranhas para a maioria dos leitores dos dias atuais. Entender melhor a Bíblia depende, muitas vezes, de conhecer melhor a geografia bíblica. Quando aparecer o sinal: "Ver Mapa", você deve consultar o mapa indicado para entender melhor os locais, as distâncias e a coordenação de tempo relacionados com a época das experiências das pessoas com quem Deus estava lidando.

Este conhecimento da geografia bíblica o ajudará a ser um melhor pregador e professor da Bíblia. Até na apresentação mais formal de um sermão é importante a congregação saber que a fuga para o Egito era "uma viagem a pé, de uns 320 quilômetros, em direção sudoeste". Nos grupos informais e menores, como classes de escola dominical e estudos bíblicos em reuniões de oração, um grande mapa em sala de aula permite o grupo ver os lugares tanto quanto ouvi-los ser mencionados. Quando vir estes lugares nos mapas deste comentário, você estará mais bem preparado para compartilhar a informação com os integrantes da sua classe de estudo bíblico.

Diagramas que listam fatos bíblicos em forma de tabela e ilustrações lançam luz sobre as relações históricas da mesma forma que os mapas ajudam com o entendimento geográfico. Ver uma lista ordenada dos reis de Judá ou das aparições pós-ressurreição de Jesus proporciona maior entendimento de um item em particular dentro de uma série. Estes diagramas fazem parte dos recursos oferecidos nesta coleção de comentários.

O *Comentário Bíblico Beacon* (CBB) foi escrito tanto para o recém-chegado ao estudo da Bíblia como para quem há muito está familiarizado com a Palavra escrita. Os escritores e editores examinaram cada um dos capítulos, versículos, frases, parágrafos e palavras da Bíblia. O exame foi feito com a pergunta em mente: O que significam estas palavras? Se a resposta não é evidente por si mesma, incumbimo-nos de dar a melhor explicação conhecida por nós. Como nos saímos o leitor julgará, mas o convidamos a ler a explanação dessas palavras ou passagens que podem confundi-lo em sua leitura da Palavra escrita de Deus.

EXEGESE E EXPOSIÇÃO

Os comentaristas bíblicos usam estas palavras para descrever dois modos de elucidar o significado de uma passagem da Bíblia. *Exegese* é o estudo do original hebraico ou grego para entender que significados tinham as palavras quando foram usadas pelos homens e mulheres dos tempos bíblicos. Saber o significado das palavras isoladas, como também a relação gramatical que mantinham umas com as outras, serve para compreender melhor o que o escritor inspirado quis dizer. Você encontrará neste comentário esse tipo de ajuda enriquecedora. Mas só o estudo da palavra nem sempre revela o verdadeiro significado do texto bíblico.

Exposição é o esforço do comentarista em mostrar o significado de uma passagem na medida em que é afetado por qualquer um dos diversos fatos familiares ao escritor, mas, talvez, pouco conhecidos pelo leitor. Estes fatos podem ser: 1) O contexto (os versículos ou capítulos adjacentes), 2) o pano de fundo histórico, 3) o ensino relacionado com outras partes da Bíblia, 4) a significação destas mensagens de Deus conforme se relacionam com os fatos universais da vida humana, 5) a relevância destas verdades para as situações humanas exclusivas à nossa contemporaneidade. O comentarista busca explicar o significado pleno da passagem bíblica sob a luz do que melhor compreende a respeito de Deus, do homem e do mundo atual.

Certos comentários separam a exegese desta base mais ampla de explicação. No *Comentário Bíblico Beacon* (CBB) os escritores combinaram a exegese e a exposição. Estudos cuidadosos das palavras são indispensáveis para uma compreensão correta da Bíblia. Mas hoje, tais estudos minuciosos estão tão completamente refletidos em várias traduções atuais que, muitas vezes, não são necessários, exceto para aumentar o entendimento do significado teológico de certa passagem. Os escritores e editores desta obra procuraram espelhar uma exegese verdadeira e precisa em cada ponto, mas discussões exegéticas específicas são introduzidas primariamente para proporcionar maior esclarecimento no significado de determinada passagem, em vez de servir para engajar-se em discussão erudita.

A Bíblia é um livro prático. Cremos que Deus inspirou os homens santos de antigamente a declarar estas verdades, para que os leitores melhor entendessem e fizessem a vontade de Deus. O *Comentário Bíblico Beacon* (CBB) tem a incumbência primordial de ajudar as pessoas a serem mais bem-sucedidas em encontrar a vontade de Deus conforme revelada nas Escrituras — descobrir esta vontade e agir de acordo com este conhecimento.

Ajudas para a Pregação e o Ensino da Bíblia

Já dissemos que a Bíblia é um livro para ser compartilhado. Desde o século I, os pregadores e professores cristãos buscam transmitir a mensagem do evangelho lendo e explicando passagens seletas da Bíblia. O *Comentário Bíblico Beacon* (CBB) procura incentivar este tipo de pregação e ensino expositivos. Esta coleção de comentários contém mais de mil sumários de esboços expositivos que foram usados por excelentes pregadores e mestres da Bíblia. Escritores e editores contribuíram ou selecionaram estas sugestões homiléticas. Esperamos que os esboços indiquem modos nos quais o leitor deseje expor a Palavra de Deus à classe bíblica ou à congregação. Algumas destas análises de passagens para pregação são contribuições de nossos contemporâneos. Quando há esboços em forma impressa, dão-se os autores e referências para que o leitor vá à fonte original em busca de mais ajuda.

Na Bíblia encontramos a verdade absoluta. Ela nos apresenta, por inspiração divina, a vontade de Deus para nossa vida. Oferece-nos orientação segura em todas as coisas necessárias para nossa relação com Deus e, segundo sua orientação, para com nosso semelhante. Pelo fato de estas verdades eternas nos terem chegado em língua humana e por mentes humanas, elas precisam ser colocadas em palavras atuais de acordo com a mudança da língua e segundo a modificação dos padrões de pensamento. No *Comentário Bíblico Beacon* (CBB) nos empenhamos em tornar a Bíblia uma lâmpada mais eficiente para os caminhos das pessoas que vivem no presente século.

A. F. Harper

Abreviaturas Usadas neste Comentário

ARA — Almeida, Revista e Atualizada
ASV — American Standard Revised Version*
ATA — Antigo Testamento Amplificado*
BA — Bíblia Amplificada*
BBE — The Basic Bible Containing the Old and New Testaments in Basic English*
CBB — Comentário Bíblico Beacon
CWB — Commentary on the Whole Bible*
ERV — English Revised Version*
IB — Interpreter's Bible*
ICC — The International Critical Commentary*
IDB — The Interpreter's Dictionary of the Bible*
LXX — Septuaginta
NBC — The New Bible Commentary*
NBD — The New Bible Dictionary*
NTLH — Nova Tradução na Linguagem de Hoje
NVI — Nova Versão Internacional
PC — The Pulpit Commentary*
RSV — Revised Standard Version*
TDNT — Theological Dictionary of the New Testament*
VBB — Versão Bíblica de Berkeley*

* Neste caso, a tradução do conteúdo destas obras foi feita pelo tradutor desde comentário. (N. do T.)

a.C. — antes de Cristo
cap. — capítulo
caps. — capítulos
cf. — confira, compare
d.C. — depois de Cristo
e.g. — por exemplo
ed. cit. — edição citada
esp. — especialmente, sobretudo
et al. — e outros
gr. — grego
hb. — hebraico
i.e. — isto é
ib. — na mesma obra, capítulo ou página

lit. — literalmente
N. do E. — Nota do Editor
N. do T. — Nota do Tradutor
op. cit. — obra citada
p. — página
pp. — páginas
s. — e o seguinte (versículo ou página)
ss. — e os seguintes (versículos ou páginas)
tb. — também
v. — versículo
ver — veja
vv. — versículos

Sumário

VOLUME 1

O PENTATEUCO	19
GÊNESIS	23
Introdução	25
Comentário	31
Notas	128
Bibliografia	132
ÊXODO	135
Introdução	137
Comentário	140
Notas	240
Bibliografia	248
LEVÍTICO	251
Introdução	253
Comentário	258
Notas	315
Bibliografia	318
NÚMEROS	321
Introdução	323
Comentário	327
Notas	397
Bibliografia	406
DEUTERONÔMIO	409
Introdução	411
Comentário	415
Notas	494
Bibliografia	501
MAPAS, DIAGRAMAS E ILUSTRAÇÕES	504
Autores deste volume	511

O Pentateuco

A Bíblia começa com um grupo de cinco livros de importância capital. Conhecemo-los como "Pentateuco", palavra derivada de um termo grego que significa "livro de cinco partes". Desde os primórdios, Gênesis, Êxodo, Levítico, Números e Deuteronômio são reconhecidos como o cerne do cânon do Antigo Testamento.

O Pentateuco é a primeira das três divisões principais da Bíblia dos hebreus. É conhecido por *Torá* ou Lei, termo que também inclui a idéia de "ensino, instrução ou orientação".

A própria Bíblia descreve a Torá (ou porções dela) como "neste livro da Lei" (Dt 29.21; 30.10); "este livro da Lei" (Dt 31.26); "livro desta Lei" (Dt 28.61; Js 1.8); "livro da Lei de Moisés" (Js 8.31; 23.6; 2 Rs 14.6), que são expressões equivalentes a "livro da Lei" (Js 8.34) ou "livro de Moisés" (2 Cr 35.4).

O título "livro da Lei do SENHOR" (2 Cr 17.9) era usado no tempo do rei Josafá para ensinar o povo. O rolo de papel descoberto pelo sacerdote Hilquias no Templo é descrito como "livro da Lei" (2 Rs 22.8,11), "livro do concerto" (2 Rs 23.2,21; 2 Cr 34.30), "livro da Lei do SENHOR, dada pelas mãos de Moisés" (2 Cr 34.14) e "livro de Moisés" (2 Cr 35.12).

O texto de Esdras 6.18 fala do "livro de Moisés". "Livro da Lei de Moisés", "livro da Lei", "livro da Lei de Deus", "livro, na Lei de Deus" e "livro da Lei do SENHOR, seu Deus" são expressões usadas nas passagens paralelas de Neemias 8.1,3,8,18 e 9.3. Os dizeres de Neemias 13.1 identificam que o trecho de Deuteronômio 23.3-5 é proveniente do "livro de Moisés". O nome "Lei de Moisés" é mencionado em 1 Reis 2.3 e Daniel 9.13.

O Novo Testamento alude igualmente a "livro de Moisés" (Mc 12.26) e "lei de Moisés" (1 Co 9.9) e atribui mandamentos e declarações autorizados a Moisés (Mt 19.7; 22.24; Mc 7.10; 10.3; At 3.22; Rm 9.15; 10.19). Há também numerosas referências no Novo Testamento à "lei" como um tribunal de apelação final.

Conteúdo e Forma

Os livros do Pentateuco contêm vários tipos diferentes de material. Há história (Gênesis), legislação (Êxodo), ritual (Levítico), governo (Números) e retórica (Deuteronômio) com muitas combinações e sobreposições de tipos literários. O registro histórico abrange um tremendo período de tempo — da criação do mundo à morte de Moisés, intervalo mais longo que todas as demais histórias bíblicas juntas.

O fato de cada um dos cinco livros da lei ser uma unidade literária mostra-se por terem sido originariamente preparados como livros distintos e pelo fato de cada um ter quase o comprimento máximo possível de ser acondicionado em um antigo rolo de papel. Os livros estão obviamente relacionados em continuidade de seqüência histórica e por sua ordem necessária. Depois do Gênesis, cada livro pressupõe aquele ou aqueles que o precedem.

Autoria

O problema da autoria dos livros do Pentateuco é complexo. No próprio texto bíblico, estes livros são anônimos e não contêm nada que indique a autoria de qualquer um deles. A antiga tradição judaico-cristã credita-os em sua totalidade a Moisés. Os próprios livros atribuem partes de Êxodo e Números, e grande parte de Deuteronômio, diretamente à autoria de Moisés, e os estudiosos conservadores não encontram razão para questionar tais declarações (Êx 24.4; 34.28; Nm 33.2; Dt 1.1; 4.44; 5.1; 27.1; 29.1; 31.1,9,22,30; 32.44; 33.1).

Por outro lado, o texto nas referências citadas acima faz diferença entre o que Moisés escreveu ou falou e o que foi escrito sobre ele. Há também alguns elementos não-mosaicos que uma leitura atenta torna evidente. As palavras de Gênesis 14.14 contêm o nome "Dã" para referir-se ao lugar até aonde Abraão perseguiu os cinco reis que tinham invadido Sodoma. Este nome foi dado somente no tempo dos juízes (Jz 18.29), o que implica que este versículo foi escrito (ou editado) depois do tempo de Moisés.

Gênesis 36.31 fala dos reis de Edom que reinaram "antes que reinasse rei algum sobre os filhos de Israel", palavras que indicam tempo de escrita posterior à coroação de Saul (1 Sm 8.5ss.).

A descrição do trabalho de Moisés em Êxodo, Levítico e Números está na terceira pessoa, muito diferente da narrativa registrada em primeira pessoa nos discursos de Moisés em Deuteronômio. Há duas homenagens bem merecidas feitas ao grande legislador que devem ter sido escritas por outra pessoa. A primeira está registrada em Êxodo 11.3: "Também o varão Moisés era mui grande na terra do Egito", e a outra em Números 12.3: "Era o varão Moisés mui manso, mais do que todos os homens que havia sobre a terra".

As palavras de Êxodo 16.35: "E comeram os filhos de Israel maná quarenta anos, até que entraram em terra habitada; comeram maná até que chegaram aos termos da terra de Canaã", só poderiam ter sido escritas depois da morte de Moisés e do cruzamento do rio Jordão (Js 5.10-12), visto que o ato de comer o maná é narrado no tempo passado.

O texto de Números 21.14,15 faz citações do "livro das Guerras do SENHOR". Este era compreensivelmente um livro de poesia que descrevia os atos de Deus em prol do seu povo durante os anos de peregrinação no deserto. Nada é conhecido fora desta alusão. Pode ter sido um dos escritos do próprio Moisés.

O trecho de Números 32.34-42 descreve as cidades construídas pelas tribos de Rúben, Gade e Manassés no território que receberam no lado oriental do rio Jordão. Eles não possuíram este território senão depois da conquista de Canaã, na qual tiveram grande participação (Js 22.1-9).

Deuteronômio 2.10-12,20-23 são passagens parentéticas acrescentadas posteriormente para explicar o significado de termos e condições que já não estavam em voga. O relato da morte de Moisés em Deuteronômio 34.1-12 foi escrito aparentemente depois do surgimento dos profetas (Dt 32.10), durante os dias de Samuel.

Citações em outros lugares da Bíblia ao que Moisés escreveu remontam ao Livro de Deuteronômio, com a possível exceção de Esdras 6.18, que determina passagens de Números ao "livro de Moisés"; e de Marcos 12.26, que cita o "livro de Moisés" para aludir à narrativa que Êxodo faz da chamada de Moisés na sarça ardente. Nestas referências, é ao menos possível que a expressão "livro de Moisés" signifique "livro sobre Moisés" ou "livro baseado na autoridade de Moisés". Por exemplo, 1 e 2 Samuel são nomeados conforme o nome deste grande profeta, embora sua morte seja registrada em 1 Samuel 25.1, muitos anos antes de ocorrerem os eventos de 2 Samuel.

Considerações como estas, em vez das reavaliações da moderna crítica literária e histórica, levam os estudiosos conservadores às precauções sensatas expressas pelo Prof. G. Aalders na sua marcante obra, *A Short Introduction to the Pentateuch* (Breve Introdução ao Pentateuco). O importante é o reconhecimento da autenticidade e integridade desta porção tão significativa da Palavra de Deus.

O consenso da tradição bíblica estabelece a certeza da autoridade mosaica do Pentateuco. Quando este fato é distintamente reconhecido, a questão quanto a quem de fato escreveu os livros pode ser deixada com segurança onde Orígenes deixou o problema da autoria de *Hebreus*: "Só Deus sabe".

Estudantes interessados encontrarão a posição conservadora firmemente declarada no livro do Prof. Aalders mencionado acima (Chicago: InterVarsity Christian Fellowship, s.d.); Oswald T. Allis, *The Five Books of Moses* (Filadélfia: The Presbyterian and Reformed Publishing Company, 1949); David A. Hubbard, "Pentateuch", *The New Bible Dictionary*, editado por J. D. Douglas (Londres: InterVarsity Fellowship, 1962), pp. 957-964; como também no breve exame feito por Aalders em "The Historical Literature of the Old Testament", *The New Bible Commentary*, editado por Francis Davidson (Grand Rapids: William B. Eerdmans Publishing Company, 1956), pp. 31-34.

W. T. Purkiser

O Livro de
GÊNESIS

George Herbert Livingston, B.D., Ph.D.

Introdução

A. Título

No Antigo Testamento hebraico, a primeira palavra do texto, *bereshit*, "no princípio", serve de título para o livro de Gênesis. Tomar a primeira frase ou palavra de uma obra literária para denominá-la era prática comum no antigo Oriente Próximo. A tradução grega chamada Septuaginta (LXX) toscamente igualou este termo de abertura com a palavra *gênesis*, que significa "origem ou fonte". A palavra grega permaneceu em nossas versões bíblicas, porque descreve notavelmente bem o conteúdo do livro. É o livro dos começos: o começo do universo, do homem, do pecado, da salvação, da nação hebraica, da aliança com os homens.

Martinho Lutero foi o primeiro a anexar ao título antigo a frase: "O Primeiro Livro de Moisés", mantida na maioria das versões bíblicas. Lutero a considerou apropriada visto que o Livro de Gênesis é o primeiro dos livros do Pentateuco e Moisés fora tradicionalmente considerado o autor de todos os cinco livros.

B. Autoria

Uma breve discussão da autoria não faz justiça à massa de literatura sobre o assunto nem à complexidade dos problemas. A controvérsia gira em torno da questão se o Livro de Gênesis, como o conhecemos em todos os manuscritos existentes, foi produto de Moisés e seu tempo ou de escritores desconhecidos em uma época muito posterior. Ao longo dos últimos dois séculos, os estudiosos se dividem entre os que aceitam a autoria ou autoridade mosaica e os que consideram que o material do Livro de Gênesis é trabalho de muitos "autores" desconhecidos (ver análise em "O Pentateuco").

O texto do livro não menciona o nome de Moisés e, como dito anteriormente, foi Lutero (1483-1546) quem juntou ao título a anotação sobre Moisés. Levando em conta que o derradeiro acontecimento narrado em Gênesis ocorre muito tempo antes dos dias de Moisés, os estudiosos ortodoxos defendem que ele modelou o material antigo em sua forma atual. Esta opinião se baseia principalmente nas seguintes evidências internas: a) nos outros quatro livros do Pentateuco, no sentido de que vieram de Moisés ou pelo menos do seu tempo de vida e sob sua direção; b) no restante do Antigo Testamento, o qual liga a Moisés o conteúdo de todo o Pentateuco; e c) no Novo Testamento, que afirma serem os livros do Pentateuco (principalmente Deuteronômio) da autoria de Moisés.

C. Data e Composição

Estes itens estão estreitamente relacionados com a discussão da autoria, portanto, todos os três devem, de certo modo, ser tratados juntos.

Atribui-se a Johann Eichhorn, professor na Universidade de Iena, Alemanha, em fins do século XVIII, a rejeição da amplamente aceita autoria mosaica do Pentateuco. Ele fundamentou seus argumentos em duas supostas fontes para o Livro de Gênesis rotuladas de *J*, para aludir a Jeová, e *E*, para Elohim, as quais, segundo ele, vieram a existir depois do tempo de Moisés. Na verdade, esta análise de fonte foi feita pela primeira vez por uma médica francesa, Jean Astruc, várias décadas antes de Eichhorn. Nos primeiros três quartos do século XIX, os professores alemães discutiam se havia muitas fontes, duas fontes ou apenas uma fonte para o Livro de Gênesis. Eles dataram estas fontes ao longo de todo o tempo entre Salomão e Esdras. Usando como indícios a ocorrência de diversos nomes divinos, as diferenças de vocabulário e a suposta divergência de pontos de vista teológicos, a controvérsia predominou entre uma história de composição fragmentada e uma unidade básica em construção.

Julius Wellhausen[1] foi o primeiro a popularizar com êxito a idéia de três fontes principais em Gênesis: *J* (fonte jeovista), *E* (fonte eloísta) e *P* (fonte sacerdotal ["p" de *Priestercodex*]). A fonte *J* era datada do século IX a.C.; a *E* era datada do século VIII a.C.; e a *P* era datada do século V a.C. Esta visão se tornou padrão entre seus seguidores e altamente popular nos círculos protestantes e judaicos em todo o mundo ocidental. A Igreja Católica Romana reagiu negativamente à teoria.

Hermann Gunkel[2] procurou estender-se sobre a posição de Wellhausen examinando as formas literárias da antiga maneira de contar histórias conforme ilustrada em Gênesis. Ele concluiu que, antes de 1000 a.C., houve um longo período de transmissão oral de grande parte do conteúdo do Livro de Gênesis antes de ser solidificado nos denominados documentos *J*, *E* e *P*.

Em anos mais recentes, os estudiosos que rejeitam a autoria mosaica são mais favoráveis à idéia de um longo período de desenvolvimento da tradição oral em torno dos centros tribal e cultual, em vez da existência de fontes escritas. Otto Eissfeldt[3] foi o proponente principal desta abordagem. Houve também a tendência a considerar que o livro foi concluído nos tempos do exílio e que possui um caráter substancialmente mosaico. W. F. Albright defendeu esta posição.[4]

Os estudiosos conservadores consistentemente defendem que a teoria descrita acima é inaceitável, sendo incentivados pelo volume de evidências contrárias fornecidas pelos estudos no antigo Oriente Próximo. Com vigor renovado, insistem que evidências descobertas mais recentemente tornam possível e altamente provável a composição de Gênesis na época de Moisés. Vários manuscritos, inclusive o tipo alfabético, estavam em uso séculos antes dos dias de Moisés, produzindo-se uma grande quantidade de literatura, grande parte dela significativa para os estudos em Gênesis. Sabe-se hoje que a transmissão oral de recordações importantes, sobretudo as pertinentes à santidade, tem um grau de precisão não menos que espantosa.

Cada vez mais os estudiosos defendem que o conteúdo de Gênesis 1 a 11 deve ter entrado na coletânea de fatos e tradições hebraicas antes do tempo de Abraão. Atualmente, aceita-se que a orientação social, econômica e política das histórias dos patriarcas está solidamente arraigada no período de 2000 a 1500 a.C.[5] A única barreira tem a ver com a teologia. Há um reconhecimento crescente de que crenças monoteístas predominavam entre os hebreus nos dias de Moisés,[6] mas só os estudiosos conservadores ousam asseverar que o monoteísmo era desde o início a fé dos patriarcas.[7]

A questão se resolve em uma pergunta básica: Gênesis era mosaico ou uma miscelânea de composição e origem? Este comentário sustenta a posição conservadora de que Gênesis é mosaico em sua composição e data.

D. Estrutura

O Livro de Gênesis tem uma introdução (1.1—2.3) e dez divisões, cada uma das quais introduzida pela palavra hebraica *toledot* ("gerações, origens"), que os estudiosos admitem ter o significado de "história, conto ou relato" em vez de simplesmente genealogia. Estas divisões ocorrem em 2.4; 5.1; 6.9; 10.1; 11.10; 11.27; 25.12; 25.19; 36.1; 37.2. O livro também pode ser dividido em duas seções principais: a primeira de 1.1 a 11.26 e a segunda de 11.27 até o fim. A primeira destas divisões lida basicamente com as origens primevas, e a segunda, com o estabelecimento da relação de concerto de Deus com os antepassados do povo hebraico. Ou conforme G. C. Morgan,[8] as divisões podem ser vistas em três partes. A primeira divisão seria de 1.1 a 2.25, que se ocupa da geração; a segunda seria de 3.1 a 11.32, que lida com a degeneração; e a terceira seria de 12.1 a 50.26, que se centraliza na regeneração.

Depois do relato introdutório da criação, o livro se concentra fundamentalmente em homens importantes e seus descendentes. Estes homens são Adão, Noé, Abraão, Isaque, Jacó e José. Personagens de menor importância relacionados a estes indivíduos notáveis são tratados pelo simples alistamento de suas genealogias.

Em Gênesis, há um movimento seqüencial que passa do universal para o específico. A história da criação do universo concentra a atenção em Adão e sua esposa, Eva; depois se estende para traçar de modo incompleto o aumento dos seus descendentes pelas linhagens de Caim e de Sete. Tendo descrito vigorosamente a corrupção destes povos em 6.1-4, o relato anuncia a decisão do Todo-poderoso em puni-los por meio de um grandioso dilúvio, mas, ao mesmo tempo, salvar um remanescente dando proteção a Noé e sua família numa arca. Os descendentes de Noé também são apresentados no aumento numérico e na expansão via migração através de uma lista genealógica. Abraão vem em primeiro plano.

Geograficamente, os primeiros onze capítulos são direcionados ao vale mesopotâmico (ver Mapa 1). Depois da resposta de Abraão ao chamado de Deus para se mudar, as histórias relacionadas a ele estão centralizadas principalmente em Canaã (ver Mapa 2), com apenas algumas histórias ligadas ao Egito ou a sua antiga casa em Harã. Com exceção de ter uma esposa de Harã, Isaque é completamente limitado à vida em Canaã, mas Jacó passou vinte anos em Harã e os últimos anos de vida no Egito, embora na juventude e meia-idade estivesse em Canaã. Exceto por sua juventude, José passou seus anos de maturidade no Egito, parte numa prisão e parte como poderoso funcionário do governo.

E. Propósito e Mensagem

O propósito principal do Livro de Gênesis é mostrar como Deus escolheu o povo de Israel para ter uma relação de concerto com Ele. Essa escolha se revela na forma em que Ele lidou com os progenitores dos israelitas. Ainda que haja semelhanças notáveis entre outros escritos antigos e as histórias bíblicas da criação, da queda do homem e do dilúvio, o interesse bíblico na origem do universo é basicamente teológico. Seu empenho é declarar que todas as coisas procedem e são sustentadas por um Deus Criador. O politeísmo e suas nuanças são deliberadamente ignorados.

No Livro de Gênesis, o interesse na origem do homem e na origem do pecado diz respeito fundamentalmente à natureza do relacionamento entre o homem e Deus, tanto em sua comunhão original quanto em sua posterior oposição negativa e desobediente à vontade de Deus. O relacionamento original sempre é considerado como o ideal e a meta de todos os procedimentos futuros de Deus com o homem. As misericórdias de Deus são estendidas aos homens para que o relacionamento positivo seja restabelecido pela atividade salvadora de Deus, a qual é determinada num sistema de concerto. Os vislumbres da realização futura dos propósitos redentores de Deus são orientados para um grande cumprimento de uma reconciliação não só individual, mas também nacional, internacional e universal entre Deus e o homem. Por conseguinte, os temas messiânicos na parte final do Antigo Testamento e no Novo Testamento são encontrados em Gênesis.

Do ponto de vista teológico, o teor de Gênesis é inflexivelmente monoteísta. O paganismo não é abertamente questionado ou rejeitado; é amplamente ignorado. Gênesis descreve somente exemplos limitados da prática idólatra, os quais são repudiados indiretamente (como em Gênesis 22) ou diretamente (como em Gênesis 23). A análise racional e o ímpeto religioso do paganismo na Mesopotâmia, em Canaã e no Egito estão quase que totalmente ausentes.

O número limitado de temas religiosos e locuções literárias, que são encontrados tanto na antiga literatura mesopotâmica quanto no material em Gênesis, é incidental para os principais destaques das histórias de Gênesis. Eles tiveram sua importância largamente sobreestimada por alguns estudiosos do Antigo Testamento.

O Livro de Gênesis desafia a validade do politeísmo, do dualismo, do deísmo e do panteísmo, não pela análise negativa de suas fraquezas, mas pela afirmação positiva da unidade, soberania e realidade pessoal divina. Em Gênesis, há a apresentação das qualidades pessoais e dinâmicas da relação divino-humana dentro do concerto, sobretudo na forma narrativa e, secundariamente, por meio de resumos genealógicos.

Esboço

I. CRISES INDIVIDUAIS E DECADÊNCIA COLETIVA, 1.1—11.26

    A. O Criador em Ação, 1.1—2.3
    B. O Criador em Relação à Criação, 2.4—3.24
    C. O Assassinato e Seu Resultado, 4.1-24
    D. A Expansão de um Novo Começo, 4.25—6.8
    E. A Corrupção Universal e Seu Resultado, 6.9—11.26

II. ABRAÃO, O HOMEM QUE DEUS ESCOLHEU, 11.27—25.11

    A. As Relações da Família de Tera, 11.27-32
    B. Estrangeiro em Nova Terra, 12.1—14.24
    C. O Concerto de Deus com Abraão, 15.1—17.27
    D. A Espera pelo Verdadeiro Filho, 18.1—20.18
    E. Antigas Lealdades Testadas, 21.1—22.19
    F. Assumindo Responsabilidades por Outros, 22.20—25.11

III. ISMAEL, O HOMEM QUE DEUS SEPAROU, 25.12-18

IV. ISAQUE, O HOMEM CUJA VIDA DEUS POUPOU, 25.19—28.9

    A. Um Guisado em troca do Direito de Primogenitura, 25.19-34
    B. O Procedimento de Isaque com seus Vizinhos, 26.1-33
    C. Isaque e sua Família, 26.34—28.9

V. JACÓ, O HOMEM QUE DEUS REFEZ, 28.10—35.29

    A. Confrontado por Deus, 28.10-22
    B. Amor Frustrado não Morre, 29.1-30
    C. Dolorosa Competição, 29.31—30.24
    D. Pastores Inteligentes, 30.25—31.55
    E. Profunda Crise Espiritual, 32.1-32
    F. Irmãos Conciliados, 33.1-17
    G. Tragédia em Siquém, 33.18—34.31
    H. O Concerto Renovado em Betel, 35.1-15
    I. Viagem Toldada pela Tristeza, 35.16-29

VI. ESAÚ, O HOMEM QUE ACEITOU DE VOLTA SEU IRMÃO, 36.1-43

    A. As Esposas de Esaú e seus Filhos, 36.1-8
    B. Os Filhos e Netos de Esaú, 36.9-14
    C. A Proeminência dos Descendentes de Esaú, 36.15-19
    D. Os Filhos dos Moradores das Cavernas, 36.20-30
    E. Os Reis de Edom, 36.31-39
    F. As Regiões onde os Edomitas Habitavam, 36.40-43

VII. José, o Homem que Deus Protegeu, 37.1—50.26
    A. Vendido como Escravo, 37.1-36
    B. A Frouxidão Moral de Judá, 38.1-30
    C. As Provações de José no Egito, 39.1—40.23
    D. A Dramática Ascensão de José ao Poder, 41.1-57
    E. Problemas Misteriosos no Egito, 42.1—45.28
    F. O Novo Lar no Egito, 46.1—47.31
    G. Visões do Futuro, 48.1—50.26

Seção I

CRISES INDIVIDUAIS E DECADÊNCIA COLETIVA

Gênesis 1.1—11.26

Em uma série de histórias e genealogias altamente condensada, esta seção do livro trata da origem do universo, da origem da ordem nesta terra, da origem da vida, da origem do homem, da origem do pecado, da violência e desordem, e da origem das diferenças nacionais e lingüísticas.

A. O Criador em Ação, 1.1—2.3

Pela brevidade e beleza da composição e do estilo, esta vinheta sobre a criação é inigualável. O Deus-Criador domina a cena. Ele fala e imediatamente se forma a ordem, proporcionando um belo lugar de habitação e de abundantes suprimentos para a criação mais sublime de todas: o homem. Majestade e poder marcam cada sentença.

1. *O Ato Inicial* (1.1,2)

Em resposta à pergunta "Quem fez todas as coisas?", a Bíblia declara ousadamente: **Deus... criou** (1). Em resposta à pergunta "Quem é anterior e maior que todas as coisas?", com igual ousadia a Bíblia anuncia: **No princípio... Deus**.[1] O céu e a terra não são Deus nem deuses; nem é Deus igual à natureza. Deus é o Criador e a natureza é seu trabalho manual.

Embora feita por Deus, a terra não estava pronta para o homem. Ainda estava em desordem, **sem forma e vazia** (2), e não havia luz. Contudo, havia atividade. **O Espírito de Deus** se movia continuamente sobre a face **das águas**.

2. O Dia da Luz e das Trevas (1.3-5)

Energia é necessidade vital para o hábitat do homem, e luz é energia. Por conseguinte, a primeira ordem de Deus foi: **Haja luz** (3). A ênfase na palavra falada de Deus é tão grande que cada dia criativo começa com uma ordem ou expressão da vontade divina.[2] Em seguida, ocorre a execução da ordem e a declaração culminante: **Era bom** ou equivalente (*e.g.*, 4,10,18).

3. O Dia das Águas Divididas (1.6-8)

As águas foram separadas, e acima da terra havia uma **expansão** (6). A palavra *expansão* ou *firmamento* transmite a idéia de solidez.[3] Contudo, a ênfase na palavra hebraica original *raqia* não está no material em si, mas no ato de expandir-se ou na condição de estar expandido. Por isso, a palavra "expansão" é muito apropriada.

Em diversos lugares do Antigo Testamento, o ato de estender os céus é proeminente (ver Jó 9.8; 26.7; Sl 104:2; Is 45.12; 51.13; Jr 51.15; Zc 12.1). A evidência de que Deus é o Criador acha-se no ato de estender e não no caráter do que foi formado.[4] Ao longo do Antigo Testamento, o interesse se centraliza nas relações de Deus com a natureza e o homem. Deus é o Criador, e a partir desta declaração o Antigo Testamento passa a mostrar que a natureza é uma criatura e uma ferramenta. Do mesmo modo, Deus julga, livra e cuida do homem.

4. O Dia da Terra e do Mar (1.9-13)

O terceiro ato de Deus dizia respeito à formação de um futuro hábitat para o homem, que é criatura da terra. O alimento para o homem, a vegetação, cresce na terra. Sob a ordem de Deus, terra e mar se separaram, e forma, vida e beleza enfeitaram a terra. O texto não descreve como estas separações ocorreram, nem há uma lista das forças dinâmicas e naturais envolvidas. Ao invés disso, a relação de um Criador poderoso com uma criatura obediente e flexível é o tempo todo, e claramente, mantida diante do leitor.

Dramaticamente, Deus se voltou para a terra agora visível e deu-lhe ordens. **Apareça a porção seca** (11) não era admissão de que as substâncias inorgânicas possuíam o poder inerente de produzir vida.[5] Muito pelo contrário, a vida em si acha-se, no final das contas, na palavra criativa de Deus e imediatamente surge em resposta à sua ordem.

Seguindo um padrão de pares — luz e trevas, águas que estavam sobre e águas que estavam debaixo, terra e mares —, agora ocorre uma série de grupos de três. **Erva, erva dando semente... e árvore frutífera** (12) são agrupamentos muito generalizados e não devem ser considerados classificações botânicas no sentido moderno.

A frase **conforme a sua espécie**[6] indica limites aos poderes de reprodução. Mas não fornece um projeto que esboça linhas limítrofes. O destaque está na segurança observável da natureza: trevo produz trevo, trigo produz trigo, etc. **E assim foi** (11) — e ainda é.

5. O Dia dos Dois Luminares (1.14-19)

Os pagãos adoravam o sol, a lua e as estrelas como deuses e deusas de poder formidável. Na narrativa deste dia da criação, o **luminar maior** (16) e o **luminar menor** nem mesmo são nomeados. Em poucas sentenças hábeis, o autor descreve a criação destes corpos celestes, os quais, depois, são incumbidos de executar certas tarefas nos céus.[7] Eles possuem uma dignidade de governo e nada mais. As **estrelas** também recebem não mais que uma menção honrosa. Que golpe contra o paganismo!

6. O Dia dos Pássaros e dos Peixes (1.20-23)

Pelo motivo de a luz e as trevas serem comuns a ambos os dias, o primeiro dia (3-5) e o quarto dia (14-19) estão relacionados. Também o segundo (6-8) e o quinto (20-23) estão relacionados no ponto em que lidam com a expansão, em cima, e as águas, embaixo. No quinto dia, Deus falou uma palavra para **as águas** (20), as quais produziram criaturas e pássaros encheram o ar. No versículo 21, vemos outra tríade: **as grandes baleias... todo réptil de alma vivente... e toda ave de asas**.

O texto não nos conta como **as águas** colaboraram com o Criador, mas para enfatizar a estreita ligação entre Deus e estas criaturas é empregado o verbo **criou**.[8] As diferenças surpreendentes entre a vida botânica e a biológica são atribuídas a um ato divino. **Deus os abençoou** (22). No Antigo Testamento, a bênção divina é um ato criativo e uma capacitação para que aquele que a recebe cumpra seu destino segundo a vontade de Deus. Neste caso, a vontade de Deus é que as criaturas se reproduzam **abundantemente... conforme as suas espécies** (21). Este ato serviu para anular a condição anterior "vazia" (2).

7. O Dia dos Animais e do Homem (1.24-31)

Dando mais uma ordem: **Produza a terra alma vivente** (24), Deus encheu a terra de criaturas: **as bestas-feras da terra** (os animais selvagens, 25), **gado e... todo réptil que se move sobre a terra** (26).

Mas este dia teria a coroação do ato criativo. A deidade, em deliberação, disse: **Façamos o homem** (26).[9] Esta criatura tinha de ser diferente. Deus disse que o **homem** tinha de ser feito **à nossa imagem**, tendo certa semelhança com a realidade, mas carecendo de plenitude. O homem devia ser **conforme a nossa semelhança**, tendo similitude geral com Deus, mas não sendo uma duplicata exata. Não era para ele ser um pequeno Deus, mas definitivamente tinha de estar relacionado com Deus e ser o portador das características distintivas espirituais que o marcam exclusivamente como ser superior aos animais.[10]

Em 1.26-30, encontramos "O Homem Feito à Imagem de Deus". 1) Um ser espiritual apto para a imortalidade, 26ab; 2) Um ser moral que tem a semelhança de Deus, 27; 3) Um ser intelectual com a capacidade da razão e de governo, 26c,28-30 (G. B. Williamson).

Uma das marcas da **imagem** de Deus foi Ele ter dado ao homem o *status* e o poder de governante. O direito de o homem dominar (28) ressalta o fato de que Deus o equipou para agir como governante. A aptidão para governar implica em capacidade intelectual adequada para argumentar, organizar, planejar e avaliar. A aptidão para governar implica em capacidade emocional adequada para desejar o mais alto bem-estar dos súditos, apreciar e honrar o que é bom, verdadeiro e bonito, repugnar e repudiar o que é cruel, falso e feio, ter profunda preocupação pelo bem-estar de toda a natureza e amar a Deus que o criou. A aptidão para governar implica em capacidade volitiva adequada para escolher fazer a toda hora o que é certo, obedecer ao mandamento de Deus indiscutivelmente e sem demora, entregar alegremente todos os poderes a Deus em adoração jovial e participar em uma comunhão saudável com a natureza e Deus.

Deus criou o homem para ser uma pessoa que tivesse autoconsciência, autodeterminação e santidade interior (Ec 7.29; Ef 4.24; Cl 3.10). A imagem foi distribuída sem distinção de macho e fêmea, tornando-os iguais diante de Deus.

Como Deus abençoou (22) o que previamente havia criado (21), assim Deus outra vez **abençoou** (28) esta fase da sua obra. Incumbiu o homem com a responsabilidade de reproduzir-se e sujeitar à sua superintendência a terra e tudo que nela havia.

O ato de abençoar o gênero humano é de significado mais amplo que o de abençoar os animais (22). O homem é capaz de ter consciência dessa bênção e pode responder a ela. "Abençoar" em relação a um ser racional é ato de transmitir um senso da vontade de Deus para o abençoado. Isto é especialmente significativo para o homem, pois a ordem de procriar coloca a aprovação de Deus no ato de reprodução. Essencialmente, a relação homem-mulher na procriação é boa, está dentro da vontade de Deus e é básica para o bem-estar deles.

No Antigo Testamento, há dois aspectos para o ato de conceder bênçãos. Da parte de Deus, há o ato de um Ser superior concedendo favor a quem é dependente dele. Da parte do homem, há o retorno da gratidão ao Doador de dons (Gn 24.48; Dt 8.10).

Aspecto importante da bênção de Deus era a concessão de poder e habilidade para sujeitar e dominar (28) os outros seres criados que habitam a terra. Mas era uma autoridade delegada, um governo subordinado, pelo qual o homem prestava contas a Deus. Presumimos que a responsabilidade de controlar a vida animal não acarreta o direito de abusar dela, caso contrário não teria sido bom.

Deus concedeu ao homem o direito de usar os frutos da vida vegetal para comida (29). Isto não lhe deu o privilégio de explorar a natureza, deixando para trás estrago e desolação. O cuidado apropriado dos frutos da vida vegetal tem necessariamente de acarretar o cultivo (2.15) e a conservação dos recursos naturais.

O fato de os animais, sujeitos ao controle do homem, também se alimentarem de plantas, **toda a erva verde** (30), destaca ainda mais a responsabilidade que pesa sobre o homem. Ele é responsável por controlar a natureza de modo que a natureza supra as necessidades de todas as criaturas vivas e não só as necessidades do homem (ver 9.3 sobre a permissão de comer carne).

A morte de animais não é mencionada, embora não haja razão para presumir a ausência de morte animal antes da queda. O foco está na vida, na harmonia, na ordem e na aptidão de forma e função para o domicílio terrestre do homem.

Em 1.1-5, 26-31, vemos a "Criação pela Vontade Onipotente", com a idéia central no versículo 1. 1) Causa adequada, 1,2; 2) Desígnio evidente, 2-5; 3) Homem semelhante a Deus, 26-30; 4) Concepção onisciente, 31 (G. B. Williamson).

8. *O Dia do Santo Descanso* (2.1-3)

Os primeiros três versículos deste capítulo pertencem apropriadamente ao conteúdo do capítulo 1, visto que trata do sétimo dia na série da criação. Durante seis dias, Deus esteve criando e formando a matéria inorgânica, as plantas, os animais e o homem. De certo modo, tudo isso ocupa e está relacionado com o espaço. O homem recebeu a ordem específica de sujeitar o que se encontrava no âmbito espacial. Deus inspecionou tudo e considerou muito bom; Ele concluiu tudo que quis criar.

Certos rabinos antigos ficaram aborrecidos porque pensaram ter visto aqui uma indicação de que Deus trabalhara no sábado. O rabino Rashi declarou que o que faltava para o mundo era descanso, e assim o último ato de Deus foi a criação do Sábado, no qual há quietude e repouso.[11]

Nos Dez Mandamentos, a relação dos seis dias do trabalho de Deus com as coisas materiais para um dia de descanso serve de base para a observância do homem de um dia de descanso (Êx 20.8-11). Este é um dia estabelecido por Deus e deve ocorrer regularmente. Outros dias importantes podem ser estabelecidos pelo homem e oscilar conforme as estações, mas este dia é independente das estações ou dos problemas de fixar uma data específica. Neste dia, a ordem de Deus para o homem conquistar a natureza é posta de lado e o homem reconhece uma lei superior, na qual ele se entrega a Deus.

No Salmo 95.11 há a alusão de que Deus nega um "descanso" (um sábado) a quem o desobedece. O escritor do Livro de Hebreus se apropria desta sugestão para declarar que ainda resta um descanso sabático para o povo de Deus: "Procuremos, pois, entrar naquele repouso" (Hb 4.11). O sábado indicaria a cessação de atos de desobediência e a aceitação do governo de Deus sobre o ser interior.

Ao contrário do *sabbattu* babilônico, no qual demônios perigosos perambulavam livremente, o sábado instituído aqui foi santificado por Deus. Era para ser um dia de alegria e contentamento, de renovação interior, de louvor a um Deus misericordioso. Na crença pagã, certas forças naturais, coisas, lugares, animais ou pessoas eram intrinsecamente santos, até divinos; mas em nenhuma parte desta história da criação a santidade é atribuída a algo que venha da natureza. Tudo que Deus havia criado era muito bom, mas nada foi considerado santo. O primeiro item que foi declarado santo é a porção de tempo do sábado. Deus reservou o sábado para que nele o homem aprofundasse sua relação com seu Criador.

Deus santificou o sétimo dia da criação, estabelecendo com ele uma relação especial. Nos Dez Mandamentos, o homem tem de santificar repetidamente o sábado, reconhecendo que ele tem uma relação especial com Deus.[12]

O fato de, basicamente, a santidade estar associada com o tempo e não com um lugar fixo possibilitou no exílio a construção de sinagogas. Desta forma, as duas instituições, o sábado e a sinagoga, puderam resistir a todas as vicissitudes da dispersão; até hoje permanecem forças poderosas no judaísmo.

O mesmo é verdadeiro acerca do sábado e a igreja cristã ao longo da história. A base do sábado foi trocada do evento da criação para o evento da ressurreição; por conseguinte, o tempo foi mudado do sábado para domingo. Contudo, o mesmo princípio subjacente persiste; seis dias são dados para o domínio do homem sobre a natureza, mas o sétimo dia é o Dia do Senhor.

B. O Criador em Relação à Criação, 2.4—3.24

A significação especial do homem como a mais sublime criação de Deus é o ponto central desta história. Ela descreve a relação ideal entre Deus e o homem, a qual, por sua vez, é a base para a relação ideal entre o homem e a mulher no casamento. Como ponto contrastante, aqui é mostrada a natureza do pecado que leva estas relações ao caos.

A história tem uma seqüência clara. Há um cenário geral (2.4-14), uma ordem (2.15-17), a inserção do ato criativo (2.18-25), um ato de violação (3.1-8), um questionamento (3.9-13), um julgamento (3.14-21) e uma expulsão (3.22-24). Pelo fato de o capítulo 3 conter a narrativa da violação e do julgamento, seu tom de dúvida, medo e raiva é notavelmente diferente do encontrado no capítulo 2, que possui uma atmosfera de paz, harmonia e encanto.

1. O Homem com o Fôlego da Vida (2.4-7)

A palavra *gerações* tem um significado mais vasto que o termo *genealogia*. O conceito de **origens** (4) não é essencial à palavra. Há outras dez ocorrências em Gênesis (5.1; 6.9; 10.1; 11.10,27; 25.12,19; 36.1,9; 37.2), uma delas (37.2) sem ter genealogia; mas, na maioria dos casos, é apresentado muitos acontecimentos significativos, como também uma genealogia.

Certos expositores colocariam a primeira parte do versículo 4 com o material precedente, mas nas outras ocorrências em Gênesis a expressão: **Estas são as origens de** (ou gerações de), serve de cabeçalho ao que vem a seguir. É o que acontece aqui.

Há paralelo entre os versículos 4 e 5 deste capítulo e os versículos 1 e 2 do capítulo 1. Porém, o capítulo 2 fala pouco sobre os eventos criativos intermediários que levam à criação do homem. Não há indicação clara de que a história no capítulo 2 tenha alguma parte na seqüência de tempo do aparecimento de plantas e animais. Pelo contrário, a atenção é focada no fato de que sem **chuva** e o cuidado vigilante do **homem** a terra era originariamente estéril. Por conseguinte, Deus forneceu umidade e **formou o homem** para que as plantas que precisam de cultivo frutificassem.

Mais detalhes sobre a criação do homem são dados aqui que em 1.27. Em 2.7, o homem é apresentado como criatura da terra. Ele é formado do pó. Com profundo interesse, Deus inalou vida no homem, ato que realça o fato de que a vitalidade do homem e a dinâmica interna vêm diretamente de Deus. Qualquer outro objeto do afeto e esperança do homem é ilusão. Ele é feito para dois mundos; portanto, ser separado de Deus é murchar como o fruto de uma videira cortada.

As duas expressões: o **fôlego da vida** (7, *nishmat chayyim*) e a **alma vivente** (*nefesh chayyah*) têm muito em comum. Ambas podem ser usadas para referir-se tanto a animais como ao homem. **Fôlego** (*nishmat*) está mais associado com o homem, mas é designado a animais em 7.22. **Alma vivente** se aplica a todos os tipos de animais em 1.20,21,24,30; 2.19; 9.12,15,16.

O termo hebraico *nefesh* tem conotação mais ampla que o termo *nishmat*. Ambos podem significar "respiração, fôlego, hálito", mas *nefesh* também inclui estes significados: ser vivo, alma, vida, ego, pessoa, desejo, apetite, emoção e paixão.[13] O homem é único. Ele é o que é, porque **Deus... soprou em seus narizes o fôlego da vida**. Deus nunca fez isso com um animal.

2. O Jardim da Delícia (2.8-14)

A palavra **jardim** (8) é tradução da palavra hebraica *gan*, que designa lugar fechado. A Septuaginta traduz o hebraico por "paraíso", *paradeison*, termo persa que significa um parque.

Éden não é traduzido mas transliterado para nosso idioma. Basicamente, significa "prazer ou delícia". Parece indicar uma região. Éden pode ser derivado da palavra assíria *edinu*, que significa "planície, pradaria ou deserto" e designa a terra entre o rio Tigre e o rio Eufrates. Se a frase **saía um rio** (10) for compreendida no sentido de rio acima, o jardim estaria situado no vale mesopotâmico inferior. Se for entendida no sentido de rio abaixo, teria de estar situado na Armênia, onde as nascentes dos rios Tigre e Eufrates se originam perto uma da outra (ver Mapa 1). Atualmente, não há como obter conclusão definitiva sobre esta questão.

Mais importante para a história é a presença da **árvore da vida** e da **árvore da ciência do bem e do mal** (9). Pelo visto, a primeira árvore mencionada era a fonte de vida, da qual o homem, depois que pecou, teve de ser separado (3.22-24). Uma "árvore de vida" é mencionada em Provérbios 3.18; 11.30; 13.12; 15.4, onde, em sentido figurado, representa fonte de felicidade, sabedoria e esperança. A frase também é encontrada no Livro do Apocalipse como o dom supremo para o crente fiel (Ap 2.7) e como símbolo da vida eterna (Ap 22.2,14).

Com respeito à **árvore da ciência do bem e do mal**, os dois opostos, o **bem** e o **mal**, representam os extremos da ciência ou conhecimento e, assim, servem de expressão idiomática para referir-se à perfeição — neste caso, onisciência e poder. Em Deuteronômio 1.39 e Isaías 7.14-17, a falta de conhecer o bem e o mal indica imaturidade, ao passo que em 2 Samuel 19.35, a plena maturidade está, por vias indiretas, associada com a habilidade de discernir entre o bem e o mal. Mas Gênesis 3.5 sugere que este poder é atributo divino, e Provérbios 15.3 faz a afirmação clara de que é equivalente de onisciência (ver 2 Sm 14.17; 1 Rs 3.9).

O rio **Pison** (11) nunca foi satisfatoriamente identificado, embora haja suposições, entre as quais figuram o rio Indo, da Índia. **Havilá** (11) diz respeito a um país arenoso que produz **ouro** bom. Essa terra também produzia **bdélio** (12), resina de grande valor conhecida pelos israelitas (ver Nm 11.7). É duvidoso que **pedra sardônica** (12) seja a tradução correta do termo hebraico *shoham*; a Septuaginta sugere berilo.

A identificação de **Giom** (13) é desconhecida. Há muito que o rio Nilo é conjetura favorita, porque a Septuaginta e a Vulgata identificam a palavra hebraica *kush* (**Cuxe**) com a Etiópia. Mas, pela razão de Gênesis 10.7-10 mencionar que os descendentes de Cuxe são árabes e tribos ou cidades mesopotâmicas, há quem afirme que **Giom** é o rio Araxes, que deságua no rio Ciro e depois desemboca no mar Cáspio. Cuxe seria o nome hebraico para referir-se aos cassitas que habitavam naquela região.

O nome do terceiro rio é Hidéquel (14), que é o famoso rio Tigre (ver Mapa 1), o qual em acádio antigo era chamado *idiqlat*. O rio Eufrates corre paralelo ao rio Tigre, com o qual se unia para irrigar o vale mesopotâmico. Ainda é um rio importante. O nome assírio era *puratu*, mas no persa antigo era *ufratu*, que serviu de base para a palavra grega *euphrates*.[14]

3. *A Ordem que Fixou Limites* (2.15-17)

Quando Deus colocou o homem no **jardim** (15), Ele lhe deu duas tarefas: **para o lavrar e o guardar**. Em contexto agrícola, **lavrar** significa cultivar, ação que inclui o ato de podar videiras.

Quando **ordenou o SENHOR Deus ao homem** (16), Ele deixou claro sua relação soberana com o homem e a relação subordinada do homem com Ele. Deus tinha este direito, porque Ele é o Criador e o homem é a criatura.

Para expressar proibição, aqui é empregada a maneira mais forte possível em hebraico para colocar a **árvore da ciência do bem e do mal** (17) fora da alçada do homem. Visto que o discurso direto é inerentemente pessoal, a ordem: **Não comerás**, é pessoal e a qualidade do negativo hebraico a coloca em negação permanente. A importância da ordem é aumentada pela severidade do castigo. Isto é muito forte na sintaxe hebraica, sendo que a força é um tanto quanto mantida na tradução com a palavra **certamente**.

4. A Mulher que Deus Formou (2.18-25)

Havia um aspecto da criação de Deus que não estava totalmente satisfatório. O fato de o homem ainda estar **só** (18) não era bom. O isolamento é prejudicial. Por dedução, a relação social, ou seja, o companheirismo, é bom. Por conseguinte, Deus determinou fornecer ao homem uma **adjutora que esteja como diante dele**, literalmente, uma ajudante que lhe correspondesse, alguém que fosse igual e adequada para ele. "Uma ajudante certa que o complete" (VBB). A *Bíblia Confraternidade* traduz: "Uma ajudante como ele mesmo".

Considerando que não há formas de tempos verbais em hebraico, não se conclui necessariamente que Deus formou os animais depois de ter formado o homem. Pode igualmente significar que *depois* que o homem foi colocado no jardim, os animais que Deus *previamente* formara foram trazidos a Adão (19). A seqüência de tempo não é o item importante aqui.

Um aspecto da imagem de Deus foi demonstrado pelo poder de Adão discernir a natureza de cada animal e dar um **nome** certo, pois em hebraico, nome e caráter coincidiam. Quando **Adão pôs os nomes** (20), ele mesmo foi capaz de discernir que nenhum dos animais era uma adjutora que estivesse como diante dele. Ele, como também Deus, tinha de saber disso para apreciar o que Deus estava a ponto de fazer.

O **sono pesado** (21) é o tipo no qual os sentimentos ou capacidade emotiva deixam de funcionar normalmente. Ver Gênesis 15.12; Jó 4.13; 33.15, onde a frase está ligada com visões; e 1 Samuel 26.12 e Jonas 1.5, onde o termo não está relacionado com visões. Ver também Isaías 29.10, onde a expressão sugere falta de sensibilidade espiritual. A **costela** (22) pode significar o osso e a carne que a envolve. É a parte do corpo mais próxima do coração, que para os hebreus era o lugar dos afetos. A mulher não foi feita de substância inferior.

Para acentuar a singularidade deste ato, é usado um verbo hebraico diferente (*yiben*), que significa "construir", detalhe completamente perdido na palavra traduzida por **formou**. Deus **trouxe-a a Adão** para sua aprovação e avaliação. Assim, parte da história segue a seqüência dos dias criativos no capítulo 1, isto é, a decisão (18-20), o ato criativo (21,22) e a aprovação (23).

De imediato, **Adão** (23) viu a conveniência desta ajudante. Ela era parte íntima dele, **osso dos meus ossos e carne da minha carne** e, desta forma, adequada para ele. Mas ele também demonstrou sua posição de autoridade ao lhe dar um nome.

Com efeito, esta foi a instituição da relação matrimonial. Desde o princípio, Deus quis que o casamento fosse exclusivo e íntimo. Não era simplesmente para a mulher agarrar-se ao homem como um apêndice. Para deixar clara a responsabilidade do homem, Deus ordenou que o homem se apegasse **à sua mulher** (24) no compromisso mútuo da verdadeira união. O casamento tem de permanecer irrompível ao longo da vida, pois foi dito: **E serão ambos uma carne**, ou seja, uma identificação completa entre si. E nisto eles **não se envergonhavam** (25).

5. *A Mulher que a Serpente Iludiu* (3.1-5)
A **serpente** (1) se enfiou sorrateiramente no jardim tranqüilo como um visitante sinistro. Por todo o antigo discurso semítico, os répteis estavam relacionados com influências demoníacas e este versículo descreve que a criatura **era mais astuta que todas as alimárias do campo**. À medida que a história progride, a serpente é apresentada em todos os lugares como instrumento de certo poder espiritual oculto. No Novo Testamento, Jesus relaciona a serpente ao diabo (Jo 8.44), como também o faz Paulo (Rm 16.20; cf. 2 Co 11.3; 1 Tm 2.14) e João (Ap 12.9; 20.2). Em todos estes exemplos, a fonte da tentação é objetivamente distinta de Deus ou do ser humano. Em nenhum caso, a serpente é considerada apenas a "personificação da tentação"[15] ou a "representante do poder da tentação".[16]

A serpente começou a conversa com uma expressão de surpresa: **Não comereis de toda árvore do jardim?**, e passou a citar erroneamente a ordem original de Deus, tornando-a absurda. A proibição original estava relacionada só com uma árvore, mas a serpente disse **de toda árvore**, frase que em 2.16 é encontrada na ordem permissiva e não na ordem negativa (2.17). A serpente pôs em dúvida a bondade de Deus: Ele foi muito restritivo, retendo desnecessariamente benefícios de grande valor.

Esta primeira pergunta era aparentemente inocente, mas enganou **a mulher** (2), fazendo com que ela também citasse erroneamente a ordem. Ela tornou a proibição muito mais forte do que realmente era. Deus não dissera: **Nem nele tocareis** (3). Mas Ele fizera a ameaça de castigo muito mais forte do que **para que não morrais**. Ela tornou, sem perceber, a ordem irracional e o castigo mera possibilidade, em vez de ser um resultado inevitável. A mulher perdeu a oportunidade de ouro de derrotar a sugestão da serpente. Tivesse ela citado a ordem corretamente e se aferrado a ela, o inimigo não teria podido prosseguir com seu intento.

A serpente percebeu a vantagem e passou a negar categoricamente a verdade da declaração punitiva de Deus, declarando positivamente: **Certamente não morrereis** (4). Ele concentrou seu ataque incitando ressentimento contra a restrição e suscitando desejo de poder. Deus não estava usando a finalidade da morte como dispositivo para sonegar ao gênero humano a descoberta de algo — **se abrirão os vossos olhos** (5)? Ele não estava impedindo o homem de possuir um bem que o homem tinha o direito de ter? A serpente estava acusando Deus de motivo impróprio, de egoisticamente manter o homem em nível de existência inferior. O verdadeiro destino do homem, a serpente indicou, era ser **como Deus**. A característica principal do ser divino era o poder de saber **o bem e o mal**.[17] Este saber não era conhecimento abstrato, mas a habilidade prática de saber todas as coisas, inclusive a inteligência de inventar e estabelecer padrões éticos.

Engenhosamente, a serpente sugerira que desobedecer a ordem de Deus ocasionaria, não a morte, mas uma vida completa e rica para o homem. Não foram feitas promessas positivas, só a sugestão de possibilidades que eram fascinantes e misteriosas. Este era o apelo nuclear do paganismo, a crença de que grandes realizações, pensamento profundo ou ritual cuidadosamente observado introduziriam a pessoa no reino divino. Este também é o pecado básico do homem, alcançar o estado de ser absolutamente livre e auto-suficiente.

Em 3.1-6, temos "O Apelo da Serpente". 1) Ao desejo físico, 6ab; 2) À curiosidade intelectual, 5; 3) À disposição de auto-afirmação, 1,3 (G. B. Williamson).

6. O Ato de Violação (3.6-8)

Os argumentos da serpente atraíram três facetas da natureza da mulher, cada uma parte legítima de sua natureza de criatura. A fome física foi estimulada, pois **aquela árvore era boa para se comer** (6). O apetite estético foi provocado, pois era **agradável aos olhos**. E a capacidade de sabedoria e poder foi atiçada, pois era **árvore desejável para dar entendimento**, o que incluía a habilidade de dominar os outros (cf. a tentação de Jesus, Mt 4.1-11; Lc 4.1-13; 1 Jo 2.16).

Na verdade, há muito que a mulher fora derrotada e sua contemplação logo resultou em ação. A ordem de Deus foi desobedecida e, incrivelmente, **seu marido** a seguiu na desobediência. Depois de terem comido, **foram abertos os olhos de ambos** (7), mas não do modo em que a serpente indicou. Em vez de passarem para um nível de existência superior, eles caíram a um nível inferior. Eles **conheceram que estavam nus**. Em vez de ficarem unidos com Deus, alcançando essência igual com Ele, eles foram alienados um do outro pela consciência de que seu ato não produziu o que esperavam.[18] A frustração estava relacionada com o novo conhecimento de nudez. A desobediência gerou culpa e vergonha. Em reação ao sentimento de vergonha, os dois apanharam **folhas de figueira**, com as quais **fizeram para si aventais** (ou "cintas"). Eram tangas simples e transpassadas.

O homem e a mulher estavam familiarizados com a **voz do SENHOR Deus** (8), como se deduz pela comunhão freqüente com o Criador. A **viração do dia** é expressão idiomática para aludir à noite, pois no Oriente Próximo sopra um vento fresco sobre a terra ao pôr-do-sol. Desta vez, o casal não estava preparado para encontrar-se com Deus. A expressão **a presença** é caracteristicamente vívida em hebraico. Não é uma influência vaga e indefinível, mas uma confrontação direta, bem definida e pessoal. O casal culpado **escondeu-se**, mas de nada adiantou.

7. A Intimação para Comparecer na Presença de Deus (3.9-13)

A pergunta: **Onde estás?** (9), não foi feita por Deus não saber o paradeiro deles, mas porque Ele queria induzir a resposta e fazer o homem e a mulher saírem do esconderijo pela própria confissão.

A resposta de Adão: **Temi** (10), esclarece o motivo de terem se escondido. Participar do fruto da árvore não o fez semelhante a Deus, como sugeriu a serpente, mas comprometeu sua verdadeira essência de ser homem diante de Deus.

Deus conhece o bem e o mal da perspectiva da bondade divina e soberana. Mas o homem, sendo homem e dependente de Deus, só pode conhecer o bem e o mal da perspectiva da obediência à vontade de Deus ou da perspectiva da desobediência, que é a rejeição da vontade expressa de Deus. O alcance do homem ao estado divino só o lançaria no papel da desobediência; por conseguinte, seu conhecimento do bem e do mal estava misturado com culpa e medo.

A primeira pergunta foi feita diretamente ao homem: **Comeste tu?** (11). Adão não tinha desculpa, porque ele sabia qual era a ordem. Tratava-se de uma proibição simples e clara. Mas Adão não enfrentou sua responsabilidade; ele passou a culpa para a esposa — **ela me deu** (12) — e Deus não a deu para ele? Certamente, ela era digna de confiança como guia para a ação.

A **mulher** (13) também tentou evadir-se da responsabilidade, dizendo: **A serpente me enganou**. Então ela se deu conta de que a serpente "a fez de boba".

Em 3.6-11, G. B. Williamson destaca "Deus e o Pecador". 1) O pecado causa culpa pessoal, 7,10,11; 2) O pecado separa Deus e o homem, 8b; 3) Deus busca o homem pecador, 8a,9; 4) Deus perdoa a culpa do homem, 21.

8. *O Pronunciamento dos Veredictos* (3.14-19)

Os pecados cometidos estão refletidos nas punições, as quais foram aplicadas em partes. A **serpente** (14) foi amaldiçoada. **Mais que** é tradução incorreta, pois sugere que outros animais também foram amaldiçoados. O sentido correto é "à parte" ou "separado de entre". Moffatt traduz: "Uma maldição em ti de todas as criaturas!" A serpente posou como supremamente sábia, mas sua maneira de se locomover sempre seria símbolo de sua humilhação. A frase **sobre o teu ventre** não significa que a serpente tinha originalmente pernas e as perdeu no momento em que a maldição foi imposta, mas que seu modo habitual de locomoção tipificava seu castigo.

A frase **pó comerás** é idiomaticamente equivalente a "tu serás humilhado" (cf. Sl 72.9; Is 49.23; Mq 7.17, onde a frase "lamberão o pó" tem claramente este significado).

O castigo envolveria **inimizade** (15), hostilidade entre pessoas. A **semente** da serpente, que Jesus relaciona aos ímpios (Mt 13.38,39; Jo 8.44), e a **semente** da mulher, têm ambas sentido fortemente pessoal.[19] Deus disse à serpente: A Semente da mulher **te ferirá a cabeça**. Compare a referência de Paulo a isto em Romanos 16.20. A serpente só poderia ferir o **calcanhar** da Semente da mulher. De fato, **ferir** não é forte o bastante para traduzir o termo hebraico, que pode significar moer, esmagar, destruir. Uma cabeça esmagada que leva à morte é contrastada com um calcanhar esmagado que pode ser curado. O versículo 15 é chamado "proto-evangelho", pois contém uma promessa de esperança para o casal pecador. O mal não tem o destino de ser vitorioso para sempre; Deus tinha em mente um Vencedor para a raça humana. Há um forte caráter messiânico neste versículo.

Em 3.14,15, vemos "O Calcanhar Ferido". 1) O Salvador prometido era a Semente da mulher — o Deus-Homem; 2) Esta Semente Santa feriria a cabeça da serpente — conquistar o pecado; 3) A serpente feriria o calcanhar do Salvador — na cruz, ele morreu (G. B. Williamson).

O castigo da mulher seria o oposto do "prazer" que ela procurou no versículo 6. Ela conheceria a **dor** (16) no parto, que é bem diferente do novo tipo de vida que ela tentou alcançar pela desobediência. Igualmente, a futura ligação do seu **desejo** ao seu **marido** era repreensão à sua decisão de buscar independência. Ela sempre seria dependente dele.

Em 3.1-15, Alexander Maclaren vê "Como o Pecado Entrou". 1) O induzimento ao mal, 1-5; 2) A entrega ao tentador, 6; 3) As conseqüências fatais, 7-15.

Deus pôs uma maldição diretamente na terra em vez de colocá-la no homem. Adão foi comissionado a trabalhar com a terra (2.15), mas já não seria por puro prazer. O homem se submeteu tão facilmente ao apelo da mulher que ele comeu o fruto proibido. Agora seu trabalho na terra seria misturado com **dor** (17). De todos os lados, ele seria confrontado por competidores: **espinhos e cardos** (18), que crescem profusamente sem cultivo e não produzem comida para o homem. Em Oséias 10.8, estas plantas aparecem como símbolos de julgamento e desolação no lugar da adoração. Compare também com Juízes 8.7,16; 2 Samuel 23.6; Salmo 118.12; Isaías 32.13; 33.12; Jeremias 4.3; 12.13 e Ezequiel 28.24. Em todo caso, uma conotação ruim é ligada à natureza destas plantas (ver tb. Mt 13.7; Hb 6.8).

A morte física não seria imediata, mas seria inevitável, **porquanto és pó e em pó te tornarás** (19). O tipo imediato de morte que o homem sofreu foi espiritual: separação de Deus.

Em 3.14-19, encontramos retratada "A Maldição Causada pelo Pecado". 1) Na serpente, 14; 2) Na mulher, 15,16; 3) Em Adão, 17,19. 4) Na terra, 17b,18 (G. B. Williamson).

9. A *Expulsão do Jardim do Éden* (3.20-24)

Na melancolia sombria do julgamento havia raios de esperança e misericórdia. O homem podia ver a possibilidade de um futuro através de sua esposa. Agora ele a chama **Eva** (20), que significa "vida", pois dela viria uma posteridade.

Misericordioso, Deus providenciou para eles **túnicas de peles** (21). Estas indumentárias podem ter vindo de animais sacrificados, ainda que o texto não o diga especificamente.

Há um toque de ironia na observação divina de que este casal humano **é como um de nós** (22). A preposição **de** (*min*) destaca uma nítida distinção entre Deus e o homem em vez de mostrar identidade. Está em contraste com **como um**, que denota unidade. O homem e a mulher tinham buscado ser como Deus, que sabe **o bem e o mal**, como seres que são soberanos. Mas nunca poderiam alcançar este *status*. Eles só possuíam o fôlego (2.7) e a imagem (1.26,27) de Deus. Por conseguinte, sua intrusão em um âmbito que não era deles foi uma negação do seu estado de criatura e uma rebelião contra a singularidade do Criador. O homem tinha de ter o acesso impedido à **árvore da vida** para que ele não se fixasse na rebelião.

Os **querubins** (24) são seres angelicais que representam o poder de Deus e estão relacionados com seu trono. Duas figuras de querubins estavam na tampa da arca (Êx 25.18-22; 37.7-9), e muitos estavam entretecidos nas cortinas do tabernáculo (Êx 26.1,31; 36.8,35) e esculpidos nas paredes e portas do templo (1 Rs 6.23-35; 2 Cr 3.10-13). Ezequiel os descreveu com a combinação de quatro faces: um leão, um boi, uma águia e um homem, com mãos de homens, pés de bezerros e quatro asas (cf. as quatro criaturas de Ap 4.6-8). Estas criaturas foram incumbidas com a tarefa de deter o acesso do homem à **árvore da vida** enquanto este estiver carregado com o fardo do pecado.[20]

C. O Assassinato e seu Resultado, 4.1-24

Um aspecto terrível do pecado é que ele não pode ser isolado nem obliterado facilmente. Executa progressivamente sua obra devastadora na sociedade, de geração em geração. O pecado de Adão e Eva não causou infortúnio apenas para suas vidas; passou de pai para filho, de época para época. A história no capítulo 4 ilustra dolorosamente este fato e as genealogias ampliam as repercussões do mal por todas as gerações.

1. O Assassinato de um Irmão Crédulo (4.1-16)

Na estrutura geral, esta história é muito semelhante à anterior. Tem um cenário (4.1-5), um ato de violação (4.8), uma cena de julgamento (4.9-15) e a execução da sentença (4.16).

A história dos primeiros dois rapazes nascidos a **Adão** e **Eva** (1) realça as repercussões do pecado dentro da unidade familiar. Os rapazes, **Caim** e **Abel** (2), tinham temperamentos notavelmente opostos. Caim gostava de trabalhar com plantas cultiváveis. Abel gostava de estar com animais vivos. Ambos tinham uma disposição de espírito religioso.

Os filhos de Adão levaram sacrifícios ao **SENHOR** (3), o primeiro incidente sacrifical registrado na Bíblia.

Que **Abel também trouxe dos primogênitos das suas ovelhas e da sua gordura** (4) não quer dizer necessariamente que animais são superiores a plantas para propósitos sacrificais. Por que **atentou o SENHOR para Abel e para a sua oferta** (5) fica evidente à medida que a história se desenrola.

A primeira pista aparece quase imediatamente. Caim não suportava que algum outro ficasse em primeiro lugar. A preferência do Senhor por Abel encheu Caim de raiva. Só Caim podia ser o "número um".

O Senhor não estava ausente da hora da adoração. Ele abordou Caim e lhe deu um aviso. Deus não o condenou diretamente, mas por meio de um jogo de palavras informou Caim que ele estava em real perigo. Em hebraico, a palavra **aceitação** (7) é, literalmente, "levantamento", e está em contraste com **descaiu** (6). Um olhar abatido não é companhia adequada de uma consciência pura ou de uma ação correta. O ímpeto das perguntas de Deus era levar Caim à introspecção e ao arrependimento.

Se Caim tivesse feito **bem** (7), com certeza Deus o teria graciosamente recebido. Mas, e se Caim não tivesse feito bem? Esta era a verdadeira questão que Caim ignorava, pois ele lançava a culpa em Abel. A ameaça à sua vida espiritual não estava longe. O pecado estava bem do lado de fora da **porta**, pronto para levar Caim à ruína.

Precisamos examinar duas palavras no versículo 7. A palavra traduzida por **pecado** (*hatt'at*) pode significar **pecado** ou oferta pelo pecado. A última opção está fora de questão, porque a presença fora da **porta** não parece ser útil; é sinistra. A palavra *jaz* (*robesh*) é um substantivo verbal. O problema para o tradutor é: Esta palavra serve de verbo, **jaz**, ou de substantivo, dando o sentido: "O pecado está de tocaia"?

E. A. Speiser destaca que o acádio, uma das origens do hebraico bíblico, tem basicamente a mesma palavra, *rabishum* (note que as primeiras três consoantes são as mesmas), que significa "demônio". Esta história bíblica vem do mesmo local geográfico; assim, se considerarmos que *robesh* é um empréstimo do acádio, a solução está à mão.[21] O texto descreve o pecado como um demônio malévolo, pronto para se lançar sobre Caim se este sair da presença de Deus sem se arrepender. Deus graciosamente ofereceu a Caim o poder de vencer o pecado: **Sobre ele dominarás**.

A última porção do versículo 7 pode ser parafraseada: "Tu deixaste o fogo da raiva arder por dentro; por conseguinte, quando tu deixares meu domicílio, o pecado te tomará. É melhor dominares a raiva para que a destruição não te vença".

Mas Caim saiu da presença de Deus e a raiva se transformou em ciúme, o qual, por sua vez, se tornou em ódio assassino junto com um plano ardiloso. No campo, um dia a ação má foi executada — **Caim... matou** (8) Abel deliberadamente e sem provocação.

Mas Caim não pôde evitar o **SENHOR** (9). Logo se desenvolveu a cena de julgamento. **A voz do sangue do teu irmão clama a mim desde a terra** (10) é vívida expressão idiomática que significa: "Tu podes tentar esquecer teu ato de violência, mas eu não posso. O que quer que aconteça com meus filhos é questão de preocupação pessoal para mim". O privilégio de cultivar a vida vegetal foi tomado de Caim e ele foi banido para o deserto, a fim de ser **fugitivo e errante** (12).

A exposição do seu pecado mudou Caim. O ódio arrogante se tornou em medo covarde misturado com autopiedade. Ele estaria suscetível do mesmo destino que desferiu ao irmão. Não pôde nem suportar o pensamento. Mas Deus não escarneceu dele. Mais uma vez sua misericórdia suavizou o castigo. **Pôs o SENHOR um sinal em Caim** (15). Assim, Caim partiu para enfrentar uma vida totalmente nova, longe de Deus. A designação **terra de Node** (16) significa "terra de vagueação", e não parece ser o nome de uma região específica que não seja sua direção geral para a **banda do oriente do Éden**.

De 4.2-9, G. B. Williamson analisa "Caim e Abel". 1) A diferença nos homens — até entre irmãos, 2b,5b,6,8,9; 2) A diferença significativa nas suas ofertas, 3-5a (cf. Hb 11.4); 3) Eis uma revelação da bondade e severidade de Deus, 7a.

2. *Os Descendentes de Caim: Criativos mas Impiedosos* (4.17-24)

A importância de Caim foi exaurida, e a linhagem de sua posteridade rebelde é incompletamente apresentada em forma genealógica abreviada.

A esposa de Caim foi, implicitamente, uma irmã (cf. 5.4) que partiu com ele para o exílio. Caim começou a construir uma habitação fortalecida, **uma cidade** (17), e orgulhosamente a chamou de **Enoque**, o nome do seu primeiro filho. A procura de Caim e seus filhos por segurança estava simbolizada pela construção de muros pesados, a procriação de muitos filhos com esposas múltiplas e o poder da perícia profissional, do armamento e do ódio. O primeiro poema da Bíblia (23,24) serve de ilustração da amargura feroz que envenenou o espírito destes homens. O significado do versículo 23 é: "Matei um homem [meramente] por me ferir e um jovem [só] por me golpear e me ferir" (BA). Alcançaram o pico da habilidade e realização, mas também se chafurdaram nas profundezas do mal.

D. A Expansão de um Novo Começo, 4.25—6.8

No Livro de Gênesis, as linhas de pensamento ou grupos de indivíduos menos importantes recebem pouca atenção para logo serem descartados. O interesse é focalizado nas doutrinas ou pessoas que são centrais aos procedimentos redentores de Deus com o homem.

1. *O Terceiro Filho de Adão* (4.25,26)

O rapaz que substituiu o Abel assassinado recebeu um nome bem adequado. **Sete** (25) significa "designado ou colocado", o que indicava a misericórdia de Deus. Ele deu a Adão e Eva um filho que preservaria a fé no único Deus verdadeiro. Foi nesta família que o fogo da verdadeira adoração foi luminosamente mantido aceso. Aqui estava a base para a esperança de que a piedade era possível entre os homens.

2. Abundância de Anos, mas Escassez de Fé (5.1-32)

Os versículos 1 e 2 são uma sinopse de 1.27,28, e na forma há a forte sugestão de que esta genealogia é uma unidade em si mesma. A verdadeira meta do ato criativo de Deus era que o homem fosse **à semelhança de Deus** (1). Essa **semelhança** foi corrompida pelo pecado no jardim do Éden. A **semelhança** foi torcida até nas realizações culturais dos descendentes da linhagem de Caim. E Sete não era verdadeiramente **à semelhança de Deus**. Ele possuía o estado corrompido do homem pecador, porque era à **semelhança** de Adão. Não há número de anos na terra que mude esse fato. O resultado do pecado era morte física, e o único modo de a pessoa evitar esse destino foi ilustrado na vida de Enoque. Ele **andou... com Deus; e não se viu mais, porquanto Deus para si o tomou** (24). A única fuga da morte era pela comunhão íntima com Deus, junto com um ato de livramento do Todo-poderoso. Exceto por isso, todos deveriam morrer (*e.g.*, 5,8,11).

Uma comparação das genealogias em ambos os Testamentos logo deixa claro várias características. São genealogias altamente seletivas e não alistam necessariamente toda geração. Um estudo de "pai" e "filho", que só pode ser feito adequadamente em hebraico, revela que estes termos podem ser aplicados, respectivamente, a qualquer antepassado ou a qualquer descendente. O papel das genealogias na Bíblia nem sempre é fornecer uma cronologia histórica; sua função varia de lugar para lugar.

É interessante observar um ponto de comparação entre a linhagem de Caim e a linhagem de **Sete**. O sétimo depois de Caim foi Lameque, que era o epítome da hostilidade furiosa, embora seus três filhos fossem gênios criativos. O sétimo na linhagem de Sete foi o piedoso **Enoque**, que **Deus para si... tomou**. **Noé** (29), o décimo na linhagem de Sete, e seus três filhos começaram uma nova população depois do dilúvio.

Não há modo fácil de explicar a longa extensão de vida atribuída aos patriarcas relacionados no capítulo 5. A vida mais curta é de Lameque, 777 anos. A mais longa é de Metusalém, 969 anos. Estudiosos conservadores tomam uma de duas possíveis interpretações. Alguns (notavelmente John Davis, na sua obra muito consultada *Dicionário da Bíblia*, e mais recentemente Bernard Ramm) sugerem que os nomes representam o homem individual e o seu clã. Um paralelo bíblico é encontrado em Atos 7.16, onde o nome "Abraão" se refere à sua família ou clã, visto que o procedimento informado ocorreu depois da morte do patriarca. Outros destacam que nos primórdios da raça, antes que o pecado prolongado e persistente reduzisse a vitalidade humana e as doenças se desenvolvessem ao ponto em que estão hoje, idade avançada e vigor longo eram bem possíveis.

3. A Grande Apostasia (6.1-8)

As genealogias de Caim e de Sete são coroadas por uma história, que é veemente em sua acusação. Extensa controvérsia ainda gira em torno desta passagem.

Um aspecto do problema centraliza-se no significado da frase **os filhos de Deus** (2). Pela razão de esta frase aparecer em Jó 1.6; 2.1; 38.7 e Daniel 3.25 como designação a seres divinos ou anjos, argumenta-se que os anjos caídos vieram à terra e se casaram com mulheres (cf. Sl 29.1; 89.6, onde "poderosos" e "filhos dos poderosos" aludem a Deus).[22] Contudo, em nenhuma parte das Escrituras há a descrição de seres divinos corrompendo o gênero humano. Eles sempre são benéficos em suas relações com o homem. Jesus foi claro em declarar que os que serão ressuscitados "nem casam, nem são dados em casamento; mas serão como os anjos no céu" (Mt 22.30). Por conseguinte, esta visão é contrária ao teor geral da Bíblia.

A presença muito difundida de histórias mitológicas entre os antigos pagãos, remontando aos hurritas (1500-1400 a.C) e descrevendo deuses e deusas da natureza engajados em relações ilícitas entre si, levam alguns a advogar que esta passagem é um conto mitológico. Contudo, admite-se prontamente que mitologia erótica não aparece em outros lugares na Bíblia. Por isso, os estudiosos concluíram que o escritor de Gênesis alterou um conto mitológico e, com um jeito envergonhado, o apresentou como justificação para o julgamento de Deus que logo viria.[23]

Outro ponto de vista popular é que os **filhos de Deus** eram descendentes de Sete. De importância aqui é a palavra **Deus** (*ha'elohim*), que em outros lugares no Antigo Testamento significa "o único Deus verdadeiro" e, assim, o distingue das deidades pagãs. Este ponto de vista parece tornar impossível a teoria mitológica.

Na verdade, não se pode discutir que o conceito de uma relação filial entre Deus e seus adoradores seja estranho ao Antigo Testamento. Esta questão não se apóia em uma frase precisa; apóia-se em um conceito.[24] Em referência ao verdadeiro Deus há uma declaração em Deuteronômio 32.5, que diz: "Seus filhos eles não são, e a sua mancha é deles" (hb., *banaw*, "filhos dele"). Também em referência a Deus, o salmista (Sl 73.15) disse: "Também falarei assim; eis que ofenderia a geração de teus filhos" (hb., *banayka*, "teus filhos"). É certo que nestes contextos "seus filhos" e "teus filhos" são equivalentes a **filhos de Deus**. E de forma mais clara, Oséias (Os 1.10) disse acerca de Israel: "Se lhes dirá: Vós sois filhos do Deus [*'el hay*] vivo". No pensamento do Antigo Testamento, *he'elohim* e *'el hay* quase não poderiam ter sido dois deuses distintos. Repare também em Oséias 11.1 a frase "meu filho", que se remonta ao Senhor.

No Novo Testamento, a expressão "filhos de Deus" ocorre em referência a seres humanos em João 1.12; Romanos 8.14; Filipenses 2.15; 1 João 3.1 e Apocalipse 21.7. Estas passagens do Novo Testamento não são extraídas do paganismo, mas estão solidamente baseadas no conceito do Antigo Testamento mencionado acima.

A conclusão de que os adoradores do Senhor (4.26) da linhagem de Sete também eram os **filhos de Deus** preenche de maneira natural a lacuna entre as genealogias e o dilúvio. Estes homens não escolheram suas esposas com base na fé, mas por impulso, sem consideração pela formação religiosa. Seguiu-se corrupção após esta vida devassa e Deus reagiu com ira divina.

A palavra hebraica traduzida por **contenderá** (3, *yadon*) tem vários significados. A formação verbal pode aludir a raízes que significam "permanecer, ser humilhado" ou, remetendo-se ao acádio, "proteger, servir de proteção". Contender, trabalhar, esforçar-se ou proteger se ajustam bem ao contexto. O homem não devia sentir-se mimado, **porque ele também é carne**. Ele foi posto em provação por **cento e vinte anos**.

Em 6.3, há o pensamento interessante "Não para Sempre". 1) O Espírito de Deus contende com o homem; 2) O Espírito nem sempre contenderá; 3) O homem pode achar graça aos olhos do Senhor, 8 (G. B. Williamson).

A tradução **gigantes** (4, *nefilim*) remonta à Septuaginta. O contexto do outro exemplo onde a palavra aparece (Nm 13.33) sugere estatura incomum, mas na verdade o tamanho físico não tem nada a ver com o significado da palavra. Literalmente, o termo *nefilim* significa "os caídos ou aqueles que caem sobre [atacam] os outros". Em todo caso, eram indivíduos malévolos. Eles precederam e coexistiram com o ajuntamento dos **filhos de Deus** e das **filhas dos homens**. Nada no texto apóia a idéia de que eles eram descendentes deste ajuntamento que os rivalizavam como **varões de fama**, ou seja, homens de notoriedade e renome.

A reação de Deus aos assuntos da sociedade humana aumentava de intensidade à medida que a corrupção pecaminosa se tornava dominante em escala universal. A degradação do homem estava interiormente completa, **era só má continuamente** (5).

A frase **arrependeu-se o SENHOR** (6), e outras semelhantes (ver Êx 32.14; 1 Sm 15.11; Jr 18.7,8; 26.3,13,19; Jn 3.10), incomoda muitos estudiosos da Bíblia. O conceito comum de arrependimento está relacionado com afastar-se de atos imorais. Assim, uma mudança de direção, de caráter e de propósito é inerente no ato.[25] Duas passagens no Antigo Testamento asseveram definitivamente que Deus não mente e se arrepende como o homem (Nm 23.19; 1 Sm 15.29). Um estudo das passagens relacionadas acima mostra que o arrependimento divino não brota da tristeza por más ações feitas. As mudanças na relação do homem com Deus resultam em mudanças nos procedimentos de Deus com o homem. Quando o homem se afasta de Deus para o pecado, Deus muda a relação de comunhão para uma relação de repreensão julgadora. Quando o homem se afasta do pecado para Deus, este estabelece uma nova relação de comunhão. Este é o *arrependimento* divino. Em nosso texto (6), Deus muda de comunhão para julgamento.

As mudanças de relacionamento que Deus executa nunca são descritas no Antigo Testamento como algo impessoal ou passivo. Deus sempre está profundamente envolvido. Visto que a mudança de relação é pessoal, que melhores termos humanos se usariam do que expressões profundamente emocionais? Assim, **pesou** a Deus **em seu coração**. Quando o homem peca, Deus julga; mas Ele também sofre intensamente.

Deus não se gloriou no ato de julgamento implementado a seguir. Toda palavra do pronunciamento está imbuída de agonia. **Que criei** (7) sugere "Todos os produtos da minha criatividade amorosa devem ser destruídos, exceto um". Só um homem era adorador de Deus: **Noé, porém, achou graça aos olhos do SENHOR** (8).

De 6.5-8, G. B. Williamson analisa "O Dilúvio". 1) O julgamento pelo pecado é inevitável, 5-7; 2) A justiça é indestrutível, 8; 3) A fidelidade de Deus aos homens que confiam e obedecem é inalterável, 8.

E. A Corrupção Universal e Seu Resultado, 6.9—11.26

Um indivíduo se destaca novamente como objeto principal da preocupação de Deus. Depois de livrar Noé e sua família do "dia da destruição", Deus estabeleceu uma relação de concerto com eles. Mas as promessas de guardar o concerto ainda estavam soando quando entrou a profanação para turvar o relacionamento, e as coisas não melhoraram com o aumento e difusão da posteridade por toda a terra. Parece ser triste repetição de uma velha história.

1. *As Façanhas do Justo Noé* (6.9—9.17)

Embora esta história seja popularmente conhecida como "A História do Dilúvio", há poucos detalhes sobre o dilúvio em si. O foco principal está nas relações de Deus com o gênero humano, sobretudo com aqueles com quem Ele escolhe tratar diretamente, e nas respostas que dão às afirmações que Ele faz acerca deles. Noé é o personagem proeminente da história e sua obediência é de importância para o ato de salvação de Deus e não apenas para julgamento.

A seqüência da história é composta de cenário (6.9-12), uma série de ordens (6.13—7.5), a execução do julgamento (7.6-24), a dilatação da misericórdia (8.1-22) e um concerto (9.1-17).

a) *Um Justo em um Mundo Corrupto* (6.9-12). Imediatamente, **Noé** (9) é definido como indivíduo incomum, embora as características associadas a ele não sejam incomuns entre os homens de Deus no Antigo e Novo Testamento. Ele era **justo** (*tsadik*), ou seja, vivia de acordo com um padrão, marcando a vida com obediência a Deus e interesse pelo gênero humano. Ele era **reto** (*tamim*), isto é, era indiviso em sua lealdade, orientada em direção a uma meta definida e motivado por paixão controladora.[26] Como Enoque (5.24), **Noé** andava com Deus, ou seja, desfrutava de comunhão ininterrupta e íntima com Deus. Este andar infundia as características anteriormente mencionadas com uma ternura e profundidade de relação interpessoal com Deus que transcende a religião formal.

A condição moral da geração de Noé não só se contrasta com a vida de Noé, mas elucida os termos que a descrevem. A corrupção do povo se destacava como o oposto da justiça de Noé. Noé exibia fidelidade e conformidade à vontade de Deus; o povo não. A autenticidade de Noé, sua qualidade de vida sadia (*tamim*) era radicalmente diferente da **violência** (11, *chamas*) que permeava a sociedade dos seus dias. Uma comparação dos versículos 11 e 12 com o versículo 5 indica que esta **violência** era interior, severamente contaminada com imaginações imorais e tendências corruptas.

A declaração **viu Deus** (12), não significa que Ele precisou de informação, mas que a situação na terra era de sua grande preocupação e exigia sério exame. Note significados semelhantes desta frase em 30.1,9 e 50.15. Em cada caso, uma avaliação da situação resultou em decisão e, depois, em ação.

b) *O Julgamento de Deus sobre a Raça Humana* (6.13—7.5). A palavra divina: **O fim de toda carne é vindo perante a minha face** (13), ressoou como toque de morte pela consciência de Noé. O fato de a **terra** estar **cheia de violência** não podia continuar sem controle. Deus tomou a decisão e estava pronto para passar à ação. A falta de lei do povo estava desenfreada, assim a punição tinha de ser drástica. O gênero humano e sua casa, a **terra**, seriam destruídos. A terra foi destruída no sentido de deixar de sustentar vida no decorrer da duração do dilúvio.

O julgamento não devia ser privado da oportunidade de salvação. Noé recebeu orientações específicas. Ele tinha de tomar **madeira de gofer** (14) e construir uma estrutura grande e semelhante a uma caixa. Não se sabe como era realmente a **madeira de gofer**, mas o **betume** era material asfáltico razoavelmente comum no vale mesopotâmico. Aceitando-se o côvado de aproximadamente 45 centímetros de comprimento, a arca teria cerca de 137 metros de comprimento, 22 metros de largura e 13 metros de altura. A ventilação era fornecida por uma **janela** (16) ou abertura de luz, que pode ter sido espaçada ao redor da extremidade do topo. Quanto à questão dos detalhes construtivos, o texto diz pouco. Uma **porta** estava do lado da arca, mas não há indicação de qual era a relação da porta com os três níveis da arca.

Um dilúvio de águas (17) foi o expediente do julgamento, mas um **pacto** (18) seria estabelecido com Noé (ver 9.9-17). Esta é a primeira vez que a palavra pacto (ou concerto) aparece no Antigo Testamento. Em passagens posteriores é o modo preferido de descrever a relação pessoal entre Deus e as pessoas com quem Ele escolheu ter uma relação especial. Neste caso, Noé e sua família imediata, inclusive noras, foram os poucos escolhidos. Neste ponto, a relação de concerto era apenas uma promessa.

Em seguida, o Senhor informou a Noé que ele tinha de colocar casais de pássaros e animais na arca. A frase **conforme a sua espécie** (20), também encontrada em 1.21,24,25 em referência aos animais, é vaga no que tange às pretensas classificações de animais. Só os grupos gerais são especificamente mencionados: **aves** (20, *of*), **animais** (*behemah*) e **réptil** (*remes*). Atualmente, as "espécies" de animais são de aproximadamente um milhão. Seria erro presumir que o povo de antigamente pensasse em espécies de animais no mesmo sentido. O conceito pode estar mais próximo aos termos "classes, ordens, famílias ou gêneros", mas hoje não há meio de determinar a questão. A arca também foi abastecida com **comida** (21).

Ainda que a palavra de Deus fosse incomum, Noé seguiu obedientemente as instruções. Em Hebreus 11.7, há a observação de que Noé "temeu" quando obedeceu a Deus. Pedro o chamou "pregoeiro da justiça" (2 Pe 2.5).

De 6.9-22, Alexander Maclaren pregou sobre "O Santo entre Pecadores". 1) O santo solitário, 9-11; 2) A apostasia universal, 11,12; 3) A dura sentença, 13; 4) A obediência exata de Noé, 22; 5) A defesa da fé, 7.21-23.

Depois que a arca estava pronta, o **SENHOR** (7.1) apareceu a **Noé** outra vez. Ele foi elogiado por sua obediência identificada pela palavra **justo**. O que **Noé** fez contou com a aprovação de Deus.

A lista dos animais que entram na arca faz distinção entre **animal limpo** (2) e **animais que não são limpos**. Os animais limpos, em sentido ritualista, foram privilegiados para entrar **sete e sete**. Se o significado é sete pares ou três pares mais um indivíduo extra não está claro. Dos animais não limpos só um par de cada um foi permitido. Não é feita classificação entre **aves** (3) imundas e limpas, mas também tinham de entrar **sete e sete**. Noé teve **sete dias** (4) para carregar a arca antes do início do julgamento. Este viria na forma de um dilúvio que destruiria o homem e os animais. Noé obedeceu prontamente à mensagem de Deus em todos os detalhes.

c) *O Dilúvio* (7.6-24). Na época desta catástrofe, **era Noé da idade de seiscentos anos** (6). A descrição da entrada na arca é de um evento tranqüilo e ordeiro, que se deu do modo como Deus ordenou que fosse feito. De acordo com o tempo estabelecido, vieram as **águas do dilúvio** (10).

A segunda anotação cronológica menciona o mês e o dia quando irrompeu o dilúvio. A fonte das águas era dupla: jorraram *de baixo*, do **grande abismo** (11), e se derramaram *de cima*, pelas **janelas do céu**. Esta brevidade de descrição ocasiona uma avalanche de conjecturas relativas ao significado destes termos.[27] A Bíblia se contenta em apenas dizer que esta turbulência continuou por **quarenta dias e quarenta noites** (12). Antes do início do dilúvio, Noé e sua família, com os animais, já estavam na arca conforme a ordem divina. Deus, então, fechou a porta de forma que a arca flutuou com segurança sobre as águas em formação que **cresceram grandemente** (18) até cobrirem **todos os altos montes que havia debaixo de todo o céu** (19).

As águas subiram **quinze côvados** (20), distância de cerca de 6,75 metros, mas não informa se esta medida era do cume da montanha mais alta até à superfície das águas ou de algum outro ponto de partida.[28]

GÊNESIS 7.21-24 CRISE E DECADÊNCIA

As águas cumpriram seu propósito mortal, destruindo as criaturas que estão mais à vontade **no seco** (22) do que em cima ou dentro d'água. A destruição é acentuada duas vezes (21,23), pois o julgamento era assunto apavorante. Somente os que estavam na arca escaparam da fúria da tempestade, cujas conseqüências perduraram por um total de **cento e cinqüenta dias** (24).[29]

A Cronologia do Dilúvio
Gênesis 7 e 8

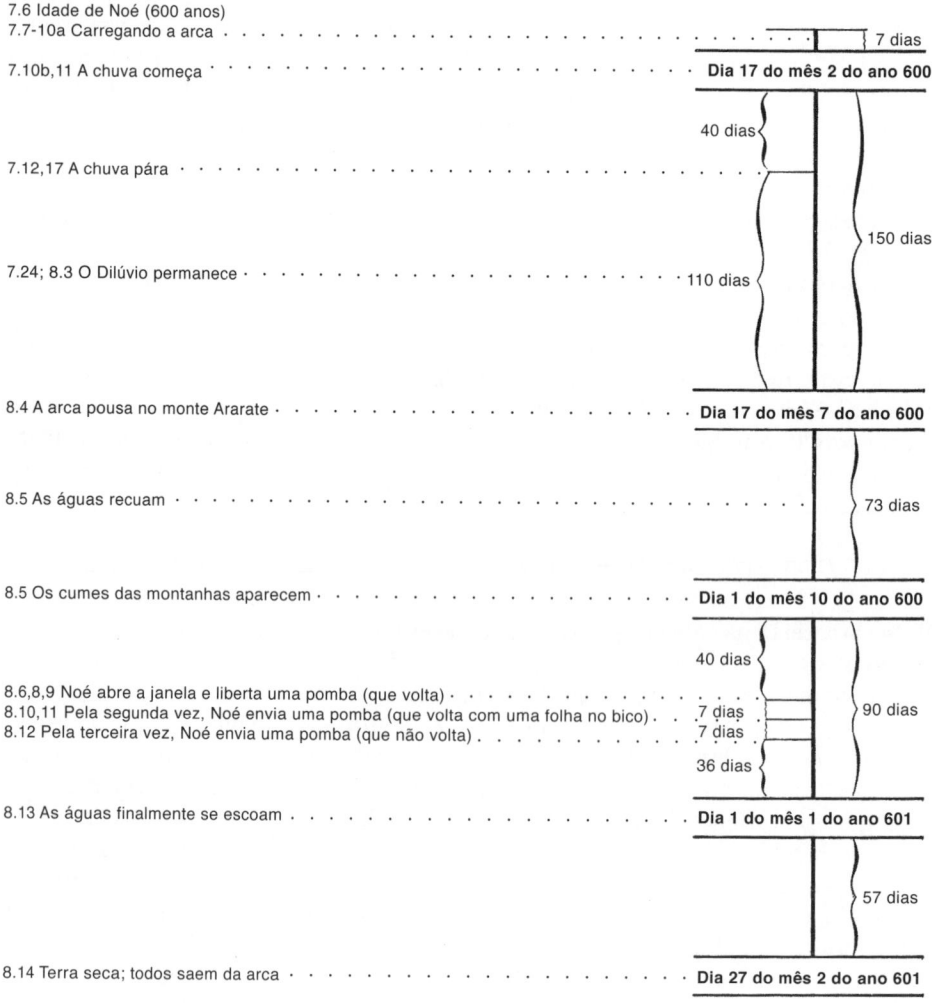

Referência	Evento	Data	Duração
7.6	Idade de Noé (600 anos)		
7.7-10a	Carregando a arca		7 dias
7.10b,11	A chuva começa	Dia 17 do mês 2 do ano 600	
			40 dias
7.12,17	A chuva pára		
			150 dias
7.24; 8.3	O Dilúvio permanece		110 dias
8.4	A arca pousa no monte Ararate	Dia 17 do mês 7 do ano 600	
8.5	As águas recuam		73 dias
8.5	Os cumes das montanhas aparecem	Dia 1 do mês 10 do ano 600	
			40 dias
8.6,8,9	Noé abre a janela e liberta uma pomba (que volta)		
8.10,11	Pela segunda vez, Noé envia uma pomba (que volta com uma folha no bico)	7 dias	90 dias
8.12	Pela terceira vez, Noé envia uma pomba (que não volta)	7 dias	
		36 dias	
8.13	As águas finalmente se escoam	Dia 1 do mês 1 do ano 601	
			57 dias
8.14	Terra seca; todos saem da arca	Dia 27 do mês 2 do ano 601	

Tempo total do Dilúvio: um ano e dez dias

d) *Mas Deus se Lembrou* (8.1-19). A declaração **lembrou-se Deus** (1) é como um raio de luz em uma cena escura. Violência e corrupção trazem uma colheita de destruição, mas a obediência fiel de uns poucos evoca expressões de bondade do Juiz celestial. O dilúvio não ia durar para sempre, nem aqueles que estavam na arca iam ficar nela como se estivessem numa prisão. Uma vez mais, Deus agiu, fazendo soprar um vento seco por sobre as águas, que continuamente retrocederam do cume das montanhas. Logo, a **arca** (4) encalhou nos montes de **Ararate**, uma cadeia de montanhas na Turquia oriental. Lentamente, os **cumes dos montes** (5) mais baixos foram aparecendo. Quando **abriu Noé a janela da arca** (6) e enviou a **pomba** (8), ainda não havia terra seca para ela pousar, por isso **voltou... para a arca** (9). Uma semana depois, ele enviou novamente a **pomba** (10), que voltou com **uma folha de oliveira no seu bico** (11).

Depois de **outros sete dias** (12), libertou a **pomba** pela terceira vez. Desta feita, não voltou, instigando Noé a tirar a **cobertura da arca** (13). Ele não permitiu que ninguém saísse até que a terra estivesse completamente seca, 57 dias depois. Note que no versículo 13, as **águas se secaram** (*harevu*), mas no versículo seguinte a **terra estava seca** (*yavesah*). A mudança do verbo hebraico indica uma seca mais completa que o esgotamento das águas **de sobre a terra** (13). Em resposta à ordem de Deus, **Noé** (18) abriu a arca e tudo que havia nela veio **para fora da arca** (19).

e) *Sacrifício e Promessa* (8.20-22). Saindo da arca, Noé dirigiu seus pensamentos e ações primeiramente a Deus. Sacrificou no **altar** (20) animais e pássaros limpos, dos quais havia número em excesso (7.2,8,9), e Deus respondeu. Aqui, a frase **cheirou o suave cheiro** (21) não indica que Deus estava sofregamente faminto, mas que estava ciente do ato de Noé e o aprovava.[30] Deus toma a resolução interior de não usar um dilúvio outra vez como meio de punição. As razões para tal punição ainda permaneciam, **porque a imaginação do coração do homem é má desde a sua meninice** (21), mas a misericórdia de Deus impediria um dilúvio como punição. Isto não significa que não haveria mais punições. Enquanto o pecado persistir entre os homens, a punição virá, embora por outros meios. Como sinal da sua decisão, Deus estabeleceu uma regularidade de seqüências naturais que encorajariam o homem a ter esperança no futuro.

f) *O Concerto de Deus com Noé* (9.1-17). Rememorativo de 1.28,29, **abençoou Deus a Noé e a seus filhos** (1), os quais receberam uma ordem igual de povoar a terra. Eles tinham de dominar sobre todas as outras criaturas da terra. Além de vegetais para comer, agora recebem a permissão de comer carne, com certa limitação. Eles não têm permissão de participar de carne na qual fique **sangue** (4). O **sangue** era símbolo da vida, e no homem particularmente não tinha de ser tratado de modo leviano. **Deus fez o homem conforme a sua imagem** (6) e, por isso, tinha uma condição especial.

Tendo esclarecido o papel inigualável do homem sobre a terra, Deus passa a dar mais destaque à sua relação especial com o homem estabelecendo um **concerto** (9) com Noé e seus descendentes. A ênfase deste **concerto** estava na misericórdia e não na punição — misericórdia estendida a todas as criaturas. O fato de um **arco... na nuvem** (13) ser o sinal peculiar deste **concerto** não significa que antes não houvesse arco-íris. Sua estreita associação com a chuva parece ter sido seu valor primário como sinal do concerto

51

de Deus de que um dilúvio universal não aconteceria novamente. A questão é tão importante que é reiterada seis vezes nos versículos 11 a 17.

As nuanças teológicas das experiências de Noé relacionadas ao dilúvio estão implícitas, mas são claras. A origem da dificuldade acha-se na rebelião do homem contra Deus, sua imaginação e propensão ao mal. Deus não tolera o pecado além de certa medida. Há um ponto terminal que resulta em julgamento para o homem, mas não sem dor para Deus (6.6). Deus deu o primeiro passo na preparação do julgamento provendo a subsistência dos que vivem obedientemente na sua presença. Os outros foram julgados porque excluíram Deus de suas vidas. As experiências de Noé descrevem Deus como Senhor completo de todas as forças naturais, algumas das quais Ele usa como ferramentas para julgamento ou salvação. A preocupação de Deus no meio do julgamento é salientada na declaração de que Ele se lembrou daqueles que estavam na arca. Por mais perigosa que lhes fosse a situação, eles nunca estavam ausentes dos pensamentos de Deus. Quando o perigo passou, o Senhor comprovou sua preocupação entrando em relação de concerto pessoal com o homem e criatura, fazendo livremente promessas de misericórdias futuras. A relação de Deus com o homem não estava na natureza de um complexo de forças naturais chamado deuses e deusas caracterizados por capricho e pirraça. Ele é o Deus-Criador que exige retidão e pune a corrupção. Seus procedimentos com o homem são profundamente pessoais.

2. *Desintegração Espiritual* (9.18—11.26)
A despeito das lições do dilúvio, os homens não foram totalmente verdadeiros a Deus.

a) *Leviandade na família de Noé* (9.18-29). Noé era lavrador da terra, como fora Caim. Cuidar de plantas se tornou sua grande paixão e entre elas estava a videira. Esta é a primeira vez que a produção de vinho é aludida na Bíblia, e é significativo que esteja ligada com uma situação de desgraça.

Noé pode ter sido inocente, não conhecendo o efeito que a fermentação causa no suco de uva nem o efeito que o vinho fermentado exerce no cérebro humano. Isto não impediu que a vergonha entrasse no círculo familiar. Perdendo os sentidos, Noé tirou a roupa e se deitou nu. A nudez era detestada pelos primitivos povos semíticos, sobretudo pelos hebreus que a associavam com a libertinagem sexual (cf. Lv 18.5-19; 20.17-21; 1 Sm 20.30).

Um dos filhos de Noé, **Cam** (22), entrou na tenda. Vendo o pai, ele não o ajudou, mas irreverentemente desdenhou a seus irmãos a condição de Noé. Os outros dois filhos imediatamente **cobriram a nudez do seu pai** (23), entrando na tenda discretamente, de costas.

Recuperando os sentidos, Noé ficou sabendo do que aconteceu e falou com seus filhos. Ele deixou Cam sem bênção e concentrou sua reprimenda em Canaã, cujos descendentes historicamente se tornaram um povo marcado por moralidades sórdidas e principal fonte de corrupção para os israelitas. A adoração cananéia de Baal desceu às mais baixas profundezas da degradação moral. Embora os cananeus obtivessem certo poder, como os fenícios, pelo tráfico marítimo no Mediterrâneo, eles nunca conseguiram se tornar grande nação. Quase sempre foram dominados por outros povos.

A bênção colocada em **Sem** (26) tem forte tônica religiosa, e esta linhagem dos descendentes de Noé teve papel importante na transmissão da mensagem de redenção para o mundo. A mais proeminente destas nações foi Israel, a quem foi dada a revelação de Deus preservada na Bíblia. Particularmente no tempo de Davi e Salomão, Israel regeu sobre os cananeus, usando-os na construção do primeiro templo em Jerusalém.

A benção dada a **Jafé** (27) envolvia um jogo de palavras, pois o nome significa "que aumenta". A linhagem de Jafé se multiplicou e desempenhou um papel superior como portadores de poder político por meio dos persas, gregos e romanos. Evangelizado por Paulo e outros, de todos os povos este foi o mais receptivo ao cristianismo e, assim, veio a habitar **nas tendas de Sem** (27). Fatos poucos significativos ocorreram nos últimos dias de Noé. Como aqueles que o antecederam, ele **morreu** (29).

b) *A Propagação dos descendentes de Noé* (10.1-32). Temos aqui o mesmo procedimento em dar genealogias como no capítulo 5, onde os filhos de Caim são meramente alistados para que a atenção seja concentrada em Sete. As linhagens de Jafé e Cam são contadas brevemente e depois postas de lado. O versículo 5 afirma claramente que esta lista está baseada não só em divisões familiares, mas em distinções nacionalistas e lingüísticas. Embora os nomes remontem a indivíduos, as genealogias se relacionam primariamente com as nações que descendem de Jafé. Eles ocupavam as regiões do norte, estendendo-se pela Turquia, as ilhas do mar Mediterrâneo e no sul da Europa. As línguas destes povos eram principalmente indo-européias.

Pelos registros assírios, **Gomer** (2) foi identificado com os cimérios. **Magogue** é provavelmente termo para designar a todos os nortistas (ver Ez 38.2; 39.1,6), mais particularmente aos habitantes da Turquia oriental, onde aparentemente se situavam **Tubal** e **Meseque**.

Madai era a antiga nação Média que, no século VI a.C., associou-se com os persas para formar o Império Persa. **Javã** era a nação grega jônica que foi proeminente nas obras de Homero. É provável que **Tiras** relacionava-se aos tirsenos gregos que viviam nas ilhas do mar Egeu. Há quem pense que eles possam ter sido os etruscos.

Asquenaz (3) ficava situado possivelmente na cadeia de montanhas do Cáucaso, perto dos mares Negro e Cáspio (cf. Jr 51.27). Pode ter certa relação com o nome mesopotâmico de *Ashguza,* que eram os citas. **Rifate** vivia em Anatólia ou Turquia. **Togarma** parece ser igual ao nome mesopotâmico *Tegarama,* situado perto de Carquêmis, junto ao rio Eufrates. **Elisá** (4) também consta em listas cuneiformes como *Elashiya,* antigo nome de Chipre. **Társis** também pode ter sido Chipre em tempos mais antigos, mas os gregos situavam os *Tartesos* na costa sul da Espanha imediatamente a oeste de Gibraltar. **Quitim,** igual ao grego *Kition,* estava situado em Chipre. **Dodanim** pode ter sido os troianos de Anatólia ou os habitantes de Rodes, ilha do mar Egeu. Na Septuaginta, a tradução grega do Antigo Testamento, este nome é soletrado com um *r* inicial. Em hebraico, os caracteres *d* e *r* são quase iguais, sendo facilmente confundidos.

Cuxe (6) está relacionado com duas regiões geográficas diferentes. Este povo se estabelece primeiramente na cidade de Kish, no vale da Mesopotâmia, e depois se torna os cassitas. Parece que alguns deles também migraram para o sul da Arábia, pois todas as famílias alistadas em 10.7 eram habitantes daquela terra. Houve, então, um movimento na Abissínia, na África oriental (a atual Etiópia). Os descendentes de Cuxe, que ficaram no vale da Mesopotâmia, honraram um herói chamado **Ninrode** (8), que construiu um **reino** (10) de cidades-estados proeminentes: **Babel, Ereque, Acade** e **Calné.** Pelo visto, o título **caçador** (9) se refere à tendência de Ninrode vitimar as pessoas e explorar os recursos naturais. O **caçador** está em contraste com a palavra semítica comum "pastor", que designa um regente que tem no coração o bem-estar das pessoas. O reino de Ninrode se estendeu até ao rio Tigre, onde foi construído o último centro do poder assírio, formado por **Nínive, Reobote-Ir, Calá** (11) e **Resém** (12). É interessante que o nome atual das ruínas de **Calá** seja Ninrode.

Mizraim (13) é o nome hebraico para aludir ao Egito, que teve sua origem no vale do Nilo. A oeste do Egito está a terra de **Ludim**, os líbios. Os outros povos alistados no versículo 13 não foram ainda identificados. Sabe-se hoje que **Patrusim** (14) era o povo de Patros, no alto Egito. **Casluim** era a pátria dos **filisteus**, de quem a Palestina obteve o nome. **Caftorim** era o povo de Creta, que também era a pátria original dos filisteus.

Os cananeus se tornaram um povo de fala semítica e eram conhecidos pelos gregos como fenícios. Suas cidades principais foram **Sidom** (15) e Tiro, que ainda existe no moderno Líbano. Por muito tempo os cananeus foram politicamente dominados pelos egípcios. **Hete** seria os hititas, que construíram um centro de poder na Anatólia central (Turquia), mas alguns deles fundaram colônias na Palestina, sendo que a mais conhecida estava em Hebrom (23.23,24). O **jebuseu** (16) representa os habitantes hurrianos de Jerusalém antes de ser tomada pelo rei Davi (2 Sm 5.6-10). O clã do **amorreu** ocupou os altiplanos da Palestina e da Transjordânia. O **heveu** (17) também era um nome para se referir aos colonos hurrianos da Palestina, mas o grupo **girgaseu** é desconhecido na história.

Todos os povos alistados no versículo 14 viviam no norte de Sidom estendendo-se até ao rio Orontes e estavam, em geral, sob o controle político do Egito nos primitivos tempos do Antigo Testamento. As fronteiras dos **cananeus** (19) abrangiam a região litorânea do Mediterrâneo indo bem ao sul, chegando a Gaza, e estendendo-se abaixo do vale do Jordão até o mar Morto. Esta descrição se harmoniza perfeitamente com resquícios de suas colonizações que duraram de mais ou menos 1750 a.C. a cerca de 1300 a.C., descobertos por arqueólogos na antiga Palestina.

Os filhos de **Éber** (21), nome que mais tarde ficou restrito somente ao povo hebreu, aqui designa o povo de fala semítica no deserto da Arábia e em torno dele. Porém, **Elão** (22), que está a leste do vale da Mesopotâmia, não era semita. O povo de **Assur** (Assíria) venceu os sumérios, o povo de Sinar, em cerca de 2200 a.C., e se tornou um império poderoso.

Arfaxade parece situar-se ao nordeste dos assírios. **Lude** se tornou a nação da Lídia. **Arã** se tornou o influente povo aramaico (Síria), cujo idioma e escrita se tornaram o meio de comunicação internacional durante o período dos impérios assírio, babilônico e persa. Damasco era a capital da Síria. **Uz** (23) fica a leste do rio Jordão, ao longo do deserto da Arábia. Jó pertencia a este grupo (Jó 1.1). Nada é sabido sobre **Hul, Geter** e **Más**.

A maioria dos povos mencionados com **Joctã** (25) é desconhecida, mas inscrições árabes falam de **Hazar-Mavé** (26), de **Obal, Abimael** e **Sabá** (28), de **Ofir** e **Havilá** (29). **Sabá** é famosa porque a rainha de Sabá viajou a Jerusalém para ver o rei Salomão (1 Rs 10.1-13). Houve muitos casamentos entre as pessoas destes povos, mas basicamente ocorreu uma divisão entre eles de acordo com grupos lingüísticos. Assim tendemos a falar acerca deles em termos de características de linguagem indo-européia, semítica e camita.[31]

c) *A confusão de línguas* (11.1-9). O cenário desta história curta, mas intrigante, forma-se depois do dilúvio com os descendentes de Noé que se agruparam por uma língua comum e logo começaram a migrar para novos territórios. Cronologicamente, a história está relacionada com as fases mais primitivas de migração, pois 10.25 fala de uma divisão de povos nos dias de Pelegue e 11.8 menciona um espalhamento de clãs. O relato foi colocado depois das três genealogias do capítulo 10 para que sua relação com a profecia de Noé (9.25-27) não fosse perturbada.

Mudando-se da região do monte Ararate, os povos se instalaram em **Sinar** (2), que é o vale da Mesopotâmia, o local dos vestígios mais antigos da civilização por nós conhecido. O vale é banhado pelos rios Tigre e Eufrates, sendo muito fértil.

A história nos conta que, em assembléia, os novos habitantes de **Sinar** tomaram uma decisão totalmente fora da vontade de Deus. O propósito da ação proposta é claro. Queriam fama: **Façamo-nos um nome** (4). E desejavam segurança: **Para que não sejamos espalhados sobre a face de toda a terra**. Ambas as metas seriam alcançadas somente pelo empreendimento humano. Não há dúvida sobre a ingenuidade das pessoas. Não tendo pedras, fabricaram em seu lugar tijolos de barro que depois queimaram bem (3). Viram a utilidade do **betume** (asfalto) abundante na área e o usaram **como cal** ou argamassa. Trabalharam com persistência até que houvesse bastante **tijolo** para o projeto de construção.

O interesse principal deste povo estava numa **torre** (4), embora também houvesse a construção de uma **cidade**. A torre ia alcançar os **céus**. Nada é dito sobre um templo no topo da **torre**, por isso não está claro se a **torre** era como os zigurates que houve mais tarde na Babilônia. Havia morros enormes e artificiais feitos de tijolo, alguns elevando-se até 90 metros acima da planície circunvizinha. Colocados no centro das cidades, eram encimados por um templo dedicado a uma deidade pagã e, em inscrições antigas, há a descrição de que chegavam até o céu.

O paganismo estava indiretamente envolvido nesta história, pois havia um ímpeto construtivo em direção ao céu e o único verdadeiro Deus foi definitivamente omitido de todo o planejamento e de todas as metas. Mas Deus não estava inativo. Ele observava o que estava acontecendo e logo mostrou sua avaliação da situação. O homem não foi criado como ser independente de Deus. Ser "à nossa imagem" (1.26) significava que o homem estava dotado de grandes poderes e que era totalmente dependente de Deus para sua essência de vida e razão de ser.

Há ironia no monólogo do Senhor. Os povos estavam unidos, tinham comunicação aberta entre si, contudo arruinaram estas bênçãos em rebelião contra o Criador. Deus não permitiria ser ignorado, e a loucura da ilusão humana de que posses e atividades criativas eram insuperáveis não ficaria sem confrontação.

O julgamento de Deus logo manifestou estas ilusões. Para demonstrar que a unidade humana era superficial sem Deus, Ele introduziu confusão de som na língua humana. Imediatamente estabeleceu-se o caos. O grande projeto foi abandonado e a sociedade unida, mas sem temor de Deus, foi despedaçada em segmentos confusos. Em hebraico, um jogo de palavras no versículo 9 é pungente. **Babel** (9) significa "confusão" e a diversidade de línguas resultou em balbucios ou fala ininteligível.[32]

d) *A linhagem de Sem* (11.10-26). Esta genealogia é mais seletiva que a de 10.21-32. Parece continuar de onde parou a genealogia no capítulo 5, e tem algumas das mesmas características. Dão-se as idades de vários homens, e como Noé foi o décimo depois de Adão, assim **Tera** (24) foi o décimo depois de **Sem** (10). Três filhos são nomeados com Noé e três filhos são nomeados com **Tera**. Em contraste com a linhagem de Sem em 10.21-32, esta lista traça a linhagem por **Arfaxade** (11), ignorando os outros filhos de Sem. A genealogia inclui os filhos de **Pelegue** (16), que não têm lugar em outra lista. Por meio desta genealogia, a história passa depressa de Noé a **Abrão** (26), o principal personagem da próxima história da redenção.

Seção **II**

ABRAÃO, O HOMEM QUE DEUS ESCOLHEU

Gênesis 11.27—25.11

Um dos homens mais extraordinários dos tempos antigos agora é o centro das atenções. Abraão é exaltado como homem de Deus em três importantes religiões no mundo de hoje: o judaísmo, o cristianismo e o islamismo. Durante os primeiros anos, seu nome era **Abrão** (27), que significa "pai exaltado".[1] As histórias relacionadas com sua vida diante de Deus são diretas, apresentando os destaques de suas aventuras espirituais. Mas seus momentos de crise também são registrados, quando a incredulidade lhe golpeou a alma e ele se envolveu em situações desagradáveis com os outros.

A. As Relações da Família de Tera, 11.27-32

Muitos nomes desta curta genealogia ainda persistem em nomes de cidades no alto vale da Mesopotâmia. Provavelmente, as novas cidades receberam os nomes dos primitivos colonizadores, como acontece hoje. Em antigos registros assírios, acha-se um lugar chamado "montículo de Tera". A cidade de **Harã** (27) existe hoje às margens do rio Balique.

Ur dos Caldeus (28) foi uma das cidades-estados mais ricas já desenterradas das culturas mais antigas do vale da Mesopotâmia. O deus-lua Nanar era adorado ali, e um dos mais famosos reis de Ur foi Ur-Namu. Josué 24.2 declara que a família de Tera adorava ídolos. A cidade foi destruída em cerca de 2100 a.C. e, logo em seguida, ocorreu grande migração para o oeste. Chamavam-se amoritas as famílias que se mudaram para o oeste. A família de Tera estava entre estes migrantes. Planejavam evidentemente ir primeiro à **terra de Canaã** (31), mas foram detidos, pois **morreu Tera em Harã** (32).

B. Estrangeiro em Nova Terra, 12-1—14.24

A resposta de Abrão ao chamado divino de mudar-se para outro país prende a imaginação de muitos pesquisadores como a vontade de Deus. Sua viagem em fé não foi um conto de fadas fantástico, mas tem a marca qualitativa de luta realista em um mundo hostil. Abrão teve reveses, mas perseverou na busca do que acreditava ser a vontade de Deus.

1. *Ordem e Resposta* (12.1-9)

A estrutura desta história é simples. Há uma ordem misturada com promessa (1-3), o ato de obediência de Abrão (4-6) e a teofania ou aparição de Deus a Abraão marcada por promessa, ao que Abrão respondeu adorando (7-9).

A ordem de Deus era clara, mas severa. **Abrão** (1) tinha de deixar a casa e a **parentela** e mudar-se para uma nova terra. Quando chegou à dita terra, os **cananeus** (6) habitavam ali, mas Deus prometeu: **À tua semente darei esta terra** (7). A outra promessa dizia respeito a uma posteridade que se tornaria uma **grande nação** (2). Os descendentes de Abrão seriam os possuidores da nova terra. Abrão conheceria as bênçãos de Deus e seria conhecido como grande homem. Ele seria canal de **bênção** (2) para os outros. De tal modo Ele estaria relacionado com eles que o destino dessa gente seria determinado pelo modo que o tratassem. Deus seria gracioso com quem o ajudasse e castigaria quem o amaldiçoasse. A influência de Abrão seria mundial, uma graça divina e uma bênção para muitas nações.

Em vez de discutir com Deus, **partiu Abrão** (4), embora fosse **da idade de setenta e cinco anos**. Mas não foi sozinho, pois **Sarai, sua mulher**, **Ló, filho de seu irmão** (5), e um grupo considerável de servos o acompanharam. A **terra de Canaã** é atualmente conhecida por Palestina.

A primeira parada importante de Abrão foi em **Siquém** (6; ver Mapa 2; Gn 33.18,19; Js 24.1) ou Sicar (Jo 4.5). Hoje, uma cidade próxima chama-se Nablus. Antigamente, a cidade era importante porque, por ali, passavam duas rotas comerciais: uma leste-oeste e outra norte-sul. Ao norte, o monte Ebal se destacava abruptamente sobre a cidade e, ao sul, o monte Gerizim empinava seu cume. O **carvalho de Moré** é tradução correta.

Abrão chegou à Terra Prometida; mas outros tinham chegado antes, pois **estavam... os cananeus na terra**. Parecia que a promessa de Deus foi anulada por este fato. Para encorajar Abrão, Deus renovou e fortaleceu a promessa, declarando especificamente: **À tua semente darei esta terra** (7). Em resposta, Abrão construiu um altar e adorou a Deus.

Movendo-se em direção sul, Abrão se fixou em uma montanha entre **Betel** (8; ver Mapa 2) e **Ai**. Este último nome significa "as ruínas". Recente trabalho arqueológico revelou que este local já estava abandonado por no mínimo 500 anos quando Abrão chegou. As ruínas eram originalmente uma cidade-fortaleza, evidentemente construída pelos egípcios em 2900 a.C. e destruída em cerca de 2500 a.C. Nesta montanha, Abrão construiu outro altar e adorou a Deus. Logo prosseguiu indo **para a banda do Sul** (9).

Nesta passagem (12.1-9), temos "Um Exemplo de Fé". 1) A ordem e a promessa divina, 1-3; 2) A obediência de fé, 4,5; 3) A vida na terra, 6-9 (Alexander Maclaren).

2. Em vez de Bênção, um Causador de Problemas (12.10—13.4)

Deus prometeu que Abrão seria **uma bênção** (2) e que nele seriam **benditas todas as famílias da terra** (3). Mas quando **desceu Abrão ao Egito** (10; ver Mapa 3), por causa de uma **fome** em Canaã, ele estava longe de ser uma bênção para as pessoas daquele país.

A severidade da **fome** levou **Abrão** e sua gente ao bem irrigado delta do rio Nilo em busca de comida para o gado e para as famílias que serviam Abrão. Parece que ele ouviu falar da moralidade desenfreada dos egípcios, pois, movido por medo — **matar-me-ão a mim** (12) —, pediu à esposa, **Sarai** (11), que mentisse sobre o relacionamento que tinham.[2]

O perigo que Abrão antecipou era real, pois logo os **príncipes** (15) repararam em Sarai e a levaram à **casa de Faraó**. Nessa conjuntura, Abrão prosperou (16), pois lhe vieram presentes de animais e escravos em abundância.

As coisas não iam tão bem com **Faraó** (17). **Feriu... o SENHOR a Faraó com grandes pragas e a sua casa**, porque o desejo sexual deste monarca ameaçava exterminar a promessa divina de que Abrão teria uma posteridade. Descobrindo que Abrão não dissera toda a verdade sobre sua esposa, **chamou Faraó a Abrão** (18), repreendeu-o severamente e o expulsou do Egito.

Foi uma experiência humilhante para Abrão e, apesar da riqueza, seu retorno para Canaã quase não foi uma marcha de vitória. Voltando lentamente para **Betel** (3), o patriarca se curvou diante do **altar que, dantes, ali tinha feito** (4) e adorou. Sua viagem ao Egito não foi uma bênção para ninguém. **A banda do Sul** (1) seria o "país de Judá" (BA).

3. A Escolha que Conduziu para Baixo (13.5-18)

Não era só Abrão que era rico em **rebanhos, vacas** e **tendas** (5), seu sobrinho **Ló** também tinha rebanhos numerosos. Faltando bons pastos durante todo o ano, os altiplanos da Palestina não proporcionavam bastante comida e água. Houve **contenda** (7) entre os **pastores** nos campos, de forma que tornou imperativa uma conferência entre tio e sobrinho. Eles não podiam perder de vista a presença e ameaça implícita dos **cananeus** e **ferezeus** na terra. Este era o cenário de uma das decisões cruciais tomadas no círculo da família de Abrão.

Em seguida, ocorre o diálogo entre **Abrão** (8) e **Ló**. De acordo com os costumes da época, a solução do problema teria sido bastante simples. O líder do clã implementaria a solução que protegesse os próprios interesses com pouca consideração aos interesses do concorrente. Mas **Abrão** preferiu dar a vez ao sobrinho. Insistiu que Ló se apartasse (9) do círculo da família de Abrão, mas deu ao homem mais jovem a opção de escolher a região da Palestina para apascentar seus rebanhos.

Do lugar onde estavam acampados perto de Betel, o vale do Jordão lhes era visível a leste. Ló escolheu ir nessa direção. Em torno de Jericó, como hoje, os campos eram pontilhados por muitas fontes, e no lado sudeste do mar Morto ribeiros de águas descendo dos altiplanos irrigavam os campos férteis. A região era tão verdejante que dois símbolos de fertilidade, o **jardim do SENHOR** (10) e a **terra do Egito**, foram as únicas expressões adequadas para descrevê-la. Isto estava em nítido contraste com a terra seca da região montanhosa central da Palestina.

Neste ponto, Ló não sabia do destino que se abateria sobre a terra que ele acabara de adotar. Mas a história recebe um clima de suspense com a observação de que **Sodoma e Gomorra** seriam destruídas. **Sodoma** (13) é especialmente mencionada como cidade prejudicial à moral, pois **eram maus os varões de Sodoma e grandes pecadores contra o SENHOR**.[3]

Em 13.5-13, G. B. Williamson apresenta o tema "A Escolha de Ló". 1) A escolha de Ló revelou seu caráter, 10,11; 2) A escolha de Ló o levou a Sodoma, 12,13; 3) A escolha de Ló resultou em perda incalculável, 13 (cf. 19.1-28).

Depois da partida de Ló, o **SENHOR** apareceu a **Abrão** e renovou, com acréscimos, as promessas feitas anteriormente (14). Ordenando que Abrão inspecionasse a terra (15), o Senhor lhe disse que tudo era um presente aos seus descendentes, que seriam tão numerosos como **o pó da terra** (16). Mas Abrão também tinha de reivindicá-la como sua terra, percorrendo-a em todo canto que lhe agradasse. Imediatamente, Abrão foi para o sul e se instalou nas pastagens férteis em torno de **Hebrom** (18), que na época chamava-se **Manre**. Foi o terceiro lugar onde o Abrão **edificou... um altar** junto ao qual adorou o **SENHOR**. Num primeiro instante, a escolha de Ló prometia ser mais lucrativa, mas estava relacionada com uma situação potencialmente explosiva. A generosidade de Abrão parecia ter-lhe sido danosa, se considerada sob a ótica dos costumes da época. Mas, às vezes, decisões difíceis devem ser tomadas quando o homem busca fazer a vontade de Deus. Não obstante, em virtude das promessas e da ajuda do Senhor, o futuro de Abrão garantia lucros profusos.

4. *Crise no Vale* (14.1-24)

Inesperadamente, o perigo proveniente do norte tornou-se realidade na forma de um ataque maldoso de quatro reis. A identificação de **Anrafel** (1) com Hamurábi, importante monarca babilônico, exercia forte atração a certos estudiosos do Antigo Testamento há várias décadas.[4] Contudo, achados arqueológicos relacionados a Hamurábi o datam depois do tempo de Abraão. **Sinar** era um nome antigo para se referir à Babilônia. **Arioque** é notavelmente semelhante ao antigo nome *Ariukki*, ao norte da Babilônia, na terra dos hurrianos ou horeus. Nada é sabido de um **Quedorlaomer**, mas **Elão** era o nome dos altiplanos a leste do rio Tigre. **Tidal** foi um dos reis hititas chamado *Tudkhula* ou *Tudhaliya*.[5]

Os cinco reis que se uniram em aliança defensiva no **vale de Sidim** (3), região sul do mar Morto, estavam mal preparados para repelir os invasores. Eles se renderam e por **doze anos** (4) foram vassalos dos estrangeiros. Depois se rebelaram e o resultado foi desastroso. Os invasores voltaram e cruelmente mataram os habitantes do alto planalto, a leste do mar Morto (ver Mapa 2). Alguns destes povos eram lembrados como gigantes. Quanto aos **refains** (5), ver Gênesis 15.20 e Deuteronômio 2.11; e também Deuteronômio 3.11, onde o termo é traduzido por "gigantes". Os **zuzins** eram os mesmos que os "zanzumins" de Deuteronômio 2.20. Quanto aos **emins**, ver Deuteronômio 2.10,11. Pelo visto, o termo **horeus** (6) foi usado para aludir aos habitantes aborígines de Edom (Gn 36.20; Dt 2.12,22). Estes ficavam perto dos ricos depósitos de minério de cobre na região sul do Arabá, e é lógico que era por este minério que os reis se interessavam primariamente.

Depois das vitórias descritas nos versículos 5 e 6, os reis se dirigiram para o deserto ao sul e oeste do mar Morto, pilhando o fértil oásis de **Cades** (7, Cades-Barnéia; ver

Mapa 3) e destruindo o povoado em **Hazazom-Tamar**, que é a atual En-Gedi. A principal batalha com os reis defensores ocorreu no **vale de Sidim** (8) e acabou em completa derrota e caos. Os vencedores levaram muito saque e muitos escravos, entre os quais estava **Ló** e a sua **fazenda** (12).

Um fugitivo da invasão contou a **Abrão** (13) o destino de Ló. O patriarca, normalmente amante da paz, reuniu uma companhia de **trezentos e dezoito** (14) homens. Com habilidade e coragem eles conseguiram resgatar Ló, muitos outros cativos e grande parte do saque depois de árdua perseguição de mais de 160 quilômetros em direção norte até Dã (ver Mapas 2 e 3).

Na viagem de retorno a Hebrom, Abrão e sua companhia passaram pela antiga Jerusalém, atravessando o **vale de Savé** (17), possivelmente o vale de Cedrom. Um grupo dos distintos e gratos líderes da terra o encontrou ali. Pela primeira vez, Abrão provara ser uma bênção aos vizinhos (ver 12.2,3).

Melquisedeque (18), o honorável sacerdote-rei de **Salém** (Jerusalém), deu comida e bebida aos vencedores e pronunciou uma bênção a Abrão (19). O nome **Deus Altíssimo** (18) era, naqueles dias, designação comum da divindade no país da Palestina. Em atenção aos atos do sacerdote-rei, Abrão deu o **dízimo de tudo** (20) a Melquisedeque. O **rei de Sodoma** (21) tinha menos inclinação religiosa. Pediu seu povo de volta, contudo foi bastante generoso em oferecer a Abrão todo saque procedente do combate. Abrão tinha pouco respeito por este homem e respondeu que fizera o voto de não ficar com nenhum bem que pertencesse ao **rei de Sodoma**, para que, depois, isso não fosse usado contra ele por aquele indivíduo repulsivo. Abrão também deixou claro que o seu Deus tinha o título de **SENHOR** (22) e não era apenas outra deidade cananéia. A única coisa que Abrão pediu foi que os soldados fossem recompensados pelos serviços prestados e que seus aliados, **Aner, Escol e Manre** (24), tivessem participação no saque.

O caráter robusto de Melquisedeque e seu *status* como respeitado sacerdote-rei tornaram-se significativos em posteriores pronunciamentos sobre o muito esperado Messias. O Salmo 110.4 relaciona o Messias na "ordem de Melquisedeque" e o escritor da Epístola aos Hebreus cita esta porção dos Salmos para mostrar que Cristo é este tipo de ordem sacerdotal no lugar da ordem arônica (Hb 5.6,10; 6.20; 7.1-21).

O escritor de Hebreus enfatiza o significado do nome e *status* de Melquisedeque para assinalar que ele e Cristo eram homens de justiça e paz (Hb 7.1,2). A próxima correlação é um destaque na força e valor pessoal e não na linhagem. Seu ofício não passou automaticamente a outro. Cristo é Sumo Sacerdote e não somente sacerdote, e em vez de dar somente uma bênção, Cristo salva "perfeitamente" (Hb 7.25,26).[6]

C. O Concerto de Deus com Abraão, 15.1—17.27

Diferente das religiões pagãs dos vizinhos de Abrão, cuja crença era politeísta e centrada na natureza, a crença de Abrão era monoteísta e centrada no concerto. Nem a Babilônia, a Síria ou o Egito conhecia uma religião que fosse pessoal, com uma relação dinâmica operando entre Deus e o homem. Mas Deus estabeleceu tal relação com Abrão e seus descendentes fazendo um concerto com ele.

1. O Concerto de Deus com Abrão (15.1-21)

Na sociedade do alto vale da Mesopotâmia fazer concertos era prática comum entre homens e entre nações.[7] Deus usou esta forma de relação pessoal como meio de transmitir sua revelação a **Abrão** (1) e seus descendentes. A comunicação ocorreu por meio de uma visão na qual o Fazedor do Concerto acalmou o medo de Abrão e se identificou como seu **escudo** e **grandíssimo galardão**. O termo **escudo** denota proteção; e **galardão**, com seus adjetivos, transmite a idéia de graciosidade abundante. As duas palavras representam um Deus que se preocupava muito com as ansiedades que Abrão tinha.

Segue-se um diálogo no qual Abrão revela sua profunda angústia. Deus prometeu que Abrão teria um filho (12.1-7; 13.14-17). Mas não veio nenhuma criança para abençoar sua casa. Por quê? A lei dos hurrianos, prevalecente em torno de Harã, de onde veio Abrão, tomava providências para que um casal sem filhos adotasse um servo para cuidar deles na velhice e enterrá-los. Em troca, o herdeiro adotado receberia a riqueza da família. Evidentemente, Abrão adotara o **damasceno Eliezer** (2), mas ele não estava satisfeito. Esta provisão não correspondia com a promessa que Deus lhe fizera. **Um nascido na minha casa** (3) é tradução correta.

Em resposta a Abrão, o **SENHOR** (4) lhe garantiu que Eliezer não seria o herdeiro, mas que Deus ainda daria a Abrão um herdeiro de quem ele seria o pai. Para reforçar a promessa, Deus ordenou a Abrão: **Olha, agora, para os céus e conta as estrelas** (5). A vasta gama de estrelas que salpicavam o céu seria comparável ao número de descendentes que consideraria Abrão como pai.

A reação de Abrão foi completa rendição à vontade de Deus e a aceitação da promessa como resposta adequada às suas dúvidas. Pela primeira vez na Bíblia ocorre o verbo *crer* (6). Basicamente, significa estar firmemente determinado ou fundamentado. Neste contexto, significa que Abrão se fundamentou na integridade de Deus. Diante disso, Deus aceitou este ato de fé como ato de **justiça** que desconsiderou a dúvida anterior.

Este versículo foi muito importante para Paulo, que o usou para demonstrar em Romanos 4 que crer em Deus é a base para obter salvação e que a justiça é um dom de Deus. Praticamente o mesmo argumento é usado em Gálatas 3 (ver comentários sobre estes vv. no CBB, vols. VIII e IX).

Em 15.1, é indicada "A Fé de Abraão". 1) O registro da fidelidade: **Depois destas coisas** (cf. caps. 12—14); 2) A recompensa da fidelidade, 1-6 (G. B. Williamson).

O próximo diálogo se concentra na relação da **terra** (7) com a semente de Abrão. Depois de breve referência ao chamado que anteriormente fizera a Abrão, Deus repetiu a promessa de que a Palestina seria uma casa para os filhos do patriarca. Abrão pediu alguma prova tangível, visto que ele não possuía nada da terra pela qual peregrinava. Foi neste contexto que o concerto foi realmente estabelecido.

Seguindo procedimentos antigos no estabelecimento de concertos, Deus orientou Abrão a preparar três animais — **uma bezerra, uma cabra** e **um carneiro** (9), os três de três anos — e dois pássaros — **uma rola** e **um pombinho**. Depois de sacrificá-los, Abrão dividiu as carcaças dos animais e as colocou no chão, vigiando-os para protegê-los de **aves** (10) que se alimentam de carniça. **Pondo-se o sol** (12), Deus apareceu a Abrão na forma de **grande espanto** e **grande escuridão** ("um terror e medo de estremecer", BA).

A mensagem do Revelador estava cheia de detalhes acrescentados às promessas anteriores. Sobre a **semente** (13), Deus disse que a posse da terra não seria imediata, mas que os descendentes de Abrão teriam de habitar primeiro em outra **terra**. Lá, seriam escravizados por **quatrocentos anos**, em cujo período eles conheceriam a aflição. Mas Deus julgaria aquela **gente** (14) e libertaria o povo de Abrão.

O próprio Abrão não possuiria toda a terra, mas teria um senso de **paz** (15) na **velhice** e morte. Voltando ao assunto da terra, Deus indicou que os **amorreus** (16), que então a habitavam, tinham de ganhar tempo para demonstrar sua falta de responsabilidade e abundância de iniqüidade. A terra não lhes seria arrancada até que o ato estivesse fundamentado em firme base moral.

No momento em que o sol se pôs (17), Deus se manifestou de maneira diferente. Ele simbolizou sua participação e autenticação do concerto passando entre os animais sacrificados como **um forno de fumaça e uma tocha de fogo**. Nas Escrituras, é freqüente o fogo simbolizar a presença de Deus.

O capítulo tem uma observação sucinta, destacando que a promessa de concerto incluía as fronteiras da Terra Prometida. Elas se estenderiam **desde o rio do Egito** (18), o Uádi el-'Arish, a meio caminho entre a Filístia e o Egito, até **ao grande rio Eufrates**. Em seguida, há uma lista dos dez grupos que habitavam em Canaã nos tempos de Abrão.

De 15.5-18, Alexander Maclaren pregou sobre "O Concerto de Deus com Abrão". 1) A promessa de Deus, 5,7; 2) A fé triunfante de um homem, 6; 3) A verdade do evangelho: **Foi-lhe imputado isto por justiça**, 6; 4) O concerto reafirmado, 7,13-18.

2. *A Esposa Substituta* (16.1-16)

O tempo passou e **Sarai** (1) continuava sem filhos. Deus não prometeu que o filho viria dela (15.4) e o problema de uma promessa não cumprida permanecia. Na opinião de **Sarai**, a resposta era o costume da pátria de onde vieram. Este costume dizia que a esposa sem filhos tem de oferecer ao marido uma criada para servir no lugar dela. A descendência seria considerada sua.[8] **Sarai** tinha uma **serva egípcia** chamada **Agar**, que ela ofereceu a **Abrão** (2). Abrão aceitou a oferta e pouco tempo depois Agar teve um filho.

Emoções profundas e intensas no coração de cada participante estavam emaranhadas com o problema de interpretar uma promessa divina por meio de providências legais. **Agar** (4) ficou arrogante com sua senhora, e **Sarai** ficou amarga e abusiva (5). Indo ao marido, ela o acusou de privá-la dos direitos básicos de esposa e exigiu que tomasse uma atitude. A Bíblia Ampliada traduz o versículo 5a assim: "Que [minha responsabilidade pelo] meu erro e privação de direitos estejam sobre ti!" Era contrário ao costume da pátria de onde vieram as esposas servas mostrarem desrespeito à esposa principal. **Abrão** (6) recusou punir Agar, mas permitiu que Sarai agisse como quisesse.

O mesmo costume que permitia uma esposa substituta não permitia a expulsão desta esposa depois que ela ficasse grávida, qualquer que fosse sua atitude. Mas **Sarai** era diligente. Ela **afligiu-a**, forçando a moça a fugir.

Agar estava a caminho de sua pátria, o Egito, quando o **Anjo do SENHOR** (7) lhe apareceu numa **fonte** ao chegar ao deserto de **Sur** (ver Mapa 2). Em resposta à pergunta, **Agar** (8) confessou que estava fugindo de **Sarai**. Em vez de mostrar compaixão, o **Anjo do SENHOR** ordenou que a moça voltasse à sua **senhora** (9). Em troca desta submissão ao abuso, Agar recebeu a promessa de numerosa **semente** (10). A criança que nasceria se chamaria **Ismael** (11), como lembrança que Deus ouviu a oração de desespero que ela fez. O filho teria caráter incomum. Ele não se ajustaria bem com a família quieta de Abrão. Ele amaria a vida selvagem e livre do deserto. Poucos seriam os homens que gostariam do seu jeito.

A resposta de Agar foi gratidão e adoração. Deus reparou em sua situação aflitiva e ela ficou grata. Em vez de se ressentir com a ordem, ela fielmente refez o caminho de volta à tenda de Sarai. Em honra de sua grande experiência espiritual, ela deu nome ao poço de **Laai-Roi** (14, "A fonte daquele que vive e me vê"). Ela não resolveu problema algum fugindo. Agora ela enfrentava a dificuldade perante Sarai com coragem e nova esperança.

No devido tempo, o filho nasceu e **Abrão** (15), evidentemente inteirado da experiência de Agar junto ao poço, chamou a criança **Ismael** (cf. 11). Ele teve um filho, mas não foi quem Deus prometeu.

3. O Sinal do Concerto (17.1-27)

Treze anos se passaram e novamente **apareceu o SENHOR a Abrão** (1). Típico de ocasiões de estabelecimento de concerto, o Divino se identificou com Abrão. Ele era o **Deus Todo-poderoso** (*El Shaddai*). Não é dado outro detalhe, mas Ele tinha uma ordem para Abrão. Era curta, mas severa: **Anda em minha presença e sê perfeito**. Em ocasião anterior, Enoque ilustrou a primeira parte da ordem vivendo uma vida de completa obediência e aceitação a Deus (5.34). Noé também foi designado perfeito (cf. 6.9), significando que era um homem de vontade única, um homem de integridade. Abrão tinha de ser como estes homens de Deus.

Reagindo à informação que Deus desejava renovar o **concerto** (2) de promessa com ele, **caiu Abrão sobre o seu rosto** (3), tomado pelo conhecimento de que Deus estava falando com ele. A prostração do patriarca era postura comum em seus dias para mostrar reverência ou temor extremo.

Em 17.1-6, vemos o tema "A Garantia de Deus a Abrão". 1) Deus é todo-suficiente, 1a,4-6; 2) Deus é Juiz onisciente, 2,3; 3) O ideal eterno de Deus para o homem é a perfeição, 1b (G. B. Williamson).

A mensagem de Deus para Abrão estava dividida em quatro partes: 17.5-8, 9-14, 15,16 e 19-21 — em dois casos entremeados com conversa envolvendo Abrão.

A primeira palavra de Deus reiterou a realidade da relação do **concerto** (4), mas a promessa de uma semente foi aumentada: **Serás o pai de uma multidão de nações**. O concerto foi reforçado pela mudança do nome de Abrão para **Abraão** (5). A promessa foi ampliada incluindo uma posteridade de **reis** (6). Outra adição foi a garantia de que a relação seria perpétua (7). Também seria pessoal, para que a semente de Abraão afirmasse que seu **Deus** era o **Deus** que havia feito o concerto. Isto foi possível, porque o próprio Deus estabeleceu a relação e não porque eles tomaram a iniciativa de buscá-lo. Nova observação também foi acrescentada na promessa da terra: seria **em perpétua possessão** (8).

"A Fé que Espera é Recompensada" é o tema de 17.1-9. 1) O caráter de Deus e o nosso dever, 1; 2) O sinal do concerto, 5; 3) A substância do concerto, 2,4,7,8 (Alexander Maclaren).

A segunda palavra se concentrou na manutenção do **concerto** (9) e no **sinal do concerto** (11). Era uma série de ordens. A estipulação básica foi: **Todo macho será circuncidado** (10). O tempo normal para circuncidar a criança seria aos **oito dias** (12) de vida. Não haveria distinção de classes, pois no concerto quem estava escravizado tinha posição igual aos homens livres. Os servos poderiam participar no **concerto perpétuo** (13), mas diriam a quem não fosse circuncidado: **Aquela alma será extirpada dos seus povos** (14). Até onde se sabe, a instituição do rito da circuncisão entre o povo de Abraão foi o primeiro golpe contra o mal da escravidão e a favor da igualdade humana diante de Deus.

A terceira palavra dizia respeito à relação de **Sarai** (15) com o nascimento do filho prometido. Este ponto nunca foi esclarecido nas outras conversas entre Deus e Abraão. Ela precisava mudar de nome. A forma mais arcaica **Sarai** seria mudada por nova ortografia, **Sara** (15). Pelo que se sabe, as duas ortografias significam "princesa". Ela seria uma bênção divina, a mãe de um **filho** (16), e mais, a **mãe das nações** e de **reis de povos**.

Pela segunda vez, **caiu Abraão sobre o seu rosto** (17), mas desta vez ele **riu-se**. A idade dele e da esposa impediriam o cumprimento de tal promessa. Com certeza seria melhor pensar em termos do bem-estar de **Ismael** (18). Mas **Deus** era insistente. **Sara** seria mãe, e o nome do filho seria **Isaque** (19). Aqui há um jogo de palavras, pois **Isaque** significa "risada". Aquilo que pareceria cômico do ponto de vista humano seria mesmo a realidade.

Quanto a **Ismael** (20), Deus tinha planos para abençoá-lo como o ascendente de **doze príncipes**, de **uma grande nação**. Não obstante, o concerto não seria com sua linhagem; seria **com Isaque** (21), a quem **Sara** daria à luz em seu devido tempo.

Tendo recebido as ordens e promessas de Deus, Abraão obedeceu imediatamente. No mesmo dia circuncidou todos os machos de sua **casa** (23). Nessa época, Abraão tinha **noventa e nove anos** (24) e **Ismael** (25) **treze**. A circuncisão se tornou o sinal do compromisso hebreu com uma crença religiosa que permaneceria por séculos ao longo dos tempos do Antigo Testamento. Era uma crença notavelmente diferente de qualquer povo circunvizinho. Eis uma crença fundamentada na revelação de Deus e estruturada na relação pessoal com o homem, em vez de estar estruturada nas forças naturais.[9]

D. A Espera pelo Verdadeiro Filho, 18.1—20.18

Estes três capítulos (18—20) estão entre a promessa que Sara teria o verdadeiro herdeiro e o cumprimento da promessa. Os capítulos 18 e 19 remetem o leitor de volta ao conteúdo dos capítulos 13 e 14. As fortunas e infortúnios de Ló são comuns a ambos os conjuntos de capítulos. O capítulo 20 também se refere a um acontecimento anterior, o logro do Faraó do Egito pertinente ao verdadeiro parentesco de Sara e Abraão. Como nos capítulos anteriores, o caráter de Abraão brilha radiantemente em contraste com o de Ló, mas não tanto em comparação ao do monarca estrangeiro.

1. *Não é para Rir* (18.1-15)

Para que o leitor não se perca com os detalhes da história, o primeiro versículo deixa claro que o que está envolvido é uma teofania, uma aparição do **SENHOR** (1), na tenda de Abraão nos **carvalhais de Manre**. Abraão estava descansando na sombra durante o calor do dia, ou seja, uma ou duas horas antes e depois do meio-dia.

Erguendo os olhos, Abraão se espantou ao ver **três varões** (2). Imediatamente, reagiu com a hospitalidade que ainda hoje subsiste entre o povo da Palestina. Curvando-se diante deles, Abraão implorou que os estranhos parassem em sua tenda, tirassem o pó dos **pés**, lavando-os, e descansassem debaixo da **árvore** (4). O patriarca disse que lhes serviria uma refeição e depois eles poderiam continuar a viagem, **porquanto por isso chegastes até vosso servo** (5). Os estranhos responderam graciosamente ao convite, e **Abraão** (6) foi correndo aos rebanhos para apanhar uma vitela, não sem antes mandar que **Sara** preparasse **bolos** no borralho (ARA). A **manteiga** (8) poderia ser do leite de vacas, de cabras ou de camelos. O **leite** era provavelmente azedo. Ainda hoje, na Palestina, leite coalhado é reputado em alta conta como bebida refrescante em um dia quente. De acordo com o costume, as mulheres do acampamento não se mostravam enquanto as visitas estivessem presentes, nem o anfitrião comia com os convidados. Seu dever era lhes atender em tudo de que precisassem.

A indagação sobre sua **mulher** (9) deve ter surpreendido Abraão como falta de educação, porque sua resposta tem um tom de surpresa. O desenrolar da cena mostra que Abraão foi, pouco a pouco, compreendendo que um dos visitantes era diferente dos outros. Foi ele (10) que prometeu que a futura maternidade de Sara seria uma realidade. Embora Abraão já tivesse sido informado disso (17.15-19), Sara não sabia. Ela **riu-se** (12) consigo mesma, meditando na improbabilidade de ser mãe na sua idade. Mas ficou chocada e amedrontada quando ouviu o estranho, agora chamado **SENHOR** (13), questionar o marido dela sobre a incredulidade secreta que ela sentia. Ele perguntou: **Haveria coisa alguma difícil ao SENHOR?** (14), e reafirmou: **Sara terá um filho**. A mulher foi pega desprevenida e resmungou uma negação, só para ser repreendida de novo. Foi assim que Sara ficou sabendo do seu futuro papel nos propósitos de Deus para o seu povo, tropeçando na soleira da porta do impossível, do ponto de visto humano.

Nesta história (18.1-4,9-14), encontramos provas de que: 1) Deus permite que situações impossíveis se desenvolvam, 10-12; 2) Deus pode fazer o aparentemente impossível, 13; 3) Deus é glorificado na comprovação do seu poder, 14 (G. B. Williamson).

2. *Uma Intercessão Persistente* (18.16-33)

Havia outro aspecto da visita dos homens que estava reservado para os ouvidos de Abraão. Tendo reafirmado a promessa de Deus de um filho por meio de Sara, e tendo demonstrado a habilidade divina de conhecer os pensamentos secretos de uma mulher, o **SENHOR** (17) não teve dificuldade em convencer **Abraão** da gravidade do próximo item das notícias. O breve monólogo (17-19) revela a confiança que o **SENHOR** tinha neste homem, baseado em avaliação cuidadosa do seu caráter. Podia-se confiar que Abraão ordenaria e ensinaria **seus filhos** de certa maneira que a vontade divina revelada a ele prosseguisse nas gerações futuras. Assim, haveria continuidade na **justiça** (19, *tsedakah*). Este termo conota fidelidade a padrões próprios, quer morais ou judiciais. A conservação do **juízo** (*mishpat*), ou seja, a manutenção de relações harmoniosas entre as pessoas, não seria apenas assunto de uma geração. O Senhor queria a continuidade desses valores, e Abraão, com seus descendentes, dava a promessa de cumprimento da vontade divina. Assim, Ele se sentia justificado em revelar parte de sua preocupação pessoal a Abraão.

A apreensão divina também dizia respeito a **Sodoma e Gomorra** (20), pois clamores de queixa chegavam ao **SENHOR** e indicavam que o **pecado** se agravara muito. O

SENHOR estava a caminho de fazer uma inspeção pessoal das condições. O forte antropomorfismo desta cena não sugere ignorância da parte de Deus. A ênfase está focalizada na profunda preocupação do **SENHOR** acerca dos males sociais; eles não passam despercebidos. Outra ênfase está na justiça básica de Deus. Ele não executa julgamentos baseados em rumores; Ele sabe, em primeira mão, qual é a situação. Além disso, Ele está propenso a considerar outros meios, que não a destruição, para corrigir as coisas. Ele está inclinado a ouvir e avaliar as orações daqueles que nele confiam.

Quando Abraão ouviu falar sobre Sodoma e Gomorra, grande preocupação tomou conta de sua alma, pois ele estava totalmente ciente da residência de Ló próximo a essas cidades.

O senso de justiça de Abraão logo se expressou. Com certeza o **justo** (23, *tsaddik*), que vive de modo digno na presença de Deus, não deve ser punido com o **ímpio**. Abraão começou com muito otimismo. Suponha que houvesse **cinqüenta justos na cidade** (24), seria justo Deus destruí-los? A resposta divina foi que o Senhor pouparia a cidade se **cinqüenta justos** (26) fossem encontrados. Mas, e se faltassem apenas cinco pessoas (28) para chegar a esse número, haveria o desastre?

Abraão conhecia muito bem seu lugar diante de Deus, pois em termos de poder e autoridade ele era **pó e cinza** (27). Contudo, persistiu, abaixando a quantidade de quarenta e cinco para **quarenta** (29), depois, para **trinta** (30), em seguida, para **vinte** (31). A cada vez o Senhor consentia o pedido do patriarca. Por fim, chegou ao número **dez** (32), que era quase o tamanho da família de Ló. Recebendo a garantia de que o **juízo** seria retido se **dez** justos fossem encontrados, Abraão parou de interceder. O resultado teria de depender da condição espiritual da família do seu sobrinho.

Em 18.20-33, segundo G. B. Williamson, nossa atenção é dirigida a "O Justo Juiz". O foco está no versículo 25. 1) A extensão da misericórdia de Deus em responder a oração, 23-26; 2) A execução do julgamento de Deus sobre os pecadores impenitentes, 20,21 (cf. 19.23,24); 3) A isenção dos justos, 26-32 (cf. 19.12-22).

3. *Não Havia nem Dez* (19.1-29)

A história deste capítulo tem várias partes distinguíveis. O cenário está nos versículos 1 a 3. Depois, segue-se a situação da crise (4-11), a hora da decisão (12-16), o ato de libertação (17-22) e a ação de julgamento (23-29).

Dois dos homens, agora chamados **anjos** (1), chegaram a **Sodoma** logo depois de deixar Abraão em Hebrom, embora a distância entre os dois lugares fosse de dois dias habituais de viagem. **Ló** estava à **porta** da cidade, lugar onde os homens tinham o hábito de se reunir no fim de um dia de trabalho. Era na porta que as pessoas resolviam suas questões legais (Rt 4.1-12). Ló cumprimentou os estranhos e lhes ofereceu hospedagem. Rendendo-se à persistência de Ló, os anjos foram tratados com hospitalidade generosa.

Pouco antes de irem dormir, Ló e seus novos amigos ouviram um tumulto fora da casa. Era uma multidão dos **varões de Sodoma** (4), de todas as idades, inflamados por luxúria bestial. O famoso pecado da cidade estava se mostrando em toda sua feiúra. Os homens queriam que os estranhos lhes fossem entregues para manter atos homossexuais com eles, pecado que veio a ser conhecido por sodomia.

Ló ficou chocado e confuso pela exigência. Em sua perplexidade, Ló, sem perceber, revelou outro grande pecado dos seus dias: a desvalorização trágica da condição feminina.

Valorizando mais a honra dos visitantes masculinos do que o bem-estar de suas **duas filhas** (8) jovens, Ló as ofereceu aos homens para que abusassem delas como quisessem. Mas os homens consideraram a oferta um insulto e acusaram Ló de ser estrangeiro arrogante. "Este camarada veio aqui como imigrante e fica agindo como juiz" (9cd, VBB).

Vendo o perigo que Ló corria, os visitantes o salvaram da turba e afligiram os homens com **cegueira** (11). O hebraico indica que a cegueira foi causada por um deslumbrante *flash* de luz.

Os anjos não precisavam aprofundar mais a investigação. A condição moral de Sodoma estava nitidamente clara. Exortaram **Ló** (12) que avisasse todos os membros da casa, incluindo genros, para que se preparassem para fugir da cidade. Não havia dúvida da iminência do julgamento. Ló obedeceu à ordem, mas recebeu má acolhida de **seus genros** (14). Só ficaram quatro na família, longe do mínimo que Abraão fixara para salvar a cidade da destruição (18.32).

À medida que chegava a hora da partida, Ló parecia por demais inerte para a ação. Os **varões** (16) tiveram de pegar pela mão a ele, sua esposa e filhas para fazer com que saíssem da cidade. Sob as condições firmadas pelo pedido de Abraão, os homens não tinham a obrigação de fazer isso. Preocuparam-se com Ló e sua família só por que o **SENHOR** lhe foi **misericordioso**.

No perímetro da cidade, a família recebeu mais orientações: **Escapa-te por tua vida; não olhes para trás de ti e não pares em toda esta campina; escapa lá para o monte** (17). Mas **Ló** (18) ainda não estava inteiramente ciente da magnitude do desastre que viria. Os vagos perigos das montanhas lhe metiam mais medo, por isso rogou pelo privilégio de se esconder em uma aldeia vizinha chamada **Zoar**, que quer dizer **pequena** (20). Um dos anjos lhe concedeu o pedido, mas o exortou que chegasse à aldeia o mais rápido possível. Ló chegou a **Zoar** (22) no momento exato, pois a hora da destruição foi ao amanhecer.

O destino de **Sodoma e Gomorra** (24) foi apavorante. O texto não menciona um terremoto, mas poderia ter acontecido, liberando da terra gases explosivos que, misturado com os depósitos de enxofre da região, criaram uma cena espantosa. Nem todos da família fugitiva conseguiram escapar. A **mulher de Ló olhou para trás** (26), desobedecendo à ordem do anjo, e morreu, tornando-se uma **estátua de sal**.

Na história da fuga de Ló (19.15-26), Alexander Maclaren vê "O Destruidor Veloz". 1) A demora e o salvamento de Ló, 15,16; 2) Escapa-te por tua vida, 17-22; 3) A horrível destruição, 23-25; 4) O destino dos morosos, 26.

De lugares altos e seguros, a leste de Manre, outra figura triste inspecionava a **fumaça** que subia da terra (28). Ele sabia qual era a causa da fumaça, mas ainda não sabia que seu sobrinho Ló fora misericordiosamente guardado do holocausto pelos anjos. Ainda lhe era desconhecido o fato de que esta libertação ocorreu porque **Deus se lembrou de Abraão** (29).

4. *A Embriaguez de Ló* (19.30-38)

A história final da vida de Ló não é aprazível. Como Noé (9.20-23), Ló se enredou com **vinho** (32) depois da espetacular fuga da morte. Mas, neste exemplo, suas filhas também se envolveram. **Ló** acabou se recolhendo nos montes, apesar dos seus temores anteriores (19), e estabeleceu casa em uma caverna remota.

Temos de julgar o incidente com compaixão, pois a série de calamidades que se abateu sobre os três de maneira nenhuma era comum. Eles não sabiam se alguém no vale também conseguiu escapar como eles. As moças estavam em renhido dilema. Onde haveria um homem para casar com elas, e como haveria um filho para continuar o nome do seu pai? Estas não eram questões de pequena monta na sociedade em que viviam.

A solução que delinearam foi escandalosa, embora conseguissem racionalizá-la para contentamento próprio. Mas elas sabiam melhor que discutir o assunto com o pai. O plano era insensibilizar o pai com vinho e depois manter relações sexuais com ele. Sendo bem-sucedidas no esquema, deram, no devido tempo, à luz filhos.

A história não parece estar anexada ao relato da destruição de Sodoma e Gomorra para condenar Ló ou suas filhas. Ao contrário disso, o propósito parece ser meramente contar como surgiram os moabitas e os amonitas e por que eles foram considerados parentes próximos do povo hebraico. Por outro lado, não há senso de aprovação moral.

5. *Fracasso em ser uma Bênção* (20.1-18)

Abraão ficava extremamente apavorado sempre que tinha relação estreita com um poder político que era mais forte que o dele. A reputação dos vizinhos pagãos provavelmente lhe dava razão para o medo. Aqui, como no relato da viagem de Abraão ao Egito (12.14-20), a desconfiança do patriarca nos regentes pagãos se concentra na luxúria que tinham por variedade de mulheres nos haréns. Nenhuma história nega que existisse tal cobiça. Ambas as histórias descrevem casualmente que Faraó e **Abimeleque** (2) levaram **Sara** para sua companhia, assim que descobriram que ela era irmã de **Abraão**. Foi o medo de Abraão pela própria vida que o motivou a não esclarecer a relação peculiar de irmã-esposa comum em sua pátria, mas não entendida na Palestina ou no Egito.

O resultado de Abraão não dizer toda a verdade sobre sua relação com Sara foi situação repleta de ironia. Deus interveio na questão, mas não primeiramente para seu servo. Deus se revelou em um **sonho** a **Abimeleque** (3) e lhe apresentou os verdadeiros fatos do caso, mostrando o perigo pessoal por cometer este pecado.

Abimeleque protestou dizendo que não sabia e afirmou que ele e seu povo, no que dizia respeito ao assunto, eram justos (4). Ele confiou na verdade das declarações feitas por Abraão e Sara, por isso reivindicou **sinceridade** (*tam*, basicamente a mesma palavra traduzida por "perfeito" em 17.1) e **pureza** de **mãos** (5). A primeira expressão diz respeito à motivação interior, a última, à ação em si.

No versículo 6, **Deus** estava propenso a aceitar a ignorância de Abimeleque como testemunho de sua **sinceridade** de **coração**, mas também acrescentou que foi a atividade providencial divina que impediu que Abimeleque cometesse pecado. Deus lhe deu uma ordem. Abimeleque tinha de devolver Sara a Abraão e buscar seu dom profético de intercessão para que a vida de Abimeleque fosse poupada (7). A alternativa era castigo severo.

A obediência imediata de Abimeleque foi seu mérito. Ele **chamou todos os seus servos** (8) e, tendo-lhes contado o sonho, mandou que Abraão se apresentasse para uma reunião pessoal. O monarca pagão censurou asperamente o patriarca pelo que ele fez e exigiu uma explicação. Abraão admitiu ter agido na presunção de que **não há temor de Deus neste lugar** (11) e que eles o matariam. Explicou também os costumes matrimoniais incomuns de sua pátria. Uma mulher poderia ser **irmã** (12), neste caso meia-irmã, de um homem e **esposa**. Ele saíra de casa em obediência a Deus, mas com medo do mundo pagão pelo qual viajava. Assim, combinou com sua esposa que, em todos lugares que fossem, ela diria: **É meu irmão** (13).

Abimeleque não discutiu com Abraão, mas lhe devolveu a esposa junto com um presente de gados e criados e lhe disse que peregrinasse por onde lhe agradasse. Depois advertiu (16) a mulher, indicando que nunca deveria se envergonhar de dizer que Abraão era seu marido: **Eis que elas** (mil moedas de prata) **te sejam por véu dos olhos** (16).[10]

Os versículos observam o fato de que Deus já havia castigado parcialmente Abimeleque e seu povo afligindo as mulheres com esterilidade. A função de Abraão como profeta é ser intercessor, um porta-voz para Abimeleque (17) na presença de Deus. Este foi o modo de ele ser uma bênção para estes vizinhos pagãos. Sua influência para o bem poderia ter sido bem maior. Deus respondeu misericordiosamente à oração e afastou a calamidade.

E. Antigas Lealdades Testadas, 21.1—22.19

O centro da discussão se volta para o cumprimento da promessa de um filho, sendo Sara a mãe. A chegada de Isaque criou uma série de crises na casa de Abraão envolvendo Agar e seu filho. Até o papel supremo do próprio Isaque pareceu posto em perigo no complexo das ligações pessoais que compunham a vida do patriarca. Em 21.22-34, há a história do pacto feito com Abimeleque, a primeira relação clara e amigável que Abraão estabeleceu com os vizinhos pagãos.

1. *Doloroso Ato de Separação* (21.1-21)

A história tem diversas partes: o cumprimento da promessa (1-8), o problema do ciúme (9-11), a instrução divina (12,13), a separação (14-16), a promessa divina (17,18) e o cumprimento da promessa (19-21).

A mensagem que **Sara** (1) teria **um filho** (2; cf. 17.15-17; 18.9-15) foi cumprida no tempo certo. Sob todos os aspectos entendia-se como ato incomum de poder criativo divino, porque ambos os pais já tinham passado da idade de gerar filhos. A criança nasceu e foi chamada Isaque, de acordo com a ordem do Senhor (17.19) em reconhecimento que ambos os pais tinham rido do que parecia impossível. A primeira risada brotou da incredulidade, mas agora **Sara** (6) riu por causa da alegria de uma impossibilidade realizada. Deus cumpriu sua palavra. Ele tinha o poder de produzir vida sempre que quisesse, a despeito das circunstâncias naturais.

Nada é dito com respeito ao desmame de Isaque, mas às vezes este acontecimento era adiado até a criança ter três anos. A ocasião era comemorada com um banquete, costume que ainda é comumente observado no Oriente Próximo. A ocasião trouxe à baila a antiga tensão que existiu na concepção de Ismael (16.4-6). Mas desta vez foi Ismael que **zombou** (9) do bebê Isaque. Era mais do que Sara podia suportar. Ela foi falar com **Abraão** (10) numa fúria colérica, exigindo a expulsão desta **serva e o seu filho**.

O nascimento de Isaque foi sério golpe para Agar e Ismael. Sendo o filho único de Abraão, Ismael era o herdeiro de tudo que seu pai possuía e da posição de liderança no clã. De acordo com a lei da pátria de Abraão, esta posição de herdeiro foi negada pelo nascimento de Isaque. Não sabemos se Agar e Ismael estavam cientes deste fato, mas Sara estava e destacou o ponto ao marido.

E pareceu esta palavra mui má aos olhos de Abraão (11), porque a lei de sua pátria garantia que, se um filho nascesse da verdadeira esposa, a esposa substituta e seu filho tinham de continuar aos cuidados do pai de ambas as crianças.[11] Mas **Deus** (12) também se preocupava com o assunto e deu instruções especiais, pois neste caso o costume não prevaleceria. Agar tinha de sair da família para que a posição de Isaque ficasse cristalinamente clara. Não obstante, Ele cuidaria de Agar e seu **filho** (13), fazendo deles **uma nação** por causa de Abraão.

Pela manhã, de madrugada (14), Abraão deu uma provisão de pão e um odre de água a Agar, e ela se foi com o menino para o deserto. Em pouco tempo, a **água** (15) acabou e a força física se exauriu. Deixando o menino **debaixo de uma das árvores**, Agar se afastou a curta distância, esperando a morte (16). Enquanto chorava, ela ouviu o **Anjo de Deus** (17) falar com ela, acalmando seus temores e prometendo um grande futuro para o rapaz. Ela voltou obedientemente ao menino e, dando uma olhada ao redor, **viu um poço** (39), do qual tirou água para extinguir a sede de ambos. A seqüência seria um futuro abençoado por Deus, material e fisicamente. O menino se tornou hábil **flecheiro** (20), peregrinando **no deserto de Parã** (21), e logo se casou. Deus demonstrou sua misericórdia aos desventurados, e Agar aprendeu importantes lições de fé. A lealdade de Abraão a Sara e seu filho permaneceu indisputada, porque Deus lhe deu a orientação necessária em tempos de dificuldades.

2. *A União de Laços Amigáveis* (21.22-34)

Apesar dos aspectos desagradáveis do primeiro contato de Abraão com Abimeleque, este rei de Gerar (20.2) ficou impressionado pelo modo de vida do patriarca entre seu povo. Ele e o **príncipe do seu exército**, **Ficol** (22), abordaram Abraão e pediram um pacto de amizade. As palavras introdutórias de Abimeleque foram corteses. Ele reconheceu o fato de Deus ser com o patriarca, e por isso desejava garantias de que, no futuro, Abraão não mentiria (23) a ele ou a seu filho. O incidente envolvendo Sara ainda lhe afligia a memória (20.1-18). Ele se serviu da beneficência prestada a Abraão naquela ocasião como base para o apelo de que o patriarca fosse beneficente com ele. Estava oferecendo a regra de ouro ao inverso (sê bom para mim, como fui bom contigo) como fundamento de amizade duradoura.

Abraão passou a montar uma cerimônia pactual segundo os costumes dos seus antepassados. É o primeiro pacto feito entre iguais registrado nas Escrituras. Primeiro, Abraão apresentou uma queixa que estremeceu as relações entre seus pastores e os homens de Abimeleque. Um poço que abastecia de água os rebanhos foi tomado **por força** (25). Abimeleque expressou surpresa ao ouvir o fato e afirmou desconhecer o incidente (26). Evidentemente prometeu corrigir a injustiça, pois **Abraão** presenteou gado ao visitante.

O próximo movimento do patriarca confundiu Abimeleque, pois **sete cordeiras** (28) foram separadas do rebanho. Por quê? A resposta era que seriam **em testemunho** (30) de que o **poço** junto do qual os homens estavam sentados pertencia a Abraão. Diferente dos costumes pagãos dos seus antepassados, Abraão não invocou uma série de deuses e deusas para testemunhar o acordo. Ele ofereceu um presente que serviria de selo do **concerto** (32). Solenemente os dois homens fizeram um juramento de compromisso e finalizaram a cerimônia. O poço recebeu o nome conforme esta ocasião. O nome **Berseba** (33, ainda hoje o nome de uma cidade em Israel) pode significar "poço do juramento" ou "poço das sete". Em hebraico, *jurar* e *sete* (neste caso as sete cordeiras) têm a mesma soletração. **Abraão** (33) tornou o lugar um dos centros de sua extensa atividade pastoril. **Plantou um bosque** e adorou o **nome do SENHOR, Deus eterno**. Pela primeira vez, Abraão ganhou o respeito de um monarca pagão vizinho e estabeleceu uma relação formal mutuamente benéfica. Foi a primeira etapa no cumprimento da promessa que ele seria uma bênção para os povos entre os quais estivesse (ver 12.2,3).

3. *Demonstração Convincente de Amor por Deus* (22.1-19)

Os elementos estruturais desta história são o cenário (1), a ordem divina (2), o ato de obediência (3-10) e a bênção resultante (11-19).

Aqui está retratada uma das experiências mais tremendas registradas em Gênesis. Toca às raias mais profundas da certeza que o crente tem de que o Deus que promete é fiel, ainda que dê ordens para destruir a prova de que suas promessas estão sendo cumpridas. **Abraão** se manteria fiel a Deus embora seu mais precioso tesouro na terra fosse eliminado?

Para os leitores modernos, a tradução **tentou** (1) gera confusão. Insinua muita coisa, levantando as perguntas: Deus estava instigando este homem a cometer pecado?, e: Deus queria mesmo humilhar e ferir seu mais dedicado adorador? A palavra hebraica (*nissah*) significa "testar" ou "colocar em prova", e há traduções que preservam este significado (cf. ARA). Neste exemplo, Deus estava testando a suprema lealdade espiritual de Abraão tocando na vida física de **Isaque, a quem amas** (2).

Havia aspectos da ordem que eram racionalmente inexplicáveis. Uma comunidade pagã justificaria o sacrifício humano dizendo que a vida dos sacrificados servia para fortalecer os deuses da comunidade em tempos de adversidade severa. Mas não havia semelhante adversidade na vida de Abraão ou do seu clã. Matar Isaque não seria de nenhum proveito óbvio para a vida do rapaz, a vida de Abraão ou a vida coletiva do clã. Até pior, contradizia as promessas de Deus.

A base lógica do ato não seria entendida facilmente pelos outros, e a ordem não refletia bem a natureza moral do Deus de Abraão. A execução do ato não destacaria o caráter moral de Abraão. Contar a Sara o que Deus ordenou não contribuiria concebivelmente para o seu bem-estar mental ou emocional, nem contar para os servos ou para Isaque o verdadeiro propósito da viagem os inspiraria a cooperar em tudo.

Por conseguinte, o leitor é apanhado pela agonia extrema do pai obediente que, em silêncio, deixa o acampamento sem falar para a mãe o destino do filho. Sentimos a tensão enquanto a **lenha para o holocausto** (3) era cortada e amarrada aos animais, enquanto o pai andava quilômetro após quilômetro carregando um vaso que continha brasas para o fogo. A punhalada de dor interna do pai parece quase insuportável ao avistar o monte **Moriá** (2), podendo somente dizer aos moços: **Ficai-vos aqui com o jumento, e eu e o moço iremos até ali; e, havendo adorado, tornaremos a vós** (5). E, em seguida, a inevitável pergunta: **Onde está o cordeiro para o holocausto?** (7). Que esforço supremo de fé ao responder: **Deus proverá para si o cordeiro para o holocausto** (8). Há agonia infinda na frase: **Assim, caminharam ambos juntos**. Isaque já suspeitava do que aconteceria?

Todo detalhe preparatório para o sacrifício foi deliberado e meticuloso. Era como se cada pedra do **altar** (9) tivesse como argamassa o sangue do pai, e cada madeira da pira estivesse impregnada com suas lágrimas não choradas. Qual foi a agonia de Abraão ao amarrar as cordas nos pulsos e tornozelos do rapaz, e colocar o corpo em cima do altar? Quais eram os pensamentos amedrontados do rapaz? E agora o ato final: apanhar o **cutelo** (10), a faca do sacrifício. Quando é que Deus vai providenciar um cordeiro? A Epístola aos Hebreus diz que Abraão "considerou que Deus era poderoso para até dos mortos o ressuscitar" (Hb 11.18). Mas o texto que estudamos não revela esta convicção interior. Deixa-nos em ardente expectativa quando o **cutelo** é apanhado.

Mas, uma voz clamou e o **cutelo** parou em seu trajeto. Todo o sofrimento de entrega sincera de Abraão dissolveu-se em maravilha quando ouviu a palavra: **Porquanto agora sei que temes a Deus** (12). Ele não reteve Isaque a quem amava afetuosamente. Deus providenciou um sacrifício em substituição do rapaz. **Um carneiro... travado pelas suas pontas num mato** (13) estava ali perto. Este era o sacrifício tencionado por Deus.

O amor de Abraão por Deus foi ameaçado por um amor paternal e profundamente enraizado por Isaque. Este filho era a prova que Deus cumpriu suas promessas e o meio físico pelo qual viria a posteridade. Abraão tinha mesmo de ser testado se amava Deus acima de tudo em tal situação concreta, para que não houvesse mistura de lealdades. A recompensa por ter passado na prova foi o retorno do filho da beira da sepultura. Nesta experiência, Deus renovou as promessas relativas à multiplicação da **semente** (17) de Abraão, seu poder sobre os inimigos e seu papel como canal de bênçãos para **todas as nações da terra** (18).

Para Abraão, o monte Moriá era um novo lugar. Em honra da revelação da graça de Deus na hora da provação, deu ao lugar outro nome, **O SENHOR proverá** (14, Jeová-Jiré, que significa "o Senhor vê" e proverá). Podemos estar certos de que a volta para casa foi bem diferente da viagem ao monte Moriá. Abraão enfrentou a ameaça devastadora da morte e venceu seu poder pela confiança plena na integridade de Deus. Por outro lado, Deus demonstrou claramente que o sacrifício que Ele deseja é inteireza de coração, rendição às suas ordens.[12]

Em 22.1-14, vemos "O Teste da Fé". 1) O verdadeiro teste, 1,2; 2) A resposta da confiança, 3-10; 3) A recompensa da obediência, 11-14 (A. F. Harper).

F. ASSUMINDO RESPONSABILIDADES POR OUTROS, 22.20—25.11

Após uma genealogia de transição, as histórias neste grupo descrevem Abraão em relação à sua família quando as necessidades provocadas por morte e casamento exigiram sua atenção.

1. *Os Descendentes de Naor* (22.20-24)

Esta árvore genealógica é de interesse por causa do aparecimento de **Rebeca** (23), a qual, no capítulo 24, se torna personagem central como esposa de Isaque. **Naor** (20) também teve uma esposa e uma **concubina** (24), como Abraão. Delas nasceram doze filhos, fato comparável a Ismael (25.13-16) e aos doze filhos de Jacó (35.23-26).

Dois dos filhos de Naor, **Uz** e **Buz** (21), têm contrapartes na "terra de Uz" (Jó 1.1) e em "Eliú, [...] o buzita" (Jó 32.6). Não está claro se estes filhos foram os progenitores das tribos, embora certa especulação tenha-se concentrado nesta possibilidade.[13]

2. A Morte e Sepultamento de Sara (23.1-20)

O registro da morte e sepultamento de uma mulher é incomum no Antigo Testamento. Mas **Sara** (1) foi a mãe do tão esperado filho e atingiu a idade madura de **cento e vinte e sete anos**. Ela é proeminente na história, porque foi a primeira da família de Abraão a morrer. O respeito e a decência comum exigiam que o corpo fosse colocado em algum lugar. Mas a verdadeira significação desta história é que, depois de longo tempo, uma porção da Terra Prometida se tornou posse do patriarca. **Veio Abraão lamentar** (2) é mais bem compreendido por Moffatt como: "Indo Abraão para dentro de casa".

Nos dias de Abraão, era costume enterrar os mortos em cavernas e Abraão sabia que havia uma caverna perto de **Quiriate-Arba**, mais tarde conhecida por **Hebrom** (ver Mapa 2), que era adequada para suas necessidades. Ele estava ansioso em ter um título de propriedade que, sem sombra de dúvida, fosse reconhecido como seu.

A maneira apropriada de negociar tal compra era barganhar pela propriedade na presença de uma assembléia de líderes da comunidade. Neste caso, os líderes eram os **filhos de Hete** (3), que poderiam ter sido colonizadores da terra dos hititas ou residentes de longa data na localidade. Abraão estava em desvantagem e sabia disso. Admitiu publicamente que era **estrangeiro e peregrino** (4), ou seja, algo comparável a um estrangeiro residente. Fez forte apelo aos **filhos de Hete** (5) para lhe permitirem comprar a terra como lugar de sepultamento.

Logo Abraão ganhou a aprovação da influente família de Hete, que o chamou **príncipe de Deus** (6). O próximo passo era obter seus serviços como intermediários entre ele e **Efrom, filho de Zoar** (8), o dono da **cova de Macpela** (9). Abraão garantiu a todos que estava disposto a pagar pela propriedade o **devido preço**.

Então falou **Efrom** (10). Ele ofereceu dar de presente o **campo**, junto com a **cova** (11), para Abraão. Esta era maneira indireta de começar o negócio. Mas Abraão não queria um presente. Queria um título de propriedade legalmente comprovado, e só uma compra poderia cumprir este propósito. No típico modo do Oriente Próximo, **Efrom** (13) casualmente mencionou um preço exorbitante de **quatrocentos siclos de prata** (15). Provavelmente para surpresa de todos, Abraão não pechinchou. Prontamente tirou a provisão de moeda corrente e pesou **quatrocentos siclos de prata** (16). A expressão **correntes entre mercadores** significa que a prata foi avaliada por taxa de câmbio que os comerciantes da localidade aprovaram. Não há como saber o valor da prata no dinheiro de hoje, mas comparado com os 17 siclos de prata que Jeremias pagou pela herdade em Anatote (Jr 32.9), o preço parece altíssimo.

O conteúdo do versículo 17 impressiona como os dizeres de uma escritura de terreno. O local e os vários aspectos da propriedade, inclusive o **campo** (17), a **cova** e **todo o arvoredo**, foi autenticado na presença de todos na assembléia. Depois de tanto tempo, uma porção da terra, ainda que pequena, pertencia a **Abraão** (19) e seus descendentes. **Sara** foi imediatamente sepultada na cova do campo de Macpela.[14]

3. Em Busca da Moça Certa (24.1-67)

Como patriarca do clã, Abraão tinha a responsabilidade de providenciar uma noiva para Isaque. A história que narra esta busca é uma das narrativas mais bem escritas e mais atraentes da vida de Abraão. O cenário é apresentado nos versículos 1 a 9.

Em seguida, temos a busca e seu sucesso (10-27), depois a cena de negociação (28-61) e, por último, o casamento (62-67).

De acordo com os costumes do seu tempo, e ainda vigentes nas famílias menos ocidentalizadas do Oriente Próximo, o idoso pai tinha um importante dever a fazer pelo filho.[15] Abraão nunca ficou favoravelmente impressionado com o caráter moral dos povos no meio dos quais estava em Canaã. Seus pensamentos retrocederam à pátria onde seus parentes ainda viviam. Ele queria uma moça com formação religiosa semelhante a de Isaque.

O texto não deixa claro se o **servo, o mais velho da casa** (2), era o Eliezer mencionado em 15.2, mas certos comentaristas percebem ser esta a situação.[16] A importância que Abraão dava ao projeto de achar uma esposa pode ser medida pelo fato de exigir um voto solene do servo. A forma descrita era habitual no Oriente. A pedido de Abraão, o homem colocou a mão debaixo da **coxa** do seu senhor e recebeu instruções.[17] A esposa de Isaque não devia ser dos **cananeus** (3), mas de sua **parentela** (4). Se a moça se recusasse a ir para Canaã, Isaque não deveria ser levado de volta para o norte, porque Deus deu a promessa de que a **semente** de Abraão (7) receberia esta terra. Abraão estava certo de que Deus providenciaria uma **esposa** enviando **seu Anjo adiante** da **face** do servo. Abraão dependia de Deus para cumprir o que prometeu. Se a moça se recusasse a ir, o servo estaria livre do **juramento** (8).

Os detalhes da preparação para a viagem e a própria viagem são passados por alto apenas com a menção de que **dez camelos** (10) compunham a caravana. Nesta época, havia a **cidade de Naor**, talvez em honra do avô de Abraão (11.22-26). O idoso servo escolheu um lugar **junto a um poço de água** (11) onde havia a possibilidade de mulheres aparecerem.

A fé religiosa de Abraão exerceu nítida influência no servo que também era homem profundamente piedoso. Parado junto ao poço, imediatamente antes da hora em que as **moças saíam a tirar água**, ele ergueu a voz em oração. Seu maior desejo era que a escolha da esposa para Isaque não fosse decisão sua, mas que fosse escolha de Deus. Conhecendo suas próprias dificuldades em discernir a vontade de Deus, ele pediu que o **SENHOR, Deus** (12), mostrasse sua vontade mediante uma série de acontecimentos. Estes acontecimentos também serviriam a um propósito secundário, ou seja, revelar o caráter da moça. Tinha de ser uma jovem que mostrasse boa vontade pelo estranho, alguém que estivesse disposta a fazer a tarefa extra que denotava generosidade. Da parte de Deus, a série de acontecimentos mostraria a fidelidade às promessas do concerto. A palavra é traduzida por **beneficência** (12, *chesed*), mas tem o significado mais amplo de lealdade a promessas feitas e de misericórdia em tempos de dificuldades. A oração de Eliezer era de extrema confiança e de alta expectativa.

O servo estava no lugar certo, no momento certo, e submeteu suas necessidades a Deus. **Antes que ele acabasse de falar** (15), a resposta à oração começou a se desenrolar diante dos seus olhos. **Rebeca**, sobrinha de Abraão, apareceu junto ao poço. Ela satisfazia todas as exigências físicas e legais, mas não era o bastante; assim, o servo fez a pergunta-chave. Sem hesitação, ela lhe serviu **água** (18) e depois, espontaneamente, começou a **tirar água** (20) para os camelos. Boquiaberto, Eliezer viu seu pedido ser cumprido ao pé da letra.

Recompondo-se, o idoso homem deu um **pendente de ouro** (22) de grande peso e **duas pulseiras** de **ouro**. Esbaforido, ele perguntou pela família da moça. Ao saber que ela pertencia à linhagem de Abraão expressou muita alegria, de forma que sem se perturbar **inclinou-se** (26) e fez uma oração de louvor. O Deus do seu senhor confirmou as promessas, mostrando **beneficência** (27, *chesed*; também aparece nos vv. 12,14) e **verdade** (*emet*). As ações de Deus na vida dos que o seguem se correlacionavam com as promessas feitas a eles. Mas havia outra razão para este resultado surpreendente. O servo comportou-se no **caminho** de modo obediente e totalmente aberto para ser guiado pelo **SENHOR**. A preocupação de Abraão por seu filho, a obediência completa do servo e a generosidade sincera da moça combinaram com a orientação do Senhor para ocasionar um pleno cumprimento de maravilhas da promessa divina.

As notícias sobre o estranho puseram a família de Rebeca em movimento. **Labão** (29), um dos irmãos dela, correu ao encontro do homem **junto à fonte** (30), levou-o para casa e deu comida aos **camelos** (32). Antes que o servo de Abraão se sentasse para **comer** (33), ele insistiu que tinha de contar por que viera.

Contou uma história comovente sobre a riqueza de Abraão e tudo que seria passado para Isaque. Repetiu o teor do juramento ao qual seu senhor o fez jurar; e depois revisou os detalhes do incidente junto ao poço, inclusive a oração e a série de ações que coincidiram com seu pedido a Deus. Por fim, o assunto foi colocado francamente diante da família: Eles deixariam Rebeca voltar com ele para ser a esposa de Isaque? A principal diferença entre as palavras finais do servo para a família e as palavras de sua oração **junto à fonte de água** (13,27) é que as palavras **beneficência** (*chesed*) e **verdade** (*emet*) são trocadas de Deus para a família (49). Até este ponto, Deus havia sido fiel às suas promessas. Agora a família tomaria parte do pleno cumprimento da promessa dada com respeito a Isaque? Muito dependia da resposta que dessem, pois se recusassem, o cumprimento da promessa se frustraria.

A resposta foi positiva. **Labão e Betuel** (50) reconheceram os procedimentos do Senhor e puseram de lado sua própria autoridade humana. Esta era decisão de tamanha importância que o servo de Abraão **inclinou-se à terra diante do SENHOR** (52) novamente. Depois deu ricos presentes a cada membro da família.

Pela manhã (54), o servo tinha notícias inesperadas para a família. Ele desejava começar imediatamente a viagem de volta para Canaã. Sua missão estava completa e ele queria entregar a moça a Isaque o mais cedo possível. A família protestou dizendo que deveriam passar uns dias com a amada Rebeca antes da viagem, mas deixaram que ela decidisse por si. E se ela recusasse o pedido do servo? Mas não recusou. Deu uma resposta pronta: **Irei** (58). Assim uma série de decisões pessoais cruciais, cuja negativa poderia ter impedido a vontade de Deus, foi feita em obediência ao propósito divino, levando a aventura a um final feliz.

Com a bênção da família (60) soando nos ouvidos, Rebeca viajou para o sul com a caravana de camelos. Ao término da viagem, a corajosa moça teve o primeiro vislumbre do homem que ela escolheu inteiramente pela fé, e não ficou desapontada. Modestamente, **tomou ela o véu e cobriu-se** (65). Um casamento sem namoro, mas com muita orientação do Senhor, foi consumado com amor e carinho.

4. *Distribuindo Presentes* (25.1-6)

Abraão ainda tomou outra esposa e esta união foi frutífera. **Quetura** (1) teve seis filhos (cf. 1 Cr 1.32,33) e destes vieram sete netos e três bisnetos. Isto completa a evidência genealógica oferecida em Gênesis de que se cumpriu a promessa de Deus que Abraão seria o pai de muitas nações (17.4).

Abraão (5) ainda tinha responsabilidades com Isaque e com estes outros descendentes. Como filho herdeiro, os principais direitos de Isaque deveriam ser salvaguardados, mas os direitos dos outros filhos também deveriam ser reconhecidos. A solução do patriarca foi dividir seus bens. **Tudo o que tinha** (ou seja, a porção principal) foi para Isaque, e porções menores, designadas **presentes** (6), foram para os outros filhos. Estes foram enviados para a **terra oriental** de Canaã, para que no futuro não houvesse disputas sobre direitos à Terra Prometida.

5. *A Morte e Sepultamento de Abraão* (25.7-11)

O período da vida de Abraão foi de cento e setenta e cinco anos. Silenciosamente, com um senso de realização, o patriarca **foi congregado ao seu povo** (8). Esta frase significa mais que morrer. Inclui a prática de colocar o corpo em uma sepultura com os restos mortais dos antepassados (cf. 25.17; 35.29; 49.29,33; Nm 20.24; 27.13).[18] Pela expressão em si não está claro se a vida depois da morte faz parte do seu significado primário. Uma comparação entre Gênesis 15.15 e Hebreus 11.13-16, juntamente com as palavras de Cristo em Mateus 22.31-33, não deixa dúvidas de que a vida após a morte estava inerente na expressão. A declaração não inclui o conceito de que o líder morto passou da condição humana para a condição divina — idéia comum às nações pagãs daquela época.

O corpo de Abraão foi posto cuidadosamente ao lado dos restos mortais de **Sara, sua mulher** (10), e depois os dois filhos, **Isaque e Ismael** (9), voltaram às suas tarefas cotidianas. **Isaque** (11) fixou residência **junto ao poço Laai-Roi**, onde Deus apareceu a Agar, mãe de Ismael (ver 16.14; 24.62). As bênçãos de Deus se concentraram em Isaque.

Diversas características destacam Abraão como homem extremamente incomum em seus dias. Ele obedeceu às instruções expressas de Deus (12.4; 15.10; 17.23; 21.14; 22.3), ainda que nas ocasiões em que as instruções não estavam devidamente claras, ele tenha hesitado (16.4; 17.17). Não há menção de ele ter adorado outro Deus (12.7,8; 13.4,18; 15.10,11; 17.3; 19.27; 20.17; 21.33). Ele respeitava e por vezes temia os homens de autoridade nas terras que visitou (12.12,13; 14.17,18; 20.1-13). Era de espírito generoso e isento de ganância (13.8,9; 14.23; 17.18; 18.3-8; 21.14). Ele sabia perdoar e interceder pelos outros (18.22,23; 20.17; 21.25-31). Tinha amor firme por Deus (22.16), e sabia assumir responsabilidade pelos outros (23.1,2,19; 24.1-9,67; 25.5,6). Acima de tudo, sabia crer em Deus quando não havia provas visíveis (15.6).

Com relação ao concerto, aprendemos pela vida de Abraão que Deus inicia o concerto (12.1; 13.17), protege o participante do concerto (12.17; 18.1), prende-se com promessas (12.1-3,7; 13.14-17) e coloca o homem sob deveres a cumprir (17.1,9; 18.19).

A fé e a obediência na vida de Abraão determinaram a tônica no restante do Antigo e em todo o Novo Testamento.

Seção III

ISMAEL, O HOMEM QUE DEUS SEPAROU

Gênesis 25.12-18

Uma das características de estilo no Livro de Gênesis é o ato de dispensar, por meio de uma ou mais genealogias, pessoas estreitamente relacionadas com quem Deus escolheu. Compare as ações dispensadoras feitas com Caim (4.17-24), Jafé (10.2-5), Cam (10.6-20), os descendentes de Sem, exceto com a família de Tera (11.10-26), e mais tarde com Esaú (36.1-43).

Chegou o momento de retirar a família de Ismael do registro da principal linha do procedimento de Deus com o povo do concerto. A genealogia é uma demonstração, em parte, de que as promessas de Deus a **Agar** (12) se cumpriram (ver 16.12; 21.18).

Os doze filhos de Ismael não só foram **príncipes** (16), mas seus seguidores encheram muitos acampamentos de tendas e se espalharam por vasto território. **Castelos** é tradução ruim; seria melhor "aldeias". Foram nômades e percorreram a terra da fronteira leste do **Egito** (18), atravessando a Arábia central, até a fronteira sul de **Assur** (Assíria) ao longo do rio Tigre (ver Mapa 1).

Seção **IV**

ISAQUE, O HOMEM CUJA VIDA DEUS POUPOU

Gênesis 25.19—28.9

No Livro de Gênesis, a vida de Isaque é ofuscada pela fé ousada de seu pai, Abraão, e pelas qualidades dramáticas da vida de seu filho, Jacó. Contudo, a primeira parte da vida de Isaque está longe de ser comum. Ele foi um presente milagroso de Deus aos idosos pais, cumprindo uma promessa há muito feita. No momento mais crucial de sua mocidade, ele se entregou docilmente ao pai, embora percebesse que ele estava a ponto de matá-lo. Não há dúvida de que o livramento da morte no monte Moriá causou um efeito permanente em sua perspectiva religiosa. Um incidente que poderia ter gerado medo de seu pai desencadeou uma confiança firme em sua sabedoria. Isaque reagiu confiantemente aos esforços de Abraão em obter uma esposa para ele e recebeu a noiva com gratidão que logo amadureceu em amor. O restante de sua vida está registrado principalmente em dois capítulos. Ele foi uma ponte sólida entre gerações.

A. Um Guisado em troca do Direito de Primogenitura, 25.19-34

A genealogia que abre esta seção é extremamente curta, alistando somente o pai, o filho e sua esposa, cuja árvore genealógica inclui apenas o pai e a irmã dela. **Padã-Arã** (20), a pátria de Rebeca, é a extensão dos planaltos entre a região superior dos rios Eufrates e Tigre (ver Mapa 1).

Como Sara, **Rebeca** (20) era **estéril** (21); e como **Abraão** (19), **Isaque** estava profundamente aflito por este infortúnio e orava para que o **SENHOR** lhes concedesse filhos. Uma comparação entre os versículos 20 e 26 mostra que passaram vinte anos para que os filhos nascessem. Durante a gravidez, **Rebeca** se afligiu por causa da atividade excessiva em seu ventre. **Se assim é, por que sou eu assim?** (23). Desesperada, ela buscou ajuda do **SENHOR**. Foi assim que ela ficou sabendo que tinha gêmeos, que eles eram de caráter diferente e que seriam genitores de dois povos distintos. Também lhe foi dito que os descendentes do mais novo (que o v. 26 indica que foi determinado pela seqüência do nascimento) construiriam a nação mais forte. A mãe nunca esqueceu esta mensagem.

No nascimento, a diferença entre os bebês gerou reações de evidente admiração nos pais, levando-os a lhes dar nomes de acordo com a aparência. O primeiro menino era **ruivo** (25, *admoni se ar*). Estas palavras hebraicas têm ligações óbvias com *Edom* e *Seir*, nomes comumente associados com a futura pátria dos descendentes deste menino. Igualmente, o nome Esaú significa "cabeludo". O nome do segundo menino foi inspirado pelo fato incomum de estar agarrando o calcanhar do irmão (26) quando nasceu. O nome **Jacó** (26) significa "agarrador de calcanhar".

A diferença entre os meninos se intensificou conforme cresciam. Sendo de constituição robusta, a caça foi o primeiro amor de Esaú. Ele apreciava a arte de atirar em animais selvagens. Jacó tinha prazer em cuidar de animais domesticados. Talvez seja esta a razão de ele ser chamado **varão simples** (27). A palavra hebraica é *tam*, traduzida por "reto" em Gênesis 6.9.

O caráter contrastante dos rapazes despertou gostos e desgostos nos pais, que tenderam a colocar uma cunha emocional entre eles. O distinto **Isaque** (28) desenvolveu forte preferência pelo rude **Esaú**; a vivaz **Rebeca** concentrou a atenção no menos dinâmico **Jacó**.

Não há que duvidar que a mãe confiara a Jacó o teor da mensagem que Deus lhe pronunciou antes do nascimento dos meninos (23). Ambos deveriam saber que os costumes dos antepassados favoreciam o primogênito como herdeiro legal à posição tribal do pai. Jacó também sabia que, mediante acordo, o direito de primogenitura poderia ser transferido para um irmão mais novo.[1]

Astuciosamente, Jacó escolheu a oportunidade e pegou Esaú em seu momento mais fraco, quando ele estava fisicamente exausto e faminto depois de caçada extenuante. **Jacó** (29) era bom cozinheiro e preparou um guisado gostoso. Usou todos esses elementos como alavanca para barganhar com um **Esaú** demasiadamente faminto para se importar. Esaú, quase de forma irreverente, vendeu seu direito de primogenitura em troca do guisado. **Jacó** (34) se aproveitou de **Esaú**, mas **Esaú** julgou mal o valor de sua **primogenitura** (cf. Hb 12.15,16).

Em 25.29-34, G. B. Williamson nos apresenta o tema "A Troca que Esaú Fez". 1) Esaú comerciou valores eternos por satisfação temporal, 31,32; 2) A troca de Esaú foi irrevogável, 33; 3) A barganha esperta de Jacó não era lucro líquido (cf. 27.36,41).

B. O Procedimento de Isaque com seus Vizinhos, 26.1-33

Semelhante às relações de Abraão com os vizinhos pagãos, os contatos de Isaque com o povo de Canaã tinham um padrão alterado de desconfiança, paciência e reconciliação. Até as bênçãos de prosperidade concedidas por Deus ao patriarca pareciam impedir os esforços de Isaque em estabelecer uma paz amável com eles.

1. As Promessas do Concerto feitas a Isaque (26.1-5)

Uma **fome** (1) forçou Isaque a sair da terra semi-árida do sul e oeste de Canaã para buscar pastagem ao longo da planície costeira a leste do mar Mediterrâneo (ver Mapa 2). Era território de **Abimeleque, rei dos filisteus**, perto da fronteira do Egito. Mas logicamente a região mais rica do delta do Egito estava atraindo Isaque para essa direção. Foi então que **apareceu-lhe o SENHOR** (2).

Deus disse a Isaque que ficasse longe do Egito. Renovou as promessas dadas a Abraão, e as aplicou a Isaque. Canaã seria a casa de Isaque e lá ele conheceria a presença de Deus. Novamente, Deus destacou a idéia da **semente como as estrelas dos céus** (4) e ressaltou a garantia de que **todas as nações da terra** colheriam bênçãos dos seus descendentes. A promessa de Deus foi passada para Isaque, **porquanto Abraão obedeceu à minha voz** (5).

Este incidente ocorreu provavelmente antes do nascimento de Esaú e Jacó. A história narrada nos versículos 6 a 11, onde Isaque diz que Rebeca é sua irmã, seria improvável se meninos inquietos estivessem brincando ruidosa e descomedidamente pelas tendas de Isaque. As palavras referentes a semente indubitavelmente compuseram a súplica de Isaque por um filho (25.21).

2. Engano Feito de Novo (26.6-16)

O medo dificultou os patriarcas de estabelecerem relações amigáveis com os vizinhos pagãos. Os valores morais dessa gente eram tais que uma família estrangeira se sentiria justificada em ter medo. Aceitava-se que os reis pagãos tivessem direitos conubiais de toda mulher que lhes agradasse. Como Abraão (12.10-13; 20.2,11-13), Isaque se defendeu de suposto dano pessoal no peculiar costume dos seus antepassados: o casamento com irmã-esposa. Neste arranjo, até uma prima ou uma não-parenta seria adotada na família como irmã do noivo e, assim, seria legalmente irmã e esposa.

Em sua relação com **Rebeca**, Isaque informou os filisteus sobre o aspecto de **irmã** (7), mas não sobre o aspecto de **esposa**. Os pagãos não fizeram movimento que indicasse desejo por Rebeca. **Abimeleque** (8) viu casualmente Isaque no que teria sido uma situação comprometedora com uma irmã e suspeitou da verdade. Chamou Isaque, checou as suspeitas e, depois, o reprovou. Abimeleque declarou que Isaque poderia ter enganado um filisteu, fazendo este pecar contra Rebeca. O engano de Isaque, provocado por medo, diminuiu a opinião que o pagão tinha sobre ele, negando a oportunidade de o patriarca ser uma bênção.

Isaque permaneceu no território fazendo bom uso dos **poços** (15) cavados no tempo de Abraão. A produção extraordinária das colheitas era resultado de irrigação possibilitada pela água tirada dos **poços**. Este feito é reproduzido amplamente em Israel nos dias de hoje. O aumento da riqueza do patriarca, por causa da bênção de Deus sobre ele, gerou inveja no coração dos **filisteus**, que entulharam todos os poços e expulsaram Isaque (16).

3. A Demonstração de Paciência sob Pressão (26.17-25)

Reabrindo outros **poços** (18) de Abraão em área diferente, Isaque tentou preparar novos campos para plantação. Em vez de aprenderem os novos e importantes métodos de agricultura com Isaque, os filisteus tolamente continuaram entulhando os poços e expulsando o patriarca para outro lugar. **Eseque** (20) significa "disputa, rixa"; **Sitna** (21) é "inimizade, hostilidade"; **Reobote** (22) quer dizer "lugar, espaço, alargamento". Em vez de brigar, Isaque se mudava, cavava outros poços, os quais eram repetidamente entulhados na sua presença, e depois se retirou definitivamente da região, acabando por se estabelecer em **Berseba** (23).

Em 26.17-22, achamos "Lugar — Reobote" (ver o v. 22). 1) Lugar para homens que buscam paz para viver em paz, 21,22; 2) Os recursos de Deus são suficientes para todos terem bastante, 22; 3) A paciência é recompensada com paz e prosperidade, 22 (G. B. Williamson).

Pela segunda vez, Deus apareceu a Isaque e reafirmou as promessas do concerto reveladas primeiramente a **Abraão** (24) e concernentes a uma posteridade abundante. O Senhor se empenhou em acalmar seus temores e lhe garantir da permanente presença divina. Isaque respondeu com grata adoração num **altar** (25) recentemente construído.

Nos versículos 24 e 25, identificamos o tema "Alguns Elementos da Felicidade Humana". Do lado humano: 1) Adoração: **Edificou ali um altar**, 25; 2) Vida familiar: **Armou ali a sua tenda**, 25; e 3) Segurança Financeira: **Os servos de Isaque cavaram ali um poço**, 25. Estes elementos foram combinados com o lado divino: 4) A orientação de Deus: **Não desças**. **Habita na terra**, 2; 5) Sua presença: **Eu sou contigo**, 24; e 6) Sua bênção: **Abençoar-te-ei**, 24 (ver tb. 26.12,29).

4. A Paciência gera Paz (26.26-33)

Agora **Abimeleque** (26), com o amigo **Ausate** e **Ficol** (provavelmente título militar), visitaram **Isaque** (27) em Berseba. Isaque estava desconfiado e os acusou de odiá-lo. O patriarca ficou surpreso quando os visitantes testificaram que estavam impressionados com a paciência de Isaque e lhe disseram que tinham se convencido de que o **SENHOR** estava com ele (28). Pediram que queixas antigas fossem postas de lado e que somente os aspectos bons de suas relações fossem reconhecidos. O pedido era um tanto quanto a regra de ouro modificada: "Trata-nos com base nas coisas boas [29] que te fizemos". Queriam fazer um pacto para governar as relações futuras entre as partes.

Isaque respondeu sem hesitação dando um **banquete** (30). Na manhã seguinte, concluíram o pacto de amizade fazendo promessas solenes uns aos outros na forma de juramentos. Este é exemplo dramático de que, se duas partes de um conflito mutuamente perdoam e esquecem, a **paz** (31) pode ser uma realidade.

O clímax foi a descoberta feliz de água em um **poço** (32) recentemente cavado, fato que deu ensejo para Isaque ratificar o nome que Abraão dera ao lugar: **Berseba** (33; ver 21.30,31). A primeira parte do nome (*ber*) significa "poço". A última parte (*seba*) quer dizer "sete" ou "juramento".

C. Isaque e sua Família, 26.34—28.9

Quando lemos os capítulos 26 e 27, surge extraordinário contraste. Apesar de tratar desajeitadamente a situação por causa do medo da moral dos seus novos vizinhos, Isaque imediatamente admitiu seu medo e mentira. Basicamente ele era homem de paz e fazia tudo o que podia para evitar problemas. Foi pronto em fazer um pacto para resolver velhas adversidades. Por outro lado, não foi tão bem-sucedido com a família. A astúcia pouco ética dos familiares o colocou em situação muito embaraçosa. Os desejos indulgentes e a insensibilidade com que Isaque tratou as promessas de Deus feitas à sua esposa geraram disputas e divergências e não paz.

1. As Más Escolhas de Esaú (26.34-35)

A falta de julgamento de valor de Esaú quando vendeu seu direito de primogenitura a Jacó (25.29-34) foi igualada por seu desinteresse pelo desejo dos pais com respeito às esposas que tomou. Seguiu exclusivamente a chamada dos seus apetites físicos quando escolheu duas moças pagãs como companheiras. Ignorou o costume de ser guiado pelo julgamento dos pais, e desconsiderou o fato de que os padrões morais da cultura de onde estas moças vinham eram demasiadamente mais baixos que os dos seus antepassados. **Amargura de espírito** (35) é a expressão usada para descrever a profunda ferida de **Isaque e Rebeca**.

2. Uma Bênção em Segredo (27.1-29)

Isaque (1) ficou velho e cego, e possivelmente estava bastante doente. Pelo menos, ele acreditava que estava prestes a morrer, embora tenha vivido por mais outros quarenta anos (35.28). Ele resolveu que era tempo de passar a bênção patriarcal ao sucessor. De acordo com os costumes dos seus antepassados, esta bênção pertencia a Esaú, o filho mais velho.

Chamando Esaú, o homem idoso pediu que o filho apanhasse uma caça e preparasse a carne para um banquete cerimonial preparatório para dar a bênção.[2] Tal ação ignorava a mensagem de Deus a Rebeca de que "o maior servirá ao menor" (25.23), acerca da qual Isaque seguramente sabia. Também ignorava a venda do direito de primogenitura a Jacó, sobre o qual Isaque provavelmente sabia (25.29-34). Mas **Rebeca** (5) não tinha esquecido, nem **Jacó** (6).

As reações de Rebeca e Jacó ao plano de Isaque não trazem total descrédito ao caráter de cada um. Na realidade, todos os quatro participantes desta história são coerentemente apresentados de modo desfavorável. A parcialidade parental de um filho acima do outro por pai e mãe (25.28) conduzira a um desarranjo de entendimento entre eles. Isaque ignorava Rebeca e ela foi incapaz de falar com ele sobre seu erro.

Desesperada, Rebeca se voltou a **Jacó**, recrutando seu apoio para implementar um plano de engano. Ele deveria trazer do rebanho **dois bons cabritos** (9), para que ela preparasse o tipo de **guisado** que Isaque gostava. Jacó o levaria a Isaque e receberia a bênção antes que Esaú voltasse. O desejo excessivo do velho homem por certo **guisado saboroso** foi o ponto de entrada para esta trama.

Jacó (11) não objetou o plano, mas viu um ponto fraco. Seu corpo não tinha os pêlos abundantes que Esaú tinha, e Isaque poderia insistir em tocar em Jacó para garantir identificação certa. A **bênção** (12) poderia se tornar em **maldição**. De forma audaciosa, a mãe replicou: **Sobre mim seja a tua maldição** (13), e mandou o rapaz fazer o que ela dizia. Quando Jacó voltou, **Rebeca** (15) já sabia como resolver o problema. Colocou as **peles dos cabritos** (16) nas **mãos** e em volta do **pescoço** de Jacó.

A dupla maquinadora negligenciou um item: a diferença entre a voz dos dois filhos. O velho pai imediatamente notou a diferença e reagiu com suspeita quando Jacó se identificou como **Esaú, teu primogênito** (19). O idoso **Isaque** (20) quase o apanhou em erro por causa da rapidez em apanhar a caça; Jacó só pôde murmurar: **Porque o SENHOR, teu Deus, a mandou ao meu encontro.** O momento de tensão chegou quando Isaque teimou em sentir o corpo de Jacó (21). Parcialmente satisfeito, Isaque pediu a caça e comeu. Mas era óbvio que o som da voz o intrigava. Sob o artifício de pedir um beijo, o pai **cheirou o cheiro das suas vestes** (27). Mas Rebeca havia antecipado esta ação (15). Por fim, convencido, Isaque passou a dar a bênção.

A bênção patriarcal era uma forma de última vontade e testamento. Bênçãos orais eram consideradas tão irrevogáveis para todas as partes como um contrato escrito.[3] Isaque desejou que a prosperidade para o filho brotasse da riqueza da terra, mas também lhe deu o domínio sobre as outras **nações** (29), como também sobre a própria família. O recebedor da bênção seria protegido pela justiça divina; quem tivesse contato com ele receberia maldição por amaldiçoá-lo e bênção por ser gracioso com ele. Quando a bênção foi dada, Jacó saiu da tenda.

3. O Choque da Descoberta (27.30-40)

Quase em seguida, **Esaú** (30) estava ocupado preparando a carne que trouxera da caça. Desconhecedor do ato de Jacó, ele levou o **guisado saboroso** (31) para **Isaque, seu pai** (32), na plena expectativa de receber a bênção. O pai ficou pasmo ao ouvir-lhe a voz e soube imediatamente o que acontecera. Ele foi enganado. O velho homem ficou abalado até ser tomado **de um estremecimento muito grande** (33). A bênção que deu era do tipo "definitiva" e não podia ser revogada. A medida da reação de Esaú é vista em seu **grande e mui amargo brado** (34) e em seu apelo melancólico de que o **pai** ainda o abençoasse. Hebreus 12.17 observa que o erro terrível de Esaú foi a venda do direito de primogenitura (25.29-34) e que agora seus esforços em reparar o erro eram muito tardios, pois ele nunca chegou a se arrepender de fato de sua tolice. Esaú colocou toda a culpa em **Jacó** (36), mas a culpa do irmão não podia justificar a sua.

Isaque só conseguia pensar na plenitude do seu ato de abençoar Jacó e foi somente depois dos rogos persistentes de Esaú que ele consentiu em dar a Esaú uma bênção menor.

Esaú também seria próspero, mas teria de viver pela **espada** (40) e aceitar o papel de servo de Jacó e seus descendentes por certo tempo, depois do qual ele tinha o direito de sacudir o **jugo do teu pescoço**. A expressão: **Quando te libertares**, é melhor: "Quando ficares impaciente" (Moffatt). Esta bênção não era grande coisa, mas tinha um raio de esperança para Esaú.

4. Ódio de Irmão, Coisa Espantosa (27.41-46)

A decepção e amargura de Esaú se engessaram na resolução: **Matarei a Jacó, meu irmão** (41). Como Caim, ele permitiu que sua reação à vantagem ganha pelo irmão mais novo fosse governada por emoções negativas. **Esaú** (42) não guardou os pensamentos para si e logo a palavra chegou aos ouvidos de **Rebeca** e depois aos de Jacó, causando medo e gerando novas artimanhas. Sempre diligente, Rebeca aconselhou Jacó a sair de casa em busca de segurança. Ela previa que tal viagem duraria curto tempo, pois o **furor** (44) de Esaú seria de pouca duração. Não era sua intenção perder Jacó depois que seu plano enganador tivesse afastado Esaú completamente dela.

O problema imediato de Rebeca era como justificar a viagem de Jacó a Harã. Esaú não podia desconfiar que essa ação evasiva estava sendo feita para frustrar sua intenção de matar Jacó, ou ele poderia agir antes mesmo da morte do pai. O primeiro movimento de Rebeca foi queixar-se das esposas de Esaú, as **filhas de Hete** (46), e depois mostrar seu sentimento de que se Jacó se casasse com as moças da região, **para que me será a vida?** O estratagema foi concebido com sagacidade e alta eficiência.

5. *A Incumbência de Achar uma Esposa* (28.1-9)

A crítica feita por Rebeca acerca das esposas de Esaú convenceu **Isaque** (1) de que não deveria mais haver noras pagãs. Ao mesmo tempo, ele não percebeu que Rebeca estava tendo sucesso em encobrir um esquema para afastar **Jacó** da presença de Esaú.

O velho pai **chamou a Jacó, e abençoou-o, e ordenou-lhe** que voltasse à pátria dos seus ancestrais para achar uma **mulher** (2) como esposa. Desta vez, por escolha e não por ignorância, **Isaque** concedeu a Jacó outra bênção que o **Deus Todo-poderoso** (3) lhe daria, prometendo uma posteridade numerosa. As promessas do concerto feitas a **Abraão** de **semente** e **terra** (4) foram essencialmente repetidas. Agora, franca e incontestavelmente, Jacó era o portador do concerto para a nova geração. Sua partida do círculo familiar foi justificada à vista de todos.

Vendo, pois, Esaú (6) que a nova condição de Jacó estava ligada à sua disposição em tomar uma esposa dentre os parentes em **Padã-Arã** (5), novas idéias lhe surgiram. Talvez ele conseguisse recuperar a estima dos pais se tomasse uma esposa dentre parentes próximos. Mas ele não estava interessado em quem estava em terras distantes; presumiu que as filhas de Ismael serviriam. Não se deu conta de que, se assim fosse, Jacó teria sido enviado a Ismael. O silêncio no versículo 9 após o relato do ato de Esaú fala com eloqüência.

O papel de Rebeca na vida de Isaque começou em alto nível, mas deteriorou até chegar às profundezas do engano e do medo. Quando Rebeca aparece nas páginas da Bíblia ela brilha como modelo de pureza (24.16), hospitalidade (24.18), boa vontade em trabalhar sem pensar em recompensa (24.19,20), capacidade de tomar decisões segundo a vontade manifesta de Deus (24.58). Foi corajosa ao trilhar caminhos não percorridos dando-se a um noivo desconhecido (24.67) e hábil em consolar um homem solitário (24.67). Demonstrou pronta disposição em buscar a ajuda de Deus e aceitar sua palavra (25.22,23).

Conforme os filhos cresciam, Rebeca foi mudando. Reagiu à preferência de Isaque por Esaú concentrando seu afeto em Jacó (25.28). Na hora da dificuldade, quando ouviu os planos de Isaque abençoar Esaú, ela caiu moralmente aos pedaços. Toda sua desenvoltura, a capacidade de tomar decisões rápidas e planejar um curso de ação, foi deformada pelo medo — medo de que o seu filho preferido não fosse devidamente reconhecido. Entregou-se aos dispositivos do engano (27.6-17) e aos estratagemas inteligentes perfeitamente camuflados por professa preocupação em uma companheira adequada para Jacó (27.46), mas na realidade motivado por interesses egoístas: "Por que seria eu desfilhada?" (27.45) Planejava chamar Jacó de volta para casa (27.45), mas a visão que teve do filho favorito indo embora foi a última imagem dele. Seus últimos dias devem ter sido vazios e tristes.

A vida de Isaque foi poupada, e em 35.28,29 está registrada sua morte com a idade madura de 180 anos. Mas com a partida de Jacó para Padã-Arã, Isaque também saiu da cena dos procedimentos ativos de Deus com os portadores do concerto patriarcal.

Embora de temperamento diferente em relação a Abraão, seu pai, ou a Jacó, seu filho, Isaque foi um homem que Deus usou a seu modo. Nascido como filho da promessa, Isaque poderia ter sido arrogante. Mas toda vez que ele aparece na história do andar de Abraão com Deus ele é retratado como submisso (22.6,9), possuidor de uma confiança juvenil no pai e em Deus (22.7,8). Ele não interferiu nos esforços de Abraão obter uma esposa para ele. Este episódio descreve que ele era meditativo (24.63) e capaz de amor tenro por sua finada mãe e por sua noiva (24.67). Ele sabia orar (25.21; 26.25).

Seção V

JACÓ, O HOMEM QUE DEUS REFEZ

Gênesis 28.10—35.29

Jacó andou sozinho em um mundo estranho. Deixou para trás um pai envelhecido, que não percebeu que seu favoritismo por Esaú poderia tê-lo levado a contrariar a vontade de Deus, conforme foi revelada a Rebeca (25.23). Deixou para trás um irmão amargurado e enraivecido que, não tendo senso dos verdadeiros valores, só pensava em ter sido roubado pelo esperto Jacó. Deixou para trás uma mãe perturbada que, sabendo algo da vontade de Deus para Jacó, complicou o propósito divino por meio de subterfúgio mal planejado.

Mas Jacó não ficou sozinho por muito tempo; Deus o encontrou, e uma moça também o encontrou. Afligiram-lhe o coração um arranjo matrimonial contrário ao seu gosto e um sogro não muito confiável. Não obstante, Deus o conduziu por uma experiência nova e transformadora, uma reconciliação com o irmão, em padrões de luz e sombra que lentamente fortaleceram e amadureceram seu caráter diante de Deus.

A. Confrontado por Deus, 28.10-22

As principais visitações de Deus a Jacó foram dramáticas e perturbadoras. O incidente em Betel não foi exceção; ele não esperava o que aconteceu naquela noite, nem jamais ia esquecer o significado do que lhe ocorrera. Antes desse episódio, parece que Jacó nunca teve muita consideração pela vontade de Deus para ele. Depois dessa experiência, sua vida foi dominada por um interesse profundo pela vontade divina.

1. Um Travesseiro Duro (28.10,11)

A viagem para **Harã** (10; ver Mapa 1) superava 480 quilômetros e a distância a **um lugar** (11) era de cerca de 110 quilômetros de **Berseba**. Visto que a noite já caíra e ele estava cansado, Jacó fez uma cama rudimentar no chão, reunindo algumas **pedras** (11) para fazer a vez de **cabeceira** (*mera ashotaw*; lit., "apoio para a cabeça"). A história não dá indicação de que Jacó esperava ou buscava uma experiência espiritual incomum.

2. A Visita Surpresa (28.12-15)

O sonho veio sem induzimento humano e seu conteúdo foi dado pelo **SENHOR** (13), que o dominou. A **escada** (12) era ligação visual entre o terrestre e o divino. Os **anjos de Deus** eram os mensageiros, a linha de comunicação entre o homem e Deus. Não havia imagem de Deus no sonho, apenas a consciência de uma relação soberana de Deus que está **em cima** (13) de tudo. O elemento surpresa é enfatizado por uma visão em três partes na descrição do sonho (12,13).

Nas visitações de Deus ao homem no período do concerto, é comum haver uma declaração introdutória que identifica aquele que fala primeiro. Neste caso, o Orador deixou claro que Ele era o mesmo que havia visitado o avô de Jacó, Abraão, e seu pai, Isaque. Aqui não está envolvido o politeísmo. Em cada exemplo, o mesmo Deus era o Comunicador do concerto.

O teor das promessas de Deus permaneceu o mesmo. A **terra** (13) em que Jacó estava deitado era um presente de Deus. Não apenas para ele, mas para sua **semente** (14), que se multiplicaria como o **pó da terra**, sem poder ser contada, e como a agulha da bússola que se move a todas as direções do mundo. Isto acarretaria interação com outras nações e, como se deu com Abraão (12.3), era da vontade de Deus que essas interações fossem **benditas**, ou seja, contribuíssem para o bem-estar e esclarecimento espiritual.

Muitas das promessas tinham significação mais pessoal. Como Isaque (26.24), Jacó deveria conhecer a presença íntima do Senhor, mas um novo padrão também foi estabelecido. Jacó estava saindo, mais voltaria — seqüência que seria repetida muitas vezes na história dos seus descendentes. A estabilidade da presença de Deus estava ligada com sua fidelidade em pôr em prática seus propósitos nos assuntos dos homens.

3. A Resposta de Jacó (28.16-22)

O sonho e a mensagem acordaram Jacó, deixando-o plenamente desperto e ciente de ter tido um encontro com Deus, para o qual não estava nem um pouco preparado. O medo tomou conta do seu coração. Para ele, o lugar era **terrível** (17), ou seja, dava medo. Nitidamente apreendeu o sobrenatural, mas, ao mesmo tempo, não perdeu a razão. Estava totalmente consciente de que algo muito incomum havia acontecido e que envolvia Deus. Os termos para esta experiência foram **Casa de Deus** (*Betel*) e **porta dos céus**.

Jacó respondeu com três ações significativas. A primeira foi de natureza ritualista. Para comemorar a ocasião, a **pedra** (18) foi posta em pé e ungida com **azeite**. Fez isto não porque era homem primitivo que acreditava que as pedras tinham espírito, mas pelo fato de estar convencido da integridade do seu encontro com Deus e desejoso de testemunhar dessa fé. O segundo ato foi renomear o lugar para colocar o nome em concordância com a nova experiência. Para Jacó, **Luz** (19) não dizia nada, mas **Betel** nunca perderia sua significação. O terceiro ato foi um compromisso selado com **um**

voto (20). Pelo motivo de a primeira palavra que Jacó proferiu ter sido condicional: **Se Deus for comigo**, há quem o retrate estar em árdua barganha com o Todo-poderoso, muito semelhante com suas negociações com Esaú.[1] Mas o contexto descreve Jacó como homem que foi quebrantado por Deus. Ele estava pronto a nivelar as promessas imerecidas com uma declaração voluntária de lealdade a Deus. Ao aceitar que a auto-revelação de Deus foi genuína e em reconhecimento de sua soberania, Jacó estava disposto a dar o **dízimo** (22) para Deus.[2]

Em 28.10-22, descobrimos o "Encontro Inesperado com Deus". 1) O pano de fundo da história, 27.1—28.9; 2) Uma revelação inesperada, 10,11; 3) Descobrindo a ligação entre a terra e o céu, 12-15; 4) Resposta certa à revelação de Deus, 16-22 (A. F. Harper).

B. Amor Frustrado não Morre, 29.1-30

Pouca coisa é relatada acerca do restante da viagem de Canaã, exceto que Jacó **foi-se à terra dos filhos do Oriente** (1). É provável que esta terra designava principalmente a região ao redor de Damasco, mas também pode ter incluído Harã (ver Mapa 1).

Jacó apareceu na sossegada comunidade de Harã com ímpeto e vigor. Ele sabia por que tinha ido até lá, e a primeira moça que encontrou era exatamente quem queria. Ela mostra boa vontade, mas o pai dela não. Os procedimentos de Labão com Jacó foram extremamente desconcertantes, sobretudo no dia do casamento de Jacó.

1. Os Rebanhos no Campo (29.1-8)

O fato de Jacó ter encontrado pastores que conheciam seus parentes deve ser considerado cumprimento da promessa de Deus estar com ele. Sendo pastor, Jacó notou coisas diferentes nos métodos de apascentar rebanhos. Era meio-dia e já havia **três rebanhos de ovelhas** reunidos perto de **um poço no campo** (2) — provavelmente uma cisterna —, mas ninguém lhes dava água. Havia **uma grande pedra** tapando o **poço**. A explicação pela demora em dar água às ovelhas é apresentada nos versículos 3 e 8, mas Jacó não sabia disso até que indagou sobre a identidade dos pastores e se conheciam Labão.

Os pastores não eram preguiçosos. Estavam esperando a filha de Labão chegar com seu rebanho, para que todos ajudassem na remoção da pedra e depois tapassem o poço novamente. Como na história do capítulo 24, esta narrativa assinala a segurança pessoal das mulheres na sociedade de Harã, mesmo em campo aberto.

2. O Rapaz Encontra a Moça (29.9-14)

A visão da prima **Raquel** (10) mudou **Jacó** em um modelo de força. A grande pedra, que exigia o poder combinado de um grupo de pastores, foi prontamente retirada pelos arrancos vigorosos do estranho de Canaã. Cântaro após cântaro de água foi tirado do poço para as ovelhas da moça. **Raquel** (11) deve ter ficado agradavelmente surpresa quando foi beijada pelo emocionado **Jacó,** o qual se identificou como seu primo. O termo **irmão** (12) tem aqui o sentido de parente; na verdade, Jacó era sobrinho de Labão.

Como Rebeca (24.28), Raquel correu para casa com a notícia da chegada do estranho. A reação da casa foi imediata e hospitaleira. Labão, à maneira autenticamente oriental, **abraçou** e **beijou** o parente. Na hora da refeição com a família, Jacó os emocionou com a história de sua viagem. Durante um mês, não houve indicação de que Labão não tivesse pensamentos de puro afeto por Jacó. Um fato se salienta claramente: A chegada de Jacó não teve as expressões de profunda devoção religiosa evidenciadas no servo de Abraão ao chegar à mesma casa anos antes (24.32-49).

3. O Duplo Casamento (29.15-30)

Durante a vigência daquele mês, é evidente que **Jacó** (15) trabalhou com os rebanhos de **Labão**. Esta situação fez com que Labão sugerisse o ajuste de um acordo salarial. Sem dúvida, ele notou o interesse de Jacó por **Raquel** (16) e viu a oportunidade de aproveitar-se de seu sobrinho. Esta filha não era a mais velha, fato que deu ao pai importante vantagem legal. **Léia** significa "vaca selvagem". Ela possuía **olhos tenros** (17), o que não quer dizer necessariamente que fosse um defeito visual. Bem pode ser que os olhos fossem atraentes, característica física a seu favor. Por outro lado, **Raquel** (que significa "ovelha") era bonita e **Jacó** a **amava** (18).

Jacó também esteve pensando no assunto e fez uma proposta imediata. Ele trabalharia **sete anos por Raquel**. Não era do seu conhecimento as complicações por trás da oferta, mas Labão as conhecia e esperou o momento propício.³

Chegou a data marcada para o casamento e Jacó estava ansioso para ter sua amada só para si. **Labão** preparou o habitual **banquete** (22) nupcial. Porém, naquela noite, ele não apresentou Raquel, mas **Léia** (23), para ser esposa de Jacó. O véu nupcial e a escuridão esconderam esta mudança aos olhos do noivo.

Pela manhã (25), a surpresa e o desapontamento de Jacó não tiveram limites. Com fúria, ele repreendeu Labão pelo logro, mas Labão permaneceu impassível. Era ilegal dar a filha mais nova em casamento, enquanto a filha mais velha ainda fosse solteira (26), mas havia uma solução. Se Jacó trabalhasse por **outros sete anos** (27), Labão lhe daria Raquel assim que terminasse a semana de festividades nupciais de Léia.

Para Labão, a transação era bom negócio. Ele conseguiu casar a filha primogênita sem atrativos e obteve a promessa de mais sete anos de mão-de-obra especializada de Jacó. Nem se esforçou em justificar o fato de não ter informado Jacó sobre as leis matrimoniais daquele país, quando Raquel foi pedida em casamento pela primeira vez. Segundo o costume local, ele deu para cada filha uma criada pessoal.

C. Dolorosa Competição, 29.31—30.24

O registro da disputa que se desenvolveu na família de Jacó não é nada agradável. Também serve de base concreta para uma proibição feita posteriormente: o casamento de irmãs com um só homem e ao mesmo tempo (Lv 18.18). Igualmente importante, esta subdivisão fornece informações sobre a origem dos nomes das doze tribos de Israel, descrevendo as circunstâncias do nascimento de cada um dos filhos de Jacó. Cada nome reflete algo dos motivos, emoções e religiosidade das duas irmãs.

1. A Esposa Não Amada foi Abençoada (29.31-35)

A palavra hebraica traduzida por **aborrecida** (31, *senuah*) nem sempre transmite fortes conotações negativas. O contexto deste exemplo favorece um significado mais brando (cf. v. 30). Jacó despejava afeto em Raquel, mas não menosprezava ou rejeitava Léia. O fato de ela dar à luz filhos dele demonstra que a relação carecia apenas do calor do verdadeiro amor.

Não é dada explicação para o favoritismo que o **SENHOR** (31) demonstrou a Léia, exceto que sua fé na misericórdia divina é expressa no versículo 32. Quanto a Raquel, ela foi a terceira esposa nesta família temporariamente estéril — Sara, Rebeca e agora Raquel.

Os nomes dos filhos de Jacó foram baseados primariamente nos sons das palavras ou frases e não no significado literal direto. O nome do primeiro filho, **Rúben** (32), era uma exclamação, que significa: "Olhe, um filho!" O verbo *olhar* é creditado para o testemunho de Léia. A esperança de seu marido ter o verdadeiro amor por ela não foi concretizada. O nome do segundo filho, **Simeão** (33), está baseado no verbo hebraico *shama*, que significa "tem ouvido ou foi ouvido". Está inserido em outro testemunho da misericórdia de Deus, ainda que não fosse amada pelo marido.

O nome do terceiro filho, **Levi** (34, "juntado, anexo"), está relacionado com o verbo **se ajuntará** (*yillaweh*). Dá um vislumbre das profundezas da ansiedade de Léia pelo afeto humano que Jacó firmemente lhe negava. Teve ainda outro filho, **Judá** (35, "louvor"), que sugere a amplitude oscilatória de suas emoções: de uma dor interna à expressão de ação de graças ao **SENHOR**.

2. *A Esposa Amada fica Desesperada* (30.1-8)

Embora fosse bonita e amada, **Raquel** (1) logo descobriu que fortes sentimentos de inveja incitavam seu coração contra Léia. Os valores daqueles dias davam elevada importância ao fato de ter filhos e ela não tinha nenhum. Irracionalmente, ela exigiu que Jacó lhe desse filhos, diante do que ele respondeu furiosamente: **Estou eu no lugar de Deus?** (2). Mas Raquel se lembrou, como Sara (16.2), que a lei da região permitia a esposa sem filhos ter posteridade por meio de uma esposa substituta. Impulsivamente, ela deu a Jacó a serva **Bila** (4), que logo teve um filho — um filho que Bila não podia dizer que era dela, pois legalmente pertencia a Raquel. Quando chamou o menino **Dã** (6), que significa "juiz, justificação ou defesa", ela não estava pensando que Deus a condenava, mas que a julgava digna de misericórdia.

O nome que Raquel deu ao segundo filho de Bila, **Naftali** (8), quer dizer "lutando" e está baseado em **com lutas... tenho lutado**. Pelo fato de a primeira parte da frase ser literalmente "lutas de Deus" (*naphtaley elohim*), há quem afirme que Raquel estava se perdendo em magias. Mas não há razão para crer que ela estava fazendo algo que não fosse orar com fervor a Deus, embora suas emoções estivessem tingidas de inveja.

3. *A Contrapartida* (30.9-13)

Léia também tinha uma serva, que ela prontamente deu a Jacó como outra esposa substituta. **Zilpa**, por sua vez, deu à luz dois filhos. Embora o nome **Gade** (11) queira dizer "tropa", seu significado mais comum é "boa fortuna", o que se ajusta muito melhor neste contexto e é aceito na maioria das mais recentes traduções bíblicas. O nome do próximo menino, **Aser** (13, "feliz ou bendito"), também era exclamação da extrema satisfação de Léia e sua serva estarem gerando mais que Raquel.

4. *Não por Mágica, mas é Deus que dá Vida* (30.14-24)

Sendo criança, **Rúben** (14) inocentemente trouxe mandrágoras dos campos de **trigo** para **sua mãe**. Os bagos amarelos desta planta eram altamente reputados por ter a capacidade mágica de produzir fertilidade. Quando Raquel os viu, ela caiu na tentação de obtê-los para cura de sua esterilidade.[4] Para isso, fez uma barganha sórdida com a irmã. A tônica que o paganismo dava em superstições mágicas atraía as mulheres em práticas repulsivas. Jacó não contestou, nem resistiu.

Apesar da implicação de valores morais distorcidos, Deus concedeu fertilidade a Léia, e Raquel descobriu que a magia não resolvia seu problema. Léia pelo menos reconhecia a atividade de Deus, embora entendesse mal a razão da misericórdia de Deus. Seu equívoco está incrustado no nome do quinto filho, **Issacar** (18), que significa "aluguel ou pagamento". O nome estava baseado no acordo feito entre Léia e Raquel. O **sexto filho** (19), **Zebulom** (20, "habitação"), reflete o desejo ardente e permanente que Léia tinha pelo afeto do marido, que nem sequer seis filhos lhe deram. Este nome é o único dos doze filhos que têm paralelo mesopotâmico. O termo acádio *zubullu* significa "presente de noivo" e, assim, liga-se à expressão **boa dádiva** (20).

Só **uma filha** (21) é atribuída a Jacó. Seu nome é **Diná**, que significa "julgamento", mas nenhum testemunho pessoal foi ligado ao nome. Mais tarde, esta moça iria figurar em cena trágica (cap. 34).

Para **Raquel** (22), as mandrágoras foram inúteis. Quando finalmente deu à luz um filho ela entendeu que foi um ato especial da misericórdia divina. **Lembrou-se Deus** é termo associado com oração respondida. O nome que ela deu ao garoto foi **José** (24, que significa "adição, acréscimo"). Pela fé, ela esperava outro filho como presente de Deus. Para ela, a superstição pagã perdeu sua atração.

D. Pastores Inteligentes, 30.25—31.55

Depois do casamento de Jacó com as duas irmãs, a história se concentrou na luta que elas empreenderam entre si na questão de gerar filhos. Agora, a luta ocorre entre Jacó e Labão, até se separarem em paz apreensiva.

1. *Acordo Obtido com Má-Fé* (30.25-43)

Quando **Jacó** (25) cumpriu o segundo período de sete anos de serviço, ele falou com **Labão** acerca do futuro. Jacó pediu permissão para que ele tomasse suas **mulheres** (26) e família e voltasse à sua **terra**. Mas Labão o convenceu a ficar, pois ele se aproveitava do seu trabalho. Caso esta fosse a atitude de Labão, Jacó havia planejado uma segunda proposta.

Superficialmente, as exigências salariais de Jacó pareciam curiosamente absurdas para Labão. Naquele país, as cabras, em geral, são totalmente pretas ou marrons escuras e a cor normal das ovelhas é totalmente branca, embora ocorressem variações. Jacó quis selecionar as cabras de cor pouco comum e as ovelhas de cor escura para formar seu rebanho. Ele ficaria somente com as cabras e ovelhas de cor indefinida que aparecessem entre a descendência do rebanho básico. Esta divisão seria modo fácil de evitar engano quanto a quem pertencia determinados animais. Jacó disse: "E a minha honestidade dará testemunho de mim no futuro, toda vez que você resolver verificar o meu salário" (33, NVI).

Labão concordou, mas tomou uma precaução. Imediatamente, e em segredo, separou dos rebanhos os animais das cores que Jacó queria e os enviou para longe (35,36). Este ato era violação do espírito do acordo, mas no momento Jacó não podia fazer nada. Ele tinha seus próprios estratagemas. Exteriormente, seus procedimentos parecem um tipo supersticioso de magia, mas depois ele confessou às suas esposas que foi Deus que o instruiu na procriação seletiva (31.10-12). **Descascou nelas riscas brancas** (37) é tradução apoiada por Moffatt. Na verdade, ele estava limitando a linhagem da procriação masculina aos carneiros com coloração peculiar, e colocando a descendência em rebanhos separados. Desta forma, aumentava radicalmente o número de filhotes e cordeiros de cor indefinida de gestação em gestação. Além disso, ele mantinha somente os melhores animais para a procriação seletiva, e deixava os animais inferiores para os rebanhos de Labão. Esta era a verdadeira razão por que seus rebanhos eram tão numerosos e fecundos (31.9).

2. *Uma Reunião de Família* (31.1-16)

O sucesso de Jacó com os rebanhos deu ocasião para os **filhos de Labão** (1) fazerem observações maliciosas sobre a honestidade do cunhado. Recusaram admitir sua habilidade como criador ou a providência de Deus na vida de Jacó. Pior ainda, Labão acreditou nos filhos, não levou em conta o fato de ele próprio ser desonesto e hostilizou Jacó. Evidentemente Jacó temeu por sua vida e buscou a orientação de Deus. O Senhor lhe deu permissão para voltar (3) e ressaltou de novo sua promessa: **Eu serei contigo**.

Não confiando nas pessoas do acampamento principal, Jacó pediu que **Raquel** e **Léia** (4) fossem ao local do seu **campo** para realizarem uma reunião de família.

Notando a mudança na atitude de Labão, Jacó destacou a presença de Deus em seus assuntos, sua diligência pessoal como pastor e a desonestidade de Labão. Jacó deu a **Deus** (9) todo o crédito pela prosperidade obtida, pela orientação na criação do rebanho e pela nova proposta de fugir para Canaã.

Neste assunto, **Raquel e Léia** (14) estavam unidas. Concordaram que o pai foi injusto. Lembraram com nítido ressentimento que Labão as humilhara quando as vendeu como propriedade e usou o **dinheiro** (15) que pertencia a elas e a seus filhos. De boa vontade lhe deram o consentimento para retornar a Canaã.

3. *A Fuga e a Perseguição* (31.17-24)

Jacó sagazmente tirou proveito do fato de **Labão** ter ido **tosquiar as suas ovelhas** (19) que estavam em lugares distantes. Sem que ninguém soubesse, Raquel levou consigo os **ídolos** que eram equivalentes a títulos da propriedade de Labão.[5] Sem dar indicação de suas intenções, Jacó e suas esposas dirigiram os rebanhos para o sul, atravessaram o rio Eufrates e passaram abaixo de Damasco, em direção ao planalto a leste do mar da Galiléia chamado **montanha de Gileade** (21; ver Mapas 1 e 2). Quando Labão ficou sabendo da fuga, reuniu alguns **irmãos** (23), ou seja, parentes, e perseguiu Jacó até alcançá-lo. Mas antes que **Labão** (24) encontrasse Jacó, **Deus** o encontrou em um sonho, advertindo-o a não tratar **Jacó nem bem nem mal**. Deus estava mostrando que Ele tem muitas maneiras de ajudar os que lhe pertencem.

4. A Investigação (31.25-42)

O dramático encontro de Labão e Jacó é ardilosamente contado. Emoções variadas são reveladas de modo hábil e sutil e o suspense é mantido até o fim, com mudanças repentinas de ironia tornando interessante o todo.

Primeiramente, Labão atacou Jacó com indignação, acusando-o de ser ladrão que traficava vidas humanas. Acusou o genro de total descortesia ao fugir. Com um toque de autopiedade, Labão se descreveu como o mais generoso dos homens, privado de exibir afeto às suas filhas e da hospitalidade de dar uma festa de despedida. Com falsa virtude, Labão declarou que tinha o poder de punir severamente, mas que não o faria, porque Deus interveio.

Em seguida, Labão depreciou Jacó como rapaz saudoso de casa que tinha de voltar para a casa do pai (30). Mas também o acusou de salafrário odioso, que havia furtado os **deuses** de Labão.

Jacó não se defendeu. Apenas admitiu que foi o medo que o motivou, medo que estava baseado na profunda desconfiança da integridade de Labão e do seu uso irresponsável de força (31). Mas a última acusação de Labão feriu Jacó, que impulsivamente deu ao sogro a permissão de revistar o acampamento, acrescentando que se alguém fosse pego com os **deuses** (32) deveria morrer. **Jacó** não sabia que sua amada esposa, **Raquel**, era a parte culpada. Mas **Raquel** foi esperta e disse que não podia se levantar diante do pai porque estava menstruada. Ela colocou os objetos na **albarda** (sela) de um **camelo**, e **assentara-se sobre eles** (35).

Vexado por sua acusação parecer infundada, a raiva de Labão diminuiu. Agora foi a vez de Jacó enfurecer-se e censurar o sogro, exigindo uma explicação de suas ações. Labão o acusou de roubo, mas não conseguiu provas. Por sua vez, Jacó acusou Labão de há muito ser desonesto e de maltratá-lo. Pelo serviço diligente e irrestrito que Jacó prestou, Labão o havia explorado. Só as misericórdias providentes do **Deus** dos pais de Jacó o salvaram, e, ainda mais, Deus havia repreendido Labão em sonho recente (42).

5. O Pacto de Paz (31.43-55)

Labão (43) estava em desvantagem, contudo protestou ilogicamente que as mulheres, as crianças e o gado lhe pertenciam. Se Jacó tivesse sido escravo, isso ficaria claro naquele dia, mas Jacó afirmou que era um verdadeiro genro. Certos estudiosos concluem que ele pode ter sido um filho adotado e, nesse caso, não haveria dúvida sobre o direito de propriedade.[6]

O sogro estava disposto a esquecer as sutilezas legais a favor de um **concerto** (44). Todos os detalhes externos da ação de fazer concerto estavam em concordância com as práticas vigentes naqueles dias: a **pedra** posta em **coluna** (45), o **montão** de **pedras** (46) sobre o qual comeram uma refeição e os votos ou juramentos feitos ali. Cada um deu ao lugar um nome em sua língua nativa: Labão, em aramaico, e Jacó, em hebraico. O termo aramaico, **Jegar-Saaduta** (47), e o hebraico, **Galeede**, querem dizer "o montão do testemunho".

O lugar também foi chamado **Mispa** (49), que significa "torre de vigia ou torre de observação". A declaração no versículo 49 tornou-se uma bênção entre os cristãos. Contudo, neste contexto imediato a palavra transmite um aviso. O Senhor cuidaria para que Jacó não cruzasse para o norte daquele marcador de fronteira, nem Labão cruzaria para o sul dessa linha, para fazerem mal uns aos outros (cf. 52). Sendo a parte mais forte, Labão colocou várias limitações para Jacó no futuro. Ele tinha de tratar as filhas de Labão com decência e abster-se de tomar mais esposas. **Mesmo que ninguém esteja conosco, atenta que Deus é testemunha entre mim e ti** (50), observou Labão. Concluindo, cada um fez um juramento, Labão no nome do **Deus de Abraão** e do **Deus de Naor** (53). Jacó fez seu voto no nome do Deus do **Temor de Isaque, seu pai**. Depois dos votos, comeram a refeição comunal da carne de um animal sacrificado. **Pela manhã, de madrugada**, Labão era outro homem, despedindo-se com beijos afetuosos (55) e uma bênção divina.

Labão foi um homem imprevisível. Por um lado, mostrou hospitalidade ao servo de Abraão (24.31) e depois a Jacó. Exteriormente, deu mostras de bondade até a altercação final com Jacó. Por outro lado, astutamente se aproveitou do fato de Jacó desconhecer as leis locais e fez o melhor que pôde para explorar Jacó e as filhas. Ironicamente, acabou perdendo as filhas, seu melhor pastor, seus netos e grande parte dos rebanhos. Depois do pacto em Galeede, ele nunca mais os viu. Deu a impressão de ser virtuoso, mas na verdade não dava valor algum à vida íntegra.

E. PROFUNDA CRISE ESPIRITUAL, 32.1-32

A questão com Labão estava resolvida, mas agora havia uma ameaça maior no sul. O iminente encontro com Esaú abalou Jacó até ao fundo de sua alma e preparou o cenário para uma das lutas e vitórias espirituais significativas no Livro de Gênesis. Peniel, onde se deu o fato, tornou-se sinônimo de experiência de crise espiritual que radicalmente transforma a alma.

1. *Atividades de Nova Consciência Espiritual* (32.1,2)
Desde que Labão se tornou hostil a ele, Jacó ficou mais sensível aos procedimentos de Deus e obteve ajuda e orientação. Agora uma visitação dos **anjos de Deus** (1) o despertou novamente e, em certa medida, o preparou para a luta que viria. **Maanaim** (2) significa "dois acampamentos ou dois grupos". Diz respeito ao acampamento de Jacó e ao acampamento invisível e circundante dos **anjos de Deus** que protegiam Jacó e sua família.

De 32.1,2, Alexander Maclaren pregou sobre "Maanaim: os Dois Acampamentos". 1) Anjos de Deus nos encontram na estrada poeirenta da vida comum, 1; 2) Os anjos de Deus nos encontram pontualmente na hora da necessidade, 2; 3) Os anjos de Deus aparecem na forma que precisamos: **O exército de Deus**, 2.

2. *Medo Incitado por Culpa* (32.3-8)
Jacó sabia que agora tinha de tratar com Esaú, contra quem tão gravemente havia pecado no passado, e que, até onde sabia, ainda queria feri-lo. Mas Jacó estava disposto a buscar paz fazendo o primeiro movimento para estabelecer uma nova relação. Para esse propósito, enviou **mensageiros** (3) ao sul, ao **território de Edom** (ver Mapa 2), com a história do sucesso de Jacó e um pedido para encontrar **graça** (5) aos olhos do irmão. Esta frase é equivalente a pedido de perdão pelos erros passados. Os **mensageiros** (6) voltaram com a notícia de que Esaú se dirige para o norte com quatrocentos

homens, aparentemente com más intenções em relação a Jacó. Logicamente, os **mensageiros** de Jacó não tinham falado com **Esaú**.

O medo invadiu o coração de Jacó e ele imediatamente tomou medidas defensivas. Com desconsideração pela vida de alguns que o acompanhavam, ele os mandou à frente para receber o ímpeto do ataque esperado. Esta ação permitiria que os outros escapassem.

3. *Rogo por Ajuda Divina* (32.9-12)

O segundo movimento de Jacó foi orar a Deus em busca de livramento. Ele não advogava o conceito pagão de muitos deuses. Dirigiu suas orações ao Deus **de meu pai Abraão e Deus de meu pai Isaque** (9). Identificou este Deus com o **SENHOR** que lhe dera mandamentos e promessas. Era o mesmo Deus que encontrava seus servos a qualquer hora e em qualquer lugar que quisesse. Era o Deus que tinha o direito e o poder de dizer: "Vai", e: "Volta"; tinha a integridade e o poder de cumprir sua promessa de estar com Jacó e de fazer-lhe bem.

Não havia arrogância hipócrita na oração de Jacó. Prontamente admitiu sua indignidade em receber as **beneficências** (10) divinas, ou seja, ações de bondade. A **fidelidade** seria as mensagens de mandamento, promessa e instrução. A elevação de Jacó da pobreza para a riqueza era devida inteiramente à ajuda de Deus. Contudo, devido ao natural medo humano, a caravana foi separada em dois grupos por causa do esperado ataque de Esaú.

O alvo da oração era obter livramento divino, pois Jacó estava tomado pelo medo. Sua morte e a matança de suas esposas e filhos pareciam iminentes. Terminou a oração pleiteando a validade das promessas divinas e a fidelidade de Deus em cumpri-las mediante proteção preventiva.

4. *Presentes de Reconciliação* (32.13-23)

Depois da oração, Jacó deu nova dimensão ao propósito do acampamento dividido. Os primeiros grupos não receberiam apenas o impacto inicial de um ataque, mas serviriam como emissários de paz, levando presentes para Esaú. Em vez de dois grupos, agora havia três, cada um com presentes e a mensagem que Jacó estava indo. A esperança de Jacó era aplacar a ira de Esaú (20), de forma que quando ele entrasse em cena Esaú o aceitasse amavelmente.

O verbo **aplacarei** (20, *kipper*) significa literalmente "cobrir", mas veio a significar a tristeza do ofertante por ter cometido uma ação errada e seu desejo de pedir perdão, para que uma relação correta e aproveitável fosse estabelecida. Esta é a primeira ocasião em que a palavra é usada na Bíblia com este significado. Quando esta mensagem simbólica era transmitida ao indivíduo contra quem se havia pecado, esperava-se que a raiva mudasse em misericórdia, com a resposta de franqueza e sinceridade que tornaria a reconciliação uma realidade.

Nesse momento, Jacó e sua família estavam acampados junto ao **vau de Jaboque** (22), um rio que corta um vale profundo nos planaltos a leste do rio Jordão, mais ou menos a meio caminho entre o mar da Galiléia e o mar Morto (ver Mapa 2).

5. *Crise à Noite* (32.24-32)

Jacó tinha enviado todos os outros para a margem sul do vau de Jaboque e passado a noite **só** (24). Pelo menos no começo. Na escuridão, um **varão**, que no versículo 30 se identifica como Deus, **lutou** com Jacó. Durante a luta, Jacó teve um quadril deslocado, mas prolongou o combate insistindo que não deixaria de lutar até que o abençoasse (26). Jacó precisava desesperadamente de ajuda, mas antes de obtê-la tinha de confessar o pecado que estava simbolizado pelo seu nome, "agarrador de calcanhar ou enganador".

Em resposta à luta, Deus mudou seu nome para **Israel** (28), "aquele que luta ou prevalece com Deus". A mudança de nome, como se deu com Abraão e com Sara, indicava mudança de *status* e mudança do ser interior. Jacó não tinha certeza de quem estava lutando com ele até ao término do combate. Levantou-se e, mostrando sua nova mentalidade, chamou o lugar **Peniel** (30), que significa "face a face com Deus". Sua própria inaptidão física lhe seria testemunha constante de que a batalha realmente havia ocorrido. Seus descendentes também tinham de comemorar o fato abstendo-se de comer a **coxa** (32), ou o músculo do nervo ciático, de animais que costumavam comer.

Em 32.22-30, vemos como "Jacó se Torna Israel". 1) Jacó, o suplantador, 27; 2) Jacó, o lutador, 24-26; 3) Jacó, o prevalecedor, 28 (G. B. Williamson).

A luta noturna de Jacó gerou as características básicas das experiências espirituais significativas de homens e mulheres do Antigo e do Novo Testamento. Charles Wesley entendia que o episódio de Peniel era um tipo da experiência cristã em que se baseou para compor seu famoso hino "Vêm, Tu, o Desconhecido".

O fato de o pecado contra os outros também ser um ato que afeta a relação de Deus com o homem é central neste episódio. Jacó não tinha de enfrentar somente Esaú; teve de enfrentar Deus em primeiro lugar. Aliás, Deus o enfrentou na agitação da culpa para levá-lo a um pleno reconhecimento da pecaminosidade do seu ser e da necessidade de mudança radical.

Jacó lidava com um problema difícil. Se ele não conseguisse resolver realisticamente sua alienação de Esaú, ou procurasse tratá-la de maneira desonesta e inadequada, ele corria o risco de inflamar ainda mais a raiva de Esaú. Semelhantemente, se ele não confessasse seu pecado a Deus, ele incorreria no desgosto divino.

A princípio, Jacó tendeu a se servir de expedientes impróprios. Ele temia o poder de Esaú e amava a vida e a riqueza que tinha. Estava inclinado a sacrificar parte de seu séquito a Esaú para escapar com a vida e algumas posses. Resolveu, então, enviar presentes e mediadores entre ele e Esaú. Na oração, reconheceu que era indigno, mas não admitiu que era pecador. Queria a bênção, mas detestava repudiar sua natureza enganosa.

Mas Jacó foi vitorioso, porque se firmou em sólida base espiritual no decorrer da luta. Afirmou o domínio de Deus sobre sua vida e reivindicou as promessas que Deus lhe deu em Betel e em Harã. Apoiou seu futuro na validade e fidelidade de Deus em cumprir o que havia prometido. Declarou suas necessidades, pediu ajuda e, com determinação, esperou a bênção, ainda que lhe custasse a confissão do pecado de sua perversão interior. Testemunhou publicamente acerca da ajuda de Deus dando um nome ao lugar.[7] Jacó estabeleceu uma máxima evangélica básica: fé é aceitação da misericórdia imerecida de Deus.

Em 32.9-12,24-30, vemos onde "Deus Confronta o Homem pela Segunda Vez". 1) Um homem cujos recursos não bastavam, 9-12; 2) Um homem sozinho com Deus, 24; 3) Um homem que não receberia uma negativa como resposta, 26; 4) A confissão que traz a bênção, 27-30 (A. F. Harper).

F. Irmãos Conciliados, 33.1-17

Outras histórias no Livro de Gênesis já haviam descrito conflitos fatais entre irmãos (4.1-8) e profundas diferenças entre irmãos (9.22,23; 21.9-14). Este é o primeiro exemplo registrado de reconciliação entre irmãos separados por discórdia. A história é contada com destreza.

1. *Um Encontro Repleto de Emoção* (33.1-4)
Jacó ainda não estava certo das intenções do irmão e fez outro rearranjo da família. Desta vez, pôs na frente as duas esposas secundárias, Bila e Zilpa, com **seus filhos** (2), depois **Léia e seus filhos** e, por último, **Raquel e José**. Esta ordem indica algo do valor relativo que ele dispensava aos membros de sua família. Mas desta feita, em vez de permanecer atrás como pretendia a princípio (32.20), ele foi mancando à frente de todos e se curvou ao chão **sete vezes** (3).

Para surpresa de todos, **Esaú** (4) não foi hostil, mas ficou profundamente comovido e alegre quando **abraçou** o irmão e o **beijou**. Juntos **choraram**.

2. *Entendendo-se Novamente* (33.5-11)
Esaú conhecia Jacó, mas não os outros, por isso Jacó apresentou sua família, grupo por grupo, e cada grupo, por sua vez, cortesmente se inclinou (6). O irmão mais velho ficou confuso com os três grupos de servos com presentes que o abordaram. Jacó explicou que os presentes eram dados para ele **achar graça aos olhos** (8) do irmão afastado. Mas há muito que Esaú não guardava rancor contra Jacó, e indicou que não precisava dos presentes. Contudo, aceitou-os quando Jacó insistiu. Não eram necessários para apaziguar a raiva de Esaú, porque Deus há muito tempo preparou seu coração para perdoar Jacó. Mas o coração de Jacó só foi preparado naquela manhã, então os presentes representavam gratidão e afeto, em vez de apaziguamento.

3. *Preparando-se para Partir* (33.12-17)
Esaú queria que Jacó voltasse para casa com ele, na fortaleza escarpada e montanhosa de **Seir** (14), situada a sudeste do mar Morto (ver Mapa 2). Mas Jacó alegou que os rebanhos e a família o sobrecarregariam muito para manter o passo com Esaú e seus homens. Pediu, e lhe foi concedido, que fossem para o sul na sua própria marcha. A separação foi amigável e em nítido contraste com o modo como os irmãos tinham se separado há vinte anos.

G. Tragédia em Siquém, 33.18—34.31

Esta história dolorosa começa uma série que se concentra nas qualificações dos filhos de Jacó como portadores dignos das promessas e responsabilidades do concerto. A comunidade em Siquém tinha padrões culturais diferentes relativos a mulheres daqueles padrões postulados por Jacó e sua família. Quando Diná foi injuriada pelo confronto desses padrões culturais, a natureza incivilizada de alguns dos filhos de Jacó veio à tona.

1. O Estabelecimento em uma Nova Comunidade (33.18-20)

Depois de terem ficado certo tempo próximo de **Sucote** (17), na margem oriental do rio Jordão, a família de Jacó foi para os planaltos a oeste e pareceu gostar do que encontraram. Abraão também viveu por curto período em **Siquém** (18; cf. 12.6). Mas Jacó decidiu tirar proveito permanente dos férteis pastos a leste da cidade. Comprou terras e estabeleceu um lugar de adoração que chamou **Deus, o Deus de Israel** (20).

2. A Ação Vergonhosa (34.1-5)

Como indicado pelas histórias de Rebeca (24.15-28) e de Raquel (29.6-12), o povo de Harã permitia que as moças tivessem considerável liberdade de movimento longe de casa ou do acampamento, porque os padrões morais da região lhes davam segurança. Parece que a família de Jacó esperava a mesma consideração pelas mulheres na comunidade de Siquém. Estavam a ponto de ter uma tremenda surpresa.

Diná (1) saiu sozinha para visitar amigas e foi molestada no campo pelo jovem **filho** (2) do **príncipe** daquela localidade. **Siquém, filho de Hamor, heveu**, provavelmente pertencia a um grupo hurriano que migrou para a região algum tempo antes. Provavelmente deve ter passado uma década desde que Jacó se despediu pela segunda vez de Esaú, pois **Diná** foi a sétima criança que Léia deu à luz e agora era adolescente.

Siquém estuprou **Diná** e depois tentou persuadi-la — **falou afetuosamente** (3) não é bastante forte — a aceitar suas investidas em base permanente. Ele teve êxito, porque a levou para casa e exigiu que o pai lhe desse a moça como esposa (4). O jovem não tinha senso do erro, e foi bastante arrogante no modo em que falou com o pai. Quando **Jacó** (5) ficou sabendo disso, não fez nada até que seus filhos voltassem dos campos com os rebanhos; agiam como unidade familiar na tomada de decisões.

3. As Negociações (34.6-19)

A crise exigia uma reunião entre as duas famílias envolvidas. **Hamor** (6) e **Siquém** representavam um lado, e **Jacó** e seus **filhos** (7) raivosos representavam o outro. O encontro foi aparentemente civilizado, mas um desvairado ressentimento fervia no coração dos filhos de Jacó, pois para eles isso (a violação de Diná) **não se devia fazer**.

O argumento de Hamor foi simplesmente que Siquém queria Diná. Mas ofereceu algumas vantagens. A família de Jacó receberia plenos direitos de cidadania pelo casamento entre as duas famílias, passe livre, participação no comércio (10) e direitos de propriedade. De forma impulsiva, **Siquém** inseriu a possibilidade de dar dote considerável (11), pois ele desejava desesperadamente Diná como esposa.

Foram os **filhos de Jacó** (13) que responderam com uma proposta inocente, a qual, não obstante, tinha implicações letais. Insistiram que seu peculiar costume da circuncisão fosse aceito por toda a população masculina da cidade; caso contrário, eles deixariam a região. Não suspeitando do ardil, pai e filho aceitaram o plano.

4. A Confiança Franca e o Logro Oculto (34.20-31)

Hamor e Siquém (20) levaram a proposta para a cidade, onde os homens estavam acostumados a se reunir para as discussões e decisões da comunidade à **porta da cidade**. Os argumentos do pai e do filho convenceram os concidadãos das vantagens do casamento com um dos membros da família de Jacó e concordaram que submeter-se à circuncisão não era preço alto. **Todos os que saíam da porta da cidade** (24) é uma expressão idiomática para se referir a homens capazes de portar armas. Todos foram circuncidados, uma operação que os debilitava por alguns dias.

Simeão e Levi (25) sabiam que homens circuncidados não podiam lutar; assim, no momento oportuno, foram à cidade, **mataram todo macho**, inclusive **Hamor** e **Siquém** (26), e resgataram a irmã. Vieram os outros **filhos de Jacó** (27) e fizeram uma pilhagem geral da cidade e dos rebanhos. Levaram cativos os sobreviventes.

Jacó ficou profundamente chocado e reprovou os dois que tinham executado o crime. Ele sabia qual seria a reação dos habitantes rurais adjacentes, e que seu clã poderia ser exterminado. Mas os rapazes não se arrependeram, replicando com a pergunta: **Faria, pois, ele a nossa irmã, como a uma prostituta?** (31) Claro que a resposta é "Não!" Mas em sua cólera extremada, os filhos de Jacó ficaram cegos a alternativas à violência. Jacó percebeu nitidamente que o episódio desqualificava estes dois filhos mais velhos como aptos para assumir as responsabilidades do concerto no futuro. Ele não esqueceu o fato, mas reservou a punição maior para depois (cf. 49.5-7).

H. O Concerto Renovado em Betel, 35.1-15

No incidente anterior, Jacó estava basicamente em segundo plano, mas foi bastante ferido por tudo que aconteceu. Nesta história, ele desempenha papel predominante outra vez, conduzindo a família em experiências significativas que culminaram em Betel, onde teve seu primeiro encontro com Deus.

1. *Uma Ordem Divina* (35.1)

Deus encontrou **Jacó** (1) na intensidade do vívido sofrimento espiritual produzido pelo crime contra Diná e pelos crimes cometidos por seus filhos contra Siquém. A palavra foi clara e simples. Jacó deveria subir a **Betel** e adorar o Deus cuja única expressão exterior seria **um altar**. A visita a **Betel** seria importante, porque foi lá que **Deus** apareceu a Jacó pela primeira vez.

2. *A Rejeição da Idolatria* (35.2-5)

Exceto pela breve referência a imagens que Raquel roubou do pai (31.19,30-35), esta é a primeira descrição de posse de ídolos na família patriarcal. Jacó deve ter tomado conhecimento da existência dessas imagens, mas até então não havia realizado nenhuma ação drástica. Neste contexto, a ordem: **Purificai-vos** (2), significa livrar-se dos ídolos e das práticas associadas a eles. A outra ordem: **Mudai as vossas vestes**, parece ter tido significado simbólico, denotando mudança de lealdade e prática religiosa. Em lugar da adoração aos deuses da natureza e suas superstições, Jacó prometeu tempos de adoração ao verdadeiro **Deus** (3), que respondeu suas orações e tornou real sua presença ao longo de muitos anos. Deus era distinto da natureza, mas sempre poderoso em sua relação pessoal com quem se entregava a Ele. O poder de sua presença era sentido por todos na família, conforme é indicado pela pronta obediência. As **arrecadas** (4), ou seja, brincos em forma de argola (cf. ARA) também eram expressão da crença pagã, um tipo de talismã de boa sorte. Moffatt os chama "seus amuletos de pingentes". O clã estava em perigo mortal, mas Deus cuidou da situação, pois em vez de violência contra a família de Jacó, **terror** (5) seria sentido pelos habitantes da região.

3. A Segunda Aparição de Deus em Betel (35.6-15)

Deve ter sido ocasião solene para Jacó quando ele voltou a **Betel** (6) e construiu o **altar** (7) preparatório de adoração. Recordações vívidas do acontecimento verificado tantos anos antes devem ter-lhe lampejado pela mente. Uma nota de tristeza foi acrescentada às outras emoções, quando a **ama de Rebeca** morreu e **foi sepultada** (8). A Bíblia não registra a morte de Rebeca ou quando a ama se uniu ao círculo familiar de Jacó, mas é evidente que ela estava com eles tempo suficiente para ganhar o afeto da família. Chamaram o local do sepultamento **Alom-Bacute**, que quer dizer "carvalho do choro".

O primeiro elemento da aparição de Deus a Jacó foi uma bênção que incluía a reiteração do novo fato da vida de Jacó: a mudança do seu nome para **Israel** (10). Visto que estava relacionado com duas visitações divinas importantes, este fato ganharia mais significado para o patriarca e seus descendentes.

O outro elemento foi a repetição do primeiro concerto feito com Abraão. Depois de Deus ter-se identificado, Ele deu uma ordem (11) muito semelhante a que deu a Adão e Eva (1.28). Esta ordem estava relacionada com as promessas há muito feitas a Abraão (17.5,6), que sua posteridade seria **uma nação e multidão de nações** e **reis** (11). Deus repetiu a promessa de que a **terra** (12) seria de Israel e de seus filhos como presente. A teofania (aparição divina) era ato confirmador do compromisso de Deus com as promessas passadas e a validação das realidades espirituais vigentes.

A resposta de Jacó foi muito semelhante ao seu primeiro encontro com Deus no mesmo lugar. Ele **pôs uma coluna** de **pedra** (14) e derramou sobre ela **azeite**. Este era testemunho público de que o Deus de Jacó era verdadeiramente o Deus que se revela ao homem. A proclamação do novo nome do lugar, **Betel** (15, casa de Deus) foi igualmente um testemunho da fé de Jacó.

I. VIAGEM TOLDADA PELA TRISTEZA, 35.16-29

A presença de Deus não eliminou a tristeza ou a dor da vida de Jacó, mas o preparou e o sustentou durante os tempos de aflição. Agora sua disposição era de bondade e compaixão, revelando extraordinária capacidade de suportar sofrimento.

1. A Perda da Amada Raquel (35.16-20)

A esposa favorita de Jacó, **Raquel** (16), teve um segundo filho, mas custou-lhe a vida. Em seu último fôlego de vida, Raquel chamou a criança **Benoni** (18, "filho da minha tristeza"), mas Jacó rompeu o precedente e rejeitou a escolha de Raquel. Chamou o menino **Benjamim**, que, literalmente, significa "filho da mão direita". Considerando que, para o povo semítico, a mão direita era lugar de honra e força, há comentaristas que supõem que este novo nome significava "o Filho da Boa Fortuna".[8] Em vista das circunstâncias, outra explicação parece mais provável. Quando um habitante da Palestina designava direções, ele costumeiramente ficava em pé olhando para o leste; por conseguinte, a mão direita ficava no sul. O segundo filho de Raquel foi o único filho na família de

Jacó que nasceu ao sul de Harã; portanto, é possível que o nome signifique "o filho do sul ou filho sulista".[9]

Há muito que a tradição afirma que o acompanhamento de Jacó estava situado em um cume de morro distante cerca de três quilômetros ao sul da atual Jerusalém. O lugar ainda leva o nome de *Ramat Rahel*, ou seja, "Cume do Morro de Raquel". Atualmente há um edifício pequeno ao lado da estrada para **Belém** (19), poucos quilômetros ao sul de *Ramat Rahel*, que é conhecido por "Túmulo de Raquel". Desconhecemos o fato de este ser o verdadeiro local da **coluna** (20) que Jacó erigiu em honra de Raquel.

2. *A Concupiscência Venceu Rúben* (35.21,22a)

Migdal-Éder (21), que significa "Torre de Éder", só entrou na história como lugar onde foi cometido um pecado vulgar. Caso contrário, o local seria desconhecido. O incidente ali ocorrido aumentou a tristeza de Jacó. Seu filho primogênito, **Rúben** (22), violou os padrões da moral vigente cometendo incesto com **Bila**, uma das esposas secundárias de Jacó. O ato não só era flagrante pecado contra a santidade do casamento; era também desdenhoso desafio da autoridade tribal do seu pai. Jacó não puniu Rúben imediatamente, mas não esqueceu (ver 49.3,4). No que dizia respeito a Jacó, o ato descartou **Rúben** como líder do concerto.

3. *Lista dos Filhos de Jacó* (35.22b-26)

Os filhos de Jacó (22) estão alistados de acordo com suas respectivas mães e não pela idade. Os filhos das esposas, **Léia** (23) e **Raquel** (24), são colocados antes dos filhos das servas, **Bila** (25) e **Zilpa** (26). Este resumo é uma ponte que prenuncia as histórias que descrevem a sina dos filhos.

A frase **que lhe nasceram em Padã-Arã** (26) é modificada pela história do nascimento de Benjamim (35.16-18). Não se julgou necessário repetir o que era óbvio.

4. *A Morte de Isaque* (35.27-29)

Finalmente, Jacó voltou ao seu idoso pai, a quem muitos anos antes havia enganado. A antiga doença de Isaque (27.1,2) não foi fatal. Fazia tempo que Rebeca tinha morrido. As velhas feridas tinham sido curadas e a volta ao lar foi em paz. Assim também a morte de Isaque ocorreu em paz, pois os dois irmãos, **Esaú e Jacó** (29), uniram-se para sepultar o pai na cova de Macpela.

Esta série de três experiências (19-29) indicava verdadeiro problema para Jacó. Não havia mais filhos, e os membros mais velhos dos doze mostravam sinais infelizes de maldade moral. A geração passada não mais vivia e agora Jacó era o único portador vivo das responsabilidades do concerto. O concerto ia morrer com ele? Se não, quem era digno de ocupar seu lugar?

Seção VI

ESAÚ, O HOMEM QUE ACEITOU DE VOLTA SEU IRMÃO

Gênesis 36.1-43

Este capítulo é uma compilação de seis listas antigas relacionadas a Esaú e sua posteridade. Estão colocadas aqui para lhe dar uma saída da história do procedimento de Deus com a linhagem de Abraão. Deste ponto em diante, a Bíblia descreve os edomitas de certo modo antagônicos aos israelitas. Os edomitas nunca são retratados genuinamente religiosos, embora pesquisas arqueológicas revelem que eles possuíam ídolos pagãos.

A primeira lista (36.1-8) trata das esposas de Esaú e seus filhos e é voltada para Canaã. A segunda também inclui os netos, mas está ligada à terra de Edom (Seir, ver Mapa 2), região sudeste do mar Morto, em alguns pontos elevando-se a mais de 900 metros acima do nível do mar. A terceira lista designa os filhos de Esaú como chefes de clã. A quarta oferece a árvore genealógica dos horeus, que significa "moradores das cavernas", que ocupavam a terra antes da chegada da família de Esaú. A quinta genealogia registra um grupo de reis edomitas que precederam o surgimento dos reis em Israel. A sexta lista enumera os descendentes de Esaú de acordo com as regiões geográficas que se tornaram, por aproximação, suas respectivas habitações em tempos antigos. Uma listagem bem parecida com estas seis aparece em 1 Crônicas 1.35-54.

A. As Esposas de Esaú e seus Filhos, 36.1-8

Os textos de 26.34 e 28.9 registram que as esposas de Esaú eram: Judite, Basemate e Maalate. Levando em conta que as moças do Oriente Próximo tinham o hábito de mudar de nome quando casavam, parece que Basemate (26.34) era igual a **Ada** (36.2), e que Maalate (28.9) era igual a **Basemate** de 36.3. A Judite de 26.34 não parece ser a mesma moça

Oolibama de 36.2. Obviamente que "Judite, filha de Beeri, heteu" (26.34) ou não teve filhos ou morreu em tenra idade, e que **Oolibama** foi tomada em seu lugar. Devemos observar que o nome do pai dela, **Aná**, e do avô, **Zibeão**, aparecem na lista dos **filhos de Seir** (36.20). Os textos samaritano, grego e siríaco trazem a leitura "filha de Aná, filho de Zibeão", a qual é provavelmente correta. É verossímil que o termo **heveu** deva ser entendido como sinônimo de horeu (36.20), o que ocorre com freqüência na Bíblia, ou como variante textual, visto que os caracteres hebraicos para as letras *v* e *r* são de forma ligeiramente diferente.

A partida de Esaú para a **montanha de Seir** (8) parece ter sido uma separação pacífica de Jacó. A frase **a terra... não os podia sustentar** (7) indica que as pastagens eram insuficientes para suas extensas propriedades de gado.

B. Os Filhos e Netos de Esaú, 36.9-14

Os edomitas estavam agora na **montanha de Seir** (9) e esta genealogia leva a linhagem para outra geração. **Elifaz** (12) tinha uma esposa secundária, cujo filho foi **Amaleque**. Seus descendentes se tornariam inimigos implacáveis do povo de Israel.

C. A Proeminência dos Descendentes de Esaú, 36.15-19

Neste registro, é notável a presença do termo hebraico *alluf*, traduzido por **príncipes** (15). O significado da raiz do termo é "boi", mas um termo primo próximo, *elef*, quer dizer "mil". Este fato levou alguns a suporem que o significado aqui é "líder de mil".[1] Outros tradutores preferem "chefe". Com base na frase que ocorre periodicamente: **Na terra de Edom** (16), propôs-se que a tradução melhor seria "clãs".

D. Os Filhos dos Moradores das Cavernas, 36.20-30

Esta lista diz respeito aos **moradores daquela terra** (20) antes da chegada de Esaú. Parece indicar que os descendentes de Esaú e os filhos de Seir, que já habitavam a região, logo se casaram entre si, formando um só povo.

Este povo era descendente dos horeus. O termo *horeu* significa "troglodita ou morador das cavernas", que, pelo visto, foi o modo de vida dos primitivos habitantes de Seir. **Horeu** também é um nome que os hebreus usavam para se referir a uma nação não-semítica conhecida por nós pelo nome "hurrianos". Este povo dominava a região superior do vale do Tigre, mas teve colonizadores na Palestina (ver comentários do cap. 34). É duvidoso que existisse relação física entre os hurrianos e este povo.[2]

E. Os Reis de Edom, 36.31-39

O foco de interesse aqui retorna para os edomitas e para o poder que os descendentes de Esaú conquistaram.

O ofício de rei não era determinado por hereditariedade, mas era concedido a homens que se destacavam como líderes. Durante séculos, esta foi uma característica dos edomitas. Naquela época primitiva, **Edom** (31) não tinha cidades fundadas.

Há estudiosos que argumentam que a frase **antes que reinasse rei algum sobre os filhos de Israel** mostra que Moisés não escreveu o Pentateuco. A suposição diz que essas palavras indicam uma data durante ou depois do período do reino de Israel para a composição do Pentateuco. Mas esta idéia não foi conclusivamente comprovada pelas pesquisas arqueológicas que afirmam o fato de Edom não ter tido reis no tempo de Moisés. Deve-se observar também que, mesmo que esta frase tivesse vindo de período posterior, pode ser entendida como nota marginal que migrou para o texto sem afetar a autoria mosaica.

F. AS REGIÕES ONDE OS EDOMITAS HABITAVAM, 36.40-43

Se, nesta lista, o nome **Elá** (41) deve-se entender como forma mais curta da palavra Elate, então todos os nomes registrados aqui seriam designações de regiões geográficas situadas a sudeste e ao sul do mar Morto.

O termo **príncipes** (40, *alluf*) aparece aqui de novo, sendo comentado mais extensivamente em 36.15-19. É mais bem traduzido pela palavra "chefes" ou "clãs"? Ou é um nome para designar o território governado por estes povos? O assunto não é de fácil solução, e, no momento, não há resposta definitiva para esta questão.

Seção **VII**

JOSÉ, O HOMEM QUE DEUS PROTEGEU

Gênesis 37.1—50.26

A narrativa das provações e triunfos de José é uma das histórias mais bem apreciadas do Antigo Testamento. No capítulo 37, o foco do Livro de Gênesis passa de Jacó para seu filho preferido. A princípio, José aparece como típica criança mimada. Não tinha um relacionamento afável com os irmãos e eles o consideravam um delator insuportável, que contava tudo ao pai. E seus sonhos, os quais José contava com satisfação, eram eficientes em criar fortes sentimentos hostis contra ele. Em conseqüência disso, uma série de tragédias se abateu sobre José, levando-o a ir parar em uma prisão escura. Mas José era jovem de fé robusta, e Deus não o abandonou. Uma súbita reviravolta de acontecimentos levou-o ao poder de uma das maiores nações do antigo Oriente Próximo.

De sua posição de poder, José pôde ajudar sua família quando esta foi para o Egito em busca de alimento. Foi também capaz de castigar os irmãos e depois perdoá-los. Em resultado disso, um Jacó extremamente aflito encontrou nova esperança e nova alegria na vida; sua família também encontrou um novo lar na terra de Gósen no Egito.

A. Vendido como Escravo, 37.1-36

O engano desempenhou papel repulsivo nos procedimentos imaturos de Jacó com Isaque e com Esaú, e também nas relações com Labão. Agora retornaria ao círculo familiar pela tensão que se formou entre os filhos mais velhos de Jacó e José. O sofrimento advindo dessa situação perseguiria Jacó por muitos anos, pelo fato de José ter sido cruelmente vendido por seus irmãos para estrangeiros.

1. A Posição Vantajosa de José (37.1-4)

Isaque teve a fraqueza de preferir um dos filhos acima do outro (25.28). Agora o próprio **Jacó** (1) estava fazendo a mesma coisa, talvez porque José o fazia lembrar Raquel. O resultado foi uma divisão entre **José** (2), então com **dezessete anos**, e seus meio-irmãos. Parte do ressentimento era justificada, pois José era dado a tagarelar, sobretudo acerca dos filhos menos favorecidos de **Bila** e **Zilpa**. Além disso, Jacó presenteou José com um traje especial que o destacava em relação aos outros.

Trata-se de um antigo problema como traduzir corretamente a expressão hebraica *ketonet passim*, **túnica de várias cores** (3). Não há dúvida acerca do termo *ketonet*, que significa "casaco, túnica ou roupa de baixo". A outra palavra, *passim*, tem o significado de "extremidade ou pulso" e, talvez, "tornozelos". Por conseguinte, há tradutores que preferem "casaco com mangas". Em 2 Samuel 13.18, ocorre a mesma expressão hebraica na descrição das roupas especiais usadas por Tamar e pelas outras filhas do rei.

A expressão paralela em acádio, *kitu (kutinnu) pisannu*, designa roupão, enfeitado com ornamentos de ouro, sobre o qual eram colocadas imagens de deusas. Isto levou certos estudiosos a sugerir a tradução: "túnica ornamentada".[1] Em todo caso, a roupa destacava José em relação aos outros. Os meio-irmãos reconheceram o traje como marca de favoritismo, e **aborreceram-no** (4) por isso.

2. Os Sonhos Provocadores (37.5-11)

Talvez por ingenuidade ou por simples arrogância, **José** (5) gostava de contar a seus meio-irmãos os sonhos incomuns que tinha. Isso só servia para aumentar a raiva que sentiam dele.

Superficialmente, o primeiro **sonho** (5-8) que José contou era inofensivo. O sonho mostrava uma cena de colheita, mas os **molhos** (7), representando seus meio-irmãos, prestavam homenagem ao **molho** de José. Os ouvintes imediatamente entenderam a insinuação e perguntaram com raiva: **Tu, pois, deveras reinarás sobre nós?** (8). Para eles, a resposta só poderia ser um enfático *Não!* Nem imaginavam que se tornaria realidade.

O outro **sonho** (9) tinha a ver com os corpos celestes: **O sol, e a lua, e onze estrelas se inclinavam a** José. Ouvindo o relato do sonho, Jacó **repreendeu** (10) o rapaz, porque entendeu que o sol o simbolizava, a lua representava Raquel e as onze estrelas descreviam seus outros filhos. Mas o pai ficou pensativo com a história e **guardava este negócio no seu coração** (11), ou seja, mantinha-o na memória.

3. O Menino de Recados (37.12-22)

Nos planaltos da Palestina central, os rebanhos se espalhavam em vasta extensão territorial para encontrar pastagem. Já fazia certo tempo que os filhos de Jacó tinham ido apascentar os rebanhos perto de **Siquém** (13) e ele desejava informações sobre o bem-estar dos filhos. Lembrou-se indubitavelmente do perigo de vingança devido ao ataque dos filhos ao povo da terra (cf. 34.24-30). Jacó enviou **José** (13) em viagem a **Siquém** (14), que distava aproximadamente 96 quilômetros de Hebrom (ver Mapa 2). De um homem amigável em **Siquém**, José descobriu que os rebanhos tinham ido a **Dotã** (17), cerca de 32 quilômetros mais ao noroeste.

Quando José apareceu no horizonte, os irmãos logo **conspiraram contra ele** (18). Tiveram intenção assassina, mas tramaram de forma que ninguém descobrisse o envolvimento deles. O álibi seria **uma besta-fera o comeu** (20). Esperavam anular a força preditiva dos **sonhos** de José. Mas um dos irmãos discordou. **Rúben** (21) não apoiaria planos para derramar sangue, e os persuadiu a prender o menino numa **cova** (22), ou cisterna, ali perto. Sua intenção era libertar José secretamente, para então voltar para o **pai**.

4. A Terrível Venda (37.23-28)

José deve ter ficado surpreso e chocado ao ser tratado com tanta brutalidade pelos meio-irmãos. Em questão de segundos, lhe **tiraram** a **túnica** (23) e o desceram em uma cisterna **vazia** (24).

Enquanto os irmãos comiam, **uma companhia de ismaelitas** (25) se aproximou. Transportavam mercadorias **de Gileade**, que fica a leste dos planaltos do rio Jordão (ver Mapa 2). A carga era de **especiarias** (tragacanto, arbusto baixo de cujo tronco se extrai uma goma; goma de alcantira); **bálsamo**, que é colhido fazendo-se incisões na casca do tronco do lentisco ou aroeira-da-praia; e **mirra**, outra goma que exsuda das folhas da roselha.[2] Os egípcios compravam estes materiais para a indústria de embalsamento e para medicamento.

Judá (26), que não tinha estômago para os planos dos irmãos, persuadiu-os a vender José aos **mercadores** (28). Muitos leitores ficam confusos com o fato de que aqui e no versículo 36 aparece o nome **midianitas**, ao passo que no versículo 25 e na última parte do versículo 28 ocorre o nome **ismaelitas**. Os estudiosos presumem que haja duas histórias do incidente entrelaçadas aqui. Mas são apenas dois nomes para se referir aos mesmos homens — descendentes de Abraão e dos hábitos nômades e comerciantes. Os midianitas são novamente identificados por ismaelitas em Juízes 8.22-24.

Quando a caravana chegou ao acampamento, os irmãos (não os midianitas) tiraram o rapaz **da cova** e o **venderam** por **vinte moedas de prata** (28; "vinte siclos de prata", ARA). Não eram moedas, mas peças de metal pesadas em balanças. Compare este preço com os valores expressos em Levítico 27.3-7. O preço normal de um escravo no tempo de Moisés era de 30 siclos de prata (Êx 21.32; Zc 11.12; cf. Mt 26.15). A caravana levou **José ao Egito**.

5. A Mentira e a Agonia (37.29-36)

Enquanto os irmãos comiam, **Rúben** (29) estava apascentando os rebanhos como artifício para que, secretamente, pudesse libertar **José**. Mas quando chegou à **cova**, ficou chocado por não encontrar José. Extremamente aflito, **rasgou as suas vestes**. Expressou sua aflição aos outros (30) e estes o ignoraram. Para encobrir a ação, **mataram um cabrito** e tingiram de **sangue** (31) a túnica que pertencia a José. Levaram a peça de roupa ao pai, sabendo que ele presumiria que **José** havia sido morto por **uma besta-fera** (33).

A reação de Jacó foi imediata e dolorosa. Conforme o costume dos seus dias, como fez Rúben (29), **Jacó rasgou as suas vestes, e pôs pano de saco sobre os seus lombos** (34). Suas expressões de tristeza prolongada alarmaram a família e esta procurou consolá-lo (35). Ironicamente, poderiam ter-lhe acalmado a tristeza, contando-lhe a verdade, mas Rúben não revelou o segredo. Enquanto isso, José era vendido a um oficial egípcio chamado **Potifar** (36).

B. A Frouxidão Moral de Judá, 38.1-30

Esta história parece uma intrusão na história de José. Talvez foi inserida aqui para elucidar por que Judá, que mais tarde figurou significativamente na história, foi desqualificado para ser o líder da quarta geração no concerto com Deus. Revela notavelmente as extremas tentações morais a que, por habitarem entre os cananeus, os filhos de Jacó estavam sujeitos.

Os acontecimentos da história cobrem um período de tempo paralelo às provações e triunfos de José no Egito, e oferecem explicação parcial para a mudança final para o Egito. Se a integridade do concerto precisava ser mantida, eles deviam, por certo tempo, estar afastados da corrupção da vida religiosa e social de Canaã.

1. *Um Casamento fora das Normas do Concerto* (38.1-5)

Em seu relacionamento com os vizinhos cananeus (2), Judá viu uma moça cananéia que o atraiu. Casou-se com a filha de **Sua** e, no devido tempo, ela deu à luz três filhos: **Er** (3), **Onã** (4) e **Selá** (5). Em sua criação, estes filhos estiveram sob a maciça influência dos relapsos padrões morais de sua mãe e parentes cananeus.

2. *O Levirato que não Deu Certo* (38.6-11)

Quando **Er** tinha idade para casar, o que era normalmente no meio da adolescência, Judá lhe deu como esposa uma moça cananéia chamada **Tamar** (6). Mas **Er** era **mau** (7) e morreu antes que o casal tivesse filhos. O texto indica que a morte do rapaz foi ato de julgamento divino.

O costume do levirato era praticado amplamente entre os povos do antigo Oriente Próximo, porque se dava muita importância na conservação do nome do filho primogênito por meio de um filho.[3] Se o filho mais velho morresse prematuramente sem deixar filhos, era responsabilidade do próximo filho mais velho tomar a viúva como esposa. Porém, os filhos nascidos por esta união pertenceriam legalmente ao irmão morto e não ao verdadeiro pai.

Neste caso, o próximo filho mais velho, **Onã** (8), recusou assumir sua responsabilidade. Mostrou, de maneira vergonhosa, desdém por Er e desprezo por Tamar. Seu castigo foi a morte, ordenada pelo **SENHOR** (10). O terceiro rapaz era muito novo para casar, por isso **Judá** (11) disse a **Tamar** que esperasse **na casa de seu pai**. Mas Judá não conseguiu resistir à sugestão de que ela pode ter sido a culpada pela morte dos outros filhos.

3. *A Evasão de Responsabilidade de Judá* (38.12-23)

Depois do luto apropriado por sua esposa falecida, Judá estava ocupado tosquiando ovelhas com seu amigo e possivelmente sogro, **Hira** (cf. vv. 1,2). **Tamar** (13), cansada de esperar **Selá** (14), que já era adulto, decidiu forçar Judá a agir.

Ela estava muito mais preocupada com os aspectos legais da situação do que com a moral. A lei comum lhe dava o direito de ter filhos por um irmão, ou pelo menos por um parente do marido morto. Na realidade, sua obrigação era dar um filho ao falecido. Considerando que Judá parecia estar mantendo deliberadamente **Selá** longe dela, decidiu envolver o próprio Judá. Não havia recursos legais em tribunais, por isso ela dependia de um embuste inteligente.

Observando cuidadosamente os movimentos de Judá, ela viu que ele ia sozinho para **Timna** ou Enã (Js 15.34). A frase: **Entrada das duas fontes** (14), tradução do nome da cidade *Enaim* (cf. ARA), é mais corretamente traduzida por "um lugar aberto". No momento certo, ela mudou de vestes e pôs um véu, roupa de **prostituta** (15, *zonah*) comum. Postou-se à beira da estrada para atrair **Judá**, que reagiu exatamente como ela havia pensado. Tamar não se interessou pelo pagamento — **um cabrito do rebanho** (17) —, visto que ela estava obtendo algo de Judá que depois o identificaria indiscutivelmente. Sob sua insistência, ela ficou com o **selo** (18), que provavelmente tinha forma cilíndrica com um buraco longitudinal pelo centro, tendo por fora um desenho ou emblema talhado que o distinguia. O **lenço**, ou melhor, "cordão", que era passado pelo selo para ser pendurado no pescoço. Também ficou com o **cajado** que o líder tribal ou de clã usava como símbolo de autoridade. Ninguém se equivocaria com a identificação do proprietário destes objetos.

Concluído o estratagema, Tamar voltou imediatamente para casa e **vestiu as vestes da sua viuvez** (19), e Judá voltou para cuidar dos seus rebanhos. Judá tinha escrúpulos, talvez com um sentimento subjacente de culpa, em levar pessoalmente o **cabrito** (20) para a suposta prostituta, por isso o enviou por meio de um **amigo**. O amigo **adulamita** não perguntou sobre o local de uma prostituta comum (*zonah*), mas sobre uma prostituta cultual cananéia (*qedeshah*), a qual desfrutava de mais *status* nos círculos sociais cananeus. Todos disseram ignorar tal pessoa nas redondezas. O adulamita informou a Judá, que imediatamente percebeu que poderia **cair em desprezo** (23, ser chantageado) pela pessoa que possuía os objetos que o identificavam. Judá pareceu frustrado e confuso. Justificando-se a si mesmo, disse ao amigo: **Eis que tenho enviado este cabrito, mas tu não a achaste**.

4. *A Armadilha é Acionada* (38.24-26)

Quase três meses depois (24) deste incidente, chegou a Judá o rumor que **Tamar** estava grávida. Obviamente ela havia sido infiel às suas obrigações com o filho de Judá. Esta notícia enfureceu Judá, que exigiu que ela fosse publicamente **queimada** viva (cf. Lv 21.9; Dt 22.20-24).

Quando Tamar foi levada para a execução, pediu apenas um privilégio: a identificação do homem a quem pertencia certos objetos que estavam com ela. Assim que **Judá** (26) os viu, percebeu o que Tamar havia feito e como sua falta de firmeza moral o havia tornado vulnerável à trama dela. Confessou que ele era o homem responsável pela condição dela.

A observação de Judá: **Mais justa é ela do que eu** (26), fornece interessante luz lateral ao significado do termo hebraico *tsedeqah*. Tem, basicamente, a conotação legal de "estar no direito ou ter uma causa justa". Para nós, Tamar cometeu ato moralmente condenável, mas em sentido técnico, na lei do levirato, ela estava em seu direito. Ela conseguiu um filho através do homem responsável em providenciar que um parente do seu marido lhe fosse dado como marido substituto. Diante de todos ficou comprovado que Judá foi negligente em seu dever de dar Selá a Tamar, e que era o responsável por engravidar a mulher a quem tinha condenado furiosamente à morte. Logicamente que nenhum dos dois está à altura dos mais sublimes conceitos de justiça na Bíblia, mas Judá estava mais errado que Tamar.

5. Os Gêmeos de Tamar (38.27-30)

O relato do nascimento dos filhos descreve um incidente incomum que deu origem aos nomes dos filhos gêmeos de Judá. A mão de um gêmeo apareceu e foi marcada com **um fio roxo** (28), mas a mão se recolheu e a outra criança nasceu primeiro. O nome **Perez** (29) significa "fazer brecha ou forjar por", designando assim seu caráter agressivo. O significado do outro nome, **Zerá** (30), é incerto. Foi por **Perez** que a linhagem de descendentes passou a Boaz, depois a Davi, até chegar a Jesus Cristo (1 Cr 2.3-15; Mt 1.3-16; Lc 3.23-33).

C. As Provações de José no Egito, 39.1—40.23

As reações de José ao estresse e infortúnio foram notadamente diferentes das expressadas pelos seus irmãos quando enfrentaram situações difíceis. Eles tinham reagido com fortes sentimentos negativos, envolvendo ciúme, concupiscência e ódio que resultaram em assassinato (34.25), incesto (35.22), tramas de morte seguidas da venda à escravidão (37.20-28), empedernido logro de seu pai (37.31-33) e imoralidade irresponsável (38.15-26).

Em contraste com os irmãos, José era jovem de extraordinária força moral, que não se entregou à amargura, autopiedade ou desespero. Venceu as dificuldades com corajoso senso de responsabilidade e altos valores morais. Em toda a situação, demonstrou confiança em Deus, sabedoria bondosa em seus procedimentos com os outros e honestidade concernente a toda confiança nele depositada.

1. Aprisionado sob Falsa Acusação (39.1-20)

O novo senhor egípcio de José, **Potifar** (1), logo notou as qualidades incomuns do caráter do escravo e cada vez mais foi lhe confiando as tarefas domésticas. O testemunho do texto é que o **SENHOR estava com José** (2) e que até o senhor pagão percebia este fato. Em conseqüência disso, a Palavra diz que **José achou graça a seus olhos** (4). Esta expressão significa que Potifar reagiu com benevolência e bondade para com José e o elevou a uma relação serviçal mais pessoal nos afazeres da casa. Com a promoção houve aumento de responsabilidade, condição que José lidou com destreza, de forma que, por José, o **SENHOR abençoou a casa do egípcio** (5), ou seja, os negócios de Potifar prosperaram.

A frase **José era formoso de aparência e formoso à vista** (6), prepara o cenário para o incidente que vem a seguir. Ilustra perfeitamente os perigos de altos cargos em ambientes pagãos. A **mulher de seu senhor** (7) era pessoa mal acostumada e impulsiva, sem ter o que fazer. Faltavam-lhe padrões morais, e quando o marido se ausentava procurava outros homens encantadores e atraentes. Logo José se tornou alvo de suas atenções e na primeira oportunidade fez uma proposta indecorosa.

Em contraste com Judá (38.16), José resistiu ao convite. Explicou racionalmente que sua posição, com a pertinente carga de responsabilidade, tornaria tal ato uma violação de confiança (8). Acima de tudo, como faria José **este tamanho mal e pecaria contra Deus?** (9). A mulher não via as coisas desse modo, por isso continuou importunando e convidando-o. Por fim, num momento favorável, agiu com insistência: **Ela lhe pegou pela sua veste** (12) para o puxar para si. José se libertou e fugiu da casa, deixando para trás a **sua veste**, a qual ela usou eficazmente contra ele. Quando **chamou os homens de sua casa** (14), ela acusou o **hebreu** (servindo-se totalmente do preconceito racial) de investidas indecorosas e afirmou que ela resistiu gritando **com grande voz**. Repetiu a acusação ao marido que, por esta causa, mandou prender José. O fato de José não ter sido imediatamente executado sugere que o **senhor** (20), ainda que enfurecido, não estava plenamente convencido da inocência da esposa.[4]

2. *O Intérprete de Sonhos (39.21—40.23)*

O controle que José mantinha de suas atitudes era importante. Mas o escritor desta história entendia que a boa harmonia com o **carcereiro-mor** (21) era por causa da **benignidade** (*chesed*) ou misericórdia do **SENHOR**. Esta palavra está estreitamente ligada com a relação do concerto e, assim, fica claro que José foi o escolhido por Deus como sucessor de Jacó na estrutura do concerto. Logo José estava a cargo de muitos detalhes dos procedimentos prisionais. Este fato se deu por que o **SENHOR estava com ele; e tudo o que ele fazia o SENHOR prosperava** (23). Havia mais que controle de atitude e trabalho eficiente. Na vida de José, existia mais uma importantíssima vantagem: a preocupação ativa e a **benignidade** de Deus.

Ser servo na corte do **rei do Egito** (1) era negócio arriscado. Dois dos servos do rei foram postos na **prisão** (3), devido a certas imprudências não mencionadas no texto. Ambos ficaram a **cargo de José** (4).

Certa noite, cada um dos dois prisioneiros teve um **sonho** (5) que os confundiu e os deprimiu. **Cada um conforme a interpretação do seu sonho** fica melhor como "cada sonho com a sua própria significação" (ARA). Contaram o sonho a José que, por sua vez, ofereceu ajuda, dizendo: **Não são de Deus as interpretações?** (8). Diante desta oferta, cada um contou-lhe o sonho.

O **copeiro-mor** (9) disse que sonhou com uma **vide** que tinha **três sarmentos** (10), ou ramos, cujos **cachos amadureciam em uvas**. O chefe dos copeiros pegou o **copo de Faraó** (11), espremeu o suco das **uvas** no copo e o pôs **na mão de Faraó**. A interpretação de José foi que os **três sarmentos** seriam **três dias** (12), e que dentro desse prazo o copeiro seria restaurado ao seu antigo trabalho. **Levantará a tua cabeça** (13) é melhor "te libertará" (Moffatt) ou "te chamará" (Smith-Goodspeed).

José se aproveitou do momento para fazer um apelo pessoal, dizendo que, quando fosse restaurado, o copeiro usasse de **compaixão** (14) e mencionasse a **Faraó** as injustiças que tinham posto José na prisão do Egito. Ele esperava que isto o levasse à libertação.

Em seguida, o **padeiro-mor** (16) contou seu sonho, no qual ele estava levando **três cestos brancos** (16, *salley hori*). **Brancos** é boa tradução deste termo se entendermos que se refere a pães brancos, mas a mesma frase pode significar "cestos de vime". Novamente o número três designava **três dias** (18). Mas este homem não seria restaurado ao cargo. Também seria chamado por Faraó (**Faraó levantará a tua cabeça sobre ti**), mas como diz a ARA: "Faraó te tirará fora a cabeça". As **aves** (17) bicando os pães assados deu este mau agouro, porque elas comeriam a **carne** (19) do padeiro, enquanto o corpo estivesse pendurado num **madeiro**. A expressão **levantou a cabeça** (20) é empregada pela terceira vez para denotar libertação da prisão. O destino de cada homem foi como José havia predito. Porém, para desapontamento de José, o homem cuja vida foi poupada **não se lembrou de José** (23).

D. A Dramática Ascensão de José ao Poder, 41.1-57

O caso de José parecia não ter solução até que se passaram **dois anos inteiros** (1). **Faraó** teve um sonho que desafiou a perícia interpretativa dos melhores adivinhos do Egito. O impasse levou o copeiro-mor a se lembrar de José que, quando levado à presença de Faraó, revelou com precisão o segredo do sonho. Foi recompensado não apenas com a libertação da prisão, mas com a ascensão à posição de poder ao lado do próprio Faraó.

1. O Sonho Enigmático (41.1-8)

O sonho de Faraó parecia enganosamente simples. **Em pé junto ao rio** (1), o qual, no Egito, só podia ser o rio Nilo, Faraó viu **sete vacas, formosas à vista e gordas de carne** (2), saírem da água e pastarem no prado. **Outras sete vacas** (3) também saíram da água, mas eram **feias à vista e magras de carne**. O que era incomum foi que estas vacas magras comiam as vacas gordas.

Faraó acordou, mas dormindo outra vez **sonhou** (5) que brotavam **de um mesmo pé sete espigas cheias e boas**. A palavra **espiga** alude a plantas que produzem cereais, como trigo ou cevada, e não a milho. **Cheias** (5) aqui tem o sentido de serem robustas e saudáveis. Em contraste com esta excelente qualidade, **sete** (6) outras **espigas miúdas e queimadas do vento oriental brotaram** e consumiram as espigas saudáveis.

Perturbado pelos sonhos, Faraó **chamou todos os adivinhadores do Egito e todos os seus sábios** (8). Contando-lhes os sonhos, **Faraó** buscava uma explicação, mas ninguém sabia interpretar os sonhos. Entendiam que tais sonhos continham mensagens ocultas relativas a eventos futuros e era importante que fossem decodificados.

2. A Revelação do Segredo (41.9-36)

Foi nesta conjuntura que o **copeiro-mor** (9) lembrou seu período na prisão em que ele e o **padeiro-mor** (10) tinham sonhado e José interpretou os sonhos corretamente. **Conforme a interpretação do seu sonho** (11) é melhor "com a sua própria significação" (ARA). O copeiro contou a história a Faraó. José foi chamado e, depois de preparado às pressas para uma audiência com **Faraó** (14), foi introduzido à sua presença. Quando Faraó lhe disse que ele tinha a reputação de ser intérprete de sonhos, José protestou, afirmando que o poder não estava nele, mas em **Deus** (16). Os adivinhos pagãos se vangloriavam de possuir poderes próprios, embora quase sempre junto com um deus ou deusa. José, como todos os crentes no verdadeiro Deus, considerava que a predição do futuro era um dom divino. Predições exatas só ocorrem quando Deus escolhe dá-las aos seus servos.[5] Moffatt traduz a frase: **Deus dará resposta de paz a Faraó** (16), assim: "É a resposta de Deus que responderá a Faraó".

Faraó (17) contou os sonhos com alguns toques de reação pessoal. Ele havia ficado particularmente impressionado com o fato de as **sete vacas** (19) esqueléticas comerem as **sete vacas gordas** (20) sem causar mudança na aparência física. Nenhum dos **magos** (24) conseguiu decifrar os sonhos.

José (25) não teve dificuldade em interpretar. Mas ao fazê-lo destacou propositalmente que o único **Deus** (*ha elohim*, o termo hebraico tem o artigo definido enfático que denota distinção) verdadeiro estava prestes a agir no Egito. Tratava-se de testemunho surpreendente na presença do monarca, que era considerado pelo povo como o deus sol em forma física, mas que neste caso foi impotente. Este verdadeiro Deus notificou a Faraó o que estava a ponto de fazer.

Os dois sonhos formavam uma unidade com uma mensagem relacionada com as futuras condições de colheita no Egito. As **sete vacas formosas** (26) e as **sete espigas formosas** simbolizavam sete anos de safras abundantes. Seus respectivos opostos representavam **sete anos de fome** (27), que viriam imediatamente depois dos **sete anos de grande fartura** (29).

A chuva não é fator significativo no clima do Egito, estando quase que completamente ausente no Alto Egito. Portanto, a profecia só poderia significar que as inundações do rio Nilo, as quais acontecem nos meses de verão e fertilizam o vale, ocorreriam normalmente por sete anos. Mas nos sete anos seguintes seriam insuficientes para que as colheitas no Egito amadurecessem devidamente. Durante séculos, a provisão de comida no Egito dependeu das inundações do rio Nilo e que nem sempre foram suficientes para as necessidades agrícolas.[6]

José reparou que, visto que ambos os sonhos significavam a mesma coisa, a situação era urgente, porque a **coisa** era **determinada de Deus** (32) e logo aconteceria. José passou a dar a Faraó alguns conselhos práticos que não faziam rigorosamente parte da interpretação. Sugeriu que **um varão entendido e sábio** (33) fosse incumbido com a responsabilidade de juntar e armazenar todo o excesso das colheitas durante os **sete anos de fartura** (34) para que houvesse alimento durante os **sete anos de fome** (36).

3. A Nomeação de Surpresa (41.37-45)

Em reunião deliberativa, **Faraó** e **seus servos** (37) chegaram à conclusão de que a interpretação e os conselhos de José eram excelentes. **Faraó** (38) o caracterizou **varão em quem há o Espírito de Deus**, e informou a **José** (39) que resolveram que ele seria o homem indicado para supervisionar o plano de armazenamento de colheitas. Seu cargo estaria ao lado do próprio Faraó em termos de poder e autoridade.

Para simbolizar o novo ofício de José, **Faraó** lhe deu o **anel** que usava (42), no qual estava estampado o selo de autoridade, vestiu-o de **vestes de linho fino, e pôs um colar de ouro no seu pescoço**. Deu-lhe um **carro** (43), no qual desfilou publicamente com a proclamação de que ele deveria ser honrado pela populaça. Em seguida, mudou-lhe o **nome** (45) para **Zafenate-Paneia**, que quer dizer "abundância de vida ou o deus fala e vive". Por fim, José se casou com uma moça de família de alta posição da cidade sacerdotal de **Om** (45). Os gregos chamavam esta cidade Heliópolis; ainda hoje é um subúrbio da atual Cairo. O nome da moça era **Asenate**, que significa "alguém pertencente à deusa Neith".[7] José foi lançado em estreito contato com o paganismo do Egito, mas não foi vencido por ele.

4. O Projeto de Conservação das Colheitas (41.46-57)

José foi levado para o Egito quando tinha apenas "dezessete anos" (37.2). Fazia treze anos que estava no Egito e ainda era jovem de **trinta anos** (46) quando se tornou o segundo governante mais poderoso em posição no Egito. Ele sabia exatamente o que fazer. Durante os anos de colheitas abundantes, juntou todas as colheitas que iam além das necessidades imediatas do povo e as armazenou em numerosas **cidades** (48) do

Egito. **Produziu... a mãos-cheias** (47) é melhor "produziu abundantemente" (ARA). Durante este tempo, nasceram-lhe **dois filhos** (50). O primeiro foi chamado **Manassés** (51, "que esquece") como testemunho de que Deus havia apagado dos pensamentos tristes e íntimos de José os anos de **trabalho e de toda a casa de meu pai**. O segundo filho foi chamado **Efraim** (52, "dupla fertilidade") como testemunho das providências misericordiosas de Deus **na terra da minha aflição**.

"A Canção do Exílio" é dada em 41.50-52. 1) Esquecimento do trabalho, 51; 2) Frutificação em tempos de adversidade, 52 (W. T. Purkiser).

Quando chegaram os **sete anos de fome** (54), o **Egito** estava preparado com uma grande provisão de alimentos armazenada para a emergência. Mas a seca cruzou as fronteiras do Egito e atingiu a Palestina e outros países vizinhos. Dentro do próprio Egito, logo as pessoas sentiram fome e pediram comida. Sem demora, José as abasteceu de provisões segundo um plano já em execução. As pessoas tiveram permissão de comprar os grãos armazenados e, assim, tiveram o suficiente para comer. Habitantes de outros países ficaram sabendo da provisão que havia no Egito e foram **comprar** (57) alimentos.

E. Problemas Misteriosos no Egito, 42.1—45.28

A seca levou a família de Jacó a sair para comprar alimentos fora de Canaã e o único lugar em que havia mantimentos à venda era o Egito. Mas quando os filhos de Jacó foram para o Egito, passaram por inesperadas dificuldades. Por alguma razão, o primeiro-ministro fez acusações logicamente injustas contra eles e exigências que desafiavam pronta explicação. Mas o primeiro-ministro sabia com quem estava lidando e achava-se determinado a extrair vantagem extrema do fato de os filhos de Jacó não o terem reconhecido.

O caso terminou de modo inesperado e dramático. Foi um fim que convenceu José da mudança interior dos irmãos; surpreendeu-os revelando que o irmão que eles venderam era a autoridade que estava diante deles; e encheu de alegria um oprimido e agoniado pai que ouviu maravilhado que o rapaz que ele julgava morto estava vivo.

1. *Suspeita e Acusação* (42.1-28)

Em vista da seca, Jacó censurou os filhos: **Por que estais olhando uns para os outros?** (1, tradução apoiada por Moffatt). Em conseqüência disso, **dez** filhos foram despachados para comprar alimentos **no Egito** (3). O mais novo ficou em casa, pois Jacó se opunha a deixar **Benjamim** (4) ir, **para que lhe não suceda, porventura, algum desastre**. A relutância do pai revela sua lembrança dolorosa do desaparecimento de José e um medo permanente e corrosivo de que os outros mostrassem profundo desafeto pelos filhos de Raquel.

Para comprar mantimentos, eles tinham de obter visto da pessoa encarregada pelo programa, sobretudo se fossem estrangeiros. Imediatamente, José **conheceu-os** (7) e decidiu mostrar-se **estranho para com eles**, fazendo um interrogatório hostil. Acusou-os de serem **espias** (9), mas eles protestaram que eram **homens de retidão** (11). **A nudez da terra** (9) fica melhor como "até que ponto a terra é indefesa" (Moffatt; cf.

ARA). Consideravam-se honestos, afirmação que deve ter feito José rir consigo mesmo. Visto que José persistia nas acusações, fizeram um relato preciso da situação da família. O fato de Benjamim não estar com eles deu a José a oportunidade de fazer mais pressão. Não impôs vingança, mas se serviu de sua autoridade para prová-los severamente e fazê-los revelar quem realmente eram. **Isso é** (14) significa "é como já vos disse: sois espiões" (ARA).

A acusação de serem espiões tinha a intenção de revelar o verdadeiro propósito de terem ido ao Egito; o encarceramento era para impressioná-los com a amplitude do poder que ele exercia sobre eles. A ordem de José para que enviassem alguém a buscar Benjamim escondia o intento de descobrir a verdadeira atitude que demonstravam para com seu irmão, o outro filho de Raquel. **Pela vida de Faraó** (15) é um tipo de juramento: "Tão certo quanto vive Faraó" (Moffatt).

Depois de **três dias** (17), mudou um pouco de tática, pois já havia engendrado novos expedientes para fazer o teste. Chamou-os à sua presença e disse que poderiam ir para casa. Mas um deles tinha de ficar como refém até que o **irmão mais novo** (20) fosse trazido para o Egito. Este desdobrar dos fatos revelou uma consciência coletiva que os provou e amedrontou. A memória do que fizeram a José ficou mais intensa com o passar dos anos. Não há que duvidar que **Rúben** (22) se agitou nessa consciência muitas vezes, e agora os lembrava que a justiça estava alcançando-os.

José conversava com eles por meio de **intérprete** (23), assim não tinham como saber que ele entendia o que falavam na língua materna. Ao ouvir o que diziam foi tomado por tamanha comoção que teve de sair para se refazer, pois não conseguiu conter a emoção. Sozinho, **chorou** (24) provavelmente de alívio e um pouco de alegria pelo fato de a dureza e o ódio terem dado lugar à angústia de alma sobre o pecado que cometeram. A escolha de Simeão como refém pode indicar que ele foi o cabeça da trama contra José.

Sem os irmãos saberem, José deu ordens para que o **dinheiro** (25) pago pelos mantimentos fosse colocado no **saco** de cada homem. Na primeira parada a caminho de casa, descobriram o **dinheiro** quando abriram um saco para alimentar os animais (27). A explicação para esta reviravolta estava além do imaginável, mas com temor suspeitaram que **Deus** (28) tinha algo a ver com isso.

Os irmãos tinham um relato estranho para contar ao **pai** (29). Ao ser informado da exigência do egípcio em ver Benjamim, da prisão de Simeão e do misterioso reembolso do dinheiro, Jacó ficou quase histérico em sua aflição e medo. Responsabilizou os filhos por todos os seus infortúnios, pela perda de **José** (36), de **Simeão** e, agora, a ameaçadora perda de **Benjamim**.

Rúben (37) procurou acalmar os temores de Jacó oferecendo-lhe os seus **dois filhos** como reféns, os quais poderiam ser mortos caso ele não voltasse com Benjamim do Egito. Mas Jacó não se convenceu. Desconfiava intensamente dos filhos mais velhos e se preocupava muito pelo único filho que restava de sua amada Raquel. Perder Benjamim levaria Jacó a descer **com tristeza à sepultura** (38).

2. *O Retorno Cheio de Medo ao Egito* (43.1-34)

A continuação da **fome** (1) forçou a família de Jacó a ir ao **Egito** (2) pela segunda vez para comprar mantimentos. **Judá** (3) insistiu que não ousariam ir sem Benjamim. **Israel** (6, Jacó) protestou incoerentemente que eles não deveriam ter contado ao oficial de Faraó sobre a existência de Benjamim. Mas **Judá** (8), como seu irmão Rúben (42.37), ofereceu-se como **fiador** (9), ou seja, como garantia de que Benjamim voltaria em segurança.

Enfrentando bravamente o que parecia o inevitável, **Israel** (11) instruiu os filhos a levarem um **presente** para o **varão**, que consistia em algumas iguarias de Canaã. Deviam devolver o **dinheiro** (12) em dobro pelo pagamento da primeira compra, só para o caso de o reembolso ter sido mesmo um **erro**. O idoso pai concluiu suas palavras com uma nota de confiança resignada na **misericórdia** do **Deus Todo-poderoso** (14) para que seus filhos voltassem, mas agora ele estava pronto a aceitar a perda de todos, se chegasse a esse ponto.

Vendo, pois, José a Benjamim com eles (16) ficou satisfeito pela grande mudança ocorrida na atitude dos irmãos e ordenou que os criados preparassem um banquete para todos. Os irmãos ficaram ressabiados com a ida à **casa** (18) do oficial e imediatamente suspeitaram que algo ruim lhes sucederia. Temiam a acusação de roubar o dinheiro que estava nos sacos, sendo escravizados por isso. Por precaução, abordaram o **varão que estava sobre a casa de José** (19) para explicar que tinham ficado perplexos quando acharam o dinheiro nos sacos e que agora os devolviam a José. Também garantiram que dispunham de mais dinheiro para pagar por mais comida. **Nosso dinheiro por seu peso** (21) é interpretado por Smith-Goodspeed assim: "Todo o nosso dinheiro" (cf. ARA).

A resposta do administrador deve tê-los deixado mais surpresos e ressabiados. Tratou-os com amabilidade e admitiu que ele foi o responsável pelo dinheiro nos sacos. **O vosso dinheiro me chegou a mim** (23) significa "Recebi o vosso dinheiro". Sem ter conhecimento disso, tinham acabado de provar que não eram os homens gananciosos que venderam o irmão por vinte moedas de prata. Estavam agindo como homens honestos.

Simeão (23) foi trazido da prisão e se juntou aos outros. Todos foram adequadamente tratados, inclusive os animais. Os irmãos ficaram esperando ansiosamente com os presentes em mãos. Quando José chegou para a refeição do **meio-dia** (25), apresentaram-lhe os presentes e se inclinaram humildemente aos seus pés. Perguntando-lhes sobre o pai, José **viu a Benjamim, seu irmão** (29), novamente. Foi demais. Sufocado pela emoção, deixou seus irmãos e, no silêncio do quarto, **chorou** (30). Recompondo-se, lavou o **rosto** (31) e voltou à sala de jantar.

Em típico estilo oriental, eles comeram em grupos separados de acordo com distinções de cargo e etnia. Os **egípcios** (32) eram particularmente cuidadosos em se manter separados dos outros, sendo fortemente preconceituosos contra os **hebreus**.[8] Conforme prosseguia a refeição, assim continuava o padrão de incidentes inexplicáveis. Perceberam que estavam sentados em ordem do mais velho ao mais moço (33). José não só compartilhou com os irmãos parte dos pratos que comia, mas deu a Benjamim porção de comida **cinco vezes maior do que a de qualquer deles** (34). Além disso, a ocasião revelou festejo e alegria (34).

3. *O Misterioso Reembolso* (44.1-13)

José ainda não havia terminado com os irmãos. Já estava satisfeito por demonstrarem que diziam a verdade sobre a família em Canaã. Foram honestos com relação ao dinheiro colocado nos sacos de mantimento. Jacó confiou Benjamim aos cuidados deles e ele chegou com segurança. A extensão de tempo entre as viagens deve lhe ter sugerido que Jacó deixou Benjamim ir de má vontade. José queria testar a extensão da probidade dos irmãos em relação ao irmão. Queria ver se abandonariam Benjamim, como fizeram com ele há tanto tempo.

Para obter esta informação, instruiu o administrador de sua casa (1) a recolocar o **dinheiro** nos **sacos** pela segunda vez. Mas devia esconder no saco de Benjamim **o copo de prata** (2) de José, de seu uso. Depois que a caravana partiu, enviou o administrador para acusá-los de roubar o copo (4). **Ele bem adivinha** (5) significa que prediz eventos futuros ou descobre conhecimento oculto.

Como ocorreu com Jacó diante de Labão (31.32), os irmãos negaram com veemência a acusação de roubo e afirmaram com audácia que quem fez tal coisa deveria morrer (9). Além disso, disseram que de boa vontade todos se tornariam **escravos**. Para assombro e desapontamento dos irmãos, o copo foi encontrado **no saco de Benjamim** (12).

4. *A Acusação e o Apelo* (44.14-34)

Os irmãos ficaram completamente alucinados pelo desenrolar dos acontecimentos e **prostraram-se diante** de José **em terra** (14). **Não sabeis vós que tal homem como eu bem adivinha?** (15). Em profunda agonia, totalmente incapazes de se defender, disseram: **Achou Deus a iniqüidade de teus servos** (16). Parece que José cedeu um pouco, pois propôs deixá-los ir em liberdade. Benjamim, porém, teria de ficar como escravo. Superficialmente, parecia um gesto misericordioso, pois lhes dava a oportunidade de irem embora sem acusação ou punição.

Mas **Judá** (18) não podia ir embora sem o irmão Benjamim. Chegando-se ao oficial egípcio, derramou sua alma num apelo que é uma obra-prima da literatura.

Primeiramente, Judá revisou o caso até aquele momento. Lembrou que o funcionário egípcio havia perguntado pela sua família, descobrindo que o mais novo era muito querido do pai e, depois, tinha exigido que ele fosse trazido para o Egito. Embora lhe causasse grande sofrimento, tinham falado ao **pai** (24) acerca da exigência. Judá se deteve habilmente na ternura do pai que havia perdido o filho que lhe era mais afetuosamente amado e se opôs a deixar ir o outro filho da esposa amada, também por temer sua perda. Ressaltou as palavras de Jacó: **Se... lhe acontecer algum desastre, fareis descer as minhas cãs com dor à sepultura** (29). As palavras tinham o desígnio de causar o maior impacto emocional possível no homem diante dele. Em seguida, Judá enfatizou que ele mesmo se ofereceu **como fiador** ao **pai** (32) para levar o rapaz de volta ou ser culpado para sempre. Para provar a seriedade da garantia, Judá se ofereceu para ficar como escravo no lugar de Benjamim, a fim de que este pudesse ir para casa. Seu último ímpeto foi pessoal, pois ir para casa e ver o pai morrer de desgosto seria muito doloroso. Ele preferiria viver como escravo.

Para José, a mudança que viu em Judá deve ter lhe surpreendido. Este era o homem que exortou seus irmãos a vender José como escravo, e agora estava disposto a tornar-se escravo para defender Benjamim com a própria vida. Judá, que ajudou a enganar Jacó acerca da morte de José, agora se portava audaciosamente leal a Jacó, mesmo a grande custo pessoal. Ele não ousou assumir uma posição abertamente contra os irmãos quando a trama estava em execução, mas agora se colocava bravamente diante de um homem de grande poder. Anteriormente, a ganância e a paixão lhe governavam a vida, mas agora estava pronto a fazer um sacrifício altíssimo em prol de outro.

5. A Revelação Surpreendente (45.1-15)

O apelo de Judá atingiu seu propósito; afetou profundamente o homem que detinha tamanho poder sobre a vida deles. Impulsionado pela emoção, **José** (1) ordenou que todos saíssem da sala e, para espanto de todos, começou a chorar em voz alta. Seu coração duvidoso estava satisfeito; seus irmãos não eram mais os homens insensíveis que o tinham vendido para a escravidão.

Anunciou dramaticamente: **Eu sou José** (3), e perguntou novamente pelo pai. Os irmãos ficaram mudos, incapazes de acreditar no que tinham acabado de ouvir. Se este fosse José, com certeza ia castigá-los. Mas José os tranqüilizou, pedindo que não se repreendessem pelo que lhe haviam feito, **porque, para conservação da vida, Deus me enviou diante da vossa face** (5).

José entendeu então que Deus invalidou a intenção má dos seus irmãos e tornou possível ele ser alto funcionário no Egito. Nessa condição, abriu caminho à mudança da família de Canaã, atingida pela falta de chuva, para a terra onde ele havia armazenado alimentos contra a fome. Os irmãos pensaram que tinham se livrado dele vendendo-o como escravo. Mas Deus o usou para salvá-los do período de fome em que **não haverá lavoura nem sega** (6). Deus **me tem posto por pai de Faraó, e por senhor de toda a sua casa** (8) é melhor Deus "me fez primeiro-ministro de Faraó, chefe de todo o seu palácio" (Moffatt). Transformando a má intenção em bem e dando força durante tempos de angústia, Deus mostrou que seu propósito último é redentor e que suas relações com os homens são fomentadas pelo amor.

José detalhou seus planos para fazer toda a família se mudar para a **terra de Gósen** (10; ver Mapa 3). O versículo 12 é traduzido fluentemente por Smith-Goodspeed: "Vedes por vós mesmos, e meu irmão Benjamim vê também, que sou eu mesmo quem vos fala" (cf. ARA). Depois, lançando de si a dignidade de soberano, abraçou o irmão **Benjamim** (14) e juntos choraram. Fez o mesmo com cada um dos **irmãos** (15), e só assim falaram com ele.

O caminho para a plena reconciliação foi árduo para José e seus irmãos. Os irmãos tiveram de enfrentar a culpa, confessar os pecados (42.21,22) e reconhecer que Deus estava castigando-os (42.28). Tiveram de pedir misericórdia (44.27-32) e mostrar que haviam mudado (44. 33-34). Para José, a provação também foi penosa. Teve de se assegurar da nova sinceridade dos irmãos pondo-os em situações embaraçosas, algumas das quais causando sofrimento em seu pai. Teve de manter o disfarce como egípcio, embora estivesse ansioso para se revelar. Quando chegou a hora da revelação, sua posição e poder tornaram difícil seus irmãos acreditarem que ele era mesmo o irmão José e que ele realmente os havia perdoado.

6. Ordens para Mudarem-se (45.16-24)

A **nova** (16) de que os homens que vieram de Canaã eram irmãos do primeiro-ministro do Egito mexeu com a corte faraônica. Quando chegou aos ouvidos de Faraó, ele ordenou que a família de José se servisse de provisões e **carros** (19) para transportar o clã inteiro para o **Egito**. A expressão **não vos pese coisa alguma das vossas alfaias** (20) significa "não vos importeis com vossos bens" (Smith-Goodspeed; cf. ARA). José se encarregou de abastecer os irmãos de tudo que precisassem para a mudança. A cada irmão deu mudas de roupa, mas abarrotou **Benjamim** (22) de bens e víveres e enviou grande quantidade de gêneros alimentícios para o **pai** (23). **Não contendais pelo caminho** (24) é tradução apoiada por Moffatt.

7. O Filho Considerado Morto Está Vivo (45.25-28)

A volta para casa foi diferente desta vez. Não houve mistérios e nem exigências desconcertantes, somente notícias incríveis. A informação de que **José** (26) estava vivo foi choque quase comparável à notícia de que ele havia morrido por um animal. O que convenceu Jacó foi a história detalhada do que aconteceu no Egito e os **carros** (27) que foram enviados carregados de comida e presentes. Então, seu espírito **reviveu** (27). O desejo ardente de Jacó era ver José antes de morrer (28).

Os resultados do perdão e da reconciliação já eram visíveis. Abundância de alimentos estava disponível sem custo. A vida de Jacó foi poupada devido ao retorno de Benjamim e à notícia de que José vivia. A unidade familiar foi restaurada, e percebia-se a libertação da culpa e do medo.

F. O Novo Lar no Egito, 46.1—47.31

Apesar da notícia de que José estava no Egito, não era fácil para Jacó sair de Canaã, pois era a Terra Prometida. Mas com a permissão divina, Jacó fez a mudança com todo o seu considerável séquito, recebeu acolhimento alegre de José e viu sua família ser instalada em região bem irrigada e produtiva do delta do Nilo. Era a conclusão feliz de uma vida repleta de enganos, aventuras, momentos de tensão, adversidades, tristezas e alegrias e, acima de tudo, uma vida recheada das misericórdias de Deus.

1. Jacó Recebe Permissão para se Mudar (46.1-7)

Jacó e sua família habitavam em Hebrom (37.14; ver Mapa 2). Ao saber das espantosas notícias de que José estava vivo e era alto funcionário no Egito, **Israel** (1, Jacó) partiu imediatamente para o Egito. Enquanto viajava em direção a **Berseba**, Jacó provavelmente se lembrou de que o avô Abraão teve uma experiência desagradável no Egito (12.10ss.), e que Deus disse a Isaque para não ir ao Egito (26.2). Deve também ter se lembrado de que Deus falou a Abraão que seus descendentes iriam habitar naquele país por certo período (15.13-16).

Com pensamentos em ebulição, Jacó adorou, oferecendo **sacrifícios ao Deus de Isaque, seu pai**. Embora não haja registro, claro que fez orações por orientação e proteção. A resposta de Deus chegou somente ao anoitecer, mas a palavra foi positiva: **Não temas descer ao Egito** (3). A mensagem também continha promessas. A família de Jacó se tornaria **uma grande nação**; Deus faria Jacó **tornar a subir** (4) e estaria sempre com ele; e José poria a **mão sobre os teus olhos**, ou seja, estaria presente na hora da morte de Jacó.

Jacó levantou-se daquele lugar com todas as dúvidas dirimidas. Este não era outro Deus, mas o único Deus verdadeiro que apareceu a Isaque, seu pai. No hebraico, o artigo definido *ha* distingue este Deus que fala de todos os falsos deuses. Tudo e todos ligados a Jacó caminharam em direção ao Egito e logo chegaram na fronteira.

Uma significativa reviravolta de acontecimentos ocorreu na vida do patriarca e de sua família com o selo da aprovação de Deus. O propósito de Deus era preservar a família do patriarca como unidade, separando-a da putrefação espiritual e da imoralidade e idolatria dos cananeus. Alguns dos filhos mais velhos já tinham sido atingidos por essa putrefação. Os egípcios seriam suficientemente diferentes, de forma que o casamento inter-racial e a idolatria não teriam tão forte atração como em Canaã. Ao mesmo tempo, os descendentes de Jacó estariam associados de perto com as realizações positivas da cultura. Estariam vivendo ao lado das principais rotas comerciais internacionais daqueles tempos.

2. Um Registro dos Filhos de Jacó (46.8-27)

Nesta lista, a família de Jacó é separada de acordo com as mães; são somados o número de filhos, netos e bisnetos. Visto que os filhos de Judá, **Er e Onã... morreram na terra de Canaã** (12), presume-se que Diná e Jacó, ou uma segunda filha ou nora não mencionada, estejam incluídos no total de **trinta e três** (15).

Uma neta de **Jacó** e **Léia** (15) é mencionada com relação a **Aser** (17), filho de **Zilpa** (18), dando a soma total de **dezesseis almas** nesta linha familiar. Além dos dois filhos de **José** (20), são designados dez filhos a **Benjamim** (21), embora ainda fosse jovem. Talvez nascimentos múltiplos fosse característica desta família. A tradução grega dá a Benjamim três filhos, seis netos e um bisneto, situação improvável para alguém tão moço.

Os dois filhos de **Bila** são alistados como tendo cinco filhos. O total de todos os registrados aqui é de 70 pessoas, mas a verdadeira soma é de 66 menos Jacó, José e seus dois filhos. Não são contadas as esposas de nenhum dos homens, e só uma filha e uma neta são claramente incluídas no total.

A referência em Atos 7.14 à mudança de Jacó para o Egito menciona 75 pessoas; segue a tradução grega, que inclui mais cinco descendentes de José pelos filhos dele.

3. O Dramático Encontro entre Pai e Filho (46.28-34)

Jacó enviou à frente **Judá** (28), o novo líder dos irmãos, para acertar os detalhes da acomodação no Egito e combinar a melhor ocasião possível para a reunião de pai e filho.

Sendo alto funcionário, José tinha acesso aos melhores meios de transporte do Egito, um **carro** (29), com qual logo alcançou seu pai. Eles se abraçaram e choraram por **longo tempo**. Depois do abraço, o idoso **Israel** (30, Jacó) estava pronto para morrer, como se a meta de toda sua vida tivesse sido atingida. O filho que estava perdido foi achado.

José voltou a atenção à grande necessidade imediata diante de si: obter a aprovação formal de **Gósen** (34) como região do Egito na qual a família de Jacó residiria. Por ter conhecimento profundo dos procedimentos governamentais do Egito, José deu instruções detalhadas relativas a como abordar **Faraó** (33). A situação era delicada, porque **os egípcios** (34) consideravam os pastores de baixa posição social, e devia estar claro que a visita deles seria temporária. Os registros egípcios revelam que esta não foi a primeira vez que povos de Canaã tinham migrado para o Egito em anos de escassez. Provavelmente nenhum outro grupo teve tão alta representação diante de Faraó como a família de Jacó.

4. A Permissão para Residência Temporária (47.1-6)

Em termos atuais, pode-se dizer que José deu vistos de entrada para a família de Jacó. Mas a permissão para a residência temporária de alguns anos tinha de vir do próprio **Faraó** (1). Sabedor dos procedimentos egípcios, o próprio José cuidou da maneira mais apropriada de abordar Faraó. Os **cinco** irmãos selecionados (2) fizeram o apelo que José os instruiu a fazer. Ressaltaram o fato da terrível necessidade que os motivou a se mudar para o **Egito** (4).

Faraó ficou impressionado e, felizmente, deu permissão para habitarem **na terra de Gósen**. Faraó também fez um pedido inesperado. A família de Jacó recebeu a oferta de empregos privilegiados na economia egípcia: "Se sabes haver entre eles homens capazes, põe-nos por chefes do gado que me pertence" (6, ARA).

5. O Homem de Deus se Encontra com Faraó (47.7-12)

O próximo passo era apresentar **Jacó** a **Faraó** (7), ocasião repleta de contrastes interessantes. O povo considerava **Faraó** um ser divino, o filho do sol e regente sobre uma nação politeísta.[9] **Jacó** já havia tido vários encontros pessoais com o único Deus verdadeiro e estava em relação de concerto com Ele. Neste momento, **Faraó** tinha o poder de receber ou rejeitar Jacó, mas Jacó tinha a promessa do verdadeiro Deus de que Ele levaria os israelitas de volta para Canaã, e não haveria Faraó que impedisse isso. O povo esperava que Faraó tivesse poder sobre todos os aspectos da vida do Egito. Mas foi José, filho de Jacó, que de fato governou o país durante o período de crise. Com o decorrer do tempo, a linhagem faraônica acabou, mas os descendentes de Jacó e sua crença religiosa ainda estão em vigor hoje.

Faraó notou que Jacó era idoso, cuja idade estava muito acima da expectativa de vida do egípcio comum. Quando perguntado: **Quantos são os dias dos anos de tua vida?** (8), Jacó revelou sua idade, mas não se vangloriou. Homens de vida longa têm suas recordações de tragédia. Mesmo **cento e trinta anos** (9) eram **poucos** comparados com a idade dos antepassados de Jacó. Este era outro contraste entre o homem-deus de vida curta e a longevidade de um homem de Deus.

Quando entrou e quando saiu da presença de Faraó, Jacó o **abençoou** (7,10). O texto de Hebreus 7.7 declara que, "sem contradição alguma, o menor é abençoado pelo maior".

Sob o cuidado atento de José, a família de Jacó prosperou. Todas as coisas necessárias lhes foram providenciadas. A **terra de Ramessés** (11) aludia a Gósen e era um título comum na ocasião em que o Pentateuco foi escrito.

6. O Programa de Prosperidade de José (47.13-26)

A seca, que no **Egito** (13) era a falta da inundação do rio Nilo em seus movimentos regulares de verão, continuou deixando as pessoas sem colheita. O plano de armazenamento de grãos implementado por José mostrou-se inestimável. Mas a porção de mantimentos não era dada de graça. Os alimentos tinham de ser comprados com qualquer coisa que o povo tivesse. Não se conheciam moedas ou cédulas nos dias de José, assim o **dinheiro** (14) que as pessoas levavam era provavelmente metais preciosos e jóias. Quando estes produtos acabaram, o governo recebia **gado** (16), em seguida terras de particulares e, por último, as pessoas se tornaram escravas em troca de **pão** (19).

Teoricamente, toda a terra, gado e as pessoas pertenceram a Faraó, e em certos períodos da história do Egito esta era a verdadeira situação. Mas ocorreram períodos de fraqueza no poder quando as propriedades e empreendimentos particulares governavam. A fome era um meio pelo qual se restabelecia o antigo absolutismo. Houve somente uma exceção. **A terra dos sacerdotes** (22) não pôde ser tocada pela classe governante.

Para amenizar o sofrimento do **povo** (23), José lhes deu sementes com a condição de que um quinto da produção seria paga ao governo. Esta cifra é muito menor que os 50% ou mais que os meeiros têm de pagar, e é imposto mais baixo que muitos cidadãos pagam em países civilizados de hoje.

7. *O Voto de José para seu Pai* (47.27-31)

Durante **dezessete anos** (28) o patriarca morou no Egito, vendo sua família prosperar **na terra de Gósen** (27). Sentindo o fim se aproximar, **chamou a José** (29). Israel queria assegurar-se que seus restos mortais seriam colocados na cova de Macpela. Usando termos comuns à linguagem de concerto, como **graça** e **usa comigo de beneficência e verdade**, ele pediu solenemente que José jurasse que o enterraria em Canaã conforme as promessas de Deus registradas em 28.13-15 e em 35.11,12. Quando José fez o voto, agiu segundo o costume (ver 24.2) pondo a **mão debaixo** da **coxa** de Jacó. Era sublime momento de fé para Jacó e, assim que José se comprometeu, o patriarca agonizante adorou. O versículo 31 declara que **Israel inclinou-se sobre a cabeceira da cama** (31). Em Hebreus 11.21, seguindo a Septuaginta, lemos: "Jacó [...] adorou encostado à ponta do seu bordão". No idioma hebraico, a diferença é *mittah*, "cama", e *matteh*, "bordão". Levando em conta que os manuscritos hebraicos só tinham consoantes, a diferença surge de duas tradições distintas de pronúncia.

G. Antecipações do Futuro, 48.1—50.26

Os capítulos finais de Gênesis estão fundamentados nas ocorrências de morte no presente ou futuro imediato, e no futuro de longo alcance dos descendentes de Jacó. Sempre é ressaltado que a terra de Egito não é o lar permanente deste povo. Eles têm de ter os olhos voltados para Canaã. Para enfatizar este ponto, Jacó foi enterrado na caverna sepulcral da família e José foi embalsamado para futuro sepultamento em Canaã.

1. *Jacó Adota os Filhos de José* (48.1-22)

Uma piora na saúde de Jacó levou **José** (1) e seus **dois filhos** para o lado da cama do idoso patriarca. Com dificuldade, Jacó se sentou para recebê-los. Tratava-se de uma reunião importante, sobre a qual pai e filho já haviam conversado.

As recordações de Jacó viajaram àquele momento significativo em **Luz** (3, Betel; ver 28.10-22). Naquela ocasião, **o Deus Todo-poderoso** lhe apareceu, tornando-se pessoalmente real e transmitindo-lhe as promessas do concerto. Agora Jacó queria passar estas promessas do concerto, junto com obrigações anexas, para seus descendentes. Já conhecia a vontade de Deus concernente a qual filho seria separado para este privilégio, mas não contou a ninguém.

A primeira medida de Jacó foi adotar os dois filhos de José. Colocou-os no mesmo nível que **Rúben e Simeão** (5), os dois filhos mais velhos.[10] Jacó nunca esqueceu a perda de Raquel, assim queria honrá-la elevando estes netos à condição de filhos e, por conseguinte, tribos em Israel. O nome de José seria perpetuado por outros filhos aptos que nasceriam (6). **Efrata** (7) é um nome antigo de **Belém**, inserido pelo escritor para tornar o local claro.

Os olhos embaçados de Jacó (10; cf. ARA) notaram duas outras pessoas no quarto. Certificando-se de que eram Efraim e Manassés, passou a fazer os gestos rituais de adoção comuns entre seu povo. O pai recebia os filhos legítimos colocando-os entre os **joelhos** (12; cf. ARA); foi assim que foram reconhecidos estes filhos adotivos.

O próximo passo era o ato formal de pronunciar a bênção que era irrevogável para o povo de Jacó. Desconhecendo as intenções do pai, José posicionou os filhos de acordo com o costume, ou seja, o filho mais velho em frente à **mão direita** do pai tribal (13). Antecipando este movimento, Jacó cruzou as mãos e pronunciou a bênção do concerto sobre o mais novo, **Efraim** (14). Daquele momento em diante, Efraim seria o representante do concerto diante de Deus. Descontente com o procedimento do pai, José tentou mudar a posição das mãos de Jacó, mas Jacó lhe disse que a ação foi intencional. **Avisadamente** (14) seria "conscientemente". Pela terceira vez, o filho mais novo na linhagem patriarcal tomou o lugar do filho mais velho (ver 17.19,20; 27.27-29).

Na bênção, Jacó testificou do **Anjo que me livrou de todo o mal** (16). Esta é a primeira vez que a palavra "livrar" (*go'el*), com o sentido de *resgate*, aparece nas Escrituras. Está baseada na obrigação de um homem da mesma família comprar de volta a propriedade hipotecada de um parente infeliz, ou comprar de volta o próprio parente da escravidão (Lv 25.25-55).

Jacó percebeu que sua desonestidade com Esaú e suas dificuldades com Labão foram um **mal** que ameaçou prendê-lo. Mas Deus o ajudou a acertar as coisas com Labão e a reconciliar-se com Esaú. Deus também o livrou dos maus caminhos dos seus filhos mais velhos e lhe devolveu José. Estes foram os atos de Deus que lhe deram esperança e alegria ao coração. Na sua opinião, estes eventos eram redentores, porque ele devia tudo ao que Deus havia feito a favor dele. Aquele que agiu tão eficientemente no passado abençoaria os **rapazes** e produziria a redenção para estes netos.

Além da bênção especial em **Efraim** (17), **Manassés** (cf. 27.39,40) também foi abençoado. A forma desta bênção: **Deus te ponha como a Efraim e como a Manassés** (20), ainda é usada entre os judeus. Jacó também prometeu que José voltaria para Canaã (21), pois esta era a vontade de Deus. José teria um **pedaço** (22) só seu daquela terra. Ficava em Siquém. Não resta outro registro da batalha com os **amorreus** que esteja relacionado com a propriedade de Jacó desta parte do país. Josué 24.32 declara que o corpo embalsamado de José foi enterrado na parte do campo que foi comprada dos "filhos de Hamor" (ver tb. Jo 4.5,6).

2. Jacó Abençoa Seus Filhos (49.1-28)

Com exceção do primeiro versículo, esta porção bíblica está na forma poética, rica em paralelismo de pensamento, jogo de palavras e metáforas. Era momento solene, pois o patriarca estava declarando sua vontade final e apresentando seu testamento antes de morrer.

Há forte traço de ironia no tratamento de Jacó com **Rúben** (3). Como **primogênito**, seu lugar era de alto privilégio e responsabilidade. Deveria ter sido líder de **força, vigor, alteza** e **poder**. Mas Rúben deu as costas às coisas mais excelentes e se rebaixou ao nível mais inferior. Procurou demonstrar liderança poluindo o **leito** (4) do **pai** em grosseiro ato de incesto (cf. 35.22). Jacó não se esqueceu do fato e, agora, Rúben tinha de pagar elevado preço por sua loucura.

"A Tragédia da Instabilidade Espiritual" é ilustrada nas palavras de Jacó a respeito de Rúben: 1) Homem de grandes possibilidades, 3; 2) A excelência perdida de Rúben: **Não serás o mais excelente**, 4; 3) O erro fatal: **Inconstante como a água**, 4 (W. T. Purkiser).

Simeão e Levi (5) estão agrupados, porque tinham chefiado o massacre sangrento de Siquém (34.25-29). O choque de Jacó quando ficou sabendo deste incidente está vividamente descrito nesta condenação do ato irrefletido. Moffatt traduz assim: "Em seus planos, minha alma, nunca participe; coração meu, não se una ao seu conselho!" (cf. ARA). Nenhum deles teria território tribal em Canaã, mas seriam espalhados entre as outras tribos (ver Js 19.1-9; 21.1-42).

Judá (8) demonstrou ser homem melhor na maturidade do que na juventude e, antes da mudança para o Egito, evidenciou habilidade de liderança. O nome significa "louvor" e, assim, seria o louvor da família de Jacó como líder militar e político. Sua coragem seria igual à do **leão** (9); mas, acima de tudo, a realeza viria da tribo de Judá (1 Sm 16.1-13; 2 Sm 2.1-4; 5.1-5).

Muita controvérsia gira em torno da palavra **Siló** (10), que pode ter o significado de "descanso ou doador de descanso". Este é o nome da cidade onde a arca descansou até o tempo de Samuel (1 Sm 4.1-22). Mas visto que esse local nunca foi importante na história de Judá, parece não haver ligação com esta profecia no versículo 10. Uma antiga tradução aramaica contém a frase "até que o Messias venha", e esta interpretação detém forte posição no entendimento judaico e cristão do texto. O Targum Grego, o Targum Samaritano e o Targum de Onquelos dão uma leitura que indica uma palavra hebraica composta, que significa, literalmente, "aquele que é dele" (cf. Ez 21.27). Esta interpretação também aponta significação messiânica, a qual tem sido contestada.[11]

Os protestantes estão bastante unidos em considerar que Jesus é o cumprimento desta predição que saiu dos lábios de Jacó. Entendida dessa forma, esta profecia significava que além das tribos de Israel os povos do mundo obedeceriam àquele que viria.[12] A tradução de Smith apanhou o espírito de realeza contido nesta descrição da liderança de Judá:

> Ele amarra o jumento à videira,
> E o filho do jumento à mais escolhida videira;
> Lava a roupa em vinho,
> E os mantos no sangue de uvas;
> Seus olhos são mais escuros que o vinho,
> E seus dentes mais brancos que o leite.

A principal característica de **Zebulom** (13) era a associação com o comércio marítimo. Estes povos seriam vigorosos comerciantes.

Issacar (14) estaria relacionado com a tarefa do trabalhador e faria seu trabalho de modo fiel e imaginativo. Teria o epítome de "O Contribuinte" ou "O Pagador de Impostos". O nome **Dã** (16) significa "juiz". Mas que juiz fraco! Em vez de justiça, a traição marcaria suas decisões que afligiriam o queixoso como o veneno da **víbora** (17). Quando Jacó proferiu este pronunciamento, não pôde deixar de desabafar com angústia: **A tua salvação espero, ó SENHOR!** (18).

As palavras sobre os próximos três filhos foram curtas. **Gade** (19) seria oprimido, mas no final venceria. **Aser** (20) seria próspero tendo excesso de alimentos. **Naftali** (21) conheceria a liberdade e seria abençoado com a capacidade de proferir **palavras** agradáveis.

Em contraste com estes três, Jacó transbordou com predições de um futuro **frutífero** para **José** (22). Embora perseguido, este filho foi sustentado **pelas mãos do Valente de Jacó** (24). Este era o Deus que foi o **Pastor**, Protetor e **Pedra de Israel** em toda sua vida. O **Todo-poderoso** (25) seria liberal com suas **bênçãos**, cinco das quais são enumeradas. José seria diferente de todos os **seus irmãos** (26). Moffatt traduz partes dos versículos 24 e 25 significativamente:

> O Valente de Jacó te apóia,
> A Força de Israel te sustenta.
> Oh, o Deus de teu pai que te ajuda,
> O Deus Todo-poderoso que te abençoará.

Em 49.22-26, G. B. Williamson destaca "José, Ramo Frutífero". 1) As tribulações de José, 23 (cf. 37.17-36); 2) A tentação de José, 24 (cf. 39.7-20; 40.14,23); 3) O triunfo de José, 25,26 (cf. 4.39-46).

Benjamim (27) é semelhante a lobo, "que devora a presa pela manhã e divide o espólio à noite" (Smith-Goodspeed; cf. ARA). A violência tomaria parte em sua aquisição de riquezas.

3. A Morte de Jacó (49.29-33)

Tendo distribuído suas bênçãos, Jacó mencionou seu desejo já revelado a José (47.29-31). Ele deveria ser sepultado **na cova que está no campo de Macpela** (29,30), que foi comprada por Abraão (23.1-20). Era a sepultura dos seus antepassados e de **Léia** (31), sua esposa. Jacó queria ter certeza de que na vida e na morte seus filhos manteriam os olhos voltados para Canaã como sua verdadeira casa.

Tendo tratado do último detalhe, não havia mais necessidade de delongas. Jacó **foi congregado ao seu povo** (33), como aconteceu com Abraão e Isaque.

4. O Sepultamento de Jacó (50.1-14)

José (1) foi tomado pela emoção. Pondo de lado a dignidade de sua alta posição, **chorou sobre** o corpo sem vida do pai. Mas também conhecia o seu dever. Na morte, Jacó teria o melhor. Por **quarenta dias** (3) o corpo permaneceu no processo de embalsamento, e mais trinta dias foram gastos no luto, algo que não ocorreu com Abraão ou Isaque.

Em seguida, **José** foi **à casa de Faraó** (4), ou seja, dirigiu-se aos funcionários da corte, para explicar o voto que Jacó lhe pediu e obter permissão para cumpri-lo. José garantiu que voltaria (5). O pedido foi passado a **Faraó** (6), que concedeu permissão para José deixar o país e, mais importante de tudo, nomeou um grupo de representantes oficiais para comparecer no funeral.

Numeroso séqüito formado por israelitas e egípcios pôs-se a caminho da cova de Macpela. Na **eira do espinhal** (10, ou "eira de Atade", ARA), presumivelmente perto da caverna sepulcral, a comitiva observou **sete dias** de luto por Jacó.

Os **cananeus** (11) nativos ficaram impressionados com a presença de tantos funcionários do Egito e com o luto sobre Jacó, a quem bem conheciam. Diante disso, deram outro nome à eira: **Abel-Mizraim**, que quer dizer "o luto dos egípcios". O sepultamento **na cova do campo de Macpela** (13) ocorreu formalmente e a comitiva fúnebre voltou para o Egito.

5. Os Irmãos Medrosos (50.15-21)

A morte de Jacó trouxe à tona o medo que por vários anos esteve submerso na mente dos irmãos de José. Será que com a morte do pai, José despejaria represálias contra eles? Não conseguiam acreditar que ele já os havia perdoado totalmente. Em conjunto, resolveram deixar claro que o arrependimento pelas ações passadas era verdadeiro, ainda que esse arrependimento nunca tivesse sido verbalizado (cf. 45.4-15).

Discretamente, os irmãos enviaram uma mensagem a José antes que fossem chamados para uma reunião. Pela primeira vez ocorre no registro bíblico um pedido de perdão de maneira franca e direta, embora estas palavras de Jacó para Esaú: "Para achar graça aos olhos de meu senhor" (33.8,10), se aproximem disso. O teor da comunicação tocou o coração de José, promovendo outra cena de reconciliação profundamente comovente. A forma física dos irmãos prostrados relembra um dos sonhos de José, contra o qual tinham reagido com crueldade (37.5-8). Ainda que José possuísse supremo poder humano para se vingar, sua alma foi invadida por uma maior influência: a prontidão em perdoar. O único Deus verdadeiro dominou o ódio humano e o tornou em **bem** para **conservar em vida a um povo grande** (20). A bondade de José expulsou o medo importunador, e os irmãos saíram genuinamente unidos em termos de respeito e amor mútuo.

6. O Último Pedido de José (50.22-26)

Chegava o momento da morte do quarto dos grandes patriarcas. A morte não causou terror para Abraão (25.7-11), Isaque (35.27-29) ou Jacó (49.28-33). O mesmo se deu com José. Como aconteceu com seu pai, José se assegurou que, no fim, seus restos mortais seriam postos para descansar na Terra Prometida.

Reunindo os **irmãos** (24), José reiterou a fé do seu pai, declarando que Canaã era o verdadeiro lar dos israelitas. Obteve deles um juramento: **Fareis transportar os meus ossos daqui** (25). Tendo cuidado disso, José morreu em paz com a **idade de cento e dez anos** (26). Foi embalsamado, colocado **num caixão** e, por algum tempo, sua múmia permaneceu com os irmãos **no Egito**.

De 50.22-26, Alexander Maclaren expõe o tema "A Fé de José". 1) A fé sempre é a mesma embora o conhecimento varie; 2) A fé exerce sua mais nobre função em nos separar do presente; 3) A fé dá vigor aos homens no cumprimento dos seus deveres.

Notas

INTRODUÇÃO

¹Julius Wellhausen, *Prolegomena to the History of Israel* (Edimburgo: Adam & Charles Black, 1885).

²Hermann Gunkel, *The Legends of Genesis* (Nova York: Schocken Books, 1964, embora tenha sido publicado pela primeira vez em 1901).

³Otto Eissfeldt, *The Old Testament* (Nova York: Harper & Row, 1965).

⁴W. F. Albright, *The Archaeology of Palestine* (Baltimore: Penguin Books, 1963), pp. 224-226.

⁵G. E. Wright, *Biblical Archaeology* (Filadélfia: The Westminster Press, 1957), pp. 43, 44.

⁶Y. Kaufmann, *The Religion of Israel* (Londres: George Allen & Unwin, Limited, 1961), pp. 127-149.

⁷M. F. Unger, *Introductory Guide to the Old Testament* (Grand Rapids: Zondervan Publishing House, 1951); E. J. Young, *An Introduction to the Old Testament* (Grand Rapids: William B. Eerdmans Publishing Company, 1956); G. L. Archer, *A Survey of Old Testament Introduction* (Chicago: Moody Press, 1964).

⁸G. C. Morgan, *The Analyzed Bible* (Nova York: Fleming H. Revell Company, 1907), Vol. I, pp. 9-27.

SEÇÃO I

¹Para inteirar-se da construção gramatical de Gênesis 1.1-3, ver J. Skinner, *A Critical and Exegetical Commentary on Genesis* ("The International Critical Commentary"; editado por S. R. Driver *et al.*; Edimburgo: T. & T. Clark, 1930), vol. I, pp. 12-19; J. P. Lange, "Genesis", *Commentary on the Holy Scriptures*, vol. I (Grand Rapids: Zondervan Publishing House, reimpressão, s.d.), pp. 161-165; E. J. Young, "The Interpretation of Genesis 1:2", *Westminster Theological Journal*, vol. XXIII (Maio de 1961), pp. 151ss.

²Para informar-se de análises relativas ao comprimento do "dia" de Gênesis 1, ver Tayler Lewis, "Genesis" (Introduction), em Lange, *op. cit.*, pp. 131-143; H. E. Dosker, "Day", *The International Standard Bible Encyclopedia*, editado por James Orr *et al.*, vol. II (Grand Rapids: William B. Eerdmans Publishing Company, reimpressão, 1949), pp. 787-789. O dr. H. Orton Wiley declara: "A narrativa da criação em Gênesis é primariamente um documento religioso. Não pode ser considerada declaração científica e, ao mesmo tempo, não deve ser considerada contraditória à ciência. É ilustração suprema da maneira na qual a verdade revelada elucida indiretamente os campos científicos. A palavra hebraica *yom*, que aqui é traduzida por 'dia', ocorre não menos que 1.480 vezes no Antigo Testamento, sendo traduzida por algo em torno de mais de cinqüenta palavras diferentes, inclusive termos como *tempo, vida, hoje, idade, para sempre, continuamente* e *perpetuamente*. Com este uso flexível do termo original, é impossível dogmatizar ou exigir restrição firme a um só desses significados. Presumimos que a crença originariamente ortodoxa defendia um dia solar de 24 horas, e que a igreja alterou sua exegese sob a pressão das atuais descobertas geológicas. Como destaca o dr. Sheed, este é um dos 'erros de ignorância'. A melhor exegese hebraica nunca considerou que os dias de Gênesis fossem dias solares, mas períodos de dia de duração indefinida. [...] Nem é este o significado metafórico da palavra, senão o original que significa 'colocar período a' ou denota um tempo autocompletado" (*Christian Theology*, vol. I [Kansas City, Missouri: Beacon Hill Press, 1940], pp. 454, 455).

³S. R. Driver, *The Book of Genesis*, "Westminster Commentaries", editado por W. Lock, vol. I (Londres: Methuen & Company, Limited, 1911), pp. 6, 7.

[4] K. M. Yates, "Genesis", *The Wycliffe Bible Commentary*, editado por Charles Pfeiffer *et al.* (Chicago: Moody Press, 1962), p. 3.

[5] E. F. Keven, "Genesis", *The New Bible Commentary*, editado por F. Davidson (Grand Rapids: William B. Eerdmans Publishing Company, 1953), pp. 77, 78.

[6] J. B. Payne, "The Concept of 'Kinds' in Scripture", *Journal of the American Scientific Affiliation*, vol. X, n.º 2 (Junho de 1958), pp. 17-20.

[7] John Calvin, *A Commentary on the First Book of Moses Called Genesis*, traduzido para o inglês por John King, vol. I (Grand Rapids: William B. Eerdmans Publishing Company, reimpressão, 1948), pp. 66-87.

[8] H. C. Leopold, *Exposition of Genesis*, vol. I (Grand Rapids: Baker Book House,1950), pp. 79-81.

[9] U. Cassuto, *A Commentary on the Book of Genesis*, traduzido para o inglês por Israel Abrahams (Jerusalém: The Magness Press, 1961), pp. 55-57.

[10] P. Heinisch, *Theology of the Old Testament*, traduzido para o inglês por W. G. Heidt (Collegeville, Minnesota: The Liturgical Press, 1955), p. 170.

[11] A. Cohen, *The Soncino Chumash* (Hindhead, Surrey, Inglaterra: The Soncino Press, 1947), p. 8.

[12] A. J. Heschel, *The Sabbath* (Nova York: Farrar, & Straus & Young, Incorporated, 1951), pp. 3-32.

[13] F. Brown; S. R. Driver e C. A. Briggs, *A Hebrew and English Lexicon of the Old Testament* (Oxford: Clarendon Press, 1952), *ad loc.*

[14] Driver, *op. cit.*, p. 40.

[15] A. Richardson, "Genesis I—XI", *Torch Bible Commentaries* (Londres: SCM Press, Limited, 1953), p. 71.

[16] Driver, *op. cit.*, p. 44.

[17] H. Renckens, *Israel's Concept of the Beginning* (Nova York: Herder & Herder, 1964), pp. 273-277.

[18] *Ib.*, pp. 277-279.

[19] Em hebraico, o pronome singular isto (*hu*) pode designar um indivíduo.

[20] E. H. Browne, "Genesis", *The Bible Commentary*, editado por F. C. Cook, vol. I (Nova York: Charles Scribner's Sons, 1892), pp. 49-52.

[21] E. A. Speiser, "Genesis", *The Anchor Bible* (Garden City, Nova York: Doubleday & Company, 1964), pp. 32, 33.

[22] Ver Kevan, *op. cit.*, p. 83, e Yates, *op. cit.*, pp. 11, 12.

[23] Ver Speiser, *op. cit.*, pp. 45, 46.

[24] Leupold, *op. cit.*, vol. I, pp. 250-254.

[25] R. H. Elliott, *The Message of Genesis* (Nashville: Broadman Press, 1961), pp. 64, 65.

[26] A. Richardson, editor, *A Theological Word Book of the Bible* (Nova York: The Macmillan Company, 1951), *ad loc.*

[27] B. Ramm, *The Christian View of Science and Scripture* (Grand Rapids: William B. Eerdmans Publishing Company, 1955), pp. 229-249.

[28] J. C. Whitcomb e H. M. Morris, *The Genesis Flood* (Grand Rapids: Baker Book House, 1961), pp. 1, 2.

[29] *Ib.*, pp. 3-7.

[30] Browne, *op. cit.*, p. 73.

[31]E. A. Speiser, "Ethnic Divisions of Man", *The Interpreter's Dictionary of the Bible*, editado por G. A. Buttrick, vol. K-Q (Nashville: Abingdon Press, 1962), pp. 235-242.

[32]I. Asimov, *Words in Genesis* (Boston: Houghton Mifflin Company, 1962), pp. 103, 104.

SEÇÃO II

[1]C. A. Potts, *Dictionary of Bible Proper Names* (Nova York: Abingdon Press, 1922), p. 17.

[2]Speiser, "Genesis", *op. cit.*, pp. 91-94.

[3]H. E. Kyle, "The Book of Genesis", *Cambridge Bible for Schools and Colleges* (Cambridge: University Press, 1921), p. 165.

[4]R. D. Wilson, *A Scientific Investigation of the Old Testament* (Chicago: Moody Press, 1959), pp. 26, 64-66.

[5]Speiser, "Genesis", *op. cit.*, pp. 106-108.

[6]C. F. Keil e F. Delitzcsh, "The Pentateuth", *Biblical Commentary on the Old Testament*, vol. I (Grand Rapids: William B. Eerdmans Publishing Company, 1949), pp. 208, 209.

[7]G. E. Mendenhall, *Law and Covenant in Israel and the Ancient Near East* (Pittsburgh: The Biblical Colloquim, 1955), pp. 24-50.

[8]C. F. Pfeiffer, "The Book of Genesis", *Shield Bible Study Series* (Grand Rapids: Baker Book House, 1958), p. 51.

[9]J. P. Milton, *God's Covenant of Blessing* (Rode Island, Illinóis: Augustana Press, 1961), pp. 88-91.

[10]Speiser, "Genesis", *op. cit.*, p. 150. Outros estudiosos entendem que o v. 16 significa que os presentes de Abimeleque limparam a reputação de Abraão e Sara: "Diante de todos os homens vocês estão inocentados e recompensados" (BA; cf. ARA).

[11]C. F. Pfeiffer, *The Patriarchal Age* (Grand Rapids: Baker Book House, 1961), p. 110.

[12]S. Kierkegaard, *Fear and Trembling* (Londres: Oxford University Press, 1939); exposição difícil deste capítulo, mas recheado de *insights*.

[13]Driver, *op. cit.*, p. 223; Leupold, *op. cit.*, vol. II, pp. 638, 639.

[14]G. Cornfeld, *Adam to Daniel* (Nova York: The Macmillan Company, 1961), pp. 73-77.

[15]Roland de Vaux, *Ancient Israel: Its Life and Institutions* (Nova York: McGraw-Hill Book Company, Incorporated, 1961), pp. 29-32.

[16]T. Whitelaw, "Genesis", *The Pulpit Commentary*, editado por H. D. M. Spence *et al.*, vol. I (Grand Rapids: William B. Eerdmans Publishing Company, 1961), p. 296.

[17]M. H. Pope, "Oaths", *The Interpreter's Dictionary of the Bible* (Nashville: Abingdon Press, 1962), pp. 575-577.

[18]Vaux, *op. cit.*, pp. 56-61.

SEÇÃO IV

[1]C. H. Gordon, *Introduction to Old Testament Times* (Ventnor, Nova Jersey: Ventnor Publishers, Incorporated, 1953), pp. 112, 113.

[2]*Ib.*, pp. 114, 115.

[3]Speiser, *"Genesis", op. cit.*, pp. 212, 213.

SEÇÃO V

¹H. M. Buck, *People of the Lord* (Nova York: The Macmillan Company, 1966), p. 342.

²W. H. Griffith-Thomas, *Genesis* (Grand Rapids: William B. Eerdmans Publishing Company, 1946), pp. 264, 265.

³Gordon, *op. cit.*, pp. 115, 116.

⁴Skinner, *op. cit.*, pp. 388, 389, nota de rodapé.

⁵J. Paterson, "The Hurrians", *Studies Semitics et Orientalia*, vol. II (1945), pp. 113, 114.

⁶J. M. Holt, *The Patriarchs of Israel* (Nashville: Vanderbilt University Press, 1964), pp. 98-102.

⁷A. Clarke, "Genesis", *The Holy Bible with Commentary and Critical Notes*, vol. I (Nova York: Carlton & Porter, s.d.), n.º 200-202.

⁸Leupold, *op. cit.*, vol. II, p. 924.

⁹Speiser, "Genesis", *op. cit.*, p. 274.

SEÇÃO VI

¹Skinner, *op. cit.*, pp. 432-434.

²Ver C. A. Simpson, "Genesis" (Exegesis), *The Interpreter's Bible*, editado por G. A. Buttrick (Nova York: Abingdon-Cokesbury Press, 1952), vol. I, p. 746, que contém ponto de vista contrário a Speiser, "Genesis", *op. cit.*, pp. 282, 283.

SEÇÃO VII

¹Speiser, "Genesis", *op. cit.*, pp. 289, 290.

²W. Walker, *All the Plants of the Bible* (Nova York: Harper & Brothers, 1957).

³E. W. Heaton, *Everyday Life in Old Testament Times* (Nova York: Charles Scribner's Sons, 1956), pp. 77, 78; Vaux, *op. cit.*, pp. 37, 38.

⁴Keil e Delitzsch, *op. cit.*, pp. 345, 346.

⁵Kaufmann, *op. cit.*, pp. 40-52, 78-101.

⁶L. Casson *et al.*, *Ancient Egypt* (Nova York: Time, Incorporated, 1965), pp. 28-49.

⁷Leupould, *op. cit.*, pp. 1.034-1.036; Speiser, "Genesis", *op. cit.*, p. 314.

⁸S. Davis, *Race-Relations in Ancient Egypt* (Londres: Methuen & Company, 1953), pp. 74-88.

⁹P. Hamlyn, *Egyptian Mythology* (Londres: Paul Hamlyn, Limited, 1965).

¹⁰Vayx, *op. cit.*, pp. 51, 52.

¹¹Skinner, *op. cit.*, pp. 521-524.

¹²Huffman, *op. cit.*, pp. 42-44.

Bibliografia

I. COMENTÁRIOS

BROWNE, E. H. "Genesis." *The Bible Commentary*. Editado por F. C. Cook, Vol. I. Nova York: Charles Scribner's Sons, 1892.

CALVIN, John. *A Commentary on the First Book of Moses Called Genesis*. Traduzido para o inglês por J. King, Vols. I e II. Grand Rapids: William B. Eerdmans Publishing Company, reimpresso, 1948.

CASSUTTO, U. *A Commentary on the Book of Genesis*. Traduzido para o inglês por I. Abrahams, Vol. I. Jerusalém: The Magness Press, 1961.

CLARKE, A. "Genesis." *The Holy Bible with Commentary and Critical Notes*, Vol. I. Nova York: Carlton & Porter, s.d.

COHEN, A. *The Soncino Chumash*. Hindhead, Surrey, Inglaterra: The Soncino Press, 1947.

DRIVER, S. R. "The Book of Genesis." *The Westminster Commentaries*. Editado por W. Lock, Vol. I. Londres: Methuen & Company, Limited, 1911.

GRIFFITH-THOMAS, W. H. *Genesis*. Grand Rapids: William B. Eerdmans Publishing Company, 1946.

KEIL, C. F. e DELITZSCH, F. "The Pentateuch." *Biblical Commentary on the Old Testament*. Traduzido para o inglês por James Martin, Vol. I. Grand Rapids: William B. Eerdmans Publishing Company, 1949.

KEVAN, E. F. "Genesis." *The New Bible Commentary*. Editado por F. Davidson. Grand Rapids: William B. Eerdmans Publishing Company, 1953.

LANGE, J. P. "Genesis." *Commentary on the Holy Scriptures*. Traduzido para o inglês por Philip Schaff, Vol. I. Grand Rapids: Zondervan Publishing House, reimpresso, s.d.

LEUPOLD, H. C. *Exposition on Genesis*, Vols. I e II. Grand Rapids: Baker Book House, 1950.

LEWIS, T. "Genesis" (Introduction). *Commentary on the Holy Scriptures*. Traduzido para o inglês por Philip Schaff, Vol. I. Grand Rapids: Zondervan Publishing House, reimpresso, s.d.

PFEIFFER, C. F. "The Book of Genesis." *Shield Bible Study Series*. Grand Rapids: Baker Book House, 1958.

RICHARDSON, A. "Genesis I-XI." *Torch Bible Commentaries*. Editado por John Marsh *et al*. Londres: SCM Press, Limited, 1953.

RYLE, H. E. "The Book of Genesis." *Cambridge Bible for Schools and Colleges*. Editado por A. F. Kirkpatrick. Cambridge: University Press, 1921.

SIMPSON, C. A. "Genesis" (Exegesis). *The Interpreter's Bible*. Editado por G. A. Buttrick, Vol. I. Nova York: Abingdon-Cokesbury Press, 1952.

SKINNER, J. "A Critical and Exegetical Commentary on Genesis." *The International Critical Commentary*. Editado por S. R. Driver *et al.*, Vol. I. Edimburgo: T. & T. Clark, 1930.

SPEISER, E. A. "Genesis." *The Anchor Bible*. Editado por W. F. Albright *et al.*, Vol. I. Garden City, Nova York: Doubleday & Company, 1964.

WHITELAW, T. "Genesis." *The Pulpit Commentary*. Editado por H. D. M. Spence *et al.*, Vol. I. Grand Rapids: William B. Eerdmans Publishing Company, 1961.

YATES, K. M. "Genesis." *The Wycliffe Bible Commentary*. Editado por Charles Pfeiffer *et al*. Chicago: Moody Press, 1962.

II. OUTROS LIVROS

ALBRIGHT, W. F. *The Archaeology of Palestine*. Baltimore: Penguin Books, 1963.

ARCHER, G. L. *A Survey of Old Testament Introduction*. Chicago: Moody Press, 1964.

ASIMOV, I. *Words in Genesis*. Boston: Houghton Mifflin Company, 1962.

BROWN, F., DRIVER, S. R. e BRIGGS, C. A. *A Hebrew and English Lexicon of the Old Testament*. Oxford: Clarendon Press, 1952.

BUCK, H. M. *People of the Lord*. Nova York: Macmillan Company, 1966.

CASSON, L., et al. *Ancient Egypt*. Nova York: Time, Incorporated, 1965.

CORNFELD, G. *Adam to Daniel*. Nova York: The Macmillan Company, 1961.

DAVIS, S. *Race-Relations in Ancient Egypt*. Londres: Methuen & Company, 1953.

EISSFELDT, O. *The Old Testament*. Nova York: Harper & Row, 1965.

ELLIOTT, R. H. *The Message of Genesis*. Nashville: Broadman Press, 1961.

GORDON, C. H. *Introduction to Old Testament Times*. Ventnor, Nova Jersey: Ventnor Publishers, Incorporated, 1953.

GUNKEL, H. *The Legends of Genesis*. Nova York: Schocken Books, 1964.

HAMLYN, P. *Egyptian Mythology*. Londres: Paul Hamlyn, Limited, 1965.

HEATON, E. W. *Everyday Life in Old Testament Times*. Nova York: Charles Scribner's Sons, 1956.

HEINISH, P. *Theology of the Old Testament*. Collegeville, Minnesota: The Liturgical Press, 1955.

HESCHEL, A. J. *The Sabbath*. Nova York: Farrar, & Straus & Young, Incorporated, 1951.

HOLT, J. M. *The Patriarchs of Israel*. Nashville: Vanderbilt University Press, 1964.

HUFFMAN, J. A. *The Messianic Hope in Both Testaments*. Butler, Incorporated: The Higley Press, 1945.

KAUFMANN, Y. *The Religion of Israel*. Londres: George Alien & Unwin, Limited, 1961.

KIERKEGAARD, S. *Fear and Trembling*. Londres: Oxford University Press, 1939.

MENDENHALL, G. E. *Law and Covenant in Israel and the Ancient Near East*. Pittsburgh: The Biblical Colloquium, 1955.

MILTON, J. P. *God's Covenant of Blessing*. Sock Island, Illinóis: Augustana Press, 1961.

MORGAN, G. C. *The Analyzed Bible*. Nova York: Fleming H. Revell Company, 1907.

PFEIFFEL, C. F. *The Patriarchal Age*. Grand Rapids: Baker Book House, 1961.

POTTS, C. A. *Dictionary of Bible Proper Names*. Nova York: Abingdon Press, 1922.

RAMM, B. *The Christian View of Science and Scripture*. Grand Rapids: William B. Eerdmans Publishing Company, 1955.

RENCHENS, H. *Israel's Concept of the Beginning*. Nova York: Herder & Herder, 1964.

RICHARDSON, A. *A Theological Word Book of the Bible*. Nova York: The Macmillan Company, 1951.

UNGER, M. F. *Introductory Guide to the Old Testament*. Grand Rapids: Zondervan Publishing House, 1951.

VAUX, R. de, *Ancient Israel: Its Life and Institutions*. Nova York: McGraw-Hill Book Company, 1961.

WALKER, W. *All the Plants of the Bible*. Nova York: Harper & Brothers, 1957.

WELLHAUSEN, J. *Prolegomena to the History of Israel*. Edimburgo: Adam & Charles Black, 1885.

WHITCOMB, J. C. e MORRIS, H. M. *The Genesis Flood*. Grand Rapids: Baker Book House, 1961.

WILEY, H. Orton. *Christian Theology*, Vol. I. Kansas City, Missouri: Beacon Hill Press of Kansas City, 1940.

WILSON, R. D. *A Scientific Investigation of the Old Testament*. Chicago: Moody Press, 1959.

WRIGHT, G. E. *Biblical Archaeology*. Filadélfia: The Westminster Press, 1957.

III. ARTIGOS

DOSKER, H. E. "Day." *The International Standard Bible Encyclopedia*. Editado por James Orr *et al.*, vol. II (Grand Rapids: William B. Eerdmans Publishing Company, reimpresso, 1949), pp. 787-789.

PATERSON, J. "The Hurrians." *Studia Semitica et Orientalia*, vol. II, pp. 113, 114.

PAYNE, J. B. "The Concept of 'Kings' in Scripture." *Journal of the American Scientific Affiliation*, vol. X, n.º 2 (Junho de 1958), pp. 17-20.

POPE, M. H. "Oaths." *Interpreter's Dictionary of the Bible*. Editado por G. A. Buttrick *et al.*, vol. K-Q (Nova York: Abingdon Press, 1962), pp. 575-577.

SPEISER, E. A. "Ethnic Divisions of Man." *The International's Dictionary of the Bible*, vol. E-J, pp. 234-242.

YOUNG, E. J. "The Interpretation of Genesis 1:2." *Westminster Theological Journal*, XXIII (Maio de 1961), pp. 151ss.

O Livro de
ÊXODO

Leo G. Cox

Introdução

Êxodo recebe seu nome pela Septuaginta, uma tradução grega do Antigo Testamento em uso nos dias de Jesus Cristo. O título hebraico era somente as primeiras palavras do texto: "Estes, pois, são os nomes dos filhos de..." (1.1).[1] A palavra *êxodo* dá o tema da primeira metade do livro, visto que denota grande quantidade de pessoas saindo de uma região. A última metade do livro descreve o estabelecimento das instituições, das leis e da adoração em Israel.

A. Autor e Data

O texto é bastante claro ao indicar que o autor foi testemunha ocular dos acontecimentos descritos no livro. As vívidas descrições das pragas do Egito, das trovoadas no monte Sinai e do maná no deserto requerem a presença de uma testemunha. Os detalhes minuciosos relacionados com as fontes de água e as palmeiras em Elim, as duas tábuas de pedra, a adoração do bezerro de ouro e muitos outros elementos apontam uma testemunha ocular.[2] Considerando que há pouca ou nenhuma evidência de adições posteriores ao livro, presumimos com segurança que o escritor de Êxodo compôs o material durante ou logo após as experiências registradas no livro.

Tomando como certo que um israelita contemporâneo aos fatos tenha escrito as narrativas em Êxodo, é fácil deduzir que Moisés foi o autor. O autor não poderia ter sido um israelita comum; ele era altamente talentoso, educado e culto. Quem estava mais bem preparado entre todos estes escravos que Moisés? Jesus afirmou que a lei foi escrita por Moisés (Mc 1.44; Jo 7.19-22); seus discípulos também atestaram este fato (Jo 1.45; At 26.22). Há evidências internas no próprio livro de que Moisés escreveu certos trechos (17.14; 24.4). Connell escreve: "Nada no livro entra em conflito com a afirmação de Moisés ser o autor. A menção freqüente do nome de Moisés na terceira pessoa tem paralelos nos livros de Isaías e Jeremias. Além disso, o registro do seu chamado no capítulo 3 contém as mesmas marcas de autenticidade que as narrativas desses profetas".[3]

A alta crítica contesta a afirmação de Moisés ter escrito o Pentateuco e assevera que estes livros são compilação de documentos escritos em diversas épocas posteriores. Esta posição radical, que nega a autoria mosaica do Livro da Lei, não é tão amplamente defendida hoje como foi outrora. "Embora muitos estudiosos liberais ainda questionem a autoria mosaica do Pentateuco, achados arqueológicos dão a estudiosos de todas as formações teológicas um respeito maior pela historicidade dos acontecimentos que descreve".[4] À luz da pesquisa atual, não há razão sólida para abandonar a visão tradicional de Moisés ter escrito Êxodo durante a peregrinação no deserto.

A verdadeira data do êxodo do Egito e da doação da lei é um problema que, durante séculos, os estudiosos ainda não solucionaram. As datas sugeridas vão de 1580 a.C. a 1230 a.C. Achados arqueológicos "sugerem data em algum ponto do século XIII", embora esta afirmação conflite com a data apresentada em 1 Reis 6.1. O caso "não é questão de doutrina, mas questão de esclarecimento histórico".[5]

B. Conteúdo

O material encontrado em Êxodo segue com naturalidade a narrativa do Livro de Gênesis. A palavra "pois" (1.1) une esta narrativa com o relato que a antecede. O material em Êxodo não teria sentido sem os relatos de Gênesis. Depois de breve referência ao que vem antes, o autor descreve uma mudança da situação. O povo de Deus, outrora convidado e protegido de Faraó, tornou-se uma nação de escravos. Jeová incumbe-se de libertar o povo dos que o oprimem e fazer dele uma nação governada pelas instituições e leis de Deus dadas por revelação divina. O Êxodo é um quadro das grandiosas operações de Deus, redimindo e criando um povo para si mesmo.

O tema de Êxodo é claramente a redenção pelos atos poderosos de Deus. O líder de Israel é o Todo-poderoso que opera em seu servo Moisés e por meio dele. A tarefa de libertação parecia impossível, mas Deus a realizou com mão poderosa. O estabelecimento deste povo difícil em nova pátria como nação religiosa mostra-se impraticável, mas o livro termina com o triunfo da graça de Deus. O foco está no caráter de Deus que é aquele que se revela como poderoso e justo e, ao mesmo tempo, terno e perdoador. Israel rememoraria estes acontecimentos por estas páginas da história, e veria — talvez com mais clareza do que o Israel do Êxodo — o Deus que se revelou a seu povo.

O propósito em escrever o livro é evidente. Esta narrativa dos atos de Deus em libertar seu povo do Egito e de lhe dar leis e instituições seria lembrança constante do interesse especial de Deus por Israel e fator de união na adoração. Israel nunca poderia ter se tornado e permanecido como povo cujo Deus é o Senhor sem a consciência destas ocorrências divinas na história de sua existência. Recontar estes eventos gerou fé nas gerações posteriores de Israel. Estes mesmos eventos são espiritualizados na grande redenção feita por Jesus Cristo na cruz do Calvário. Os cristãos olham estas manifestações divinas como símbolos da obra de Deus a favor deles em Cristo (ver Jo 1.29; Hb 8.5; 10.1).

Esboço

I. **A Opressão no Egito**, 1.1—11.10

  A. Introdução, 1.1-22
  B. A Preparação do Libertador, 2.1—4.31
  C. O Prelúdio para a Libertação, 5.1—7.13
  D. As Pragas do Egito, 7.14—11.10

II. **Libertação e Vitórias**, 12.1—18.27

  A. A Páscoa, 12.1-36
  B. O Êxodo, 12.37—15.21
  C. A Viagem para o Monte Sinai, 15.22—18.27

III. **O Concerto no Monte Sinai**, 19.1—24.18

  A. O Concerto Proposto por Deus, 19.1-25
  B. Os Dez Mandamentos, 20.1-17
  C. O Medo do Povo, 20.18-20
  D. As Leis do Concerto, 20.21—23.33
  E. A Ratificação do Concerto, 24.1-18

IV. **A Instituição da Adoração a Deus**, 25.1—40.38

  A. A Planta do Tabernáculo, 25.1—31.18
  B. A Quebra e a Restauração do Concerto, 32.1—34.35
  C. A Construção do Tabernáculo, 35.1—38.31
  D. A Confecção das Roupas, 39.1-31
  E. Os Trabalhos Prontos São Apresentados a Moisés, 39.32-43
  F. A Montagem do Tabernáculo, 40.1-33
  G. A Dedicação Divina, 40.34-38

Seção I

A OPRESSÃO NO EGITO

Êxodo 1.1—11.10

A. Introdução, 1.1-22

1. *O Crescimento de Israel no Egito* (1.1-7)
O escritor de Êxodo liga este livro diretamente ao precedente com a palavra **pois** (1). Moisés não está contando outra história, mas está acrescentando outro capítulo da vida do povo de Deus. Todas as revelações de Deus estão conectadas com as últimas revelações cumprindo as primeiras.

a) *De um começo pequeno* (1.1-5). **Estes, pois, são aos nomes dos filhos de Israel, que entraram no Egito** (1). Deus conhece seus filhos, quer sejam numerosos ou não. Deus repete o nome de seus filhos muitas vezes (ver 6.14-26; Gn 35.23-26; 46.8-26) para enfatizar o interesse que Ele tem por eles e o desejo de que as gerações futuras fiquem familiarizadas com Ele.

Cada um dos filhos de Jacó foi para o Egito **com sua casa**. Ninguém foi deixado para trás. As onze pessoas aqui nomeadas (2-4) junto com **José** (5), que já **estava no Egito**, compõem a família de Jacó de doze filhos. Com exceção de um, todos os seus filhos nasceram durante o período em que o patriarca morou nas proximidades de Harã (ver Mapa 1) com o sogro Labão. Benjamim, o mais novo, nasceu na viagem para Canaã (Gn 35.23-26). Jacó levou toda sua família para o Egito a fim de estar com José. O número total de **almas**, ou pessoas, foi **setenta**, todas sendo descendentes diretas de Jacó. É provável que havia outros indivíduos nas casas que não **descenderam de Jacó**. O clã de Abraão continha 318 homens adultos (Gn 14.14), e segundo este mesmo princípio, o número das várias famílias com seus respectivos servos que entraram no Egito poderia ter chegado a milhares de pessoas.¹ Mesmo assim, houve tremendo crescimento de Israel no Egito, ainda que contado com base em um começo dessa extensão.

b) *Os líderes morrerão* (1.6). Os pais e líderes têm de morrer; este é o modo de vida na terra. **José** faleceu e **todos os seus irmãos** (6). Aqueles de quem muito dependemos, no final das contas, partirão. O crescimento é dependente da morte. "Se o grão de trigo, caindo na terra, não morrer, fica ele só; mas, se morrer, dá muito fruto" (Jo 12.24). Uma geração passa para outra assumir o lugar. É assim com o povo de Deus como também com as demais pessoas do mundo.

c) *O cumprimento da promessa de Deus* (1.7). **Os filhos de Israel frutificaram, e aumentaram muito**. Ainda que os homens que Deus escolheu morram, Ele cuida dos filhos que ficam. Deus prometeu para Abraão que lhe aumentaria a semente (Gn 12.2; 15.5; 17.1-8) e aqui, no Egito, esta promessa foi cumprida. Quando Israel saiu do Egito o total computava cerca de 600.000 homens, além das mulheres e crianças (12.37). Levando-se em conta o tempo decorrido, não se tratava necessariamente de crescimento incomum.² Mas considerando o ambiente hostil, esse aumento mostrava a providência especial de Deus.

O que Deus prometeu ao gênero humano na criação (Gn 1.28) agora estava tendo cumprimento na sua família escolhida. As palavras **aumentaram muito** provêm do hebraico que significa "abundar ou enxamear" como se dá com os insetos e na vida marinha (ver Gn 1.20; 7.21).³ Os israelitas não somente eram muito numerosos, mas **foram fortalecidos grandemente**. É lógico que esta expressão indica saúde e vigor. Moisés reconheceu esta providência graciosa quando escreveu: "Siro miserável foi meu pai, e desceu ao Egito, e ali peregrinou com pouca gente; porém ali cresceu até vir a ser nação grande, poderosa e numerosa" (Dt 26.5).

A terra que **se encheu deles** diz respeito a Gósen, onde Jacó e seus filhos se instalaram (Gn 47.1,4-6,27). Não há dúvida de que com o passar do tempo eles cresceram a ponto de este lugar se tornar pequeno demais, levando-os a se relacionar com os egípcios em outras regiões do país. O aumento numérico logo chamou a atenção do rei.

2. *A Escravização de Israel no Egito* (1.8-14)

a) *Favores esquecidos* (1.8). As breves palavras: **Um novo rei... que não conhecera a José**, transmitem muita história. O desempenho de José na preservação do Egito foi apreciado por seus contemporâneos. Agora uma nova dinastia, como provavelmente significam estas palavras, assumiu o poder no Egito. A dinastia dos hicsos reinou no Egito de aproximadamente 1720 a.C. até 1570 a.C. Estes reis eram estrangeiros e foram expulsos por este **novo rei**. Parece que a nova dinastia, a décima oitava, odiava todos os povos associados com os reis anteriores, sobretudo os hebreus.⁴ O novo rei desconhecia José e não se importava com o passado do Egito.

Esquecer José também significava esquecer Deus. Ao desconsiderar o povo de Deus, Faraó fixou a mente e o coração contra Jeová. É comum a recusa em se lembrar do passado resultar em rebelião presente. Todo aquele que fixa o rosto contra Deus terá dias infelizes.

b) *Opressão desculpada* (1.9,10). Homens maus buscam razões para justificar seus caminhos diante de outros homens e a seus próprios olhos. Este novo rei exagerou o problema dizendo que **o povo... é muito e mais poderoso do que nós** (9). Amedrontava-lhe o aumento numérico dos israelitas e a força que possuíam. O favor de Deus para com seu povo despertou ciúmes no rei.

O monarca temia a possibilidade de Israel se unir com os **inimigos** do Egito em uma guerra (10). Não há evidências de Israel ter intenções bélicas, mas é surpreendente o mal que o coração carnal pode ler nas intenções de outros homens.

Na mente do rei, o maior desastre seria o povo sair da terra (10, ARA). É possível que todos soubessem a esperança de Israel se estabelecer na Palestina. Se Faraó temia a presença desse povo no Egito, por que não o mandou sair em vez de procurar destruí-lo (16,22)? Possivelmente porque tinha medo que se tornasse uma nação forte naquela região.

c) *Crueldade engendrada* (1.11,13,14). A sabedoria mundana sabe inventar métodos cruéis. O rei queria debilitar o poder dos israelitas, quebrando-lhes a vontade como grupo e levando-os a se tornar como os egípcios. De acordo com avaliações posteriores (Js 24.14; Ez 20.7-9), alguns israelitas fizeram exatamente isso. Sob circunstâncias normais, tais métodos teriam cumprido o desígnio do rei.

Os **maiorais de tributos** (11) eram supervisores gerais cujos métodos tiranos eram famosos. Provavelmente alguns desses chefes de serviços fossem israelitas (5.14). "Há [...] lugar para pensar que eles os faziam trabalhar desumanamente e, ao mesmo tempo, os obrigava a lhes pagar exorbitante tributo."[5] **Cidades de tesouros** eram "cidades-armazéns" onde eram armazenados provisões e armamentos.

As tarefas para os israelitas ficaram muito amargas **com dura servidão** (14). Pelo visto, **o trabalho no campo** refere-se a projetos de irrigação ou ao cuidado dos rebanhos do governo,[6] ou possivelmente a levar tijolos para os lugares de construção.[7] A escravidão era tão cruel quanto o homem podia torná-la sem infligir a morte.

d) *Intenções contrariadas* (1.12). Quando Deus interfere em prol do seu povo, os maus desígnios dos homens não têm sucesso: **Quanto mais os afligiam, tanto mais se multiplicavam e tanto mais cresciam**. Trata-se de reversão da lei natural, mas semelhante intervenção divina frustrou muitas vezes os perseguidores do povo de Deus. Ao conceder favor especial ao seu povo, Deus neutralizava o poder tirânico. Não houve libertação da escravidão, mas nas pessoas permanecia vigor e força.

Estes resultados incomuns confundiam os maiorais de tributos. Não conseguiam entender o que estava acontecendo, **de maneira que se enfadavam** — "por isso os egípcios passaram a temer os israelitas" (NVI). "Havia algo sinistro e enervante na situação."[8] Este ambiente só fazia aumentar o medo e a crueldade.

3. *Ameaça à Existência de Israel* (1.15-22)

O escritor de Êxodo está compondo o cenário para o nascimento e proteção milagrosa de Moisés. A reação dos israelitas confundiu o maldoso rei do Egito e seus conselheiros, que tiveram de recorrer a métodos mais severos para debilitar Israel.

ÊXODO 1.15—2.1   A OPRESSÃO NO EGITO

As ações de Faraó e seus conselheiros ilustram a "A Crescente Ousadia do Mal". 1) A opressão geral do bem, 8-14; 2) O assassinato secreto dos inocentes, 15-21; 3) O extermínio total e franco da vida, 22.

a) *A anulação da trama secreta* (1.15-21). Considerando que Israel se multiplicou mesmo sob dura escravidão, o rei decidiu atacar o segredo da força: os bebês do sexo masculino. A fim de evitar publicidade, ele se serviu da cooperação das **parteiras das hebréias** (15) para que matassem os meninos ao nascerem. Talvez estas parteiras fossem egípcias designadas exclusivamente às hebréias.[9] As duas parteiras nomeadas eram provavelmente chefes de uma instituição de parteiras, visto que duas não dariam conta de todo o Israel.[10] O propósito do rei era aniquilar os meninos e misturar as meninas na população egípcia. Este plano acabaria com Israel como nação. **Os assentos** (16) eram tamboretes ou banquinhos próprios para o parto, sendo comuns no Egito, Mesopotâmia e entre os hebreus.

Mais uma vez Deus frustrou a intenção do rei. Estas parteiras **temeram a Deus** (17) e não obedeceram à ordem do monarca. A influência israelita sobre os vizinhos foi eficaz. A razão que as parteiras deram ao rei era verdadeira: **as mulheres hebréias... são vivas** (19); elas davam à luz antes que a ajuda das parteiras chegasse. Dessa forma, Deus protegeu as mães hebréias e deu às parteiras uma desculpa satisfatória ao rei. "A fé em Deus capacita os homens a dar uma razão para não errarem."[11] Deus honrou estas parteiras com **casas** (21; "família", ARA). É possível que tenham se casado com israelitas e se tornado membros do povo escolhido de Deus.[12]

b) *A abertura da ameaça* (1.22). Quando os homens lutam contra Deus, acabam chegando às raias do desespero. O rei do Egito não sabia mais o que fazer. Por duas vezes tentou reduzir a força de Israel e fracassou. Tinha de tomar medidas drásticas. Era imperativo que abrisse o jogo e exigisse o extermínio dos hebreus.

Desta vez, não precisava somente da ajuda dos maiorais de tributos ou das parteiras. Faraó encarregou todos os egípcios com a ordem de afogar os bebês do sexo masculino. No versículo 22, no original hebraico, não ocorre as palavras "aos hebreus", mas estão subentendidas (cf. ARA). Por esta época, os israelitas estavam mais espalhados entre o povo do Egito do que quando estavam concentrados na terra de Gósen. Estavam mais vulneráveis. Sem a providência de Deus, este decreto teria acabado com Israel.

O capítulo 1 retrata como "Deus Guarda o seu Povo": 1) Quando pouco em número, 5-7; 2) Quando sob opressão, 8-14; 3) Quando ameaçado de extinção, 15-22.

B. A PREPARAÇÃO DO LIBERTADOR, 2.1—4.31

1. *O Nascimento, Proteção e Disciplina de Moisés* (2.1-25)

Da perspectiva humana, o opressor egípcio fizera um édito que implicava na extinção de Israel. Se todos os meninos fossem afogados no rio, como uma nação sobreviveria? Com a supervisão de todo o povo para cumprir este desígnio mau, não havia jeito humano de resistência. Parecia que o fim chegara.

a) *A providência secreta de Deus* (2.1-10). Deus tinha um homem e uma mulher da **casa de Levi** (1) em quem poderia confiar um segredo. Moisés não era o primeiro filho do casal, pois a irmã Miriã tinha idade o suficiente para cuidar do irmão (4; Nm 26.59). Além disso, o irmão de Moisés, Arão, era três anos mais velho que ele (6.20; Nm 26.59). Parece que o édito do rei entrou em vigor depois do nascimento de Arão, sendo Moisés o primeiro filho deste casal cuja vida estava em perigo por causa da proclamação do rei.

A fé dos pais (Hb 11.23) é claramente ilustrada quando a mãe viu que **ele era formoso** e **escondeu-o três meses** (2). Depois, ela o colocou em uma **arca** e a **pôs nos juncos à borda do rio** (3). A fé sempre resulta em ação, mesmo quando a ação é arriscada. Vivendo pela fé, a mãe também mostrou inteligência. Ela colocou o bebê num lugar do rio onde a princesa do Egito normalmente freqüentava. Também dispôs que a filha ficasse em um ponto estratégico para fazer a pergunta certa no momento certo (4,7). **Para saber** (4) ou observar. Também foi ato de fé a mulher hebréia entregar o filho nas mãos da princesa egípcia. Esta mãe, como ocorreu mais tarde com Ana e Maria, estava convencida de que seu filho era escolhido de Deus e estava disposta a entregá-lo à providência divina.

A graça de Deus está revelada na **compaixão** mostrada pela filha de Faraó (6). Mesmo quando os homens maus fazem o pior que podem, Deus, por seu gracioso poder, coloca boa vontade e amor tenro no coração das pessoas que estão perto do tirano. Mal sabia o rei ímpio que Deus estava executando seu plano secretamente, mesmo quando parecia que o monarca mundano estava tendo sucesso. Também é interessante notar que, para criar o próprio filho, a mãe hebréia foi paga com parte do dinheiro de Faraó (9). Este é outro exemplo de que a ira do homem é posta para louvar a Deus.

É certo supor que **Moisés** (10) foi criado como príncipe egípcio e recebeu a melhor educação possível para um jovem daqueles dias. O nome, **Moisés**, era lembrança constante de sua origem, pois o significado hebraico é "tirado para fora" e o significado egípcio é "salvo da água" (VBB, nota de rodapé). Pelo que deduzimos, as primeiras palavras da mãe produziram fruto que se manteve vivo no coração do rapaz. Em seu interior se desenvolveu um senso de justiça e um ódio da injustiça que acabaram brotando em suas ações posteriores.

b) *As ações prematuras de Moisés* (2.11-15). As injustiças que os israelitas sofriam deram a Moisés um senso de missão. Quando tinha idade para agir por conta própria, examinou pessoalmente a carga que seus irmãos suportavam. Quando **viu que um varão egípcio feria a um varão hebreu** (11), seu desejo de ajudar o povo veio à tona. Percebeu que tinha razão em punir o malfeitor, ainda que soubesse que tal ação seria perigosa. **Feriu ao egípcio** (12), matando-o, depois de se certificar de que ninguém estava olhando. Moisés não tinha autoridade do Egito para corrigir estes males, e Deus ainda não o comissionara. Agindo por conta própria, entrou em dificuldades.

No dia seguinte, quando tentou resolver uma diferença entre dois hebreus, Moisés ficou sabendo que o assassinato do **egípcio** fora **descoberto** (14). Também ficou sabendo que havia injustiça entre seus irmãos. O povo que não apoiava o homem que queria ajudá-lo ainda não estava preparado para ter um libertador. E um autodesignado **maioral** (ou "príncipe", ARA) e **juiz** também não estava preparado para ser o libertador. Moisés teve de esperar o tempo de Deus para receber mais instruções de uma Autoridade superior. O rei logo tomou conhecimento do que Moisés fizera, mas antes de Faraó agir, Moisés **fugiu** para a terra de Midiã (15; ver Mapa 3), onde quarenta anos depois (At 7.30) seria comissionado.

c) *Moisés em Midiã* (2.16-25). Os midianitas eram descendentes de Quetura e Abraão (Gn 25.1-4). Habitavam pelas redondezas do monte Sinai, na península do Sinai a leste do Egito, do outro lado do mar Vermelho. Esta montanha também era conhecida por "Horebe" (3.1).[13] **O sacerdote de Midiã** (16) chamava-se **Reuel** (18), que significa "amigo de Deus".[14] Em outros pontos do texto, é conhecido por Jetro (*e.g.*, 3.1; 4.12). Tinha sete filhas que apascentavam as ovelhas do pai, mas que passavam maus momentos com os pastores que maltratavam as moças. Moisés, sempre pronto a ajudar os desvalidos, levantou-se para socorrê-las. O texto não fala como conseguiu lidar sozinho com o grupo de pastores, mas conseguiu mantê-los afastados enquanto as moças davam de beber ao **rebanho** (17). Em conseqüência desta bondade, Moisés achou uma casa e uma esposa (21). Aqui se tornou pai do primeiro filho **em terra estranha** (22). O nome Gérson "não sugere apenas 'estranho', mas indica exílio, banimento" (VBB, nota de rodapé).

Durante o tempo da permanência de Moisés em Midiã, o povo oprimido no Egito sentiu mais intensamente o peso esmagador da escravidão (23). Os líderes do Egito tinham recorrido à **servidão** cruel para manter os hebreus em sujeição, descontinuando a política de matar os recém-nascidos do sexo masculino.

Mas Deus estava cuidando dos seus. Ele ouviu o **gemido** do povo e se lembrou do **concerto** (24). Deus adiou a libertação de Israel até que Moisés e Israel estivessem prontos. Moisés precisava das disciplinas do deserto, e o desejo de Israel por liberdade precisava aumentar. A escravidão continuada no Egito uniu o povo de Israel no desejo por liberdade e na fé de que só Deus podia livrá-lo. Deus ouve os clamores do seu povo, mas espera até "a plenitude do tempo" para dar a vitória. **Conheceu-os Deus** (25) significa "Deus se preocupava com eles" (VBB).

2. *O Chamado e a Comissão de Moisés* (3.1—4.17)

a) *A sarça ardente* (3.1-6). De acordo com Estêvão (At 7.23), Moisés tinha quarenta anos quando matou o egípcio, e, depois de outros quarenta anos, ele encontrou o Senhor na sarça ardente (At 7.30). Depois deste período no deserto, Deus viu que seu povo e Moisés estavam prontos para o milagre de libertação. Aqui, o sogro de Moisés recebe o nome **Jetro** (1), embora seja possível que Jetro fosse o filho de Reuel e, portanto, cunhado de Moisés.[15] Ainda pastor, Moisés estava nas proximidades de **Horebe**, o **monte de Deus** (1), também chamado Sinai (ver Mapa 3). É provável que **Horebe** fosse o nome dado à cadeia de montanhas, ao passo que Sinai dissesse respeito a um grupo menor ou a um único cume.[16]

Os estudiosos da Bíblia consideram que o **anjo do SENHOR** (2) na sarça ardente seja Cristo pré-encarnado,[17] embora o Novo Testamento nunca use essa expressão para se referir a ele. Na Bíblia, uma chama de fogo simboliza a presença de Deus (Hb 12.29). Este fato despertou a curiosidade de Moisés, momento em que Deus falou com ele. Então, **encobriu o seu rosto, porque temeu olhar para Deus** (6). Ele não podia ficar em pé levianamente na presença de Deus, e aprendeu que a presença divina santifica o lugar onde Ele aparece (5).

A OPRESSÃO NO EGITO   ÊXODO 3.6-14

Nos versículos 1 a 6, vemos o tema "O Servo de Deus". 1) O emprego no qual se engajou, 1; 2) A visão que testemunhou, 2; 3) A resolução que fez, 3; 4) A proibição que recebeu, 5; 5) O anúncio que ouviu, 6.[18]

b) *O plano divino* (3.7-10). Deus se envolveu na situação difícil do seu povo. Ele disse: **Tenho visto atentamente, tenho ouvido** e **conheci** (7). Pode ter esperado muitos anos, mas sabia o tempo todo. Estas palavras garantem que Deus ouve atentamente os clamores de tristeza e conhece os apuros humanos.

Deus sempre está agindo no mundo, "porque nele vivemos, e nos movemos, e existimos" (At 17.28). Interfere na história em ocasiões especiais para se revelar e realizar sua vontade. Ele disse a Moisés que desceu para livrar seu povo do Egito (8). Havia um lugar preparado para eles numa terra **boa, larga** e **que mana leite e mel**. Esta descrição não significa que Canaã era mais fértil que o Egito, mas que era uma terra boa, frutífera e suficientemente espaçosa para Israel. Tratava-se de uma terra identificada pelos nomes dos povos cuja iniqüidade estava cheia, tendo de renunciar a terra a favor dos escolhidos de Deus (Gn 15.16-21).[19]

Embora Deus pudesse ter livrado Israel diretamente por uma palavra, preferiu fazer sua obra por seu servo. Disse Deus a Moisés: **Eu te enviarei a Faraó** (10). Este homem, outrora autodesignado libertador, tinha de ir à presença do orgulhoso rei e tirar Israel do Egito sob a direção de Deus.

Identificamos "O Envolvimento de Deus com o seu Povo" em cinco declarações: 1) **Tenho visto atentamente**, 7; 2) **Tenho ouvido**, 7; 3) **Conheci**, 7; 4) **Desci**, 8; 5) **Eu te enviarei**, 10.

c) *As instruções divinas* (3.11-22). A princípio, Moisés contestou o plano de Deus usá-lo. Viu: a) sua incapacidade: **Quem sou eu?**; e b) a impossibilidade da tarefa: **E tire do Egito os filhos de Israel?** (11). O príncipe que há quarenta anos era confiante em si mesmo agora temia a tarefa. Era mais sábio no que concerne à capacidade humana de ocasionar a libertação, mas ainda tinha de aprender o poder de Deus. Como é freqüente hesitarmos quando olhamos para nós mesmos — ato que devemos fazer —; mas não precisamos ter medo quando olhamos para Deus!

Certamente eu serei contigo (12) sugere que quando Deus escolhe um mensageiro, Ele não se baseia na habilidade do indivíduo, mas na submissão deste à vontade de Deus. Deus assegurou a Moisés que ele e o povo serviriam **a Deus neste monte** depois que Israel fosse libertado do Egito. A expressão: **Isto te será por sinal**, está corretamente traduzida.

Moisés percebeu que, como porta-voz de Deus, ele tinha de convencer o povo. As pessoas perguntariam: Quem é este Deus que está te enviando? **Qual é o seu nome?** (13). Os deuses egípcios tinham nomes, e as pessoas iam querer saber o nome do Deus delas.

Aqui em Horebe, Deus disse: EU SOU O QUE SOU (14). O original hebraico é uma forma da palavra *Yahweh* (Jeová). O tempo é indefinido, podendo significar igualmente o passado, o presente ou o futuro.[20] Deus "se revelou a Moisés não como o Criador — o Deus de poder — Elohim, mas como o Deus pessoal de Salvação, e tudo o que contém o 'eu sou' será manifestado pelos séculos por vir".[21] Este nome também revelou sua eternidade — Ele era **o Deus de vossos pais** e este seria seu **nome eternamente**: Seu **memorial de**

geração em geração (15). Mais tarde, este Ser divino disse que seria ele aquele "que é, e que era, e que há de vir, o Todo-poderoso" (Ap 1.8). É evidente por Gênesis 4.26 (onde *Yahweh* é traduzido por "o SENHOR") que aqui Moisés recebeu uma explicação de um nome há muito conhecido (cf. tb. 6.3 e os comentários feitos ali).

Moisés foi comissionado a reunir **os anciãos de Israel** (16), informá-los quem era Deus e que Ele ouvira os clamores do povo. Ele falaria que Deus prometeu libertar os israelitas do Egito e lhes dar por herança a **terra** de Canaã (17; cf. CBB, vol. II). Deus disse a Moisés que o povo lhe daria ouvidos (18). As pessoas concordariam em levar a petição ao rei.

Pedir uma viagem **de três dias** para sacrificar ao **SENHOR** (18) era um teste da disposição de Faraó em cooperar com Deus. "É indubitável que havia reticência [retenção de informação] aqui, mas não falsidade."²² Deus deu a Faraó todas as chances para cooperar com Ele. Mas Ele sabia que o rei não concordaria, nem mesmo **por uma mão forte** (19). Deus sabe tudo, até o que Ele não faz por decreto.

Deus prometeu fazer grandes **maravilhas** no Egito, para que, no fim, Israel tivesse permissão de sair (20). Quando saíssemos, **cada mulher** deveria pedir haveres dos egípcios (22), que mostrariam **graça** a estas pessoas (21) dando dos seus tesouros. Considerando que estavam escravizados por longo tempo, os israelitas tinham direitos a esta remuneração. Desta forma, Israel despojaria o Egito (22).

Nos versículos 14 a 22, há uma revelação de "O Deus Eterno": 1) Ele revela seu nome, 14-16; 2) Ele mostra seu plano, 17,18; 3) Ele assegura seu poder, 19-22.

d) *Os sinais divinos* (4.1-9). Moisés era muito humano, e sua fé ainda estava fraca. Ele disse acerca dos hebreus: **Eis que me não crerão** (1). Deus então pacientemente lhe deu mais garantias. Usando o cajado comum de pastor, Deus deu provas do seu poder sobrenatural (2,3) transformando a **vara** em **cobra**.

O segundo sinal para Moisés foi a **mão** que ficou **leprosa** (6,7). Se as pessoas não cressem no primeiro nem no segundo sinal, creriam no terceiro: a transformação das **águas do rio** em **sangue** quando fossem despejadas em **terra seca** (9).

Além do caráter miraculoso, estes sinais ensinavam lições importantes. A **vara**, símbolo do pastor ou trabalhador comum, quando entregue a Deus se torna maravilha e poder. A lepra, símbolo do pecado e corrupção no Egito, pode ser curada imediatamente pelo poder de Deus. O sangue, sinal de guerra e julgamento, garantia vingança pela maldade dos egípcios.²³

e) *O método divino* (4.10-17). Depois de receber estes sinais, Moisés tinha todos os motivos para aceitar a tarefa de Deus e crer em sua palavra. Mas ainda não estava propenso a obedecer, dando mais uma desculpa: **Sou pesado de boca e pesado de língua** (10). Moisés não sentiu mudança alguma embora tivesse falado com Deus; ainda se sentia **pesado de boca**. Mas Deus lhe assegurou que a vitória seria dada por meio de Moisés (11,12), mesmo quando prometeu vencer o problema da incredulidade do povo. Moisés, porém, não estava convencido; a verdade é que ele não queria ir para o Egito. O significado do versículo 13 é: "Ah! Senhor! Envia outra pessoa" (cf. ARA).

Por causa disso, **se acendeu a ira do SENHOR contra Moisés** (14). Mas, o único castigo dado a Moisés foi o compartilhamento de liderança com Arão, seu irmão. Arão seria a **boca** (16), ou o porta-voz, e Moisés seria **Deus**, ou o profeta. Moisés parece que concordou com este arranjo, pois suas objeções cessaram. Deus respondeu a todos os receios deste homem. Mas o arranjo foi secundário em termos de qualidade e perfeição. Arão mostrou-se ser muito mais um obstáculo que uma ajuda (*e.g.*, 32.1-25; Nm 12.1,2). O segredo do sucesso de Moisés foi levar **esta vara** na **mão** (17). Neste capítulo, levar "A Vara de Deus" significa: 1) A rendição completa de si mesmo a Deus, 2-4; 2) O meio pelo qual as pessoas reconheceriam a presença de Deus, 5; 3) O canal pelo qual Deus mostraria seu poder, 17.

3. *A Volta de Moisés para o Egito* (4.18-31)

a) *A prestação de contas* (4.18-20). **Moisés**, agora submisso ao plano de Deus, primeiramente foi obter permissão de Jetro para ir embora e voltar ao **Egito** (18). Não lhe apresentou todas as razões para a mudança, mas o motivo que deu foi suficiente para obter aprovação. Seus **irmãos** eram as pessoas de sua nação, os israelitas. Jetro disse: **Vai em paz**. Deu liberdade a Moisés e, assim, não pôs impedimento ao plano de Deus.

Deus garantiu que as pessoas que procuravam a vida de Moisés estavam mortas (19). Moisés começou a viagem com sua **mulher** e dois **filhos** (20; cf. 18.3,4), embora pareça que depois do episódio da circuncisão (24-26), ele os tenha mandado de volta a Jetro (18.2) e prosseguido sozinho com Arão (29). É lógico que as palavras **tornou à terra do Egito** (20) é uma declaração geral que teve cumprimento no versículo 29. Pode ser traduzida por: "Pôs-se a voltar para a terra do Egito".[24]

b) *A repetição da mensagem* (4.21-23). Deus instruiu Moisés mais uma vez que, quando chegasse ao **Egito**, executasse as maravilhas **diante de Faraó**. Deus também lhe disse que endureceria o **coração** de Faraó para que o rei não deixasse **o povo** ir (21; ver comentários em 7.13 acerca do endurecimento do coração de Faraó). A vitória de Deus sobre este tirano não seria rápida, mas a vitória final seria do Senhor (cf. 3.20). Deus deu todas as oportunidades para Faraó obedecer. Logo o Senhor lhe avisaria que, visto que Israel era o **primogênito** (22) de Deus, a recusa em obedecer significaria morte aos primogênitos do rei (23). Pouco a pouco ficaria claro para Faraó que ele estava oprimindo o povo de Deus e a recusa era rebelião contra o Deus Todo-poderoso.

c) *A disciplina para Moisés* (4.24-26). Estes três versículos são difíceis de interpretar. Embora Moisés estivesse obedecendo a Deus ao voltar para o Egito, algo estava errado. Deus instituíra o rito da circuncisão para todos os filhos de Israel. Parece que Moisés se circuncidou e executou o rito em seu primeiro filho. A reação de **Zípora** (25,26) indica forte desaprovação do ato e sugere que Moisés havia concordado em não circuncidar o segundo filho a fim de agradar a esposa. Mas Deus exigia obediência, e forçou Zípora a aceitar o que parece ter sido extrema aflição para o marido (24). A obediência trouxe cura para Moisés (26), mas o incidente ocasionou a volta de Zípora para a casa do pai (18.2).

d) *O relato a Arão* (4.27,28). O Senhor instruiu Arão para que fosse **ao encontro de Moisés, ao deserto** (27). Deus fez o trabalho preparatório em ambos os irmãos. Talvez tenham se encontrado no monte Sinai depois da volta de Zípora para casa.

Moisés contou a Arão tudo que Deus lhe dissera, e também lhe falou sobre os **sinais** (28). O relato é breve, mas obviamente Arão aceitou a revelação que Deus dera a Moisés sem colocar nada em dúvida.

e) *O relato para o povo* (4.29-31). Os dois irmãos voltaram para o Egito e conclamaram uma reunião com os **anciãos** (os homens de liderança) dos **filhos de Israel** (29). Tendo Moisés contado a Arão as palavras de Deus no encontro que tiveram (28), foi **Arão que falou todas as palavras e fez os sinais perante os olhos do povo** (30). Como Deus prometera (3.18), **o povo creu** nas palavras e nos sinais (31). Era ocasião de alegria, quando estes hebreus oprimidos ficaram sabendo que Deus ouvira seus clamores e estava pronto para agir; eles **inclinaram-se e adoraram**.

C. O Prelúdio para a Libertação, 5.1—7.13

1. *A Primeira Visita a Faraó* (5.1-23)
Chegou o momento da prova. Moisés e Arão estavam equipados e instruídos. O povo estava informado e parecia preparado para seguir a Deus. Estava na hora de confrontar o tirano.

a) *A recusa do rei* (5.1-5). Ao homem que mantinha Israel em seu poder, Moisés e Arão proferiram a palavra de Deus: **Deixa ir o meu povo** (1). Não há que duvidar que Faraó ficou surpreso, porque ele considerava que Israel era seu povo. Fazia mais de quatro séculos que os hebreus estavam no Egito. Como alguém poderia pedir a lealdade destes escravos e exigir que fizessem uma festa de sacrifício?

Além disso, **Faraó** não reconhecia autoridade senão a si próprio. Ele perguntou: **Quem é o SENHOR, cuja voz eu ouvirei, para deixar ir Israel?** (2). Havia muitos deuses no Egito, e este rei conhecia todos. Para ele, as pessoas tinham de manipular os deuses e não lhes obedecer. Seu ultimato foi: **Não conheço o SENHOR, nem tampouco deixarei ir Israel**.

Moisés e Arão mantiveram-se firmes na petição. Disseram ao rei: **O Deus dos hebreus nos encontrou** (3). Pediram permissão para fazer uma viagem **de três dias** a fim de sacrificar ao Deus que serviam. No único tipo de linguagem que Faraó entendia, avisaram que, caso o pedido fosse negado, o Senhor o julgaria: **E ele não venha sobre nós com pestilência ou com espada**. Mas o rei recusou assim mesmo.

Faraó os acusou de preguiçosos, indivíduos que procuram fugir da responsabilidade apelando para a religião. **Por que fazeis cessar o povo das suas obras?** (4). Para ele, tratava-se de preguiça e afronta. Em outras palavras: "Por que afastar as pessoas do trabalho?" Os déspotas sempre acham difícil acreditar que os súditos tenham uma causa justa.

b) *O aumento de trabalho* (5.6-14). O rei, furioso, ordenou imediatamente que os **exatores do povo** e os **oficiais** (6)[25] israelitas aumentassem o trabalho dos escravos. Em vez de fornecer a palha dos campos já cortadas e prontas para uso, os **exatores do povo** exigiram que as pessoas mesmas colhessem **palha para si** (7). A **palha** era misturada com barro para deixar mais forte os tijolos secos ao sol. O restolho era a parte inferior do talo das gramíneas. Embora houvesse o trabalho extra de juntar a palha, **a conta** (o número) dos tijolos fabricados devia permanecer a mesma (8). Este tirano, insensível ao bom senso, estava determinado a minar a vontade do povo. Nem se dava conta de que não podia ir contra Deus. Ele poderia ser cruel com o povo de Deus, mas as palavras que ouvira não eram **palavras de mentira** (9).

Os exatores do povo e **seus oficiais** executaram as ordens de Faraó (10,11). Os escravos se espalharam **por toda a terra do Egito a colher** restolho (12). Os **exatores** (13), com medo de perderem o emprego, pressionavam duramente os oficiais hebreus. Quando a cota de tijolos não foi atingida, açoitaram **os oficiais dos filhos de Israel** (14). Os esforços de Moisés e Arão tiveram efeito oposto ao esperado.

c) *Os três apelos* (5.15-23). **Os oficiais dos filhos de Israel** (15) achavam que tinham feito algo de errado. É lógico que Faraó não exigiria que estes escravos cumprissem tarefas descabidas. Foram diretamente à presença do rei para pedir explicações: **Por que fazes assim a teus servos?** Pensaram que a falha estava no povo do rei (16). Mas estes oficiais hebreus ficaram sabendo da verdade. Fora o próprio rei que fizera a exigência. Ele afirmou que os hebreus eram ociosos ("preguiçosos"), porque queriam sacrificar ao **SENHOR** (17). Desumanamente renovou a demanda do trabalho (18).

O segundo apelo foi feito pelos oficiais a **Moisés** e **Arão** (20). Viram que, com Faraó, a porta estava fechada e que estavam em situação ruim. **Em aflição** (19) significa "em extrema dificuldade". Botaram a culpa em **Moisés** e **Arão** (20), afirmando que eles tornaram os israelitas (não **o nosso cheiro**, mas simplesmente "nos", ARA) repelentes **diante de Faraó e diante de seus servos** e deram a eles **a espada nas mãos** (21), ou seja, puseram em perigo a vida dos hebreus.

Às vezes, a fé iniciante é fraca. No princípio, estes homens tinham crido em Moisés, mas esta prova severa levou-os a duvidar. Moisés logicamente estava errado! Como Deus poderia estar em ação quando as coisas ficaram piores? Ainda tinham de aprender que fica mais escuro justamente antes do raiar do dia, que todas as coisas devem ser contadas como perda (Fp 3.8) para que Deus se torne tudo e que Deus liberta quando a pessoa chega ao fim de si mesma.

O terceiro apelo foi feito por Moisés ao **SENHOR** (22). Em vez de dar uma resposta aos oficiais, ele foi diretamente a Deus. Muitas vezes é fútil fazer o contrário, sobretudo quando a mente está confusa. Era nitidamente claro que a situação piorara. Não havia sinal externo de que Deus começara uma libertação. Moisés perguntou: **Por que me enviaste?** (22).

O Senhor se agrada quando vamos à sua presença com nossos "por quês?" e "para quês?" Quando a fé está em crescimento sempre há retrocessos. Deus freqüentemente nos humilha antes de mostrar seu braço forte. Muitos santos clamaram: "Até quando, ó verdadeiro e santo Dominador?" (Ap 6.10), mas Deus cuida de cada movimento dos seus filhos sofredores.

2. *A Renovação da Promessa e da Ordem* (6.1-13)

Deus não deixou Moisés na mão. A demora na libertação não significava renúncia da promessa. Deus estava trabalhando em seus propósitos. Smith-Goodspeed traduz o versículo 1 assim: "Agora verás o que farei a Faraó; forçado por um grandioso poder ele não só os deixará ir, mas os expulsará da terra". Outras dificuldades tinham de vir sobre Israel (5.19), mas a promessa de Deus ainda era certa.

ÊXODO 6.2-13   A OPRESSÃO NO EGITO

O valor da promessa estava no fato de Deus endossá-la: **Eu sou o SENHOR** (2). Os antepassados de Israel conheciam o **Deus Todo-poderoso** (3), o Deus de poder e "força dominante". "Aqui a idéia primária de Jeová concentra-se, pelo contrário, em sua existência absoluta, eterna, incondicional e independente."[26] Ambos os nomes eram muito antigos e amplamente conhecidos (Gn 4.26; 12.8; 17.1; 28.3), mas Deus se manifestou principalmente pelo nome de El Shaddai, **Deus Todo-poderoso**. Para este grande livramento, o próprio Deus revelou o pleno significado de *Yahweh*, "o Senhor". Esta não é outra narrativa do chamado de Moisés, diferente da anterior, como advogam muitos estudiosos liberais,[27] mas trata-se de uma renovação das promessas a Moisés com maior destaque a um povo desanimado.[28]

A nova revelação neste nome retratava que Deus se ligara com seu povo por **concerto** (4). Este **concerto** começou com os patriarcas e incluía a promessa da **terra de Canaã**, por onde, durante muitos anos, vaguearam como **peregrinos** e estrangeiros (Gn 15.18). Deus se lembrou do **concerto** quando ouviu o **gemido dos filhos de Israel** por causa da escravidão (5). Ele não esqueceu; somente esperara até que os filhos estivessem prontos para cumprir sua parte no concerto.

Deus ordenou que Moisés renovasse a confiança dos israelitas. Ele tinha de lhes dizer que seriam libertos da **servidão** egípcia, que Deus os resgataria **com braço estendido** ("ação especial e vigorosa", ATA) e **com juízos grandes** (6) sobre os opressores. Israel seria o **povo** especial de Deus e lhe daria a **terra** da promessa **por herança** (7,8). Estas palavras tranqüilizadoras foram apoiadas pela declaração: **Eu, o SENHOR**.

Embora a promessa fosse feita com firmeza, os líderes de Israel **não ouviram a Moisés, por causa da ânsia do espírito e da dura servidão** (9). Embora tivessem crido antes (4.31), o aumento da crueldade os abatera tanto que meras palavras de promessa não bastariam. Às vezes Deus tem de operar para que creiamos em suas promessas. Mais tarde, nos lembraremos das palavras da promessa.

Quando **Moisés** (10) não pôde convencer Israel, duvidou que pudesse convencer **Faraó** (11), a quem agora Deus o dirigia. Se Israel não lhe dava ouvidos, por que Faraó escutaria? **Incircunciso de lábios** (12), de acordo com a expressão idiomática em hebraico, seria um defeito que interfere com a eficiência.[29] O ouvido incircunciso era um ouvido que não ouvia (Jr 6.10), e o coração incircunciso era um coração que não entendia. A boca de Moisés não podia falar com clareza. Mas a despeito da debilidade humana, Deus falaria. Ele daria **mandamento para os filhos de Israel e para Faraó**, e o assunto seria resolvido (13).

Encontramos em 5.22 a 6.13, certos "Problemas para a Fé": 1) A demora de Deus em agir, 22,23; 2) Espíritos desanimados e abatidos, 9; 3) Pessoas indiferentes, 12; 4) Enfermidades físicas, 9.

Nos versículos 1 a 8, temos estas "Garantias para a Fé": 1) O poder de Deus, 1; 2) O nome de Deus, 3; 3) A resposta de Deus, 5; 4) O relacionamento de Deus, 7; 5) A promessa de Deus, 8.

3. *A Genealogia de Arão e Moisés* (6.14-27)

Neste ponto, o autor de Êxodo chegou ao fim de uma narrativa preliminar sobre a libertação dos israelitas da terra do Egito. O drama da vitória estava a ponto de começar. Seu desejo, como também o de Deus, era manter o relato nitidamente relacionado com a história, e sobretudo com a história do povo de Deus. A tarefa de Moisés e Arão era tirar esse povo da terra do Egito (13). O autor escrevia sobre estes dois homens (26,27) e seus nomes achavam-se na genealogia oficial. Por esta razão, o autor inclui essa porção da genealogia aqui.

A lista começa com **Rúben** (14) e **Simeão** (15), os dois irmãos mais velhos de Levi. Estes dois personagens e seus descendentes foram, primeiramente, mencionados para mostrar onde Levi se encaixava na lista e, também, para indicar que é freqüente a escolha de Deus deixar de lado o primogênito.[30] Estes eram chefes de famílias, ou "clãs", e além dos nomes da primeira geração nenhum outro é dado para os filhos destes dois irmãos mais velhos.

A preocupação primária aqui era o relato da família de Levi, da qual descendiam Moisés e Arão. As idades de **Levi** (16), **Coate** (18) e **Anrão** (20) não são dadas por razões cronológicas, mas para mostrar a boa providência de Deus revelada a esta família antes mesmo que a tribo fosse escolhida para prestar serviços sacerdotais.[31] Pela primeira vez, a genealogia da tribo de Levi é apresentada em detalhes (cf. Gn 46.9-11; Nm 3.18-33).

O Anrão do versículo 18 não pode ser o mesmo do versículo 20, porque várias gerações se interpõem entre eles. Este método de registro genealógico não era incomum para os hebreus.[32] O autor deu os descendentes dos parentes de Moisés e Arão (19,21,22,24), mas seu interesse primário fixava-se nestes dois líderes. **Corá** (24), primo de Moisés, é mencionado mesmo que depois seja narrada sua morte; ele é incluído porque seus filhos sobreviveram (ver Nm 16.1; 26.11).

Joquebede (20, mãe de Moisés) era tia de **Anrão**, sendo provavelmente da mesma idade. Esse tipo de casamento não era raro antes da lei (Lv 18.12).[33] Aqui, o autor não menciona os descendentes de Moisés, mas relaciona o filho e o neto de Arão, respectivamente, **Eleazar** (23) e **Finéias** (25). O nome da esposa de Arão, **Eliseba** (23), é mais conhecido em sua forma grega "Elisabete".

O autor quer que os leitores saibam quem eram Moisés e Arão. Ninguém deveria se equivocar com a identidade desses servos de Deus. **Estes são Arão e Moisés** (26) que receberam as palavras de Deus e as **falaram a Faraó, rei do Egito** (27). **Segundo os seus exércitos** (26) não significa necessariamente exércitos de homens armados; diz respeito à organização sistemática por tribos e famílias quando Israel se punha em ordem para marchar.

4. *A Segunda Visita a Faraó* (6.28—7.13)

a) *A mensagem para Faraó* (6.28—7.7). Os versículos 28 e 29 repetem a ordem de Deus para que estes dois líderes fossem à presença de Faraó. Moisés ainda relutava, por causa do seu defeito de fala (30; cf. v. 12 e comentários ali), dando outra vez destaque ao plano de Deus usar Arão. Mas o lugar de Moisés era de importância vital. Ele era como **Deus sobre Faraó** (1). É freqüente Deus colocar seu povo como deus sobre os filhos e vizinhos, em posições de autoridade e cargos de responsabilidade não buscados por eles. Nestas funções, como é importante falarmos todas as suas palavras (2)!

Embora estivesse claro que o coração de **Faraó** seria endurecido e ele não ouviria (4), eles tinham de falar assim mesmo (ver comentários em 7.13 sobre o endurecimento do coração de Faraó). Junto com o endurecimento do coração do rei haveria multiplicidade de **sinais** e **maravilhas** (3) e viriam **grandes juízos** (4). Quanto à expressão **os meus exércitos** consulte os comentários encontrados em 6.26. Deus estava prestes a punir o Egito e mostrar misericórdia ao seu povo. Ele estava pronto a exercer estas duas ações de certo modo a fazer com que **os egípcios** soubessem **que eu sou o SENHOR** (5). As atividades de Deus não deveriam ser feitas em segredo; eles tinham de mostrar o poder e a glória divina. Ele esteve trabalhando por trás das cenas com Moisés e Arão, e anteriormente com seus pais, em segredo. Ele abriu o coração dos anciãos quando foram informados sobre os movimentos de Deus. Mas o Deus que esperou com paciência por tantos anos agora estava pronto para se mostrar abertamente à vista de todos. Com a garantia dessa palavra, **Moisés e Arão** (6) agiram. As idades exatas destes servos do Senhor são apresentadas como data para estes tremendos acontecimentos (7).

b) *O primeiro milagre diante de Faraó (7.8-12)*. **Quando Faraó** pedisse confirmação na forma de **milagre**, Moisés e Arão tinham de estar preparados com a **vara** de Deus que Moisés agora confiara a **Arão** (9). O propósito do milagre era provar as afirmações que os servos de Deus faziam sobre a orientação sobrenatural. Quando Arão lançou a **vara diante de Faraó**, ela **tornou-se em serpente** (10). Faraó chamou os **sábios e encantadores** (11), e estes **magos** ("feiticeiros e ilusionistas", ATA) do Egito também transformaram suas varas em serpentes mediante **seus encantamentos**. "A magia era amplamente praticada no Egito e consistia principalmente na composição e emprego de feitiços, os quais acreditava-se que exercesse poderoso efeito sobre os homens e os animais irracionais."[34] Não está claro se as ações praticadas por estes mágicos eram resultado inteiramente de manipulação humana ou se havia o poder sobrenatural de espíritos malignos.[35] Em todo caso, o ato tendia a desacreditar o milagre da vara de Arão. Este intento foi compensado quando **a vara de Arão tragou as varas** (12) dos outros. Qualquer que seja o poder que Deus permita os inimigos possuírem, sua força sempre é maior. Contudo, parece que Deus permite a presença de bastante engano junto com seus milagres para que os corações duros, que escolheram endurecer, fiquem ainda mais endurecidos (13; cf. 22).

c) *O coração de Faraó endureceu (7.13)*. Há um problema concernente ao endurecimento do coração de Faraó. O versículo 13 é corretamente traduzido por: **O coração de Faraó se endureceu**, mas no versículo 3 Deus diz claramente: **Endurecerei o coração de Faraó**. Também está escrito que Faraó endureceria o próprio coração (8.15). É possível que nesta situação tenhamos três estágios. Primeiro, a pessoa endurece o coração conscientemente (8.15,32; 9.34). Faraó decidiu resistir e se opor à vontade de Deus e, assim, tornou o próprio coração mais inflexível. Segundo, em consequência disso, o coração se endurece pela ação das leis psicológicas (7.14,22; 9.7,35). Terceiro, quando Deus viu que Faraó estava determinado a resistir, Ele mesmo endureceu o coração do monarca (7.3; 9.12; 10.1,20,27; 14.4,8). Tratava-se de julgamento divino sobre o indivíduo (9.11,12), o qual enquanto tivesse vida, coragem física e poder humano continuaria resistindo a Deus.[36]

Certamente não devemos dizer que Deus leva o homem a ser mau. Faraó era responsável por sua má escolha e por afastar seu coração de Deus. Porém, quando a pessoa fixa sua vontade contra Deus, então Deus a entrega aos desejos ignóbeis que existe em seu coração (Rm 1.24); "como eles se não importaram de ter conhecimento de Deus, assim Deus os entregou a um sentimento perverso" (Rm 1.28). Deus mostra misericórdia a quem se entrega a Ele e endurece a quem o resiste (Rm 9.18). Talvez o julgamento de Deus coloque alguns que se afastam da luz em certo lugar onde eles não podem mais se voltar para Ele (Hb 10.26-30). Deus concedeu vida e habilidade para a resistência de Faraó a fim de fazer maior demonstração de seu poder e glória.[37] Deus só endurece o coração de quem primeiro endurece o próprio coração. Ele ocasiona este endurecimento mediante intervenção extraordinária ou pelas respostas comuns às experiências da vida.[38]

D. As Pragas do Egito, 7.14—11.10

1. *As Águas se Tornam em Sangue* (7.14-25)

a) *O anúncio do sinal a Moisés* (7.14-19). Deus estava pronto a desafiar a resistência de Faraó. Para isso, deu ordens para Moisés ir à presença do rei quando este fosse **às águas** (15). Esta ida ao rio Nilo **pela manhã** era provavelmente para adorar.[39] **Põe-te em frente dele** significa "para encontrá-lo" (VBB; cf. ARA). Enquanto resistia ao Senhor, Faraó ainda confiava em seus deuses. Esta primeira praga era um ataque direto a um objeto egípcio de adoração. Para este sinal, Moisés estava de posse da **vara**.

Moisés devia avisar o rei acerca do que Deus estava a ponto de fazer e por que o faria (16-18). Faraó via claramente que estas coisas foram feitas segundo a palavra dos servos de Deus. Moisés deveria lhe dizer que este **Deus dos hebreus** o tinha **enviado** (16) e que este julgamento era para que o monarca soubesse que Jeová era Deus — **eu sou o SENHOR** (17).[40]

b) *A execução do sinal diante de Faraó* (7.20-25). **Moisés** passou a palavra de Deus para **Arão**, que **feriu as águas que estavam no rio** (20). A ordem incluía as águas que havia nas **correntes, rios, tanques** e **ajuntamentos** (19). Provavelmente as águas, transformadas em sangue, entraram nos lugares secundários em resultado da praga no rio Nilo, a principal fonte do sistema hidrográfico.[41] A mudança na água foi tamanha que matou os **peixes** (21), tornando-a imprópria para consumo humano. Os egípcios foram forçados a cavar poços para terem **água** (24) de beber.

Mais uma vez os **magos** (22) conseguiram falsificar o milagre. O texto não diz onde acharam água para fazer seus **encantamentos**. Talvez tenham se servido da pequena provisão de água dos poços recentemente abertos. A fraude que implementaram foi suficiente para fazer com que o coração de Faraó ficasse mais endurecido. Ele recusou dar ouvidos a Moisés e Arão, **como o SENHOR tinha dito**. Deus predisse este endurecimento, porque sabia que Faraó endureceria o coração e também porque sabia que a primeira praga não o mudaria. Deus sabe até as coisas que Ele não determina. Por fazer Israel sofrer, Faraó e sua gente estavam sentindo o peso da mão de Deus. O rei egípcio sabia que era verdade, mas **nem ainda nisto pôs seu coração**, ou seja, "não se preocupou nem mesmo com isso" (23, Smith-Goodspeed).

A praga continuou por **sete dias** (25), período que poderia ter sido encurtado se Faraó tivesse se rendido. Mas ele provavelmente tinha água dos poços para uso próprio, por isso não se importou com a aflição do povo egípcio.[42]

ÊXODO 8.1-10   A OPRESSÃO NO EGITO

Os versículos 14 a 25 revelam "O Servo Fiel de Deus". 1) Ele ouve as instruções de Deus, 15-19; 2) Ele faz precisamente o que Deus diz, 20; 3) Ele testemunha o grandioso poder de Deus, 21-25.

2. *A Praga das Rãs* (8.1-15)

a) *As instruções de Moisés e Arão* (8.1-5). Deus manda Moisés novamente à presença de Faraó para exigir: **Deixa ir o meu povo** (1). Talvez a repetição fosse monótona, mas neste caso era necessária para manter a questão clara. Deus pedia somente uma coisa de Faraó, e isto Moisés devia repetir até que se tornasse uma ordem nunca esquecida: **Deixa ir o meu povo**.

Faraó suportou a praga de sangue por sete dias. A continuação da recusa resultaria agora em **rãs** (2). A questão estava clara, pois Deus disse: **Se recusares... eis que ferirei**. Era aviso misericordioso para que o rei pudesse ter evitado a praga. Mas corações endurecidos desafiam os avisos de Deus.

As **rãs** surgiriam do **rio** (3) Nilo e de outros volumes de água (5). A palavra original em hebraico indica que as rãs vieram do lodo dos pântanos, dos quais as águas minguaram.[43] Estas criaturas repugnantes, embora não perigosas, tornariam a vida miserável. A praga afetaria o quarto e a **cama** onde os egípcios eram especialmente limpos. Os **fornos** (buracos abertos no chão) e as **amassadeiras** (gamelas, tigelas) ficaram cheios de rãs, tornando quase impossível fazer assaduras. A praga afetaria o rei e seus **servos** (oficiais) bem como o **povo** (4) comum.

b) *A reação de Faraó* (8.6-15). Levando-se em conta que o rio Nilo era considerado sagrado pelos egípcios, para eles esta praga, como as outras, era uma competição entre deuses. Até as rãs eram objetos de adoração,[44] e por isso não deveriam ser mortas. Podemos imaginar a angústia do egípcio piedoso quando, ao andar ou abrir a porta, esmagava essas criaturas.

Ainda desta vez os **magos** egípcios puderam falsificar o ato de Arão (7). O melhor que fizeram foi aumentar umas poucas **rãs** às multidões que Deus já trouxera (6). Parece que estes magos não conseguiram fazer com que as rãs sumissem.

Pela primeira vez, a obstinação de Faraó fraquejou; chamou Moisés e Arão para pedir ajuda. No caso das águas transformadas em sangue, ele se servia dos poços, ainda que seu povo sofresse, mas não havia alívio destas rãs. Não conseguia dormir ou comer, por isso pediu clemência. Mostrava-se convencido de que Deus enviara as rãs e que só Ele poderia acabar com elas. Quer tivesse sido sincero ou não, prometeu deixar **o povo** (8) ir.

Moisés estava disposto a ouvir Faraó e lhe conceder o pedido. As palavras: **Tu tenhas glórias sobre mim** (9), são difíceis de traduzir do original hebraico; devem ter sido uma expressão idiomática egípcia não usada em hebraico. O possível significado era: "Submeto-me à tua vontade", ou: "Estou feliz por cumprir tua ordem". Era provavelmente expressão de cortesia de um inferior para um superior.[45] Moffatt e a Versão Bíblica de Berkeley sugerem a idéia: "Tu podes ter a honra de dizer quando" (cf. ARA).

Em vez de pedir alívio imediato, o rei disse: **Amanhã** (10). Havia a esperança subjacente de que até lá as rãs acabassem por meios naturais. Mas Moisés era destemido. Seguiu à risca o pedido do rei para que Faraó soubesse **que ninguém há como o SENHOR, nos-**

155

so Deus, que tanto traz julgamento quanto mostra misericórdia. Nesta altura dos acontecimentos, Moisés estava muito mais confiante no propósito e no poder de Deus.

Quando saiu da presença de Faraó, **Moisés clamou ao SENHOR** (12) para que acabasse com as rãs. Embora soubesse que Deus o faria, precisava interceder. É do agrado de Deus que peçamos com fervor mesmo quando Ele já prometeu fazer. Deus respondeu a oração matando as rãs (13), em vez de fazer com que voltassem para o rio, como indicava a promessa (11). Dessa forma, o Senhor deixou com os egípcios uma lembrança do julgamento divino sobre eles (14).

É interessante notar que, quando Deus falou, Moisés e Arão obedeceram (5,6). Quando Faraó fez o pedido a Moisés, ele o atendeu (8,9). Quando Moisés clamou a Deus, o Senhor fez como Moisés pediu (12,13). A única interrupção neste círculo foi a falta de sinceridade por parte de Faraó.

Vemos a pouca profundidade do arrependimento de Faraó no fato de ele ter endurecido o **coração** quando o julgamento foi retirado (15; cf. 7.13 e comentários ali). A palavra **descanso** significa literalmente "espaço aberto". "Assim que 'teve fôlego' ele endureceu o coração novamente."[46] Como muitos, este homem se mostrava flexível ao ser afligido, mas não entregava sua vontade a Deus. Quando a dificuldade passava, ele era a mesma pessoa obstinada que antes, ou pior.

Vemos nos versículos 1 a 15 "O Julgamento e a Misericórdia de Deus". 1) As provações vêm para que sejamos levados ao arrependimento, 1-6; 2) Durante as provações, o arrependimento pode ser temporário, 8,15; 3) Deus mostra sua misericórdia ao pecador mais orgulhoso, 12,13; 4) O servo de Deus deve ser útil às almas penitentes, 9-11.[47]

3. A Praga dos Piolhos (8.16-19)

Desta vez sem aviso ou oportunidade de rendição, Deus mandou que **Moisés** dissesse a **Arão** para ferir o **pó**, que se tornaria em **piolhos** (16, ou "mosquitos", segundo Moffatt e Smith-Goodspeed). Estes insetos atingiram os **homens** e o **gado** (17). Atacavam a pele, o nariz, os ouvidos e os olhos, causando muita irritação e até morte.[48] Com tantos piolhos — **todo o pó da terra** — não havia meio de encontrar alívio.

Pela primeira vez, os **magos**, com sua magia, não conseguiram imitar o feito (18). Primeiramente, porque, neste caso, não receberam aviso prévio sobre o que esperar. Depois, a situação chegou a um ponto em que era claramente obra de Deus. Deus permite que os ímpios cheguem longe, mas há um limite onde são detidos. A confissão: **Isto é o dedo de Deus** (19), não era necessariamente reconhecimento da superioridade de Jeová tanto quanto era reconhecimento do fim da magia humana. Desta feita, não havia meio de produzirem uma duplicação enganosa. Seus encantamentos acabaram.

A mentira e desobediência de Faraó (8,15) deixaram seu coração tão duro que esta confissão sequer o amedrontou; ele **não os ouvia** — nem a seus servos, nem a Moisés.

4. Os Enxames de Moscas (8.20-32)

a) *O aviso e a praga* (8.20-24). Uma vez mais Deus manda Moisés confrontar Faraó **pela manhã cedo**, quando o monarca está a caminho das **águas,** provavelmente para comparecer a uma cerimônia religiosa (20; cf. 7.15). O servo de Deus tinha de repetir a ordem: **Deixa ir o meu povo**, e avisar Faraó que se ele recusasse o pedido haveria uma praga de **moscas** (21). No hebraico não está claro que tipo de inseto era: se mosca, "mosquito" (Moffatt), besouro ou uma mistura de insetos.[49] A Versão Bíblica de Berkeley diz que eram "moscas-da-madeira" (inseto também conhecido por moscardo, tavão, moscão). O que quer que sejam, eram **grandes enxames** e a **terra foi corrompida** (24), ou seja, foi destruída por eles.

Os egípcios também consideravam estes insetos sagrados, sendo errado matá-los. Poderiam entrar nas casas, arruinar a mobília decorativa e tornar a vida insuportável para as pessoas. Não havia poder humano que os vencesse.

Algo diferente aconteceu com esta praga. Com as outras pragas, os israelitas na **terra de Gósen** sofreram juntamente com os egípcios, mas nesta Deus separou o seu povo dos egípcios (22). Ele salvaguardou seu povo do julgamento. Este ato anuncia claramente que o Senhor destas pragas era o Deus dos hebreus. O povo de Deus, por causa da humanidade comum, pode sofrer alguns julgamentos enviados sobre os ímpios, mas até certo ponto, quando, então, é poupado do pior.

b) *A reação e a contraproposta de Faraó* (8.25-32). A reação de Faraó a esta praga foi imediata. Ele fez uma contraproposta: **Ide e sacrificai ao vosso Deus nesta terra** (25). Mas Moisés tinha a resposta na ponta da língua. Não conviria aos israelitas sacrificarem no Egito, porque o sacrifício de animais sagrados aos **egípcios** lhes seria uma **abominação** (26), levando-os provavelmente a apedrejar os israelitas. Moisés manteve seu pedido de **caminho de três dias ao deserto** (27). Quando Deus ordena, não há lugar para barganhas com homens perversos.

Faraó reconheceu que Moisés tinha razão. Ele concordou em deixar Israel ir, mas somente a curta distância deserto adentro (28). Moisés acreditou no que Faraó disse (quem sabe entendendo as palavras **não vades longe** como referência aos três dias de viagem) e prometeu rogar **ao SENHOR** (29). Mas advertiu: **Somente que Faraó não mais me engane**. Deus, **conforme a palavra de Moisés**, retirou as **moscas e não ficou uma só** (31). A completa suspensão desta praga fez com que o rei ficasse mais inflexível e **não deixou ir o povo** (32). Em face de tão grande apresentação da verdade, o próprio Faraó endureceu ainda mais o coração (cf. comentários em 7.13). Sua vontade estava cada vez mais renitente contra Deus e seu povo.

Os versículos 20 a 32 mostram "O Coração Rebelde". 1) Sofre no julgamento, 20-24; 2) Sugere uma contraproposta, 25,26; 3) Faz fraudulentamente uma concessão, 28; 4) Recebe sinais da misericórdia de Deus, 29-31; 5) Recusa petulantemente o plano de Deus, 32.

5. *A Morte do Gado* (9.1-7)

Deus pacientemente continuou exigindo de **Faraó** (1) a liberação dos israelitas — o povo do concerto. Avisou que se o rei continuasse recusando **deixá-los ir** (2), viria outra praga. Deus poderia ter destruído Faraó em um instante e tirado seu povo do Egito, mas preferiu recorrer à vontade deste tirano perverso. O **gado** do Egito tornou-se o alvo desta quinta praga (3). Pela primeira vez a Bíblia faz menção a **cavalos**. Desconhece-se a natureza desta **pestilência gravíssima**, mas era fatal para o gado (6).

Os aspectos milagrosos desta praga são: a ocorrência no **gado, que está no campo** (3), afastado do contato com animais infetados; a isenção do **gado dos israelitas** (4); e o tempo exato do acontecimento (5).

A Opressão no Egito   Êxodo 9.6-14

Não devemos entender em sentido absoluto a declaração **todo o gado dos egípcios morreu** (6). Em hebraico, o termo **todo** designa grande número em vez de completude, totalidade.[50] Ainda havia gado que sofreu com a sétima praga (20,21). Esta doença afetou o gado que estava **no campo** (3). Além disso, o gado que morreu era do Egito, dando destaque ao fato de que o gado de Israel não morreu (4), e este pode ser o significado do versículo 6.

O coração de Faraó se endureceu de novo quando descobriu que o gado de Israel não foi atingido (7; cf. 7.13 e comentários ali). Ele permitiu que o ciúme e o ódio gerassem mais obstinação contra Deus. É possível que pensou em requisitar o gado de Israel para substituir o que perdera.

6. A Sarna e as Úlceras (9.8-12)

Na sexta praga, como na terceira, não houve repetição da exigência a Faraó e nenhum aviso foi dado. Moisés estava perante o rei, pegou **cinzas do forno** (o forno de olaria onde se fabricavam tijolos) e as lançou no ar. As **cinzas** se tornaram "em tumores que se arrebentavam em úlceras nos homens e nos animais" (11, ARA). O milagre estava nas cinzas que se tornaram **em pó miúdo** (9) e se espalharam por todo o Egito, produzindo sarna ou furúnculos. Presumimos que Israel também escapou desta praga.

O texto menciona **os magos** (11), mas desta vez eles estão aflitos com a sarna, incapazes de competir com o poder de Deus ou de permanecer na presença de Moisés. Nada mais ficamos sabendo sobre esses magos por este registro bíblico.

Aqui, pela primeira vez, é mencionado que o **SENHOR endureceu o coração de Faraó** (12), cujo ato foi previsto em 7.3. O julgamento de Deus começara sobre este homem perverso, tornando seu coração ainda mais duro. Quando os homens persistem na desobediência, chega o momento em que Deus envia "a operação do erro, para que creiam a mentira" (2 Ts 2.11). Sobre o endurecimento do coração de Faraó ver comentários em 7.13.

7. O Granizo e o Fogo (9.13-35)

a) *O pedido a Faraó* (9.13-17). Esta praga foi prefaciada pela exigência e aviso freqüentemente repetidos (13,14). Entrementes, Faraó esperava seus visitantes indesejáveis **pela manhã cedo**. Ele não conseguia se livrar destes homens que eram agouros do mal.

Embora as pragas não seguissem umas às outras com aumento de intensidade, havia um aumento global de perigo de vida. Moisés deveria dizer a Faraó: **Esta vez enviarei todas as minhas pragas sobre o teu coração, e sobre os teus servos, e sobre o teu povo** (14). A competição se aproximaria mais do rei ímpio e o impacto seria de maior intensidade. O propósito de Deus era claro: **Para que saibas que não há outro como eu em toda a terra** (14).

Esta praga continha várias características inéditas: "1) É prenunciada com uma mensagem invulgarmente longa e excessivamente medonha (vv. 13-19). [...] 2) É a primeira praga que ataca a vida humana; e o faz em grande escala: todos os homens e animais expostos a esta calamidade perecem (v. 19). 3) É a mais destrutiva às propriedades que todas as outras anteriores. [...] (v. 31). 4) É acompanhada com demonstrações

ÊXODO 9.15-35   A OPRESSÃO NO EGITO

terríveis. [...] (v. 23). 5) É feita para testar o grau de fé ao qual os egípcios atingiram. [...] (v. 20)".[51] Granizo e trovão, ou até chuva, eram raros no Egito, e tais fenômenos climáticos que acompanhavam estas tempestades eram desconhecidos pelos egípcios.

As palavras: **Agora tenho estendido a mão** (15), são mais bem traduzidas por: "Já eu poderia ter estendido a mão" (ARA). O original hebraico transmite a possibilidade do passado. Deus estava dizendo que poderia ter dado um fim rápido a Faraó e seu povo. Só não o fizera porque queria mostrar o seu **poder** e dar glória ao seu **nome** (16). Deus alongara a vida de Faraó e permitira que ele continuasse resistindo para que Deus revelasse os grandiosos poderes de que dispunha a favor do povo que clamara a Ele. Por estes atos poderosos seu nome seria **anunciado em toda a terra**. É provável que não haja acontecimento na história que seja mais amplamente conhecido que a libertação de Israel do Egito. O versículo 17 é um desafio na forma de pergunta a Faraó: **Tu ainda te levantas contra o meu povo, para não os deixar ir?** Um rei que se exaltou contra o poder divino tornou-se meio de maior glória para Deus.

b) *O aviso e a promessa* (9.18-21). O aviso (18) dado aos egípcios, que até agora desconheciam o confronto que havia entre Faraó e Moisés, foi a oportunidade de se proteger e ao seu gado. Eles tinham de levar para casa os homens e os animais a fim de se protegerem (19). Alguns egípcios temeram a **palavra do SENHOR** (20) e tomaram medidas urgentes para se resguardar. Outros, porém, não deram atenção à **palavra do SENHOR** (21) e nada fizeram. Estes fatos nos fazem lembrar dos tempos do Novo Testamento. Quando Jesus falava, alguns criam em sua palavra, ao passo que outros não.

c) *A intensidade da praga* (9.22-26). Os fenômenos climáticos de **trovões, saraiva** e **fogo** devem ter sido terríveis (23-25). As pedras eram tão grandes que mataram **homens** e **animais** e quebraram **as árvores** (25). **Nunca houve** algo assim **na terra do Egito** (24). As colheitas de cevada e linho estavam suficientemente germinadas para serem destruídas, enquanto que o trigo e o centeio (*holius sorghum*, não o centeio no sentido comum)[52] ainda estavam por germinar, por isso permaneceram incólumes (31,32). A mão protetora de Deus estava sobre os israelitas, que escaparam da tempestade **na terra de Gósen** (26).

d) *A reação de Faraó* (9.27-35). Desta vez, Faraó ficou tremendamente amedrontado. Confessou: **Pequei; o SENHOR é justo** (27). Pediu clemência e prometeu: **Eu vos deixarei ir** (28). Moisés atendeu o pedido de Faraó para que este soubesse **que a terra é do SENHOR** (29). Mas a esta altura Moisés sabia que o rei e seu povo ainda não temeriam **diante do SENHOR Deus** (30). É fácil para o indivíduo cujo coração é duro se endurecer ainda mais quando a adversidade passa (34; cf. 7.13 e comentários ali). Muitos confessam os pecados, fazem promessas e parecem arrependidos sob julgamento, mas acabam revelando o verdadeiro eu quando a dificuldade diminui. A profundidade da mudança é conhecida quando as circunstâncias externas mudam. No versículo 31: **O linho, na cana** significa "O linho estava em botão" (Moffatt).

Os versículos 27 a 30 retratam "O Falso Arrependimento". 1) Possui a característica de confissão, 27; 2) Reconhece a justiça de Deus, 27; 3) Admite a incapacidade pessoal e busca a ajuda de Deus, 28; 4) Promete melhorias, 28; 5) Carece do temor de Deus, 30.[53]

8. A Praga dos Gafanhotos (10.1-20)

a) *Razões para o endurecimento do coração de Faraó* (10.1,2). Deus deu a Moisés duas razões para ele endurecer o coração de Faraó e de seus servos. A primeira, é que Ele queria **fazer estes** seus **sinais no meio deles** (1). Tivesse Faraó se rendido antes, as últimas e maiores maravilhas não teriam sido feitas. Em semelhante situação, os egípcios não teriam ficado convencidos das ações divinas. Deus prolongou a agonia até que todos vissem sua glória.

A segunda razão é que Deus queria que as gerações futuras do seu povo, Israel, soubessem e recontassem esta libertação maravilhosa vezes sem conta (2). O aumento da intensidade dos sinais e sua multiplicação causaram profunda impressão nos israelitas e os convenceu incontestavelmente de que Deus era o **SENHOR**. As palavras: **As coisas que fiz no Egito**, são mais corretas por: "Como zombei dos egípcios" (ARA). Havia ironia divina no fato de a obstinação de Faraó ter levado a maiores manifestações da glória e do poder de Deus.[54] Estas garantias repetidas a Moisés o prepararam para a teimosia de Faraó, visto que lhe foi dito muitas vezes que Deus tinha uma mão no estado emocional do monarca (cf. 7.4,5 e comentários ali).

b) *O anúncio a Faraó* (10.3-6). Moisés foi a Faraó e lhe deu a nova mensagem de forma clara e às pressas. O prolongamento destas aflições era por causa do orgulho de Faraó: **Até quando recusas humilhar-te diante de mim?** (3). Desta feita, Deus traria **gafanhotos** (4) para a terra. Eles cobririam a **face da terra** (5) e comeriam tudo que restou das outras pragas. Estes gafanhotos entrariam nas **casas** e constituiriam tremenda ameaça jamais vista no Egito (6).[55] Depois deste anúncio, Moisés e Arão saíram apressados da presença do rei.

c) *A tentativa de acordo* (10.7-11). **Os servos de Faraó** (7), os funcionários da corte mais próximos ao rei, começaram a argumentar. Primeiro, os magos ficaram impressionados com o poder de Deus (8.19). Segundo, alguns egípcios creram o suficiente para retirar o gado e os escravos do campo quando a praga foi anunciada (9.20). Agora altos funcionários egípcios criam que aconteceria o que Moisés dizia. Suplicaram a Faraó que não permitisse mais que este Moisés lhes fosse **por laço** (7; ou "cilada", ARA). A única salvação para o Egito era ceder e deixar o povo israelita ir. A palavra **homens** aqui (7) se refere a todo o povo. Os **servos** sabiam, melhor que Faraó, que o Egito estava quase arruinado.

Por esta razão, **Moisés e Arão** (8) foram levados outra vez à presença do rei. Pela primeira vez, Faraó cedeu antes do início da praga. Deu permissão para os israelitas partirem, mas tentou fazer outro acordo. Ele permitiria a ida dos homens se deixassem suas famílias e rebanhos. Seu objetivo era destruir a totalidade da proposição opondo-se aos detalhes. Moisés deixou claro que todos iriam — os **meninos**, os **velhos**, os **filhos**, as **filhas**, as **ovelhas** e os **bois** (9). Sempre é bom saber perfeitamente os próprios planos ao lidar com um oponente da verdade. O versículo 10 é mais bem traduzido por um tipo de juramento: "Esteja o Senhor convosco, se algum dia eu vos deixar ir com seus pequeninos! Vede que tendes algum propósito mau em mente" (ATA). O rei considerava a concessão plena do pedido como se fosse uma blasfêmia: "Tão improvável quanto vos deixarei ir com vossos filhos é tão improvável que vós ides em vossa viagem, sendo igualmente tão improvável que Jeová estará convosco".[56] Faraó ficou enfurecido ao sentir a pressão e ver a firmeza de Moisés. Ele poderia chegar a um acordo, mas nunca ceder completamente.

Faraó admitiu o que sabia desde o princípio. Este povo queria a liberdade. Acusou essas pessoas de serem mal-intencionadas (10). Teria a garantia do retorno dessa gente ao Egito retendo os **filhos**. Os **varões** (cf. 7) poderiam ir (11); Faraó insinuou que desde o início era isso mesmo que eles queriam. Sentia-se exasperado e imediatamente expulsou Moisés e Arão da sua presença.

d) *A invasão dos gafanhotos* (10.12-15). Sem mais avisos, Deus enviou os **gafanhotos** (12). Vemos o aspecto milagroso no fato de os insetos surgirem quando **estendeu Moisés sua vara** (13). O vento soprou por 24 horas, trazendo gafanhotos de muito longe. Não era comum que eles estivessem **sobre toda a terra do Egito** (14). Nunca houve nem haverá tamanha infestação de gafanhotos.

Quando o registro bíblico diz que eles **cobriram a face de toda a terra** (15), significa a terra do Egito, exceto, presumimos, a terra de Gósen onde Israel habitava. Se os israelitas tivessem sofrido com esta praga, depois de terem sido isentos das outras, teria sido pior para eles do que para os egípcios, pois teriam mais a perder. Entendemos que a divisão de Deus entre Israel e o Egito continuou valendo para todas as pragas depois das moscas (8.22). Não está claro se cobrir a **face de toda a terra** significava uma camada espessa de gafanhotos no chão ou nuvens grossas no ar. Provavelmente a primeira opção[57] é a correta.[58]

e) *O abrandamento de Faraó* (10.16-20). Sob a pressão deste julgamento, Faraó pediu a Moisés que trouxesse alívio. É habitual homens obstinados sejam movidos mais por emoções momentâneas do que pela razão. Desta vez, Faraó admitiu ter pecado **contra o SENHOR** e contra Moisés (16). Pediu perdão pelo pecado e queria alívio desta **morte**, a praga (17). Superficialmente, parecia muito sincero.

Quando Moisés **orou ao SENHOR** (18), Deus enviou **um vento ocidental fortíssimo** (provavelmente vento noroeste vindo do mar Mediterrâneo) que varreu os gafanhotos para o **mar Vermelho**. Nenhum gafanhoto permaneceu na terra. Ninguém em são juízo duvidaria do fato de a mão de Deus estar nesta praga e em sua remoção. Mas nem as emoções do medo e preocupação ou as faculdades racionais da mente mudariam o coração de Faraó. Seu coração estava tão firme contra Deus que ele não se renderia. Agora Deus o tornara escravo da teimosia e o dirigia a um triste fim (cf. 7.13 e comentários ali). Visto que se aferrava em sua resistência a Deus, Faraó se tornaria exemplo de maldade de coração perverso e, por conseguinte, do poder do Deus Todo-poderoso.

9. *As Trevas* (10.21-29)

Não houve anúncio para esta nona praga. Sob as ordens de Deus, **Moisés estendeu a sua mão para o céu, e houve trevas espessas em toda a terra do Egito por três dias** (22), trevas que podiam ser apalpadas (21).

A maioria dos estudiosos concorda que foi o *hamsin*, uma tempestade de areia tão temida no Oriente, que ocasionou estas trevas.[59] O milagre estava em que veio segundo a palavra de Deus (21) e não ocorreu onde o povo de Deus habitava (23). As trevas eram tão densas que os homens não se viam uns aos outros. Não é necessário supor a inexistência de luz artificial ou o fato de as pessoas não se movimentarem em seus lares.[60] Toda a atividade comercial e empresarial cessou e a população egípcia ficou em casa.

Agora Faraó estava pronto para outra contraproposta. Depois de chamá-lo, disse a Moisés: **Ide, servi ao SENHOR; somente fiquem vossas ovelhas e vossas vacas** (24). Igual a Satanás! Cede quando é forçado, mas busca uma pequena concessão. Muitas pessoas sucumbem às sugestões malignas e aceitam a proposta. Mas Moisés não! Ele declarou: **Nem uma unha ficará** (26). Moisés sabia qual era a ordem de Deus, embora ainda não dispusesse de todas as razões. Esperava mais instruções conforme o desdobrar dos acontecimentos.

Os cristãos nunca conseguirão plena vitória enquanto derem lugar ao diabo. Há quem insista que um pequeno pecado não faz mal, ou que sempre fica algum mal no coração. Mas a Palavra de Deus é clara: "Que [...] vos despojeis do velho homem" (Ef 4.22); "Despojai-vos também de tudo" (Cl 3.8); "Não deis lugar ao diabo" (Ef 4.27). Nenhum acordo com Satanás jamais resultará em vitória total ou liberdade completa para o filho de Deus.

O Senhor ainda tinha algo a tratar com Faraó. Deus desejava mostrar o que Ele faz com quem lhe resiste tão cabalmente. Em vez de Faraó permitir a saída de Israel, Deus endureceu ainda mais o coração do monarca (27; cf. comentários sobre 7.13). A raiva deflagrou-se furiosamente sobre Moisés, quando Faraó ordenou que o servo de Deus se afastasse para sempre, ameaçando-o de morte se o visse novamente (28). Pelo menos por uma vez Moisés ouviu a voz da verdade em Faraó, e respondeu: **Bem disseste; eu nunca mais verei o teu rosto** (29). Faltava pouco para Deus terminar com Faraó. Não havia muita coisa que este tirano pudesse fazer, preso como estava nos laços do seu coração arrogante.

Nos capítulos 8 a 10, vemos "Os Perigos das Concessões ao Pecado". 1) Permanecendo perto do mundo: **Sacrificai... nesta terra**, 8.25,28; 2) Negligenciando a religião em família: Deixai os **varões** irem, 10.8-11; 3) Retendo os bens materiais: Deixai as **ovelhas** e as **vacas** ficarem, 10.24; 4) Vencendo por total compromisso: **Nem uma unha ficará**, 10.26.

10. *O Anúncio da Última Praga* (11.1-10)

a) *Deus fala com Moisés* (11.1-3). Talvez estes versículos sejam parentéticos, porque os versículos 4 a 8 são continuação da narrativa da última visita de Moisés a Faraó. Alguns estudiosos advogam que a tradução deveria ser: **O SENHOR** tinha dito **a Moisés** (1).[61] O pensamento é que Deus já dissera essas coisas a Moisés (ver 3.21,22), que inseriu as palavras neste momento oportuno. Outros duvidam da validade desta tradução e asseveram que Deus deu estas palavras a Moisés quando este estava na presença de Faraó.[62] Em qualquer caso, a mensagem não deixava dúvida. Ainda haveria mais uma praga e, depois, Faraó lançaria Israel para fora do Egito.

Quando esse momento chegasse, os filhos de Israel, homens e mulheres, deveriam pedir aos egípcios jóias **de prata** e **de ouro** (2). A idéia era arrancar dos egípcios tesouros de valor. Como exército conquistador, os israelitas deveriam despojar os egípcios (3.22).

Por receberem **graça... aos olhos dos egípcios** (3), as provisões com as quais Israel seria lançado para fora do país aumentariam. O versículo 3 dá um vislumbre por trás dos bastidores do Egito, enquanto ocorria a franca competição entre Faraó e Moisés. No cenário do palco público, parecia que Moisés estava fracassando, com Faraó recusando-lhe os pedidos e acusando-o de más intenções e insubordinação. Mas o povo comum estava impressionado com o Deus de Israel e começava a honrar o servo e o povo do Senhor.

Com a nona praga, os egípcios passaram a considerar os israelitas como povo de Deus e a lhes desejar o bem. A razão para estas boas graças deve-se em grande parte ao líder, Moisés, que a esta altura era "grandemente estimado na terra do Egito" (3, Smith-Goodspeed). A competição com Faraó e as resultantes vitórias haviam elevado Moisés aos olhos dos egípcios e lhe colocado no mesmo nível que Faraó, o qual era venerado como deus na terra.[63]

b) *Moisés fala com Faraó* (11.4-8). No versículo 4, a conversa com Faraó é continuação de 10.29. O rei poderia ter evitado esta catástrofe final se tivesse agido com prudência e sensatez, mas seu coração era excessivamente duro.

A **meia-noite** (4) da calamidade indicava a hora do dia, mas não de qual dia. Neste julgamento, Deus agiu diretamente sem ação por parte de Moisés. O **primogênito** sempre se referia a homens, e era o orgulho e alegria dos egípcios. O filho mais velho "era a esperança, o esteio e o sustento da casa, o companheiro do pai, a alegria da mãe, o objeto de reverência do irmão e da irmã". Era o "príncipe hereditário da coroa" e o sucessor do pai. "Ninguém concebia maior angústia, exceto a matança geral do povo, do que a morte súbita em cada família daquele em torno de quem se construíam os mais sublimes sonhos e as mais profundas esperanças."[64] Nesta noite morreriam os primogênitos, desde o primogênito do palácio do rei até ao primogênito da choupana da mais simples criada (5). **A serva que está detrás da mó** pode ser "a escrava atrás do moinho manual" (VBB).

Este desastre geraria um **grande clamor** (6), que ressoaria **em toda a terra do Egito**. Quem viaja para o Oriente sabe como são estridentes os gritos que os enlutados dão.[65] Este seria o maior clamor jamais ouvido antes ou depois desta desgraça. Neste julgamento, Deus protegeria o seu povo (7). Nem mesmo um **cão** latiria entre os israelitas — ninguém morreria. Foi Deus que estabeleceu a diferença entre o seu povo e os egípcios.

Moisés previu a urgência dos **servos** de Faraó. Eles se curvariam diante de Moisés e insistiriam que ele e o povo partissem (8). Neste momento, Moisés prometeu: **Eu sairei**. Neste ponto, Moisés deu sua última palavra a Faraó; ele nunca mais o veria. Este rei perverso selou sua destruição e estava pronto para o julgamento final de Deus. Moisés saiu da presença de Faraó **em ardor de ira**, mas não por estar frustrado. Ele sentia a justa indignação de Deus por causa deste homem que pensava ser bastante forte para desafiar Deus e que por sua obstinação trouxera destruição entre os egípcios. Nada mais restava a Faraó, senão a punição final de Deus. Ele desperdiçou o dia da oportunidade.

c) *Resumo geral* (11.9-10). Estes dois últimos versículos do capítulo 11 são um resumo geral dos encontros com Faraó. As recusas do rei resultaram nos atos poderosos de Deus. Estas coisas foram preditas (9) e se realizariam (10). Apesar do tirano de coração duro, o Deus Todo-poderoso cumpriria seu propósito e o faria com mão poderosa.

"O Povo de Deus" no capítulo 11 é: 1) Honrado e respeitado pelos inimigos, 2,3; 2) Protegido por Deus das devastações do julgamento, 4-7; 3) Liberto da escravidão pela poderosa mão de Deus, 1,8-10.

Seção II

LIBERTAÇÃO E VITÓRIAS

Êxodo 12.1—18.27

A. A PÁSCOA, 12.1-36

A libertação de Israel do Egito foi acontecimento extraordinário que sempre seria lembrado por Israel. O termo *páscoa* tem vários sentidos. O acontecimento em si era a passagem de Deus sobre os filhos de Israel quando o destruidor matasse os primogênitos egípcios (23,27). A festa na época do acontecimento chamava-se **a Páscoa do SENHOR** (11). Israel celebraria esta festa todos os anos **por memória** (14). A palavra *páscoa* é usada para descrever todas estas três situações.

1. *As Instruções de Moisés acerca da Primeira Festa da Páscoa* (12.1-13)
Deus instituiu um ano novo para Israel. O ano se iniciava costumeiramente no outono com o mês de tisri. Mas agora, **o primeiro dos meses do ano** religioso seria **abibe** (13.4), seis meses antes do começo do ano civil.[1] Depois do exílio, o mês de abibe tornou-se conhecido por nisã.[2]

Moisés tinha de instruir os israelitas a tomar **um cordeiro** para cada casa (3) **aos dez deste mês** de abibe. O versículo 3 fica mais claro assim: "Cada homem arranjará um cordeiro para sua família paterna, um cordeiro para cada casa" (VBB). Se o cordeiro fosse muito para uma só família, os vizinhos deviam se reunir de acordo com a quantidade de pessoas para que um cordeiro fosse comido (4). A escolha do cordeiro quatro dias antes da festa (cf. v. 6) era para observar o animal. O animal não devia apresentar **mácula** (5) e tinha de ter menos de um ano de idade. O animal mais novo indicava inocência. Este **cordeiro** (*seh*) podia ser uma ovelha ou cabrito, embora na prática só se usassem ovelhas.[3]

No **décimo quarto dia**, o cordeiro seria morto **à tarde** (6, lit., "entre as tardes"). Podia significar entre o pôr-do-sol e o cair da noite ou entre o declínio do sol e o pôr-do-sol. Lange acreditava que era no começo da tarde, pois assim haveria mais tempo para as atividades pascais.[4] Moffatt traduz: "Todo membro da comunidade de Israel matará o cordeiro entre o pôr-do-sol e o cair da noite". O povo colocaria o **sangue** do cordeiro **em ambas as ombreiras e na verga da porta** (7), ou seja, "nos batentes dos lados e de cima das portas das casas" (NTLH). Podia ser uma janela guarnecida de treliça que ficava em cima da porta.[5] Os israelitas comeriam a **carne** à noite, depois de tê-la **assada ao fogo** (8). O texto não identifica as **ervas amargosas**, mas eram tradicionalmente endívia (tipo de chicória), agrião, pepino, rábano, alface e salsa. O cordeiro era assado inteiro com a **cabeça**, os **pés** e a **fressura** (9) ou as entranhas. "Os comentaristas judeus dizem que os intestinos eram tirados, lavados e limpos, e depois colocados de volta no lugar; assavam o cordeiro em um tipo de forno".[6] Nada ficava do cordeiro **até pela manhã** seguinte; o que não era comido deveria ser queimado (10).

Podemos entender os detalhes dos versículos 5 a 10 como um tipo de "Cristo, o Cordeiro de Deus". 1) Era puro e imaculado, 5; 2) Morreu no final da tarde, 6; 3) Aplica seu sangue no coração dos crentes, 7; 4) Torna-se o Substituto para o portador da ira de Deus, 8,9; 5) Tem de ser recebido totalmente pelo crente, 10. Deve ser recebido sem o fermento do pecado e em tristeza de arrependimento segundo Deus, 8.

Enquanto comiam, os israelitas deviam estar prontos para a viagem, com as longas vestes reunidas e presas nos **lombos** com cinta (11).[7] Deviam estar com os **sapatos nos pés** e o **cajado na mão**, enquanto comiam às pressas — ação pelo menos em parte simbólica da prontidão do cristão pela volta de Cristo. Durante a noite, Deus feriria os egípcios e executaria **juízos** em **todos os deuses do Egito** (12). Os egípcios reputariam a morte de todos os animais primogênitos do Egito como julgamento sobre seus deuses.[8]

O sangue vos será por sinal que Deus veria e não feriria quem estivesse na casa onde o sangue fora aspergido (13).

2. As Festas da Comemoração (12.14-20)
Este dia, o décimo quarto do mês de abibe, foi separado por Deus como **estatuto perpétuo** (14) para Israel. Era uma lembrança anual da grande libertação do Egito. Tinha de ser celebrada para sempre. Só em Cristo esta ordenação foi verdadeiramente cumprida eternamente. Os cristãos celebram a Ceia do Senhor, o memorial pelo Cordeiro de Deus que foi morto. Esta prática continuará até que seja observada de novo no Reino de Deus (Mt 26.29).

A Festa da Páscoa ocorria imediatamente antes da **Festa dos Pães Asmos** (17). Não é preciso considerar que os versículos 15 a 20 foram acrescentados em instituição posterior desta festa.[9] A estreita ligação com a Páscoa tornou esta festa parte essencial da primeira ocorrência. Os israelitas não tinham pão fermentado na Páscoa, e por causa da pressa em partir não tiveram tempo para prepará-lo. Também deixaram o fermento, símbolo do Egito.[10]

A Festa dos Pães Asmos durava **sete dias**, começando no dia seguinte à Páscoa. No primeiro e no último dia da festa haveria **santa convocação** (ajuntamento sagrado), nos quais não se trabalhava (16). Estes dois dias não eram sábados no sentido exato da palavra, mas dias de adoração. A festa era uma lembrança do êxodo, a saída do Egito. **Exércitos** (17), melhor "hostes" (ARA).

A importante lição desta festa era a completa separação do **fermento**. Não deveria haver fermento no pão e nem mesmo nas **casas** (18,19). Toda pessoa que comesse fermento (de forma persistente e consciente) seria **cortada da congregação de Israel**, quer dizer, perderia os privilégios e direitos de israelita.[11] Esta ordem se aplicava ao israelita de nascença — o **natural da terra** — e ao **estrangeiro** que se juntava ao povo de Israel por escolha. Para os israelitas, o pão não levedado era sinal de que entraram numa nova vida com Deus, livres dos males do Egito. O fermento é tipo de corrupção causada por fermentação.[12] Simboliza a velha vida de pecado e a natureza pecaminosa no homem. Paulo escreveu: "Alimpaivos, pois, do fermento velho. [...] Pelo que façamos festa, não com [...] o fermento da maldade e da malícia, mas com os asmos da sinceridade e da verdade" (1 Co 5.7,8). Tanto no Antigo quanto no Novo Testamento é claro o ensino de limpeza total de todo o pecado.

3. *As Instruções para os Anciãos* (12.21-28)

Agora Moisés estava pronto para comunicar o que Deus lhe dissera. Como é necessário o homem de Deus saber em primeira mão qual é mensagem a entregar! Deviam usar **um molho de hissopo** para aplicar o **sangue** do cordeiro **na verga da porta, e em ambas as ombreiras** (22). Esta planta era muito "apropriada para aspergir sangue" e "por seu uso freqüente para este propósito veio a ser símbolo de purificação espiritual" (cf. Sl 51.7).[13] A ordem era para que os israelitas esperassem **até à manhã** para saírem da casa onde o sangue fora aspergido (22).

Moisés assegurou aos **anciãos** que o Senhor passaria sobre Israel quando fosse ferir os egípcios com o **destruidor** (23). O primogênito não seria atingido **quando** Deus visse o **sangue**. Era necessário providenciar o sangue e que este fosse aspergido — fato significativo para nossos dias em referência à expiação de Cristo (1 Pe 1.18,19). **Este culto** (25, a atividade da noite) seria renovado anualmente como lembrança, ou lição prática, para os filhos (24-27). Quando os israelitas se inteiraram dos planos de Deus, inclinaram-se e adoraram (27). A promessa de Deus de favorecê-los com exclusividade os fez humildes e despertou neles emoções santas. Tendo encontrado Deus na adoração, **foram os filhos de Israel e fizeram... como o SENHOR ordenara** (28).

4. *Morte no Egito* (12.29-36)

Como Deus predissera, **todos os primogênitos na terra do Egito** foram feridos **à meia-noite** (29). Em vez de "serva" (11.5), que foi mencionada como a condição social mais baixa na profecia, agora diz o **cativo que estava no cárcere**. Talvez houvesse pouca diferença em termos de posição social entre eles.

Faraó deve ter sabido que ocorreria esta praga, porque Moisés lhe falara (11.4,5), mas seu coração duro o cegou para as coisas sobre as quais não deveria ter dúvida. Porém, quando se deu a calamidade, não houve escusa da verdade — os primogênitos estavam mortos. Ocorreu um **grande clamor**; em toda casa havia um filho morto (30). Enquanto ainda era noite, Faraó **chamou a Moisés e a Arão** e ordenou — não só lhes permitiu — que saíssem do Egito, levando tudo consigo (31,32). Esta ordem foi dada por desespero e não por consentimento livre. Suas palavras: **Abençoai-me também a mim**, expressavam o desejo de evitar mais calamidades. Temos aqui humilhação extrema "sem contrição de coração".[14] Visto Moisés ter dito que não veria mais Faraó (10.29), imaginamos que foram os servos de Faraó que entregaram a mensagem a Moisés.

Não só Faraó e seus servos, mas todos os **egípcios apertavam ao povo** israelita para que fossem logo embora. "Os egípcios pressionavam o povo para que se apressasse em sair do país" (NVI). Temiam que **todos** fossem **mortos** (33). A tradução de Moffatt do versículo 34 indica a pressa com que o povo de Israel saiu: "Assim o povo agarrou apressadamente a massa, antes mesmo de levedar, e embrulhou as amassadeiras nas roupas, levando-as nos ombros". Já haviam pedido jóias dos egípcios em tamanha quantidade que os egípcios ficaram empobrecidos (35,36). Temos a impressão que muitos ajudaram Israel a se aprontar antes mesmo da Páscoa. Agora insistiam que fossem depressa. Foi assim que Israel fugiu da escravidão egípcia depois de espantosa noite de vitória. O verbo hebraico *sha'el* ("pediram", 35) pode ser traduzido igualmente por "pediram" ou "exigiram". Os hebreus tinham a receber quantia considerável em salários pelo trabalho involuntário e não pago.

A vitória de Deus para Israel trouxe "A Grande Salvação" observada nos versículos 26 a 36. 1) O pré-requisito: **Os filhos de Israel** fizeram como o **SENHOR ordenara**, 26-28; 2) A proteção: **O SENHOR** passou sobre as **casas dos filhos de Israel**, 27,29,30 (cf. ARA); 3) A provisão: **O SENHOR deu graça ao povo**, 31-36.

B. O Êxodo, 12.37—15.21

1. *A Partida do Egito* (12.37-42)

a) *O número dos que se puseram em marcha* (12.37-39). No dia seguinte à noite da morte dos primogênitos dos egípcios, **partiram os filhos de Israel** para **Sucote** (37). Não sabemos a localização certa deste lugar, embora fosse viagem curta de um dia **de Ramessés** para o leste em direção ao mar Vermelho (ver Mapa 3). Deve ter sido tarefa custosa levar este grande grupo a um ponto central; talvez tivessem feito um planejamento para quando o momento da vitória chegasse.

Muita controvérsia gira em torno da questão do número de israelitas que saiu do Egito. Os estudiosos liberais, pouco propensos a considerar providência milagrosa, recusam-se a aceitar um número alto como implica o montante de **seiscentos mil** homens.[15] Contestam a possibilidade de a população israelita aumentar tanto levando em conta o tempo decorrido e as condições adversas descritas. Também rejeitam a possibilidade de tantas pessoas sobreviverem no deserto. Existe a indicação de que a palavra hebraica que se refere a **mil** (*elep*) "possa ser traduzida por 'clã' ou 'família', como ocorre em outros lugares da Bíblia (*e.g.*, Jz 6.15)".[16] Neste caso, o número total de 600 clãs seria bem menos.

Mas considerando a bênção especial de Deus, aceitamos que Israel crescera a uma população estimada de quase três milhões de pessoas.[17] Sob o poder especial de Deus, as provisões no deserto teriam sido adequadas.

A **mistura de gente** (38) que partiu com Israel eram egípcios que se ligaram a Israel e sua religião; também eram escravos estrangeiros que, por esse meio, buscavam liberdade, e pessoas que tinham se casado com os hebreus. Mais tarde, essa gente se tornou tropeço para Israel (Nm 11.4). É interessante observar que Israel possuía **ovelhas** e **vacas**. Estes rebanhos já eram deles antes das pragas e foram protegidos da destruição (9.4). O registro bíblico não explica como os israelitas poderiam possuir tanto gado no Egito. Conjeturamos que as bênçãos de Deus estavam sobre Israel durante a escravidão. Chadwick sugere que pode ter havido uma revolta antes desta época, a qual concedeu certos privilégios para estes escravos no Egito.[18] Em todo caso, Deus lhes abastecera com **grande multidão de gado**.

A partida súbita do Egito pegou os israelitas até certo ponto desprevenidos, pois não haviam preparado **comida** (39) para a viagem. Só comeram **bolos asmos**. Este era o tipo de alimento que deveriam comer por sete dias durante a festa comemorativa (15).

b) *A data da partida* (12.40-42). **O tempo que os filhos de Israel habitaram no Egito foi de quatrocentos e trinta anos** (40). O autor não especifica se toda essa estadia foi só no Egito, ou também incluía o tempo na Palestina. Paulo (Gl 3.17) dá a entender que a lei foi dada 430 anos depois de Abraão. Mas Estêvão (At 7.6) disse que Israel ficou na escravidão em terra estrangeira por 400 anos. O número redondo 400 concorda com o número que aparece em Gênesis 15.13, cuja passagem também indica que estes anos foram passados em aflição. É seguro presumir que o autor quis se referir aos anos passados na terra do Egito.[19] Na realidade, o tempo foi datado no relógio de Deus com uma exatidão que comprovava a Palavra divina (41).

Que noite inesquecível! "Essa foi a noite em que o SENHOR ficou vigiando" (NTLH); manteve seus filhos sob observação cuidadosa (42). No futuro, todas as gerações de israelitas a celebrariam como "noite da vigília". Para Israel, foi como o dia em que nasceram de novo; os cristãos o celebram como o dia feliz em que seus pecados foram lavados pelo sangue de Jesus!

2. *A Lei da Páscoa* (12.43—13.2)

Moisés recebeu mais instruções pertinentes à celebração da Festa da Páscoa: 1) O **filho de estrangeiro** não deveria comer a Páscoa (43); 2) estrangeiros e servos, depois de circuncidados, tornavam-se israelitas e poderiam comer a Páscoa (44,48); 3) deviam comer o cordeiro **numa casa** e nada dele poderia ser levado para fora da casa (46); 4) não podiam quebrar **osso** algum do cordeiro (46); 5) a mesma lei se aplicava ao **natural** e ao **estrangeiro** (49).

Os últimos três pontos enfatizam a unidade na comunhão. Não devia haver divisão na congregação de Israel — o cordeiro era um e o povo era um. Assim, em Cristo todos são um; as divisões não têm lugar em seu corpo (1 Co 1—3).

A resposta dos israelitas foi imediata (50). A recente vitória tornou seus corações obedientes. Quando Deus trabalha, a vitória é completa. **Exércitos** (51), melhor "turmas" (NVI) ou "tribos" (NTLH). Mas as bênçãos de Deus dadas a um povo trazem responsabilidades. Visto que o Senhor poupara **homens** e **animais**, agora estes deveriam ser consagrados a Ele (2). Deus pediu a estes homens que lhe dessem o que lhe era devido. O verbo *santificar* conforme é usado aqui e ao longo do Antigo Testamento tem o significado de "consagrar ou separar" para propriedade especial de Deus, tendo paralelo no significado do Novo Testamento que inclui pureza moral (Ef 5.25-27; Hb 9.13,14). Neste sentido mais amplo do Antigo Testamento, o termo *santificar* é usado para se referir a pessoas e coisas.

3. *O Discurso de Moisés* (13.3-16)

a) *O dia da recordação* (13.3-10). **Moisés** tinha de relatar ao **povo** as instruções que Deus lhe dera. Os versículos 3 a 7 repetem grande parte do que aparece em 12.14-20 (ver comentários ali). No versículo 5, Moisés nomeou cinco das sete nações cuja terra Israel herdaria. As outras duas eram os ferezeus e os girgaseus que provavelmente eram menos importantes (cf. CBB, vol. II).

A importância de lembrar este **mesmo dia** (3) devia ser passada para os filhos (8). O **sinal sobre tua mão** e a **lembrança entre teus olhos** (9) não seriam os escritos físicos ou "filactérios" (cf. Dt 6.4-8).[20] O que devia ser lembrado era a festa e as palavras da boca que vêm do coração.[21] Em certa medida, os objetos físicos ajudam a lembrar os atos graciosos de Deus, mas o meio mais eficaz de transmissão é a **lei do SENHOR... em tua boca** (9) — o coração transbordante de louvor e testemunho passado para os filhos. Deus sabe que os homens o esquecem com facilidade, por isso ordenou: **Tu guardarás este estatuto a seu tempo** ["no dia certo", ARA] **de ano em ano** (10).

b) *A consagração dos primogênitos* (13.11-16). Outra lembrança constante era a entrega dos primogênitos a Deus (2,12) e as respostas às perguntas dos filhos (14) a respeito das cerimônias. Todos os primogênitos machos do gado pertenciam a Deus (12) e deveriam ser oferecidos em sacrifício ao **SENHOR** (15). **Tudo o que abre a madre** (15) diz respeito a "todos os machos que abrem a madre" (ARA). O vocábulo **tudo** aqui deve ser considerado alusão a animais limpos.[22] Os animais imundos, como os jumentos (13), tinham de ser resgatados pela substituição de um cordeiro ou cabrito. Se não fossem resgatados, os animais imundos deveriam ser mortos. O jumento é mencionado porque foi o único animal de carga levado do Egito.

Para os meninos havia um arranjo especial. Considerando que não podiam ser sacrificados como oferta, tinham de ser resgatados (15). Mais tarde, a obrigação do serviço a Deus foi transferida para os levitas, e o preço da substituição pelo primogênito macho foi fixado em cinco siclos (Nm 3.47).[23] Este pagamento servia como reconhecimento do direito de Deus sobre os primogênitos.

A razão para esta exigência é clara. Deus tirou Israel do Egito matando **os primogênitos** (15) egípcios. Portanto, os israelitas deveriam contar a história repetidamente a todos os filhos, sobretudo ao primogênito. Este ato redentor e sacrifical deveria ser uma lembrança — **por sinal sobre tua mão e por frontais entre os teus olhos** (16; ver comentários sobre o v. 9).

4. *A Coluna de Nuvem e a Coluna de Fogo* (13.17-22)

A rota direta e norte entre o Egito e a Palestina (ver Mapas 2 e 3) tinha aproximadamente 320 quilômetros e podia ser percorrida em cerca de duas semanas. Quando Deus tirou os israelitas do Egito, Ele os levou por um percurso mais longo a fim de evitar o encontro com os **filisteus** (17) bélicos. Os filhos de Israel não eram treinados para a batalha e a fé em Deus ainda era fraca. Eles poderiam se arrepender quando vissem a **guerra** e voltar para o **Egito**. O Senhor conhecia a força limitada do seu povo e o protegeu de tentações inadequadas (ver 1 Co 10.13). Por vezes, os caminhos de Deus não são os mais simples e diretos. Ele guiou Israel **pelo caminho do deserto perto do mar Vermelho** (18; ver comentários sobre o mar Vermelho em 14.2).

A palavra **armados** (18), embora termo militar no original hebraico, deve ser referência à maneira organizada da marcha. Moffatt diz: "Os israelitas saíram do Egito em formação metódica". Esta organização pode ter sido planejada durante o período de disputa com Faraó.[24]

Atendendo ao pedido de **José** quando estava morrendo (Gn 50.25), **Moisés** levou os **ossos** (19) deste patriarca. Pode-se afirmar que Moisés sabia de tudo sobre este antigo líder e que se fortaleceu na fé pela firme esperança que havia em José. No devido tempo, Israel enterrou respeitosamente os ossos de José na terra de Canaã (Js 24.32).

A próxima parada de Israel depois de **Sucote** foi **Etã, à entrada do deserto** (20; ver Mapa 3). A localização destes lugares é incerta, em grande parte por que não sabemos o ponto exato da travessia do mar Vermelho.[25] Mas onde quer que tenha sido o local, Deus era o Líder. Ele aparecia diante de Israel na forma de uma **coluna de nuvem** (21, provavelmente de fumaça) **de dia**, e uma **coluna de fogo**, à **noite**. A coluna ficou bastante tempo com Israel servindo de guia nas viagens. Simbolizava o Espírito Santo, um Fogo (Mt 3.11), que guia o cristão no andar cotidiano.

Vemos "A Luz Guia de Deus" nos versículos 17 a 22. 1) Conduz os filhos de Deus para longe dos caminhos de maior perigo, 17; 2) Leva, às vezes, por caminhos circulares passando por lugares indesejáveis, 18a; 3) Dirige de forma ordeira e obediente, 18b; 4) Lidera com provas incontestáveis de que Ele está com eles, 21,22.

5. A Travessia do Mar Vermelho (14.1-31)

a) *Um lugar arriscado* (14.1-4). Visto que o texto bíblico não anuncia o local preciso onde ocorreu a travessia, é melhor presumir que os filhos de Israel iniciaram a jornada da terra de Gósen (ver Mapa 3) rumo à fronteira do Egito, onde cruzaram para entrar no deserto. Em seguida, Deus lhes ordena que **voltem** (2; "retrocedam", ARA) e **acampem** junto ao **mar**. Não há como definir se viraram para o norte, em direção ao lago Manzalé,[26] ou para o sul, em direção aos lagos Amargos.[27] O que está claro é que havia um volume de água diante deles como obstáculo ao cruzamento.

Faraó começou a reavaliar a libertação dos escravos. Talvez soube da jornada aparentemente a esmo, e supôs que estivessem **embaraçados na terra** (3) e que o **deserto os** encerrara. Para ele, o Deus dos israelitas, embora poderoso no Egito, era impotente no deserto. Pensou que estavam irremediavelmente perdidos. Lógico que Israel teria sido destruído se não fosse a intervenção do Deus Todo-poderoso. Por vezes, Ele nos coloca em situações de aperto para nos livrar e nos mostrar que Ele é **o SENHOR** (4).

b) *A perseguição de Faraó* (14.5-9). Irritados pela recente derrota e frustração causada pela perda de tantos trabalhadores (5), **Faraó** e **seus servos** (os conselheiros) mudaram de idéia. Pensando que Israel estava praticamente encurralado no deserto, o rei **aprontou o seu carro e tomou consigo o seu povo** (6; "exército", NVI). Também tinha **seiscentos carros escolhidos** (7) e muitos outros que conseguira reunir sem demora (pensamento subentendido na expressão **todos os carros**).[28] Com esta força militar humana, Faraó saiu apressadamente em perseguição dos israelitas. Seu coração duro ficou mais duro ainda, porque, para ele, estes escravos tinham saído **com alta mão** (8; "afoitamente", ARA; "triunfantemente", NVI). Contraste esta condição com o grande medo que logo sentiriam (10). Foi a toda velocidade ao local onde estavam acampados **junto ao mar** (9; ver Mapa 3). **Pi-Hairote** significa "lugar de juncos, no lado egípcio do mar Vermelho" (VBB, nota de rodapé).

c) *O medo do povo* (14.10-12). Vendo o exército de Faraó se aproximando, o coração dos israelitas se derreteu, levando-os a clamar ao **SENHOR** (10). Foi um clamor desesperado, porque viam nada mais que a morte diante de si; só restava repreender **Moisés** por tê-los tirado do Egito para morrerem no **deserto** (11). Para eles, a escravidão era melhor que a morte, e Moisés deveria tê-los deixado em paz no Egito (12). Em termos de um *slogan* dos dias atuais, eles sentiam que seria melhor sofrer e estar vivo do que não sofrer e estar morto.

Estes israelitas, como tantos novos-convertidos, embora libertos da escravidão do trabalho forçado, ainda possuíam "um coração mau e infiel". Estavam com muito medo e cheios de dúvida, logo esquecendo os atos poderosos de Deus feitos a seu favor. Tinham concordado com os líderes, mas agora, diante da iminente catástrofe, a falta de compromisso sério se revelou.

d) *O propósito de Deus* (14.13-18). Como é freqüente a fé fraquejar justamente quando Deus está pronto para fazer sua maior obra! Mas Deus tinha seu homem de fé. O texto não diz o quanto Moisés tremia por dentro, nem é perceptível que ele já soubesse o que Deus ia fazer. Mas os encontros que teve com Deus lhe deram a certeza de que Deus estava no controle. Não havia nada que as pessoas poderiam fazer, exceto aquietar os temores, ficar quietas e ver o **livramento do SENHOR** (13). Deus disse a **Moisés** (4) que ocorreria outra vitória, e ele creu na palavra de Deus. Ele pôde declarar: **O SENHOR pelejará por vós, e vos calareis** (14). "Tão-somente acalmem-se" (14b, NVI).

Não havia necessidade de mais clamores a Deus. Chegara o momento de marchar. Tratava-se de uma marcha de fé, pois diante deles só havia águas traiçoeiras; mas a ordem de Deus era clara: **Marchem** (15). Em nosso andar espiritual, chegamos a um ponto em que as orações medrosas cessam e o passo de fé deve ser dado.

Todas as vezes que os filhos de Israel temeram o desamparo de Deus, Ele estava trabalhando em seus propósitos. A barreira de água à frente deles se dividiria quando a **mão** de **Moisés** se estendesse com a **vara** (16). O coração duro de Faraó o levaria a se apoiar demasiadamente na bondade Deus e seguir Israel, mas o plano de Deus era destruir o exército egípcio para, assim, obter glória e honra para si (17). Seria tarde demais para **Faraó** e **seus cavaleiros** (18), mas o restante dos egípcios saberia quem é **o SENHOR**.

No versículo 15, observamos o desafio de Deus ao seu povo: "Marchem!" 1) A história os impulsionava para frente, 1.13,14; 2) O presente os empurrava para frente, 14.9,10; 3) O futuro os estimulava para frente, 3.8; 14.13,14 (G. B. Williamson).

e) *A coluna de proteção* (14.19,20). O **Anjo de Deus** (19), chamado "o anjo do SENHOR" em 3.2, que estava na frente de Israel, passou agora para trás do acampamento. O movimento invisível de Deus foi verificado no movimento visível da **coluna da**

nuvem, que **se retirou de diante** dos israelitas e **se pôs atrás deles**. Esta coluna ficou entre os dois acampamentos, impedindo os egípcios de chegar perto de Israel **toda a noite** (20). A coluna trouxe **escuridade** para os egípcios, enquanto que Israel tinha luz no acampamento.[29]

Vemos nos versículos 10 a 20, o processo de "Como Vencer o Medo". 1) Ficamos amedrontados ao ver o poder de Satanás, 10; 2) Expressamos nossa angústia pelas providências de Deus, 11,12; 3) Sentimos alívio quando a palavra de Deus é dada com clareza, 13-18; 4) Aquietamo-nos completamente quando a presença de Deus se manifesta, 19,20.

f) *O caminho pelo mar* (14.21-25). Naquela noite, quando **Moisés estendeu a sua mão sobre o mar... as águas foram partidas** (21). Um **forte vento oriental** fez o **mar** se tornar **em seco**, talvez para secar o leito de onde as águas recuaram. Devemos ser cautelosos em não forçar a linguagem poética (15.8; Sl 78.13) em rígida expressão literal e concluir que as águas desafiaram a gravidade ou se congelaram em bloco sólido.[30] A palavra **muro** (22) se refere à barreira de água que ficou em ambos os lados de Israel enquanto atravessavam em marcha.[31]

O registro bíblico não determina a distância do cruzamento pelo mar e a largura da passagem. A área era suficiente para que quase três milhões de pessoas atravessassem em uma noite e bastante ampla para que todos os exércitos de Faraó ficassem no **meio do mar** (23). Ou **os egípcios** consideraram a abertura no mar uma ocorrência natural ou então, na sua dureza, se apoiaram na misericórdia de Deus quando marcharam pela abertura. O texto não diz se Faraó entrou com o exército, mas **todos** os seus **cavalos, carros** e **cavaleiros** (23) entraram (o v. 9 não registra a entrada do "exército").

Na vigília daquela manhã (24), entre duas e seis da manhã,[32] Deus **alvoroçou** os **egípcios**. Pode ser que a coluna diante dos egípcios tenha começado a lampejar, talvez com raios. Os egípcios ficaram com medo e passaram a ter problemas com **as rodas** dos **carros** (25), que emperravam (ARA) ou atolavam (NTLH), de forma que transitavam **dificultosamente**. Pelo visto, o leito seco do mar estava afundando com o peso dos cavalos e carros. Disseram: **Fujamos... porque o SENHOR por eles peleja contra os egípcios**. Mais uma vez, estes ímpios reconheceram o poder de Deus. A confusão dos egípcios deu tempo para Israel completar a travessia e para todos os egípcios ficarem no leito do mar.

g) *A morte dos egípcios* (14.26-31). Deus inverteu a ação e as águas voltaram ao lugar (26). O texto não declara se houve uma reversão do vento (ver 15.10). O retorno das águas foi tão súbito e forte que alcançou **os egípcios** quando tentavam fugir e os matou (27,28). As mesmas águas que serviram de **muro** para o povo de Deus (29) tornou-se meio de destruição para os egípcios.

Esta última disputa entre Deus e Faraó, resultando em vitória final e completa para o Senhor, impressionou fortemente os israelitas. A situação parecia desesperadora na noite anterior. Agora **Israel viu os egípcios mortos na praia do mar** (30). As águas turbulentas, ou a maré, levaram os corpos à praia. O Senhor salvara os israelitas; toda a prova necessária estava diante dos olhos deles.

Quando **viu Israel a grande** (31) **obra**, **temeu o povo ao SENHOR e creu**. Este ato poderoso expulsou o medo que os atormentara (10) e implantou um verdadeiro temor de Deus — um temor que conduziu a uma fé viva. Com esta manifestação, "os israelitas distinguiriam o Libertador misericordioso do Juiz santo dos descrentes, a fim de que crescessem no temor de Deus e na fé que já haviam mostrado".[33] A palavra hebraica traduzida por **creu** (31) significa "confiou" (ARA); este tipo de fé toma conta da pessoa. O povo podia entregar os problemas a Deus e acreditar em **Moisés, seu servo**, porque a fé se tornou mais personalizada.

Nos versículos 10 a 31, vemos "A Libertação Poderosa de Deus". 1) A favor de um povo temente, 10-15; 2) Com poder sobre os obstáculos da natureza, 16,19-24; 3) Dos inimigos rebeldes de Deus, 17,18,25-28; 4) Na criação de um povo crente, 29-31.

6. *Os Cânticos de Libertação* (15.1-21)

a) *O cântico de Moisés* (15.1-19). O que é mais natural que cantar canções de louvor quando Deus concede tremendas libertações? Depois de um período de forte opressão e uma noite escura de desespero, dar-se conta de que a vitória de repente veio é fato que traz ondas de alegria ao coração. A Bíblia registra este cântico de Moisés, o qual se tornará o título da canção dos remidos no último dia (Ap 15.3).

Os críticos afirmam que este cântico, ou certos trechos, foi composto muito depois dos dias de Moisés e inserido aqui por editores.[34] Baseiam suas opiniões principalmente em idéias encontradas nos versículos 13 e 17, que falam sobre a **habitação da tua santidade** e o lugar da habitação de Deus, o **santuário**. O argumento pressupõe que Moisés não poderia ter sabido destes conceitos que ainda estavam no futuro de Israel. Mas quem aceita o fato da inspiração divina para homens como Moisés não vê problemas nisso. O uso do passado ou presente proféticos (como no v. 13) não é incomum no Antigo Testamento (*e.g.*, Is 9.6). A simplicidade do poema e seu poder de descrição "indicam que os dias de Moisés foi o tempo da composição do poema".[35]

(1) *Deus é o Herói* (15.1-3). Deus é grande, pois Ele **lançou no mar o cavalo e o seu cavaleiro** (1). **O SENHOR**, que é a **força** e o **cântico**, também é a **salvação** (2) do cantor, bem como **o Deus** de seu **pai** (seu antepassado). A frase **lhe farei uma habitação** é mais bem traduzida por "eu o louvarei" (ARA). Sua vitória sobre os egípcios provou que Deus era **varão de guerra** (3), antropomorfismo que descreve seu poder na batalha. Este tipo de linguagem para se referir a Deus em termos humanos encontra-se por todo o Antigo Testamento. Seu nome é *Yahweh*, traduzido por **o SENHOR**, ainda que Faraó não o reconhecesse.

(2) *O Senhor, supremo sobre todos* (15.4-12). A **destra** (6) ou mão direita do Senhor, outro antropomorfismo, destruiu os inimigos afundando-os no mar, os quais **desceram às profundezas como pedra** (5). Sob o olhar de Israel, os capitães armados foram submersos pela inundação que voltava. Deus, que é excelente em majestade, derrotou os adversários e em **furor** os **consumiu como restolho** (7). O texto descreve que o vento que moveu as águas foi como o **sopro** dos **narizes** de Deus (8). A linguagem poética usa analogias humanas para descrever a atividade de Deus sem se prender a literalismo rígido. Quando Deus se moveu, **as águas** ficaram **como** um **montão**, e **os abismos coalharam-se no coração do mar**. Estas palavras podem ser referência às águas que

se amontoaram como muros em cada lado de Israel,[36] ou diz respeito ao fechamento das fontes de onde as águas vinham.[37]

O versículo 9 mostra a atitude desafiante do inimigo. Vemos a soberba de sua autoconfiança e desejo (**alma**). Mas quando Deus soprou com o seu **vento**, eles foram submersos (10). Aqui há a sugestão de um fato novo: o vento também foi usado para fazer as águas do mar retrocederem. Deus é maior que todos **os deuses** (11); nada se iguala à sua glória, **santidade** e poder. Esta é a primeira menção explícita da santidade de Deus no Antigo Testamento (cf. 3.5). Ele estendeu a **mão direita** e a **terra os tragou** (12). O mar é considerado parte da **terra**.

(3) *O Senhor é o Rei de Israel* (15.13-19). Deus guiou e salvou seu **povo** (13); Ele os guiou (está guiando-os).[38] A **habitação da tua santidade** é alusão certa à Terra Prometida. Conforme o autor antevia o movimento rumo à Palestina (o termo *palestina* provém do nome do inimigo, Filístia), ele via a preocupação e o medo tomarem conta **dos habitantes**, por causa do poder de Deus (14). **Edom**, os **moabitas** e **Canaã** (15) sentiram um medo terrível. **Espanto e pavor**, causados pela **grandeza** do **braço** de Deus (16), imobilizaram os inimigos até que Israel cruzasse a fronteira. O assentamento final em Canaã era certo. O poema fala com tanta certeza do assentamento na terra e o levantamento do **santuário**, realizações que ainda estavam no futuro, como se já fossem fatos (17). O Senhor reina **eterna e perpetuamente** (18), enquanto o exército de Faraó foi destruído e o povo de Israel, poupado (19). O escritor do cântico transbordava de alegria por causa deste tremendo acontecimento.

b) *O Cântico de Miriã* (15.20,21). Pelo visto, **Miriã, a irmã de Arão** (20), tinha posição igual a Arão, mas não igual a Moisés. Era **profetisa**, a primeira mencionada na Bíblia. O **tamboril** era um pandeiro. "Danças solenes como expressão de adoração, embora apropriadas no tempo de Moisés e dos salmistas, são sujeitas a abuso e nunca encontraram boa receptividade no culto de adoração da igreja cristã."[39]

Supomos que quando **Miriã lhes respondia** (21; cf. v. 1), ela e as mulheres cantavam as palavras deste refrão em resposta a cada uma das partes do Cântico de Moisés. Tocavam instrumentos e se movimentavam com graça entre as cantoras numa "dança imponente e solene".[40]

C. A Viagem para o Monte Sinai, 15.22—18.27

1. *Em Mara e em Elim* (15.22-27)

Os israelitas **andaram três dias no deserto** (a leste do mar Vermelho) e **não acharam água** (22). A fé do povo precisava de mais provas. Uma grande vitória como a travessia do mar Vermelho proporcionou uma visão maravilhosa da onipotência de Deus; mas não treinou a fé para os problemas cotidianos. A necessidade diária de comida e bebida prova a fé do povo mais que os obstáculos maiores. Mas Deus estava treinando seu povo em todos os aspectos da vida, por isso os levou às águas **amargas** de **Mara** (23; ver Mapa 3). Imagine a comovente decepção de pessoas sedentas encontrando água e verificando que era impotável.

Viajantes nesta região do **deserto de Sur** (ou de Etã, Nm 33.8) confirmam que as fontes são extremamente amargas, que o lugar é "destituído de árvores, água e, exceto no começo de primavera, pastagens".[41]

O povo murmurou contra Moisés (24). A liderança é cara, porque a culpa pela adversidade recai nos líderes. Estas pessoas sabiam que Moisés era homem de Deus; por isso, o pecado também era contra Deus. Grandes experiências com Deus não curam necessariamente o coração mau e queixoso. A murmuração cessa apenas quando crucificamos o eu e entronizamos Cristo somente (Ef 4.31,32).

A única coisa que Moisés poderia fazer era clamar **ao SENHOR** (25). Não há dúvida de que Deus teria fornecido água potável em resposta à fé paciente de Israel, se tivessem permanecido firmes. O Senhor às vezes satisfaz nossos caprichos em detrimento da fé. Aqui, **as águas se tornaram doces**, quando Moisés lançou **um lenho** nelas, mas a fé de Israel continuou fraca. Desconhecemos método natural que explique este milagre.

Deus usou esta ocasião para ensinar uma lição a Israel, dando-lhes **estatutos e uma ordenação** (25). Se as pessoas ouvissem a Deus e obedecessem inteiramente à sua palavra, elas seriam curadas de todas as enfermidades que Deus tinha posto **sobre o Egito** (26). Assim como Deus curou as águas amargas de Mara, assim Ele curaria Israel satisfazendo-lhes as necessidades físicas e, mais importante que tudo, curando o povo de sua natureza corrompida. Deus queria tirar o espírito de murmuração do meio do povo e lhe dar uma fé forte.

Nem todas as experiências da vida são amargas. O próximo acampamento de Israel foi em **Elim**, oásis com **doze fontes de água** (uma para cada tribo) e **setenta palmeiras** (27). Tivesse Israel suportado a amargura das águas de Mara, logo estaria festejando em Elim. A pouca paciência de muitos crentes embota o fio aguçado da vitória alegre quando esta ocorre. **Elim** era um lugar bonito para acampar, mas não era o destino dos israelitas.

2. *O Maná e as Codornizes* (16.1-36)

a) *Outra murmuração de Israel* (16.1-3). Israel deveria ter aceitado os "estatutos" de Deus e crido em sua "ordenação" (15.25). O fato de não terem agido assim resultou em mais reclamações. Tinham deixado para trás um deserto (Sur) e entrado em outro (**Sim**) a caminho do monte **Sinai** e já fazia um mês que viajavam (1). Pelo visto, o suprimento de comida estava diminuindo e não havia evidência externa de novas provisões. Deus permitiu que o problema surgisse como prova para a fé de Israel. Mas o povo **murmurou contra Moisés e contra Arão** (2), desejando ter morrido no **Egito** com os estômagos cheios em vez de morrer de fome no **deserto** (3). Parece que comiam bem no Egito, e agora as coisas estavam piores. Claro que o alimento é necessário para a vida física, mas Deus não esquecera do povo. Ele teria suprido as necessidades de maneira mais satisfatória se Israel tivesse permanecido pacientemente firme na fé.

b) *A promessa de pão e carne* (16.4-12). Não há que duvidar que o tempo todo Deus sabia como alimentaria os israelitas no deserto. Quando murmuraram, o Senhor revelou seu plano de fornecer **pão dos céus** (4) para colherem **a porção para cada dia** — "a ração para cada dia" (Smith-Goodspeed). Até no fornecimento de pão Deus faria uma prova: Queria ver se o povo andaria em sua **lei ou não**. No **sexto dia**, as pessoas achariam quantidade suficiente de pão para durar dois dias, em cumprimento da lei do sábado (5).

Deus queria que estes israelitas soubessem que aquele que os tirou do Egito ainda estava com eles. **À tarde sabereis** (6) e **amanhã vereis** (7). A **glória** mencionada no versículo 7 diz respeito à realização da mão de Deus no suprimento do pão, ao passo que a **glória** referida no versículo 10 era a manifestação especial de Deus na nuvem.

Moisés repreendeu os israelitas por murmurarem contra ele e Arão, pois nada significavam — era Deus quem os conduzia (7). Quando Deus lhes desse **carne** e **pão** para comer, eles saberiam que o Senhor ouvira as **murmurações** feitas **contra ele** (8). De certo modo, fornecer comida desta maneira era uma repreensão. Deus não forneceu comida só porque reclamaram; Ele queria que soubessem que Ele era o Senhor e que não estava contra seus servos, mas contra quem murmurava.

Os filhos de Israel seriam humilhados diante de Deus. Arão os reuniu, dizendo: **Chegai-vos para diante do SENHOR, porque ouviu as vossas murmurações** (9). Quando se aproximaram e olharam **para o deserto**, de repente **a glória do SENHOR apareceu na nuvem** (10). "A prova inconfundível da presença de Deus na coluna de fogo autenticou as palavras de Moisés e preparou o povo para a glória mais encoberta do milagre que ocorreria."[42] A glória do Senhor deu a estes fracos seguidores de Deus a oportunidade de ver o mal dos seus corações quando contemplassem a fidelidade de Deus para com eles. Com a realização do milagre da **carne** e do **pão**, eles saberiam que o **SENHOR** era o seu **Deus** (12). Ele teve paciência com estes crentes fracos, cuja fé necessitava de crescimento; em outra época, depois de terem tempo para amadurecer (Nm 14.11,12), eles foram punidos por causa da permanência na incredulidade.

c) *Deus envia codornizes e pão* (16.13-21). As **codornizes**, que **subiram** e **cobriram o arraial** (13), faziam seu trajeto habitual de migração "pelo mar Vermelho, em grande quantidade nesta época do ano, e, cansadas pelo vôo longo, [...] podiam ser capturadas facilmente perto do chão".[43]

Na manhã seguinte, houve um **orvalho ao redor do** acampamento (13). Quando **o orvalho** se secou, encontraram "uma coisa fina e semelhante a escamas, fina como a geada sobre a terra" (14, ARA). Quando viram, as pessoas perguntaram: **Que é isto?** (15). Moisés respondeu: **Este é o pão que o SENHOR vos deu para comer**. "O nome *maná* é proveniente da pergunta [**Que é isto?**], ou a semelhança no som tem relação com as duas palavras originais [*man hu*]."[44]

Há quem procure identificar o maná bíblico com as substâncias naturais encontradas nesta região. Embora semelhantes em certos aspectos, estas substâncias naturais não se ajustam à narrativa bíblica. Não surgem em grande quantidade, nem podem ser o principal alimento. Ocorrem somente durante curto período do ano. O maná da Bíblia: 1) Foi o principal alimento nutritivo para Israel por quarenta anos; 2) Era fornecido em quantidades grandes; 3) Ocorria ao longo do ano inteiro; 4) Aparecia somente em seis dos sete dias da semana; e 5) Criava bichos se fosse guardado por dois dias, exceto no sábado.[45] Obviamente este maná era um milagre de Deus, sendo um tipo do Cristo que desceu do céu (Jo 6.32-40).

As instruções para colher o maná eram inequívocas. Cada família tinha de colher quantidade suficiente para o consumo de um dia: **um gômer por cabeça** (16), cerca de

1,3 litro, e **segundo o número** de pessoas da família. Pelo milagre do aumento ou da diminuição de acordo com a necessidade vigente,[46] **não sobejava** para quem colhesse muito, **nem faltava** para quem colhesse pouco (18).

Moisés foi claro em dizer que nada do maná deveria ser deixado para o dia seguinte (19). Alguns israelitas, que ainda precisavam aprender acerca da obediência explícita, guardaram uma provisão de maná até o dia seguinte, mas **criou bichos e cheirava mal** (20). Considerando que o maná guardado para o sábado não estragava (24), ficou evidente a desobediência dos ofensores, os quais foram punidos com a deterioração do alimento.

Neste episódio, a lição de Deus para Israel, como também para os cristãos, é que os crentes têm de depender de Deus dia após dia. A vida de Cristo no cristão é preservada a cada momento por sua permanência em Deus. A obediência diária e cuidadosa resulta em provisão regular; o descuido traz perturbação e julgamento. Israel aprendeu a colher o maná pela **manhã**, antes que o **sol** o derretesse (21); o alimento espiritual colhido de manhã cedo suporta o calor do dia.

d) *A observância do sábado* (16.22-31). No **sexto dia**, quando alguns israelitas colhiam quantidades duplas de maná, **todos os príncipes da congregação** (22) não entenderam. Moisés repetiu a regra sem deixar dúvidas: Não haveria maná no **sábado** (25). No sexto dia, eles tinham de **cozer no fogo** (assar) ou **cozer em água** (ferver; usado como pão ou mingau) o que precisavam e guardar para o dia seguinte (23). Aprenderam que o maná guardado para o sétimo dia não se estragava (24).

Estes versículos indicam um conhecimento do sábado anterior ao recebimento dos Dez Mandamentos (20.8-11). Deus estabeleceu um dia de descanso na criação do mundo (Gn 2.2,3); este fato era provavelmente conhecido por Abraão, visto que em certo sentido era observado pelos babilônios. Mas nem os primitivos hebreus nem os egípcios conheciam uma semana de sete dias.[47] Levando em conta que depois da criação o sábado é mencionado somente neste momento, podemos supor que esta é uma renovação da observância sabática. Durante a opressão egípcia, a observância teria sido impossível; portanto, para estas pessoas as palavras de Moisés eram novidade.[48]

Embora Moisés tivesse deixado claro que não haveria pão no dia de **sábado** (26), mesmo assim **alguns do povo saíram para colher** (27). Sempre há quem não acredita na palavra de Deus, desta forma recusando **guardar** seus **mandamentos e leis** (28). A ordem tornou-se mais explícita: **Ninguém** deveria sair **do seu lugar no sétimo dia** (29). Ninguém deveria sair do acampamento; as pessoas tinham de descansar **no sétimo dia** (30). Ver mais comentários sobre o sábado em 20.8-11.

O maná **era como semente de coentro** (31), "uma semente pequena e cinzento-branca, com sabor picante e agradável, usada amplamente como tempero para cozinhar".[49] Tinha gosto de **bolos** feitos de farinha de trigo, óleo e **mel**. O alimento que Deus dava era agradável ao paladar.

e) *O maná comemorativo* (16.32-36). Moisés, sob ordens divinas, ordenou que fosse colocado **diante do SENHOR um vaso** contendo **um gômer cheio de maná** (33), na casa de Deus, **diante do Testemunho** (34). Este recipiente seria guardado para as **gerações** (32) futuras. O escritor aos Hebreus mencionou a existência de "um vaso de ouro" de "maná" no "Santo dos Santos" (Hb 9.3,4). O texto bíblico não informa se a ordem de Deus foi dada neste momento ou mais tarde quando a arca do concerto foi construída. Presumimos que, perto do fim da vida, Moisés adicionou esta seção (32-36) ao Livro de Êxodo.[50] O **Testemunho** (34) diz respeito aos Dez Mandamentos que também foram depositados na arca do concerto.

Para ficar registrado, Moisés afirmou que os filhos de Israel **comeram maná até que chegaram aos termos da terra de Canaã**. Esta afirmação não significa que não tinham outro tipo de comida no caminho, mas que sempre havia a provisão do maná. Josué registrou a cessação deste milagre depois de chegarem à terra da promessa (Js 5.10-12). O **gômer** e o **efa** (36) eram medidas de capacidade usadas no Egito, e esta nota era necessária porque somente o **efa** continuou sendo usado como medida em Israel.[51] Um **efa** correspondia a cerca de 37 litros. O **gômer** seria, então, de aproximadamente 3,7 litros.

No capítulo 16, o alimento de Deus para Israel aponta para o Pão Vivo do Novo Testamento, "Cristo, o Nosso Maná". 1) É dado aos famintos e perturbados, 1-3; 2) Torna-se a manifestação da glória de Deus, 4-12; 3) Satisfaz plenamente quem o colhe, 13-18; 4) É eficiente pela obediência cotidiana, 19-30; 5) Trata-se de experiência comemorada para sempre, 31-34.

3. A Pedra em Refidim (17.1-7)

Israel prosseguiu a viagem **do deserto de Sim**, "fazendo suas paradas" (1, ARA), ou seja, em etapas, até chegar a **Refidim** (ver Mapa 3), provavelmente Refaídi, vale não muito distante de **Horebe** (6). Este nome identifica a cadeia de montanhas que inclui o Sinai.[52] A palavra **Refidim** quer dizer "descansos ou lugares para descansar".[53] O povo estava sedento e esperava achar água neste lugar, mas não acharam nada. Sob qualquer aspecto, Deus não estava tornando as coisas fáceis.

Mais uma vez, o **povo** contendeu com **Moisés**, exigindo **água** (2). O fato de Moisés conhecer esta região pode ter levado os israelitas a pensar que ele deveria saber onde havia água. Mas não foi Moisés que escolheu conduzir Israel por este caminho. Ele era apenas o representante de Deus. Esta situação era para tentar (ou "testar") **ao Senhor**. Deus não se mostrou satisfatório em todas as ocasiões? Não dava para confiar que Ele daria água? Moisés estava descobrindo que este povo era uma provação para sua paciência.

Sem ajuda divina, havia base segura para sentirem-se alarmados. A menos que encontrassem **água**, eles morreriam, como também os **filhos** e o **gado** (3). Não podemos culpá-los pela preocupação, mas onde estava a fé? Não tinham eles visto muitas manifestações do poder de Deus, suficientes para terem a certeza de que Ele não os decepcionaria? Alguns ainda estavam, no mínimo, hesitantes e logo poderiam provocar tumulto e influenciar toda a multidão. Era fácil tornarem-se perigosos.

Clamou Moisés ao SENHOR (4). Não havia atitude mais sábia a tomar que esta; as pessoas estavam prestes a apedrejá-lo. Moisés e, quem sabe, outros estavam dispostos a esperar o tempo de Deus, sabendo que o Senhor não os abandonaria. O Senhor pode demorar para, assim, fazer uma maior maravilha, como fez com Lázaro quando Jesus se deteve até o amigo morrer (Jo 11.20-23). Mas o que Moisés poderia fazer com estes indivíduos revoltosos? Eles não estavam mais dispostos a esperar por Deus.

Misericordiosamente, Deus o instruiu sobre o que fazer. Ele tinha de passar adiante do povo com alguns **anciãos** (líderes nomeados) **de Israel** e com a vara de Deus na **mão** (5). Que consolo esta vara deve ter sido para Moisés! Com ela, ele realizou maravilhas.

Deus prometeu estar diante de Moisés **sobre a rocha, em Horebe** (6), provavelmente na mesma cadeia de montanhas do Sinai (ver nota 52 para inteirar-se de outra explicação). Quando o esforço humano fracassou, Deus estava pronto para exercer seu poder. Moisés tinha de ferir a **rocha** da qual sairia água. O ato produziu água suficiente para satisfazer as necessidades deste grande exército de pessoas e animais. Deus sabia onde havia água e tinha o poder de fazer brotar fontes no deserto. Os anciãos foram testemunhas deste grande milagre.

Moisés chamou o lugar **Massá** e **Meribá**, "provação" e "contenção", porque o povo estava em necessidade e forçou Deus a se manifestar (7). Nomes mais bonitos seriam dados a essas experiências, se o povo, sem censura e incredulidade, tivesse esperado pacientemente o tempo de Deus e o deixado agir!

Cristo é a Água que extingue a sede espiritual do homem (Jo 7.37). Ele é a "pedra espiritual" da qual emana a "bebida espiritual" (1 Co 10.4). Essa "pedra" foi ferida para que a graça fluísse e alcançasse toda a humanidade (ver Gl 3.1).

Nos versículos 1 a 7, vemos "Deus, Nossa Pedra". 1) A Pedra é pedra de tropeço para os descrentes, 1-4; 2) A Pedra tem de ser ferida para que a graça flua, 5,6; 3) A Pedra satisfaz a sede de quem dela bebe, 6b; 4) A Pedra simboliza a cruz, emblema de vergonha, 7.

4. *A Derrota dos Amalequitas* (17.8-16)

a) *A batalha* (17.8-13). Enquanto ocorria o milagre da pedra, os amalequitas investiram contra os filhos de Israel (8), atacando os "fracos" da retaguarda que estavam abatidos e cansados (Dt 25.18). Considerando que o ataque aconteceu **em Refidim** (cf. 1), envolveu quem ainda não tinha chegado ao acampamento. **Amaleque** era descendente de Esaú (Gn 36.12,16), embora não fizesse parte de Edom como nação.[54] A desconsideração dos amalequitas para com Deus e o ataque ao seu povo colocou-os sob o julgamento de Deus.

Josué (9), mencionado aqui pela primeira vez, era conhecido por Oséias (Nm 13.16), mas Moisés o chamou "Jeosué" (contraído para **Josué**), que significa "Jeová é Salvação".[55] Moisés incumbiu este seu ajudante (24.13, "seu servidor") a formar um exército para lutar contra o inimigo. Este exército muniu-se com o armamento dos egípcios mortos (14.30,31), e Josué liderou o exército no confronto com o inimigo (10).

A batalha ocorreu no vale, porque Moisés subiu **ao cume do outeiro** com **a vara de Deus** (9), levando consigo **Arão e Hur** (10). **Hur**, que ajudou Arão quando Moisés subiu ao monte (24.14), era avô de **Bezalel** (31.2), o artesão habilitado para construir o Tabernáculo. De acordo com Josefo, a tradição judaica identifica Bezalel como o marido de Miriã.[56]

Quando Moisés levantava a sua mão (11), com a vara estendida (9), **Israel prevalecia**, mas quando o braço ficava cansado, **Amaleque prevalecia. Arão e Hur sustentaram as** (12) mãos de Moisés, colocando **uma pedra** para ele se sentar e segurando-lhe os braços até o fim do dia. Então Josué, sob as ordens de Deus, "desbaratou a Amaleque" (ARA) e seus exércitos com a **espada** (13).

A vara de Deus indica nitidamente a importância da oração e da fé. A vitória na batalha contra Satanás ocorre quando a oração é eficaz. O povo de Deus, quando ora a Deus com fé, derrota as forças invisíveis de Satanás. O apoio de outras pessoas na oração ajuda a obter esta vitória. Os líderes responsáveis na obra de Deus não seriam bem-sucedidos sem o sustento da oração dos crentes.

"A Oração": 1) É necessária quando o inimigo ataca, 8; 2) Torna-se poderosa no monte de Deus, 9,10; 3) Precisa do sustento de outras pessoas, 11,12; 4) Prevalece na vitória eficaz, 13.

Nos versículos 8 a 16, temos o tema "A Oração Traz Vitória". 1) A obra de Deus prospera pela oração, 8-11; 2) Há necessidade de união na oração, 12,13; 3) Os altares testificam para as gerações futuras que Deus responde a oração (G. B. Williamson).

b) *O memorial* (17.14-16). A batalha com os amalequitas não terminara, pois haveria uma vitória final. A expressão **num livro** (14; "no livro", ATA) indica que os livros de Moisés já estavam em curso de composição.⁵⁷ O sucessor de Moisés também tinha de conhecer o plano de Deus, por isso Deus ordenou que Moisés "o lesse em voz alta para Josué" (14, Moffatt). No fim, **Amaleque** seria aniquilado.

Moisés edificou um altar (15), e o **chamou: O SENHOR é minha bandeira** (JEOVÁ-Nissi). Este seria um sinal de que os amalequitas, que tinham posto "uma mão na bandeira do Senhor" (16, RSV), estariam sob julgamento de Deus até serem destruídos. O povo de Deus fora atacado por um inimigo de Deus; portanto, guerra ininterrupta seria a sentença dessa gente. O rei Saul foi punido porque não executou a ordem de Deus para destruir os amalequitas (1 Sm 15). A total aniquilação deste povo ocorreu nos dias de Ezequias (1 Cr 4.41-43). Na presciência de Deus, vemos a impenitência contínua deste povo violento e bélico. A rivalidade das nações resulta em julgamento feito pelo Único que redunda em seu louvor a ira do homem (Sl 76.10). Repetidas vezes nas Escrituras, verificamos que o pecado — quer pessoal ou nacional — é autodestrutivo.

5. *A Visita de Jetro* (18.1-27)

a) *A chegada de Jetro* (18.1-5). **Jetro, sacerdote de Midiã, sogro de Moisés** (1; ver comentários em 2.18), ficou sabendo por meios indiretos o que Deus fizera a Israel. **Zípora, a mulher de Moisés** (2), tinha voltado para a casa dos pais depois do começo da viagem ao Egito (4.18-26) e lá permaneceu até que Israel chegou a Horebe. Os **dois filhos** (3) de Moisés nasceram quando ele morava com o sogro em Midiã (2.22; 4.25) e haviam ficado com a mãe. O primeiro filho tinha o nome de **Gérson**, porque Moisés era **peregrino em terra estranha**. O segundo filho foi chamado **Eliezer** (4), porque Moisés ficou livre **da espada de Faraó** (2.15). Não se sabe de que idade eram nesta ocasião; talvez fossem bastante jovens ou tivessem quase quarenta anos, visto que Moisés permaneceu em Midiã por 40 anos (ver At 7.23,30).

Pelo visto, Jetro chegou justamente quando Israel se aproximava da vizinhança do monte Sinai, chamado o **monte de Deus** (5; cf. 3.1; 17.6; e 19.1), pouco depois da derrota dos amalequitas, mas antes de chegarem ao monte Sinai.

b) *O relato de Moisés a Jetro* (18.6-8). O versículo 6, em vez de ser um discurso de Jetro feito diretamente a Moisés, foi provavelmente uma mensagem enviada a Moisés ou uma informação prestada por terceiros acerca da chegada de Jetro (cf. ARA). Ao ser informado, **saiu Moisés ao encontro de seu sogro** (7). De acordo com o costume oriental, Moisés **inclinou-se** ("curvou-se em sinal de respeito", NTLH) e beijou seu sogro. A relação entre estes homens sempre foi de alto respeito. Sempre procuravam o bem um do outro em tudo.

Moisés relatou a Jetro **todas as coisas que o SENHOR tinha feito** por Israel e como o Senhor dera vitória sobre **Faraó** e os **egípcios** (8). Foi cuidadoso em dar a Deus toda a glória e não tomar nada para si. Também contou sobre as adversidades que lhes ocorrera ao longo do caminho e como o **SENHOR os livrara**.

c) *O elogio de Jetro* (18.9-12). Para um homem como **Jetro** alegrar-se ao ficar sabendo dessas ocorrências indica coração aberto diante do **SENHOR** (9). As nações são reputadas inimigas de Deus, e mais tarde os midianitas o foram (Nm 35). Deus não considerava os egípcios, os amalequitas ou os outros povos seus inimigos apenas porque não eram israelitas; uma nação era má porque as pessoas que a compunham eram más. Porém, é freqüente Deus ter filhos vivendo entre povos que são maus. Quando Deus encontrava um justo como Jetro Ele o honrava (cf. Melquisedeque, Gn 14.18-20; Abimeleque, Gn 20.6; e Jó, Jó 1.1,8).

Desconhecemos o quanto Jetro sabia sobre o Deus de Israel antes desta ocasião. Seus antepassados eram descendentes de Abraão. Ele era "sacerdote" (cf. v. 1) e, por conseguinte, religioso. Moisés vivera com ele 40 anos, mas isto foi antes da experiência da sarça ardente. Pelo menos o coração de Jetro era sincero. Quando ficou sabendo das ações do Senhor, disse: **Bendito seja o SENHOR** (10, *Yahweh*), e, assim, identificou o Deus da vitória de Israel. É verdade que disse que o Senhor era maior que todos os deuses (11), em vez de dizer que era o único Deus. Contudo, esta linguagem é semelhante à que Salomão expressou na dedicação do Templo (2 Cr 2.5) e à que o salmista usou para louvar (Sl 135.5). A concepção que Jetro tinha dos outros deuses era a oposição que faziam ao Senhor (11). Portanto, eram espíritos malignos. A última parte do versículo 11 tem também esta tradução: "[O SENHOR] livrou este povo de debaixo da mão dos egípcios, quando agiram arrogantemente contra o povo" (ARA). As palavras **agora sei** indicam que Jetro inteirou-se de algo novo e significam que neste momento ele se converteu a Jeová.[58]

A devoção religiosa de Jetro o moveu a fazer **holocausto e sacrifícios para Deus** (12). **Arão e os anciãos de Israel** uniram-se na ocasião e comungaram com Jetro. Uniram-se na adoração do mesmo Deus, a despeito da diferença de nacionalidade e cultura. Jetro não se tornou israelita, mas tornou-se um com Israel em seu amor por Jeová.

d) *O conselho de Jetro* (18.13-23). No dia seguinte, Jetro observou Moisés **julgar o povo** (13). Moisés exercia a plena função de juiz para estes dois milhões ou mais de pessoas, sem dividir a responsabilidade com os outros. Jetro questionou a sabedoria de Moisés em servir **só** (14) e manter as pessoas esperando o dia todo para terem seus casos resolvidos.

Moisés apresentou suas razões (15,16) para fazer o trabalho assim: 1) Ele buscava a vontade de Deus para resolver as questões, e 2) aproveitava a ocasião para ensinar ao povo **os estatutos de Deus e as suas leis**. Considerando que ele era o único com quem Deus dava sua palavra, ele achava necessário agir diretamente com as pessoas em relação a todos os problemas.

Mas Jetro não ficou satisfeito com estas explicações. O que Moisés estava fazendo não era **bom** (17). Mesmo um homem de sua força não podia esquecer que era humano e se cansaria (18) com este tipo de procedimento. Jetro disse: **Tu só não o podes fazer**. Moisés deveria saber acerca disso, mas ele, como tantos outros, precisava de um amigo para lhe mostrar. Este método não só era trabalhoso em si, mas também causava dificuldades para as pessoas que eram forçadas a esperar na fila.

Não podemos deixar de admirar a cortesia e coragem de Jetro. Quem teria a ousadia de corrigir um homem que, sob a direção de Deus, trouxera pragas ao Egito, abrira o mar, arranjara água e pão no deserto e liderava mais de dois milhões de pessoas? Moisés, que recebia ordens diretamente de Deus, agora tinha de **ouvir** uma mensagem de Deus para ele. Jetro não negou a posição de Moisés como porta-voz de Deus; ele ainda estaria **pelo povo diante de Deus** (19), quer dizer, representaria o povo perante Deus (ARA). Também continuaria sendo tarefa de Moisés ensinar **os estatutos e as leis** (20) e dirigir o povo no **caminho** em que deveriam **andar** e no que deveriam **fazer**.

Contudo, para cumprir sabiamente os propósitos de Deus, Moisés deveria escolher **homens capazes, tementes a Deus, homens de verdade, que aborreçam a avareza**, e colocá-los sobre o povo por **maiorais de mil, de cem, de cinqüenta e de dez** (21). Talvez estes números se refiram a famílias e não a pessoas.[59] Os homens serviriam na função de juízes de tribunal inferior e tribunal superior, cada líder de grupo menor responsável a quem estava acima dele. Quem não estivesse satisfeito com uma sentença de instância inferior poderia apelar para um tribunal superior. Isto significaria que inumeráveis sentenças não chegariam a Moisés (22).

Ficamos imaginando por que Moisés não implementara esse processo antes ou usara um plano semelhante. Ele já tinha anciãos e príncipes que representavam o povo em diversas ocasiões. Os conceitos eram famosos no Egito e Jetro conhecia este tipo de organização.[60] As qualificações para estes juízes eram sensatas; tinham "de se preocupar somente com a aprovação de Deus e não com a dos homens, ser imparciais nos veredictos e refratários a subornos" (21).[61]

Jetro teve o cuidado de reconhecer a autoridade do homem com quem falava. Seu desejo era que fosse resolução de Moisés: **Se isto fizeres** (23). Também não desconsiderava o fato de que Moisés agia sob autoridade divina: **E Deus to mandar**. Se Moisés visse o bom senso neste método e Deus o dirigisse em sua execução, então ele suportaria o cargo e o **povo** teria **paz**.

e) *A implementação do novo plano* (18.24-27). **Moisés** percebeu a praticabilidade e sensatez do plano sugerido por Jetro **e fez tudo quanto tinha dito** (24). Supomos que Moisés buscou e obteve a permissão de Deus para praticar este método. Escolheu os homens necessários e **os pôs por cabeças sobre o povo** (25). Estes homens eram **maiorais** e julgavam **o povo em todo tempo** (26). Os assuntos mais difíceis **traziam a Moisés**, mas cuidavam das questões menores.

Em Deuteronômio 1.9-18, Moisés narrou detalhadamente a nomeação destes juízes, ali chamados "capitães" e "governadores". Foram nomeados na ocasião em que Israel estava a ponto de deixar o monte Sinai após o recebimento da lei. Naquele texto, temos a impressão de que as pessoas tinham voz ativa na escolha dos capitães e governadores (Dt 1.13). Esta informação pode significar que, embora Jetro desse o conselho antes do monte Sinai e do recebimento da lei, a organização só foi implementada em sua totalidade quando Israel estava pronto para prosseguir viagem.[62]

O ministério de Jetro estava concluído. Moisés o **despediu** para **sua terra** (27). Pelo visto, Zípora e seus filhos ficaram com Moisés.

Encontramos nos versículos 13 a 23 "As Qualificações para Líderes". 1) Humildade no aconselhamento, 13-17; 2) Reconhecimento da fraqueza humana, 18; 3) Preocupação pelo melhor de Deus, 19,20,23; 4) Integridade de caráter, 21,22; 5) Boa vontade em obedecer, 24-26.

Seção III

O CONCERTO NO MONTE SINAI

Êxodo 19.1—24.18

Os israelitas chegaram ao lugar onde Deus queria fazer deles uma comunidade religiosa peculiarmente sua. Os meses "no monte Sinai realizaram duas coisas: 1) Israel recebeu a lei de Deus e instruções sobre o caminho de Deus; e 2) a multidão que saiu do Egito unificou-se no início de uma nação".[1] Este período é de grande importância para compreendermos a vontade de Deus revelada no cerne da lei.

As teorias críticas do século XIX, que negavam a existência do Tabernáculo e tornavam a maioria destas leis mero reflexo de costumes vigentes em séculos posteriores, foram amplamente abandonadas nos últimos anos. Hoje em dia, a maioria dos estudiosos admite que o âmago destas leis foi dado no monte Sinai por Moisés. Quem advoga que a lei é a revelação de Deus aceita que sua forma atual é substancialmente o teor recebido por Moisés. Mesmo quando os críticos negam esta idéia, não conseguem entrar em consenso sobre quais leis são mais recentes.[2]

A. O Concerto Proposto por Deus, 19.1-25

1. *A Apresentação do Concerto no Monte Sinai* (19.1-8)

No **terceiro mês** depois da saída do Egito, os **filhos de Israel** chegaram **ao deserto do Sinai** (1; ver Mapa 3). A tradição judaica afirma que o dia foi o Pentecostes e que a Festa de Pentecostes comemorava o recebimento da lei. Porém, a expressão hebraica **no mesmo dia** não é suficientemente específica para indicar um dia exato.[3]

ÊXODO 19.2-8   O CONCERTO

Quando os israelitas acamparam **defronte do monte** (2) **Sinai**, estabeleceram-se na ampla área que fica em frente à montanha. A maioria dos estudiosos identifica que o local é a atual Jebel Musa.[4] A área diante da montanha era bastante espaçosa para acomodar grande número de pessoas e era bem provida de água.[5]

Subiu Moisés a Deus (3), que manifestou sua presença no monte, conforme está indicado pelo fato de a nuvem (cf. 13.21) cobrir o monte. Enquanto Moisés subia, o **SENHOR o chamou** e lhe ordenou que desse uma mensagem para Israel. Disse Deus: Eles viram **o que fiz aos egípcios** (4), e como foi mostrada misericórdia para os israelitas. O que Deus fizera estava notoriamente exposto a quem quisesse ver. Ele os carregara **sobre asas de águias**. Estas **águias** — "o abutre fusco (ou grifo), pássaro majestoso e enorme abundante na Palestina",[6] — carregavam seus filhotes em cima das asas até que soubessem voar. Deus tirara Israel do Egito com mão forte.

E Deus os **trouxe** para si. Eram escravos do Egito, onde pertenceram a Faraó. Pelo poder divino foram arrebatados do usurpador e levados ao seio de Deus. Agora lhe pertenciam de maneira inédita.

Deus estava pronto para colocar este povo numa relação de **concerto** (5) com Ele. Este **concerto** tinha a significação de vínculo ou acordo. Na prática social, havia dois tipos de concerto. Um era o acordo entre iguais, no qual dividiam-se privilégios e obrigações e cada parte perdia o direito próprio de agir independentemente. O outro era um concerto entre partes não iguais, como, por exemplo, entre um rei e seu povo. Neste tipo de concerto, a parte mais forte fazia uma promessa ou dava um presente "condicionado com certas exigências ou obrigações a serem satisfeitas pela parte mais fraca". A liberdade da parte mais forte não era eliminada por semelhante concerto. Para Israel, no monte Sinai, o concerto foi "a promessa de Deus, já endossada pelo presente da libertação concedida", de que Israel seria sua "possessão e instrumento especial". O cumprimento da promessa dependia da fé e obediência de Israel.[7]

Israel seria a **propriedade peculiar** (5) de Deus **dentre todos** os outros **povos**, mas somente se o povo cumprisse as condições do concerto. "Ao mesmo tempo que reivindicava direito peculiar sobre Israel, Deus não queria se separar das outras nações, deixar de cuidar delas ou abandoná-las para que fizessem o que bem entendessem."[8] Na verdade, Israel deveria ser uma bênção para todas as outras nações.

Como povo de Deus, Israel seria para Deus um **reino sacerdotal e povo santo** (6). Em certo sentido, todo indivíduo era um sacerdote com acesso direto a Deus. Aqui temos o ensino do sacerdócio universal de todos os crentes (ver 1 Pe 2.5). A santidade de Deus é a "causa originária da criação do povo santo. [...] Jeová se mantém puro em sua personalidade, protege sua glória por sua pureza, sua universalidade por sua particularidade; portanto, é o Santo. E assim Ele cria para si mesmo um povo santo que, em sentido peculiar, existe para [...] [ele] e se mantém indiferente das noções e formas de adoração que conflitam com as verdadeiras visões de sua personalidade".[9] O propósito de Deus na redenção era trazer o homem dos caminhos maus do pecado para a vida de santidade.

Chamou Moisés **os anciãos do povo** (7, os líderes das tribos e das famílias) e **expôs diante deles todas estas palavras** que Deus falara. Pelo visto, as pessoas ficaram profundamente comovidas e responderam: **Tudo o que o SENHOR tem falado faremos** (8). É fácil fazer promessas a Deus quando somos impulsionados por profundo sentimento religioso. Na maioria das vezes, não percebemos tudo que está envolvido no

185

compromisso, mas as promessas podem ser sinceras e nos lembrarão da responsabilidade assumida. Se as pessoas tomarem decisões sem este temor religioso, seguirão o caminho da incredulidade.

Emoção religiosa não é coerção. Estas pessoas eram livres para aceitar ou rejeitar as propostas de Deus. O Senhor não força os homens a fazer um concerto com Ele, mas cria a atmosfera que possibilita a escolha favorável. Sem haver primeiro o trabalho de Deus, o homem nunca reage favoravelmente.

2. *A Santificação do Povo* (19.9-15)

O povo precisava se aprontar para desfrutar a maior experiência da vida humana — ouvir a voz de Deus. O Senhor disse a Moisés três coisas: **Eis que eu virei a ti numa nuvem espessa; o povo** ouvirá, **falando eu contigo**; e **te** crerá **eternamente** (9). Alguns israelitas recusaram reconhecer Moisés como porta-voz de Deus; quando passavam por dificuldades, muitos em Israel hesitavam em confiar no servo de Deus. Apesar de tudo que Moisés dissera e fizera, os descrentes ainda afirmavam que era só a voz dele e que ele fazia mágicas. Mas agora estas pessoas "veriam" Deus na **nuvem espessa** e ouviriam a voz de Deus sem intermediários. Assim, Deus autenticaria as palavras de Moisés.

De muitas formas é mesmo impossível acreditar que as palavras que uma pessoa fala são as palavras de Deus até ouvirmos pessoalmente Deus nos falar sem rodeios. Pelo que entendemos, os israelitas ouviam um som que não era a voz de Moisés, através do qual eles reconheciam Deus falando com eles (20.1; ver Dt 4.11,12). Para a maioria dos cristãos, a voz de Deus é ouvida pela voz do Espírito Santo no coração (Rm 8.16). Quando sua voz é ouvida, então a palavra de Deus através do homem, audível ou escrita, torna-se meio de fé. Ainda vigora a promessa relativa às pessoas que crêem em Moisés **eternamente**, visto que cristãos e judeus consideram Moisés o porta-voz de Deus.

Para que Israel estivesse preparado para ouvir Deus diretamente, Moisés tinha de santificá-los **hoje e amanhã** (10). Esta santificação exterior, símbolo da pureza interior que só Deus dá (cf. comentários em 13.2), levaria dois dias inteiros. A limpeza externa abrangeria: 1) Lavar o corpo, 2) lavar as roupas e 3) abster-se de relações sexuais.[10] Mesmo depois desta santificação, o povo tinha de ficar separado do monte por **limites** (12), ou cercas, para que nenhum homem ou animal tocasse o monte. Se tocasse, seria morto imediatamente. Se pessoa ou animal transpusesse a cerca, ninguém deveria tocar nessa pessoa ou nesse animal (13; cf. NTLH), pois fazer isso significaria toque direto no monte. Tal ofensor deveria ser morto a pedradas ou flechadas.

Todos estes regulamentos tinham a função de ensinar ao povo a necessidade de santidade, a qualidade impressionante de Deus, e a exigência de absoluta obediência a Deus. A desatenção era intolerável; até um animal inocente teria de morrer se o dono não o mantivesse afastado do monte. Deus desceria **diante dos olhos** (11) do **povo**, mas este não deveria presumir intimidade com Ele. O caminho ainda não estava aberto para as pessoas irem à presença de Deus com ousadia (Hb 4.16).

Embora no versículo 12 haja a proibição de subir o monte, algumas pessoas tinham a permissão de subir quando a **buzina** (13) soasse **longamente**. Pelo que deduzimos, as pessoas mencionadas no versículo 13 pertencem a um grupo especial; em outro momento, Moisés, os sacerdotes e os setenta anciãos (24.1,2) tiveram permissão de subir.[11] Mesmo assim, deveriam subir depois de ouvirem a **buzina**. O versículo alude ao ajuntamento de pessoas quando Deus estava prestes a falar,[12] embora o original hebraico signifique mais que isso. O sentido dos versículos 16 e 17 favorece a opinião de que a buzina chamava Israel do acampamento para o pé do monte. Por isso, **Moisés... santificou o povo** (14; cf. comentários em 13.2).

3. Deus no Monte Sinai (19.16-25)

Com todas essas preparações e avisos, o povo **estremeceu** (16) quando Deus manifestou sua presença. Chegara o momento de verem Deus, assim os israelitas **puseram-se ao pé do monte** (17). A experiência tinha o propósito de criar um verdadeiro temor de Deus nas pessoas e prepará-las para respeitar a lei de Deus.

Além dos **trovões e relâmpagos** (16) e do **sonido de buzina mui forte**, a montanha estava em chamas; subia **fumaça** do fogo, **como fumaça de um forno**, e **todo o monte tremia grandemente** (18). **Fumegava** é melhor "estava coberto de fumaça" (NVI). Até Moisés tremeu de medo com a visão (Hb 12.21). Apesar de todo esse medo, com o clangor cada vez mais longo e forte da buzina, **Moisés falava, e Deus lhe respondia em voz alta** (19). A mesma voz que ele ouvira na sarça ardente agora falava do monte em som claro e apavorante que todos ouviam.

Chamou o SENHOR a Moisés (20) para subir ao **monte**, ação proibida para os outros, **e Moisés subiu**. Quase imediatamente, Deus mandou Moisés de volta para reforçar o aviso para o povo não traspassar os limites do monte santo (21). Os **sacerdotes, que se chegam ao SENHOR** (22), receberam uma mensagem especial. Quanto a **santificar**, ver os comentários no versículo 10 e em 13.2. Estas pessoas não eram os levitas, que ainda não tinham sido separados; eram provavelmente os primogênitos que exerciam funções sacerdotais (ver 24.5).[13] Talvez conjecturaram que tinham tanto direito quanto Moisés de subir ao monte. Deus conhecia suas intenções, por isso ordenou que Moisés voltasse para evitar uma catástrofe. **O SENHOR** lançar-se **sobre eles** seria na forma de praga, ou com fogo ou morte direta, como no caso de Uzá (2 Sm 6.7,8).

Moisés, desconhecedor das possíveis intenções do povo, lembrou Deus que todas as precauções foram tomadas e que ninguém subiria involuntariamente o **monte Sinai** (23). Mas Deus sabia mais que Moisés; o servo do Senhor tinha de falar novamente para o povo que somente ele e **Arão** (24) poderiam subir. Aqui Deus está deixando claro que Ele escolhe quem quer, e que outros têm de permanecer em sua vontade. Também é importante discernir a voz de Deus e segui-la, mesmo quando achamos que não há perigo. Deus conhece os corações dos homens e as pessoas não. Quanto a **santifica-o** (23), ver comentários em 13.2. **Moisés** (25) obedeceu, evitando assim uma tragédia.

"A Santidade de Deus", revelada no capítulo 19: 1) Requer santidade em quem se aproxima de Deus, 5,6,10,11; 2) Separa Deus de todas a suas criaturas, 12,13; 3) Manifesta a presença de Deus em majestade aterrorizante, 16-20; 4) Comunica-se com os pecadores, 7-9,21-25.

B. Os Dez Mandamentos, 20.1-17

Deus falou (1) com o povo do monte em chamas. O texto em Deuteronômio declara nitidamente que Deus "no monte, do meio do fogo, da nuvem e da escuridão, com grande voz" (Dt 5.22) deu estes mandamentos para a assembléia. Não sabemos como Deus falou em voz audível, mas Israel entendia que a voz que ouviam era de Deus. Esta era "uma voz audível e terrível, a voz de Jeová, soando como trombeta pela multidão (19.16; 20.18)".[14] Este modo de descrever o evento não indica que Deus tenha cordas vocais como o homem, mas assevera que Deus criou um som audível que, de forma inteligível, enunciava suas palavras para o homem. Depois que ouviram aquela voz, preferiram que **Moisés** (19) lhes falasse.

É importante saber que era **o SENHOR, teu Deus** (2), que estava falando. Nos dias de hoje, quando se fala em "nova moralidade" e quando há teólogos que anunciam que "Deus está morto", precisamos saber onde está a autoridade divina. Estas palavras foram ditas por Deus ao povo como normas orientadoras para toda a humanidade. Não basta afirmar que são pertinentes apenas para a época em que foram dadas. "Deus queria que os israelitas entendessem claramente que fora Ele mesmo que lhes dera os mandamentos."[15]

Além disso, as pessoas ouviram **todas estas palavras** (1). No original hebraico, os Dez Mandamentos são chamados "dez palavras" (34.28; Dt 4.13; 10.4; daí o título Decálogo, lit., "dez palavras"). Estes dizeres não foram copiados do Egito ou de outras nações, como alguns suspeitam. "As declarações do monte Sinai são nobres e inteiramente diferentes de qualquer coisa encontrada em todo o conjunto da literatura egípcia."[16]

Deus deu estas palavras não como meio de salvação, porque este povo já estava salvo do Egito, mas como norma de conduta. Levando em conta que a obediência era uma cláusula para a continuação do concerto (19.5), estas palavras se tornaram a base de perseverança na qualidade de povo de Deus. Paulo deixou claro que a observância da lei não é meio de salvação pessoal, pois a justificação é pela fé em Cristo (Gl 2.16). A lei conduz a Cristo, mas não salva (Gl 3.24). "Se não é verdade que podemos cumprir a lei para ganhar o céu, é igualmente falso que podemos quebrá-la sem sermos punidos ou sentirmos remorso."[17] Deduzimos que esta lei moral foi dada como fundamento providencial para a fé do povo de Deus. Quem o ama observa sua lei.

Dividir a lei em lei moral, lei cerimonial e lei civil é, por um lado, útil, e, por outro, enganoso. Lógico que a lei moral do Decálogo é básica e expressa a responsabilidade de todos os homens. Mas as outras leis dadas a Israel também eram igualmente obrigatórias. As leis de Deus eram demonstração de sua justiça por meio de símbolos e forneciam uma disciplina pela qual os israelitas poderiam ser conformados à santidade de Deus.[18] As leis sociais e cerimoniais mudam, mas as relações fundamentais entre Deus e o homem, e entre os homens, conforme exaradas no Decálogo, são eternas.

A divisão dos Dez Mandamentos é entendida de modos variados. Seguindo Agostinho, a Igreja Católica Apostólica Romana e a Igreja Luterana consideram os versículos 2 a 6 o primeiro mandamento e dividem o versículo 17, que trata da cobiça, em dois mandamentos. O judaísmo hodierno reputa que o versículo 2 ordena a crença em Deus e é a primeira palavra; e combina os versículos 3 a 6 na segunda. A divisão aceita nos primórdios da igreja torna o versículo 3 o primeiro mandamento e os versículos 4 a 6 o segundo. Esta posição foi "apoiada por unanimidade pela igreja primitiva, e é mantida hoje pela Igreja Ortodoxa Oriental e pela maioria das igrejas protestantes".[19]

Os primeiros quatro mandamentos compõem a primeira tábua do Decálogo e mostram a relação apropriada do homem com Deus. Têm seu cumprimento no primeiro grande mandamento: "Amarás o Senhor, teu Deus, de todo o teu coração, e de toda a tua alma, e de todo o teu pensamento" (Mt 22.37). Os últimos seis mandamentos lidam com as relações humanas e cumprem-se no amor ao próximo como a si mesmo.

1. O Primeiro Mandamento: Não Ter Outros Deuses (20.3)

O versículo 2 é a introdução do primeiro mandamento. **Deus** identifica quem tirou os filhos de Israel da servidão egípcia: **O SENHOR**. Visto que ele os libertara e provara que era supremo, eles tinham de torná-lo seu Deus. Não havia lugar para competidores. Todos os outros deuses eram falsos.

Diante de mim (3) significa "lado a lado comigo ou além de mim".[20] Deus não esperava que Israel o abandonasse; Ele sabia que o perigo estava na tendência de prestar submissão igual a outros deuses. Este mandamento destaca o monoteísmo do judaísmo e do cristianismo.

"O primeiro mandamento proíbe todo tipo de idolatria *mental* e todo afeto imoderado a coisas *terrenas* e *que podem ser percebidas com os sentidos*."[21] Não existe verdadeira felicidade sem Deus, porque Ele é a Fonte de toda a alegria. Quem busca alegria em outros lugares quebra o primeiro mandamento e acaba na penúria e em meio a acontecimentos trágicos.

2. O Segundo Mandamento: Não Fazer Imagens (20.4-6)

"Como o primeiro mandamento afirma a unidade de Deus e é um protesto contra o politeísmo, assim o segundo afirma sua espiritualidade e é um protesto contra a idolatria e o materialismo."[22] Embora certas formas de idolatria não sejam materiais — por exemplo, a avareza (Cl 3.5) ou a sensualidade (Fp 3.19) —, o segundo mandamento condena primariamente a fabricação de imagens (4) na função de objetos de adoração. Este tipo de idolatria sempre existiu entre os povos pagãos mais simplórios do mundo. A história de Israel comprova que esta tentação é traiçoeira.

Estas imagens pagãs eram feitas na forma de coisas vistas no céu, na terra e nas águas. Estas imagens não deveriam se tornar objetos de adoração: **Não te encurvarás a elas** (5). Os versículos 4 e 5 devem ser considerados juntos. Não há condenação para a confecção de imagens, contanto que não se tornem objetos de veneração. No Tabernáculo (25.31-34) e no primeiro Templo (1 Rs 6.18,29) havia obras esculpidas. A idolatria consiste em transformar uma imagem em objeto de adoração e atribuir a ela poderes do deus que representa. Se considerarmos que gravuras ou imagens de pessoas possuam poderes divinos e que sejam adorados, então elas se tornam ídolos.

Deus apresentou os motivos para esta proibição. Ele é **Deus zeloso**, no sentido de que não permite que o respeito e a reverência devidos a Ele sejam dados a outrem. Deus não regateia o sucesso ou a felicidade para as pessoas, como faziam os deuses gregos. É para o bem dos filhos de Deus que eles devem consagrar e reverenciar o nome divino.[23]

Deus pune a desobediência (5) e recompensa a obediência (6). Muitos questionam o julgamento nos filhos de pais ofensores, mas tais julgamentos são temporários (ver Ez 18.14-17) e aplicam-se às conseqüências, como, por exemplo, doenças, que naturalmente seguem as más ações. O medo de prejudicar os filhos deveria exercer coibição salutar na conduta dos pais. As perdas que os filhos sofrem por causa da desobediência parental podem levar os pais ao arrependimento. Na pior das hipóteses, a pena vai **até** à **terceira e quarta geração**, ao passo que a **misericórdia** é mostrada a mil gerações quando há amor e obediência.

3. O Terceiro Mandamento: Não Tomar o Nome de Deus em Vão (20.7)

Tomar **o nome do SENHOR, teu Deus, em vão** é "recorrer ao irrealismo, ou seja, servir-se do nome de Deus para apelar ao que não é expressão do caráter divino".[24] Tal uso profano do nome de Deus ocorre no perjúrio, na prática da magia e na invocação dos mortos. A proibição é contra o falso juramento e também inclui juramentos leviano e a blasfêmia tão comum em nossos dias. "Este mandamento não obsta o uso do nome de Deus em juramentos verdadeiros e solenes."[25]

Deus odeia a desonestidade, e é pecado sério alguém usar o nome divino para encobrir um coração mau, ou para se fazer melhor do que se é. A pessoa que procura disfarçar uma vida pecaminosa, ao mesmo tempo em que professa o nome de Cristo, quebra este terceiro mandamento. Tais indivíduos são culpados diante de Deus (7) e só recebem misericórdia depois de se arrependerem. Os justos veneram o nome de Deus por ser santo e sagrado.

4. O Quarto Mandamento: Santificar o Sábado (20.8-11)

O uso do verbo **lembra-te** (8) insinua que é fácil negligenciar o dia santo de Deus. Tinha de ser mantido em ininterrupta consciência e santificado, ou seja, "retirado do emprego comum e dedicado a Deus" (ATA). Todo o trabalho comum seria feito em **seis dias** (9), ao passo que **o sétimo dia é o sábado do SENHOR, teu Deus** (10). Era um dia dedicado, separado, a ser dado inteiramente a Deus.

Ninguém deveria trabalhar neste **sétimo dia**. O senhor não deveria fazer seus servos trabalharem. Até os animais tinham de descansar do trabalho cotidiano. Havia proibições específicas, como a ordem de não colher maná (16.26), não acender fogo (35.3), não apanhar lenha (Nm 15.32-36). Embora o foco seja negativo, a lei permitia o trabalho necessário, como o trabalho de sacerdotes e levitas no Templo, o atendimento a doentes e o salvamento de animais (cf. Mt 12.5,11).

A razão para observar o sábado é que Deus fez a terra **em seis dias e ao sétimo dia descansou; portanto, abençoou o SENHOR o dia do sábado e o santificou** (11). As Escrituras não fazem uma lista de coisas que se deve fazer no sábado. A inferência inequívoca é que o dia é de descanso e adoração. As ocupações seculares e materialistas devem ser substituídas por atividades espirituais. Cristo condenou o legalismo que deu ao dia a forma severa e insensível, embora não tenha anulado a sacralidade do dia. Foi ordenado para o bem do homem (Mc 2.23-28).

A observância do dia do Senhor (domingo) como o sábado cristão preserva o princípio moral que há neste mandamento. A mudança do sábado judaico para o sábado cristão foi feita gradualmente sem perder necessariamente o propósito de Deus para este dia santo.[26] Notamos que os versículos 9 e 10 não especificam o sábado nem "o sétimo dia da semana" como o dia do descanso sabático. A letra do mandamento é cumprida pela observação do dia seguinte aos seis dias de trabalho, como faz o cristão.

5. O Quinto Mandamento: Honrar os Pais (20.12)

Honra a teu pai e a tua mãe é o primeiro mandamento em relação aos homens e rege o primeiro relacionamento que a pessoa tem com outrem: a relação dos filhos com os pais.

Este mandamento é tão básico que é amplamente universal. A maioria das sociedades reconhece a importância de filhos obedientes. A melhor exegese deste versículo é a exortação de Paulo encontrada em Efésios 6.1-3, onde ele destaca as responsabilidades de pais e filhos.

Com este mandamento ocorre uma promessa. Quem honra os pais tem a garantia de vida longa. O propósito desta promessa visava a nação em sua permanência na Palestina e o indivíduo que obedece. A promessa ainda vigora: a nação cujos filhos são obedientes permanece sob a bênção de Deus, e os indivíduos obedientes aos pais têm a promessa de vida mais longa. Haverá exceções a esta regra, mas aqui destacamos sua aplicação geral.[27]

6. O Sexto Mandamento: Não Matar (20.13)

A vida é a possessão humana mais estimada e é errado privar alguém da vida sem justa causa. A história de Israel mostra que este mandamento não é absoluto. Houve a adição de outras cláusulas, como o homicídio desculpável (21.13), o homicídio acidental (Nm 35.23) e o homicídio justificável (22.2). Israel também foi autorizado a matar os inimigos. Não há exegese racional que condene a pena de morte ou a guerra simplesmente com base neste mandamento. Jesus esclareceu seu significado quando o citou: "Não matarás" (Mt 19.18).

Não há justificativa para a instigação de motins e rebeliões desnecessárias ou outras condições semelhantes que levem ao derramamento de sangue. Há responsabilidade evidente pelo cuidado adequado em viagens, projetos construtivos e jogos esportivos onde haja perigo. Esforços individuais e comunitários são necessários para a preservação da vida humana. Mas este mandamento não requer nem justifica o prolongamento da vida por meio de remédios e equipamentos auxiliares quando a esperança pela vida normal se extingue.

7. O Sétimo Mandamento: Não Adulterar (20.14)

A pureza sexual é o princípio subjacente neste mandamento. Adultério constituiu-se em relações sexuais ilícitas feitas por alguém casado. Tratava-se de pecado contra a família. Mas este mandamento é aplicável a todos os tipos de imoralidade sexual. A concepção em vigor atualmente que afirma haver exceções a esta regra não tem justificativa. Jesus deixou claro que o adultério está no coração e ocorre antes do ato (Mt 5.28). Este mandamento condena todas as relações sexuais que acontecem fora do laço matrimonial. Também infere a proibição de atos que precedem e conduzem ao ato sexual.

8. O Oitavo Mandamento: Não Furtar (20.15)

Este mandamento regula o direito da propriedade particular. É errado tomar de outro o que é legalmente dele. Constitui roubo quando a pessoa se apossa do que legalmente pertence a uma empresa ou instituição. Não há justificativa para a "apropriação" mesmo quando a pessoa sente que o produto lhe é devido. Este mandamento é quebrado quando a pessoa intencionalmente preenche a declaração do Imposto de Renda com informações falsas, desta forma retendo tributos devidos ao governo. Esta prática é imprópria mesmo que o cidadão desaprove o governo.

Também passa a ser roubo o ato de tirar vantagens de outrem na venda de propriedades ou produtos, ou na administração de transações comerciais. É impróprio pagar salários mais baixos do que devem receber por direito. O amor do dinheiro é o pecado básico condenado por este mandamento. A obediência é perfeita somente com um coração puro.

9. *O Nono Mandamento: Não Dar Falso Testemunho* (20.16)
Enquanto que o roubo nos priva da propriedade, a conduta da falsa testemunha nos rouba da boa reputação. Seja no tribunal ou em outro lugar, nossa palavra sempre deve ser verdadeira. Não devemos divulgar um relato até que verifiquemos sua veracidade. A repetição da fofoca é imoral; antes de falar devemos averiguar a correção do que dizemos. Há ocasiões em que mesmo a informação verdadeira não deve ser propagada; não temos a obrigação de anunciar a todos o que sabemos que é a verdade. Mas quando falarmos, até onde sabemos, sempre devemos dizer a verdade.

10. *O Décimo Mandamento: Não Cobiçar* (20.17)
Este último mandamento está por baixo dos quatro precedentes, visto que atinge o propósito do coração. Matar, adulterar, roubar e mentir são resultados de desejos errados que inflamam nosso ser. É singular que a lei hebraica inclua este desafio ao nosso pensamento e intenção. "Os antigos moralistas não reconheciam esta condição" e não condenavam os desejos maus.[28] Mas é no coração onde se inicia toda a rebelião, e este mandamento revela o aspecto interior de todos os mandamentos de Deus.

Paulo reconheceu este aspecto interior da lei quando se conscientizou de sua condição pecaminosa (Rm 7.7). Muitas pessoas são absolvidas de crimes com base em atos exteriores, mas são condenadas quando levam em conta os pensamentos interiores. Estes desejos cobiçosos são, por exemplo, pela propriedade ou pela **mulher** pertencente ao **próximo** (17). Tais desejos criminosos precisam ser purgados pelo Espírito de Deus; só assim viveremos em obediência perfeita à santa lei de Deus.

C. O Medo do Povo, 20.18-20

Os israelitas estavam perto de uma montanha em chamas e ouviram a voz do Deus Todo-poderoso. Que experiência tremenda! Quando viram esse cenário, afastaram-se e se puseram **de longe** (18). O medo tomou conta deles. Pediram a Moisés que lhes servisse de intermediário, dizendo: **Fala tu conosco, e ouviremos; e não fale Deus conosco, para que não morramos** (19). Nestas circunstâncias, sentiram que não estavam tão preparados para questionar a posição de Moisés como profeta de Deus como antes estiveram (17.1-4).

Moisés lhes deu uma palavra tranqüilizadora. Não havia necessidade de temerem excessivamente, pois **Deus veio para provar-vos** (20), ou seja, "testar se vós respeitareis seus mandamentos".[29] Não precisavam ter medo dos **relâmpagos**, mas deviam ter um **temor** santo para que não pecassem contra Deus. Os filhos de Deus não precisam ter medo das providências divinas, mas é essencial possuírem um temor piedoso que os leve à reverência e obediência.

D. As Leis do Concerto, 20.21—23.33

1. *A Lei do Altar* (20.21-26)
Enquanto o povo medroso se mantinha a distância segura do monte ardente, Moisés **se chegou à escuridão, onde Deus estava** (21). Os mesmos fenômenos que repeli-

ram as pessoas atraíram Moisés. A verdadeira diferença estava no coração. A fé de Moisés o atraía a Deus.

Deus dá ao seu servo o que denominamos o Livro do Concerto (20.22—23.33). Em vez de falar diretamente com o povo, Ele se serviu de Moisés como mediador, conforme pediram (19). Deus queria que os israelitas soubessem que aquele que falava por Moisés era o mesmo que falara com eles **desde os céus** (22) quando lhes dera o Decálogo. Quer Deus fale diretamente ou por meio do seu ministro, o teor transmitido é a sua palavra.

Israel não devia fazer representações de deuses de **prata** e de **ouro**. **Não fareis outros deuses comigo** (23) significa "para me rivalizar" (VBB). Somente Jeová era o Deus dos israelitas, por isso não deveria haver feitio de imagens de qualquer tipo. Os falsos deuses não deveriam participar da glória do Deus de Israel, nem compartilhar a adoração do povo. Estas restrições complementam o segundo mandamento.

Para se aproximar de Deus, o povo deveria fazer **um altar de terra** (24). A elevação simbolizava o levantamento do homem em direção ao Deus do céu. A simplicidade do altar fazia o homem tirar a atenção de si mesmo e das coisas materiais para o Deus Exaltado. Obviamente, nesta época Israel conhecia **holocaustos** e **ofertas pacíficas**, embora o uso no Egito tivesse sido restrito.

"Em todo lugar onde eu fizer com que meu nome seja lembrado" (24, RSV) indica o propósito de Deus em conhecer Israel e o abençoar. O **lugar onde eu fizer celebrar a memória do meu nome** (24) refere-se, provavelmente, a lugares onde Ele se manifestou a Israel durante a peregrinação. Em época posterior, quando se desejasse um memorial mais permanente, Israel poderia fazer altares de **pedras** (25), mas só com pedras não lapidadas; usar ferramentas profanaria as pedras. O uso de pedras em sua forma natural impedia que, nesta época, Israel fizesse embelezamentos artísticos, provavelmente por causa do perigo de idolatria. Nas construções posteriores e permanentes, permitiu-se a utilização de altares mais elaborados (27.1-8; 30.1-5). Deus ensinou o povo a começar com o simples e passar para o mais complexo, à medida que o crescimento espiritual fosse justificando.

A restrição no versículo 26 foi dada antes das instruções pertinentes às roupas sacerdotais (28.42). Os altares não deveriam ter degraus. As vestes folgadas que os cabeças sacerdotais das tribos usavam não eram adequadas para subir degraus na presença de pessoas. Deus sempre quer que as coisas sejam feitas com decência e ordem.

2. *As Leis Regulamentares Concernentes à Escravidão* (21.1-11)

Não devemos nos esquecer de que estes **estatutos** (1, leis detalhadas) foram dados a Israel para a situação social em que viviam. Deus aplicou seus princípios morais às necessidades vigentes em Israel. A lei não exigia que houvesse escravidão, mas, visto que existia, estas leis regulamentares regeriam a manutenção das relações certas. Os princípios éticos se aplicariam em qualquer tipo de estrutura social que prevalecesse. Os israelitas tinham de julgar quais eram as ações corretas sob o sistema que estivessem, daí a necessidade destas normas.

a) *Leis Regulamentares Concernentes aos Escravos* (21.2-6). A pobreza era o motivo de o homem se vender a quem o pudesse comprar. O tempo de serviço seria limitado a **seis anos**; "mas no sétimo ano será liberto, sem precisar pagar nada" (2, NVI). Estas regras só se aplicavam aos escravos hebreus (Lv 25.44-46). O propósito dos regulamentos era proteger os direitos individuais. No ano sabático, o escravo sairia livre com **sua mulher** (3) se ela tivesse entrado na escravidão com ele.

Mas, se o escravo se casou com uma das escravas do seu senhor, ele não poderia levá-la consigo quando saísse em liberdade, nem levar os **filhos** (4). Ele poderia ficar, se o amor que tivesse pela família ou **senhor** (5) fosse tamanho que ele desejasse permanecer escravo. Quando manifestasse o desejo definitivo de permanecer, seu senhor o levaria aos **juízes** (6) para obter a ratificação do caso. A prova pública e permanente da livre intenção do escravo era dada quando o **senhor** furava a **orelha** do escravo com um furador. Por este sinal, ele se tornaria escravo para sempre. Como a orelha é parte integrante do órgão da audição, simboliza a boa vontade em obedecer. Desta forma, até na escravidão havia a garantia de liberdade de escolha.

b) *Leis Regulamentares Concernentes às Escravas* (21.7-11). A filha vendida em escravidão tinha mais direitos que o homem. Se permanecesse solteira, poderia sair livre como qualquer escravo ao término de seis anos (Dt 15.12,17), embora esta cláusula seja adendo posterior. Pelo visto, a situação aqui é a do pai que vende a **filha** (7) para se casar com o **senhor** (8) dela ou o **filho** (9) do senhor dela. Se o senhor não ficasse satisfeito com a moça, ela seria resgatada, ou seja, comprada de volta, mas não poderia ser vendida a um estrangeiro (8). Se ela se tornasse esposa do filho do senhor dela, este tinha de tratá-la como filha (9). Mesmo que o marido tomasse outra esposa, a ex-escrava tinha direito a **mantimento, vestes** e **obrigação marital** (10). Se estas três condições não fossem atendidas, ela sairia **de graça** (11), sem ter de pagar nada.

O propósito desta prática era o pai melhorar a situação econômica da filha. Ela se tornaria parte da casa de uma família mais abastada. Estas normas impediram que o senhor se aproveitasse da família pobre, maltratando a moça. Estes regulamentos não apoiavam a instituição da escravidão, mas protegia os direitos de indivíduos que já estavam no sistema.

3. *Leis Regulamentares Concernentes a Crimes sujeitos a Pena Capital* (21.12-17)
O sexto mandamento não deixou dúvidas ao condenar o homicídio. Estas normas elucidam a lei e declaram a pena, que era a pena de morte por apedrejamento. Os oponentes à pena de morte que se fundamentam apenas no sexto mandamento não interpretam a escritura com correção. O mesmo Legislador que ordenou não matar instruiu que o assassino **certamente morrerá** (12).

Deus distinguia entre homicídio culposo, ou seja, o assassino quis e premeditou, e homicídio doloso, ou seja, resultante de ato não intencional por parte do assassino. Se o indivíduo **não armou cilada** (13) para a vítima, mas na providência de Deus o matou (não há acidentes com Deus), então o assassino poderia fugir para um lugar de refúgio (Nm 35.22-28). Ali, o assassino estaria seguro até que a questão fosse julgada e a verdade determinada por tribunal apropriado. Se o indivíduo fosse culpado de homicídio culposo (ou premeditado), seria tirado do **altar** e executado (14). É possível que os altares fossem considerados lugar de refúgio. Muitos no mundo antigo tinham escrúpulos em retirar o criminoso de um altar para aplicar a sentença, mas a lei mosaica considerava que este escrúpulo injustificado era superstição e se recusava a sancioná-lo.[30]

Ferir (15) um dos pais era reputado crime passível de pena de morte. Estimava-se o ataque aos pais crime tão sério como se resultasse em morte. Certamente o ato era propositado. Os filhos tinham de honrar os pais que os representavam diante de Deus. Os dois pais desfrutavam posição e importância iguais, e a pena era a mesma por ferir qualquer um. Pelo visto, o filho considerado responsabilizado pelo delito seria adulto o bastante para prestar contas pelo ato.

Reputava-se crime passível de pena capital roubar ou seqüestrar um **homem** (16) e mantê-lo como escravo ou vendê-lo para a escravidão. Esta ação era tão grave quanto o assassinato, visto que tomava a liberdade que era estimada como a vida. Nesta norma, temos a condenação da lei mosaica da prática comum de escravizar pessoas à força.

Amaldiçoar a seu pai ou a sua mãe (17) significava recorrer sob juramento a Deus para que este se unisse contra seu representante na terra. Tratava-se de crime punível com a morte.

4. *Leis Regulamentares Concernentes a Crimes não sujeitos a Pena Capital* (21.18-32)

a) *A briga entre homens* (21.18,19). A lei mosaica reconhecia a perversidade dos homens — eles brigam e se ferem (18). Quando alguém feria com **pedra** ou com **punho** (talvez sem a intenção de matar) e a vítima não morresse, mas conseguia **levantar-se e andar** (19) com o auxílio de uma bengala, a pena era o pagamento pelo **tempo que** se **perdera** e pelos cuidados médicos. A responsabilidade do agressor só acabava quando a vítima ficasse **totalmente** curada.

b) *A morte de um escravo* (21.20,21). Na sociedade pagã, os escravos tinham poucos direitos, quando os tinham. Mas Deus reconhecia o valor dessas pessoas; Ele pôs o escravo e a escrava no mesmo nível elevado, quando exigiu a punição do senhor que matasse um escravo (20). O texto não diz com clareza se a pena era a morte.[31] Se o escravo sobrevivesse **por um ou dois dias** (21), não havia pena. O motivo é que a sobrevivência comprovava que o senhor não desejara matar o escravo, mas o castigava para corrigi-lo. Se o escravo morresse depois, a perda econômica do escravo seria a pena do senhor.

c) *A mulher grávida* (21.22,23). Não é incomum que numa disputa entre **homens** uma esposa fique ferida ao tentar intervir. Se a mulher estivesse **grávida** e perdesse a criança, o homem que a feriu teria de pagar uma multa ao **marido** conforme a estipulação dos **juízes**. Levando em conta que a morte da criança fosse acidental, não se impunha a pena de morte. Se ocorressem mais danos (23), como a morte da mulher, aplicava-se a pena capital, a menos que o assassino pudesse provar que o ato não fora intencional (cf. 13,14).

d) *A lei da vingança* (21.24,25). Rawlinson acredita que a "lei da vingança era muito mais antiga que Moisés, que a aceitou como dispositivo tolerável e não como método probo".[32] Leis similares eram proeminentes nas sociedades de antigamente, sendo encontradas no Código de Hamurábi.[33] Por ser difícil administrar a exigência de o ofensor sofrer dano equivalente ao causado, mais tarde a lei foi comutada por multa em dinheiro, exceto para assassinato.[34] Jesus não disse que esta lei era injusta, mas pediu que o amor e o perdão prevalecessem (Mt 5.38-48). Na prática, a "pena de talião", como se chama, resultou em um código de justiça mais misericordioso do que o prevalecente em muitos códigos pagãos. Estas coleções de leis aplicavam a punição mais extrema por ofensas comparativamente minoritárias. Aqui, a punição estava limitada ao tamanho do crime.

e) *O dano a escravos* (21.26,27). Temos aqui modificação imediata da lei da vingança. Se o senhor ferisse um **olho** ou um **dente** do escravo, ele tinha de libertá-lo, quer fosse homem ou mulher. Os olhos eram considerados o bem mais precioso do homem, ao passo que os dentes eram o menos. Esta cláusula serviria de restrição aos senhores na punição dos escravos, visto que mesmo a extração acidental de um dente poderia privá-los de ter o escravo. Esta lei reflete o reconhecimento do valor humano, ato não encontrado em lugar algum entre as nações daquele período.

f) *O dano por animal* (21.28-32). **Se algum boi** chifrasse uma pessoa até a morte, o animal deveria ser **apedrejado** e **a sua carne** (28) não podia ser comida. **Será absolvido** significa "estará sem culpa". O dono do boi seria responsabilizado pela tragédia se soubesse que o animal era perigoso e nada fizera para evitar a morte — seria negligência criminal. Neste caso, era culpado de crime equivalente a assassinato e deveria ser morto junto com o animal (29).

Em tais casos, havia uma cláusula para resgate. A família da pessoa morta poderia pedir uma soma em dinheiro (30), a qual o dono do boi pagaria e, assim, salvaria a vida. Este **resgate** também era permitido se a pessoa morta fosse um **filho** ou uma **filha** (31). Se a família pedisse um resgate muito alto, os juízes seriam convocados para resolver a questão (cf. 22).

No caso de escravos mortos por **boi**, pagava-se ao **senhor** a quantia fixada por lei como preço de escravo: **trinta siclos de prata** (32). **O boi** seria **apedrejado**, como ocorria na morte de um homem livre, desta forma constatando a dignidade humana do escravo.

5. *Leis Regulamentares Concernentes a Direitos de Propriedade* (21.33—22.17)

As leis anteriores sobre crimes sujeitos ou não a pena capital eram adendos ao sexto mandamento: "Não matarás". Por outro lado, a legislação apresentada a seguir pertinente a propriedades está relacionada com o oitavo mandamento: "Não furtarás". Estas leis reconheciam o direito de propriedade particular. Quando estes direitos eram infringidos, havia a exigência da devida compensação.

a) *Uma cova aberta* (21.33-34). Covas no chão eram comuns no Oriente, pois eram usadas para armazenamento de água e de cereais. Quando não eram tampadas constituíam perigo para as pessoas. O responsável por ter cavado a **cova** tinha de pagar pelo ferimento causado a um animal que nela caísse (33). Após o pagamento ao dono do valor do animal, o infrator poderia exigir a carcaça do animal morto. Pelo visto, havia o direito de o gado pastar livremente pelos campos.

b) *O boi contra boi* (21.35,36). Considerando que os animais pastavam juntos pelos campos sem cerca, um boi poderia matar outro. Quando isso acontecesse, os donos dos bois dividiriam o valor do **boi vivo** e repartiriam o animal **morto** (35) em partes iguais. Se fosse sabido que o **boi** que feriu e matou era perigoso, seu dono teria de pagar o preço total ao **dono** do boi morto e poderia ficar com o animal **morto** (36). Em casos controversos, haveria testemunhas diante de um júri. Pelo visto, a prova de negligência séria era considerada muito importante nestas decisões.

c) *O roubo* (22.1-4). Bois e ovelhas são usados como exemplos de roubo, porque eram animais muito comuns. O texto não indica a razão de pagar **cinco bois** por **um boi** e **quatro ovelhas** por uma **ovelha** (1). Talvez a perda de bois fosse mais grave, porque eram animais utilizados no trabalho, ao passo que as ovelhas eram criadas para o fornecimento de lã e carne.

Minar (2) era a ação de cavar uma parede de barro em propriedade alheia. Se o intruso fosse pego no ato e morto, não haveria culpa a quem o matasse. Tratava-se de homicídio justificável. Se houvesse decorrido tempo, como dão a entender as palavras **se o sol houver saído sobre ele** (3), então matar o ladrão não seria justificável e tal assassinato estaria sujeito à pena.[35] É possível que o significado desta cláusula seja que não havia culpa matar o ladrão à noite, mas que constituía delito fazê-lo durante o dia. Em todo caso, se o ladrão vivesse, teria de fazer **restituição total** ou, se não pudesse pagar, seria **vendido** como escravo (3).

Se o ladrão não tinha matado ou vendido o animal que roubara, ele poderia fazer restituição pagando em **dobro** (4) em vez de quatro ou cinco vezes mais (1). Neste caso, ele devolveria o animal roubado e acrescentaria mais um.

d) *A violação dos direitos de propriedade* (22.5). Embora pareça que em certas áreas os animais tinham liberdade de andar a esmo (21.33-36), também havia campos ou vinhedos particulares onde era proibido entrar. Os hebreus reconheciam terras particulares e propriedades privadas. Se alguém propositalmente deixasse o gado pastar na **vinha** ou **campo** de outra pessoa, ele teria de reembolsar com o melhor produto do seu **campo** e **vinha**.

e) *O fogo* (22.6). Em certos períodos do ano, as pessoas juntavam mato seco nos campos para queimar. Se por descuido, o fogo se espalhasse e queimasse os grãos estocados ou empilhados nos campos, o indivíduo que **acendeu o fogo** tinha de pagar por completo o que fora queimado. Estas normas ensinavam o cuidado e promoviam o respeito pelos direitos de propriedade dos outros.

f) *Os bens sob custódia* (22.7-13). Nas sociedades primitivas, onde não se conheciam transações bancárias, era costume deixar bens nas mãos de outras pessoas. Em tais casos, havia necessidade de leis protetoras. Se dinheiro ou bens entregue aos cuidados de outrem fossem roubados por um ladrão, o culpado, depois de capturado, teria de pagar **o dobro** (7). **Se o ladrão não** fosse encontrado, o depositário dos valores ou objetos teria de comparecer perante os **juízes** para que o caso fosse resolvido (8). A palavra traduzida por **juízes** poderia ter sido vertida por "Deus", embora o contexto indique o sentido de juízes que agem como representantes ou agentes de Deus (cf. ATA).

O versículo 9 explica o que acontecia quando duas partes afirmavam ter direito ao mesmo objeto. A questão, que também poderia surgir nas circunstâncias descritas no versículo 8, quando o dono acusava o depositário de desonestidade, seria resolvida perante Deus pelos **juízes**. Qualquer que fosse a decisão tomada, a pessoa condenada teria de pagar o **dobro** à outra.

Além de bens e dinheiro, também se entregava gado aos cuidados de outra pessoa (10). Se durante o período da guarda o animal morresse ou fosse ferido ou desaparecesse, era necessário haver "um juramento diante do SENHOR" (11, NVI) entre as partes para provar a inocência do depositário. Quando o dono aceitava esse juramento, não havia restituição.

Se durante a guarda o animal fosse **furtado**, teria de haver restituição (12). Esta regra era diferente da lei relativa à questão do dinheiro ou bens descrita no versículo 7. Havia o pressuposto de que os pastores, quando responsáveis, poderiam evitar o roubo de animais, ao passo que dinheiro era tomado com mais facilidade. Se o animal fosse morto por outro, a pessoa incumbida de guardar o animal estaria livre da culpa se pudesse mostrar o animal morto como evidência (13). O pastor alerta talvez não evitasse o ataque de um animal selvagem, mas poderia recuperar parte da carcaça como prova. Neste caso, não haveria necessidade de restituição.

g) *O empréstimo* (22.14,15). A pessoa era responsável pelo que pedira emprestado. Se o animal emprestado fosse ferido ou morresse e o **dono** não estivesse presente, o tomador do empréstimo teria de fazer plena restituição (14). Se o **dono** estivesse **presente** quando o animal fosse ferido ou morresse, não haveria restituição (15). Estar presente o tornava responsável mesmo quando outra pessoa estivesse usando o animal.

A questão era diferente quando se tratava de algo alugado. "O contratante não deveria compensar pelo dano da coisa alugada, visto que o risco de dano poderia ter sido levado em conta no cálculo da quantia do aluguel."[36] As palavras **será pelo seu aluguel** podem ser traduzidas por: "O dano está incluso no aluguel" (ATA).

h) *A sedução de uma virgem* (22.16,17). A sedução de uma virgem era uma forma de roubo. O pai esperava que o casamento da filha lhe trouxesse um dote. Se um homem a seduzisse (com o consentimento dela) e tivesse relações sexuais, ele teria de pagar o dote e a tomar por esposa (16). Se o pai lhe recusasse a permissão de ser esposa do sedutor, como pena o culpado teria de dar **dinheiro conforme ao dote das virgens** (17). O registro bíblico não diz qual era a quantia. Supomos que era maior que o dote de esposa.[37] Este ato não era considerado transgressão do mandamento de não cometer adultério, mas do mandamento de não roubar.

6. *Outros Crimes Puníveis com a Morte* (22.18-20)

Feiticeira (18) era a mulher que praticava feitiçaria, ação de confiar em espíritos malignos.[38] Esta norma não validava a realidade de comunicação genuína com espíritos malignos, mas condenava a provocação que a feitiçaria representava à fé no verdadeiro Deus. Esta prática causava ferimentos físicos e perdas na vida das pessoas. A **feiticeira** preparava medicamentos com mistura de ervas e, assim, tornava-se preparadora de compostos venenosos.[39] Se tal pessoa persistisse nestas práticas profanas e perigosas deveria ser morta.

Relações sexuais com animais (19) eram prática freqüente nas religiões pagãs. Israel não poderia tolerar semelhante perversidade, por isso o ofensor teria de ser morto.

O código mosaico (Dt 13.1-16) condenava cabalmente o reconhecimento de falsos deuses (20). Deus não teria rivais; os israelitas tinham de abandonar toda semelhança de falsa adoração. Em Israel, quem incentivasse ou perpetuasse objetos da religião pagã teria de ser totalmente destruído.

7. *Deveres Vários* (22.21-31)

a) *Contra a opressão* (22.21-24). O povo de Deus não deveria oprimir ou atormentar o **estrangeiro** (21). Os israelitas não podiam esquecer que foram estrangeiros **na terra do Egito**. O Pai Celestial sempre considera odioso maltratar os estrangeiros.

Deus tinha compaixão especial pela **viúva** e pelo **órfão** (22). Os ouvidos divinos estavam perfeitamente afinados ao clamor aflito dessas pessoas (23). Quem afligisse esses desafortunados sofreria sob a **ira** de Deus (24). Este homem malvado seria morto e sua esposa e **filhos**, abandonados. A história da punição de Israel às mãos dos babilônios reflete o cumprimento deste malefício. É interessante reparar que estas transgressões de Israel foram castigadas mais diretamente por Deus mediante nações inimigas do que pelas pessoas em Israel investidas de poder. Não há que duvidar que transgressões como estas eram cometidas com mais freqüência pelas próprias pessoas em Israel que detinham o poder de administrar justiça.

b) *O empréstimo* (22.25-27). Deus tinha consideração pelos pobres e proibia os ricos de tirar vantagem deles. Quando o pobre tivesse de obter um empréstimo (um adiantamento salarial para comprar comida), não deveria ser cobrado **usura** (25, juros). Aqui não é tratada a idéia de juros nos empréstimos comerciais, pois esta prática foi uma evolução posterior. Se o credor levasse uma peça de roupa como **penhor**, teria de devolvê-la ao anoitecer (26). Esta roupa era uma capa exterior, larga e esvoaçante, desnecessária durante o dia, mas usada especialmente pelos nômades para dormir nas noites frias (27). Reter tal penhor e causar sofrimento ao pobre que não podia pagar traria o desfavor de Deus. Ele é **misericordioso** (compassivo) e espera que seu povo tenha espírito semelhante.

c) *As obrigações para com Deus* (22.28-31). A palavra **juízes** (28) neste contexto também pode ser traduzida por "Deus" (cf. ARA).[40] Os israelitas deviam desprezar os deuses estrangeiros (Is 41.29; 44.9-20). Ninguém deveria insultar Deus ou os juízes devidamente escolhidos, nem deveria maldizer o **príncipe** dentre o **povo**. O **príncipe** era a pessoa mais importante de cada tribo, sendo considerada representante de Deus.

Era falta comum demorar dar a Deus a parte que lhe cabia das **primícias** ou primeiros frutos (29). Esta ordem exigia levar imediatamente a Deus em sacrifício o que Ele afirmara lhe pertencer. **Licores** é mais bem traduzido por "o que sai pelo escoadouro das vossas prensas" (RSV; cf. ARA).

Em 13.12, registra-se que os primogênitos pertencem ao Senhor. Tinham de ser resgatados pelo pagamento de uma soma estipulada. Os primogênitos dos **bois** e das **ovelhas** deviam ser dados em sacrifício. O prazo de espera permitido para sacrificar esses animais era os primeiros **sete dias** para ficarem com a **mãe** (30). Tratava-se de ato misericordioso à mãe do animal, que durante este período de tempo precisava do recém-nascido para ser reconfortada e recuperar a saúde. O animalzinho tinha de ser entregue **ao oitavo dia**.

Deus ordenou ao povo: **Ser-me-eis homens santos** (31). Significava essencialmente tornar-se santo de coração e espírito. Mas esta santidade interior era prognosticada pelos sinais externos da pureza de Deus. Estes **homens santos** não deviam comer animais despedaçados por animais selvagens **no campo**. Estes animais se tornavam cerimonialmente impuros pelos animais impuros que os dilaceravam e também pelo sangue que ficava na carne. **Homens santos** de coração querem agir como Deus. Por essa razão, acham fácil seguir as leis claramente definidas por Deus.

Os versículos 18 a 31 mostram "A Natureza de Deus". 1) Severa na punição do mal, 18-20; 2) Compassiva com os necessitados, 21-27; 3) Digna de respeito e obediência, 28-30; 4) Expectante da santidade no seu povo, 31.

8. *Instruções Éticas* (23.1-9)

a) *Prestar falso testemunho* (23.1-3). Não devemos admitir **falso rumor** (1) nem espalhá-lo (ARA). O homem de Deus nunca deve ser **testemunha falsa** em tribunal ou em qualquer outro lugar. Ele se une **com o ímpio** quando quebra o nono mandamento.

Mesmo quando a **multidão** (2) estiver no lado errado, o homem de Deus tem de tomar posição solitária pelo que é certo. Podemos contar que a multidão erre, porque muitos tomam o caminho largo (Mt 7.13,14). O significado do versículo 2b é: "Vós não deveis [...] prestar testemunho no tribunal de modo a apoiar uma maioria injusta" (Moffatt).

Nem devemos ser parciais com os pobres em suas questões judiciais (3). Mesmo que a lei proteja os pobres, o entusiasmo pela causa dos pobres não deve perverter a justiça. O juiz ou júri tem de julgar de acordo com a retidão e não segundo o apelo popular. Nestes dias em que há o movimento popular pelos direitos civis, direitos penais e mitigação da pobreza, os direitos dos outros cidadãos também devem ser protegidos.

b) *Ajudar o inimigo* (23.4,5). "Na antiguidade, não se reconhecia que os inimigos tivessem algum direito."[41] Mas o foco que o Novo Testamento dá ao amor é antecipado nesta exortação em ajudar o inimigo (4). Se o animal do inimigo se perder, **sem falta lho reconduzirás**. Se encontrasse o animal do inimigo caído sob uma **carga**, deveria ajudá-lo a erguer a carga (5). Esta é tradução mais clara da última parte do versículo: "Não deixes o homem lutando sozinho, ajuda-o a libertar o animal" (ATA). Trabalhar junto com o inimigo para ajudá-lo a pôr o jumento de pé poderia enfraquecer os sentimentos ruins entre os homens.

c) *Não perverter a justiça* (23.6-8). Estas instruções são dirigidas aos juízes. Os pobres deveriam receber julgamento justo (6), embora fosse comum ocorrer o contrário. Sempre que houvesse falsa acusação, o juiz não deveria dar sentença que matasse **o inocente e o justo** (7). Deus não justifica o juiz perverso de forma alguma. O juiz jamais deveria aceitar **presente** (8, suborno). A necessidade desta regra é sempre atual. Mais tarde, Israel foi muito longe no mal pernicioso de aceitar subornos (1 Sm 8.3; Is 1.23; 5.23).

d) *Lembrar-se do estrangeiro* (23.9). Esta é repetição da advertência encontrada em 22.21, embora aqui a idéia tenha relação especial com a ação em questões legais. Os israelitas sabiam como os estrangeiros se sentiam, por isso tinham ótimas razões para serem amáveis e justos com eles.

9. A Observância do Sábado (23.10-13)

a) *O ano sabático* (23.10,11). As outras nações não guardavam um ano de descanso para a terra a cada sete anos, por não terem legislação a respeito. Para um povo agrícola, esta medida talvez fosse muito drástica. De acordo com a interpretação de 2 Crônicas 36.21, Israel negligenciou esta prática 70 vezes, ou mais ou menos a metade, entre o Êxodo e o Cativeiro. A lei foi dada para testar a obediência dos israelitas, favorecer **os pobres**, visto que no **sétimo** ano podiam participar dos frutos (11) e proporcionar tempo de comunhão especial com Deus.[42]

b) *O dia sabático* (23.12,13). Neste trecho, nada é acrescentado à declaração do quarto mandamento. O texto repete o propósito de animais, escravos e estrangeiros descansarem e tomarem **alento**. Este sétimo dia era o dia de Deus, quando nem se devia mencionar o **nome de outros deuses** (13). Estes sábados eram lembrança constante para os judeus de suas obrigações ao Deus de Israel.

10. As Principais Festas (23.14-19)

a) *As três festas* (23.14-17). **Três vezes no ano**, todos os homens tinham de comparecer perante Deus em comemoração especial (14,17). A primeira ocasião era a **Festa dos Pães Asmos** (15), que estava junto com a Páscoa (cf. 12.14; Lv 23.5). Imediatamente após a Páscoa, a festa continuava por sete dias (ver comentários em 12.15-20). Esta festa comemorava particularmente a fuga do Egito e era celebrada levando presentes a Deus. O versículo 15 diz: "Ninguém apareça de mãos vazias perante mim" (ARA).

A **Festa da Sega** (16) era o Pentecostes (Lv 23.15-22; Nm 28.26-31; Dt 16.9-12), ocasião em que se apresentavam os **primeiros frutos** de campos previamente plantados.

A **Festa da Colheita** também se chamava a "Festa dos Tabernáculos" (Lv 23.34-43; Nm 29.12-40; Dt 16.13,14). Ocorria no final do outono, após o término das colheitas, e durava uma semana. Era oportunidade de agradecimento. Rawlinson escreve: "Do ponto de vista religioso, os festivais eram ações de graças nacionais pelo recebimento de bênçãos naturais e milagrosas. A primeira festa se referia ao começo da colheita e à libertação do Egito; a segunda festa dizia respeito ao término das colheitas de grãos e à travessia do mar Vermelho; a terceira festa aludia à colheita final dos frutos e às muitas bênçãos recebidas no deserto".[43]

b) *As ofertas nas festas* (23.18,19). A oferta de **sangue** (18) era feita principalmente na Páscoa e não deveria ser oferecida **com pão levedado** (18). Nada do cordeiro, até a **gordura**, deveria ficar **até de manhã**; o que sobrasse seria queimado (12.10). Nestas festas, os israelitas levavam à casa de Deus **as primícias, os primeiros frutos** (19), que simbolizavam a consagração do todo.

Soa estranha a instrução para não cozer o **cabrito no leite de sua mãe**. Talvez indique o erro de permitir que algo que foi ordenado para criar vida (o **leite**) seja meio de morte. Há quem sugira que o **cabrito** preparado dessa maneira era uma iguaria muito extravagante para as festas.[44] É mais provável que a proibição esteja ligada com a prática cananéia que dizia que comer carne preparada dessa maneira promovia a fertilidade. Sua relação com esta cerimônia pagã a tornava imprópria para o povo de Deus.[45] O Senhor não queria que os israelitas copiassem procedimentos que pudessem facilitar o povo cair na idolatria.

11. *A Promessa Divina de Vitória* (23.20-33)

a) *A vitória pelo Anjo do Senhor* (23.20-22). Este **Anjo** era o mensageiro de Deus, o Espírito incriado em quem Deus se revelou. "Em 33.15,16, é chamado a presença de Jeová, porque a natureza essencial de Jeová estava manifesta nele."[46] A coluna de nuvem e de fogo era símbolo exterior do **Anjo**. Foi enviado diante dos israelitas para protegê-los e levá-los **ao lugar** que Deus preparara para eles (20). Israel deveria obedecer este **Anjo**, porque Deus não perdoaria a **rebelião** contra a **voz** desse ser angelical (21). Ele tem em si a autoridade de Deus. Obedecer significa ter vitória, porque Deus lutará por Israel e derrotará os **inimigos** (22).

b) *A vitória sobre os inimigos* (23.23,24,27-33). Esta é outra lista dos inimigos que Israel encontraria em Canaã (23; cf. CBB, vol. II). Deus prometeu que o **Anjo** de Deus iria à frente do povo, e que Ele destruiria os inimigos de Israel como nação. Este aviso especial foi repetido muitas vezes: Os israelitas não deveriam se inclinar **diante dos deuses** dessas nações, nem servi-los (24). O povo de Deus não deveria implementar estas práticas pagãs na adoração. O Senhor exigia que Israel destruísse totalmente estas falsas religiões e quebrasse suas imagens. Os conquistadores gostavam de guardar os objetos de adoração das nações derrotadas como relíquias, mas esta ação só serviria de **laço** para o povo de Deus (33). Foi a desobediência a esta diretiva que acabou colocando Israel sob o julgamento de Deus.

Deus repete a promessa de vitória total dos israelitas sobre as nações da Palestina (27). O **terror** de Deus viria sobre os cananeus; o Senhor os expulsaria como se houvesse **vespões** perseguindo-os (28). Há quem entenda **vespões** no sentido literal, mas a expressão foi usada figurativamente para descrever os exércitos de Israel ao encalço dos inimigos. Deus não prometeu libertação instantânea; os habitantes da terra seriam derrotados gradualmente conforme Israel fosse capacitado para aumentar e herdar a **terra** (30). A súbita destruição deixaria a terra deserta e vítima de animais selvagens (29). Espiritualmente, a libertação que Deus ocasiona no coração ímpio é instantânea, mas há muitos inimigos a serem vencidos pelo cristão santificado em seu andar diário. À medida que crescemos, nos habilitamos para vencer mais desses inimigos e herdar porção maior da terra que Deus prometeu.

As fronteiras de Israel se estenderiam do **mar Vermelho**, no sul, ao **mar dos Filisteus** (o mar Mediterrâneo), no oeste. No leste, ficaria o **deserto** e, no norte, o **rio** Eufrates (31; ver Mapa 2). Israel alcançou estas fronteiras somente no reinado de Salomão (1 Rs 4.21,24; 2 Cr 9.26). Os israelitas não conseguiram manter esses limites nacionais por causa da desobediência.

ÊXODO 23.32—24.5

O povo de Deus não deveria fazer **concerto** (acordo) com as nações da Palestina nem **com os seus deuses** (32). Estes povos pagãos não deveriam habitar na **terra** como nações para não levar Israel ao pecado; os **deuses** certamente seriam uma armadilha para Israel (33). Deus queria que estes povos com sua adoração pagã fossem destruídos como nações. Lange escreve: "Pelo visto, o propósito primário de Jeová em destruir os cananeus dizia respeito à capacidade coletiva e pública desses povos e não visava as pessoas em si. Na medida em que se submetessem, Jeová permitiria os indivíduos viverem na qualidade de pessoas".[47]

c) *As bênçãos temporais* (23.25,26). Se obedecessem a Deus, os israelitas teriam a garantia divina de que os inimigos seriam aniquilados e que haveria provisão de **pão** e **água** (25). Deus também prometeu tirar **do meio** deles as **enfermidades**. Assegurou aumento extraordinário de animais e pessoas, junto com vida longa (26). Obedecer a Deus e viver de modo justo garantem bênçãos temporais como resultado habitual, embora os cristãos passem por tribulação neste mundo (Jo 16.33). O cumprimento completo desta promessa ocorrerá na era vindoura.

Os versículos 20 a 33 retratam "O Filho de Deus Vitorioso". 1) Obediente à voz de Deus, 20-22; 2) Confiante nas promessas de Deus, 23-28; 3) Paciente com o plano de Deus, 29-31; 4) Alerta aos avisos de Deus, 32,33.

E. A RATIFICAÇÃO DO CONCERTO, 24.1-18

1. *O Concerto Selado com Sangue* (24.1-8)

Moisés estava no monte (19.3) recebendo o **livro do concerto** (7), o qual agora teria de ser selado. Tendo descido para o povo (19.25), ele foi mandado de volta à presença de Deus no monte com **Arão**, seus dois filhos e **setenta dos anciãos de Israel** (1). Estes anciãos eram os chefes das tribos e famílias de Israel que foram líderes no Egito; por meio deles Moisés se comunicava com o povo (3.16; 4.29; 12.21; 17.5,6). O grupo tinha de subir para adorar, mas permanecer longe de Deus. Somente **Moisés** poderia se chegar **ao SENHOR** (2); os outros tinham de ficar mais distantes. **O povo** não teve acesso algum ao monte (ver 19.12,13). No Antigo Testamento, não havia esta aproximação livre a Deus que temos hoje em Cristo (cf. Hb 10.19-22).

Antes que o grupo subisse ao monte, Moisés veio e contou **ao povo todas as palavras** (3) que o Senhor lhe dera. Estas **palavras** e **estatutos** são o teor registrado do que chamamos Livro do Concerto (20.22—23.33). Depois que o povo ouviu, **respondeu a uma voz**, dizendo: **Todas as palavras que o SENHOR tem falado faremos**. Na reverência e inspiração do momento, talvez sem se dar conta da grande dificuldade que teriam em obedecer, os israelitas fizeram esta promessa a Deus.

Depois de escrever **todas as palavras do SENHOR** (4), Moisés, **pela manhã de madrugada**, construiu um altar com **doze monumentos** ("colunas", ARA) **ao pé do monte**. O altar representava Deus, e os doze pilares representavam as **doze tribos de Israel**. Aqui estava sendo decretado um acordo entre estas pessoas e o Senhor.

Holocaustos (5) eram ofertas expiatórias e marcas de autodedicação, ao passo que **sacrifícios pacíficos** ("ofertas de paz", NTLH) indicavam agradecimento pelas bênçãos de Deus. Estas ofertas foram oferecidas por **jovens** especialmente selecionados em favor de Israel. As ofertas mostravam gratidão por serem incluídos no concerto e salientavam a determinação de Israel ser inteiramente consagrado ao serviço de Deus.[48]

A metade do sangue (6) das vítimas sacrificadas foi colocada em **bacias** para uso posterior; a outra **metade** Moisés **espargiu sobre o altar**. Este sangue no altar denotava a consagração do sacrifício que representava o povo a Deus. O sangue também representava a parte de Deus no concerto.

Na presença do sacrifício e do altar, Moisés **leu** para o povo o que escrevera no **livro do concerto** (7). Ele já relatara esta mensagem oralmente (3), mas os israelitas precisavam conhecer claramente o concerto que faziam com Deus. Mais uma vez o povo prometeu ser obediente. A outra metade do sangue guardado nas **bacias** (6), Moisés o **espargiu sobre o povo** (8); chamou este sangue o **sangue do concerto**. Este foi o primeiro concerto feito com Israel e foi selado com o sangue de sacrifícios de animais. O Novo Testamento descreve o novo ou segundo concerto que substituiu o antigo e foi selado com o sangue de Cristo (Hb 8.6—9.28). Se o antigo concerto exigia a obediência total das pessoas à vontade de Deus, certamente não se esperava menos daqueles que fizessem parte do novo concerto (Hb 12.18-29).

2. *O Encontro com Deus* (24.9-11)

O grupo requisitado a subir o monte (v. 1) subiu (9), depois de selar o concerto com o sangue. Os sacerdotes, **Arão, Nadabe e Abiú**, eram os representantes espirituais do povo, enquanto que os **setenta anciãos** eram os líderes políticos. São chamados **escolhidos** (11), indicando que eram de nobre nascimento e pessoas altamente respeitadas pelo povo que representavam.

Parece que nesta experiência de encontro com Deus, todos participaram de uma refeição sacrifical, porque eles comeram e beberam (11). "O sacrifício envolvia uma refeição sacrifical, e Moisés, obedecendo a ordem do versículo 1, levou os anciãos ao monte para comer a carne do sacrifício e, assim, comungar com Deus a quem a ofereciam".[49]

Durante esta refeição os participantes tiveram uma experiência especial com Deus. O texto afirma que eles viram **o Deus de Israel** (10,11). Devemos entender esta visão do Senhor como manifestação de Deus, uma teofania, quando os olhos podem ver nitidamente uma representação da Pessoa divina. "Não devemos ir além dos limites impostos em 33.20-23 para concebermos o que constituía a aparência de Deus; ao mesmo tempo, temos de considerá-la visão de Deus em alguma forma de manifestação que tornou a natureza divina discernível aos olhos humanos."[50] Nesta aparição, Deus se revelou em sua amabilidade como Convidado a uma refeição e não se mostrou em trovões e terremotos medonhos como na outra vez. **Debaixo de seus pés** (10) havia um pavimento **de pedra de safira** tão claro quanto o **céu**. Os **escolhidos** (11) não ficaram com medo; **comeram** e **beberam** com alegria na presença divina sem medo de morrer. Moffatt traduz o versículo 11a: "O Eterno não fulminou este chefes de Israel [como poderiam ter esperado]. Deus lhes mostrou o lado gentil, adorável e atraente do seu caráter, e não seu lado terrível e aterrador; e foram instruídos a esperar um estado final de felicidade, no qual os servos do concerto de Deus habitariam continuamente em sua presença".[51]

Esta experiência graciosa também indicava o dia quando, sob o novo concerto, os filhos de Deus desfrutariam o privilégio mais sublime: a conscientização da presença de Cristo na santa ordenança da Ceia do Senhor.

Os versículos 3 a 11 pintam "Um Concerto com Deus". 1) As cláusulas declaradas com clareza, 3a,4,7a; 2) As promessas feitas com confiança, 3b,7b; 3) O sangue aspergido com profusão, 5,6,8; 4) O Divino manifestado com glória, 9-11.

3. *Moisés Volta ao Monte* (24.12-18)

Israel recebeu o Decálogo e o Livro do Concerto. Mas agora, depois de sua ratificação pela nação, Deus tinha instruções adicionais para dar ao seu povo especial. Para manter a vida religiosa, os israelitas precisavam de uma forma definida de culto e regulamentos que tratassem das aparências como, por exemplo, pessoas santas, lugares, ritos e cerimônias. As leis contidas no Decálogo e no Livro do Concerto eram importantes, mas Deus precisava dar a Israel os rituais e as leis cerimoniais que formam o tema principal do restante do Livro de Êxodo.

a) *O chamado* (24.12-14). Moisés foi chamado a subir o **monte** para receber as **tábuas de pedra, e a lei, e os mandamentos** (12), os quais Deus escrevera. Os Dez Mandamentos foram **escritos** nas tábuas (cf. 31.18; Dt 5. 22). Já a **lei** e os **mandamentos** registrados em outros lugares, continham instruções para o santuário e o sacerdócio, e as leis rituais encontradas em Levítico e Deuteronômio.[52] O propósito para registrar estes princípios era para que Moisés pudesse transmiti-los ao povo.

Moisés levou **Josué** consigo (13). O texto não informa se Josué entrou na **nuvem** (18), mas a declaração no versículo 2 insinua que somente Moisés chegou perto de Deus. Antes de sair, Moisés pediu aos **anciãos** que permanecessem com o povo e que, em sua ausência, levassem toda questão a **Arão e Hur** (14). Ele ficaria fora por certo tempo.

b) *A aproximação a Deus* (24.15-18). Quando Moisés subiu, uma **nuvem cobriu o monte** (15). O versículo 16 identifica que a nuvem é **a glória do SENHOR**. Esta nuvem de glória permaneceu no monte **seis dias** sem haver voz. Estes eram dias de preparação para Moisés antes de entrar diretamente na presença de Deus. Josué provavelmente estava com ele durante estes dias. Os israelitas podiam ver a nuvem, que para eles tinha a aparência de um **fogo consumidor no cume do monte** (17), mas eles sabiam que Moisés ia se encontrar com Deus na nuvem.

No **sétimo dia**, Deus **chamou** Moisés e ele **entrou no meio da nuvem**. Permaneceu no monte **quarenta dias e quarenta noites** (18) sem comer (Dt 9.9). Josué deve ter ficado a certa distância (32.17). O povo permaneceu no vale, e logo mostrou falta de fé cometendo um pecado terrível (32.1-6) enquanto Moisés estava no monte.

Seção **IV**

A INSTITUIÇÃO DA ADORAÇÃO A DEUS

Êxodo 25.1—40.38

No período de quarenta dias em que Moisés permaneceu no monte, Deus lhe apresentou os métodos de adoração a ser dados ao povo. Moisés forneceu as instruções e o povo confeccionou os objetos usados na adoração. O fracasso de Israel enquanto Moisés esteve ausente está registrado entre a revelação dos projetos a Moisés e a fabricação e montagem do santuário. Esta seção final do Livro de Êxodo revela a paciência de Deus em lidar com seu povo rebelde e mostra os detalhes minuciosos que são requisitos para o povo adorá-lo.

A. A Planta do Tabernáculo, 25.1—31.18

1. *As Ofertas para a Construção do Tabernáculo* (25.1-9; cf. 35.4-19)
Antes da construção de um lugar de habitação para Deus, o povo teria de levar suas ofertas. Cada israelita daria conforme o **coração** o movesse **voluntariamente** (2). A oferta para a casa de Deus não era um imposto, mas uma doação de livre e espontânea vontade.

Os metais preciosos que Israel possuía nesta época eram provenientes da riqueza dos ancestrais e dos ricos presentes recebidos dos egípcios na saída do Êxodo. A pilhagem que os israelitas realizou entre os amalequitas angariou mais riquezas. A provisão de **ouro** (3) foi abundante; também levaram **prata** e **cobre** (bronze, provavelmente).

O **azul**, a **púrpura** e o **carmesim** (4) se referiam a fios de linho dessas cores. O **linho fino** era uma linha macia e branca torcida da fibra do linho. **Pêlos de cabras** eram comumente usados para confeccionar tendas, e tais materiais ainda hoje são utilizados para esse fim no Oriente Próximo.[1]

O norte da África era famoso por suas **peles de carneiros tintas de vermelho** (5); Israel trouxe estes materiais do Egito. Visto que os **texugos** não eram naturais do norte da África, é provável que a palavra original se refira a alguma criatura marinha (cf. NVI, nota de rodapé; "peles finas", ARA; NTLH).[2] A **madeira de cetim** provinha da acácia, árvore encontrada com abundância na península do Sinai.[3]

A descrição do **azeite para a luz** (6) é mais detalhada em 27.20. As **especiarias** eram necessárias para fazer o **óleo da unção** e o **incenso**. Não está claro o que seriam as **pedras sardônicas** (7).

Israel tinha de fazer um **santuário** no qual Deus habitaria (8). Embora o Senhor não possa ser contido em uma habitação, era do seu agrado se manifestar por meio de um edifício. O santuário seria feito de acordo com o **modelo do tabernáculo** mostrado no monte (9; cf. Hb 8.5).

O **santuário**, ou santo lugar, era alusão geral à totalidade das instalações do edifício, inclusive o pátio, ao passo que o termo **tabernáculo** ou "Tenda do Encontro" (27.21, NVI) se aplicava somente à tenda. Outros nomes usados para se referir ao **santuário** são o "tabernáculo do SENHOR" (Nm 16.9) e o "tabernáculo do Testemunho" (38.21). Mais tarde, o nome "templo" foi aplicado ao **santuário** depois de ficar mais permanentemente situado em determinado local (1 Sm 1.9; 3.3).

2. *A Mobília do Tabernáculo* (25.10-40; cf. 37.1-29)

a) *A arca do Testemunho* (25.10-22). O objeto mais sagrado do Tabernáculo era a **arca** (ver Diagrama A). Era chamada a **arca do Testemunho** (22), a "arca do SENHOR" (1 Sm 4.6), a "arca de Deus" (1 Sm 3.3) e a "arca do concerto do SENHOR" (Dt 10.8).[4]

A **arca** era uma caixa ou baú feito de **madeira de cetim** (10), medindo aproximadamente um metro e 12,5 centímetros de comprimento por 67,5 centímetros de largura e profundidade. O **côvado** era medida linear de mais ou menos 45 centímetros. A arca era revestida **de ouro puro** (11) por dentro e por fora; tratavam-se provavelmente de lâminas de ouro. A **coroa de ouro** era uma "moldura de ouro que formava uma beirada".[5]

Nos quatro **cantos** da arca havia **argolas de ouro** (12). Por estas argolas, também revestidas de **ouro** (13), colocavam-se varas que serviam para carregar a **arca** (14). As **varas**, ou bastões, nunca deveriam ser removidas **da arca** (15), pois assim se evitava a necessidade de tocar na arca; também era lembrança constante da mobilidade de Deus.

Dentro da **arca** seria colocado o **Testemunho** que Deus daria a Moisés (16). O Testemunho era, provavelmente, as duas tábuas de pedra (31.18) contendo o Decálogo (cf. 16.34).

O **propiciatório de ouro puro** (17) era uma laje que servia de tampa para a arca (ver Diagrama A). Suas dimensões eram exatamente as mesmas da arca. Chamava-se **propiciatório**, porque era o lugar da expiação onde estava simbolizada a misericórdia. Os **querubins** (18), já mencionados como guardiões do jardim do Éden (Gn 3.24), constituíam uma alta categoria de anjos associada com a presença de Deus (19). A idéia mais predominante é uma forma humana com asas, como o egípcio "ma, ou verdade, tão freqüentemente visto em arcas egípcias", que abrigava um emblema de deidade.[6]

Em cada lado, tinha de haver um **querubim** com as asas erguidas e estendidas sobre o **propiciatório**, enquanto **as faces** deles ficavam olhando para baixo em direção ao meio da arca (20). Desta maneira, eles vigiavam a revelação de Deus ao homem ao mesmo tempo em que viravam o rosto em ato de humildade para não ver a glória de Deus.

Lá, **de cima do propiciatório**, Deus prometeu comungar com Moisés e lhe revelar toda a sua vontade (22).

Há lições maravilhosas que a arca e o propiciatório ensinam sobre os fatos espirituais. O **ouro puro** era preciso, como é a presença santa de Deus. O **ouro** dentro da arca, que não podia ser visto, representava a pureza que Deus deseja no coração dos homens. Colocar os mandamentos na arca revestida de ouro tornou-os preciosos e belos, simbolizando a lei escrita no coração dos homens.

O propiciatório era colocado em cima da arca, porque "a misericórdia [de Deus] transcende a justiça". Rawlinson escreve:

> O ensino da arca sob este aspecto era, primariamente, o que Davi ensinou no Salmo 85: "A misericórdia e a verdade se encontraram". Misericórdia sem justiça é sentimentalismo fraco, subversivo da ordem moral. Justiça [verdade] sem misericórdia é uma severidade moral — teoricamente sem defeito, mas revoltante aos sentimentos instintivos do homem. É preciso a síntese das duas qualidades. A lei, entesourada no lugar mais santo do santuário, defendia a pureza e perfeição terrível de Deus. O propiciatório, que se estendia sobre a lei, atribuía à misericórdia sua posição diretiva superior. As figuras dos querubins mostravam o olhar fixo dos anjos com surpresa e admiração pelo modo de Deus unir a misericórdia com a justiça. Uniu-as pelo sofrimento vicário, o qual Ele aceita como expiação. Por fim, a presença divina, prometida como algo permanente, dava a sanção de Deus ao plano expiatório. É por este meio que o homem pode ser reconciliado com Deus e que as exigências da justiça e da misericórdia [podem ser] satisfeitas.[7]

b) *A mesa da proposição* (25.23-30). Era uma **mesa** plana e lisa feita de **madeira de cetim** (23; "madeira de acácia", ARA), como a arca, e revestida **com ouro puro** (24). Media cerca de 90 centímetros de comprimento, por 45 centímetros de largura e 67,5 centímetros de altura. Como decoração, havia uma **coroa de ouro**, ou borda, em torno da extremidade superior; este ornamento servia para impedir que o pão escorregasse da mesa (ver Diagrama A).

A **moldura ao redor, da largura de uma mão** (25), era uma faixa de uns oito centímetros de largura colocado entre as pernas da mesa imediatamente abaixo da coroa de ouro. Esta faixa servia de suporte para as pernas da mesa. A **coroa de ouro** na faixa era uma borda ou beira de ouro para fins decorativos.

As **argolas de ouro** (26) para as varas eram semelhantes às argolas da arca. O versículo 27 indica que as argolas foram fixas na faixa perto do meio das pernas da mesa. Os **varais** (28), ou bastões, tinham as características das varas da arca e eram usados para transportar a mesa.

Os **pratos** (29) serviam para carregar o pão. As **colheres** eram "cálices para derramar o incenso sobre o pão, identificando-o como sacrifício (Lv 24.7)".[8] As **cobertas** ("taças", NTLH) e **tigelas** eram para armazenar e despejar o vinho da oferta de bebida. Todos estes utensílios eram feitos de **ouro puro**.

Sobre a **mesa** na presença de Deus devia ficar continuamente o **pão da proposição** (30). Eram os "pães da Presença" (NVI). Não eram alimentos para Deus, mas símbolos do pão espiritual pelo qual Israel seria alimentado. Por sua qualidade, os pães lembravam que os israelitas dependiam de Deus para satisfação das necessidades cotidianas.[9] Havia 12 pães, representando todas as tribos. Os pães tinham de ser substituídos todos os sábados (Lv 24.5,8). O **pão da proposição** também significava a comunhão ininterrupta do povo de Deus com Ele. O pão indicava Cristo, o Pão Vivo (Jo 6.35).

c) *O candelabro* (25.31-40). Certos críticos bíblicos têm dúvidas sobre a origem do Tabernáculo durante os dias de Moisés e consideram que grande parte do material encontrado nestas descrições foi escrita em época muito posterior.[10] Asseveram que o candelabro descrito neste texto só foi conhecido centenas de anos mais tarde. Contudo, recentes descobertas feitas por W. F. Albright confirmam a existência de candelabros de descrição similar já em 1200 a 1400 a.C. (ATA, nota de rodapé).

O **castiçal** (31), mais propriamente um candelabro ou suporte de lâmpadas, era feito de **ouro puro** (ver Diagrama A). Para seu fabrico foi usado **um talento de ouro puro** (39), cujo peso é cerca de 42,6 quilos. O **pé** e as **canas** são mais corretamente o "pedestal" e a "haste" (NVI), sendo que a haste é a hástea vertical do meio, chamada **castiçal mesmo** no versículo 34. As **copas**, **maçãs** e **flores** eram "seus cálices, suas romãs e seus botões"[11] ("as taças, as flores e os botões", NVI). Estes ornamentos eram para decorar a haste e seus braços ou hastes secundárias.

De cada lado da haste central saíam três **canas** ou braços — as **seis canas** (32) que, com a haste central, formavam sete recipientes ou suportes para as lâmpadas, como um candelabro. Havia **três copos** (cálices com formato de flor de amêndoa) em cada braço, cada um com sua **maçã** e **flor** (33), enquanto que na haste central havia quatro desses cálices (34). Supomos que cada braço tivesse uma decoração de três cálices, um em cada ponta e mais um no centro, enquanto que a haste central tinha quatro cálices, um em cada ponto de onde saíam os braços (35) e mais um na ponta. As repetições no versículo 35 dizem simplesmente: "Haverá um cálice [a base verde do botão da flor] debaixo de cada par dos seis braços [que saem da haste central]" (VBB). Estes cálices eram impressos diretamente no material da haste central e dos braços (36).[12]

As **lâmpadas** (37) eram colocadas em cima das **seis canas** ou braços e da haste central. O texto não descreve como eram, mas julgamos que tinham a forma de tigelas ou pires possivelmente com um lado comprimido formando uma beira estreitada. Estas lâmpadas eram acesas durante a noite para iluminar o ambiente. Colocava-se óleo no pires e havia um pavio que se estendia até à beira estreitada.[13]

Os **espevitadores** (38) serviam para aparar, pela manhã, o morrão do pavio das lâmpadas. O excesso de cinza era cortado do pavio e colocado nos apagadores, onde também ficavam os espevitadores.

O versículo 40 é uma recomendação de Deus para que Moisés fizesse todas estas coisas de acordo com o **modelo** que lhe fora **mostrado no monte**. Pelo visto, Deus lhe apresentara em visão o Tabernáculo e sua mobília, e depois forneceu instruções mais detalhadas.

Na Bíblia, é freqüente a luz ser usada como símbolo de Deus; Jesus é a Luz do Mundo. Estas lâmpadas no Tabernáculo geravam luz pelo óleo, tipo do Espírito Santo. Israel tinha

A INSTITUIÇÃO DA ADORAÇÃO   ÊXODO 26.1-17

de ser luz no mundo, como hoje os cristãos devem ser. João falou sobre as "sete lâmpadas de fogo, as quais são os sete Espíritos de Deus" (Ap 4.5), indicação clara ao Espírito Santo.

3. *O Tabernáculo* (26.1-37; cf. 36.8-38)

a) *As coberturas* (26.1-14). A armação do Tabernáculo propriamente dito tinha 4,5 metros por 13,5 metros (ver Diagrama A). As **cortinas** (1, coberturas) iam por cima da estrutura de madeira (18-30) e serviam de teto e telhado. Estas **cortinas** para cobrir eram feitas de **linho fino** colorido com formas de **querubins** tecidas no pano. Devia haver **dez cortinas**, cada uma medindo cerca de 12,6 metros por 1,8 metro. Estas eram enlaçadas (costuradas) uma na outra em grupos de **cinco** (3), fazendo duas coberturas amplas de 12,6 metros por 9 metros cada.

No lado que media 12,6 metros de cada uma destas coberturas amplas, havia **cinqüenta laçadas** (4). A **juntura** é a borda ou extremidade do tecido. As laçadas serviriam de encaixe (5), de forma que estas duas cortinas grandes se prendessem uma na outra com **cinqüenta colchetes** (6), ou ganchos, **de ouro**, formando uma cobertura grande de 12,6 metros por 18 metros. O propósito de poderem ser divididas em duas partes era para facilitar o transporte. Esta cobertura era colocada em cima da estrutura santa. O registro bíblico não detalha exatamente como isso era feito. Imaginamos que houvesse bastões longitudinalmente dispostos em cada ponta da cobertura com uma viga mestra de telhado no meio. A cortina era bastante grande (18 metros) para cobrir todos os 13,5 metros da armação do Tabernáculo, sobrando 4,5 metros na parte da frente, formando um tipo de varanda, ou na parte de trás, ou parcialmente em ambas as extremidades. Também sobrava alguma coisa dos lados, dependendo da altura da viga mestra de telhado, e era firmada no chão com cordas e estacas.

Em cima desta primeira cobertura era colocada uma segunda **cortina** feita dos **pêlos de cabras** (7). Esta cortina era feita de modo semelhante que a primeira, exceto que as cortinas eram 90 centímetros mais compridas (8; ou seja, cada uma media 13,5 metros por 1,8 metro), e havia onze peças (9). Juntadas, estas cortinas formavam a segunda cobertura grande 90 centímetros mais larga e 1,8 metro mais comprida que a primeira (ou seja, esta segunda cobertura grande media 13,5 metros por 19,8 metros). As duas seções, uma formada com cinco cortinas e a outra com seis, eram unidas por **cinqüenta colchetes de cobre** (11, bronze) em vez de ouro. Colocada em cima da cobertura interna, esta se estendia por 45 centímetros a mais de cada lado (13), como uma sanefa. O comprimento extra era dobrado parcialmente, formando um detalhe decorativo na frente do Tabernáculo (9) e o comprimento restante ficava dependurado na parte de trás (12).

Mais duas coberturas, uma feita com **peles de carneiro** e a outra com **peles de texugo** (ver comentários em 25.5), foram confeccionadas para serem postas em cima das duas primeiras (14). Estas coberturas eram mais impermeáveis, mantendo a chuva e o calor do lado de fora. O texto não diz qual era o tamanho dessas peles, mas com certeza eram bastante grandes para cobrir a área superior que ficava rente ao Tabernáculo propriamente dito.

b) *A estrutura de madeira* (26.15-30). As **tábuas para o tabernáculo** (15), feitas de **madeira de cetim** (acácia), mediam 4,5 metros de comprimento por 67,5 centímetros de largura (16). Não há menção da espessura. Levando em conta que as árvores de acácia nesta região eram baixas, estas tábuas foram feitas pela junção de várias peças. As tábuas eram colocadas em pé, lado a lado, em torno do edifício, formando os dois lados e a parede de trás. As **duas coiceiras** eram pinos (lit., "mãos") que ficavam na ponta inferior de cada tábua para prendê-las por encaixe nas **bases de prata** (19).

Em cada lateral do Tabernáculo (18,20) tinha de haver **vinte tábuas**, cada uma com duas bases de prata, bastante pesadas (ver 38.27), para a fundação de cada tábua (19,21). As duas **coiceiras** em cada tábua se encaixavam com firmeza a estas duas bases, firmando a tábua em pé. **Para a banda do meio-dia, ao sul** (18) significa literalmente "no lado sul, à direita". Os nativos do Oriente ficavam de frente para o leste quando ensinavam caminhos. Visto que o Tabernáculo era face leste, o sul seria à direita, o norte ficaria à esquerda e o oeste estaria atrás.[14]

No lado ocidental devia ter **seis tábuas** (22) com mais **duas tábuas** para formar os dois **cantos do tabernáculo** (23). O texto não detalha como eram dispostos estes pilares de canto (24). Pelo visto, eram fixos de certa forma a manter a largura do edifício em dez côvados (seis tábuas dão somente nove côvados) ou 4,5 metros. As **oito tábuas** (25) deste lado tinham o mesmo número de bases e coiceiras como as outras. No total, perfaziam 48 tábuas e 96 bases.

Para unir as tábuas, foram feitas **barras de madeira de cetim** (26), **cinco** para cada lado e cinco para a parte de trás do Tabernáculo. A última frase do versículo 27 é mais bem traduzida por "para as tábuas na parte de trás do tabernáculo, para [formar] a parede que fica no lado ocidental" (ATA). Uma **barra**, no **meio**, colocada transversalmente e a meia distância nas **tábuas** verticais (28), ia de ponta a ponta das paredes laterais e dos fundos. Aparentemente as outras quatro barras de cada parede eram mais curtas. Todas estas **tábuas** e **barras** eram revestidas de **ouro** (29), com também eram as argolas nas tábuas pelas quais as barras eram colocadas.

Novamente Deus lembra Moisés que construísse este edifício de acordo com o padrão mostrado no **monte** (30). A imagem mental do bloco construtivo formada até aqui está ganhando nitidez. Com tábuas de 4,5 metros de altura, havia dois lados emparedados de 13,5 metros de extensão cada, uma parede de 4,5 metros de largura na parte de trás e uma frente aberta. Em cima desta estrutura estava esticada uma cortina de quatro camadas, provavelmente sobre uma viga mestra de telhado cobrindo totalmente a construção.

c) *O véu e o biombo* (26.31-37). Um **véu** (31), de confecção semelhante à primeira cobertura (1), dividia o Tabernáculo em dois compartimentos (33). Para pendurar o véu, havia **quatro colunas de madeira de cetim cobertas de ouro** (32) fixadas sobre **quatro bases de prata** semelhantes às tábuas das paredes. O número par de colunas sugere que eram de comprimento igual e, portanto, não chegavam à altura do telhado da tenda — presumindo que o telhado fosse inclinado.

O **véu** era pendurado **debaixo dos colchetes** (33), ou ganchos (6,11), unindo-se com as coberturas. A menos que esta declaração seja muito geral, significaria que o véu que divide os dois compartimentos foi colocado mais ou menos na metade do Tabernáculo. Aceitamos que o **santuário** (o Lugar Santo) tivesse 9 metros de comprimento e o **lugar santíssimo** (o Santo dos Santos), 4,5 metros, embora em nenhum lugar da Bíblia encontremos esta informação.[15] É possível que a sobra de 4,5 metros da cobertura grande (ver comentários no v. 6) ficasse na parte de trás do Tabernáculo. Com este arranjo, a junção da cobertura grande se situaria exatamente em cima do lugar tradicional do véu. É interessante destacar que a teoria de um telhado plano descrita por Davis também permite este tipo de divisão.[16]

A **arca do Testemunho**, com o **propiciatório** tampando a **arca** (34), foi colocada no **lugar santíssimo**, que era **dentro do véu** (33). A **mesa** da proposição e o **castiçal** (35) foram acondicionados **fora do véu** (ou, à sua frente), no Lugar Santo. A **mesa** ficava na **banda do norte**, ou à esquerda de quem entrasse, e o candelabro ficava no **sul**. O altar de incenso (30.1-6) também foi colocado no Lugar Santo perto do véu (ver Diagrama A).

Para a abertura da frente do Tabernáculo, confeccionaram outra **cortina**, chamada "biombo" (36, RSV; "reposteiro", ARA). A cortina era menos elaborada, pois não tinha querubins, provavelmente porque ficava mais longe da arca e era comumente usada pelos sacerdotes. Este biombo ficava pendurado por **cinco colunas de madeira de cetim** (37) revestidas de **ouro** e com **colchetes**, ou ganchos, de **ouro**. As **bases** eram de **cobre** (bronze), pois o uso desta entrada era mais comum. Considerando que havia **cinco colunas**, conjeturamos que fossem de comprimentos desiguais, com a coluna central servindo de suporte para a viga mestra de telhado que sustentava as coberturas.[17]

Há excelentes lições espirituais no capítulo 26. A cobertura graciosamente colorida que estava por baixo das outras coberturas só podia ser vista por dentro do Tabernáculo. De fora, os pêlos de cabra, as peles de carneiro e de texugo davam uma aparência muito comum, mas de dentro a beleza era notória. De fora, o caminho de Deus parece monótono e pouco atraente, mas para o cristão a visão interior é gloriosa.

Muitos artigos — a mesa, a arca, as tábuas, o altar de incenso — eram feitos de madeira de acácia comum, mas revestidos de ouro. Esta madeira tipifica a humanidade — comum, imperfeita e defeituosa —, mas é revestida com a presença de Deus. Pessoas desprovidas de valor próprio são enriquecidas com o ouro da glória divina.

Havia graus na aproximação a Deus. Lá fora estava o mundo, separado do Lugar Santo por uma cortina. A entrada por esta cortina ocorre espiritualmente pelo arrependimento e fé. Uma vez dentro, o adorador recebe a alegria diária da luz e do pão vivo, como também ação de graças constante tipificado pelo altar de incenso. Mesmo para estes adoradores, um véu os separava da presença mais íntima de Deus. Na cruz, o véu foi rasgado em dois (Mt 27.51), possibilitando o acesso a Deus pela fé. Mas os cristãos têm de ter "ousadia para entrar no Santuário [o Lugar Santíssimo], pelo sangue de Jesus" (Hb 10.19). Há cristãos que, pela fé, desfrutam a experiência mais rica da plenitude espiritual, ao passo que outros ficam fora do véu.

4. *O Altar Grande* (27.1-8; cf. 38.1-7)

Um altar de bronze fazia parte importante da adoração de Israel. Situado fora do santuário propriamente dito, era o primeiro objeto que se via quando a pessoa chegava ao lugar santo. Era lembrança constante da necessidade de expiação e arrependimento. Neste altar, o animal sacrifical era oferecido a Deus como expiação pela culpa.

Este **altar** (1) era feito de **madeira de cetim** (acácia) revestida de **cobre** (2, bronze). Tinha formato quadrado, medindo 2,25 metros de cada lado por 1,35 metro de altura. Era uma caixa oca e (8) aberta de ambos os lados. Tinha varas colocadas em argolas com a finalidade de transportá-la (6,7) de modo semelhante à mobília do Tabernáculo.

Considerando que Israel só devia fazer altares de terra ou com pedras naturais, sem uso de instrumentos de ferro (20.24,25), julgamos que este altar semelhante a caixa era cheio de terra sempre que Israel assentava acampamento.[18] Os animais sacrificais eram colocados em cima da terra que enchia a armação de madeira e bronze.

Nos quatro cantos do altar havia **pontas** (2) que faziam parte da estrutura. Tinham provavelmente a forma de chifre de animal. Eram importantes como símbolos de poder e proteção (1 Rs 1.50). Os chifres eram besuntados com o sangue do animal sacrificado (Lv 4.7). Estes chifres, apontando para o céu, "falavam do Deus a quem o altar fora construído, e indicava a capacidade divina em ajudar, proteger e socorrer os seus adoradores".[19] Denotavam a vitória do homem sobre o pecado mediante a expiação simbolizada pelo altar.

Os instrumentos usados com relação ao altar eram feitos de bronze. Havia **caldeirinhas** (recipientes) para recolher as cinzas (3), **pás** para remover as cinzas, **bacias** para receber o sangue, **garfos** para organizar os pedaços de carne e **braseiros**, usados provavelmente para levar as brasas de fogo para o altar de incenso. Não está claro para que servia o **crivo de cobre em forma de rede** (4,5), ou onde era colocado, pois é impossível identificar o **cerco do altar** (5). Poderia ter sido uma grade próxima do topo do altar para pegar pedaços dos animais que caíssem, ou poderia ficar na base para impedir que os pés dos sacerdotes tocassem o altar.[20]

5. *O Pátio* (27.9-19; cf. 38.9-28)

É interessante assinalar que o altar foi descrito antes do **pátio** que rodeava o **tabernáculo** (9), como ocorreu com a mobília do Tabernáculo, que foi detalhada antes da estrutura propriamente dita (25.10—26.30). Este pátio servia de recinto cercado para os israelitas que iam adorar diante do Tabernáculo. Era espaço reservado para os adoradores se separarem do mundo exterior e conferia santidade na aproximação à presença de Deus (ver Diagrama B).

O **pátio** era um retângulo de 45 metros de comprimento por 22,5 metros de largura. Em cada lado, no **sul** e no **norte** (9-11), havia **vinte colunas** com as **bases** feitas de **cobre** (bronze). O **lado do ocidente** precisava de **dez** colunas (12). Quanto à expressão **ao lado do meio-dia, para o sul** (9), ver comentários em 26.18. Estas **colunas** eram firmadas no chão em **suas bases** por meio de cordas fixas ao chão com **pregos**, ou seja, estacas (19, ARA). Entre as colunas havia **faixas** confeccionadas em **prata** (11). Tratavam-se de barras entre as colunas sobre as quais a cortina era pendurada pelos **colchetes** feitos de **prata** (17). Uma cortina de **linho fino torcido**, provavelmente na cor branca,[21] medindo 2,25 metros de altura (18), estendia-se pelos lados, por trás e na frente, onde havia **três** colunas de cada lado da **porta** (14,16).

A **porta** com nove metros de largura ficava no lado leste, no meio da frente do Tabernáculo (16). Era uma cortina **de pano azul, e púrpura, e carmesim** como também de **linho fino torcido**, sustentada deste lado por quatro **colunas** centrais. **Cingidas de faixas de prata** (17) é boa tradução (cf. NTLH). Toda vez que o Tabernáculo era montado, a frente sempre ficava voltada para o leste. A cortina para a porta era semelhante à que estava pendurada em frente do Tabernáculo propriamente dito (26.36,37).

O Tabernáculo e o pátio ensinam passos sucessivos na aproximação a Deus. Os materiais mais preciosos estavam no Lugar Santíssimo; o Lugar Santo tinha menos ornamentos, ao passo que os materiais no pátio eram os mais simples. Quanto mais perto nos aproximamos de Deus, mais glória e graça há. Só o sumo sacerdote podia entrar no santuário mais sagrado. Os outros sacerdotes serviam no compartimento exterior. Os israelitas leigos só tinham permissão de entrar no pátio, e somente quando estivessem cerimonialmente limpos. Os imundos tinham de permanecer fora do pátio. Em Cristo, o véu foi rasgado em dois e hoje todos podemos entrar no santíssimo. Mesmo assim, ainda há quem permaneça do lado de fora, à distância de Deus, por falta de fé e dedicação.

6. O Óleo para as Lâmpadas (27.20,21)

Moisés recebe instruções relativas ao óleo para as lâmpadas que estavam no Lugar Santo. O **azeite puro de oliveiras** (20, óleo) era batido em vez de ser moído em moinho. O óleo mais puro, que dava melhor queima, era obtido por este método, usando azeitonas selecionadas pouco antes de amadurecer. Este procedimento exigia mais cuidados que o processo habitual; o óleo é amplamente considerado tipo do Espírito Santo. O óleo era **para fazer arder as lâmpadas continuamente**. Não significava dia e noite, visto que havia iluminação das lâmpadas acesas à tarde (30.8; 1 Sm 3.3). Este fogo tinha de estar aceso sempre pela noite inteira.

O versículo 21 toma por certo o sacerdócio da família de Arão e designa a seus integrantes a tarefa de cuidar do óleo das lâmpadas e das atividades que vão **desde a tarde até pela manhã**. A orientação **fora do véu** se refere ao Lugar Santo, à frente da cortina que fecha o Santo dos Santos. **Porão em ordem** quer dizer "farão". Manter as lâmpadas acesas era serviço "a favor dos filhos de Israel" (ARA). Os ministros de Deus devem manter a luz de Deus brilhando constantemente.

Nos versículos 20 e 21, "A Luz Brilhante" é resultado de: 1) O trabalho do povo — a preparação, 20a; 2) O trabalho dos ministros — a perpetuação, 21; 3) O trabalho do Espírito Santo — a iluminação, 20b.

7. A Indumentária dos Sacerdotes (28.1-43; cf. 39.1-31)

a) *Introdução* (28.1-5). Deus escolheu Arão, o irmão de Moisés, e seus descendentes, para servir de sacerdotes. Até este momento, Moisés era o único mediador, mas foi a família de Arão, e não a de Moisés, que foi escolhida para administrar perante Deus a favor de Israel (1). As **vestes** destes sacerdotes eram especiais e consideradas **santas** (2). Típico da pureza interior do povo de Deus, os objetos externos eram separados para propósitos santos. Estas roupas também eram **para glória e ornamento**. Seria incompatível e desprovido de glória o sacerdote ministrar com roupas simples e sem brilho no Tabernáculo graciosamente colorido. Deus, o Autor de tudo que é bom e bonito, deseja que seu povo seja formoso e que haja beleza nos procedimentos de adoração.

Deus concedeu **espírito de sabedoria** (3) a homens **sábios** para capacitá-los a fazer estas **vestes**. Deus, que criou a beleza, dá ao homem a apreciação divina pela beleza e a aptidão divina para criá-la. Certas produções que o mundo chama arte não passam de imoralidade, mas a verdadeira arte é de Deus.

No versículo 4, há uma lista dividida em grupos dos artigos para o sumo sacerdote, os quais são detalhados separadamente nos versículos seguintes. Os materiais eram os mesmos para as cortinas do Tabernáculo (5), exceto que havia **ouro**.

b) *O éfode* (28.6-14). Esta peça de roupa era um colete com a frente e as costas unidas por tiras em cima de cada ombro e por um **cinto** à cintura (6-8).[22] **Cinto de obra esmerada** (8) é melhor "faixa habilmente tecida" (RSV). Era rico em cores (6). Nas tiras dos ombros havia incrustações de **pedras sardônicas** nas quais estavam gravadas os **nomes dos filhos de Israel** (9), **seis** tribos em cada **pedra** (10). **Segundo as suas gerações** diz respeito à ordem de nascimento. Logicamente alguns israelitas aprenderam a arte da lapidação quando eram escravos no Egito. Os nomes eram fixos nas pedras **engastadas ao redor em ouro** (11), ou seja, com engastes de filigranas de ouro.[23]

Estes nomes eram levados aos **ombros** do sacerdote enquanto ele ministrava **diante do SENHOR** (12), símbolo da responsabilidade dos ministros em levar o povo a Deus. Os nomes ficavam perante Deus quando o sacerdote estava na presença santa. Esta era a garantia de que Deus cuida dos seus filhos e se lembra deles.

Pelo visto, os **engastes de ouro** (13) também eram fechos ou prendedores para as **cadeiazinhas**, ou correntes (ARA), **de ouro puro** (14) que as prendiam ao éfode. Talvez fossem usados para firmar o peitoral ao éfode (ver 22-26).[24]

c) *O peitoral* (28.15-30). O **peitoral do juízo** era firmado com segurança ao éfode e feito do mesmo material que este (15). Aqui, **juízo** significa "oráculo" ou "judicial"; era meio "pelo qual a vontade de Deus era buscada e normalmente encontrada" (VBB, nota de rodapé). **Obra esmerada** seria "trabalho de perito" (RSV). O material era dobrado para formar uma algibeira com cerca de um **palmo** (22 centímetros) quadrado (16). Havia nele **quatro ordens** ("fileiras", NVI; "carreiras", NTLH) de três **pedras** preciosas cada (17). Desconhecemos a verdadeira natureza das pedras, embora haja esforços para identificá-las.[25] Os **engastes** (20) seriam as filigranas das pedras. Os **nomes** das **doze** tribos de Israel eram gravados nestas **pedras** (21). Em cima, o **peitoral** era preso às tiras dos ombros do **éfode** com as **cadeiazinhas**, ou correntes (ARA), de **ouro puro** unidas aos **anéis de ouro** (22-26; ver tb. 13,14). Na parte de baixo do peitoral, havia **dois** outros **anéis** que eram fixados ao **cinto** do **éfode** (27) com um **cordão de pano azul** (28).

Assim, o sumo sacerdote levava os **nomes dos filhos de Israel** sobre os ombros, lugar de força, e sobre o **coração** (29), para com sabedoria e compaixão ser o mediador do povo perante Deus.[26] O **Urim** e o **Tumim** (30) eram provavelmente pedras colocadas no peitoral que representavam **juízo** concernente à vontade de Deus. O sumo sacerdote era o juiz do povo e fazia suas resoluções servindo-se destas pedras.[27] Simbolizavam poder e sabedoria na tomada de decisões.

No capítulo 28, vemos que "O Representante de Deus perante os Homens" é: 1) Intercessor pelo povo de Deus, 12; 2) Compassivo em prol do povo de Deus, 29; 3) Juiz sábio do povo de Deus, 30.

d) *O manto do éfode* (28.31-35). Esta roupa era tecida em uma peça única, sem emendas, com uma abertura para a cabeça (32). A palavra hebraica traduzida por **colar de cota de malha** é de significado incerto. Pelo visto, o conceito é de uma extremidade reforçada com bainha para evitar rasgos. O manto provavelmente não tinha mangas. Era de cor **azul** (31) e usado debaixo do éfode e do peitoral.[28] O contraste entre o manto e o peitoral daria destaque a este. Ao longo da **borda**, ou barra (NTLH), desta peça de roupa que ia até os joelhos, havia alternadamente **romãs** feitas de material colorido e **campainhas de ouro** (33,34).

Há discordância sobre o significado das decorações na bainha do manto. As romãs simbolizam fertilidade ou possivelmente nutrição para a alma. As campainhas, ou sininhos (NTLH), tocam louvores a Deus e representam a alegria no serviço. O **sonido** dos sininhos era ouvido pelos israelitas no pátio, enquanto o sacerdote ministrava diante de Deus no **santuário**. Assim, os adoradores participavam com o sumo sacerdote na oração e louvor enquanto o ouviam, embora não pudessem ver. A ameaça **para que não morra** (35) foi feita para avisar o sacerdote a não deixar de fazer com que os sininhos continuassem emitindo sons para o povo ouvir.[29] Hoje, o ministério dos servos de Deus deve ser de modo que as pessoas participem na adoração a Ele e não sejam meras espectadoras. A adoração vira formalidade quando a congregação fica apenas observando.

e) *O turbante e o camisão* (28.36-39). O sumo sacerdote usava à cabeça uma **mitra** (37), artigo que melhor entendemos por turbante, algo semelhante a uma coroa. Era feito de **linho fino** (39). Na frente do turbante havia **uma lâmina de ouro puro** (36), na qual estavam gravadas as palavras **Santidade ao SENHOR**. Quando o sumo sacerdote se colocava diante do povo, os primeiros objetos do traje sacerdotal que chamavam a atenção eram o peitoral enfeitado com jóias e trazendo os nomes de Israel e a placa de ouro em sua testa proclamando santidade a Deus.

Sempre devemos anunciar que o Deus de Israel é santo e justo. As religiões pagãs criavam deuses como os homens, profanos e impuros. Mas Deus se relevou a Israel como Ser absolutamente puro e santo. O propósito desta revelação não era deixar os israelitas continuamente envergonhados de si mesmos, mas inspirá-los a se tornar como Deus. "Para que sejais santos; porque eu sou santo" (Lv 11.45), era mandamento que o povo de Deus sempre tinha de obedecer. A falta de santidade em seu povo se destacava todas as vezes que viam esta placa de ouro. O sacerdote entrava na presença de Deus levando a **iniqüidade das coisas santas** (38), quer dizer, fazendo expiação pela culpa criada pelo pecado do homem. Constatamos, então, ousadia diante do "trono de graça" neste ministério desenvolvido por um sacerdote pecador em prol de pessoas pecadoras quando se punha com confiança diante de um Deus santo esperando receber aceitação (Hb 4.16). Quando o sacerdote ficava diante do propiciatório fazendo expiação pelos integrantes do povo, ele e os integrantes do povo por meio dele recebiam o perdão de Deus; mas quando viam a santidade divina, eram "transformados de glória em glória, na mesma imagem, como pelo Espírito do Senhor" (2 Co 3.18).

É hipocrisia ministrarmos diante de Deus com os dizeres **Santidade ao SENHOR** estampados na testa, ao mesmo tempo em que abrigamos iniqüidade no coração. Proclamar a necessidade de pecaminosidade contínua por parte do adorador dedicado ao Santo degrada o poder de Deus em purificar. Com certeza, um Deus santo que deseja um povo santo pode "purificar para si" as pessoas a fim de serem como ele mesmo (Tt 2.14). O trabalho do ministro é levar o povo de Deus à "santificação, sem a qual ninguém verá o Senhor" (Hb 12.14).[30]

A roupa de baixo dos sacerdotes era uma **túnica de linho fino** (39), mais corretamente um camisão ou túnica[31] e um **cinto**. O camisão tinha mangas e ia até aos tornozelos. Ficavam de fora as mangas e o pedaço do camisão que aparecia abaixo do manto. "Era preso ao corpo por uma faixa ou cinto ricamente colorido e bordado como as tapeçarias decorativas do santuário."[32] Este **cinto** e a maior parte do camisão não ficava à mostra. Mas mesmo assim, as roupas íntimas também tinham de ser perfeitas, já que Deus as vê, da mesma forma que os motivos do crente têm de ser puros, visto que Deus conhece até nossos pensamentos mais secretos.

f) *As roupas para os filhos* (28.40-43). O vestuário dos sacerdotes comuns era simples, comparado com as roupas do sumo sacerdote, mesmo que consideremos que o **linho fino** era um tecido suntuoso e altamente valorizado naqueles dias. Estes sacerdotes menos importantes usavam uma **túnica** (40), que era um casaco ou camisa presa na cintura com cinto ou faixa. As **tiaras** ou "gorros" (NVI) eram prováveis faixas de linho ou solidéus. Esta roupa, embora simples, era branca, símbolo da pureza dos santos. Quanto ao verbo **santificarás** (41), ver comentários em 13.2. A outra peça de roupa, **calções de linho** (42), era calças compridas ou ceroulas usadas pelos sacerdotes comuns e pelo sumo sacerdote.

O versículo 41 antecipa a investidura descrita no próximo capítulo (ver comentários em 39.7-9). Moisés tinha de mandar confeccionar as roupas e depois consagrar a família do irmão ao sacerdócio.

Os sacerdotes tinham de usar esta indumentária sempre que ministrassem no santuário. O termo **santuário** no versículo 43 também indica o pátio, onde estava o altar de bronze. Os sacerdotes eram considerados culpados se negligenciassem o traje adequado nas ministrações, estando sujeitos à pena de morte. Este **estatuto** era **perpétuo**.

8. *A Consagração dos Sacerdotes* (29.1-46)

Depois de descrever o traje sacerdotal, Deus disse a Moisés como ordenar os sacerdotes para os deveres santos. Estes sacerdotes tinham de oferecer sacrifícios pelos próprios pecados, ser vestidos com as roupas, ungidos com o óleo santo e comer das ofertas sacrificais.

a) *Introdução* (29.1-9). Em preparação à cerimônia de posse do sacerdócio, foram predispostos um **novilho, e dois carneiros sem mácula** (1), com **pão asmo, bolos asmos** e **coscorões** (ou filhós) **asmos** em um **cesto** (2,3). **Asmos** quer dizer "sem fermento" (NVI). **Amassados com azeite**, ou óleo, significa "misturados com óleo", e **untados com azeite** tem o sentido de "aspergidos com óleo" (VBB). Estes itens deviam ser levados com **Arão e seus filhos** (4) à **porta da tenda da congregação**, ou seja, do Tabernáculo. Ali, os sacerdotes seriam lavados **com água**. Esta lavagem exterior é símbolo da limpeza interior e corresponde ao batismo nas águas. Os sacerdotes usavam a **pia de cobre** (30.17-21) para este propósito (cf. Diagrama B).

Nestes versículos, a investidura de Arão é descrita com muita brevidade (5,6). Em Levítico 8.7-9, há um relato mais completo onde o procedimento é desdobrado em nove atos. Moisés vestiu Arão com: 1) o camisão de linho, 2) o cinto debaixo, 3) o manto do éfode, 4) o éfode, 5) o cinto do éfode, 6) o peitoral, 7) o Urim e Tumim, 8) o turbante e 9) a placa no turbante. Aqui em Êxodo, a descrição do vestuário omite os passos dois e sete, a ordem cinco e seis está invertida e a placa de ouro no turbante é chamada **coroa da santidade**. Este nome indica o caráter da realeza do sumo sacerdote.

O **azeite da função** (7), descrito em 30.22-33, seria derramado na **cabeça** de Arão, ato simbólico do batismo com o Espírito Santo. Os **filhos** de Arão, em três ações, seriam vestidos com os camisões, **cintos** e gorros (8,9). Estes atos de investidura e unção empossavam estes homens e seus sucessores no ofício sacerdotal para o resto da vida em **estatuto perpétuo**. Só em Cristo há o cumprimento da eternidade deste ofício (Hb 5.6).

b) *As ofertas* (29.10-18). Os sacerdotes fariam primeiramente a oferta pelo pecado e o holocausto. Considerando que eram homens e pecadores, tinham de oferecer pelos próprios pecados e também pelos pecados do povo (Hb 5.3). O **novilho** (10) seria morto depois de ser levado ao altar e de **Arão e seus filhos** terem posto as **mãos sobre a cabeça do novilho**. Este ato significa que os pecados destas pessoas foram postos no animal. A morte imediata mostrava a pena do pecado, mas também indicava a expiação no sacrifício de Jesus na cruz. A ação de pôr o **sangue do novilho** (12) nas **pontas do altar** e em sua base enfatizava a necessidade de dar a vida pela salvação. Partes do corpo do animal, inclusive a **gordura**, eram queimadas **sobre o altar** e o restante era levado para fora do acampamento, a fim de ser queimado (13,14), tipificando Cristo que "padeceu fora da porta" (Hb 13.11,12). O **redenho** era o "lóbulo ou apêndice" do fígado. Nenhuma parte desta oferta era comida pelos sacerdotes, como geralmente não se comiam as ofertas pelo pecado (Lv 4.11,12; cf. Lv 10.17-20).

O **holocausto** (18) era um dos carneiros levado à cerimônia de consagração (1). Era morto de modo semelhante à oferta pelo pecado e o sangue era aspergido sobre o altar. O versículo 17 fica mais claro assim: "Corte o [carneiro] em pedaços, lave as vísceras e as pernas e coloque-as ao lado da cabeça e das outras partes" (NVI). O carneiro inteiro era queimado no altar como **cheiro suave** (18) para o **SENHOR**. No **holocausto**, a idéia intencional era de abnegação e não de expiação. Esta abnegação é agradável a Deus, visto que a oferta pelo pecado nunca era considerada de cheiro suave.[33] Esta oferta representava a entrega das pessoas a Deus para servi-lo em espírito de adoração.

c) *O sacrifício da posse* (29.19-37). O segundo **carneiro** (19), chamado **carneiro das consagrações** (22), era morto da mesma maneira que os outros animais (19). Parte do sangue era colocada primeiramente na **orelha direita**, no **dedo polegar** da **mão direita** e no **dedo polegar** do **pé direito** de cada um dos sacerdotes (20). Em seguida, o restante do sangue era derramado sobre o altar. Desse sangue que estava ali, junto com óleo, era aspergido **sobre Arão, seus filhos** e **suas vestes** (21).

O sangue na **ponta da orelha direita** dedicava a audição a Deus; no **dedo polegar** da **mão direita**, o sangue consagrava simbolicamente os serviços feitos pelas mãos; o sangue no **dedo polegar** do **pé direito** devotava a Deus o andar nesta vida. A mistura de sangue com óleo "simboliza a união íntima que existe entre a justificação e a santificação — o sangue expiatório e a graça santificadora do Espírito Santo".[34] A pessoa e as vestes dos sacerdotes eram santificadas (21), quer dizer, tornadas santas por serem dedicadas ao serviço santo.

Moisés poria nas **mãos** dos sacerdotes partes deste **carneiro das consagrações**, junto com porções do **pão**, bolos e coscorões que estavam na cesta (22,23; ver v. 2). Por um movimento horizontal em direção ao altar, os sacerdotes tinham de apresentá-los como oferta ritualmente movida, simbolizando entrega a Deus (24). Depois, Moisés queimava a porção de Deus **no altar** (25) por cheiro agradável ao Senhor. Retinha o **peito do carneiro das consagrações** para si (26), a parte que normalmente ia para o sacerdote que oficiava a oferta do **peito do movimento**.[35]

O **peito** e o **ombro** dos **sacrifícios pacíficos** — como pode ser chamado este tipo de oferta (28) — eram porções habituais para o sacerdote (27). O **peito** era movido em movimento horizontal e o **ombro** era alçado (ou erguido) em movimento vertical em atos simbólicos de dá-los a Deus. Quanto à palavra **santificarás**, ver comentários em 13.2.

As **vestes santas** (29) do sumo sacerdote eram passadas para o filho na ocasião da consagração deste para a função sacerdotal (29). A cerimônia de posse do novo sacerdote durava **sete dias** (30).

Depois de uma digressão nos versículos 27 a 30 para descrever os aspectos permanentes deste ritual, o registro bíblico volta à consagração. **Arão e seus filhos** (32) tinham de cozinhar (31) e comer, junto com o conteúdo que restasse do **cesto** de **pão** (cf. 23), as porções de carne não queimadas no altar ou dadas a Moisés. Esta refeição sacrifical também ocorria no oferecimento dos sacrifícios pacíficos, quando os ofertantes comiam parte do sacrifício. Este comer os santificava e os consagrava, tipo do pão e carne de Cristo que dá vida e santidade ao crente. Neste caso em particular, somente os sacerdotes podiam comer e tudo que sobrasse do sacrifício até a **manhã** seguinte tinha de ser queimado (33,34). Este repasto sacrifical era marca de comunhão com Deus e dos sacerdotes entre si. Quanto ao termo **santificá-los** (33), ver comentários em 13.2.

O período da cerimônia de consagração durava **sete dias** (35), o número perfeito de Deus. Pelo visto, a oferta pelo pecado era repetida a **cada dia** (36). A mesma oferta que limpava e consagrava os sacerdotes também dedicava o altar. Este era ungido (Lv 8.11,15) e considerado **santíssimo** (37; cf. comentários em 13.2). Tudo que tocasse o altar tinha de ser **santo** ou o altar seria profanado.

d) *Conclusão* (29.38-46). Influenciado pela consagração dos sacerdotes, o escritor passa a mostrar os requisitos para os sacrifícios diários **sobre o altar** (38). A oferta diária era **dois cordeiros** novos, simbolizando entrega imediata a Deus, **um pela manhã e o outro** à noite (39). Com estes dois sacrifícios havia ofertas de carne e de libação com pão e **vinho** (40), em grande parte para a comodidade dos sacerdotes.[36] A **décima parte de um efa** era cerca de três litros, e a **quarta parte de um him** era mais ou menos 5,7 litros. Tudo isso era um **cheiro suave** a Deus (41), agradável a Ele, em contraste com a idéia de que a maldade dos ímpios é uma fumaça em suas narinas.

Quando as pessoas fizessem suas ofertas a Deus, Ele as encontraria (42) enquanto falava com o sacerdote, o representante divino. O verdadeiro poder santificador é a **glória** de Deus (43), não os objetos materiais que Ele santificou. A obediência de Israel a Deus nestas cerimônias era a garantia do poder santificador divino (cf. comentários em 13.2). Deus santificaria o Tabernáculo e o **altar** para uso especial, e a casa de **Arão** para sua obra peculiar (44). Por causa desta santificação, os israelitas seriam filhos de Deus e Deus habitaria entre eles (45). Assim, eles saberiam **que eu sou o SENHOR, seu Deus** (46).

Hoje, estas verdades são cumpridas de forma gloriosa nos crentes em Cristo! Primeiramente, levaram seus pecados ao pé da cruz e, pela fé, receberam o perdão de Deus. Em obediência humilde, oferecem sacrifícios diários de louvor e oração que são aceitá-

A INSTITUIÇÃO DA ADORAÇÃO   ÊXODO 29.46—30.10

veis a Deus. Com a lei escrita no coração, recebem a santidade de Deus pela obediência à verdade que o Espírito mostra (1 Pe 1.22) e, por fim, o Espírito de Deus habita neles continuamente.

No capítulo 29, vemos "Os Privilégios do Crente": 1) A expiação em Cristo é vista na oferta pelo pecado, 10-14; 2) A entrega a Cristo é encontrada no holocausto, 15-18; 3) A consagração e santificação são reveladas no sacrifício da dedicação, 19-37; 4) A dedicação diária é observada nos sacrifícios ininterruptos, 38-42; 5) A plenitude do Espírito é prometida na habitação da deidade, 43-46.

9. Questões Relativas ao Santuário (30.1-38)

a) *O altar de incenso* (30.1-10). Não é fácil inferir a razão para que a análise dos assuntos tratados neste capítulo esteja neste ponto do relato mosaico. Ou Moisés descreve o que foi omitido nos capítulos anteriores ou Deus o dirigiu a colocar a matéria bíblica nesta ordem. Não há que duvidar que as instruções para o Tabernáculo estariam incompletas sem estas orientações.

O **altar para queimar o incenso** (1) tinha formato similar ao altar de bronze, exceto que era menor (ver Diagrama A). Media 45 centímetros quadrados por 90 centímetros de altura (2). A **madeira de cetim** (acácia) era revestida **com puro ouro** (3), e todas suas partes, inclusive a **coroa de ouro,** que provavelmente era uma beirada semelhante à da mesa da proposição, também eram revestidas de ouro. Seu transporte se dava como a outra mobília por meio de **varais** enfiados em **argolas de ouro** (4,5).

Este altar de ouro ficava **diante do propiciatório**, perto da **arca**, mas à frente do **véu** (6). Tinha necessariamente de estar no Lugar Santo, visto que o sumo sacerdote entrava no Lugar Santíssimo somente uma vez por ano e o **incenso** devia ser queimado diariamente (7). Sua localização perto do Lugar Santíssimo é responsável por ter sido listado em Hebreus 9.4 como peça que ficava dentro do véu.[37] Era neste altar que Deus se encontrava particularmente com a pessoa que, dia a dia, oferecia o incenso.

A queima do incenso, cuja composição é descrita nos versículos 34 a 38, ocorria pela **manhã** (7), quando as lâmpadas eram acesas, e novamente à **tarde** (8). A idéia de **incenso contínuo** diz respeito à sua permanência diária e não à manutenção de fogo dia e noite.[38] O altar de ouro era para uso exclusivo da combustão do incenso apropriado (9); **incenso estranho** seria uma oferta diferente do tipo designado (ver 34-38). Este altar não devia ser usado para fazer holocaustos, ofertas ("de cereal", NVI) ou libações; estas oblações eram oferecidas somente no altar de bronze.

Contudo, **uma vez no ano**, no Dia da Expiação, o sumo sacerdote colocava **sangue** nas **pontas do altar** de ouro para fazer **expiação** pelo altar (10). Até o altar de incenso precisava de expiação por causa dos pecados deliberados ou erros inconscientes dos homens.

O significado espiritual deste altar não deixa dúvidas. O incenso representava as orações dos santos (Ap 8.3). A expiação no altar de bronze reconciliava os adoradores com Deus, ao passo que o incenso de cheiro suave completava o procedimento com comunhão. "Sob este aspecto, a oferta de incenso não era só uma espiritualização e transfiguração do holocausto, mas uma completude dessa oferta."[39] Para os cristãos, esta oferta de oração é ininterrupta no sentido de constante atitude de oração e também nos períodos habituais de meditação e intercessão.

b) *O dinheiro de resgate* (30.11-16). Com toda a probabilidade, Moisés estava pensando em fazer um censo cuidadoso dos israelitas. O primeiro número obtido foi, talvez, uma estimativa. Deus agora o instruiu a exigir de **cada** israelita **o resgate da sua alma** (12). A palavra **resgate** significa **expiação** e transmite a mesma idéia encontrada no versículo 15. Anteriormente (25.2), Deus disse a Moisés que pedisse a Israel ofertas voluntárias. Mas aqui temos um tipo de imposto. O não pagamento deste tributo significaria que poderia haver uma praga nos transgressores.

A quantia exigida de cada homem não era grande, a **metade de um siclo** (13). Não se tratava de imposto arrecadado segundo a capacidade de pagar, mas baseado na verdade da igualdade de todos os homens perante Deus. Aos olhos de Deus, o **pobre** se sentiria igual ao **rico**; o **rico** não podia comprar o favor de Deus, visto que só tinha permissão de dar meio **siclo** (15). Este resgate devia ser pago somente pelos homens amadurecidos, **de vinte anos para cima** (14).

Por que é chamado **dinheiro das expiações** (16)? A oferta pelo pecado não fizera a devida expiação? Este pagamento era um reconhecimento da indignidade diante de Deus e da incapacidade de expiar os próprios pecados. Era uma declaração afirmativa de que só Deus pode pagar o preço da redenção; meio **siclo** era apenas um símbolo ou sinal da aceitação do concerto de Deus com Israel.

Este primeiro imposto era para ser dedicado ao **serviço da tenda da congregação** e foi usado para fazer as bases de prata para o Tabernáculo (38.25-28). Estas bases seriam lembrança constante da obrigação dos israelitas com Deus e da expiação que Deus lhes fizera. É possível que este imposto tenha se tornado obrigação anual (2 Cr 24.9). Provavelmente foi o imposto para o qual Pedro achou pagamento na boca do peixe (Mt 17.24-27).[40]

Os versículos 11 a 16 desenham "A Redenção do Homem": 1) É exigida de todas as pessoas, 12-14; 2) É a mesma para cada pessoa, 15; 3) É lembrada continuamente, 16.

c) *A pia de bronze* (30.17-21). Colocada entre a **tenda da congregação** e o **altar** de bronze (ver Diagrama B), havia uma **pia** feita de **cobre** (18, bronze). Não são dadas especificações, embora suponhamos que tivesse a forma de vaso com pedestal e base, tudo de metal sólido. Servia para o acúmulo de água para a lavagem cerimonial (19,20). É possível que houvesse "torneiras e bicas".[41] Este lavatório era usado pelos sacerdotes para se lavarem antes de ministrarem no Tabernáculo ou no **altar** de bronze.

Água é meio de purificar a carne e tipo do Espírito Santo que limpa a alma. A pia era lembrança constante da santidade que Deus exigia dos israelitas e ressaltava que a limpeza está de mãos dadas com a piedade.

d) *O óleo da santa unção* (30.22-33). Deus mandou Moisés fazer um óleo especial de unção. Os ingredientes eram **pura mirra, canela aromática, cálamo aromático, cássia** e **azeite de oliveiras** (23,24). Os **siclos** (23) aqui se referem diretamente a peso e não a valor monetário como ocorre no versículo 15. As quatro especiarias (duas vezes mais de mirra e cássia que os outros dois ingredientes) seriam misturadas com um **him** de azeite de oliva (cerca de 6,6 litros). O **perfumista** (25) era um farmacêutico ou boticário. Estes produtos aromáticos, por terem propriedades curativas e fragrância, tornavam a substância perfumada apropriadamente típica do Espírito Santo, que santifica e unge o povo de Deus.

Esta composição foi usada primeiramente para ungir a **tenda da congregação** (o Tabernáculo) e sua mobília (26-29). Estas peças sagradas ficariam santificadas (29), ou seja, seriam separadas para uso santo. Tendo sido santificada, a mobília do Tabernáculo só poderia ser tocada pelo que fosse **santo** (cf. comentários em 13.2).

Depois da consagração do Tabernáculo, Moisés ungiu os sacerdotes para a função especial que desempenhariam (30; cf. 29.21). Este ato os consagraria ao ofício sagrado, simbolizando a unção do Espírito Santo nos servos de Deus.

Moisés disse a Israel que este óleo tinha de ser permanente (31); nunca deveria ser usado na **carne do homem** (32), ou seja, para propósitos comuns; e sua fórmula nunca deveria ser copiada. Haveria uma maldição em quem fizesse um óleo santo **como este**, ou o aplicasse impropriamente (33).

O Espírito Santo é muito semelhante a esta combinação de substâncias odoríferas e óleo! Ele perfuma e cura a alma ungida; torna santo todos que o recebem; não pode ser falsificado e quem procura substituí-lo cai na condenação de Deus; não é dado ao mundo, mas a quem é redimido pelo sangue de Cristo; e sempre é o mesmo.

e) *O incenso santo* (30.34-38). O incenso que seria queimado no altar de incenso tinha um perfume especial. As especiarias usadas, quando corretamente misturadas, formariam um **perfume** (35) na forma de substância sólida; assim, as porções seriam quebradas para serem queimadas no altar.[42] **Um perfume segundo a arte do perfumista** seria "um incenso misturado pelo perfumista" (RSV). O incenso era oferecido no altar onde Deus se encontrava com o sacerdote (36) e, por isso, tinha de ser considerado **coisa santíssima**. Não se deveria fazer cópia exata do **incenso** (37), porque era santo **para o SENHOR**. Todo aquele que reproduzisse a composição exclusiva seria **extirpado** de Israel (38).

O odor deste incenso ardente servia para lembrar os sacerdotes e o povo que eles tinham se dedicado a Deus e que Deus os aceitara.

"A Vida Entregue a Deus" é: 1) Formada conforme o desejo de Deus, 34,35; 2) Quebrada para ser queimada, 36a; 3) Santificada com a presença de Deus, 36b.

10. *A Nomeação de Bezalel e Aoliabe* (31.1-11)

Para fazer com precisão os muitos detalhes exigidos na construção do Tabernáculo e de todas as suas mobílias e acessórios, Moisés precisava de trabalhadores especializados. Deus não ia produzir este lugar de adoração mediante um ato milagroso do seu poder, mas por meio de homens capacitados para o trabalho; esta era tarefa que seus filhos podiam e deviam fazer. Deus não faz para suas criaturas o que elas podem fazer por si mesmas.

É apropriado reconhecer que Deus chama as pessoas de muitas maneiras. Já chamara **por nome a Bezalel** (2), como também Moisés fora chamado. Agora esta designação é revelada a Moisés, que mais tarde informaria **Bezalel** e Israel dessa escolha (35.30—36.3). Deus chamou Moisés diretamente, mas estes homens, até onde sabemos, foram chamados por Moisés sem receberem palavra direta de Deus. Embora Deus escolhesse por nome a Bezalel e **Aoliabe** (6), logicamente coube a Moisés nomear muitas outras pessoas para o trabalho. É inspirador ser **chamado por nome** direta ou indiretamente por Deus, mas também é importante ser nomeado por quem Deus autoriza a escolher obreiros.

O Espírito Santo de Deus seleciona e unge certas pessoas para o trabalho espiritual do seu Reino, como pregar ou ensinar. Deus também escolhe, capacita e dirige seus servos no empreendimento e feitura das coisas materiais. Bezalel e seu assistente, Aoliabe, foram chamados para dar beleza às formas materiais do Tabernáculo. Para esta tarefa, houve o enchimento do **Espírito de Deus, de sabedoria, e de entendimento, e de ciência em todo artifício** (3). Os homens aqui foram nomeados por Deus para fazer trabalhos artísticos com **ouro, prata, cobre** (bronze), **madeira**, pano e **pedras** (4,5). Eles seguiriam as instruções detalhadas dadas a Moisés (7-11), **conforme tudo que te tenho mandado** (11). Estes homens usariam sua perícia e orientariam os outros — **todo aquele que é sábio de coração** (6) — no desempenho desta parte da obra de Deus.

Sabedoria denota "alcance de mente e força de capacidade"; é o "poder de julgar" a melhor coisa a fazer. **Entendimento** é a capacidade de compreender as partes diferentes de um trabalho e sua forma completa. **Ciência** indica o conhecimento de materiais pela prática e experiência.[43] A habilidade de fazer coisas bonitas e úteis é um dom de Deus. Neste texto, estão em vista a capacitação natural que pode ser treinada e aperfeiçoada e o dom da graça recebido pelo Espírito Santo. Os dons do Espírito são em grande parte estas capacitações naturais dedicadas a Deus e inspiradas pelo Espírito. Estes dons são achados nas expressões vocais e no intelecto, mas também em trabalhos manuais e na percepção visual.

É verdade que as habilidades naturais dadas por Deus podem ser deturpadas. Muitos rejeitam as obras artísticas por causa da depravação comum neste tipo de habilidade. Contudo, em todas as habilidades, o talento verdadeiro e divino deve ser distinguido do talento falso e humanístico. Deus ama a beleza, e criou muitas coisas bonitas para o prazer dos homens; dotou suas criaturas com a faculdade de criar beleza, e vemos aqui o produto do trabalho manual de Deus.

Os cristãos não devem viver para este mundo no sentido de ficarem presos às coisas temporais, esquecendo-se das eternas. Nas expressões artísticas, seja na arquitetura, pintura, música ou mecânica, o reconhecimento do lado eterno obsta a secularização e, assim, valoriza o tempo e a eternidade. O homem que trabalha em máquinas pode tornar-se escravo da máquina, mas esta condição é evitada se ele vir em seu trabalho a criação do Espírito de Deus pelas aptidões que possui. É possível que o homem moderno se destrua com seu gênio científico, porque, infelizmente, os controles dos produtos da ciência caem nas mãos de homens maus. Mas os cristãos devem se esforçar para usar as habilidades científicas para a glória de Deus.

É possível dedicar as habilidades pessoais a Deus para serem usadas diretamente na obra do Senhor, na melhoria da sociedade ou no ganho de meios para sustentar a causa de Cristo.

11. A Observância do Sábado (31.12-17)

Nesta passagem, há um retorno à importância de Israel cumprir todas as exigências relativas ao sábado santo. Não está muito claro por que o assunto é tratado novamente neste ponto do registro bíblico. Talvez, com as novas instruções sobre o Tabernáculo, houvesse o temor de Israel esquecer as declarações anteriores concernentes aos dias santos. Estes versículos apresentam dois aspectos novos pertinentes ao sábado.

Deus dissera a Moisés que o sábado era um **sinal** (17; cf. 13) **entre mim e os filhos de Israel**. O primeiro sinal dado a Israel foi a circuncisão; agora, Deus adiciona o **sinal** do sábado como marca distintiva do seu povo. Este sinal do sábado distinguia Israel das outras nações mais que a circuncisão, porque "nenhuma outra nação jamais o adotou. Persistiu nos tempos romanos a marca e insígnia do judeu".[44] Tornou-se um "vínculo sacramental" entre Israel e Deus. **Nas vossas gerações** (13; cf. 16) significa "por todos os séculos" (Moffatt; cf. NTLH).

Este texto declara que a contaminação do sábado seria punível com a morte (14,15). Pode parecer drástico para as pessoas dos dias de hoje, mas o concerto de Israel com Deus era exclusivo. O sábado fazia parte desse concerto e seu sinal. Todo aquele que quebrasse o sábado cometeria infração do mais sério caráter e, no que lhe dizia respeito, acabava completamente com o concerto entre Deus e Israel. A pessoa que assim anulasse o concerto seria **extirpada do meio do seu povo** (14), quer dizer, separada ou excomungada do meio dele. O indivíduo perderia o direito de viver como filho de Deus.

"Devemos destacar que esta observância externa, junto com outros sinais exteriores, como a circuncisão, as leis dietéticas, etc., são especificamente traduzidas para o Novo Testamento em evidências internas e espirituais do discipulado (cf. Rm 2.28,29; Gl 4.9,10; Cl 2.16,17."[45] A prática do sábado cristão, o domingo, é de natureza espiritual e é lei escrita no coração. Trata-se de um dia para descanso e recomposição de forças, como era o sábado para Israel (17).

12. As Tábuas do Testemunho (31.18)

Como conclusão à experiência vivida no monte durante os quarenta dias, Deus deu a Moisés **duas tábuas do Testemunho**, feitas de **pedra** e **escritas pelo dedo de Deus**. Estas foram as tábuas mencionadas quando Deus pediu que Moisés subisse ao monte (24.12); tinham de ser colocadas na arca (25.16); foram estas tábuas de pedra que Moisés quebrou cheio de raiva (32.19). Depois, Deus fez outras (34.4) e Moisés as colocou na arca (40.20). Estas são as tábuas que davam significação ao Tabernáculo.

Nestas tábuas, o Decálogo foi inscrito **pelo dedo de Deus**. Com esta expressão, não devemos entender "uma mão literal, mas um poder divino invisível" (cf. Lc 11.20).[46] Desconhecemos o método que Deus usou para produzir estas tábuas.

B. A QUEBRA E A RESTAURAÇÃO DO CONCERTO, 32.1—34.35

Os capítulos 32 a 34 registram a apostasia de Israel enquanto Moisés estava no monte; também narram o resultante castigo e a subseqüente restauração. O relato tem seqüência natural neste momento crítico do registro e só pode ser entendido neste contexto. Considerar este trecho inserção posterior cria mais problemas que resolve.

1. A Idolatria de Israel (32.1-6)

O povo ficou inquieto quando o líder visível permaneceu no monte durante os quarenta dias (1; cf. 24.18). A insatisfação a esse respeito levou os israelitas a se juntarem em grupo para fazer um pedido especial a **Arão**, em cujas mãos foram deixados. **Levanta-te**, disseram, **faze-nos deuses que vão adiante de nós**. A palavra **deuses** é normalmente traduzida por Deus. O pedido não significava necessariamente que estes indivíduos estivessem rejeitando Jeová; queriam uma forma visível entre eles que representasse Deus. Moisés, que fora como Deus para eles, desaparecera e a paciência para esperar a volta do líder acabara.

A reação de Arão ao pedido sugere esforço em evitar a calamidade. Ao pedir que arrancassem os **pendentes de ouro** (2) e lhos trouxesse, talvez Arão contasse com a recusa deles.[47] Não é fácil mulheres e crianças abrirem mão de seus ornamentos, e essa resistência teria protelado o pedido que fizeram.

Se Arão esperava oposição ao pedido, logo ficou desapontado, porque **todo o povo arrancou os pendentes de ouro que estavam nas suas orelhas** (3) e lhos deu. O coração carnal não mede sacrifícios para satisfazer seus desejos pecaminosos.

Levando em conta que Arão começara concordando com este pedido perverso, não havia mais como parar. **Tomou** os presentes de ouro e **formou** um deus para o povo (4). Na situação em que poderia ter se mostrado líder capaz, Arão falhou miseravelmente.

A maioria das imagens antigas era feita de madeira e banhada a ouro.[48] Este ídolo tinha forma de **bezerro**, ou touro de pouca idade, formato comum entre os egípcios, que representava fertilidade e força. Ou, como sugere Rawlinson, Arão retrocedeu aos "deuses [...] dalém do rio" (Js 24.14), encontrados na Babilônia, pensando que esta seria representação mais segura do Deus de Israel.[49] Quando o bezerro ficou pronto, as pessoas disseram: **Estes são teus deuses, ó Israel, que te tiraram da terra do Egito** (4). Como é fácil o coração carnal se afastar da verdadeira adoração de Deus!

Quando **Arão** notou a que ponto as pessoas estavam indo, parece que tentou controlá-las erigindo um **altar** diante da imagem e proclamando uma **festa ao SENHOR** (5). Talvez quisesse conservar alguma semelhança com a adoração de Deus mantendo o nome *Yahweh* no festival. Este ato lembra os esforços de conservar uma forma de piedade sem ter seu poder (2 Tm 3.5) e o sincretismo que há em grande parte do cristianismo nominal.

Qualquer que tenha sido a intenção de Arão, fracassou lamentavelmente em reter a adoração aceitável a Deus. O povo se entregou a um excesso emocional que o levou à idolatria e apostasia. Levantou-se de madrugada e **assentou-se a comer e a beber**; e depois a **folgar** (6). Embora comer e beber na adoração fizessem parte do plano de Deus, neste caso não havia adoração espiritual — somente a satisfação dos desejos pecaminosos da carne. "Deram rédeas às paixões no 'folgar', a subseqüente dança orgíaca que quase sempre acompanhava os ritos idólatras. Ver também o versículo 25 e 1 Coríntios 10.6,7."[50]

Identificamos "Os Passos para a Apostasia" em: 1) A impaciência com a providência de Deus, 1a; 2) O desejo de sinais visíveis na adoração, 1b-4; 3) A transigência com as verdadeiras formas de adoração, 5; 4) A entrega a paixões carnais, 6.

2. *Moisés fica sabendo do Pecado de Israel* (32.7-14)

a) *A avaliação e ameaça de Deus* (32.7-10). Moisés teria voltado ao acampamento totalmente desinformado da idolatria de Israel não tivesse Deus lhe falado. Foi ato de misericórdia revelar esta tragédia a Moisés antes de descer do monte. Deus também usou esta oportunidade para provar a fé e a coragem do seu servo.

Deus disse a Moisés: **Vai, desce; porque o teu povo, que fizeste subir do Egito**, pecou (7). Este linguajar dá a impressão que Deus renuncia a este povo e reputa Moisés líder e libertador dessa gente. O pecado sempre nos separa de Deus, embora o Senhor nunca esteja disposto a nos deixar de pronto. Na posição de Moisés, a atitude mais fácil a tomar era negar maiores responsabilidades por este povo, mas as experiências nos últimos meses fizeram algo neste homem. Ele não era líder de Israel por escolha própria e muitas vezes se sentira impotente diante de seguidores rebeldes. Só por Deus ele chegara a este ponto, e o Deus que o levara até ali não ia falhar nesse momento crucial.

A avaliação que Deus fez desta multidão perversa é clara: O povo se corrompeu (7); depressa se desviou e colocou um bezerro no lugar de Deus (8); era obstinado (9; "de dura cerviz", ARA); Ele estava muito irado com o povo (10). "De dura cerviz" (9, ARA) é expressão aplicada a cavalo ou boi rebelde que não se deixa ser controlado por rédeas. Israel se recusara a obedecer ao concerto que fizera com Deus.

Este provavelmente foi o maior teste que Moisés teve que suportar. **Deixa-me**, Deus disse, que eu **os consuma; e eu farei de ti uma grande nação** (10). Não há como negar que seria justo Deus tomar esta providência; é óbvio que Ele teria cumprido a ameaça se Moisés não tivesse intercedido. Deus conhecia seu servo, sabia que ele passaria no teste e que se tornaria mediador. Moisés viu a realidade da ira de Deus, rejeitou a oportunidade de glória egoísta e suplicou pelo povo e pela glória de Deus.

b) *A oração prevalecente* (32.11-14). Moisés respondeu às palavras de Deus insistindo que este era o **povo** que Deus tirara da **terra do Egito** (11). O servo do Senhor estava disposto a aceitar sua parcela pessoal na libertação do Egito, mas ele sabia que fora Deus quem realmente exercera **grande força** e **mão forte**. Destruir este povo agora desgraçaria Deus aos olhos dos **egípcios** (12), dando a entender que ele agira com má intenção. Toda a glória passada que fora obtida no conceito dos egípcios seria perdida, se Deus, num acesso de raiva, consumisse o povo.

Com coragem que só poderia vir de uma fé robusta, Moisés rogou: **Torna-te da ira do teu furor e arrepende-te deste mal contra o teu povo**. Pediu, também, que Deus se lembrasse das promessas feitas aos patriarcas, a quem, pelo seu nome, jurara dar a **terra** da promessa **eternamente** (13). Nesta defesa perante Deus, há três argumentos para o Senhor não exterminar o povo. Este procedimento: 1) Anularia as vitórias anteriores; 2) daria aos egípcios ocasião para se gloriarem; 3) quebraria a promessa feita a Abraão. Todos estes argumentos foram apelos fundamentados na glória de Deus — com certeza um verdadeiro exemplo de oração intercessora.

Deus se agradou da intercessão de Moisés; Ele pôs de lado a ameaça. O verbo **arrependeu-se** (14) é usado como expressão antropomorfa para descrever a mudança de ação de Deus em relação aos israelitas, visto que ocorreria uma mudança neles. O propósito eterno de Deus nunca muda, mas Ele se digna em trabalhar com os homens em suas maneiras inconstantes de ação, e este trabalho é descrito na linguagem dos procedimentos humanos. O arrependimento também transmite a idéia de dor no coração de Deus no caso da destruição do seu povo.[51] Quando ira santa se manifesta junto com amor santo, a combinação da ira com o sofrimento do amor ocasiona a oferta de misericórdia. Este seria o tipo de arrependimento segundo Deus especialmente revelado na expiação em Cristo. Esta mesma qualidade pode ser sentida por pais cristãos quando descobrem o amor dolorido vencendo a raiva e mostrando misericórdia a um filho que se rebela contra eles e comete pecado voluntarioso.

Os versículos 7 a 14 pincelam um retrato de "O Verdadeiro Intercessor". 1) Reconhece a ameaça da ira de Deus, 7-11a; 2) Roga pela glória de Deus, 11b-13; 3) Recebe resposta do coração de Deus, 14.

3. Moisés Confronta os Israelitas Pecadores (32.15-24)

a) *As tábuas do testemunho são quebradas* (32.15-19). Neste momento, há um foco nas **tábuas** (15) de pedra que dá significação ao ato de Moisés quebrá-las. Por conterem os Dez Mandamentos, as tábuas representavam o cerne da lei; por haverem sido escritas na **pedra, de ambas as bandas**, retratam a permanência e completude; por serem **obra de Deus** e a **escritura** ser a **mesma escritura de Deus** (16), emprestavam-lhes autoridade e perfeição. As tábuas eram a essência do concerto entre Israel e Deus e seriam colocadas no santuário mais sagrado. Foram lavradas de modo sobrenatural e dadas a Moisés para apresentá-las a Israel.

Josué (17) deve ter ficado em um lugar no monte onde esperava o retorno de Moisés. Nada sabia sobre o pecado de Israel, mas ouvira o barulho do acampamento e pensara se tratar de **alarido de guerra**. Moisés respondeu que não era **alarido dos vitoriosos** (vitória) ou **alarido dos vencidos** (derrota). Era **alarido dos que cantam** (18), talvez um clamor de vozes ou gritaria que a essa distância era ambíguo.[52] Neste momento, Moisés não disse a Josué que sabia o que se passava no acampamento.

Quando Moisés chegou ao **arraial** e viu pessoalmente o pecado do povo — o **bezerro** e as **danças** — sua raiva **acendeu-se** (19) e ele quebrou as tábuas **ao pé do monte**. Quando o relato deste mal foi indireto, Moisés teve compaixão e suplicou pela moderação da ira de Deus (11). Quando viu pessoalmente o mal do povo, sentiu a mesma ira que Deus expressara (10). Não devemos supor que a raiva de Moisés era paixão desenfreada. Para aquele cujo coração é puro, sempre há a consciência da infâmia terrível que o pecado ocasiona em Deus. Os santos têm emoções profundas da ira santa contra a perversidade.

Mas a ira santa tem de ser abrandada com compaixão amorosa. Moisés tinha em mãos a própria lei que condenava à morte este povo rebelde. Se a punição da lei fosse implementada imediatamente, Israel teria de morrer. O povo quebrara a lei. Enquanto estava diante dos israelitas e observava a lascívia que faziam, Moisés ergueu a lei acima da cabeça e, provavelmente à vista de todos, lançou as tábuas ao chão com força e ímpeto. Ele lhes trouxera algo de que eram indignos. Estavam totalmente desqualificados para receber este dom de Deus.[53] Ou as tábuas tinham de ser quebradas ou o povo tinha de ser destruído. Moisés quebrou as tábuas.

Não há indicação neste trecho ou em outro lugar da Bíblia que Moisés tenha sido censurado por praticar este ato. O que ele fez aqui em um momento deve ter deixado impressão duradoura. Sua ação declarava a ira e a misericórdia de Deus. O concerto de Israel fora quebrado; a prova jazia aos pés de Moisés, como também estava no procedimento das pessoas. Se Deus fosse continuar presente com Israel, tinha de ser por misericórdia e pela renovação do concerto.

b) *A imagem e Arão* (32.20-24). Moisés deu cabo do ídolo rapidamente; **queimou-o no fogo, moendo-o até que se tornou em pó**, depois espalhou as cinzas e o pó sobre a água potável, e forçou o povo a beber (20). O interior do ídolo era de madeira que queimou e a placa de ouro foi reduzida a pó.⁵⁴ Assim o povo teve de sofrer pelo pecado cometido.

Em seguida, Moisés pediu explicações a **Arão** (21). Este colocou a culpa no povo, dizendo: **Este povo é inclinado ao mal** (22, "maldade, ruindade"). Os israelitas estavam determinados a fazer as coisas a seu modo e Arão concordou com eles. Falou que pegou o ouro que recebeu deles, colocou-o no fogo e **saiu este bezerro** (24). Dá a impressão de que Arão estava querendo dizer que houvera um milagre.⁵⁵

Como é fácil os líderes religiosos procederem como Arão! Antes de agirem, sondam meticulosamente a opinião pública. Pensam que é imprudente ser muito rígidos. Julgam necessário tolerar as fraquezas carnais e concordar com as tendências atuais. Acreditam que não se pode ter sucesso, a menos que se acompanhe a multidão; para eles, é melhor abrir mão da verdade exarada na Bíblia do que perder a influência sobre as pessoas. Assim, consentem tacitamente com a introdução lenta do mundanismo na esperança de que permaneça alguma semelhança com os princípios cristãos. O que dirão no dia do acerto de contas?

4. O Castigo dos Idólatras (32.25-29)

Embora Deus tivesse misericórdia do povo por causa da intercessão de Moisés (14), esta graça só seria concedida a quem se arrependesse. Alguns ainda permaneciam rebeldes. **Despido** (25) é mais bem traduzido por "desenfreado" (ARA) ou "completamente sem controle" (NTLH). Eles estavam desonrando Deus aos olhos dos inimigos de Israel — provavelmente ainda havia amalequitas pelas redondezas. Assim, Moisés fez a proclamação: **Quem é do SENHOR, venha a mim** (26). Em resposta, muitos dos filhos de Levi (a palavra hb. traduzida por **todos** não significa necessariamente todos os levitas sem exceção) se reuniram em volta de Moisés. Mais tarde, esta tribo foi separada como família sacerdotal; sua devoção a Deus se evidenciou publicamente neste ato.

Moisés ordenou que estes levitas empunhassem as espadas, passassem **pelo arraial de porta em porta** e matassem, se necessário, **irmãos**, **amigos** e vizinhos (27). Pelo visto, alguns levitas também tiveram de ser mortos. Entendemos que estas investidas se abateram sobre os rebeldes que se recusaram a se submeter a Moisés e ao Senhor.⁵⁶ **Três mil homens** (28) morreram até que a ordem foi restaurada.

Este ato de obediência por parte dos levitas os consagrou a Deus. "Hoje vocês se consagraram ao [serviço do] SENHOR" (29, NVI). A **bênção** que receberam foi o fato de terem sido escolhidos como a tribo dedicada ao serviço de Deus (Nm 3.6-13).⁵⁷ Nesta ocasião, Deus usou esses escolhidos para cumprir a tarefa sacerdotal de executar os julgamentos divinos. Seus ministros devem ser resolutos na justiça bem como abastados na misericórdia. Arão fracassara neste ponto.

5. A Intercessão de Moisés pelo Israel Pecador (32.30-35)

A primeira intercessão de Moisés por Israel (11-14) foi uma súplica a Deus para poupar os israelitas da destruição imediata, por causa da ardente ira divina contra eles. Ele fora bem-sucedido no intento; Israel como nação fora poupado, e a idolatria, destruída. Os rebeldes foram mortos ou vencidos, mas as tábuas contendo a lei foram quebradas; o concerto já não existia. Moisés tinha de achar um meio de voltar a uma relação de concerto com Deus.

Com um Israel penitente esperando o veredicto de Deus, **Moisés** lembrou o povo do **grande pecado** cometido (30). Depois, prometeu subir **ao SENHOR** para ver se haveria um meio de fazer **propiciação** pelo **pecado**. Moisés, na presença de Deus, confessou o **pecado** de Israel fazer **deuses de ouro** (31). Seu desejo era que o povo fosse restaurado ao favor de Deus pelo perdão divino: **Agora, pois, perdoa o seu pecado** (32).[58] Se Deus não perdoasse o seu povo, Moisés pediu que ele fosse riscado **do teu livro, que tens escrito**. Neste versículo, *riscar* significa "cortar da comunhão com o Deus vivo, ou do reino daqueles que vivem na presença de Deus e entregar para a morte".[59] O amor de Moisés pelos israelitas era tão grande que ele não se importava em viver, a menos que Deus os perdoasse. A expiação pelo pecado era o processo mais precioso que Moisés conhecia. Só Deus poderia realizar esse evento, e a base para o perdão universal estaria somente no dom de Deus manifestado em seu Filho Jesus. Mas no coração de Moisés havia o amor que promove tal expiação, como também havia em Paulo (Rm 9.2,3).

A resposta de Deus a Moisés foi que o indivíduo que pecar terá o nome riscado do **livro** (33). Moisés não poderia fazer expiação por Israel, mas o perdão está implícito no fato de Deus aprovar a permanência de Moisés na liderança do **povo** rumo à Terra Prometida (34). Deus fez a Moisés a mesma promessa de que o **Anjo** do Senhor iria diante do povo (23.20,23), com a diferença revelada em 33.2,3 de que o próprio Deus não os acompanharia. A pena pela quebra da lei não foi totalmente indultada, embora tenha sido modificada para Israel continuar existindo.

Identificamos nos versículos 31 a 34 "O Verdadeiro Intercessor". 1) Confessa os pecados do povo, 31; 2) Busca perdão para o povo, 31a; 3) Oferece-se a favor do povo, 32b, 4) Recebe a resposta de Deus em prol do povo (33,34).

Embora Israel fosse perdoado e tivesse a permissão de permanecer como povo de Deus, certas penas permaneceram. A presença de Deus com eles seria mediada pelo **Anjo**, mesmo que houvesse um dia final de ajuste de contas. Quando **feriu o SENHOR o povo** (35), alguns sofreram imediatamente pelos pecados cometidos, talvez com calamidades entre eles. Quando pecamos, Deus nos perdoa por Cristo e nos restaura ao seu favor, mas certas consequências advêm como lembranças da lei quebrada. Devemos observar também que corações impenitentes não podem ser perdoados. Ainda que o castigo não venha de imediato, o dia do ajuste de contas virá.

"Intercessão" é o tema dos versículos 30 a 34. 1) A necessidade de intercessão, 30; 2) O exemplo de intercessão, 31-33; 3) A recompensa da intercessão, 34 (G. B. Williamson).

6. *O Arrependimento e a Reconciliação de Israel* (33.1-23)

a) *A oferta de justiça moderada* (33.1-3). Deus disse a Moisés que levasse o povo à terra prometida **a Abraão, a Isaque e a Jacó** (1). Achou-se um meio pelo qual a promessa de Deus seria cumprida. O **anjo** (2) de Deus expulsaria os inimigos, e a terra seria fecunda em **leite e mel** (3). O Senhor assegurou bênçãos materiais ao povo.

Entretanto, um importante aspecto da promessa anterior foi omitido. Embora prometesse enviar um **anjo**, Deus em pessoa não iria com o povo. Os israelitas eram obstinados e, se Deus os conduzisse, correriam o risco de ser fulminados pela ira divina. O Anjo mencionado em 23.20,23 tem de ser o Filho de Deus, pois era o próprio Deus que conduzia o povo sem intermediários. Aqui, o **anjo** era um ser que representaria Deus apropriadamente, mas Deus em sua presença pessoal mais imediata estaria ausente.[60] Contudo, é possível que a última parte do versículo 3 fosse um aviso. A presença de arrependimento ocasionaria, mais tarde, a renovação da promessa da presença de Deus (14-17).

b) *O lamento de Israel* (33.4-6). Para os israelitas, esta era **má notícia** (4). Esta ameaça despertou neles a conscientização do que perderam. Eles se lembravam da coluna de nuvem (13.21), da deliberação de Deus quando necessária (15.25), da ajuda na batalha (17.8-13) e da presença próxima (13.22). As pessoas do mundo passam muito bem sem Deus, mas quem experimenta a presença divina sabe que não há como se dar bem sem Ele. Esta realidade trouxe a Deus muitos que tinham se afastado.

Quando nos damos conta do pecado e do vazio que ele traz, ficamos propensos a nos arrepender em pano de saco e cinzas. Deus ordenou que Israel tirasse os **atavios** (5; "jóias", NTLH; "enfeites", NVI) como sinal de arrependimento, mas a prontidão em obedecer se deu com a tristeza segundo Deus antes mesmo da ordem (4). Estes **atavios** "eram braceletes, pulseiras e, talvez, presilhas ou argolas usadas no tornozelo, as quais eram usadas pelos homens no Egito deste período".[61] Foram tirados como prova de obediência "desde o monte Horebe em diante" (6, ARA) e, mais tarde, empregados na construção do Tabernáculo (35.22).

c) *O encontro de Deus com Moisés* (33.7-11). **E tomou Moisés a tenda, e a estendeu para si fora do arraial, desviada longe do arraial, e chamou-lhe a tenda da congregação** (7). Esta **tenda** era a tenda do próprio Moisés (ATA), onde ele se encontrava com Deus e aconselhava o povo.[62] Depois do pecado da idolatria, Moisés colocou sua tenda fora do acampamento, porque Deus já não podia habitar entre o povo (3). A presença da tenda fora do acampamento lembrava Israel do pecado cometido. O povo tinha de sair do acampamento para consultar o Senhor.

Saindo Moisés à tenda (8) da congregação, **todo o povo** se colocava cada um à frente da porta de sua tenda e ficava olhando até Moisés entrar na tenda. Quando entrava, **descia a coluna de nuvem, e punha-se à porta da tenda**, enquanto **o SENHOR falava com** ele (9). Visto que estavam arrependidos, os israelitas se levantaram e adoraram (10), enquanto Deus falava **face a face** com Moisés, como alguém que **fala com o seu amigo** (11). Quando Moisés retornava **ao arraial, Josué** permanecia nesta tenda, possível indicação prévia do favor a ser mostrado a Josué como sucessor de Moisés.

Aprendemos três grandes lições neste relato. 1) Deus sofre com o pecado dos seus filhos e, por causa disso, a presença divina se retira deles. O crente sente um vazio sempre que desobedece a Deus, entristecendo o Espírito Santo. Esta narrativa ou o teor do Novo Testamento não ensina uma restauração fácil e pronta ao favor de Deus (cf. 1 Co 5.1-5; 2 Co 7.6-13). 2) Mas os que se arrependem ainda podem, se desejarem, aproximar-se de Deus (Hb 13.13). Ali, podem ver a Presença divina e ouvir sua palavra. 3) Para aquele cujo coração é puro há comunhão face a face com Deus. O encontro de Moisés com Deus garante que todo o crente tem alegria jubilosa quando não há nada entre a alma e o Salvador.

Hoje, a igreja precisa recuperar este senso de temor e respeito pela presença santa de Deus. Não é raro as pessoas verem Deus como alguém que tolera o pecado, deixa passar as faltas e facilita o caminho de volta ao favor divino. Consideram o arrependimento um simples pedido de desculpas. Mas Deus sofre profundamente com o pecado; o Calvário é prova disso. O pecado livre hoje com a esperança de perdão fácil amanhã desconsidera a natureza santa de Deus e toma por certo a misericórdia barata. O verdadeiro arrependimento é caro, mas é o único meio de chegar à fé e à presença redentora de Deus. O povo de Israel viu que estava custando muito a ele e a Deus para que a restauração fosse plena.

d) *A promessa da presença de Deus* (33.12-17). Estes versículos pintam a terceira vez que Moisés intercedeu pelo povo. Na primeira vez (32.11-14), ele obteve a moderação da ira de Deus sobre o povo. Na segunda vez (32.30-35), obteve o perdão para os israelitas e uma promessa modificada de levá-los a Canaã. Desta vez, Moisés recebeu a garantia da plena restauração dos filhos de Israel ao favor de Deus e do restabelecimento total da presença de Deus com eles.

Moisés sabia que Deus renovara a ordem para ele fazer **subir a este povo** (12) a Canaã; também sabia que Deus o favorecera com **graça** pessoal. Todavia, estava confuso quanto ao modo ou com **quem** seria feita a viagem. Rogou uma revelação do **teu caminho** (13), de forma que conhecesse Deus ainda com mais clareza e nitidez e encontrasse **graça** aos **olhos** divinos. Moisés não era espiritualmente egoísta; não estava pedindo a bênção de Deus somente por prazer pessoal. Assim, acrescentou: **Atenta que esta nação é o teu povo**; sentia-se inadequado para conduzir o povo sem a garantia de que Deus iria com ele.

Na verdade, Moisés não queria conduzir o povo a menos que Deus estivesse com eles: **Se a tua presença não for conosco, não nos faças subir daqui** (15). Esta presença de Deus em sua plenitude demonstraria que Moisés e o **povo** foram totalmente restaurados à **graça** (16), e seria a verdadeira marca de supremacia entre as nações. A única justificativa para a existência de Israel como nação era ser inteiramente do Senhor. Quando a igreja perde a plenitude do Espírito de Deus, ela deixa de ser diferente como instrumento de Deus.

As súplicas de Moisés prevaleceram. Deus afirmou: **Irá a minha presença contigo para te fazer descansar** (14). Que garantia esplendorosa! O espírito intranqüilo de Moisés suplicara que Deus poupasse o povo. Ele quebrara as tábuas de pedra, destruíra o ídolo e dirigira a execução dos transgressores; contudo, não descansou até que lhe fosse garantido que a graça de Deus seria completamente restabelecida ao povo. Os servos de Deus não conseguem ter paz até que saibam que Ele respondeu as orações. Quando responde e a presença divina é certeza, há grande tranqüilidade.

Deus condescende em responder o clamor do homem. Declarou a Moisés: **Farei também isto, que tens dito** (17). Há coisas que Deus faz porque os crentes oram, caso contrário, ele não faria. A integridade pessoal do intercessor é vital; Deus acrescentou: **Porquanto achaste graça aos meus olhos; e te conheço por nome**. Quem suplica a Deus deve ser o primeiro a se certificar se tem uma relação certa com Deus. "A oração feita por um justo pode muito em seus efeitos" (Tg 5.16).

Identificamos "A Presença Divina" nos versículos 1 a 17. 1) É sujeita à provocação, 1-6; 2) Honra a separação, 7-11; 3) Responde a intercessão, 12,13,15,16; 4) Concede a restauração, 14,17.

e) *O pedido de Moisés para ver a glória de Deus* (33.18-23). A maioria dos crentes se satisfaz com a experiência da presença de Deus com muito menos que Moisés. Eis um homem a quem Deus dera mais que a qualquer outro, e ainda queria mais. Quanto mais perto nos aproximamos do céu, mais do céu queremos; quanto mais experimentamos de Deus, mais de Deus queremos. Moisés implorou: **Rogo-te que me mostres a tua glória** (18). "A glória de Deus se manifesta na mente mortal pelas evidências de sua bondade. Contudo, esta revelação a Moisés foi — de certo modo incompreensível por nós que não a vimos — uma visão direta da bondade divina não turbada pelas limitações de suas manifestações habituais através das formas terrenas."[63] "O que Moisés desejava era uma visão da glória ou do ser essencial de Deus, sem qualquer figura e sem véu."[64] Tratava-se de pedido ousado.

Deus prometeu a Moisés concessão parcial da petição. **Toda** a sua **bondade** (19) passaria **por diante** de Moisés. A ira de Deus arrefecera e suas ameaças foram postas de lado. Ele estava pronto para revelar sua grande misericórdia e compaixão àqueles que, embora indignos, experimentariam sua graça. A proclamação do **nome do SENHOR** era anúncio de compaixão, clemência, longanimidade, misericórdia e fidelidade (cf. 34.6, ARA).

O Senhor disse a Moisés que ele não podia ver a **face** de Deus e viver (20). Só no mundo vindouro poderemos ter totalmente a visão beatífica. Moisés tinha de se satisfazer, enquanto fosse mortal, com algo menos que desejava. Por ora, não nos é permitido alcançar e possuir tudo que nos espera no futuro. Mas naquele dia "veremos face a face" (1 Co 13.12).

Deus prenunciou a teofania (a manifestação visível de si mesmo) a Moisés, que mais tarde a veria (cf. 34.5-7). Deus prometeu colocá-lo **sobre a penha** (21) e sua glória passaria. Quando acontecesse isso, Deus cobriria Moisés **com a mão** (22) enquanto Ele passasse, mas retiraria a mão para que Moisés o visse pelas costas (23). Desta forma, Moisés veria "o reflexo do resplendor que Ele deixaria atrás de si, mas que, ao mesmo tempo, indicaria palidamente o que seria a plena magnificência da sua presença".[65] Para esta experiência, a linguagem humana seria inadequada, como se deu com Paulo quando foi levado ao "terceiro céu" (2 Co 12.2). Os filhos de Deus que têm coração puro recebem visões de Deus que são enigmas para a mente mundana e incompreensíveis para o coração carnal. Mas para os santos em Cristo estas visões trazem o céu à terra, ao mesmo tempo que ainda arde neles o desejo de ver as glórias do céu.

7. *A Volta para o Monte* (34.1-9)

a) *As segundas tábuas de pedra* (34.1-4). Com a restauração dos filhos de Israel ao favor divino, Deus os aceitou como tendo renovado a parte que lhes cabia no concerto.[66] Ainda restava Deus renovar sua parte escrevendo novamente a lei em outras tábuas de pedra. A lei quebrada tinha de ser restaurada. Moisés precisava subir outra vez o monte, receber a lei e voltar ao povo. Quando pecamos contra Deus, é necessário que as primeiras obras sejam feitas de novo (Ap 2.5). Temos de dedicar tempo para restabelecer os que se desviaram. É desastroso que ocorram transgressões na igreja que perturbam a paz e o testemunho. Mas quando ocorrem, faz-se necessária a restauração antes que se dêem outras melhorias.

Deus mandou que Moisés talhasse **duas tábuas de pedra**, nas quais Deus anunciou que escreveria **as mesmas palavras que estavam nas primeiras tábuas** (1).

Moisés tinha de fazer as pedras, mas Deus faria a escritura. Na primeira ocasião, Deus fizera as pedras e a escritura (32.16), mas agora Ele exigiu que Moisés fizesse uma parte. Não se tratava de castigo por Moisés ter quebrado as pedras; mas indica que o caminho de volta a Deus, depois da transgressão, requer mais para o crente que peca do que para o pecador inconverso.

Desta vez, Moisés tinha de subir o monte sozinho (3); todos os outros deviam permanecer no acampamento. Embora breves, as instruções para Israel foram as mesmas que as anteriores (19.12,13). Moisés foi cuidadoso em seguir as instruções explícitas de Deus. Fez as **tábuas de pedra** (4) e, **pela manhã de madrugada, subiu ao monte** como Deus lhe ordenara.

b) *A visão de Deus* (34.5-9). Deus cumpre sua promessa de se revelar: **O SENHOR desceu numa nuvem** (5). Os homens dos dias de hoje depreciam a linguagem bíblica de um Deus que "sobe", "desce" ou "sobe numa nuvem"; mas estas frases antropomorfas retêm um conceito de Deus que é mais seguro e mais significativo que reduzi-lo a uma abstração como o "ground of being" (o "fundamento do ser") ou a "inferência inevitável". Embora esteja óbvio nesta aparição a Moisés que a realidade de Deus foi um tanto quanto evasiva, contudo a experiência foi dramática e real. **O nome do SENHOR** foi proclamado de maneira inédita (5); este nome era *Yahweh, Yahweh Elohim* (**JEOVÁ, o SENHOR, Deus**). **O nome do SENHOR** era indicação de sua natureza. Ele se revelou como **misericordioso e piedoso, tardio em iras e grande em beneficência e verdade** (6). Deus acabara de mostrar que **guarda a beneficência** (misericórdia, ARA) **em milhares** de Israel, **que perdoa a iniqüidade, e a transgressão, e o pecado** (7).

Iniqüidade transmite a idéia de "pecados cometidos por disposição perversa"; **transgressão** é "rebelião contra Deus". A palavra original para aludir a **pecado** significa "errar o alvo"; e "no Antigo Testamento, [é] a palavra mais geral para se referir a pecado".[67] A **beneficência** (7; "misericórdia", ARA) de Deus é vasta, abrangendo todo o mal da raça humana. É interessante assinalar que aqui a misericórdia é proclamada em primeiro lugar e, em seguida, ocorre um aviso para ninguém presumir que Deus tolera a iniqüidade (cf. 20.5,6). Deus não pode e não perdoará os impenitentes que persistem no pecado. Embora o Senhor seja grande em misericórdia, os ímpios serão destruídos, mesmo que tenham experimentado uma vez a graça de Deus (cf. Hb 6.4-6).

Para quem pediu uma visão direta de Deus, esta experiência de ver somente as costas de Deus (33.23) trouxe humildade: **Moisés apressou-se, e inclinou a cabeça à terra, e encurvou-se** (8). Não em vã repetição, mas com desejo forte e urgente, Moisés orou: **Senhor... vá agora... no meio de nós... perdoa a nossa iniqüidade e... toma-nos pela tua herança** (9).

O tema dos versículos 1 a 8 é "As Tábuas de Pedra". 1) Os mandamentos são permanentes, 1; 2) Os mandamentos são benevolentes, 5-7; 3) Os mandamentos são transcendentes, 8 (G. B. Williamson).

8. *A Renovação do Concerto* (34.10-28)

a) *A promessa de Deus* (34.10,11). Deus renova com Moisés formalmente o concerto quebrado. Prometeu conduzir Israel fazendo **maravilhas** (10), que seriam maiores aos olhos do povo que qualquer coisa jamais feita. Ele as chamou **coisa terrível é o que faço contigo**. "O que estou a ponto de fazer com vocês inspira terror" (VBB). O Senhor expulsaria os inimigos da terra da promessa (11). As **maravilhas** se cumpriram mais tarde em ocorrências como a queda dos muros de Jericó (Js 6.20) e a matança dos inimigos com chuva de pedra (Js 10.11). Ainda que Moisés não tenha vivido para ver estas vitórias, a promessa de Deus cumpriu-se para seu povo.

b) *O aviso contra a idolatria* (34.12-16). O mal de formar alianças com os povos da Terra Prometida era uma possibilidade real. Os israelitas tinham de se guardar (12) e não fazer **concerto com os moradores**, porque este procedimento seria um **laço** para eles. Para se proteger, Israel tinha de derrubar os **altares**, quebrar as **estátuas** e cortar os **bosques** (13). Não deviam permitir que continuassem existindo. As **estátuas** ("colunas", ARA) e os **bosques** ("postes-ídolos", ARA) eram objetos de culto erigidos para a adoração de deuses e deusas da mitologia cananéia. Estavam ligados com o culto a Baal, e foram "introduzidos em Israel pela fenícia Jezabel (1 Rs 18.19)".[68] "Ritos grotescamente imorais eram praticados com relação às colunas e bosques, e estas foram fonte contínua de tentação para os israelitas até o exílio."[69]

Acerca da declaração de que Deus é **zeloso** (14), ver nota em 20.5. Todo **concerto com os moradores da terra** (15) levaria Israel a se unir com eles em festas a ídolos e casamentos entre si, resultando em apostasia e idolatria (16). Casar-se com alguém ligado a uma falsa religião é o caminho mais rápido para a desobediência. Os **filhos** se prostituem segundo os **deuses** das esposas. A idolatria, quer pagã ou da atualidade, é forma de adultério espiritual. A pessoa é infiel ao compromisso com Deus, quando o coração busca seguir os deuses deste mundo.

Em nossa sociedade, é quase impossível salvar nossos filhos da exposição a essas tentações. Colocadas juntas em escolas públicas e atividades comunitárias, as crianças cristãs são sujeitas diariamente a estas seduções. Nossa única esperança é a instilação de coragem e fé que resistirão ao engodo de "ídolos" mundanos e casamentos com não-crentes. Quando ocorrem alianças erradas e outros erros em nossa família, há o recurso à graça redentora de Deus e ao poder da oração intercessora pelo Espírito Santo.

c) *Várias proibições* (34.17-26). Muitas destas proibições são repetições de ordens anteriores. O recente pecado de Israel tornou imperativa a repetição do mandamento de não fazer **deuses de fundição** (17). As instruções encontradas nos versículos 18 a 20 são analisadas em 12.14-20; 13.3-13; e 23.15. O mandamento sobre o sábado (21; ver comentários em 23.12) acrescenta a necessidade de observar o dia santo **na aradura e na sega**. Os israelitas deviam resistir à tentação de, no dia de Deus, arar quando ameaçava chover ou de colher quando a colheita estava madura. Era fácil então, como é hoje, justificar o trabalho quando havia obrigações a cumprir.[70]

Para verificar a análise dos dizeres dos versículos 22 e 23, ver comentários em 23.16,17. No versículo 24, os filhos de Israel recebem a promessa de amplificação de fronteiras (**termo**; "território", ARA) pela obediência e, quando comparecessem às festas anuais, livramento de ataques estrangeiros à **terra**. Comentários sobre as instruções dadas nos versículos 25 e 26 são achados em 23.18,19.

d) *A finalização do concerto* (34.27,28). Deus disse a Moisés: **Escreve estas palavras** (27) — as palavras que Deus acabara de lhe dizer (10-26). **Conforme o teor destas palavras** significa "com base nestas palavras" (Smith-Goodspeed; cf. NTLH). Estes acordos renovaram o concerto do Senhor com o povo. Clarke supunha que o procedimento incluía uma cópia das tábuas de pedra para Israel, visto que as originais seriam colocadas na arca.[71] Em todo caso, foi Deus que escreveu os **dez mandamentos** nas duas **tábuas** (28; o pronome oculto *ele* [**escreveu**] deve ser entendido como referência a Deus; ver v. 1), e Moisés escreveu o restante do concerto. O servo do Senhor ficou no monte **quarenta dias e quarenta noites**, como da primeira vez, e jejuou em ambas as ocasiões (cf. 24.18; Dt 9.9). Deus lhe deu força especial para fazer estes jejuns.

9. *O Brilho do Rosto de Moisés* (34.29-35)

Os israelitas constataram um fato incomum quando **Moisés desceu do monte**. Ele **não sabia**, mas a **pele do seu rosto resplandecia** (29), "pois ele havia falado com Deus" (NTLH; cf. NVI). Seu semblante irradiava um brilho divino em resultado do encontro face a face com Deus. Quando **Arão** e os filhos de Israel olharam para Moisés, **temeram de chegar-se a ele** (30); mas Moisés os incentivou, chamando-os. Diante disso, **Arão** e os **príncipes da congregação** se aproximaram para ouvi-lo (31). **Depois** (32), **todos os filhos de Israel** também se aproximaram para ouvir o relato completo de Moisés. Enquanto falava, a face de Moisés brilhava diante do povo. Após ter acabado de falar, ele colocou **um véu sobre o seu rosto**. O original em hebraico indica que o véu foi colocado *depois* de Moisés falar (cf. ARA; NTLH; NVI; o texto da RC insinua que ele ocultou a face *enquanto* falava). Pelo visto, Moisés tirava o véu quando entrava **perante o SENHOR** (34), depois saía e **falava** a mensagem ao povo com a face descoberta, cobrindo-a em seguida (para inteirar-se dos motivos, cf. comentários em 2 Co 3.13).

Esta evidência visual convenceu Israel que a mensagem de Moisés era de Deus. Há quem considere que o brilho era a semelhança do homem a Deus, a qual foi perdida na queda (Gn 1.27) e será nossa na ressurreição.[72] A glória na face de Moisés era similar ao brilho de Cristo no monte da transfiguração (Lc 9.29-31), compartilhado também por Moisés e Elias. Pode ser que Estêvão experimentou um brilho deste tipo quando compareceu diante do Sinédrio (At 6.15). Em 2 Coríntios 3.7-18, Paulo afirma que esta glória pertence aos crentes em Cristo que vêem as realidades de Deus "com [a] cara descoberta". Este brilho interior do crente irromperá no dia da segunda vinda de Cristo e na ressurreição (cf. 1 Jo 3.1,2).

Os versículos 29 a 35 descrevem "A Face Brilhante". 1) É recebida num encontro com Deus, 29; 2) É descoberta por quem está pronto a ouvir, 30-32,35a; 3) É oculta a quem está endurecido para ouvir 33,35b; 4) É renovada na volta da presença de Deus, 34.

C. A Construção do Tabernáculo, 35.1—38.31

Nos capítulos restantes de Êxodo, grande parte do material é repetição das instruções dadas a Moisés no monte (ver 25.10—31.11). O leitor deve consultar os comentários nestas passagens para informar-se da descrição do Tabernáculo e sua mobília. Os comentários nesta seção estão limitados à matéria nova e às variações que ocorrem.

1. As Ofertas Voluntárias (35.1—36.7)

Moisés reuniu o povo para instruí-lo sobre as necessidades do Tabernáculo (1). Falou, primeiramente, da importância do **dia de sábado** (1-3). É possível que o zelo religioso, mesmo em construir a casa de Deus, pusesse em perigo a observância deste mandamento.

Em seguida, Moisés animou quem tinha **coração voluntariamente disposto** a dar **uma oferta** de matérias-primas para a fabricação dos artigos necessários para o Tabernáculo (4-9). Insistiu que **todos os sábios de coração** (10; "todos os homens hábeis", ARA) fizessem **tudo o que o SENHOR** mandara (10; cf. 10-19).

Os filhos de Israel responderam com prontidão. Seus corações estavam abertos ao Senhor, por isso retribuíram com suas dádivas (20-29). Seus corações moveram-se e seus espíritos os impeliram (21). Deram de acordo com sua própria capacidade, visto que "todos os que podiam dar" (24, NTLH) levaram oferta aos trabalhadores. As **mulheres** também ofertaram o que puderam (25,26) fazendo trabalhos manuais. Os presentes mais caros foram dados pelos **príncipes** (27). Não se esperava que ninguém desse ou fizesse algo que estivesse fora de suas habilidades ou capacidade, e todos que deram ou fizeram agiram de bom coração.

Moisés deixou claro que **Bezalel** (30) e **Aoliabe** (34) foram escolhidos para executar determinadas tarefas por causa de suas habilidades especiais (30-35). Nem todos têm a aptidão de fazer todas as diversas tarefas na obra de Deus. Mas é importante que cada um aprenda a fazer de boa vontade as coisas que sabe e pode fazer. Temos a obrigação de aprimorar as habilidades nas quais somos peritos. Deus enche tais pessoas de **sabedoria**, **entendimento** e **ciência** (31) no trabalho que Ele escolheu que façam. Estes trabalhadores seletos também eram hábeis em **ensinar** os outros para ajudá-los no serviço a Deus (34).

Os materiais trazidos pelo povo foram entregues a estes artesãos especializados (36.1-3). Quando se verificou que o povo levava mais que o necessário para a obra (5), Moisés passou a ordem (6) para ninguém mais levar ofertas. Quando o Senhor abre o coração das pessoas para dar, nunca há falta na obra. "Deus ama ao que dá com alegria" (2 Co 9.7).

Nesta seção, "As Ofertas a Deus": 1) Originam-se de um coração disposto a dar, 35.21,22,26; 2) São fornecidas de acordo com a habilidade de cada um, 35.10,24,25,35; 36.1,2,4; 3) Resultam em fartura, 36.5-7.

2. A Execução do Trabalho (36.8—38.20)

Esta seção registra a obediência implícita dos trabalhadores às instruções explícitas que Deus dera a Moisés no monte (ver comentários em 25.10—27.19). O texto hebraico mostra notoriamente a precisão da execução do trabalho.[73] Esta repetição de detalhes prova a lealdade minuciosa de Israel seguir rigorosamente as instruções de Deus. Tudo o que Ele dissera era importante, e nenhum detalhe foi negligenciado. O registro é testemunho da obediência perfeita de Israel a esse respeito.

Nova informação é dada acerca dos **espelhos** levados pelas mulheres que "se reuniam para ministrar" (ARA) **à porta da tenda da congregação** (38.8). Os espelhos eram feitos de bronze muito bem polido. Eram abundantes no Egito e as próprias mulheres de lá os faziam para usá-los.[74] As israelitas também tinham esses espelhos e os levaram em oferta de **cobre** (bronze) para a fabricação do **altar** (2) e da **pia** (8). É altamente louvável a oferta dessas mulheres para o altar de Deus proveniente de material originalmente criado para uso pessoal. Trata-se de "triunfo da religiosidade feminina sobre a vaidade feminina".[75]

3. *O Valor dos Metais* (38.21-31)

É difícil interpretar em valores atuais a importância monetária destas ofertas. Johnson escreve:

> O ouro chegou a 29 talentos e 730 siclos ou cerca de 40.940 onças de peso troy. A prata mencionada adveio apenas do dinheiro da expiação (30.13,14), e atingiu 100 talentos e 1.775 siclos ou perto de 140.828 onças de peso troy. Não foi feito cômputo das doações voluntárias de prata. Esforços em estimar os metais preciosos em valores da moeda corrente de hoje não significam muito, pois não temos meio de saber o valor cambial daqueles dias. [...] O bronze usado pesava em torno de três toneladas.[76]

A quantia era alta e revelava a dedicação do povo de Deus. É também significativo assinalar que o edifício descansava em **bases** de **prata**, as quais foram feitas com o **meio siclo** dado de forma igual por todo homem em Israel (38.26,27).

D. A Confecção das Roupas, 39.1-31

Este é o relato dos trabalhadores que confeccionaram as roupas de acordo com as instruções dadas a Moisés no monte (28.1-43). Há somente pequena variação na ordem de alguns itens. A narrativa ressalta o trabalho cuidadoso e qualificado dos artesãos e enfatiza a exatidão da fidelidade às instruções de Deus. As palavras: **como o SENHOR ordenara a Moisés**, são repetidas seis vezes neste trecho bíblico (1,5,7,21,26,31). As pessoas queriam seguir explicitamente as palavras de Deus.

E. Os Trabalhos Prontos São Apresentados a Moisés, 39.32-43

Levou cerca de seis meses a construção do Tabernáculo, sua mobília e utensílios.[77] Quando tudo estava pronto, as peças foram levadas a **Moisés** (33) para inspeção. Ele conhecia o padrão e era o único qualificado para dar a palavra final. Se algo estivesse imperfeito ou defeituoso, teria sido rejeitado, mas nada disso ocorreu. Os trabalhadores trabalharam com zelo e atenção, e Moisés lhes garantiu que o trabalho fora feito **como o SENHOR ordenara** (43). Receberam a recompensa que todo bom trabalhador almeja: a aprovação de um trabalho bem feito. Moisés abençoou aqueles que fizeram o trabalho de modo tão fiel e hábil.

Connell escreve: "Ficamos nos perguntando por que todos os detalhes minuciosos do Tabernáculo e seus acessórios foram repetidos com tanta particularidade nestes capítulos. Ocorrem-nos, pelo menos, duas razões: a narrativa inspirada mostra como estes homens foram cuidadosos em seguir fielmente todos os detalhes do padrão que Deus lhes ordenara; e como Deus se agrada e mantém o registro exato da obediência do seu povo".[78]

F. A Montagem do Tabernáculo, 40.1-33

Deus instruiu Moisés a erguer o Tabernáculo **no primeiro mês, no primeiro dia do mês** (2), exatamente dois anos depois de partirem do Egito. Os versículos 2 a 8 descrevem a colocação da mobília. Quando tudo estava em seu lugar, Moisés ungiu o **tabernáculo** e toda sua mobília com o **azeite da unção** (9-11). O óleo, tipo do Espírito Santo, tornaria estes objetos sagrados. As coisas materiais separadas para Deus são tornadas santas pelo toque de Deus (cf. comentários em 13.2).

Nos versículos 12 a 15, há instruções detalhadas sobre a consagração de **Arão e seus filhos** (12). A passagem de Levítico 8.1-13 dá a entender que a cerimônia de unção do Tabernáculo e dos sacerdotes ocorreu em data posterior.[79] O uso da palavra **perpétuo** (15) só pode se referir à permanência do ofício sacerdotal na mesma família por muitas gerações; Cristo é o único sacerdote verdadeiramente perpétuo (Hb 7.17,23-25,28).

Quando a data marcada chegou — **no mês primeiro, no ano segundo, ao primeiro do mês** (17) —, a montagem do Tabernáculo estava pronta segundo as instruções (16-33). Cada peça estava armada e no lugar, começando com o **tabernáculo** propriamente dito (18,19), a instalação da **arca** dentro do Santo dos Santos (20,21) e a colocação do **véu**. Em seguida, mobiliaram o Lugar Santo com seus objetos (22-27) e puseram na frente a **coberta** (cortina) **da porta** (28). Por fim, montaram o **altar do holocausto**, a **pia** e o **pátio** (29-33). Ficamos imaginando a emoção e a admiração que as pessoas sentiram quando viram diante de si os resultados de suas contribuições tomando forma (ver Diagrama A e B).

Pela primeira vez, quando este dia memorável chegava ao fim, colocaram o **pão** sobre a mesa da proposição (23), acenderam as **lâmpadas** do candelabro (25) e queimaram no altar de ouro o **incenso de especiarias aromáticas** na presença do Senhor (27). **Moisés, e Arão, e seus filhos, lavaram**-se na pia antes de começarem a ministrar (31).

G. A Dedicação Divina, 40.34-38

O povo fez o melhor que pôde nas ofertas voluntárias de bens e serviços; os trabalhadores especializados moldaram as matérias-primas em obras de arte adoráveis; Moisés aprovara os produtos finais e, segundo instruções, colocara-os na ordem apropriada para a casa de Deus.

Quando chegou a tarde no acampamento de Israel havia o novo santuário em seu meio. O povo estava contente e Moisés também. De repente, a **nuvem** (34), que até ali os guiara, moveu-se e pousou nas coberturas da **tenda da congregação** e a **glória do SENHOR** (um fogo ardente) encheu o Tabernáculo santo. A glória era tão luminosa que **Moisés**, que tentara entrar no santuário, não pôde entrar (35). Até este homem que falara com Deus face a face e que brilhara com a luz celestial constatou que, por enquanto, não dava para entrar em um lugar com tanta glória.

Nos versículos 36 a 38, o escritor antecipa o plano de Deus para o futuro. A **nuvem** e o **fogo** descansavam **sobre o tabernáculo** como características permanentes. Sempre que a **nuvem** se movia, o **tabernáculo** tinha de pôr-se em movimento; sempre que a **nuvem** ou o fogo parava, a casa de Deus tinha de parar (36,37). Este padrão se seguiu

em todas (38) as **jornadas** de Israel. Pelo visto, mais tarde a intensidade da **glória** (35) se limitou ao Lugar Santíssimo, pois os sacerdotes tinham de ministrar no Lugar Santo.

A partir de então os israelitas podiam se alegrar na certeza de que o favor de Deus voltara. O caminho de volta a Deus depois de pecarem fora longo e árduo. Por certo tempo ficaram, talvez, entregues à própria sorte, mas agora sabiam que Deus estava com eles em misericórdia. Com esta observação gloriosa de perdão perfeito e aceitação divina, o Livro de Êxodo, uma narrativa do plano redentor de Deus, chega ao fim.

Nestes versículos finais, vemos "A Salvação Perfeita de Deus". 1) Feita pela obediência implícita de quem o busca, 33; 2) Entrada instantânea à glória divina, 34,35; 3) Presença ininterrupta do Espírito Santo (36-38).

Notas

INTRODUÇÃO

[1] J. Coert Rylaarsdam (Introduction and Exegesis) e J. Edgar Park (Exposition), "The Book of Exodus", *The Interpreter's Bible*, editado por George A. Buttrick *et al.*, vol. I (Nova York: Abingdon-Cokesbury Press, 1952), p. 833.

[2] George Rawlinson, "Exodus", *Commentary on the Whole Bible*, editado por Charles J. Ellicott, vol. I (Grand Rapids: Zondervan Publishing House, s.d.), pp. 188, 189.

[3] J. Clement Connell, "Exodus", *The New Bible Commentary*, editado por R. Davidson (Grand Rapids: William B. Eerdmans Publishing Company, 1954), p. 106.

[4] Philip C. Johnson, "Exodus", *The Wycliffe Bible Commentary*, editado por Charles F. Pfeiffer e Everett F. Harrison (Chicago: Moody Press, 1962), p. 51.

[5] *Ib.*

SEÇÃO I

[1] George Rawlinson, "Exodus" (Exposition and Homiletics), *The Pulpit Commentary*, editado por H. D. M. Spence e Joseph S. Exell, vol. I (Grand Rapids: William B. Eerdmans Publishing Company, s.d.), p. 1.

[2] *Ib.*, p. 9.

[3] Rylaarsdam, IB, vol. I, p. 853.

[4] Johnson, *op. cit.*, p. 53.

[5] Adam Clarke, *A Commentary and Critical Notes*, vol. I (Nova York: Abingdon-Cokesbury, s.d.), p. 293.

[6] *Ib.*

[7] *Ib.*, p. 294.

[8] Rylaarsdam, IB, vol. I, p. 855.

[9] Rawlinson, PC, vol. I, p. 17.

[10] John Peter Lange, "Exodus", *Commentary on the Holy Scriptures* (Grand Rapids: Zondervan Publishing House, s.d.), p. 3.

[11] Joseph S. Exell, "Homiletical Commentary on the Book of Exodus", *The Preacher's Complete Homiletical Commentary on the Old Testament* (Nova York: Funk & Wagnalls, 1892), p. 10.

[12] Matthew Henry, *Commentary on the Whole Bible*, vol. I (Nova York: Fleming H. Revell Company, 1706), *ad loc.*, nota de rodapé.

[13] Johnson, *op. cit.*, p. 54.

[14] *Ib.*

[15] Rawlinson, CWB, vol. I, p. 198.

[16] Johnson, *op. cit.*, p. 54.

[17] Clarke, *op. cit.*, vol. I, p. 303.

[18] Exell, *op. cit.*, p. 32.

[19] Johnson, *op. cit.*, p. 54.

[20]Connell, *op. cit.*, p. 109.
[21]Johnson, *op. cit.*, p. 55.
[22]Rawlinson, PC, vol. I, p. 58.
[23]*Ib.*, pp. 87, 88.
[24]Rawlinson, CWB, vol. I, p. 204.
[25]Johnson, *op. cit.*, p. 56.
[26]Rawlinson, CWB, vol. I, p. 208.
[27]Rylaarsdam, IB (Exegesis), vol. I, p. 888.
[28]Lange, "Exodus", p. 17.
[29]Rawlinson, CWB, vol. I, p. 209.
[30]Connell, *op. cit.*, p. 111.
[31]Rawlinson, CWB, vol. I, p. 210.
[32]*Ib.*, p. 204.
[33]Connell, *op. cit.*, p. 112.
[34]Rawlinson, CWB, vol. I, p. 211.
[35]Cf. a sugestão em Connell, *op. cit.*, p. 112.
[36]Exell, *op. cit.*, p. 139.
[37]Connell, *op. cit.*, p. 110.
[38]Johnson, *op. cit.*, p. 58.
[39]Lange, "Exodus", p. 20.
[40]Connell, *op. cit.*, p. 112.
[41]*Ib.*
[42]Rawlinson, CWB, vol. I, pp. 213, 214.
[43]Lange, "Exodus", p. 211.
[44]Rawlinson, CWB, vol. I, p. 214.
[45]*Ib.*, p. 215.
[46]Johnson, *op. cit.*, p. 58.
[47]Exell, *op. cit.*, p. 164.
[48]Rawlinson, CWB, vol. I, p. 215.
[49]Johnson, *op. cit.*, p. 59.
[50]*Ib.*
[51]Rawlinson, CWB, vol. I, p. 219.
[52]*Ib.*, p. 221.
[53]Rawlinson, PC, vol. I, pp. 220, 221.
[54]Johnson, *op. cit.*, p. 60.
[55]Ver Jl 1.1-4.
[56]Lange, "Exodus", p. 30.

[57] Rawlinson, PC, vol. I, pp. 224, 225.
[58] Clarke, *op. cit.*, vol. I, pp. 340, 341; Rawlinson, CWB, vol. I, pp. 222-224.
[59] Johnson, *op. cit.*, p. 60.
[60] Rawlinson, CWB, vol. I, p. 225.
[61] Clarke, *op. cit.*, vol. I, p. 345; Johnson, *op. cit.*, p. 60; Rawlinson, CWB, vol. I, p. 226.
[62] Exell, *op. cit.*, p. 220.
[63] Rawlinson, CWB, vol. I, p. 226.
[64] *Ib.*
[65] *Ib.*, p. 227.

SEÇÃO II

[1] Rawlinson, CWB, vol. I, p. 227.
[2] Johnson, *op. cit.*, p. 61.
[3] Rawlinson, CWB, vol. I, p. 228.
[4] *Ib.*, p. 36.
[5] Rawlinson, PC, vol. I, p. 259.
[6] *Ib.*, p. 260.
[7] Rawlinson, CWB, vol. I, p. 229.
[8] *Ib.*
[9] Johnson, *op. cit.*, p. 61.
[10] Lange, *op. cit.*, p. 88.
[11] Clarke, *op. cit.*, vol. I, p. 353.
[12] *Ib.*, p. 351.
[13] Connell, *op. cit.*, p. 115.
[14] *Ib.*
[15] Rylaarsdam, IB (Exegesis), vol. I, p. 925.
[16] Johnson, *op. cit.*, p. 62.
[17] Rawlinson, CWB, vol. I, pp. 232, 233.
[18] G. A. Chadwick, "The Book of Exodus", *The Expositor's Bible*, editado por W. Robertson Nicoll, vol. I (Grand Rapids: William B. Eerdmans Publishing Company, 1947), p. 170.
[19] *Ib.*
[20] Rawlinson, CWB, vol. I, p. 235.
[21] Johnson, *op. cit.*, p. 63.
[22] Rawlinson, PC, vol. I, p. 300.
[23] Pfeiffer, *op. cit.*, p. 63.
[24] Rawlinson, CWB, vol. I, p. 236.
[25] Ver análise de possíveis teorias em Emil Kraeling, *Bible Atlas* (Nova York: Rand McNally & Company, 1956), pp. 101-106.

[26] Johnson, *op. cit.*, p. 64.
[27] Rawlinson, CWB, vol. I, p. 237.
[28] *Ib.*, p. 238.
[29] Connell, *op. cit.*, p. 116.
[30] Rawlinson, CWB, vol. I, pp. 239, 240.
[31] Clarke, *op. cit.*, vol. I, p. 371; Connell, *op. cit.*, p. 116.
[32] Johnson, *op. cit.*, p. 64.
[33] *Ib.*
[34] Rylaarsdam, IB (Exegesis), vol. I, p. 941.
[35] Rawlinson, CWB, vol. I, p. 241.
[36] Connell, *op. cit.*, p. 116.
[37] Rylaarsdam, IB (Exegesis), vol. I, pp. 943, 944.
[38] Rawlinson, CWB, vol. I, p. 243.
[39] Connell, *op. cit.*, p. 117.
[40] Rawlinson, CWB, vol. I, p. 245.
[41] *Ib.*
[42] Pfeiffer, *op. cit.*, p. 66.
[43] Connell, *op. cit.*, p. 117.
[44] Pfeiffer, *op. cit.*, p. 66.
[45] Rawlinson, CWB, vol. I, pp. 247, 248.
[46] Connell, *op. cit.*, p. 118.
[47] Rawlinson, CWB, vol. I, p. 247.
[48] *Ib.*, p. 249.
[49] Pfeiffer, *op. cit.*, p. 66.
[50] Rawlinson, CWB, vol. I, p. 250.
[51] *Ib.*
[52] Pfeiffer, *op. cit.*, p. 66. Contudo, a maioria dos geógrafos considera que Horebe e Sinai são nomes diferentes para aludir ao mesmo monte: o atual Jebel Musa.
[53] Rawlinson, CWB, vol. I, p. 250.
[54] Pfeiffer, *op. cit.*, p. 66.
[55] Connell, *op. cit.*, p. 118.
[56] Rylaarsdam, IB (Exegesis), vol. I, p. 960.
[57] Rawlinson, CWB, vol. I, p. 252.
[58] Pfeiffer, *op. cit.*, p. 67.
[59] *Ib.*
[60] Rawlinson, CWB, vol. I, p. 255.
[61] Connell, *op. cit.*, p. 119.
[62] Rawlinson, CWB, vol. I, p. 255.

SEÇÃO III

[1] Johnson, *op. cit.*, p. 61.
[2] *Ib.*
[3] *Ib.*
[4] Connell, *op. cit.*, p. 119.
[5] Rylaarsdam, IB (Exegesis), vol. I, p. 841.
[6] Johnson, *op. cit.*, p. 68.
[7] Rylaarsdam, IB (Exegesis), vol. I, p. 841.
[8] Rawlinson, CWB, vol. I, p. 256.
[9] Lange, *op. cit.*, p. 70.
[10] Rawlinson, PC, vol. I, p. 1.
[11] *Ib.*, p. 117.
[12] Henry, *op. cit.*, nota de rodapé.
[13] Connell, *op. cit.*, p. 120.
[14] Johnson, *op. cit.*, p. 68.
[15] Rawlinson, PC, vol. I, p. 130.
[16] *Ib.*
[17] Chadwick, *op. cit.*, vol. I, p. 191.
[18] Johnson, *op. cit.*, p. 68.
[19] *Ib.*, p. 69.
[20] Rawlinson, CWB, vol. I, p. 260.
[21] Clarke, *op. cit.*, vol. I, p. 402.
[22] Rawlinson, PC, vol. I, p. 131.
[23] Connell, *op. cit.*, p. 120.
[24] *Ib.*, vol. I, p. 983.
[25] Connell, *op. cit.*, p. 120.
[26] John D. Davis, *The Westminster Dictionary of the Bible* (Filadélfia: The Westminster Press, 1944), p. 362.
[27] Rawlinson, CWB, vol. I, p. 262.
[28] *Ib.*, p. 263.
[29] Connell, *op. cit.*, p. 121.
[30] Rawlinson, CWB, vol. I, p. 267.
[31] *Ib.*, pp. 267, 268.
[32] *Ib.*, p. 268.
[33] Rylaarsdam, IB (Exegesis), vol. I, p. 1.000.
[34] Connell, *op. cit.*, p. 121.
[35] Lange, *op. cit.*, p. 91.
[36] Rawlinson, CWB, vol. I, p. 271.
[37] *Ib.*

[38]Connell, *op. cit.*, p. 122.

[39]Lange, *op. cit.*, p. 93.

[40]Rawlinson, PC, vol. I, p. 192. "Mais uma vez, o escritor usa o nome Elohim, que em geral representa Deus. Mas, de modo equilibrado e hebraico com o termo 'príncipe', que aparece na frase seguinte, tem de denotar juízes como ocorreu previamente [em 22.7]" (VBB, nota de rodapé.).

[41]Rawlinson, CWB, vol. I, p. 273.

[42]*Ib.*, p. 274.

[43]*Ib.*, p. 275.

[44]Lange, *op. cit.*, p. 97.

[45]Johnson, *op. cit.*, p. 73.

[46]*Ib.*

[47]Lange, *op. cit.*, p. 98.

[48]Rawlinson, CWB, vol. I, p. 278.

[49]Connell, *op. cit.*, p. 124.

[50]Johnson, *op. cit.*, p. 74.

[51]Rawlinson, CWB, vol. I, p. 278.

[52]Johnson, *op. cit.*, p. 74.

SEÇÃO IV

[1]Rawlinson, CWB, vol. I, p. 280.

[2]*Ib.*

[3]Johnson, *op. cit.*, p. 75.

[4]"Outros povos da antigüidade também tinham o hábito de usar baús sagrados. Eram empregados pelos gregos e egípcios, e serviam de estojos para ídolos, símbolos das deidades ou outros objetos sagrados" (Davis, *op. cit.*, p. 41).

[5]*Ib.*

[6]Rawlinson, CWB, vol. I, p. 282.

[7]Rawlinson, PC, vol. I, pp. 250, 251.

[8]Johnson, *op. cit.*, p. 75.

[9]*Ib.*, p. 76.

[10]Rylaarsdam, IB (Exegesis), vol. I, pp. 1.020-1.026.

[11]Rawlinson, CWB, vol. I, p. 284.

[12]Para ver um diagrama deste candelabro, ver Diagrama A; cf. tb. Lange, *op. cit.*, p. 116.

[13]Johnson, *op. cit.*, p. 78.

[14]Rawlinson, PC, vol. I, p. 263.

[15]Lange, *op. cit.*, p. 117 (ver a nota de rodapé da obra de Lange, onde há uma análise feita pelo tradutor).

[16]Lange, *op. cit.*, p. 588.

[17]Rawlinson, PC, vol. I, p. 264.
[18]Rawlinson, CWB, vol. I, p. 288.
[19]Rawlinson, PC, vol. I, p. 271.
[20]Rawlinson, CWB, vol. I, p. 2894.
[21]Johnson, *op. cit.*, p. 78.
[22]Rawlinson, PC, vol. I, p. 279.
[23]Johnson, *op. cit.*, p. 78.
[24]Rawlinson, PC, vol. I, p. 286.
[25]Johnson, *op. cit.*, pp. 78, 79.
[26]*Ib.*, p. 78.
[27]Connell, *op. cit.*, p. 127.
[28]Rawlinson, PC, vol. I, p. 289.
[29]*Ib.*
[30]*Ib.*, pp. 291, 292.
[31]Rawlinson, CWB, vol. I, p. 296.
[32]Johnson, *op. cit.*, p. 79.
[33]Chadwick, *op. cit.*, vol. I, p. 224.
[34]Johnson, *op. cit.*, p. 296.
[35]Rylaarsdam, IB (Exegesis), vol. I, p. 1.050.
[36]Rawlinson, PC, vol. I, p. 300.
[37]Johnson, *op. cit.*, p. 80.
[38]Rawlinson, PC, vol. I, p. 304.
[39]Johnson, *op. cit.*, p. 81.
[40]Chadwick, *op. cit.*, vol. I, p. 226.
[41]Rawlinson, PC, vol. I, p. 308.
[42]Johnson, *op. cit.*, p. 81.
[43]Clarke, *op. cit.*, vol. I, p. 461.
[44]Rawlinson, PC, vol. I, p. 318.
[45]Johnson, *op. cit.*, p. 82.
[46]Connell, *op. cit.*, p. 129.
[47]Rawlinson, CWB, vol. I, p. 309.
[48]Johnson, *op. cit.*, p. 82.
[49]Rawlinson, PC, vol. I, p. 322.
[50]Connell, *op. cit.*, p. 129.
[51]Johnson, *op. cit.*, pp. 82, 83.
[52]Connell, *op. cit.*, p. 129.
[53]Rawlinson, PC, vol. I, pp. 334, 335.

[54] *Ib.*, p. 339.
[55] *Ib.*
[56] Connell, *op. cit.*, p. 130.
[57] Rawlinson, PC, vol. I, p. 340.
[58] Connell, *op. cit.*, p. 130.
[59] Johnson, *op. cit.*, p. 83.
[60] Connell, *op. cit.*, p. 130.
[61] Rawlinson, PC, vol. I, p. 348.
[62] Rylaarsdam, IB (Exegesis), vol. I, pp. 1.071, 1.072.
[63] Connell, *op. cit.*, pp. 130, 131.
[64] Johnson, *op. cit.*, p. 84.
[65] *Ib.*
[66] Rawlinson, PC, vol. I, p. 359.
[67] Connell, *op. cit.*, p. 131.
[68] Johnson, *op. cit.*, p. 84.
[69] Connell, *op. cit.*, p. 131.
[70] Rawlinson, PC, vol. I, p. 370.
[71] Clarke, *op. cit.*, vol. I, pp. 473, 474.
[72] Rawlinson, PC, vol. I, p. 320.
[73] Rawlinson, CWB, vol. I, p. 325.
[74] Connell, *op. cit.*, p. 132.
[75] Rawlinson, PC, vol. I, p. 389.
[76] Johnson, *op. cit.*, p. 85.
[77] Rawlinson, CWB, vol. I, p. 331.
[78] Connell, *op. cit.*, p. 132.
[79] *Ib.*

Bibliografia

I. COMENTÁRIOS

CHADWICK, G. A. "The Book of Exodus." *The Expositor's Bible*. Editado por W. Robertson Nicoll, Vol. I. Grand Rapids: William B. Eerdmans Publishing Company, 1947.

CLARKE, Adam. *A Commentary and Critical Notes*, Vol. I. Nova York: Abingdon-Cokesbury, s.d.

CONNELL, J. Clement. "Exodus." *The New Bible Commentary*. Editado por R. Davidson. Grand Rapids: William B. Eerdmans Publishing Company, 1954.

DRIVER, S. R. "The Book of Exodus." *Cambridge Bible for Schools and Colleges*. Editado por A. F. Kirkpatrick. Cambridge: University Press, 1918.

DUMMELOW, J. R. (editor). *A Commentary on the Holy Bible*. Nova York: The Macmillan Company, 1946.

EXELL, Joseph S. "Homiletical Commentary on the Book of Exodus". *The Preacher's Complete Homiletical Commentary on the Old Testament*. Nova York: Funk & Wagnalls, 1892.

HENRY, Matthew. *Commentary on the Whole Bible*, Vol. I. Nova York: Fleming H. Revell Company, 1706.

JAMIESON, Robert, FAUSSETT, A. R. e BROWN, David. *A Commentary: Critical and Explanatory*, Vol. I. Hartford: S. S. Scranton & Company, 1877.

JOHNSON, Philip C. "Exodus." *The Wycliffe Bible Commentary*. Editado por Charles F. Pfeiffer e Everett F. Harrison. Chicago: Moody Press, 1962.

LANGE, John Peter. "Exodus." *Commentary on the Holy Scriptures*. Grand Rapids: Zondervan Publishing House, s.d.

LEE, James W. "Genesis—Joshua." *The Self-Interpreting Bible*, Vol. I. St. Louis: The Bible Educational Society, 1911.

LINDSELL, Harold. "Introductions, Annotations, Topical Headings, Marginal References, and Index." *Harper's Study Bible — The Holy Bible*. Nova York: Harper & Row, Publishers, 1952.

MCINTOSH, C. H. *Notes on the Book of Exodus*. Nova York: Fleming H. Revell Company, s.d.

MCLAUGHLIN, J. F. "Exodus." *The Abingdon Bible Commentary*, Editado por F. C. Eiselen, Edwin Lewis e David G. Downey. Nova York: The Abingdon Press, 1929.

PARKER, Joseph. "The Book of Exodus." *The People's Bible*, Vol. II. Nova York: Funk & Wagnalls Company, s.d.

RAWLINSON, George. "Exodus." *Commentary on the Whole Bible*. Editado por Charles J. Ellicott, Vol. I. Grand Rapids: Zondervan Publishing House, s.d.

_____. "Exodus" (Exposition and Homiletics). *The Pulpit Commentary*. Editado por H. D. M. Spence e Joseph S. Exell, Vol. I. Grand Rapids: William B. Eerdmans Publishing Company, 1950.

RYLAARSDAM, J. Coert (Introduction and Exegesis) e PARK, J. Edgar (Exposition). "The Book of Exodus." *The Interpreter's Bible*. Editado por George A. Buttrick *et al.*, Vol. I. Nova York: Abingdon-Cokesbury Press, 1952.

UNGER, Merrill F. "Exodus." *The Biblical Expositor*. Editado por Carl F. H. Henry, Vol. I. Filadélfia: A. J. Holman Company, 1960.

II. OUTROS LIVROS

BUTLER, J. Glentworth. *The Bible Work: The Old Testament*, Vols. I-II. Nova York: Funk & Wagnalls, Publishers, 1889.

COOK, F. C. *Exodus*. Nova York: Scribner, Armstrong & Company, 1874.

DAVIS, John D. *The Westminster Dictionary of the Bible*. Filadélfia: The Westminster Press, 1944.

DRIVER, S. R. *An Introduction to the Literature of the Old Testament*. Nova York: Charles Scribner's Sons, 1923.

EDERSHEIM, Alfred. *The Exodus and the Wanderings in the Wilderness*. Nova York: Fleming H. Revell Company, 1876.

FREE, Joseph P. *Archaeology and Bible History*. Wheaton: Scripture Press, 1956.

KRAELING, Emil. *Bible Atlas*. Nova York: Rand McNally & Company, 1956.

KURTZ, J. H. *Sacrificial Worship of the Old Testament*. Edimburgo: T. & T. Clark, 1863.

MACLAREN, Alexander. *Expositions of Holy Scripture*, Vol. I. Grand Rapids: William B. Eerdmans Publishing Company, 1932.

MORGAN, G. Campbell. *An Exposition of the Whole Bible*. Nova York: Fleming H. Revell Company, 1959.

_____. *Living Messages of the Books of the Bible*. Nova York: Fleming H. Revell Company, 1912.

_____. *The Analyzed Bible*. Nova York: Fleming H. Revell Company, 1907.

PFEIFFER, Robert H. *The Books of the Old Testament*. Nova York: Harper & Brothers, Publishers, 1957.

RAVEN, John Howard. *Old Testament Introduction*. Nova York: Fleming H. Revell Company, 1910.

TAYLOR, William M. *Moses the Law-giver*. Nova York: Harper & Brothers, Publishers, 1879.

THOMPSON, J. A. *The Bible and Archaeology*. Grand Rapids: William B. Eerdmans Publishing Company, 1962.

O Livro de
LEVÍTICO

Dennis F. Kinlaw

Introdução

A. Nome

O nome do Livro de Levítico nos vem da Septuaginta através da Vulgata. Durante os primeiros séculos da era cristã, a Bíblia dos cristãos era a Bíblia grega. Jerônimo a traduziu para o latim no século IV (terminou em 405 d.C.). Esta tradução, chamada Vulgata, tornou-se a Bíblia da igreja ocidental até a Reforma. Na Septuaginta, *Leveitikon* era o nome do terceiro livro do Pentateuco. Em português ficou *Levítico*, através do latim *Leviticus*. O livro tem este nome porque trata do sistema levítico de adoração no Antigo Testamento.

B. Autoria

O livro em si não atesta a autoria humana, mas a divina. Vinte dos 27 capítulos começam com a fórmula: "Falou mais o SENHOR a Moisés, dizendo", ou semelhantes. Em sua maioria, o Senhor manda que Moisés transmita uma mensagem a Israel (*e.g.*, 1.1—3.17; 4.1—5.19) ou a Arão e seus filhos (*e.g.*, 6.9,25; 8.1,2). Ocasionalmente, o texto diz que Deus falou com Moisés e Arão (11.1; 13.1; 14.33; 15.1). Pelo menos uma vez Deus fala somente com Arão (10.8). A maior parte do material do livro apresenta mensagens vindas diretamente de Deus para Moisés. A perspectiva tradicional da igreja era que Moisés deu este livro a Israel e, conseqüentemente, a nós.

O surgimento da moderna erudição crítica rejeitou esta perspectiva. A adoção da hipótese de fontes documentárias (*J* [fonte jeovista], *E* [fonte eloísta], *D* [fonte deuteronomista], *P* [fonte sacerdotal, o "p" é de *Priestercodex*]) levou ao ponto de vista de que Levítico fazia parte do código sacerdotal. Esta norma, diziam, teve muitos séculos de compilação e só recebeu sua forma final no período pós-exílico. Insistiam que grande parte do material, como o suposto "Código da Santidade", capítulos 17 a 26, era mais antigo que o período pós-exílico, e que parte do material referente à lei também podia ser bastante antiga. Era convicção firme da maioria dos críticos que a fonte *P* era a mais tardia dos elementos que compunham o Pentateuco.

Estudos recentes abalam a patente unanimidade neste ponto entre os estudiosos. O trabalho de especialistas como J. Pedersen, Ivan Engnell, Yehezkel Kaufmann e outros revelam certas ambigüidades.[1] Estudos da lei no antigo Oriente Próximo tornam este fato evidente: há pouco texto em Levítico que tenha paralelo no mundo antigo que também não tenha paralelo na literatura do segundo milênio a.C. Levando em conta o teor de Levítico que é comum ao mundo do Israel antigo não há razão para supor que Levítico não seja do período mosaico.

Os últimos estudos feitos por eruditos como W. F. Albright mostram que é razoável presumir que a especificidade monoteísta singular da religião de Israel remonta aos dias de Moisés.[2] Atualmente, os estudiosos têm mais conhecimentos sobre a tradição legal do mundo do segundo milênio a.C. no Crescente Fértil. À luz destes novos conhecimentos é possível dizer que o caráter legal da religião de Israel, conforme vemos em Levítico, se ajusta ao período mosaico e possa ser igualmente de origem mosaica.

C. Data do Pentateuco

O período alocado pelo Pentateuco para a doação desta lei e para os acontecimentos incrustados no Levítico é de precisão nítida. Está datado entre a montagem do Tabernáculo no primeiro mês do segundo ano depois da partida de Israel do Egito (Êx 40.17) e o primeiro dia do segundo mês daquele mesmo ano (Nm 1.1).

D. Mensagem

É importante verificar a mensagem de Levítico para acompanharmos a progressão do Pentateuco. Gênesis nos conta o chamado do patriarca Abraão e a eleição de sua família para exercer a função de concerto na história humana. Êxodo narra a grandiosa libertação dos descendentes de Abraão, os israelitas, da escravidão do Egito e o estabelecimento do concerto de Deus com este povo no Sinai. Êxodo também expõe o caráter legal deste concerto e o testemunho do concerto no Tabernáculo e o culto a ser administrado ali. Levítico é um tipo de manual dado aos sacerdotes e ao povo de Israel para que soubessem fazer a adoração exigida pelo concerto de maneira eficaz e aceitável ao Deus de Israel. Levítico é um manual de como cultuar a Deus. Há também instruções diversas sobre como viver de forma que tal adoração seja aceitável ao Senhor, o Deus do concerto.

O teor do livro revela os princípios básicos da religião do Antigo Testamento. As afirmações a seguir estão implicitamente indicadas ao longo do texto levítico.

1. Não é possível comunhão com Deus exceto com base na expiação do pecado. Os capítulos iniciais de Levítico descrevem várias ofertas que são necessárias para que a expiação e a comunhão sejam efetuadas.

2. O homem não pode expiar os próprios pecados. Faz-se necessário um sistema de mediação. O papel dos sacerdotes, os filhos de Arão, é desempenhado em cada trecho do livro. O sistema pressupõe um mediador.

3. A expiação deve ser de acordo com o plano divino. Note a porção apreciável de Levítico que é discurso direto de Deus. Repare no fim trágico de Nadabe e Abiú quando cultuaram segundo padrões próprios em vez de seguir o padrão de Deus dado por Moisés.

4. Somente o bom, o limpo e o são (o perfeito) é aceitável como sacrifício a Deus. O homem não pode se aproximar de Deus de mãos vazias. Deus faz estipulações rígidas sobre o que lhe agrada.

5. As pessoas que andam com Deus devem ser santas, porque Ele é santo. Esta exigência é responsável pela forte ênfase na diferença entre o limpo e o imundo, o puro e o abominável, o santo e o profano. Levítico é um manual sobre "o santo". A santidade exigida não é meramente cerimonial. É também ética e social, como no capítulo 19, que em grande parte é recapitulação do Decálogo. O tema do livro é a justiça moral e interior. É de Levítico que temos o mandamento: "Amarás o teu próximo como a ti mesmo" (19.18). O significado deste requerimento é explicado nos mínimos detalhes e esta explicação está em cláusulas de justiça pessoal e social.

6. A comunhão com Deus envolve o compromisso da vida total. O livro deixa muito claro que nenhuma área da existência pessoal está fora do direito do Deus de Israel controlar. Há instruções sobre alimentos, hábitos sexuais, posse de propriedades, ofertas

a Deus, as ocasiões certas da verdadeira adoração e as relações pessoais com o próximo e o estrangeiro. O Santo de Israel exigiu que a vida inteira de quem anda com Ele seja colocada sob seu controle soberano e sua influência santificadora.

Para quem conhece o Novo Testamento, não é difícil identificar nas declarações acima as raízes da devoção cristã. Talvez a expressão não esteja tão desenvolvida quanto a encontrada no Novo Testamento, mas os princípios são notavelmente os mesmos. E até Levítico sente a necessidade de uma maneira melhor. Esta necessidade é manifestada minuciosamente na exigência de mediadores do sistema levítico, os sacerdotes arônicos. Os esforços medianeiros necessários por si mesmos são indicativos de que este sistema não é insuperável. Era só um tipo que apontava "um caminho ainda mais excelente", um caminho elucidado em Cristo e seu novo concerto e que em Levítico é prenunciado.

Esboço

I. **UM MANUAL DE ADORAÇÃO**, 1.1—7.38

    A. Instruções para os Israelitas, 1.1—6.7
    B. Instruções para os Sacerdotes, 6.8—7.38

II. **A CONSAGRAÇÃO DOS SACERDOTES**, 8.1—10.20

    A. Moisés Consagra Arão e seus Filhos, 8.1-36
    B. Arão Assume o Ofício Sacerdotal, 9.1-24
    C. Um Caso de Sacrilégio, 10.1-20

III. **AS LEIS RELATIVAS À IMPUREZA CERIMONIAL**, 11.1—15.33

    A. A Impureza Cerimonial causada por Animais, 11.1-47
    B. A Impureza Cerimonial causada pelo Parto, 12.1-8
    C. A Impureza Cerimonial causada pela Lepra, 13.1—14.57
    D. A Impureza Cerimonial causada por Fluxos, 15.1-33

IV. **O DIA DA EXPIAÇÃO**, 16.1-34

    A. A Preparação de Arão, 16.1-19
    B. O Bode Expiatório, 16.20-34
    C. Algumas Conclusões

V. **A SANTIDADE NA VIDA DIÁRIA**, 17.1—20.27

    A. O Ato de Abater Animais para Consumo Próprio, 17.1-16
    B. Os Regulamentos Sociais, 18.1—20.27

VI. **A SANTIDADE DOS SACERDOTES**, 21.1—22.33

VII. **OS DIAS SANTOS E AS FESTAS**, 23.1-44

    A. O Sábado, 23.1-3
    B. A Páscoa, 23.4-8
    C. As Ofertas das Primícias, 23.9-14
    D. A Festa das Semanas, 23.15-22
    E. Os Dias Santos do Sétimo Mês, 23.23-44

VIII. **O ÓLEO SANTO, O PÃO SANTO E O NOME SANTO**, 24.1-23

    A. O Óleo Santo, 24.1-4
    B. O Pão Santo, 24.5-9
    C. O Nome Santo, 24.10-23

IX. Os Anos Santos, 25.1-55

    A. O Ano Sabático, 25.1-7
    B. O Jubileu, 25.8-55

X. Palavras Finais de Promessa e Aviso, 26.1-46

    A. Idolatria, Sábados e o Santuário, 26.1,2
    B. Promessa, 26.3-13
    C. Aviso, 26.14-46

XI. Apêndice: Sobre Votos e Dízimos, 27.1-34

Seção I

UM MANUAL DE ADORAÇÃO

Levítico 1.1—7.38

A relação de Levítico com Êxodo é indicada na frase de abertura do livro. Em Êxodo, Deus fala do monte. Aqui, Ele fala do Tabernáculo. Êxodo encerra com o relato da dedicação do Tabernáculo e a vinda da glória de Deus para enchê-lo. Agora, Deus fala com os israelitas do lugar onde Ele escolheu habitar entre eles. A palavra que Ele fala tem a ver com o modo em que o povo, agora resgatado pela mão poderosa do Senhor, adorará e servirá o seu Deus. Levítico é o manual de adoração dos antigos hebreus. Começa com normas de sacrifício.

A. Instruções para os Israelitas, 1.1—6.7

De imediato, o leitor é informado sobre a origem divina e a conseqüente autoridade da mensagem que está sendo dada. **E chamou o SENHOR a Moisés e falou com ele da tenda da congregação** (1). Moisés não tem permissão para entrar no Tabernáculo (Êx 40.35), por isso Deus, de dentro, fala com Moisés, de fora. S. R. Hirsch sugere que a intenção é estabelecer o fato de que a palavra de Deus veio a Moisés em vez de surgir em seu interior como produto de sua consciência religiosa.[1] A palavra falada é de origem sobrenatural.

A expressão **tenda da congregação** é mais bem traduzida por "Tenda do Encontro" (NVI). A palavra para descrever "tabernáculo" é a mesma palavra hebraica para aludir a "tenda" (*'ohel*). O termo traduzido por **congregação** é derivado de um radical hebraico (*y'd*) que significa "nomear, designar, marcar, estabelecer". Assim, a melhor leitura seria "tenda do encontro marcado". A adoração não é opção para o povo de Deus. É obrigação.

Deus marcou um encontro com o homem em um lugar designado (o Tabernáculo). O encontro marcado objetivava estabelecer comunhão de acordo com os procedimentos nomeados (caps. 1—22) e os tempos certos (caps. 23—25). Não são os hebreus que decidem como e quando vão cultuar. Essas decisões são tomadas inicialmente por Deus para os redimidos.

1. *A Lei do Holocausto* (1.1-17)

a) *O mandamento de Deus* (1.1,2). Este manual de adoração começa com a oferta de sacrifícios: **Quando algum de vós oferecer oferta ao SENHOR** (2). As palavras **oferecer** e **oferta** são derivadas do mesmo radical primário que significa "chegar perto de, achegar-se, aproximar-se". A questão que Levítico trata é de como os hebreus podem viver em "proximidade" com Deus. E isso envolve ofertas ou sacrifícios. **Oferta** (*qorban*) é a noção mais próxima de um termo geral no Antigo Testamento para se referir a "sacrifício". É o termo usado para aludir a todos os tipos de ofertas apresentadas a Deus. A idéia do radical não é nem "sacrifício" nem "oferta", conforme nosso entendimento destas palavras. Significa "algo levado para perto de". É usado exclusivamente no Antigo Testamento com alusão à relação do homem com Deus e revela o propósito desta seção de Levítico; a intenção era instruir os hebreus sobre como se achegar a Deus.

Trata-se de lugar-comum entender que cultuar implica em sacrificar ou ofertar. Mas, de maneira nenhuma os sacrifícios estavam limitados a Israel. Era parte essencial da religião do mundo no qual os israelitas viviam.

Há muito que os estudiosos se empenham em achar a idéia controladora por trás dos sacrifícios religiosos. Alguns sugerem que seja comunhão, ato simbolizado pela refeição comum. Outros enfatizam a propiciação, a substituição ou gratidão festiva. É óbvio que o sacrifício é algo multifacetado da mesma maneira que é a relação do homem com Deus. Envolve comunhão, mas comunhão com Deus implica em propiciação, gratidão e petição. Assim, nossa atenção é remetida novamente à idéia de proximidade e intimidade com Deus. Tudo que diz respeito a aproximar-se de Deus está implícito no sacrifício. Este conceito explica as cinco variedades de ofertas analisadas nos capítulos a seguir: holocausto, oferta de manjares, oferta de paz, oferta pelo pecado e oferta pela culpa. Cada oferta fala de uma faceta diferente da proximidade com Deus.

Levítico toma por certo que quando os homens se achegam a Deus, eles não devem ir de mãos vazias. Há algo sobre a relação que torna correto e apropriado os homens levaram uma oferta. Desde os tempos do Novo Testamento é fácil esquecer esta verdade. Mas sempre temos de nos lembrar de que, embora os crentes possam se aproximar de Deus com ousadia, eles não devem ir de mãos vazias. Sob o antigo concerto, os adoradores iam com dádivas próprias. Hoje, os crentes vão com a própria Dádiva de Deus, seu Filho Jesus, como base de aproximação e intimidade dos adoradores com Deus.

As dádivas do Antigo Testamento eram de tipos diferentes. Podiam ser animais de gado ou rebanho, aves ou cereais. Eram acompanhadas por ingredientes como sal, mel, incenso ou vinho. Verificamos o propósito de tudo isso no versículo 3: Ele **oferecerá, de sua própria vontade, perante o SENHOR**. O hebraico oferece esta tradução melhor: "Ele o oferecerá para sua aceitação perante o Senhor" (cf. ARA). Todo este sistema é fornecido para que os homens se aproximem e obtenham aceitação. Isto requer sacrifício.

Para a igreja primitiva era óbvio que aqui estavam os fundamentos para o ensino do Novo Testamento sobre a necessidade do sacrifício de Cristo, para que houvesse a verdadeira comunhão entre o homem e Deus. Quando João Batista identificou Jesus como o Cordeiro de Deus, que tiraria o pecado do mundo, o entendimento judaico apoiava-se intensamente neste Livro de Levítico.

Os animais para sacrifício provinham de rebanhos de **gado, vacas** ou **ovelhas**. Tratavam-se de animais domesticados. Animais selvagens eram inaceitáveis. A tradição judaica sugere uma razão para esta inaceitabilidade: não custariam nada para o ofertante.

b) *A oferta de gado* (1.3-9). O termo hebraico traduzido por **holocausto** (*'olah*) significa, literalmente, "aquilo que vai para cima". Também se chamava **oferta queimada** (9), porque o *'olah* era totalmente queimado no altar (com exceção do couro que ia para o sacerdote). Às vezes, o vocábulo é qualificado pelo adjetivo "todo". Em outros sacrifícios, partes da oferta eram comidas pelos sacerdotes ou até pelos ofertantes. Mas no holocausto, a oferta inteira subia para Deus por **cheiro suave**. Hirsch supõe que isto indique "a necessidade e a aspiração de 'esforçar-se para subir mais alto'".[2] Micklem afirma que "significa auto-oblação total a Deus em louvor e amor".[3] Esta auto-entrega e louvor estão impreterivelmente unidos na expiação, pois o versículo 4 diz que é para a **expiação** do ofertante.

A totalidade da oferta é para Deus. A oferta tem de satisfazer as especificações divinas. É Deus quem determina o que e como deve ser dada. Tem de ser um **macho sem mancha** (3; "sem defeito", NVI). Há quem imagine que Paulo tinha esta oferta em mente quando exortou os romanos a apresentar os corpos em sacrifício vivo, totalmente aceitável a Deus (Rm 12.1,2). Só o melhor é suficientemente bom para Deus, e tem de ser oferecido sem reservas para que o homem seja aceito por Deus.

A expressão: Ele **porá a sua mão sobre a cabeça do holocausto**, identifica o ofertante e a oferta. Esta é prescrição para todos os sacrifícios de animais. Compare a mesma ocorrência na oferta de paz (3.2), na oferta pelo pecado (4.4), no oferecimento do carneiro da consagração (8.22), no ritual do Dia da Expiação (16.21) e até na apresentação dos levitas como oferta de movimento (Nm 8.10). A prática não é mencionada especificamente com relação à oferta pela culpa, mas considerando que 7.7 afirma que havia um ritual para a oferta pelo pecado e para a oferta pela culpa, inferimos que esta também fazia parte daquele ritual. A tradição judaica indica que a mão tinha de ser imposta sobre o animal com certa pressão, ao mesmo tempo que o ofertante confessava os pecados. O Targum de Jônatas diz: "Ele porá a mão direita com firmeza". Outras fontes judaicas revelam que ambas as mãos eram usadas. Em outros rituais, este ato poderia ter outra significação, mas aqui caracteriza a separação que o ofertante faz de sua dádiva a Deus e a identificação completa com o que oferece. Keil escreve: "Para tornar perfeito o ato de abnegação, era necessário que o ofertante morresse espiritualmente; que, pelo mediador de sua salvação, ele pusesse a alma em comunhão viva com o Senhor, aprofundando essa comunhão como se estivesse na morte do sacrifício que morrera por ele; e colocasse os membros do corpo sob a vontade das operações do gracioso Espírito de Deus. Desta forma, o adorador era renovado e santificado no corpo e na alma e entrava em união com Deus".[4]

Esta identificação era para que a oferta fizesse a **expiação** pelo ofertante (4). A palavra hebraica significa "cobrir em cima de". Há quem interprete que tenha o significado de "cobrir a face da pessoa que errou". Na Bíblia, quer dizer cobrir o pecado para que Deus, que não pode vê-lo com isenção de ânimo (Hc 1.13), não o veja. Mais uma vez o propósito está em termos de proximidade e intimidade com Deus; indica "aceitação" ou "boa acolhida". Esta proximidade não é espacial, mas espiritual e pessoal. Tal proximidade não pode ocorrer sem sacrifício. Os **sacerdotes** (5), identificados como **filhos de Arão**, matavam o animal, escoavam o sangue e o aspergiam **à roda sobre o altar** para que todos os lados fossem atingidos. Em seguida, cortavam o animal em **pedaços** (6) e o colocavam **sobre o altar** para ser queimado.

Todo verdadeiro entendimento desta exigência tem de passar pela análise da função do sangue em sua relação com a vida e a morte. Snaith insiste que a razão primária para dispor do sangue desta maneira, é porque "é tabu, muito sagrado e muito perigoso para o homem comum lidar".[5] Como mostra 17.11, o sangue era proibido para o israelita, talvez porque o sangue representasse a vida. Por isso, certos expositores asseveram que aqui representa a vida libertada do corpo e agora apresentada a Deus.[6] Nesta perspectiva, o foco não está na morte, mas na vida. Parece injusto à evidência bíblica ignorar o fato de que a maioria das alusões a sangue no Antigo Testamento esteja ligada à morte. Ao falarmos sobre este sistema sacrificatório e sua relação com o sacrifício de Cristo, é necessário enfatizarmos que a base de nossa comunhão com Deus inclui a morte de Cristo. Paulo diz que "fomos reconciliados com Deus pela morte de seu Filho". Esta verdade não nega a liberação de vida. Por isso, Paulo acrescenta: "Muito mais, estando já reconciliados, seremos salvos pela sua vida" (Rm 5.10).

Os deveres dos sacerdotes, os **filhos de Arão** (7), estão claramente definidos. Não devemos nos esquecer de que este arranjo representava um novo processo na vida do povo de Deus. No período patriarcal, cada chefe de família agia como sacerdote. Agora, no concerto mosaico, há o estabelecimento de uma nova ordem que prepararia o modo de entender o ministério de Cristo, o grande Sumo Sacerdote, conforme vemos na Epístola aos Hebreus.

Este sacrifício seria uma **oferta queimada, de cheiro suave ao SENHOR** (9). Concernente ao **cheiro suave**, Noth declara que esta frase "origina-se do linguajar cultual e formas de pensamento pertencentes à terra dos dois rios". Ele observa que a narrativa do dilúvio na Epopéia de Gilgamesh conta como "'os deuses cheiraram o cheiro suave' do sacrifício oferecido depois do dilúvio".[7] Micklem comenta que supor que esta passagem insinua "que o Deus de Israel literalmente apreciava o cheiro seria tão tolo quanto imaginar que o incenso é usado nas igrejas católicas porque se acredita que Deus gosta do odor".[8] O que está claro é que a atividade religiosa do homem tem de agradar a Deus, e que, quando é feita de acordo com a sua Palavra, o agrada.

O corte do animal em pedaços e a disposição no altar, de forma que o fogo passasse entre eles, pode ser comparado com Gênesis 15.3-10,17,18. Neste registro bíblico, o concerto de Deus com Abraão é selado pela passagem do fogo divino entre os pedaços da oferta.

c) *A oferta de ovelhas, cabras ou aves* (1.10-17). Os versículos 10 a 13 explicam a oferta de carneiros ou cabritos. As instruções dos rituais são curtas, não repetindo o óbvio. A única informação adicional é que o animal era morto **ao lado do altar, para a banda do**

norte (11). A razão, talvez, é que as cinzas ficavam no lado do **oriente** (16), os recipientes para a lavagem dos sacerdotes situavam-se no ocidente (Êx 30.18) e a rampa, no sul.

A preocupação da antiga lei hebraica pelos pobres é revelada na provisão dos versículos 14 a 17; podiam-se oferecer pássaros pequenos para o holocausto (cf. 5.7). Com esta informação, vemos mais nitidamente o nível social de Maria, mãe de Jesus, conforme nos revela Lucas 2.24. Pelo visto, o ato de dar e a atitude por trás da dádiva são mais importantes que o valor da dádiva. Em virtude do tamanho das **aves** (14), o ritual era naturalmente diferente. Não havia imposição de mãos, e o sangue era **espremido** (15) e não aspergido. A primeira parte do versículo 17 está mais claro assim: "Seja rasgado nas asas, mas não cortado em dois" (BBE; cf. ARA; NTLH; NVI). Todas as partes do pássaro que poderiam ser úteis ao homem eram oferecidas a Deus.

2. *A Lei da Oferta de Manjares* (2.1-16)

a) *As providências básicas* (2.1-3). A **oferta de manjares** era um oferecimento de farinha ou cereais bem moídos (1). A palavra hebraica (*minchah*) denota uma dádiva ou oferta em geral. É usada em Gênesis 4.3 para descrever a oferta de Caim, mas em Gênesis 33.10 é usada para se referir ao presente de Jacó a seu irmão. Em Juízes 3.15-18, é usada para aludir a tributo. Quando a palavra é empregada com relação a sacrifício, transmite o significado geral de algo dado a Deus ou o significado mais restrito, encontrado aqui, de oferta de grãos ou de cereais. Tal oferta era o resultado do trabalho humano e da fecundidade da terra. Representava a consagração a Deus do fruto do trabalho realizado pela pessoa.

A oferta era voluntária, como está implícito pela frase **quando alguma pessoa oferecer oferta de manjares**. É comum a **oferta de manjares** ser apresentada no Antigo Testamento como oferta que acompanha os sacrifícios de animais (Nm 15.1-6). O ritual aqui é apropriado para esta oferta dual e para a apresentação de uma oferta de cereais sozinha.

A oferta de manjares podia estar crua (1-3) ou cozida (4-16). Se estivesse crua, era acompanhada por **azeite** (óleo) e **incenso** (2). O óleo era parte vital da alimentação diária dos antigos hebreus. Nesta condição, no Antigo Testamento representa alegria, nutrição e prosperidade. A palavra hebraica (*shemen*) significa "gordura, corpulência, fertilidade, riqueza". Note o uso da palavra em Deuteronômio 32.13; Jó 29.6 e Isaías 61.3. Micklem sugere que simbolizava "poder estimulante e santificador".[9] Considerando esta ligação com a unção dos sacerdotes e o uso com o candelabro de ouro, Allis julga que indicava "a presença graciosa do Espírito Santo na iluminação e santificação".[10] A presença oportuna do Espírito Santo na obra e na adoração do crente é, sem dúvida, o que o torna aceitável a Deus.

O **incenso** era uma resina aromática de cor amarelo-claro, de gosto amargo, mas de perfume muito agradável. Era ingrediente usado no santo óleo da unção (Êx 30.34), como incenso (Jr 6.20), queimado como perfume (Ct 3.6), oferecido com o pão da proposição (24.7) e presenteado a Cristo como dádiva inestimável (Mt 2.11). Erdman afirma que caracterizava oração e louvor.[11] Por certo, há base bíblica para a noção de que oração e louvor são eminentemente aceitáveis a Deus quando os homens lhe apresentam suas dádivas.

Dos quais tomará dela um punhado (2) fica mais claro assim: "Um dos sacerdotes pegará um punhado da farinha com o azeite e o incenso e o queimará no altar" (ARA).

A parte da oferta de manjares que era queimada chamava-se **memorial**. Este termo (*'azkarah*) ocorre somente sete vezes no Antigo Testamento, seis em relação à oferta de manjares e uma vez concernente ao incenso, que era queimado na ocasião da apresentação do pão da proposição. Estudos sobre o emprego do verbo "lembrar-se" (*zakar*) nos últimos anos mostrou nuanças teológicas significativas.[12] Quando Deus se lembra, abre-se nova situação na qual há socorro para os justos e julgamento para os injustos. A inversão desta condição indica que, quando o homem se lembra da fidelidade de Deus, o resultado é fé e obediência renovadas. Isto fica óbvio quando recordamos o papel da "memória" na instituição e celebração da Ceia do Senhor (Lc 22.19; 1 Co 11.24,25). No cerne da adoração está a lembrança pelo homem e por Deus do compromisso do concerto e da promessa do concerto.

A identificação desta oferta como **coisa santíssima** (3) quer dizer que só poderia ser comida pelos descendentes masculinos de Arão: os sacerdotes. As dádivas ao Senhor eram santíssimas (*qodesh qodashim*), reservadas somente para os sacerdotes; santas (*qodesh*), utilizadas para o sustento da família dos sacerdotes; ou simplesmente **ofertas** (*qorbanim*), que eram para a manutenção do Tabernáculo ou, depois, do Templo. Em Marcos 7.11, "Corbã" é referência a uma dádiva deixada em testamento para a manutenção do Templo após a morte do testador. Desta forma, o legado ficava indisponível para as necessidades da família.

b) *As ofertas de cereais cozidos* (2.4-11). As ofertas de alimentos cozidos podiam ser preparadas de três modos: 1) assadas no **forno** (4), 2) cozidas na **caçoula**, ou caçarola (5), ou 3) preparadas na **sertã**, ou frigideira (7).

Não podia haver **fermento** ou **mel** (11). Estes ingredientes podiam ser oferecidos como primícias, mas não como ofertas para serem queimadas no altar. Os hebreus talvez percebessem que a fermentação insinuava desintegração e corrupção; desta forma, indicando impureza. Nos escritos rabínicos, o fermento é usado como símbolo do mal. Os escritos pagãos mostram atitude semelhante. Plutarco disse: "O fermento nasce da corrupção, e corrompe aquilo com que é misturado. [...] Toda fermentação é um tipo de putrefação".[13] Nos Evangelhos (Mt 16.6; Lc 12.1), Jesus usa figurativamente o fermento dos falsos ensinos dos fariseus e saduceus. Paulo fala dos "asmos [pães sem fermento] da sinceridade e da verdade" (1 Co 5.7,8). A proscrição do fermento na Festa da Páscoa é outra questão. Ali, o pão sem fermento era lembrança da escravidão de Israel e chamava-se "pão de aflição" (Dt 16.3). Entre os vizinhos de Israel, era comuníssimo o uso do mel em sacrifícios.[14] Talvez seja por isso que mel e leite, ambos elementos importantes da dieta, não deviam ser oferecidos em sacrifício.

Levando em conta que o fermento era proibido nas ofertas de manjares, havia a exigência de utilizar sal (13). O sal tinha grande valor no mundo antigo, e era necessário para a vida. Simbolizava a permanência no fato de que dava imunidade contra a corrupção. Também indicava comunhão e fidelidade, visto que os concertos eram selados com uma refeição comum, na qual o sal era ingrediente importante. Participar do sal era estabelecer um laço entre o anfitrião e o convidado. Note o nome que Deus dá ao concerto que fez com Arão e seus filhos (Nm 18.19) e ao concerto que fez com Davi e seus descendentes (2 Cr 13.5): concertos de sal. Hirsch supõe que, da mesma forma que o sal conserva os alimentos da influência da decomposição, assim o concerto protege as partes contratantes das influências externas prejudiciais ao vínculo estabelecido.[15]

c) *A oferta das primícias* (2.12-16). Esta oferta era composta de grãos novos e macios, assados e moídos (14). Era apresentada a Deus como proclamação de que todo crescimento vem de Deus. Da mesma forma que o primogênito dos homens e dos animais pertenciam a Deus, as primícias (ou primeiros frutos) dos campos eram dadas a Ele. Tudo era de Deus, mas a aceitação das primícias na função de representantes da totalidade significava que o homem estava livre para usar o restante com sentimento de gratidão.

Em 2.8-16, identificamos o significado espiritual de "A Oferta de Manjares". 1) Este tipo de oferta envolve adoração e serviço, 8-10; 2) Todos os frutos do labor humano pertencem a Deus, 12,14; 3) As instruções para as ofertas de manjares são dignas de nota: o óleo representa o Espírito Santo; o incenso caracteriza a oração; a ausência de fermento indica pureza; a proibição de mel mostra que não há nada para fermentar ou se deteriorar; o sal pressupõe a conservação; o fogo denota a aceitação de Deus; o cheiro suave fala do prazer de Deus, 9,11,13,15 (G. B. Williamson).

3. A Lei da Oferta de Paz (3.1-17)

Para entender tudo o que diz respeito ao **sacrifício pacífico** (ou "oferta de paz"), o leitor também deve examinar a passagem registrada em 7.11-34. Pelo visto, esta oferta era essencialmente uma refeição comum, na qual o sacerdote e o adorador participavam e da qual as partes mais seletas eram dadas a Deus. **Sua oferta** (1) ou "seu presente" (VBB). Comparando com o holocausto, somente uma porção deste tipo de oferta era queimada. A gordura que não estivesse misturada com a carne do animal e que pudesse ser extraída dos intestinos e rins tinha de ser oferecida com os **rins** e o **redenho** (o "lóbulo", NVI) do **fígado** (4,5). Se fosse uma ovelha palestina com sua cauda invulgarmente gordurosa, a gordura da cauda também tinha de ser oferecida. Todos estes elementos eram colocados em cima do holocausto que estava sendo oferecido e queimado.

Dar a gordura a Deus corresponde à disposição do sangue. A gordura era considerada "as substâncias poupadas do animal", "um armazenamento para necessidades futuras".[16] No Antigo Testamento, é usada metaforicamente para descrever as porções mais suculentas e valiosas. Tais coisas pertencem legalmente a Deus. Havendo entregado isto a Deus, o que sobrava do animal era para o deleite do sacerdote e do povo.

O **sacrifício pacífico** (ou "oferta de paz") denota que o ofertante está em comunhão com Deus. Caso contrário, não lhe seria permitido comer a carne do animal. Keil afirma que o objetivo era "invariavelmente salvação", quer ação de graças pela salvação já recebida, quer súplica pela salvação desejada. Aqui, salvação deve ser considerada em seu sentido mais amplo. No radical hebraico, a palavra paz (*shalom*) significa "estar inteiro, são, completo". Como acrescenta Keil, a palavra neste texto supõe "a série completa de bênçãos e poderes, pela qual a salvação ou integridade do homem em sua relação com Deus é estabelecida e garantida".[17] Um estudo das referências a este sacrifício encontradas nos livros históricos apóia a afirmação reveladora de que as ofertas de paz acompanhavam os holocaustos em tempos de grande alegria (*e.g.*, 2 Sm 6.17) e também em tempos de maior necessidade (*e.g.*, Jz 20.26). Em 7.12,16, vemos que os sacrifícios pacíficos (as ofertas de paz) podiam ser ofertas de louvores, ofertas de voto ou ofertas voluntárias — expressão do senso pessoal de dependência e necessidade de Deus nas mais variadas circunstâncias.

O sacrifício poderia ser de **gado** (1), **gado miúdo** (6, ovelha) ou **cabra** (12). Considerando que o animal oferecido não ia para o altar, não há prescrições sobre sexo e idade. O animal não podia ter **mancha** (1,6; "defeito", NVI). O ofertante tinha de impor a **mão sobre a cabeça da sua oferta** (2,8,13), matar o animal e apresentar ao sacerdote os pedaços a serem oferecidos. Em seguida, o oficiante os queimava no altar. A porção apresentada era o manjar **da oferta queimada ao SENHOR** (11), **de cheiro suave** (16). Não é necessário ver nestas palavras referência a alimentar Deus, como ocorria entre os vizinhos de Israel. O Deus de Israel não dependia dos adoradores. Ele almejava comunhão com eles e queria que pensassem que esta oferta de paz era comida de comunhão. Observe o uso da palavra "cear" mesmo em uma passagem do Novo Testamento, como Apocalipse 3.20. E considere o papel da Ceia do Senhor na igreja cristã.

Os antigos hebreus tinham de reputar esta legislação com seriedade. Este fato é indicado pela expressão **estatuto perpétuo será nas vossas gerações, em todas as vossas habitações** (17). Esta declaração ocorre 17 vezes em Levítico.

4. *A Lei da Oferta pelo Pecado* (4.1—5.13)

Agora, nossa atenção passa das ofertas de cheiro suave para a oferta pelo pecado e a oferta pela transgressão (ou oferta pela culpa, ou expiação da culpa). A importância desta mudança é indicada pelas palavras introdutórias: **Falou mais o SENHOR a Moisés, dizendo** (4.1). Daqui em diante, esta fórmula torna-se mais comum em Levítico, mas esta é a primeira ocorrência desde 1.1. No restante do livro, a expressão aparece 28 vezes. Andrew Bonar, impressionado com a freqüência desta fórmula e outras semelhantes, observou que não há livro que "contenha mais das palavras ditas por Deus que Levítico".[18]

Esta prerrogativa da instituição e do regulamento destes sacrifícios para Deus tem de ser mais que mera declaração de que os sacrifícios de Israel eram diferentes dos seus vizinhos. Não será desse modo que o Antigo Testamento esclarece a seus leitores que a salvação não é meramente o resultado da sensibilidade ou razão religiosa humana? A salvação está baseada em sacrifício, e o sacrifício que expia foi instituído por Deus. A tônica do sistema sacrifical hebraico está em algo que é feito para o homem. É verdade que o homem que sacrifica envolve-se com o sacrifício no fato de levar a oferta, impor a mão sobre ela (ato de identificação) e matá-la. Porém, a obra de expiação é algo que é feito para Ele. O sacerdote age como mediador em um sistema instituído por Deus. O papel de Cristo está profeticamente descrito nestes rituais.

a) *As regras para as ofertas* (4.1-35). A oferta pelo pecado e a oferta pela transgressão representam um novo tipo de sacrifício: o sacrifício da expiação. Os capítulos 1 a 3 não dizem nada sobre as ocasiões em que o holocausto, a oferta de manjares e a oferta de paz teriam de ser apresentados. As ofertas de cheiro suave eram voluntárias. Mas aqui, a legislação mosaica descreve a oferta pelo pecado e a oferta pela transgressão e estipula as ocasiões nas quais tinham de ser oferecidas. Estas ofertas são obrigatórias para todos que, estando no concerto, se tornam culpados **acerca do que se não deve fazer** (2). Há um ritual próprio para camadas sociais diferentes: 1) o **sacerdote ungido** (3-12), 2) a **congregação** (13-21), 3) o **príncipe** (22-26) e 4) **qualquer outra pessoa do povo** (27-35). O animal sacrificado na oferta variava conforme a importância da pessoa que tivesse pecado. O sacrifício em prol do **sacerdote** (3) ou da **congregação** (14) era um **novilho**. O sacrifício em prol do **príncipe** (22) era um **bode tirado de entre as cabras, macho sem mancha** (23; "sem defeito", NVI), ao passo que o sacrifício em prol da **pessoa do povo da terra** (27) era uma **cabra** (28) ou uma **cordeira** (32).

A seriedade da culpa variava segundo a posição social de quem pecava. O pecado do sacerdote era mais sério que o do príncipe ou de uma pessoa comum. Como representante do povo diante de Deus, o pecado do sacerdote transmitia culpa para todo o povo. Pelo visto, ele profanava o próprio lugar santíssimo. O sangue da oferta pelo pecado dele era colocado **sobre as pontas do altar do incenso aromático** (7) no Lugar Santo, ao passo que o sangue da oferta pelo pecado do príncipe ou do cidadão comum era colocado **sobre as pontas do altar do holocausto** (25,30) no pátio do Tabernáculo. O sangue da oferta pelo povo era tratado como o sangue do sacrifício pelos sacerdotes (cf. 7,18). A razão disso talvez esteja no fato de se esperar que Israel fosse um "reino sacerdotal" (Êx 19.6). Vemos uma diferença na oferta pelo pecado do sacerdote e do povo e na oferta pelo pecado dos príncipes e dos cidadãos comuns. No primeiro grupo, a carne dos animais sacrificados tinha de ser queimada fora do acampamento (cf. 12,21), ao passo que os sacerdotes tinham de comer a carne dos sacrifícios em prol do segundo grupo.

Exceto por esta diferença, o ritual para as diversas classes era o mesmo. O ofertante levava o sacrifício, impunha a mão na cabeça do animal, matava-o e o dava ao sacerdote. O sacerdote que oficiava o ato aspergia o **sangue** perante o Senhor, besuntava com sangue os chifres do altar e despejava o resto do sangue à base do altar do holocausto; neste altar, queimava a **gordura**, os **rins** e o **redenho** ("lóbulo", NVI) do **fígado**. Verificamos a influência deste ritual no modo de o Novo Testamento entender a morte de Jesus quando se serviu desta terminologia e destes conceitos na Epístola aos Hebreus (Hb 9.10-23; 10.19-22).

O nome da oferta pelo pecado (*chattath*) é um substantivo deverbal de "errar [o alvo], não atingir [o objetivo], ficar aquém, ser insuficiente". Descrição apropriada, pois a oferta tinha a intenção de cobrir os pecados **por erro** (22, *bishgagah*; ou "por ignorância", ARA). Estes pecados são conhecidos por pecados cometidos "inconscientemente, sem perceber". O oposto de tais pecados são os cometidos "à mão levantada" (Nm 15.30; "com arrogância", cf. NVI; cf. Êx 14.8); tratavam-se de pecados pelos quais não havia sacrifício. Pelo que se percebe, a diferença não está no âmbito do conhecimento tanto quanto está na atitude do coração. O pecado "à mão levantada" é cometido com atitude de desafio arrogante a Deus, ao passo que o pecado cometido "por erro" surge da fraqueza humana. Keil deduziu: "Mas pecar 'por erro' não é meramente pecar por ignorância (13,22,27; 5.18), pressa, descuido ou falta de consideração (5.1,4,15), mas pecar sem querer ou involuntariamente (Nm 25.11,15,22,23)".[19]

Aqui, o crente do Novo Testamento sente algo da insuficiência do sistema sacrifical levítico. Não havia provisão para os pecados mais hediondos como blasfêmia, adultério e assassinato. No episódio em que Natã relevou o pecado de Davi contra Bate-Seba e Urias não há referência a sacrifícios. A incapacidade de este sistema prover meio de remissão dos "pecados insolentes" assinala a necessidade de um caminho melhor — o caminho encontrado em Cristo.

b) *As transgressões que requerem oferta pelo pecado* (5.1-13). Existem três casos que exigem a oferta pelo pecado. O primeiro tem a ver com o homem que viu ou ficou sabendo de algo que tenha relação com um caso, mas que, quando convocado pelo magistrado, se recusou a revelar o que sabe. A tradução **ouvindo uma voz de blasfêmia** (1) é ambígua. A palavra hebraica vertida por **voz**, Hirsch a traduz por "demanda".[20] Há várias ocasiões em que "voz" poderia ter sido traduzida por "reclamação, súplica, pedido, petição, demanda" (cf. Gn 3.17; 4.23). A Revised Standard Version traduz a expressão assim: "adjuração pública para testemunhar". Moffatt traduz o versículo: "Se alguém pecar permanecendo calado quando é adjurado a apresentar provas como testemunha de algo que viu ou soube". Adjurar é colocar sob juramento, jurar, colocar sob pena de maldição.

Não devemos presumir que caso um hebreu escondesse a verdade ou falseasse os fatos causando prejuízo a outrem, ele ficasse livre da culpa oferecendo uma oferta pelos pecados. O versículo 5 mostra que ele tinha de confessar o pecado, e 6.5 indica que ele tinha de fazer a devida restituição. Para exemplos de homens que mantiveram silêncio até serem postos sob juramento, ver Josué 7.19; Juízes 17.2; Mateus 26.63 e João 9.24. A restituição está implícita neste tipo de erro, conforme assinala esta declaração: **Levará a sua iniqüidade** (1); nos casos subseqüentes, o texto diz apenas que a parte envolvida é culpada (2-4).

O segundo caso diz respeito à impureza cerimonial contraída por tocar em **besta-fera imunda** (2, "animal selvagem", NVI), **animal imundo** (animal domesticado), **réptil imundo** (lit., "coisas pululantes") ou **imundícia dum homem** (3,4). Os capítulos 12 a 15 oferecem uma análise mais profunda sobre casos de impureza; ver as considerações expostas ali. Pelo que deduzimos, aqui a pessoa se tornava imunda sem perceber, desta forma negligenciando os ritos purificatórios prescritos (11.24-31). Ao ficar sabendo que estava cerimonialmente imundo, o hebreu tinha a responsabilidade em fazer o sacrifício necessário.

O terceiro caso trata da promessa feita irrefletidamente. Se o homem tolamente jurar fazer algo que é ruim (4), ele errará em cumprir o voto. Contudo, é culpado por ter feito tal voto. Se prometer fazer algo bom e não puder cumprir, é culpado deste fracasso. Em ambos os casos, o culpado tem de confessar o pecado (5) e apresentar a oferta pelo pecado. No versículo 6, esta oferta é chamada **expiação** ("expiação da culpa", 15; ou, mais apropriadamente, "oferta pela transgressão", ou "oferta pela culpa"). A análise da oferta pela transgressão começa somente em 5.14. O uso do termo aqui está indubitavelmente ligado ao fato de que transgressão significa "culpa". Lógico que há estreita relação entre a oferta pelo pecado e a oferta pela transgressão.

A compaixão básica inerente na lei está refletida nos versículos 7 a 13. Nos tempos do Novo Testamento, a lei era encarada como algo penoso. Jesus acusa os escribas e fariseus de tornar a lei insuportável para os homens (Mt 23.2-4). Esta passagem levítica revela preocupação pelos pobres. Se o indivíduo não tivesse condições financeiras para levar um **gado miúdo**, poderia levar **duas rolas ou dois pombinhos** (7). Se ainda fosse muito, poderia levar a **décima parte de um efa** (uns 3,7 litros) **de flor de farinha** (11). Note a semelhança entre esta passagem e 1.14-17.

Um dos pássaros era para ser oferecido em **holocausto** (10). Allis ressalta que na oferta pelo pecado somente a gordura era queimada no altar.[21] Considerando que em caso de pássaros seria impossível remover a gordura, a carne de um pássaro era consumida totalmente no altar, representando a porção do Senhor da oferta pelo pecado (chamava-se *holocausto*, porque o sacrifício era queimado inteiro no altar), enquanto que o outro pássaro era dado ao sacerdote, representando sua porção da oferta pelo pecado.

O oferecimento de farinha como oferta pelo pecado diferia da oferta de manjares regular no ponto em que não acompanhava óleo ou incenso. O **punho cheio** de **memorial** era queimado no **altar** junto com as outras **ofertas queimadas** (12). Assim, ficava misturado com as ofertas no altar e atingia o valor de um sacrifício de sangue. Portanto, esta oferta não é exceção ao princípio de que "sem derramamento de sangue não há remissão" (Hb 9.22).

5. *A Lei da Oferta pela Culpa* (5.14—6.7)

A palavra traduzida por **transgressão** (15) é derivada de um radical que significa "agir deslealmente ou traiçoeiramente". O contexto para este pecado é o concerto. Não devemos nos esquecer de que estas leis não são dadas para os homens em geral. São dadas para os israelitas em particular, homens que entraram em concerto com o Senhor e assumiram certas responsabilidades. O Senhor tem de ser o Deus deles e eles têm de ser o seu povo. Indubitavelmente, é por isso que não há cláusulas para violações deliberadas e voluntariosas do concerto — pecar "à mão levantada". Semelhante pecado poria o transgressor fora do próprio concerto que estas leis definem. Note o palavreado: **Quando alguma pessoa cometer uma transgressão e pecar por ignorância.**

Há dois casos que exigem a oferta pela transgressão (culpa). Um é a retenção não intencional das **coisas sagradas do SENHOR.** Isto diz respeito a dízimos, ofertas, primícias e coisas semelhantes. Estes pertenciam a Deus e tinham de ser dados aos sacerdotes. O ofertante devia levar uma oferta, **um carneiro sem mancha do rebanho**, de valor comparável à perda que os sacerdotes tinham sofrido. O significado do original não é muito claro no que tange à **estimação em siclos de prata.** Pelo que se deduz, significa a estipulação de uma quantia em dinheiro do valor da oferta a fim de se calcular o montante da quinta parte (16, 20% do valor) que, como multa, seria pago em restituição. Em vez de estar baseado no siclo babilônico que era de valor menor, Êxodo 30.13 identifica que o **siclo do santuário** (15) estava baseado no padrão monetário fenício. A base moral da legislação levítica é óbvia aqui. Micklem diz:

> Levítico se ocupa com o ritual da *oferta pelo pecado*, mas a exigência de arrependimento lança por terra a idéia supersticiosa de que a oferta em si tem a eficácia de tirar o pecado. Não há indicação de que sem arrependimento haja expiação. Se levantarmos a objeção teológica de que Deus não exige nada mais que arrependimento para conceder perdão, negligenciamos a exigência de restituição tanto quanto possível. O verdadeiro arrependido não só diz: "Perdoa-me", mas também: "O que faço quanto a isso?"[22]

O segundo caso de oferta pela culpa diz respeito a atos que são proibidos na lei do concerto, os quais exigem restituição, mas que são desconhecidos pelo pecador (17-19). Visto que ninguém sabe qual foi a perda, ou mesmo se houve perda, o ofertante leva a oferta pela transgressão sem a expiação adicional. Note o desejo de se guardar do mais leve pecado. Quando examinado à luz do concerto e de sua redenção graciosa, tal sacrifício é visto como o desejo natural da consciência sensível de expressar positivamente gratidão e dependência. Repare na atitude de Jó em Jó 1.5. O ideal é a inculpabilidade. O fim desta seção (6.1-7) trata dos prejuízos causados ao próximo em questões de propriedade. Estas questões dizem respeito a logro (pertinente a algo que alguém deixou em depósito de outrem), roubo, ganho injusto por extorsão (2) ou apropriação de algo achado pertencente a outrem (3). Estas são as situações mais próximas de atos de pecado conscientes e voluntariosos encontrados nesta subdivisão (5.14—6.7). São assuntos que não seriam conhecidos sem que o pecador revelasse. Se reveladas, tais ações eram puníveis (ver Êx 22.7-13 para inteirar-se dos procedimentos legais envolvidos nestes assuntos). Aqui, o contexto mostra a relação inseparável entre a religião e a ética em Israel. Pecar contra outra pessoa dentro do concerto era pecar contra o Deus do concerto. Assim, a relação que o indivíduo tinha com o próximo afetava, particularmente, a relação que o indivíduo tinha com o Senhor. O Senhor é o Fiador da propriedade do próximo. Pecar contra o próximo é pecar contra Deus.

A frase **o que depôs na sua mão** (2) indica a transferência de bens materiais, na qual algo era depositado ou colocado em outras mãos. A Septuaginta traduz a frase por *koinonia*. Tinha a ver com uma atividade comercial. Quanto à expressão **conforme a tua estimação** (6), ver comentários em 5.15.

Em caso de danos à propriedade, não bastava a restituição. Assim como a transgressão exigia uma oferta pela culpa, a quinta parte (5) do valor da propriedade envolvida tinha de ser acrescentado ao capital e ser devolvida ao dono. Só então a oferta pela culpa era eficaz para expiar a transgressão.

B. INSTRUÇÕES PARA OS SACERDOTES, 6.8—7.38

1. *A Lei do Holocausto* (6.8-13)

A seção introdutória de Levítico (1.1—6.7) é endereçada aos israelitas (1.2) e é a palavra de Deus para eles sobre os sacrifícios que o Senhor exigia. Agora, Deus se dirige aos sacerdotes, **Arão** e **seus filhos** (9), que têm de executar estes rituais. Estas instruções são prestimosas para entendermos mais acerca do sistema sacrificatório levítico e sua significação.

Primeiramente, ficamos sabendo que o fogo tinha de ser mantido aceso continuamente no altar (9-13). O texto de Êxodo 29.38,39 nos informa que um holocausto era oferecido pela manhã e outro à tardinha. Era a gordura do sacrifício da tarde que mantinha o fogo do altar queimando a noite toda. Uma chama permanente queimando diante da deidade não é exclusividade da religião bíblica. É expressão da intuição humana que louvor e adoração contínuos devam subir do homem para Deus. Se esta realidade é sentida por quem conhece pouco da graça divina, quanto mais relevante que o coração do crente seja cheio de oração incessante e louvor permanente! Acerca do fogo, Micklem comenta:

> [O fogo] chama a atenção dos cristãos para o sacerdócio eterno do Senhor Jesus Cristo, o grande Sumo Sacerdote, que vive "sempre para interceder por" nós (Hb 7.25) e é "sacerdote eternamente, segundo a ordem de Melquisedeque" (Hb 5.6). Ele

oferece sua obediência eterna ao Pai, um sacrifício aceitável, em benefício de todos; ele é o sacerdote, e sua obediência e seu amor perfeito a Deus são o cordeiro: estes ele oferece em nome de todos os homens, porque "não se envergonha de lhes chamar irmãos" (Hb 2.11).[23]

O sacerdote recebe instruções relativas à roupa que usaria para, todas as manhãs, retirar as cinzas do altar (11). Os trajes sacerdotais regulares não deviam ser usados para esta tarefa. Muitos ficam surpresos ao constatarem quanto espaço é dedicado na Bíblia à roupa. Ainda mais quando diz respeito às vestes dos sacerdotes. A idéia transmitida é que nossa aparência perante Deus é importante. Esta verdade é mais desenvolvida no Novo Testamento e na hinologia cristã. Jesus falou sobre a necessidade de "veste nupcial" (Mt 22.11-14). Em Apocalipse, somos aconselhados a comprar "vestes brancas" (Ap 3.18) e a guardar as "vestes" (Ap 16.15). O registro bíblico também afirma que a noiva do Cordeiro se veste "de linho fino, puro e resplandecente; porque o linho fino são as justiças dos santos" (Ap 19.8). O assunto tratado em Levítico diz respeito à roupa do mediador que fica entre Deus em sua santidade e o adorador.

2. A Lei da Oferta de Manjares (6.14-23)
O sacerdote tinha de pegar um **punho cheio** (15) da oferta de manjares, com seu **azeite** (óleo) e **incenso**, e oferecer como **memorial**. No pátio da tenda, o principal sacerdote e seus filhos comeriam o **restante** (16) da oferta de manjares sem levedura (17). A expressão **coisa santíssima é** (17) menciona-se em conexão com as três ofertas que eram para o uso de Arão e seus filhos: a oferta de manjares, a oferta pelo pecado e a oferta pela transgressão (culpa). Também é usada para se referir a qualquer "coisa consagrada", a qual não podia ser vendida ou resgatada (27.28).

Esta estipulação é explicada com a conclusão: **Tudo o que tocar nelas será santo** (18). O significado exato desta declaração não está explícito. Há quem interprete dessa forma: tudo que tocasse as coisas santas deveria ser santo (Is 52.11). Outros entendem que também deve significar que quem toca no altar fica santo e nunca mais pode voltar à vida secular. A referência de Jesus ao poder de o altar santificar uma oferta (Mt 23.19) indicaria que estes dois pontos de vista estão corretos. Em Números 16.38, lemos acerca dos incensários de Datã e Abirão: "Porquanto os trouxeram perante o SENHOR; pelo que santos são". Não é fato de pequena monta os homens se apresentarem a Deus. Ele leva o homem a sério e, por conseguinte, exige o que lhe foi dado. Esta consagração é amplamente ilustrada no Antigo Testamento.

Os versículos 19 a 23 descrevem a **oferta** especial de **Arão e de seus filhos** (20; *i.e.*, o sumo sacerdote). É conveniente que esta seção lide com as instruções para os sacerdotes. Esta oferta era feita pelo sumo sacerdote **no dia em que** fosse **ungido** como sacerdote. A palavra **contínua** dá a entender que depois desse dia a oferta tinha de ser feita todas as manhãs e todas as tardes ao longo do seu sumo sacerdócio. Esta oferta era apresentada pelo sumo sacerdote a favor de si mesmo e a favor de todos os sacerdotes. Portanto, tinha de ser totalmente **queimada** (22). Os sacerdotes tomavam parte nas coisas santíssimas oferecidas pelos outros. Não podiam participar das ofertas feitas por eles mesmos e para eles (23).

3. A Lei da Oferta pelo Pecado (6.24-30)

A **expiação do pecado** (ou oferta pelo pecado) também era **coisa santíssima** (25) e tinha de ser comida pelos sacerdotes **no pátio da tenda da congregação** (26). Nenhuma pessoa impura podia tocá-la. Todos que a tocassem ficavam santos e tinham de ser consagrados a Deus. Toda roupa manchada com o sangue da oferta pelo pecado tinha de ser lavada **no lugar santo** (27). O **vaso** (28), no qual a carne era preparada para os sacerdotes, tinha de ser quebrado se fosse de cerâmica, ou esfregado e lavado com água se fosse de **cobre** (bronze). Tudo que o tocasse devia ser limpo e separado do uso comum. O versículo 30 fica mais inteligível com estes dizeres: "Porém não se comerá nenhuma oferta pelo pecado, cujo sangue se traz à tenda da congregação, para fazer expiação no santuário; no fogo será queimada" (ARA; cf. NVI). Repare nesta explicação: "O sangue da oferta pelo pecado será aspergido no propiciatório, dentro do Santo de Santos; por esta razão, a carne também é muito sagrada para consumo humano" (VBB, nota de rodapé).

Em 10.17, Moisés mostra a santidade da oferta pelo pecado, quando diz que foi dada para os sacerdotes comerem, a fim de levarem a iniqüidade da congregação e fazerem expiação por ela perante o Senhor. Todo este ritual é apresentado para ressaltar a importância de distinguir entre o santo e o profano. A incapacidade ou recusa em fazer essa diferenciação sempre é desastrosa (ver cap. 10).

Muitos escritores têm uma queda em relacionar o conceito de "santo", mostrado aqui, com a idéia vigente em círculos religiosos pagãos. A comparação de Micklem é elucidativa.

> Os comentaristas são propensos em dizer que esta "santidade" é mero tabu, mas o termo é capcioso. O objeto de tabu (o vocábulo é derivado das religiões primitivas da Polinésia) é perigoso por si mesmo, assim como é o misterioso domicílio do mana* ou poder mágico ou sobrenatural. Isto não é idêntico à idéia de que um objeto é sacrossanto, porque foi posto em relação com o Deus vivo. Não há que duvidar que havia muita superstição em Israel; mas esta concepção de santidade não é superstição. Como exemplo relativamente inadequado da situação contemporânea, o homem dos dias de hoje não considera que os túmulos "consagrados à memória" dos antepassados contenham algum poder sobrenatural; mas ele os trata com reverência e não como pedras comuns, por causa do uso ao qual foram dedicados. Era este, porém com mais brilho do que imaginamos, o sentido da santidade de coisas ligadas aos sacrifícios em Israel.[24]

4. A Lei da Oferta pela Culpa (7.1-10)

Esta seção deve ser comparada com a narrativa mais longa registrada em 5.1 a 6.7. A semelhança entre a **oferta pela expiação do pecado** (ou oferta pelo pecado) e a **oferta pela expiação da culpa** (ou oferta pela transgressão) ganha destaque relevante aqui (7). A função sacerdotal na oferta pela transgressão está mais clara, e o texto anuncia as porções sacerdotais do **holocausto** e da **oferta** de manjares (8-10).

> *De acordo com a crença animista dos povos polinésios, *mana* é a força ou poder espiritual proveniente dos elementos da natureza que exerce ação no homem ou nos objetos. (N. do T.)

5. A Lei da Oferta de Paz (7.11-38)

Os sacrifícios pacíficos (ofertas de paz) tinham três variedades: ofertas de louvores (12), ofertas votivas (16) e ofertas voluntárias (29). O primeiro tipo era oferecido por benefícios recebidos de Deus. O Salmo 107.22 fala de tal sacrifício feito depois da libertação de situações de perigo. A oferta de paz é a única oferta na qual o adorador tem permissão de participar. O **sacrifício de louvores** tinha de ser comido **no dia do seu oferecimento** (15). Allis propõe que esta ordem visava incentivar um espírito de compartilhamento, "convidando amigos ou vizinhos, sobretudo os pobres e necessitados, para participar desta ocasião festiva (Dt 12.12)".[25] A perpétua bondade de Deus por seus filhos deve ser incentivo permanente ao compartilhamento alegre. Será que não haveria algo a ser aprendido com o fato de ser chamado **sacrifício de louvores** (12)? Será que há ou jamais deveria haver verdadeiros louvores que não custem nada àquele que agradece? **De toda oferta... um** (14) significa "um bolo de cada oferta" (RSV; cf. NTLH; NVI).

O **sacrifício** do seu **voto** (16, oferta votiva) era prometido a Deus na esperança de receber ajuda divina (Sl 66.13,14; 116.1-19). A oferta voluntária ou espontânea era oferecida quando o adorador se conscientizava das ternas misericórdias de Deus e de sua fidelidade ao concerto, sentindo-se obrigado a ofertar. O Tabernáculo foi construído originalmente com ofertas voluntárias (Êx 35.5,21). Esta tradução mostra com mais nitidez o caráter voluntário desta oferta: "Todo aquele que desejar apresentar sua oferta de paz [...] tem de levar uma porção [...] como doação" (29, VBB; cf. NTLH).

A característica da oferta de paz como ato de comunhão não estava óbvia em 3.1-17. Aqui, esta particularidade é esclarecida. A oferta, quer de gado, cordeiro ou cabra, se fosse para louvores, tinha de ser acompanhada por **bolos asmos** e **pão levedado**. Não se tratava de ofertas de manjares, pois não se colocava incenso sobre eles e nada era queimado no altar. Estes alimentos acompanhavam a oferta e contribuíam para mostrar a característica desta oferta como ocasião de comunhão entre Deus, o sacerdote e o povo. O uso do **pão levedado** (13) revela a diferença essencial entre esta oferta e o holocausto, que era queimado inteiro no altar, e as outras ofertas que recebiam o qualitativo de santíssimas.

Há instruções minuciosas sobre quando as ofertas eram comidas (15-17), quem poderia comê-las (20,21), o que podia ser comido (24-26) e quais porções pertenciam a quem (31-35). Estas instruções e a penalidade séria por desobediência — levar a **iniqüidade** (18) ou ser extirpado do povo (20) —, põe em relevo a seriedade da adequação cerimonial em Israel. Isto não significa que a santidade exigida aqui era meramente cerimonial. A diferenciação entre a santidade moral e a santidade cerimonial não faz parte da legislação levítica. O desempenho cerimonial era considerado reflexo da atitude da pessoa para com o Senhor, cuja santidade era eminentemente moral.

O manual de instruções para os sacerdotes (6.8—7.38) conclui com um parágrafo conciso (37,38). Este registro chama a atenção dos israelitas para o fato de que esta legislação derivava sua importância e autoridade do Senhor, que os resgatara do Egito e que se revelara a eles no **monte Sinai** (38).

Seção II

A CONSAGRAÇÃO DOS SACERDOTES

Levítico 8.1—10.20

Os capítulos iniciais (1—7) de Levítico lidam com os sacrifícios que o Senhor exige em seu culto. Esta seção (8—10) apresenta ensinamentos relativos aos agentes da mediação: os sacerdotes. O sistema levítico admite este papel medianeiro dos filhos de Arão. Este fator prenuncia o quadro do Novo Testamento do verdadeiro culto fundamentado na função mediadora de Cristo. A importância da precisão na execução destes assuntos torna-se evidente com o destaque contínuo que o texto bíblico dá à obediência estrita às ordens do Senhor dadas a Moisés (cf., *e.g.*, 8.4,5,9,13,17,21,29,34,36).

O capítulo 8 narra a consagração dos sacerdotes, e o capítulo 9 descreve a inauguração do culto no Tabernáculo. O capítulo 10 conta a história de Nadabe e Abiú, e ressalta o perigo de o povo não observar o culto ao Senhor segundo as ordens dadas. O Senhor deve ser santificado naqueles que se aproximam dele, e essa ação tem de ser feita de acordo com o seu querer.

A. Moisés Consagra Arão e seus Filhos, 8.1-36

As estipulações ordenadas nos capítulos 28, 29 e 40 de Êxodo, concernentes aos ritos, sacrifícios e cerimônias da ordenação dos sacerdotes, agora seriam cumpridas por Moisés. Precisamos destacar que Arão e seus filhos não foram escolhidos por Israel. Deus os escolhera (cf. Hb 5.4,5). Tampouco consagraram a si mesmos. Moisés, na função de representante de Deus, exerceu este ato para eles. Com isso, constatamos o caráter limitado do sacerdócio levítico. Os sacerdotes não tinham de controlar Israel, mas ministrar perante o Senhor a favor de Israel. Aqui ocorre o estabelecimento da separação do ofício de profeta, sacerdote e rei, que seria mantida até à vinda do Messias, pois ele preencheria todas as três funções simultaneamente.

1. A Preparação (8.1-9)

A gravidade dos fatos registrados aqui é indicada em cada detalhe apresentado. A consagração tinha de ser feita publicamente na presença de **toda a congregação à porta da tenda da congregação** (3). Nunca mais Arão e seus filhos seriam considerados israelitas comuns. Moisés os **lavou com água** (6), pois estar impuro no recinto santo ocasionaria a morte (Êx 30.19-21). Vestiu-os com as roupas feitas especialmente para eles. Descuido ou desobediência na questão do vestuário quando servissem na presença divina podia ser fatal (Êx 28.35,43).

Fazem-se necessárias algumas considerações sobre o **éfode** e o **Urim** e o **Tumim** (7,8). O trecho de Êxodo 39.22-26 descreve o **éfode**. Tratava-se de um traje exterior que ia dos ombros aos quadris, sendo preso à cintura por um cinto. Era feito de ouro, de pano azul, púrpura e carmesim e de linho fino torcido (ARA). Era objeto de grande valor e beleza. Sobre esta peça de roupa ia um peitoral confeccionado com material semelhante ao éfode. No peitoral, havia pedras preciosas bordadas. Era no peitoral que ficavam o **Urim e o Tumim**.

O sacerdote se servia do **Urim** e do **Tumim** para declarar a vontade de Deus (Nm 27.21; Dt 33.8,10). Como explicação tão plausível quanto outra sobre as características destes objetos é a sugestão de que se tratavam de duas pedras chatas: em um lado de cada uma das pedras estava escrito **Urim** (derivado de *'arar*, "amaldiçoar") e no outro lado de cada uma delas estava escrito **Tumim** (derivado do radical *tamam*, "ser perfeito"). Deste modo se obteriam resposta afirmativa (Tumim-Tumim), negativa (Urim-Urim) ou indeterminada (Tumim-Urim; Urim-Tumim). Este tipo de dispositivo oracular era extremamente comum no mundo antigo. Talvez seja muito importante assinalar que as referências a esta prática são muito limitadas: pararam com Saul e não voltaram a ocorrer até o período pós-exílico, quando a profecia cessara em Israel (Ed 2.63; Ne 7.65).

2. As Unções (8.10-13)

Moisés ungiu com óleo os sacerdotes e as mobílias do Tabernáculo. No Antigo Testamento, o profeta (1 Rs 19.16), o rei (1 Sm 9.16; 10.1) e o sacerdote eram ungidos assim. Em hebraico, o verbo "ungir" (*mashach*) é o radical do qual se deriva a palavra Messias ("o ungido"). O Messias tinha de ser ungido não apenas com óleo, mas com o Espírito Santo (Is 11.2; 42.1; Lc 3.22). Aqui, a unção simboliza a separação dos sacerdotes para Deus e a investidura com o poder divino (*charisma*) necessário para o exercício do ministério santo. Micklem diz: "No antigo concerto, os sacerdotes eram ungidos com óleo, simbolizando o Espírito, e com sangue, simbolizando o sacrifício expiatório que ainda ocorreria. Os sacerdotes sob o novo concerto são simbolicamente ungidos com óleo e com sangue, mas não literalmente, pois hoje a realidade já chegou".[1]

Moisés também ungiu o Tabernáculo e tudo que nele havia, indicando a separação ao Senhor e a aceitação cerimonial destes objetos. Quem lidava com os vasos (Is 52.11) e o Tabernáculo tinha de ser santo. A distinção entre pessoas e coisas não era tanta em Israel como é entre os homens de hoje. Ambos podiam ser santos e não-santos.

3. Os Três Sacrifícios (8.14-29)

Os sacerdotes e o Tabernáculo também tinham de ser expiados (15,34). Moisés ofereceu por Arão e seus filhos uma **expiação do pecado** (14; "oferta pelo pecado", ARA), um **holocausto** (18) e a oferta da **consagração** (22; "oferta de ordenação", NVI). Arão e seus filhos, como as pessoas que iriam representar, precisavam de expiação. O sangue do **carneiro da consagração** (22) era colocado na **ponta da orelha direita**, sobre o **polegar** da **mão direita** e sobre o **polegar** do **pé direito** (23). O sacerdote tinha de *ouvir* a palavra de Deus, *encher* as mãos com o ministério das coisas santas e *andar* em lugares santos. Pelo que deduzimos, para o israelita antigo, ninguém devia ou podia exercer tal ministério sem a aspersão do sangue sacrifical e a separação completa para as coisas santas.

A palavra hebraica traduzida por **consagração** (*millu'im*), que é derivada do radical *male'*, "encher", indica o caráter desta separação. Onde nosso texto tem **vos consagrará** (33), o texto hebraico diz, literalmente: "vos encherá as mãos". No versículo 27, Moisés tomou a **oferta de movimento** (cf. 25,26) e encheu as mãos de Arão e seus filhos, que, por sua vez, a moveram diante do Senhor. Pelo visto, as "mãos cheias" simbolizam o fato de que a vida do sacerdote tinha de ser cheia com nada mais que coisas santas. Ele não pertencia a si mesmo nem devia se sustentar. Tinha de viver do serviço do Tabernáculo (31,32), e sua vida tinha de ser dedicada exclusivamente a serviço de Deus em favor de Israel. Não seria este modo pictórico de dizer que o sacerdote, como Cristo aos doze anos de idade (Lc 2.49), tinha de "tratar dos negócios" de seu "Pai"?

4. A Consagração dos Sacerdotes (8.30-36)

Por **sete dias**, os sacerdotes ficavam isolados dos demais israelitas e das atividades normais para serem dedicados ao Tabernáculo e ao Senhor (33). Neste período, eram proibidos de sair dos arredores do Tabernáculo. A não observância desta separação forçada ocasionaria a morte. Desta forma, é apresentada a visão geral da consagração no Antigo Testamento a serviço do Senhor.

B. ARÃO ASSUME O OFÍCIO SACERDOTAL, 9.1-24

Este capítulo é um referencial da adoração no Antigo Testamento. Registra os primeiros sacrifícios públicos de Israel sob o regime do sacerdócio levítico. No capítulo 8, os sacrifícios foram oferecidos na ordenação de Arão e seus filhos, mas o povo ficou só observando; não participou. Agora, os sacerdotes começam de fato o ministério de mediação. Este era dia importante para Israel. O **SENHOR** apareceria para coroar a ocasião (4,23,24).

Para preparar o aparecimento de Deus, Arão ofereceu por si e seus filhos uma **expiação de pecado** ("oferta pelo pecado", ARA) e um **holocausto** (7,8). A oferta pelo pecado de Arão era um **bezerro** (2,8), e seu holocausto, um **carneiro** (2). Esta é a única ocasião (com o v. 3) na qual a legislação sacrifical exigia um bezerro. Rashi comenta a respeito do bezerro: "Este animal foi escolhido como oferta pelo pecado para anunciar ao sacerdote [Arão] que o Santo, bendito seja Ele, lhe concedeu expiação por meio deste bezerro por causa do incidente do bezerro de ouro anteriormente feito".[2]

O pensamento judaico tradicional sempre vê significação em cada detalhe deste processo. Snaith ressalta que o **carneiro** era lembrança da obediência de Abraão em amarrar Isaque (Gn 22.9).³ Cita também a significação relacionada a estas ofertas que o Targum de Jerusalém menciona: o **bode** (15) é visto como lembrança do bode que os irmãos de José mataram (Gn 37.31, ARA); o **bezerro** (8) lembra o bezerro de ouro (Êx 32.4); e o **cordeiro** (3) recorda o fato de Isaque ter sido amarrado como cordeiro para o sacrifício (Gn 22.7). A própria sofreguidão em ver significado em cada detalhe sugere a importância que estes eventos representavam para o antigo Israel. **Segundo o rito** (16) significa "de modo regular" (Moffatt) ou "de acordo com as prescrições" (VBB; cf. NVI).

O fato de Arão apresentar a oferta pelo pecado e o holocausto a favor de si mesmo e de seus filhos mostra o auto-entendimento que o Antigo Testamento tinha das limitações de seu próprio sistema sacrificatório. Ninguém, nem mesmo o sumo sacerdote Arão, estava preparado para servir a Deus ou adorar a Deus sem que primeiro fosse feita expiação por ele. O escritor aos Hebreus (Hb 7.27) aceita esta realidade como prova da superioridade do novo concerto e de Cristo, o verdadeiro Sumo Sacerdote.

As ofertas de Arão pelo povo formavam um padrão para o culto de Israel ao Senhor. Arão ofereceu a **expiação do pecado** ("oferta pelo pecado", ARA), o **holocausto** (3), o **sacrifico pacífico** ("oferta de paz", NTLH) e a **oferta de manjares** (4). A omissão da oferta pela transgressão (culpa) confirma o fato de que esta oferta era primariamente para ocasiões em que ocorresse o dano e a reparação estivesse sendo feita.

A ordem dos sacrifícios revela o entendimento levítico acerca da aproximação apropriada a Deus na adoração. Keil comenta:

> A oferta pelo pecado sempre era a primeira, porque servia para remover a alienação do homem com o Deus santo e para tirar os obstáculos à sua aproximação a Deus. Esta alienação era proveniente do pecado e retirada por meio da expiação do pecador. Depois, vinha o holocausto, como expressão da rendição completa da pessoa expiada ao Senhor; e por último, a oferta de paz, por um lado, como expressão vocal de agradecimento pela misericórdia recebida e oração para que ela continuasse e, por outro lado, como selo de comunhão do concerto com o Senhor na refeição sacrifical.⁴

A conclusão adequada para este culto é a presença do Deus vivo manifesto em sua **glória** ao **povo** (23). A palavra **glória** é termo peculiarmente bíblico. A idéia do radical hebraico (*kabed*) é "ser pesado, ter peso, pesado". A forma substantivada é empregada no mundo antigo para aludir à aparência do esplendor que acompanha um grande personagem. Brockington explica que, na Bíblia, glória se refere "àquilo que os homens podem perceber, originalmente pela visão, da presença de Deus na terra".⁵ Note o uso do termo em Ezequiel 1. A palavra fala das seguintes experiências em tempos e situações diversas: Israel no Sinai; Salomão e o povo quando o *Shequiná* encheu a casa de Deus; Isaías no Templo; os pastores nos arredores de Belém; e os discípulos no monte da Transfiguração.

O nome do santuário do Antigo Testamento, a **tenda da congregação** (5), em hebraico chamava-se "A Tenda do Encontro Marcado" (cf. NVI). É onde Deus mantém seu encontro marcado com o pecador quando este satisfaz as condições divinas. Deus comparece inexoravelmente a este encontro. O ponto culminante deste dia de adoração foi atingido quando o **fogo** do Senhor veio e **consumiu** o **holocausto** no **altar** (24). Deus comungou com o povo do seu concerto, Israel.

Com o fim deste capítulo, o papel de Moisés como mediador começa a mudar. Aqui, é ele que leva Arão ao Tabernáculo. Assim, a subordinação do sacerdócio arônico é demonstrada a olhos vistos. Mas, neste momento, Moisés transmitiu todas as funções sacerdotais a Arão e seus filhos.

Arão e Moisés saíram do tabernáculo e ergueram as mãos abençoando todo o **povo** (23). Então, a **glória do SENHOR apareceu a todo o povo**. A bênção pode ter sido a registrada em Números 6.24-26. Na presença de Deus, o povo **jubilou e caiu sobre as suas faces** (24).

C. Um Caso de Sacrilégio, 10.1-20

1. *Nadabe e Abiú* (10.1-7)

O capítulo 9 retrata a maneira apropriada de aproximar-se do Senhor e as conseqüências maravilhosas dessa aproximação decorosa. No capítulo 10, a cena passa a ser de tragédia. Israel vê os efeitos inevitáveis da aproximação presunçosa ao Senhor. A alegria e reverência da aparição da glória de Deus no capítulo 9 são substituídas pelo terror que sobrevem quando Deus age em julgamento contra o pecado.

O texto não registra a natureza do pecado de **Nadabe e Abiú** (1). Os comentaristas têm algumas sugestões: o incenso não foi feito de acordo com as instruções de Moisés (Êx 30.34-38); o fogo não era proveniente do fogo que estava queimando no altar (16.12); a oferta foi feita no momento errado (Êx 30.7,8); os infratores usaram incensários inadequados (os deles mesmos); Nadabe e Abiú assumiram uma função devida exclusivamente ao sumo sacerdote; ou eles estavam sob influência alcoólica (cf. 8-11). É impossível falar com certeza sobre este aspecto. O ponto essencial é que os dois sacerdotes exerceram funções sacerdotais de maneira oposta às ordens do Senhor. Moisés deixou claro que o Senhor deve ser **santificado** (3) naqueles que se aproximam dele, a fim de que Ele seja **glorificado diante de todo o povo**. Esta é uma ilustração de que, no Antigo Testamento, a obediência era muito mais importante do que o sacrifício (1 Sm 15.22).

O povo de **Israel** teve a permissão de lamentar esta grande tragédia (6), mas Arão e seus dois filhos restantes foram proibidos de mostrar as marcas normais de luto: descobrir a cabeça e soltar os cabelos ou rasgar as **roupas**. Não deviam dar a Israel a aparência de questionamento ou lamentação por causa do julgamento de Deus. Moisés os lembrou de que o **azeite da unção do SENHOR** (7) estava sobre eles. O serviço de Deus não pode ser detido por questões pessoais. **O incêndio** (6) seria "o fogo que o Senhor Deus acendeu" (VBB; cf. v. 2).

2. *A Proibição de Bebida Forte* (10.8-11)

A proscrição de vinho para os sacerdotes antes de servirem no Tabernáculo indica a seriedade do papel sacerdotal. Os sacerdotes tinham de distinguir para Israel **o santo e o profano, o imundo e o limpo** (10). Nadabe e Abiu falharam neste ponto e aparentemente agiram com presunção. Israel fica impressionado com a seriedade de semelhante fracasso. Existe um modo certo de se chegar a Deus (cap. 9). Essa aproximação traz bênçãos. Para achegar-se a Deus e ser aceito, o homem não deve ousar ir de acordo com suas condições e a seu modo. Tentativas como estas causam desolação (cf. a história de Ananias e Safira, At 5.1-11).

A interdição de álcool para os sacerdotes quando em serviço divino é aplicável aos crentes hoje. Os cristãos sempre precisarão da habilidade de pensar com lucidez acerca do que é santo e do que não é. Hoje, é estatisticamente certo que alta porcentagem de acidentes automobilísticos com mortes é resultado direto da diminuição da capacidade de raciocinar do motorista por causa do álcool. Se fosse contada toda a história do dano espiritual e físico causado por este mal, ficaríamos convencidos da sabedoria divina desta ordem.

3. *As Instruções aos Sacerdotes* (10.12-20)

Moisés falou com **Arão** acerca das porções das **ofertas** que pertenciam aos sacerdotes para consumo próprio (12). Da oferta de manjares, os sacerdotes e suas famílias comeriam o **peito da oferta do movimento e a espádua** (o ombro) **da oferta alçada** (14). Os sacerdotes comeriam **no lugar santo** (12,13) a oferta pelo pecado oferecida a favor do povo (não a oferecida pelos sacerdotes a favor de si mesmos). Deus deu aos sacerdotes estas ofertas para que levassem a **iniqüidade da congregação** (17).

Arão, por causa das tristes ocorrências daquele dia (19), não se sentira digno de comer a oferta e queimou-a no altar. Moisés o repreendeu severamente por isso (16-18), mas se satisfez com as explicações de Arão (20). Enquanto o capítulo 9 narra um dia gloriosamente instrutivo, o capítulo 10 registra um dia trágico.

Seção III

AS LEIS RELATIVAS À IMPUREZA CERIMONIAL

Levítico 11.1—15.33

Os israelitas tinham de ser um povo santo, porque estavam em concerto com o Senhor, o Santo. Esse concerto requeria que todas as áreas desse povo santo tinham de estar em conformidade com as exigências de Deus. Estas exigências, até onde diziam respeito à adoração, estavam explicadas minuciosamente em Levítico 1 a 7. O estabelecimento do sacerdócio e o começo do ministério foram descritos na segunda seção (8—10). Os sacerdotes tinham de ensinar a diferença entre o santo e o profano, o limpo e o imundo (10.10). Esta terceira seção do livro revela o que o concerto significava nos assuntos pertinentes à vida cotidiana (caps. 11—15). Esta revelação está em termos do que é limpo e do que não é. Trata de questões dietéticas, o contato com carcaças de animais e a impureza cerimonial de pessoas, roupas, mobília e casas. O propósito de todos este tópicos é declarado com todas as letras: para que Israel não se contaminasse (11.44).

A. A Impureza Cerimonial causada por Animais, 11.1-47

As palavras-chave desta seção são limpo, imundo, abominação, contaminar, santificar e santo. Um rápido olhar pelo capítulo 11 para contar as ocorrências destas palavras ressalta o propósito desta subdivisão: fazer a diferença entre o limpo e o imundo. Nos capítulos 11 a 15, só a palavra "imundo" e variantes ocorrem 100 vezes.

A diferenciação feita nestes capítulos soa estranha ao homem hodierno que pouco lê e sabe do mundo antigo. Talvez o ponto mais importante não seja as especificações do que é limpo e imundo, mas a motivação subjacente que exigia a delineação de tais limites. A verdade aqui é que Deus se preocupa com a vida total do seu povo, que nada está fora do interesse divino. Porém, segundo o entendimento exarado no Novo Testamento sobre as exigências de Deus, é óbvio que muitos itens mencionados não têm significação moral ou ética. O texto de Gênesis 7.2 registra nitidamente que este costume de diferenciar o limpo e o imundo é muito mais antigo que Moisés. O estudo dos outros povos antigos revela um sistema semelhante. O provérbio: "A mesma coisa feita por duas pessoas não é a mesma coisa", tem sua aplicabilidade aqui. Eichrodt mostra que estas restrições, tão incomuns a nós, podem ter tido significação mais religiosa e, no final das contas, mais moral do que se pensa à primeira vista. Sua sugestão é que, por estas leis, tudo que tinha a ver com deuses estrangeiros ou seu culto era condenado como imundo. Animais, como o porco, figuravam nos ritos sacrificatórios cananeus. Ratos, serpentes e lebres foram proibidos, porque os povos antigos os consideravam possuidores de poder mágico especial.[1]

Os povos antigos também reputavam que os processos da vida sexual e as práticas relacionadas aos mortos tinham significação mágica e espiritual. A identificação de deuses e deusas cananeus com a geração e o nascimento e dos deuses egípcios com o culto aos mortos ajudam a explicar as exigências legais nas coisas relativas a estas funções. Beber sangue como parte da adoração de certos animais, ou meio de induzir profecia extática, ou parte de rito orgíaco em contextos idólatras pode ter ligações com as leis pertinentes a sangue. Doenças que forçavam a separação das pessoas do grupo social e, por conseguinte, extirpavam os israelitas da comunidade do Senhor, eram vistas como doenças contagiosas. Isto levou Eichrodt a concluir que esta pureza ritual seria nada mais que símbolo, uma expressão externa, da inteireza espiritual ou perfeição moral.[2] Lógico que podemos dizer que a igreja de hoje não demonstra capacidade suficiente para discriminar entre o santo e o profano e entregar-se com determinação ao primeiro.

B. A IMPUREZA CERIMONIAL CAUSADA PELO PARTO, 12.1-8

Tradicionalmente, este capítulo é difícil para os comentaristas. O problema é explicar por que o parto estaria associado com a impureza. A fertilidade era obediência ao mandamento divino exarado em Gênesis 1.28. Os filhos eram recebidos como bons presentes de Deus (Gn 33.5) e tinham de ser altamente estimados (Sl 127—128). A mulher fértil era considerada abençoada, ao passo que a mulher que não tinha filhos era julgada estar sob maldição.

Certos estudiosos vêem aqui um dualismo oculto que percebia a carne humana como estando associada com o mal. Outros reputam que a impureza no parto era o resultado da queda do homem. Por conseguinte, a impureza era testemunho do fato de que o homem nasce para o pecado e a perdição, a menos que encontre Deus.

A chave para entendermos este breve capítulo talvez esteja na associação do parto com o mistério do sexo e da vida, e com os fluxos que acompanham a parturição. A análise deste capítulo está na mesma seção do capítulo 15, que trata da imundícia presente em vários fluxos. Pode ser que as considerações deste capítulo tenham estreita associação, particularmente com 15.19-27. Não devemos esquecer que havia infinitamente mais mistério relacionado à vida para o homem antigo do que para a mente hodierna. Micklem parafraseia assim os versículos 2 a 4: "Quando a mulher dá a luz um filho, a própria intuição manda que ela permaneça em exclusão por uma semana; em seguida, o menino deve ser circuncidado; mesmo assim ela tem de ficar em casa um mês, e a primeira vez que sair deve ser para ir à igreja".[3] Na sociedade de hoje, a medicina moderna eliminou grande parte das complicações de parto, e o conhecimento biológico suprimiu o mistério. Diante disso, quem pode dizer que certos costumes não sejam necessários para restaurar o elemento gracioso de mistério e sacralidade em tais situações?

Há estreita identificação de certas deidades cananéias com a concepção e o nascimento. Talvez este fator tenha contribuído para a intensificação da legislação levítica relativa à impureza cerimonial ligada aos processos de nascimento. Outro fator igualmente válido seria a associação do nascimento com poderes mágicos e demoníacos vigente entre as nações vizinhas de Israel. Devemos afirmar, entretanto, que a impureza nos textos levíticos nunca é poder demoníaco em si mesmo. Como Kaufmann destacou, a impureza é nada mais que um estado de saúde precário, e, comparada com as concepções pagãs, não é em si mesma fonte de perigo, visto que não é de origem divina ou demoníaca.[4] Apesar de esta passagem ser tão estranha para o mundo moderno, é bastante compreensível do ponto de vista do antigo Oriente Próximo. O perigo estava em colocar o impuro em contato com a santidade. O poder destrutivo jaz na fonte da santidade. Fazia-se necessário um ato apropriado para restabelecer o imundo à comunhão redentora com a comunidade do concerto e o Deus do concerto. Neste caso, permitia-se à mãe voltar a participar na comunhão do concerto e na adoração.

Se fosse menino, teria de ser circuncidado no oitavo dia. A mãe de Jesus seguiu este padrão cuidadosamente (Lc 2.21). Era o sinal da participação no concerto dado a Abraão. Os críticos afirmam que a circuncisão só se tornou símbolo de iniciação em Israel durante e depois do exílio.[5] Mas Gênesis 17, Êxodo 4.25 e esta passagem indicam outra coisa. Para apreciarmos o significado da circuncisão no antigo concerto, devemos notar a comparação com o batismo sob o novo concerto conforme Paulo descreveu em Colossenses 2.10-15.

C. A Impureza Cerimonial causada pela Lepra, 13.1—14.57

Em hebraico, o assunto sob análise aqui é chamado *tsara'at*. A Septuaginta traduziu este termo por *lepra*. O resultado é que uma coletânea de situações foi classificada pelo nome de **lepra**. Abrange pestilências que aparecem na pele dos homens, nas roupas que usam ou nas casas em que moram. O foco da seção está concentrado na questão da purificação e impureza, deste modo limitando as informações a este aspecto.

O termo comumente usado aqui é **praga** (13.2; lit., "surto, ataque"). A impureza é bastante séria para fazer que a pessoa contaminada tenha de ser excluída do acampamento (13.45,46). Se fosse roupa, a peça inteira ou a parte infetada devia ser queimada (13.52,57). Se fosse uma casa, as pedras contaminadas tinham de ser tiradas da casa e levadas a um lugar imundo, fora da cidade (14.40). Se a contaminação não mostrasse estar sob controle, a casa devia ser demolida e as pedras, as madeiras e a argamassa levadas a um lugar imundo (14.45).

O registro bíblico não fala sobre o tratamento do doente. Diante disso, há quem deduza que a doença era incurável. O interesse deste capítulo é primariamente identificar a doença e oferecer providências para lidar com a impureza relacionada. A referência à **purificação** (14.2) indica nitidamente que era curável. Waterson julga que a lepra aqui diz respeito a uma variedade de doenças infecciosas, inclusive a própria lepra.[6]

1. *O Diagnóstico* (13.1-59)

Era dever do sacerdote determinar a presença de lepra e dar instruções relativas ao tratamento da concomitante impureza. Esta seção apresenta informação sobre a forma de o sacerdote identificar a lepra no corpo humano (1-46), numa peça de roupa (47-59) e numa casa (14.33-48). Pelo visto, a lepra na roupa era um tipo de mofo ou fungo. A lepra na casa era provavelmente uma forma de caruncho na madeira ou de líquen contagioso na pedra.

a) *A lepra no corpo* (13.1-44). Seis casos são tratados aqui: a **pústula** (2-8), a **empola** causada pela **úlcera** (18-23), a **empola** causada pela **queimadura de fogo** (24-28), a **chaga** no **cabelo** ou na **barba** (29-37), as **empolas** na **pele** (38-39) e a ferida na **calva** humana (42-44).

Se o sacerdote diagnostica prontamente que o caso é **lepra**, o indivíduo é de imediato declarado **imundo** (3). Se o sacerdote tem dúvidas, ele fecha o indivíduo por **sete dias** (4). Se a praga não se espalhou nos sete dias, o indivíduo ficará fechado **por outros sete dias** (5). Se a doença não se espalhou, **o sacerdote o declarará limpo**. O homem **lavará as suas vestes e será limpo** (6). **Se o apostema** (a pústula, 2) **na pele se estende grandemente,** o **sacerdote o declarará** leproso (7,8). Se **houver alguma vivificação da carne viva,** o **sacerdote o declarará** leproso (10,11). **Tornando a carne viva e mudando-se em branca**, ou **se a praga se tornou branca**, será declarado **limpo** (16,17). No caso de **queimadura**, se não se espalhou depois de sete dias, o indivíduo será considerado **limpo** (28). A **chaga** (30-37) diz respeito a uma mancha ou escabiose do escalpo. A calvície natural não era sinal de impureza (40,41).

b) *O isolamento da lepra* (13.45,46). O leproso tinha de se separar da sociedade. Suas **vestes** teriam de ser rasgadas, sua **cabeça, descoberta** (cf. "Deixa soltos os cabelos da cabeça", RSV) e teria de cobrir o **beiço superior** (45). Estes eram sinais de luto (10.6). Banido da comunhão do povo, o leproso tinha de avisar de sua imundícia a todos que se aproximassem dele. Estava não só socialmente "morto", mas era o portador de contágio que ocasionaria a mesma "morte" a quem ainda estava socialmente "vivo". Não há ritual para limpar o leproso, mas há provisão para pronunciá-lo limpo caso se livrasse da doença. O fato de Jesus ter deixado um leproso tocá-lo indica a apreciação que o Senhor fazia de si mesmo. Ele transcendeu as leis da impureza cerimonial no ponto em que exorta os outros a observarem. A purificação dos leprosos também é indicação do ministério radical das curas de Jesus (Mt 11.5).

c) *A lepra nas roupas* (13.47-59). Tratava-se provavelmente de um fungo que aparecia nas roupas. Estas poderiam ser de **linho, lã** ou couro (47,48). Se a roupa tivesse manchas esverdeadas ou avermelhadas (49), o sacerdote tinha de retirar a peça de uso por **sete dias** (50). Se a **praga** tivesse se espalhado (51), era leprosa. O artigo de vestuário tinha de ser queimado. **Lepra roedora** (52) é "lepra maligna" (ARA) e, portanto, contagiosa. Se a **praga** não tivesse se espalhado, a peça de roupa seria lavada e guardada por mais **sete dias**. Se não tivesse mudado de **aparência** ("cor", ARA), as áreas infectadas seriam queimadas. Se a praga tivesse mudado de aparência, as áreas infectadas seriam rasgadas da roupa. Se a praga tivesse se espalhado, a peça de roupa tinha de ser queimada (53-57). Se com a lavagem da roupa, a praga desaparecesse, a roupa era lavada de novo e declarada limpa (58).

2. *A Lei da Purificação* (14.1-57)
Esta seção é dividida em duas partes. A primeira trata da lei regular de purificação para o leproso. A segunda diz respeito aos pobres que não podem cumprir as exigências habituais para a purificação. Uma terceira seção prescreve o ritual para a purificação de uma casa, e em seguida, apresenta as instruções para o diagnóstico de casas "leprosas".

a) *O ritual regular de purificação* (14.1-20). O procedimento apresentado aqui em detalhes lembra a consagração dos sacerdotes (caps. 7—9) e o ritual para o Dia da Expiação (cap. 16). Da mesma forma que houve o dia em que o leproso foi declarado imundo, agora há um ritual e tempo apropriados para a restauração do leproso à comunidade. Este ritual não era considerado meio de purificação, mas servia para atestá-la.

O indivíduo que tinha a doença era levado ao **sacerdote**, que o encontrava **fora do arraial** (2,3). O leproso não podia entrar no acampamento até que fosse declarado limpo. Se o sacerdote constatasse que a doença desaparecera, o imundo tinha de levar **duas aves**, um **pau de cedro**, **carmesim** e **hissopo** (4). Uma das aves seria morta num **vaso de barro** sobre **águas vivas** (5; "correntes", ARA). A **ave viva** (6), o **pau de cedro**, o **carmesim** e o **hissopo** seriam submersos **no sangue da ave que foi degolada sobre as águas vivas** (ou correntes). Com estes, o sacerdote tinha de aspergir o imundo **sete vezes** (7). Depois, o sacerdote tinha de declarar o homem **limpo** e soltar a **ave viva** em **campo** aberto. O homem que fora imundo tinha de lavar as **vestes**, raspar os pêlos e cabelos, tomar banho e permanecer **fora da sua tenda por sete dias** (8). No **sétimo dia** (9), ele tinha novamente de raspar todos os pêlos e cabelos, lavar as **vestes**, lavar o corpo cuidadosamente e ser restabelecido à família e à sociedade.

No **dia oitavo** (10), o **sacerdote que faz a purificação** tinha de oferecer sacrifícios por quem fora imundo. Era a série total de sacrifícios levíticos: oferta pela culpa, oferta pelo pecado, holocausto e oferta de manjares. **Três dízimas** (10) é "6,6 litros" (VBB); **um logue** é "meio litro" (VBB). **Do sangue** (14) da oferta pela culpa, o **sacerdote** tinha de colocar **sobre a ponta da orelha direita, sobre o dedo polegar** da **mão direita** e **no dedo polegar** do **pé direito** do indivíduo a ser declarado limpo. Observe a semelhança do ritual para o restabelecimento do leproso com o usado para a consagração do sacerdote (8.23,24). Em seguida, o sacerdote tinha de aspergir o **azeite** diante do Senhor por **sete vezes** (16), besuntar de **azeite** a **ponta da orelha direita**, o **polegar** da **mão direita** e o **polegar** do **pé direito**, como fizera com o sangue (17), e derramar o **restante do azeite sobre a cabeça** da pessoa que estava sendo declarada limpa (18).

O propósito de tal cerimônia complicada era restaurar o indivíduo a seu lugar entre o povo do concerto de Deus. Tendo sido excluído da comunidade e da adoração, agora estava sendo reintroduzido no reino sacerdotal que se esperava que Israel fosse. Verificamos a seriedade da separação da comunidade nos detalhes deste ritual de restauração.

É comum as pessoas compararem a lepra ao pecado e considerarem esta passagem uma parábola. A lepra é insidiosa (raramente sendo percebida em seu começo), progressiva, penetrante, amortecedora, repugnante e isoladora.[7] O caminho de volta à comunhão exigia expiação e consagração. O homem não foi feito para tal separação, e é obrigação da igreja abrir o caminho de volta para a pessoa que foi excluída.

b) *O ritual para os pobres* (14.21-32). Aqui, como em outros lugares, a legislação levítica faz ajustes para as ofertas do **pobre** (21). **Duas rolas ou dois pombinhos** (22) substituíam o **holocausto** e a **expiação do pecado** ("oferta pelo pecado", ARA); a **dízima** de um efa de **farinha** (21; "3,3 litros" segundo a VBB; cf. comentários no v. 10) servia para a oferta de manjares. A **expiação da culpa** (24; "oferta pela culpa", ARA) não foi diminuída. É lógico que esta era a condição mínima para a restauração à comunhão até para a pessoa mais pobre. Certas condições devem ser satisfeitas por todos.

c) *A lepra nas casas* (14.33-57). É significativo que esta orientação seja dada antes do futuro estabelecimento de Israel em Canaã. A passagem dá testemunho da promessa feita a Abraão (e.g., Gn 12.7; 13.17). A **praga** (34), provavelmente, é o desenvolvimento de fungos ou liquens. Sua fonte é divina (34b). A origem da lepra não estava relacionada a um espírito maligno. O Antigo Testamento dá pouca importância às causas secundárias e não atribui estas condições a um rival demoníaco do Senhor.

O homem que suspeitasse haver lepra em **casa** (35), tinha de chamar o **sacerdote**. Se houvesse dúvida, todas as mobílias deviam ser retiradas imediatamente da **casa** (36), para que não ficassem contaminadas e tivessem de ser destruídas. **Covinhas** (37, riscas; cf. ARA) de cor verde ou vermelha seriam as marcas indicadoras da lepra. Se estivessem presentes, a casa devia ser fechada por **sete dias** (38). Se a praga se espalhasse, as pedras contaminadas teriam de ser removidas para **fora da cidade num lugar imundo** (40). A **casa** seria raspada (41) e as raspas levadas para fora. Então, reconstruiriam a casa. Se a **praga** voltasse (43), a construção seria declarada **imunda** (44), demolida e os destroços levados para um **lugar imundo** (45). Todo aquele que entrasse na casa quando estivesse fechada seria **imundo até à tarde** (46). Quanto à frase **lepra roedora** (44), ver comentários em 13.51.

O ritual para a purificação requeria **duas aves**, um **pau de cedro**, **carmesim** e **hissopo** (49). O **cedro**, o **hissopo**, o **carmesim** e uma **ave viva** seriam imersos "no sangue" (51, ARA) da **ave degolada** e nas **águas vivas** (15; "águas correntes", ARA). Com tudo isso, a **casa** seria aspergida sete vezes. A **ave viva** era, então, solta no **campo**. Desta maneira, a **expiação** era feita **pela casa** (53). O capítulo conclui com um breve sumário (54-57).

D. A IMPUREZA CERIMONIAL CAUSADA POR FLUXOS, 15.1-33

Este capítulo trata das emissões dos órgãos genitais e a conseqüente impureza. A palavra **carne** (2) é usada eufemicamente para se referir aos órgãos sexuais. O texto examina quatro categorias: as emissões anormais (patológicas) dos homens (2-15); as emissões sexuais normais dos homens (16-18); o fluxo menstrual normal das mulheres (19-24); e os fluxos sangüíneos anormais das mulheres (25-30).

1. As Emissões Anormais dos Homens (15.1-15)

Todas as emissões dos órgãos sexuais ocasionavam **imundícia** (3) cerimonial. As emissões físicas resultavam em impureza após o término da emanação ativa. Dizia respeito não só ao indivíduo com o **fluxo**, mas também a todo aquele que o tocasse ou tocasse algo em que o contaminado tivera contato íntimo. O valor higiênico desta legislação é evidente. Contudo, é difícil acreditar que esta legislação tivesse apenas propósitos sanitários. Pelo que inferimos, as pessoas doentes não tinham lugar no Tabernáculo ou na comunidade de adoradores. Esta é mais uma ilustração do fato de que, no mundo do Antigo Testamento, era muito difícil ter êxito em fazer diferença entre o aspecto físico e o espiritual, entre o lado religioso e o puramente secular. A impureza higiênica tornava o homem inaceitável à comunhão íntima com Deus ou com as pessoas. Israel percebia que estes aspectos externos tinham significação interna.

Para a purificação, o indivíduo impuro precisava lavar o corpo (10) ou qualquer coisa contaminada por ele, com exceção dos vasos **de barro** que tinham de ser quebrados (12). O imundo por fluxo tinha de contar **sete dias** (13) a partir da cessação da emissão anormal para se banhar e lavar as **vestes**. **Limpo** assim, ele deveria oferecer uma **expiação do pecado** (15; "oferta pelo pecado", ARA) e um holocausto de **duas rolas ou dois pombinhos** (14) para **expiação** (15). Fica claro que esta reconciliação não é moral, mas se trata de restauração social à comunidade religiosa.

2. As Emissões Sexuais Normais dos Homens (15.16-18)

A impureza destas emissões é semelhante ao caso precedente, exceto que não havia exigência de purificação. O tempo (esperar até à tarde) e a lavagem do corpo e da roupa eliminavam a impureza. Não devemos supor que esta impureza signifique algo que Deus proibiu. A única contaminação proibida a um israelita leigo era ter relação sexual com uma mulher menstruada. O ponto central nesta passagem é manter o "impuro" afastado do "santo". O perigo a ser evitado era contaminar o santo (note no v. 31 a referência a contaminar o Tabernáculo).

3. O Fluxo Menstrual Normal das Mulheres (15.19-24)

Este tipo de impureza é similar à da seção imediatamente precedente. O tempo (em vez de **até à tarde**, aqui é de **sete dias**), o banho e a lavadura da roupa removem a impureza. Não há necessidade de sacrifício, visto que esta é função normal da vida da mulher. **A sua imundícia** (24) significa "a menstruação dela" (NVI; cf. ARA; NTLH).

4. Os Fluxos Sangüíneos Anormais das Mulheres (15.25-33)

Este problema é tratado basicamente da mesma maneira que o problema analisado no parágrafo inicial do capítulo. **Sete dias** (28) após a cessação do fluxo, a mulher tinha de se lavar a si e a suas roupas (o texto indica isto, embora não o declare). No **oitavo dia** (29), ela devia fazer as ofertas.

Comparando este capítulo com a literatura paralela dos vizinhos pagãos de Israel, verificamos a que patamar ia a fé de Israel em contraste com a deles. Os conceitos de purificação e impureza cerimonial são comuns a Israel e seus vizinhos. É comum, também, o uso de lavagens e sacrifícios para a purificação. Na literatura não-bíblica, esta impureza estava relacionada aos demônios e poderes malignos. Os ritos purificatórios se tornavam questão de conflito com as forças do mal. Havia, portanto, necessidade de encantamentos e feitiços mágicos. Na Bíblia, não há sequer um rastro de semelhante conflito. Falta a aura de terror dos espíritos produtores de impureza. Só o Senhor deve ser temido. E a obediência humilde às suas leis sempre coloca o ser humano de volta ao ponto em que é possível a aproximação a Deus e a retomada do lugar do indivíduo na comunidade religiosa.

Este capítulo dá mais notabilidade à história da cura da mulher com fluxo de sangue (Mc 5.25-34). O fato de ela tocar em Jesus fala que ela possuía fé de não contaminá-lo. Jesus não sentiu necessidade de se lavar após ter sido tocado. Esta condição revela que, embora nascido sob a lei (Gl 4.4), Jesus transcendia as reivindicações da lei. Ele não estava preso por ela. Como os fariseus devem ter ficado admirados e enfurecidos por ele não se sentir contaminado pelo toque de uma mulher cerimonialmente imunda! Alguém maior que Moisés chegara!

Seção **IV**

O DIA DA EXPIAÇÃO

Levítico 16.1-34

Este capítulo é o ponto alto do Livro de Levítico. Nele, Deus apresenta a expiação por Israel. Em outros lugares, fora possível fazer expiação pelas pessoas ou objetos. Aqui, a expiação é feita em prol dos sacerdotes, do próprio lugar santo, da Tenda do Encontro, do altar e de todo o Israel. Era a expiação de todas as impurezas, iniqüidades, transgressões e pecados. Sob o antigo concerto, este é o momento em que o Senhor e seu povo, pela mediação do sumo sacerdote, têm a relação mais íntima possível.

Constatamos a seriedade desta ocasião pela referência à morte dos **dois filhos de Arão, quando se chegaram diante do SENHOR e morreram** (1). O ritual deste capítulo tinha o propósito de possibilitar a aproximação do sumo sacerdote na presença do Senhor sem ocasionar tragédia. Deus fala a Moisés para lembrar a **Arão** que até o sumo sacerdote não podia se chegar a Deus diretamente e sempre que quisesse. A organização religiosa de Israel era semelhante a uma pirâmide. Das doze tribos somente uma foi escolhida, a tribo de Levi, para servir na função sacerdotal. Dessa família, apenas um homem podia entrar na presença de Deus no Santo dos Santos, o santuário interno do Tabernáculo. Este homem, o sumo sacerdote, tinha permissão de entrar só um dia por ano: o Dia da Expiação. Nesse dia, ele só podia ir à presença de Deus sob as circunstâncias mais minuciosamente prescritas. O Senhor é santo e não devemos nos achegar a Ele sem o devido cuidado para que a santidade não seja conspurcada. A diversidade de Deus — sua santidade — e a pecaminosidade do homem foram demonstradas com extrema dramaticidade no ritual deste dia em seu contexto histórico e nacional.

Felizmente, o comentarista não fica entregue à própria imaginação e discernimento sobre a interpretação das figuras e símbolos apresentados aqui. Na Epístola aos Hebreus, sobretudo no capítulo 9, há uma interpretação acerca da obra expiatória e medianeira de

Cristo dada na linguagem deste capítulo. O escritor do Novo Testamento percebia que o Dia da Expiação era um dia que prefigurava a obra redentora de nosso grande Sumo Sacerdote, Jesus. No estudo deste capítulo de Hebreus, notamos, de modo peculiar e pungente, os valores do sistema levítico e suas insuficiências.

A. A Preparação de Arão, 16.1-19

Deus ordenou a Moisés que lembrasse Arão que ele só podia entrar na presença de Deus conforme a ordem de Deus e da maneira prescrita. A pena por descuido era a morte (2,13). Neste dia, Deus se encontraria com Arão no **propiciatório** (2). Se não estivesse devidamente preparado, morreria. Moisés ordenou que Arão estivesse adequadamente vestido (4), e apresentasse uma **expiação do pecado** ("oferta pelo pecado", ARA) a favor de si e de sua **casa** (3,6,11). Tinha de oferecer **incenso** que formaria uma fumaça para cobrir o **propiciatório** (13).[1] Além disso, tinha de aspergir com sangue o **propiciatório** (14) e a área **perante o propiciatório** em expiação por si e sua família. Arão tinha também de fazer **expiação pelo santuário** (16), aspergindo o sangue da **oferta pela expiação** a favor do **povo** (15). De modo semelhante, devia ser feita **expiação** pelo **altar** (18) e pelo Tabernáculo (20). Quando o homem se aproxima de Deus, até seus atos religiosos precisam de expiação para Deus aceitá-lo. "Assim, fará a expiação pelo lugar santo por causa das impurezas dos israelitas e de todas as suas transgressões pecaminosas. Fará o mesmo pela Habitação, que fica com eles no meio das suas impurezas" (16, VBB).

B. O Bode Expiatório, 16.20-34

Dois bodes figuravam com proeminência no ritual deste dia (5,7-10,15,20-22). Estes tinham de servir por **expiação do pecado** ("oferta pelo pecado", ARA) ao Senhor. Moisés, sob orientação de Deus, ordenou que Arão lançasse sortes (8) entre os dois bodes para escolher um **pelo SENHOR** e o outro para ser o **bode emissário**. O bode escolhido para o Senhor seria morto como oferta pelo pecado e o sangue usado na expiação pelo lugar santo, pelo altar e pelo santuário. O segundo bode era mantido vivo. Arão tinha de impor **ambas as mãos sobre a cabeça do bode vivo e sobre ele** confessar **todas as iniqüidades**, as **transgressões** e os **pecados** de **Israel**, pondo-os **sobre a cabeça do bode** (21). Em seguida, o bode tinha de ser conduzido para o **deserto** (22), levando as **iniqüidades** de Israel. Um **homem designado** (21) é melhor um "homem à disposição" (ARA) ou um "homem em prontidão" (RSV).

O termo "bode expiatório" (3) não é tradução adequada para o termo hebraico *'ez'azel* ("bode emissário", RC; ARA; "Azazel", NTLH; NVI, que em nota de rodapé coloca "bode emissário"). Na obra apócrifa do Livro de Enoque 8.1; 9.6, *Azazel* é um demônio que ensina os homens a fazer armas de guerra, adornos e cosméticos. No fim, o pensamento judaico acabou identificando *Azazel* com o diabo. Noth fala que as pessoas viam neste termo referência a um "demônio do deserto" que era aplacado com um bode.[2] Se admitirmos esta explicação, o propósito do ritual seria repelir o demônio e os perigos que representa. Este é exemplo do fato de que, se duas interpretações são possíveis e uma delas tende a arrastar o Antigo Testamento ao nível dos vizinhos pagãos de Israel, esta interpretação é a preferida por certos críticos.

Não é necessário associar este ritual do bode expiatório com a adoração de sátiros ou demônios dos lugares rochosos do deserto. A palavra hebraica *azazel* é composta por dois elementos: *'ez*, que quer dizer "bode", e *'azel*, que tem grande chance de ser proveniente do radical semítico que significa "ir para longe, ir embora, partir, desaparecer". Portanto, como conclui Snaith, o significado seria simplesmente: "O bode foi embora".[3]

É muito comum o Antigo Testamento se servir de uma figura para ilustrar um conceito. Aqui, o conceito ilustrado é o perdão: alguém, que não o pecador, leva o pecado embora. O verbo hebraico traduzido por **levará** (22) é usado no Antigo Testamento no sentido de "perdoar" (*e.g.*, Sl 32.1; Is 53.4,12). O Antigo Testamento entende que o pecado é algo que tem de ser levado embora, e que o perdão significa alguém levar os pecados por outrem. Esta passagem é consistente com muitas outras passagens no Antigo Testamento. A base está fundamentada nesta e em outras passagens para entendermos corretamente a obra expiatória de Cristo. Não há que duvidar que esta passagem é parte do contexto histórico para compreendermos verdadeiramente as palavras de João Batista sobre Jesus: "Eis o Cordeiro de Deus, que tira o pecado do mundo" (Jo 1.29).

Depois que o bode foi despachado, Arão tinha de mudar de roupa (23), lavar o corpo (24) e fazer um **holocausto** a favor de si e **do povo**. O homem que levou o bode também devia lavar as **vestes** e tomar banho para **depois** voltar ao **arraial** (26). A pessoa que levou para **fora do arraial** as porções da **oferta pela expiação do pecado** (27; "oferta pelo pecado", ARA) a fim de serem queimadas precisava igualmente lavar as **vestes** e tomar banho (28) antes de entrar **no arraial** novamente.

O fato de ser considerado **sábado de descanso** (31) e dia de jejum (este é o significado da expressão: **afligireis a vossa alma**, 29,31) destaca a solenidade deste ritual. Este jejum é mencionado em Atos 27.9 e era o mais rigoroso de todos os jejuns em Israel. A cerimônia deste dia tinha de ser **estatuto perpétuo** (31) para Israel.

C. Algumas Conclusões

Não é difícil tirarmos conclusões óbvias deste capítulo sobre o que o Antigo Testamento entende quanto ao pecado e seu perdão. No antigo concerto, todas as pessoas estão em posição de igualdade. Arão tem de fazer expiação primeiro por si, depois pelo próprio Tabernáculo, pelo altar e pelo lugar santo, bem como por Israel. Todos tinham a mesma necessidade de expiação. Nada em Israel estava pronto de si mesmo para a comunhão ou uso por Deus. Todos precisavam da cobertura da expiação.

Ademais, é patente que ninguém pode expiar adequadamente os próprios pecados. A pessoa precisa da ajuda de outrem. Havia um bode que levava embora as transgressões. Os filhos de Israel estavam aprendendo que precisavam de Outro para levar-lhes os pecados. Este fato é apresentado com toda nitidez em Isaías 53.

Por fim, fica implícita a insuficiência do sistema levítico. As ordens para este Dia da Expiação eram um estatuto perpétuo para Israel. O dia tinha de ser repetido anualmente. Este sistema não previa o perdão final de pecado. Implorava por um concerto melhor, um grande Sacerdote e um Portador de Pecado mais excelente. Levítico não é suficiente. Precisa da Epístola aos Hebreus para ter seu cumprimento. Mas é certo que ninguém entenderá ou apreciará adequadamente a glória desta carta do Novo Testamento sem que entenda a série de episódios dramáticos apresentada aqui.

Seção V

A SANTIDADE NA VIDA DIÁRIA

Levítico 17.1—20.27

A. O Ato de Abater Animais para Consumo Próprio, 17.1-16

A maioria dos críticos vê nesta seção o começo do que se chamou Código da Santidade (caps. 17—26). Consideram um documento independente que foi incorporado ao chamado "documento sacerdotal" para, na opinião deles, completar a parte mais antiga de Levítico. Outros entendem que o capítulo 17 tem relação mais estreita com o texto precedente e é conseqüência lógica. Allis disse:

> O Dia da Expiação apresenta com excelência a significação do sacrifício na vida do povo do concerto. Destaca, também, a sacralidade exclusiva do sangue quando diz que neste único dia o sangue sacrifical é levado ao lugar santíssimo e aspergido na arca do concerto para a obtenção da remissão de todos os pecados de todas as pessoas. Diante disso, é apropriado que o capítulo seguinte ressalte particularmente os dois aspectos do sacrifício que dizem respeito especificamente a todas as pessoas.[1]

Aqui, vale perguntar se os documentos antigos deveriam ser forçados a se ajustar aos cânones modernos da consistência lógica. O conteúdo deste e dos capítulos subseqüentes é material importante para o sacerdote ao servir no santuário e ao ensinar o povo.

1. *O Abatimento de Animais para Sacrifício* (17.1-9)

No mundo antigo, todo o ato de matar animais era considerado sacrifício. Em hebraico, a palavra habitual para aludir a sacrificar (*zabach*) significava, originalmente, "matar,

LEVÍTICO 17.1—18.1   A SANTIDADE NA VIDA DIÁRIA

abater". Há quem entenda que no antigo Oriente Próximo o uso de animais para consumo era raro e que toda matança estava relacionada com sacrifício. É bem possível. Não nos esqueçamos de que o mundo antigo não diferenciava o sagrado do secular na proporção que o homem ocidental faz. A vida estava envolta em mistério. Matar um animal acarretava implicações religiosas. Neste caso, o hebreu tinha de levar o **boi**, ou o **cordeiro**, ou a **cabra** (3) à **porta da tenda da congregação** (4) antes de matá-lo. Ali, seria morto como sacrifício pacífico (5; "oferta de paz", NTLH) perante o **SENHOR**. O sacerdote oficiante tomava determinada porção do animal (6) e devolvia o restante a quem o ofertava. Assim, o ofertante recebia os alimentos, mas não antes de admitir ritualmente que o pão diário provinha de Deus.

A passagem também deixa claro que esta prática era orientada a um costume pagão comum no mundo daqueles dias: oferecer o animal abatido aos demônios do deserto. A palavra hebraica traduzida por **demônios** (7) significa "os cabeludos ou os bodes" ("os ídolos em forma de bode", NVI; "os sátiros", RSV). Os antigos julgavam que o mundo não-bíblico de então estava cheio de espíritos. Era freqüente a adoração destes espíritos ser acompanhada pela conduta mais indecente. Sacrificar a estes **demônios** significava prostituir-se. Desconhecemos a seriedade plena desta prática, mas é certo que a passagem visava prevenir associação que seria prejudicial à fé religiosa de Israel.

2. *A Significação do Sangue e Sua Proibição* (17.10-16)
Talvez as exigências da seção precedente tivessem o propósito de evitar o consumo de sangue. Não se tratava de novo quesito na legislação levítica (cf. Gn 9.4). O sangue era o componente mais religiosamente significativo na vida dos israelitas. Deus disse: **Vo-lo tenho dado sobre o altar, para fazer expiação pela vossa alma, porquanto é o sangue que fará expiação pela alma** (11). Por ser o meio da vida física e o elemento mais importante na expiação do pecado, o sangue era peculiarmente do Senhor. Comer sangue era convidar a excomunhão de Israel — ser extirpado **do seu povo** (10). Esta regra se aplicava aos **filhos de Israel** e ao **estrangeiro que peregrine entre vós** (12). Até o **sangue** do animal morto na caça tinha de ser cuidadosamente derramado no chão e coberto **com pó** (13). Era, provavelmente, ação que indicava o respeito que teria de ser dado ao sangue. O animal que morresse por causas naturais (o **morto**) ou o que fosse **dilacerado** por animais selvagens (15) não devia ser comido; existia o perigo de haver sangue na carne. Estes animais não podiam ser usados para consumo em Israel.

B. OS REGULAMENTOS SOCIAIS, 18.1—20.27

A legislação nesta seção abrange ampla gama de assuntos. Revela até que ponto a lei tinha o propósito de regular todos os aspectos da vida humana. Para quem estava em relação de concerto com o Senhor não havia parte da vida isenta do domínio divino. Esta seção tem a característica repetitiva da expressão: **Eu sou o SENHOR**, e a variação: **Eu sou o SENHOR, vosso Deus**. Estas expressões aparecem 20 vezes nos capítulos 18 e 19. Israel tinha de ser diferente das outras nações (18.3), porque o Senhor é diferente. Essa diferença é a santidade divina. Os versículos finais desta seção (20.24-26) identificam que o Deus de Israel é o **SENHOR, vosso Deus, que vos separei dos povos** (24).

Em 20.26, ficamos conhecendo o propósito da separação: **para serdes meus**. Esta subdivisão revela algo do que significa ser santo nas relações sociais e religiosas.

Esta legislação mostra uma das coisas que a tornam inigualável no mundo antigo. Como diz Eichrodt, há a expressa determinação de relacionar "a totalidade da vida com a vontade absolutamente predominante de Deus". E o apelo à natureza de Deus, reputando-a como a verdadeira sanção, remove a lei "firmemente da esfera da arbitrariedade e relativismo humanos e a fundamenta na esfera metafísica".[2] O apelo não é meramente ético; é religioso. Em nossos dias, o apelo para os homens fazerem o que é certo se baseia, em grande parte, em razões utilitárias e humanitárias. Tal apelo está perdendo força cada vez mais. Não seria, então, o momento de este mundo secular se voltar a estas páginas antigas e receber ensino? A base para determinar o certo e o errado é a Palavra de Deus. Até agora não há sociedade que sobreviva sem que sua ética moral goze de sanção religiosa.

1. *As Relações Sexuais Ilegais* (18.1-30)

a) *De onde obtemos os padrões?* (18.1-5). Este capítulo é dirigido aos **filhos de Israel** (2). O **SENHOR** é o **Deus** deste povo que, por esse motivo, tem de ser diferente das outras nações da terra. Os israelitas não devem assumir os padrões do **Egito** (3), de onde vieram, nem de **Canaã**, para onde vão. Devem assumir os padrões do Senhor que lhes dá estes **estatutos** e **juízos** (5). Há a promessa de que, se aceitarem o caminho do Senhor, os israelitas viverão. Aqui vemos a extraordinária diferença entre o crente em Deus e o não-crente. O mundano assume padrões pelo contexto em que vive; o crente, do seu Deus.

b) *Os padrões sexuais* (18.6-23). Esta seção trata da proibição de intimidade sexual em certas relações familiares. Os comentaristas procuram determinar se estas ordens têm a ver com o casamento ou não. É lógico que algumas relações analisadas aqui não prevêem ocorrência dentro dos laços matrimoniais legítimos. Contudo, não seria inadequado pensar que esta seção forneceu base para possíveis ligações matrimoniais. As leis matrimoniais modernas estão, em sua maioria, baseadas nas limitações registradas aqui.

A seção começa com as relações mais próximas, **pai** e **mãe** (7), e vai para as mais distantes, por exemplo, a **mulher de teu irmão** (16). **Descobrir a nudez** (6) significa "ter relações sexuais" (cf. NTLH). O hebraico usa duas palavras para se referir a "carne". Uma tem o sentido de "a carne interna, cheia de sangue, junto aos ossos", enquanto a outra quer dizer "a carne próxima da pele".[3] A primeira palavra é a usada ao longo deste capítulo. No versículo 6, ambas são usadas: **parenta da sua carne**, cuja tradução literal é "carne da sua carne". A proibição examinada aqui diz respeito a incesto. A legislação levítica é rígida quando se trata de proteger a santidade dos laços matrimoniais para afastar os problemas resultantes da promiscuidade. Deus se preocupa com a pureza das relações íntimas designadas a serem praticadas dentro desse laço. Este padrão estava em explícito conflito com a prática dos vizinhos de Israel.

É freqüente o versículo 16 ser citado como ordem opositora ao levirato (cf. comentários em Gn 38.8). Na realidade, o versículo 16 fala contra a intimidade sexual com a esposa de um irmão enquanto este ainda vive.

O significado do versículo 18 é: "Enquanto sua esposa ainda estiver viva, não tome a irmã dela por rival" (VBB; cf. NVI; NTLH).

No versículo 21, entendemos que a menção a **Moloque** tenha a ver com o rito pagão de jogar crianças nas chamas do fogo sacrifical. O texto hebraico não menciona a palavra *fogo* (note que o termo está grifado na RC, indicando que é adição do tradutor, e não ocorre na ARA, NTLH e NVI). Por causa do contexto que trata de irregularidades sexuais, Snaith sugere que a proibição diz respeito a dar crianças aos santuários para serem treinadas como prostitutas ou prostitutos.[4] As referências no Antigo Testamento não são bastante claras e o nosso conhecimento dos vizinhos de Israel não é suficientemente extenso para sabermos exatamente o que está envolvido aqui. A única indicação é o uso ilícito de crianças provavelmente em situações sexuais. Visto que a homossexualidade e a bestialidade eram conhecidas nos círculos religiosos cananeus, poderíamos considerar que os versículos 21 a 23 formam uma unidade. São práticas deste tipo que esta legislação e o texto de Gênesis 15.16 prevêem serem as razões para Deus permitir que os cananeus percam a posse da terra (cf. vv. 24,25).

c) *Aviso ao povo do concerto* (18.24-30). Este capítulo se encerra com um aviso a Israel. Se levarmos a sério Gênesis 15.16 e 50.24,25, parte da fé de Israel era a certeza de que Deus ia dar a terra de Canaã para os israelitas e desapropriar os cananeus. Agora, Deus avisa a nação que esta promessa não é automática nem incondicional. Se os israelitas fossem condescendentes com a iniqüidade do povo expulso, então Israel também seria vomitado da **terra** (28). Deus é santo e suas promessas são moralmente condicionadas. A palavra solene: **Eu sou o SENHOR, vosso Deus** (30), é a firme garantia dessa verdade.

2. *A Santidade e Algumas Leis Diversas* (19.1-37)

Percebemos nitidamente que este capítulo é uma unidade em si mesma. Este fato é patente pela fórmula introdutória (1; cf. 18.1; 20.1). O tema é indicado na ordem: **Santos sereis** (2). Este capítulo revela o que a legislação levítica entendia por santidade na vida diária. Para o leitor moderno, parece uma compilação de exortações diversas que abrangem uma vintena ou mais de assuntos. À primeira vista, não tem padrão organizacional. Porém, sua natureza desconexa não deve nos impedir de vê-la como unidade. Trata-se de coletânea extraordinária de assuntos vários comparável a Romanos 12 e 13. Talvez um estudo dessas duas passagens mostre as semelhanças e dessemelhanças na compreensão do viver santo na vida diária do ponto de vista do antigo e do novo concerto. Aqui estão certos princípios elementares de maior destaque do Antigo Testamento.

Em 19.1-4, encontramos "A Santidade, a Palavra-Chave de Levítico". 1) Deus é a Fonte de toda a santidade, 1,2; 2) Deus é o Padrão da santidade, 2; 3) Santidade é separação do mal e separação para Deus, 3,4 (G. B. Williamson).

Há a sensação de que este capítulo é uma miniatura da lei levítica. Repare no conteúdo: respeito pelos pais e pelos **sábados** (3); abstinência da idolatria (4); procedimento correto dos sacrifícios pacíficos (5-8); preocupação pelos pobres e estrangeiros ao não fazer uma colheita total das plantações (9,10); proibição de roubar, mentir e negociar com **falsidade** (11); de jurar falsamente e profanar o nome de Deus (12); de se aproveitar do **surdo** e do **cego** (14); de fazer julgamentos injustos (15); de fofocar (16); de odiar o **próximo** (17); de se vingar (18); de misturar raças, sementes ou tecidos (19); de comer o fruto das três primeiras safras de árvores frutíferas (23,25); de comer **sangue** (26); de praticar ocultismo (26b,31); de cortar o cabelo impropriamente ou de se golpear **pelos mortos** (27,28); de prostituir a própria **filha** (29); de fazer transações comerciais desonestas (35,36); ordem para respeitar os mais velhos (32); amor pelo **próximo** e pelo **estrangeiro** como o amor que se tem por si mesmo (18,33,34). Não deixe de notar que a lista indica o caráter humanitário da lei levítica.

Não aceitarás (15) significa "não serás parcial" com o pobre (RSV). **Nem respeitarás o grande** significa "nem mostrarás preferência" por ele (ATA; cf. NTLH; NVI). Pôr-se **contra o sangue** do **próximo** (16) era arriscar a vida por falso testemunho (NTLH). O significado do versículo 17b é: "Repreendam com franqueza o seu próximo para que, por causa dele, não sofram as conseqüências de um pecado" (NVI).

Este padrão se aproxima do padrão do Novo Testamento quando proíbe a vingança e exige o amor pelo próximo e pelo estrangeiro como se tem por si mesmo. A menção de **estrangeiro** (34) torna imaterial se o **próximo** significa "o israelita próximo", como diz Snaith, ou "qualquer próximo".[5] Este capítulo inteiro é passagem extremamente prática e serviu para ensinar aos antigos hebreus o que significava viver uma vida santa.

A maior parte do capítulo dispensa comentários. É, em sua maioria, de caráter obrigatório, declarado no modo imperativo negativo ou em ordem direta e positiva na segunda pessoa. Não diferencia entre as exigências cerimoniais e as exigências éticas. O Senhor é a sanção por trás de ambas. O principal assunto é a justiça e retidão social, mas também a religião apropriada.

Alguns quesitos são estranhos ao leitor moderno. A proibição de misturar **semente** e tipos de tecido (19) ilustra o *princípio da separação*. Os judeus o chamavam *habdalah*, tendo de caracterizar tudo que diz respeito à vida. O que Deus separou, eles tinham de manter separado. Pelo visto, produtos híbridos são proibidos. Talvez tenham existido elementos cuja significação há muito se perdeu para nós. O texto de Deuteronômio 22.9-11 repete e amplia o material que se encontra aqui. A proibição de comer fruto de árvores novas (23) é, como ressalta Snaith, um princípio agrícola que permitiria as árvores produzirem frutos melhores.[6] As primícias, ou primeiros frutos, pertenciam ao **SENHOR** (24). Talvez achassem que os frutos produzidos nos primeiros três anos não eram oferta aceitável ao Senhor. O termo **incircunciso** (23) é a maneira hebraica de dizer que o fruto é "vedado" (ARA) para os israelitas ou que as frutas foram "proibidas" (NVI) para consumo.

Os versículos 20 a 22, que tratam da **serva**, ou "escrava" (ARA), ilustram as limitações do antigo concerto. Este é exemplo de um dos grandes perigos da escravidão. A moça envolvida estaria à plena disposição do seu senhor. A palavra **desposada** (20) é enganosa. Claro que ela estava prometida, mas ainda não fora feito o pagamento. Se fosse noiva ou casada, a pena teria sido a morte de ambos (cf. Dt 22.23,24). A mulher aqui estava à disposição do seu senhor como estava Agar (Gn 16.1), ou Bila e Zilpa (Gn 30.4,9). O vocábulo hebraico usado é *shiphchah* e não *'amah*. Significa escrava que pertence a seu senhor. A legislação levítica não considerava que este ato fosse necessariamente violação do sétimo mandamento. **Serão açoitados** (20) é melhor "será feita uma investigação judicial" (VBB). **Na vara** (35) seria em "medidas [...] de comprimento" (NTLH).

Este capítulo é excelente ilustração do fato de que a legislação levítica procurava colocar a totalidade da vida humana e suas relações sob o controle soberano do Senhor. O capítulo começa com a ordem para ser santo, porque o **SENHOR** é o **Deus** de Israel (2). E termina com a ordem de observar estes estatutos e ordenações, porque foi **Deus** que tirou Israel **da terra do Egito** (36). Desta forma, as reivindicações da lei levítica estão, na verdade, fundamentadas no fato da graça.

3. *Moloque, o Ocultismo, Pais e Aberrações* (20.1-27)

Este capítulo retoma grande parte dos assuntos tratados no capítulo 18. Porém, no esforço de revelar a seriedade extrema destes pecados, estipula as penas. Conclui com uma exortação à santidade mais longa do que a do término do capítulo 18.

a) *Mais sobre Moloque* (20.1-5). Não sabemos de tudo que está envolvido em dar crianças a **Moloque** (3; cf. comentários em 18.21). O texto nos informa que a pena era a morte por apedrejamento. Deus também colocaria a **face contra esse homem** e o extirparia **do meio do seu povo** (3). O israelita que desse sua **semente**, ou "seus filhos" (ARA), para Moloque, equivaleria, disse Deus, a **contaminar o meu santuário e profanar o meu santo nome**. Tratava-se de adultério espiritual.

O texto de 2 Reis 23.10 é determinativo para a maioria dos estudiosos explicar esta prática. A passagem fala sobre fazer "passar a seu filho ou sua filha pelo fogo a Moloque". Há evidências em achados púnicos que os cartagineses queimavam crianças em sacrifícios. Elas eram colocadas nos braços de uma estátua de bronze do deus Crono. Dali, caíam rolando para o fogo sendo totalmente queimadas. Estas referências em Levítico estão devidamente interpretadas.[7] Temos de lembrar que é bastante extenso o intervalo cronológico entre o material púnico e estas referências. Como mencionamos em 18.21, Snaith propõe que o significado é dar filhos e filhas à prostituição cultual.

b) *Acerca do ocultismo* (20.6-8,27). A proibição bíblica de magia é importante para entendermos como atuava o monoteísmo revolucionário em seu mundo. As religiões pagãs proibiam a magia negra, quer dizer, a magia que ocasionasse dano aos homens. Mas a Bíblia não faz esta diferenciação. Não é concedente com a afirmação de que haja ajuda sobrenatural para o homem além do Senhor. Tentar obter ajuda pelo ocultismo era negar a soberania do Senhor e equivalia à idolatria. Feitiçaria, bruxaria e magia são problemas tão sérios na sociedade hodierna quanto eram no mundo antigo. O cristão deve ser muito cuidadoso em se manter intencionalmente dependente só do Senhor conforme a ordem dada a Israel. O uso do ocultismo (6) ou sua prática (27) significava morte. **Santificai-vos** (7) aqui significa "separai-vos" com a finalidade de obedecer a Deus.

c) *Respeito pelos pais* (20.9). Igualmente sério era o pecado de amaldiçoar os pais. Em Êxodo 21.17, a pena para este pecado era a morte. A frase: **O seu sangue é sobre ele**, significava que as leis de vingança de sangue não se aplicavam neste caso (cf. Ez 18.13).

d) *Aberrações sexuais* (20.10-21). Este parágrafo sobre conduta sexual ilícita é semelhante ao encontrado em 18.6-20,22,23, com a diferença de que aqui são apresentadas as prescrições das penas. As relações sexuais proibidas são estas: **com a mulher do seu próximo** (10), **com a mulher de seu pai** (11, não a própria mãe), **com a sua nora** (12), com pessoa do mesmo sexo (13), com animal (15), com a **mulher** e sua filha (14), com

irmã ou meia-irmã (17), com a mulher menstruada (18), com **tia** (19), com a esposa do **tio** (20) ou com a **mulher de seu irmão** (21). Todos estes pecados foram proibidos sob pena de os culpados serem mortos, extirpados do povo ou, por ato divino, ficarem **sem filhos**. A referência a morrer **sem filhos** talvez signifique a sentença de morte para os participantes, o que impediria a possibilidade de descendentes. **Confusão** (12), aqui, significa "incesto" (RSV).

e) *Advertência e exortação* (20.22-26). Este parágrafo é bastante parecido com o trecho de 18.24-30. Deus adverte os israelitas que a terra os vomitará, caso não se separarem do estilo de vida dos cananeus. Israel deve ser um povo **santo** para habitar em uma terra santa e andar com um Deus **santo**.

SEÇÃO VI

A SANTIDADE DOS SACERDOTES

Levítico 21.1—22.33

A chave para esta seção está em 21.6,8. Os sacerdotes tinham de ser santos ao Senhor, porque eles apresentavam as **ofertas** (6) a Deus. Tinham de se proteger da contaminação que ocorria por contato com o **morto** (1,2; exceto em casos que envolviam pessoas próximas da família, como **mãe, pai, filho, filha, irmão** ou **irmã** solteira). As referências a cortar os cabelos, a **barba** ou golpear a **carne** (5) diziam respeito a luto pelos mortos. A passagem de 19.27,28 proíbe tais procedimentos de luto para todo o Israel.

A **mulher** (7) do sacerdote tinha de ser aceitável. Ao casar, devia ser virgem. O texto estipula que não podia ser meretriz. Esta ordem reflete o fato indubitável de que a prostituição cultual era comum entre os vizinhos de Israel. A **filha** do **sacerdote** (9) tinha igualmente de se manter pura. A prostituição da filha do sacerdote era punível com a morte. O sacerdote e sua família imediata tinham de ser santos.

As estipulações para o **sumo sacerdote** (10) eram ainda mais rigorosas. Ele **não** devia **descobrir** a **cabeça**, nem rasgar as **vestes** — sinais de luto permitidos aos sacerdotes comuns. Tinha de se casar com **virgem** (14) das filhas de Israel, caso contrário, sua **semente** (15) seria profanada. Ele era o símbolo da mais alta pureza. Não devia haver nada nele que contaminasse o **santuário** (12). A expressão: **Nem sairá do santuário**, refere-se provavelmente a sair com a finalidade de ficar de luto e não significa que tinha residência fixa dentro do Tabernáculo.

O sacerdote não podia ter **falta** (17), ou "defeito físico" (NTLH; cf. ARA). Neste aspecto, tinha de ser como os animais que eram oferecidos para os principais sacrifícios. Tinha de ser fisicamente são e sexualmente sadio (20d). O defeito físico impediria o filho de Arão servir no lugar santo, mas não o privaria dos outros direitos pertencentes aos sacerdotes (22). Significava tão-somente que o homem só podia se aproximar do **véu** ou do **altar** (23), se fosse fisicamente perfeito.

O sacerdote, quando estivesse **imundo** (22.6) por qualquer razão (1-9), não devia tocar as **coisas santas** (2). Aqui, há uma lista de modos em que o homem poderia se contaminar. O sacerdote **imundo** (e todo sacerdote ficaria, às vezes) tinha de esperar **até à tarde** (6) e tomar banho para poder comer das coisas santas (cf. cap. 13; 15.1-12). O sacerdote que fosse descuidado neste ponto traria sobre si **pecado** (9) e lhe ocasionaria a morte. **Eu sou o SENHOR que os santifico** significa "eu sou o Senhor que os separo" (VBB) para um ministério especial.

Todos os membros legítimos da família do sacerdote podiam tomar parte das **coisas santas**. Mas estas pessoas não: o **estranho** (ou "estrangeiro", ARA), o **hóspede**, o **jornaleiro** (10; ou "empregado", NVI) ou a **filha**, que agora fazia parte da família do marido (12). Todo membro próximo podia participar: a **filha do sacerdote** que fosse **viúva** ou **repudiada** (13; ou "divorciada", ARA), ou o "escravo" (11, ARA). Se alguém, por engano, comesse das **coisas santas**, precisava devolver a quantidade consumida mais um **quinto** como reparação (14). Os versículos 15 e 16 são uma declaração sumária: "Os sacerdotes não profanarão as ofertas sagradas que os israelitas apresentam ao SENHOR" (15, NVI; cf. NTLH).

O parágrafo final nesta seção (22.17-33) enfatiza que Deus não aceitava oferta que tivesse **defeito** (20), exceto no caso de **oferta voluntária** (23). A oferta tinha de ser perfeita. Os sacerdotes não deviam aceitar sacrifícios defeituosos dos próprios israelitas ou da **mão do estrangeiro** (25). O animal recém-nascido só era aceitável depois do **dia oitavo em diante** (27). O animal e sua cria não podiam ser abatidos no mesmo **dia** (28). A obediência a estes assuntos refletia a separação dos israelitas ao **SENHOR** (31) e lhe permitia santificá-los para si mesmo (32).

Seção VII

OS DIAS SANTOS E AS FESTAS

Levítico 23.1-44

Este capítulo apresenta as reuniões marcadas de Israel com o seu Deus. O termo traduzido por **solenidades** (2) é a palavra hebraica *mo'ed*, que significa "hora marcada". A lista relacionada aqui trata das **santas convocações** (2), entre elas, as três grandes festas (*chaggim*) anuais. A palavra *solenidades* (*mo'ed*) enfatiza a fixação da época e da reunião, ao passo que o termo *convocações* salienta o caráter festivo ou alegre. A adoração de Israel tinha de ser fator de alegria. Há verdadeira liberdade quando o dever é um prazer. Este era o plano de Deus para Israel.

A. O Sábado, 23.3

O **sábado** era um sinal especial do concerto de Deus com Israel (Êx 20.8-11; 31.12-17), embora não fosse desconhecido antes do Decálogo. Gênesis retrata que o sábado está baseado no padrão divino registrado na criação (Gn 2.1-3). Deus destacou este ponto para Israel quando deu o maná (Êx 16.5,22-26). Pelo que deduzimos, era observância distintamente israelita, não compartilhada com seus vizinhos cananeus.[1] Tratava-se do Dia do Senhor, e a razão básica para observá-lo era que pertencia a Deus. Dar um dia a Deus era importante reconhecimento de que todo o tempo lhe pertencia, da mesma maneira que dar o dízimo reconhecia sua propriedade soberana de todas as coisas. Profanar o sábado era ato extremamente sério. A violação ocasionaria a pena de morte (Nm 15.32-36). A posição do sábado neste capítulo comprova que este era o dia santo básico para Israel.

A observância era a cessação de todo trabalho. O **descanso** indicado para este dia é mais completo que o designado para as outras ocasiões sagradas. Note a diferença entre **nenhuma obra** (3) com **nenhuma obra servil** (7,8,21,25,35,36; "laboriosa", RSV). Talvez a atitude de Israel para com o sábado como instituição religiosa básica tenha algo a ver com nossa época, quando o Dia do Senhor ficou quase indistinguível dos outros.

B. A PÁSCOA, 23.4-8

Nossa atenção é dirigida às verdadeiras **solenidades** (4; "festas fixas", ARA) de Israel. A primeira é a **Páscoa** ou **Festa dos Asmos** (5,6; "Festa dos Pães Asmos", ARA), a mais importante das festas anuais. No pensamento crítico atual há forte insistência para reputar que esta festa, como também a Festa das Semanas e a Festa dos Tabernáculos, eram festas originalmente agrícolas que Israel copiou dos vizinhos pagãos e pouco a pouco as transformou nas festas bíblicas apresentadas aqui. Só podemos dizer que o texto que temos em mãos não contém reflexos de tais origens.

É verdade que os vizinhos de Israel tinham festas agrícolas e pastorais que, de certo modo, eram análogas. Mesmo em Israel, havia nítida consciência do ciclo natural, e estas três festas comemoram três fases do ano agrícola: o corte do primeiro molho ou feixe de cereais, o fim da colheita de cevada e de trigo e a colheita das uvas. Os israelitas estavam cônscios de que o Senhor era o Doador da generosidade da natureza (cf. cap. 26). Era adequado reconhecerem nas festas a dependência que tinham de Deus para terem o pão diário.

O fato exclusivo em Israel era a referência histórica ligada às festas. Talvez a Festa dos Pães Asmos fosse comemoração da estação do ano, mas tinha maior significação que isso. Era também a Páscoa, a comemoração da redenção de Israel do Egito. Pela crença religiosa de Israel, vemos sua singularidade no mundo de então. A festa não estava relacionada apenas ao ciclo natural. Tinha relação primária a um Deus soberano, que trabalha geralmente na natureza e especificamente em amor da eleição por atos redentores na vida dos que lhe pertencem. As festas recordavam para Israel o Êxodo e suas implicações teológicas. Neste aspecto, o Antigo Testamento é consistente com o Novo. A fé da igreja cristã está baseada nos eventos históricos da encarnação, paixão, ressurreição e ascensão de Cristo e da vinda do Espírito Santo no Dia de Pentecostes.

O crente também fundamenta a base empírica de sua fé nas experiências de *sua própria história* do novo nascimento, no testemunho e batismo do Espírito e, talvez, no chamado divino. Esta fé pode ser assinalada a um calendário de modo tão claro quanto Wesley fez. Este personagem histórico disse que experimentou a graça redentora de Deus "mais ou menos às quinze para as nove", em uma capela na Rua Aldersgate, no dia 24 de maio de 1738.

Israel experimentara tal redenção e, nestas festas anuais, se lembrava deste fato e da provisão providencial de Deus. Esta Páscoa era a contraparte do antigo concerto da ceia do Senhor instituída sob o novo concerto. Ambas apontavam um cordeiro morto e um povo redimido.

C. As Ofertas das Primícias, 23.9-14

Levítico determina quatro leis a serem obedecidas quando Israel entrasse na terra de Canaã. Esta é a terceira (as outras três estão registradas em 14.34; 19.23; 25.2). Este mandamento tem a ver com o começo da colheita. Considerando que todo o produto da terra vem do Senhor que a fez e a sustenta, dar as **primícias** (10) é reconhecer a propriedade divina. A apresentação desta **oferta** (14) significava a santificação do restante da colheita, pois os israelitas só tinham permissão de participar do produto depois que tivessem apresentado esta oferta. Tratava-se de outra das inumeráveis lembranças na Bíblia de que nosso pão diário é dado por Deus. Para inteirar-se do uso simbólico desta cerimônia no Novo Testamento, consulte Romanos 8.23; 11.16; 16.5; 1 Coríntios 15.20,23 e 16.15. **Duas dízimas** (13) seriam cerca de 7,2 litros (VBB), e o **quarto de um him** seria mais ou menos 1,3 litro (VBB).

D. A Festa das Semanas, 23.15-22

Esta é a Festa das Colheitas. Como a apresentação das primícias indicava o começo da colheita, esta festa comemorava o seu fim. É a mais "naturalista" das festas de Israel. Este ponto é evidente no uso de levedura (17) nos pães oferecidos e no fato de que sua associação histórica não provinha do Antigo Testamento, mas foi adicionada posteriormente. A festa era reconhecimento jubiloso da fidelidade graciosa do **SENHOR** (20) em dar outra colheita, e reconhecia alegremente a boa mão divina na vida diária comum. No Novo Testamento, tem seu cumprimento na Festa de Pentecostes. É adequado recordar que, em Lucas 11.11-13, Jesus fala da prontidão de um pai terreno em dar pão, carne e ovos aos seus filhos, e a prontidão muito maior de nosso Pai celestial em nos dar o seu Espírito Santo. Claro que no dom da abundância divina todas as nossas necessidades diárias são atendidas.

Esta festa ocorria ao término da colheita. Considerando que Deus dera da sua generosidade aos seus filhos, era extremamente apropriado que eles se lembrassem do **pobre** e do **estrangeiro** (22).

E. Os Dias Santos do Sétimo Mês, 23.23-44

O aspecto sacro do número sete é tema comum ao longo do Pentateuco. Talvez a quantidade incomum de dias especiais neste mês seja pelo fato de ser o sétimo mês. Da mesma maneira que o sétimo dia era santo, assim seria o sétimo mês.

1. A Festa das Trombetas (23.24,25)

O **primeiro** dia do **mês sétimo** (24) tinha de ser dia especialmente santo em Israel, um **descanso**, uma **santa convocação**. Não se podia fazer **obra servil** ("laboriosa", RSV) nesse dia (5).

Israel tinha mais de um modo de contar o tempo. Este era o sétimo mês do ano eclesiástico, mas também era o primeiro mês do calendário civil. Era também a festa de ano novo. Payne diz que a **jubilação** (24; "sonidos de trombetas", ARA; cf. NTLH; NVI) era maneira antropomorfa de lembrar Deus sobre as necessidades de seu povo.² Anunciava o começo do mês em que ocorria o grande Dia da Expiação e se comemorava a alegre Festa dos Tabernáculos.

2. *O Dia da Expiação* (23.26-32)
O capítulo 16 descreve este dia santo do ponto de vista de Arão e os sacerdotes. Aqui, é apresentado em vista do povo e suas responsabilidades (cf. comentários em 16.29-14). Observe a seriedade com que este dia devia ser tratado. Era dia quando não se devia fazer **nenhuma obra** (28) — dia de completo **descanso** (32). Também era dia em que **afligireis a vossa alma** (27; "humilhem-se", NVI; cf. tb. vv. 29,32). O espírito da Festa dos Tabernáculos era o mais alegre do ano. Tinha de ser precedido por verdadeiro arrependimento e fé na Festa da Expiação. Não guardá-la com toda reverência poderia significar excomunhão ou morte (29,30).

3. *A Festa dos Tabernáculos* (23.33-44)
Estes são outros textos que oferecem mais esclarecimentos sobre esta festa: Números 29.12-38; Deuteronômio 16.13-15; 31.10-13; Esdras 3.4 e Neemias 8.18. Esta festa tinha um ponto em comum com a Páscoa e a Festa dos Pães Asmos: durava oito dias. O primeiro e o último dia tinham de ser dias de **santa convocação** (35,36), nos quais não se fazia **nenhuma obra servil**. **Dia solene** (36) é chamado "dia de restrição" ("reunião solene", ARA; NTLH; "reunião sagrada", NVI). "É dia de reunião festiva; não fareis trabalhos pesados" (VBB). A passagem de Números 29 nos fala que as ofertas para o holocausto eram 13 bezerros para o primeiro dia e um a menos para cada dia subseqüente. Os israelitas também tinham de oferecer 14 cordeiros e dois carneiros a cada dia com as apropriadas ofertas em cereais e bebida, um bode para a oferta pelo pecado e o holocausto regular com seus acompanhamentos de cereais e bebida. No oitavo dia, as ofertas seriam um bezerro, um carneiro, sete cordeiros, ofertas em cereais e bebida e o holocausto regular com seus devidos acompanhamentos.

A festa comemorava o final do ano agrícola, quando acabava a colheita do produto **da terra** (39); tinha o propósito de expressar gratidão a Deus por sua provisão. Uma folhagem ou ramagem de **palmas** (40) era amarrada, de um lado, a um ramo de **árvores espessas** (murta) e, do outro, a um ramo de **salgueiros de ribeira**. Chamava-se *lulab*. Era carregada e abanada a intervalos apropriados, junto com frutos na celebração religiosa. A tradição diz que, como parte do ritual, os israelitas recitavam o Salmo 118 durante a festa.

A característica principal desta festa era o costume de fazer **tendas** (42) de ramos em copas e morar nelas durante a festa. Assim, o povo lembrava a provisão de Deus para **Israel** (43) durante os longos anos de peregrinação no deserto. Como a Páscoa era lembrança do Êxodo, esta festa recordava a experiência no deserto. Desta forma, são evocados os dons de Deus pela generosidade da natureza e pela graça divina. Não é de admirar que era considerada ocasião de intensa alegria (40). Com esta festividade, completava-se o calendário sagrado de Israel.

Seção VIII

O ÓLEO SANTO, O PÃO SANTO E O NOME SANTO

Levítico 24.1-23

A. O ÓLEO SANTO, 24.1-4

Um grande **castiçal** (4; "candelabro", NVI) de ouro com sete lâmpadas (ver Diagrama A) proporcionava a iluminação do Tabernáculo. O trecho de Êxodo 25.31-40 descreve sua construção, enquanto Êxodo 27.20,21 detalha a composição do azeite (ou óleo) e seu abastecimento. As lâmpadas a óleo tinham de ficar acesas continuamente no Tabernáculo perante o Senhor (3). O **castiçal** foi colocado no lado sul do lugar santo (ver Diagrama A), compartimento desprovido de outra fonte de luz. Era abastecido com o mais puro **azeite de oliveira** (2). A significação simbólica deste candelabro talvez esteja na promessa de que Israel tinha de ser a luz entre as nações do mundo. A visão registrada em Zacarias 4 apóia esta idéia, como apóia a visão de João em Apocalipse 1.12-20. Confira também a função dos crentes descrita em Filipenses 2.15. Esta função tem de ser perpétua e só é possível pela capacitação do Espírito Santo, simbolizado pelo **azeite de oliveira, puro**. A expressão **porá em ordem as lâmpadas** (4) significa "conservará em ordem as lâmpadas" (ARA; cf. NVI) no candelabro.

B. O PÃO SANTO, 24.5-9

Nesta subdivisão, temos instrução relativa aos pães da proposição. A passagem de Êxodo 25.23-30 descreve a mesa para os pães (ver Diagrama A). Aqui, os sacerdotes ficam sabendo para que serve a **mesa pura** (6). Eles tinham de fazer **doze bolos** (5; "pães", ARA) para serem mantidos **perante o SENHOR** (6) o tempo inteiro. Sobre os pães iam porções de **incenso puro** (7). De acordo com a tradição judaica, o incenso era queimado no altar do holocausto junto com as ofertas de óleo e vinho quando, a cada semana, os pães velhos eram substituídos por novos. Os pães velhos serviam de alimento para os sacerdotes (9). Os pães simbolizariam o fato de que o pão diário do homem é um presente de Deus. Sugerem também que o trabalho das mãos do homem deve ser devolvido a Deus, que dá ao homem aquilo com que ele trabalha.

C. O Nome Santo, 24.10-23

Esta inserção conta a história de um homem que **blasfemou o nome do SENHOR** (11) e informa a pena resultante. O Decálogo não estabeleceu a pena específica por profanação do nome divino. Por conseguinte, Moisés buscou orientação do **SENHOR** (12) sobre o que fazer com o culpado. **À prisão** (12) seria "sob custódia" (ATA). Em Números 15.32-36, é intercalada história semelhante sobre violação da lei sabática. Neste caso de blasfêmia, o envolvido era só meio-israelita, pois seu pai era **egípcio** (10). Este indivíduo representaria a "mistura de gente" mencionada em Êxodo 12.38. A resposta para ambas as situações mostra que, nesta questão, não há diferença entre o israelita e o não-israelita: **Qualquer que amaldiçoar o seu Deus levará sobre si o seu pecado** (15).

Este fato é ilustração de que não havia provisão de sacrifício para quem violasse o próprio Decálogo. Os sacrifícios eram apenas para quem estava em concerto, e a violação do Decálogo significava o repúdio ao concerto. É difícil para as pessoas de hoje entenderem tamanha severidade pelo que se chama mero pecado verbal. Mas os antigos consideravam que os pecados verbais tinham uma realidade genuína. E vale perguntar: O que demonstra a atitude da pessoa para com o sagrado e o Deus santíssimo mais que o modo pelo qual usa as palavras santas? Erdman escreve:

> Nada é mais perigoso ou mais prejudicial para uma comunidade ou nação do que a irreverência às coisas sagradas. A profanação e a blasfêmia são pecados que acarretam culpa invulgar. A reverência a Deus é o fundamento da religião e da moralidade. Há uma mensagem para os nossos dias neste episódio trágico que enfatiza a necessidade de reverenciarmos o Nome Santo.[1]

Esta história de blasfêmia é usada para trazer à baila uma série (17-22) de exemplos da Lei de Talião — o princípio **de olho por olho, dente por dente** (20). Todas estas informações já foram mencionadas no Pentateuco, mas aqui são repetidas para mostrar que este princípio se estende a israelita e não-israelita (22).

Muitos argumentam que Jesus repudiou este princípio no Sermão da Montanha; o fato é verdadeiro no que tange à vingança pessoal. Allis tem razão ao asseverar que o propósito deste incidente é firmar uma lei de justiça pública, não de vingança particular, e que a indenização por danos provavelmente toma a forma de multa.[2] Esta posição é apoiada pelos seguintes fatos: 1) Só o assassinato (Nm 35.31,32) é excluído de crimes para os quais há resgate; e 2) a lei mosaica se opunha à mutilação. Não nos esqueçamos de que o princípio de "olho por olho" é bastante básico a todas as leis civilizadas.

De fato, não há como jogar uma partida esportiva exceto sob determinadas regras básicas: o que é certo para um jogador é certo para outro e toda violação desta regra tem de receber a devida pena.

Os procedimentos interpessoais são outra questão. Mas mesmo nesta área, o amor que oferece a outra face diz pouco à parte ofendida, a menos que esta e o ofensor saibam a diferença entre a justiça e a injustiça.

SEÇÃO IX

OS ANOS SANTOS

Levítico 25.1-55

No capítulo 23, o sábado como dia de descanso foi tratado com relação às festas sagradas. Agora, o mesmo princípio é válido para o sétimo ano (25.1-7) e o qüinquagésimo ano, período que coroa sete ciclos de sete anos (25.8-55).

A. O ANO SABÁTICO, 25.1-7

O princípio do **sábado** (2), instituição que parece ter sido exclusiva para Israel (ver cap. 23), é ampliado para os anos. A suspensão do trabalho no sétimo dia é uma consagração do tempo. A ordem é descansar durante todo o sétimo ano. O tempo, como todos os outros recursos, pertence a Deus. A observância do **sétimo ano** (4) ilustra o direito de Deus sobre o tempo de Israel e a exigência de que Israel confie nele para a provisão de suas necessidades. Referência a esta observância ocorre em Êxodo 23.10,11, onde o contexto indica interesse humanitário. Há também referências em Deuteronômio 31.10; 2 Reis 19.29; Neemias 10.31; e no livro apócrifo de 1 Macabeus 6.49,53. Josefo declara que este ano sabático foi observado durante os dias de Alexandre, o Grande (*Antiguidades Judaicas*, XI, viii, 6) e no tempo do rei Herodes (XIX, xvi, 2). Tácito também se refere a essa prática em sua obra intitulada *História* (5.4).

Os versículos 6 e 7 parecem modificar a limitação do versículo 5. O significado provável é que, ainda que não haja cultivo formal, devem ser feitos colheita e armazenamento de colheitas durante o ano sabático. O que cresce por si mesmo pode ser usado para consumo durante o período.

B. O Jubileu, 25.8-55

A observância efetiva do Ano do Jubileu em Israel tem sido seriamente contestada. Há quem proponha que represente "a teorização sacerdotal e nunca uma política factual".[1] Snaith ressaltou que em 2 Reis 19.29 (e Is 37.30) são usadas palavras hebraicas diferentes para aludir a "o que cresce por si mesmo no primeiro ano" (*saphiach*) e "o que cresce por si mesmo no segundo ano" (*sachish*).[2]

Este ano tinha de começar **no mês sétimo, aos dez do mês, no Dia da Expiação** (9), com o soar da **trombeta do jubileu**. Tinha de ser ano de soltura e **liberdade na terra a todos os seus moradores** (10). A terra e o povo recebiam um sábado (descanso), e todas as propriedades que foram alienadas do dono original seriam devolvidas. Encontramos na história de Nabote ilustração do princípio exarado aqui. O rei Acabe queria comprar-lhe a vinha. Mas Nabote não a vendeu, porque, como herança da família, pertencia aos seus descendentes como também a ele (1 Rs 21.3).

Esta prática significava que a terra era avaliada **conforme o número dos anos** que faltava para o **jubileu** (15), para que ocorresse a transferência de propriedade. O preço de compra era determinado pelo **número dos anos das novidades**, ou seja, pelo número de colheitas e não pelo valor próprio da terra. Este era destaque extraordinário do ensino do Antigo Testamento de que a propriedade pertencia ao Senhor — **a terra é minha** (23). Ele a dera em custódia para certas famílias israelitas, e **não se venderá** permanentemente a outrem. Deus era o Dono permanente.

A propriedade dentro de **cidade murada** (29) era exceção a esta lei. Podia ser resgatada pelo vendedor no prazo de **um ano inteiro**; caso contrário, ficava vendida indefinidamente (30). Esta limitação de resgate não valia para as casas dos levitas, as quais ficavam em cidades. Suas propriedades poderiam ser resgatadas a qualquer hora por um levita (32), visto que tais cidades eram a única **possessão** dessas pessoas em **Israel** (33; cf. Nm 35.1-5). Se a propriedade dentro dos muros da cidade não fosse resgatada por um levita, voltaria a ele no ano do **jubileu**. O **campo do arrabalde das suas cidades** (34; as pastagens pertencentes às cidades levíticas, cf. NVI) não podia ser vendido de forma alguma.

O Ano do Jubileu também tinha de ser ano de liberação de escravos (35-55). Na introdução desta subdivisão acha-se uma mensagem que expressa preocupação pelos pobres em Israel (35). Se o indivíduo não podia se sustentar, esperava-se que um hebreu providenciasse que fosse sustentado. Sob o antigo concerto, não se devia aceitar **usura** (36; "juros", ARA; cf. NVI; NTLH) por dinheiro emprestado ao pobre. O sustento dos necessitados era manifestação de verdadeiro temor do Senhor. Deus exigia isto dos israelitas, visto que os tinha comprado **da terra do Egito** (38) e os sustentaria até que os estabelecesse na terra que lhes *dera*.

O hebreu que ficasse tão pobre a ponto de se vender para outro hebreu, não podia ser tratado como escravo (39), mas como **jornaleiro** (40; "trabalhador contratado", NVI) ou **peregrino** ("residente temporário", NVI) até o Ano do Jubileu. Deus disse: **Não te assenhorearás dele com rigor** (43), ou seja, "não os trate com crueldade" (NTLH), ou "com tirania" (ARA), ou com aspereza (cf. vv. 46,53). Os israelitas podiam possuir os não-hebreus como **escravos** (44) e dá-los como propriedade familiar (46). Tal não se fazia com os hebreus. Além disso, se em Israel o hebreu fosse comprado por um **estrangeiro** ou por um **peregrino** (47), esse hebreu poderia ser resgatado (48). Um parente o resgataria por um preço consistente com o tempo que faltasse para chegar o **Ano do Jubileu** (50), quando então sairia livre sem pagamento. A razão dada para a vigência desta lei (55) é a mesma que se aplicava à propriedade. Os hebreus foram resgatados por Deus e eram propriedade exclusivamente divina. Não estava certo outro ser dono deles. Suas habilidades profissionais poderiam ser contratadas por outrem, mas eles poderiam ser *possuídos* somente por Deus que os resgatara. Não seria esta uma palavra para nós acerca da dignidade de todo filho de Deus e de nossa responsabilidade uns pelos outros?

Seção X

PALAVRAS FINAIS DE PROMESSA E AVISO

Levítico 26.1-46

Ao longo do Pentateuco, é habitual que seções que tratem de leis sejam finalizadas com uma exortação à obediência (Êx 23.20-33; Dt 28.1-68). Este capítulo dá uma palavra final de promessa e aviso. Em primeiro lugar, há um lembrete sobre a proibição de idolatria (1). Este lembrete está conectado a uma declaração sobre a importância de reverenciar os **sábados** e o **santuário** (2). Em seguida, Israel recebe a promessa de bênçãos múltiplas se for obediente (3-13). Por último, há extensa promessa de castigo e julgamento por desobediência. Mas o castigo e o julgamento serão moderados pela misericórdia do Senhor, sua recordação do concerto e o compromisso ligado a Ele (14-46).

A. Idolatria, Sábados e o Santuário, 26.1,2

Este capítulo dá a impressão de ser o capítulo final do livro. Representa o cerne do compromisso de Israel ligado ao concerto e o faz lembrar da primeira tábua do Decálogo. Há quatro palavras usadas aqui para se referir a objetos idólatras. A primeira, **ídolos** (*'elilim*), quer dizer "falsos deuses"; é derivada de um radical hebraico que tem o significado de "ser fraco, sem valor, uma coisa de nada". A próxima palavra é **imagem de escultura** (*pesel*), que significa algo talhado em madeira ou pedra. **Estátua** (*massebah*) diz respeito à coluna de pedra. Rashi entendia que **figura de pedra** (*maskit*) significava uma pedra esculpida na qual os homens se prostravam ou para a qual olhavam.[1] A natureza não-icônica da adoração do Deus de Israel estava em absoluto contraste com a religião de todos os vizinhos de Israel. A Bíblia nunca se cansa de nos lembrar dessa verdade. Nesta passagem, os sábados e a reverência do santuário são colocados em importância igual à fidelidade ao único Deus verdadeiro.

B. Promessa, 26.3-13

Este trecho ressalta os benefícios graciosos da obediência ao Senhor. Este texto cheio de promessas reflete a unidade de tudo da vida. Vemos aqui descrição da relação empática entre o homem e a natureza, condição revelada nas obras dos profetas. Tendo o homem uma relação correta com seu Criador, tudo na vida se comportará de maneira proveitosa. Haverá, por conseqüência, fartura de alimentos (4,5), vitória nacional (6-8), **paz** e fertilidade na família (9). Melhor de tudo, Deus diz: **Eu vos serei por Deus, e vós me sereis por povo** (12). Esta passagem lembra o paraíso do qual o homem foi expulso (Gn 2—3) e prenuncia mensagens que os profetas ainda anunciariam (Ez 48.35; Am 9.11-15). O caráter pessoal desta promessa é retratado no uso comum da primeira pessoa quando Deus fala com o povo do concerto. A boa intenção divina para com os israelitas nesta promessa está garantida pela libertação provida por Deus quando eles eram **escravos** (13).

Smith esclarece o significado do versículo 5: "A debulha durará para vós até o tempo da vindima, e o tempo da vindima durará até o tempo da semeadura, de forma que comereis tudo que quiserdes dos vossos alimentos" (Smith-Goodspeed; cf. NTLH). **Comereis o depósito velho, depois de envelhecido; e tirareis fora o velho, por causa do novo** (10) é melhor "comereis o velho da colheita anterior e, para dar lugar ao novo, tirareis fora o velho" (ARA; cf. NTLH; NVI).

É o Senhor, o Deus de Israel, que dará todas estas coisas para o seu povo obediente, porque Ele pode e porque quer. É importante ver nesta passagem a afirmação do poder de Deus bem como sua benevolência. Temos de manter em mente que esta palavra foi dada a um povo que estava em um mundo que contava que todos estes benefícios estavam sob o domínio de outros deuses. A passagem começa com uma negação dos outros deuses (1,2) e continua com a promessa de que o Deus de Israel *tem poder* e *quer* dar o melhor para o seu povo. A verdade é peculiarmente aplicável ao mundo de hoje. O homem moderno considera que todas estas bênçãos estão ao alcance do seu poder. Nosso problema não é dependência de imagens de madeira e pedra, mas de processos científicos, engenhosidade humana e sorte. O homem moderno precisa lembrar que saúde, abundância e paz ainda estão sob o domínio do Senhor.

C. Aviso, 26.14-46

1. Se Vocês não me Ouvirem (26.14-39)

Se Israel não for obediente aos **mandamentos** do Senhor (14), Deus responderá com castigo, julgamento e destruição. Esta história está entretecida em uma seqüência de condições **se** (*e.g.*, 14,15,18,21), que descrevem as desobediências que podem levar a resultados cada vez mais medonhos. Este é capítulo que ilustra a relutância do Senhor em afligir seu povo, mas também demonstra o fato de que a eleição de Israel não o isentou do que o Senhor exige: obediência. As Escrituras não dizem que as leis de retribuição moral afetam somente os não-eleitos. Os eleitos receberão maior condenação por terem mais conhecimento. Aqui, vemos o caráter longânimo do Deus que castiga na esperança de salvar os que lhe pertencem. As conseqüências de andarem em desacordo com a lei do

Senhor serão: Enfermidades (16), fome (16,26), **praga** (21), **peste** (25), guerra, opressão do inimigo (17), devastação (30-33), terror e cativeiro (33).

Moffatt esclarece o versículo 16 desta maneira: "Eu vos sujeitarei a aflições terríveis, a consumpção e febre que enfraqueçam os vossos olhos e corroam a vossa vida; vós semeareis sementes em vão, pois serão os vossos inimigos que comerão as colheitas" (cf. NTLH; NVI). **Executará a vingança do concerto** (25) é melhor "soltarei a espada da guerra sobre vós, em castigo por vossa quebra de contrato" (Moffatt; cf. NTLH). Os dizeres do versículo 26 são descrições vívidas de condições de fome: "Quando eu vos privar do pão que vos sustenta, dez mulheres precisarão apenas de um forno para assar o que tiverem, e o pão será distribuído em rações, até que nunca mais tenhais o suficiente" (Moffatt).

2. *Então Vocês Confessarão* (26.40-46)

Se os israelitas aprenderem com o castigo do Senhor Deus, duas condições podem desviar a ira de Deus: Confissão (40) e humilhação (41). Estes procedimentos farão o Senhor se lembrar do **concerto** (42) que fez com os pais e o levarão a reverter a ira e a redimi-los como fez com seus pais (44,45). Este capítulo é altamente apropriado, pois sua filosofia de história é pertinente para as nações nominalmente cristãs do Ocidente!

Seção XI
APÊNDICE: SOBRE VOTOS E DÍZIMOS

Levítico 27.1-34

A consagração de pessoas e coisas para o Senhor, além das exigências da lei, era conhecida no Antigo Testamento por votos. Vemos exemplos de votos nas ações de Ana (1 Sm 1.11) e de Jefté (Jz 11.30,31). **Particular voto** (2) é melhor "oferta de voto" (VBB). Este registro bíblico fornece as condições para a **avaliação** do valor da coisa prometida a Deus e a comutação do voto de acordo com o valor. Em sua maioria, nos casos citados aqui, não há mudança de propriedade. Há o pagamento ao Senhor de valor equivalente. A avaliação era afetada pelos padrões daqueles dias quanto à idade e sexo. Percebemos em Deuteronômio 23.21-23, a seriedade com que o voto é tratado. Mas o caráter humanitário da legislação levítica também consta na proteção prescrita na lei para o **pobre** (8).

Se o voto fosse de **animal** (9), o animal prometido tinha de ser oferecido. Não podia ser substituído. Fazer o voto de oferecê-lo significava que se tornara santo (10). Não podia mais voltar à vida comum. Se fosse **animal imundo** (11), o sacerdote tinha de estipular um valor (12) sobre o animal e vendê-lo. Se o ofertante desejasse **resgatar** (13) o animal imundo, pagaria o valor estipulado mais um **quinto**. Este mesmo tratamento era concedido no caso de quem votava uma **casa** ao SENHOR (14,15).

Na questão de voto de **campo** (16; "terras", NVI), havia uma diferença entre o que fora herdado e o que fora comprado. Fica mais fácil compreender o significado do versículo 16 assim: "Se alguém oferecer para o serviço de Deus, o SENHOR, uma parte dos terrenos que recebeu do pai, o sacerdote fará a avaliação do terreno de acordo com a quantidade de sementes necessárias para semeá-lo, na base de cinqüenta barras de prata por cem quilos de cevada" (NTLH; cf. NVI). A propriedade era avaliada segundo as cláusulas do **Ano do Jubileu** (16-24). A terra herdada poderia ser resgatada pelo valor estipulado mais um quinto (19). Caso contrário, tornava-se **santo ao SENHOR** (21), ou seja, tornava-se propriedade dos sacerdotes. Se a propriedade fosse comprada, era avaliada em termos da proximidade do **Ano do Jubileu** (23). A pessoa daria de acordo com o valor em perspectiva. **No Ano do Jubileu** (34) o bem voltaria ao dono original. O versículo 25 fica mais inteligível desta forma: "Todos os preços serão calculados de acordo com a tabela oficial; a barra padrão, o siclo, vale vinte geras" (NTLH; cf. NVI).

O **primogênito** (26) dos animais limpos não podia ser dedicado ao Senhor, pois que já era dele (Êx 13.2; 34.19). O primogênito de **animal imundo** (27) era avaliado e podia ser resgatado pelo valor estipulado mais um **quinto**. Se não fosse resgatado, tinha de ser vendido, visto que era imundo e não podia pertencer a um sacerdote.

Os versículos 28 e 29 revelam o significado do termo **consagrado** (*cherem*). Aquilo que era **consagrado** era separado irrevogavelmente para Deus. Era santíssimo ao **SENHOR** e, nessa condição, não podia ser vendido ou resgatado. Tinha de ser exterminado dentre os homens. O texto mostra a finalidade da consagração segundo a perspectiva de Deus. A consagração não devia ser feita levianamente nem desfeita casualmente. Tratava-se de processo irreversível.

O dízimo (30) poderia ser resgatado com a oferta de seu valor acrescido de um **quinto** (31). Esta cláusula valia para o produto do **campo** e para as **vacas e ovelhas**. **Tudo o que passar debaixo da vara** (32) é um quadro do pastor ou boiadeiro separando o dízimo. É mais clara a tradução do versículo 32 feita por Moffatt: "O dízimo do rebanho ou do gado, todo o décimo animal contado pelo pastor, será consagrado para o Eterno" (cf. NTLH; NVI). Era proibido determinar este dízimo de modo interesseiro. O homem não podia escolher para Deus o **bom** ou o **mau** (33). Se tentasse ajustar o dízimo trocando os animais, era obrigado a dar o animal oferecido e o animal pelo qual o trocou. Toda a décima parte de tudo pertencia a Deus inexoravelmente.

Notas

INTRODUÇÃO

[1] Gleason Archer, *A Survey of Old Testament Introduction* (Chicago: Moody Press, 1964), pp. 83-131.

[2] F. W. Albright, *From Stone Age to Christianity* (Baltimore: Johns Hopkins Press, 1940).

SEÇÃO I

[1] S. R. Hirsch, *The Pentateuch Translated and Explained*, traduzido para o inglês por Isaac Levy, vol. III, partes I e II, 2.ª edição (Londres: Isaac Levy, 1962), p. 3.

[2] *Ib.*, p. 10.

[3] Nathaniel Micklem, "The Book of Leviticus" (Exegesis and Exposition), *The Interpreter's Bible*, editado por George A. Buttrick *et al.*, vol. II (Nova York: Abingdon-Cokesbury Press, 1951), p. 15.

[4] C. F. Keil e F. Delitzsch, *Biblical Commentary on the Old Testament*, vol. II, traduzido para o inglês por James Martin (Grand Rapids: William B. Eerdmans Publishing Company, 1949), p. 291.

[5] N. H. Snaith, "Leviticus", *Peake's Commentary on the Bible*, editado por M. Black (Nova York: Thomas Nelson & Sons, 1962), p. 242.

[6] L. L. Morris, "Blood", *The New Bible Dictionary*, editado por J. D. Douglas *et al.* (Grand Rapids: William B. Eerdmans Publishing Company, 1962), p. 160.

[7] Martin Noth, "Leviticus", *The Old Testament Library* (Filadélfia: The Westminster Press, 1965), p. 24.

[8] Micklem, *op. cit.*, p. 17.

[9] *Ib.*, p. 18.

[10] Oswald T. Allis, "Leviticus", *The New Bible Commentary*, editado por F. Davidson *et at.* (Grand Rapids: William B. Eerdmans Publishing Company, 1953), p. 138.

[11] Charles R. Erdman, *The Book of Leviticus* (Nova York: Fleming H. Revell Company, 1951), p. 27.

[12] O. Michel, *Theological Dictionary of the New Testament*, editado por Gerhard Kittel, vol. IV (Grand Rapids: William B. Eerdmans Publishing Company, 1967), pp. 675-683.

[13] A. T. Chapman e A. W. Streane, "The Book of Leviticus", *The Cambridge Bible for Schools and Colleges* (Cambridge: The University Press, 1914), p. 8.

[14] Hirsch, *op. cit.*, p. 67.

[15] *Ib.*, p. 70.

[16] *Ib.*, p. 80.

[17] Keil, *op. cit.*, p. 299.

[18] Andrew A. Bonar, *A Commentary on the Book of Leviticus* (Nova York: Robert Carter & Brothers, 1863), p. vii.

[19] Keil, *op. cit.*, p. 303.

[20] Hirsch, *op. cit.*, p. 20.

[21] Allis, *op. cit.*, pp. 139, 140.

[22] Micklem, *op. cit.*, p. 29.

[23] *Ibid.*, p. 34.

²⁴*Ibid.*, pp. 35, 36.
²⁵Allis, *op. cit.*, p. 141.

SEÇÃO II

¹Micklem, *op. cit.*, p. 45.

²Rashi, *Pentateuch with Targum Onkelos, Haphtaroth and Rashi's Commentary*, traduzido para o inglês e comentado por M. Rosenbaum e A. M. Silbermann, *Leviticus* (Nova York: Hebrew Publishing Company, s.d.), p. 35.

³N. H. Snaith, "Leviticus and Numbers", *The Century Bible* (Camden, Nova Jersey: Thomas Nelson & Sons, 1967), p. 71.

⁴Keil, *op. cit.*, pp. 345, 346.

⁵L. H. Brockington, "Presence", *A Theological Dictionary of the Bible*, editado por Alan Richardson (Nova York: The Macmillan Company, 1951), pp. 172-176.

SEÇÃO III

¹Walther Eichrodt, "Theology of the Old Testament", *The Old Testament Library*, traduzido para o inglês por J. A. Baker, vol. I (Filadélfia: The Westminster Press, 1961), pp. 134, 135. Explanação médica sobre muitas destas exigências são dadas por S. I. McMillen, *None of These Diseases* (Westwood, Nova Jersey: Fleming H. Revell Company, 1963).

²Eichrodt, *op. cit.*, p. 137.

³Micklem, *op. cit.*, p. 60.

⁴Yehezkel Kaufmann, *The Religion of Israel*, traduzido para o inglês por Moshe Greenberg (Chicago: The University of Chicago Press, 1960), pp. 103, 104.

⁵Helmer Ringgren, *Israelite Religion*, traduzido para o inglês por David E. Green (Filadélfia: Fortress Press, 1966), p. 203.

⁶E. W. Masterman, "Leprosy", *Dictionary of Christ and the Gospels*. Para inteirar-se de uma análise das doenças da Bíblia, ver o artigo de A. P. Waterson em NBD, pp. 313ss.

⁷Erdman, *op. cit.*, p. 68.

SEÇÃO IV

¹"O altar de incenso, que estava situado fora do véu, ou seja, à sua frente, pertencia ao Santo dos Santos [ver Diagrama A]. Não podia ficar dentro do véu, ou seja, atrás deste, porque todos os dias os sacerdotes tinham de oferecer incenso nesse altar. No Dia da Expiação, o sumo sacerdote colocava o incenso ardente no incensário, atrás do véu, no Santo dos Santos" (VBB, nota de rodapé, *ad loc.*).

²Noth, *op. cit.*, p. 125.

³Snaith, *op. cit.*, p. 113.

SEÇÃO V

¹Allis, *op. cit.*, pp. 150, 151.

²Eichrodt, *op. cit.*, p. 75.

³Francis Brown, S. R. Driver e Charles A. Briggs, *A Hebrew and English Lexicon of the Old Testament* (Oxford: The Clarendon Press, 1907), p. 984b.

⁴Snaith, *op. cit.*, p. 125.

⁵*Ib.*, p. 136.

⁶*Ib.*, p. 133.

⁷Roland de Vaux, *Ancient Israel: Its Life and Institutions* (Nova York: McGraw-Hill Book Company, Incorporated, 1961), pp. 444, 445.

SEÇÃO VII

¹H. H. Rowley, *Worship in Ancient Israel* (Filadélfia: Fortress Press, 1967), p. 91.

²J. Barton Payne, *The Theology of the Older Testament* (Grand Rapids: Zondervan Publishing House, 1962), p. 406.

SEÇÃO VIII

¹Erdman, *op. cit.*, p. 127.

²Allis, *op. cit.*, p. 158.

SEÇÃO IX

¹Snaith, *op. cit.*, p. 162.

²*Loc. cit.*

SEÇÃO X

¹Snaith, *op. cit.*, p. 169.

Bibliografia

I. COMENTÁRIOS

ALLIS, Oswald T. "Leviticus." *The New Bible Commentary*. Editado por F. Davidson *et at*. Grand Rapids: William B. Eerdmans Publishing Company, 1953.

BONAR, Andrew A. *A Commentary on the Book of Leviticus*. Nova York: Robert Carter & Brothers, 1863.

CHAPMAN, A. T. e STREANE, A. W. "The Book of Leviticus." *The Cambridge Bible for Schools and Colleges*. Cambridge: The University Press, 1914.

ERDMAN, Charles R. *The Book of Leviticus*. Nova York: Fleming H. Revell Company, 1951.

HIRSCH, S. R. *The Pentateuch Translated and Explained*, Vol. III, Partes I e II. Traduzido para o inglês por Isaac Levy. Segunda Edição. Londres: Isaac Levy, 1962.

KEIL, C. F. e DELITZSCH F. *Biblical Commentary on the Old Testament*, Vol. II. Traduzido para o inglês por James Martin. Grand Rapids: William B. Eerdmans Publishing Company, 1949.

MICKLEM, Nathaniel. "The Book of Leviticus" (Exegesis and Exposition). *The Interpreter's Bible*. Editado por George A. Buttrick *et al.*, Vol. II. Nova York: Abingdon-Cokesbury Press, 1953.

NOTH, Martin. "Leviticus." *The Old Testament Library*. Filadélfia: The Westminster Press, 1965.

RASHI. *Pentateuch with Targum Onkelos, Haphtaroth and Rashi's Commentary*. Traduzido para o inglês e comentado por M. Rosenbaum e A. M. Silbermann. Nova York: Hebrew Publishing Company, s.d.

SNAITH, N. H. "Leviticus and Numbers." *The Century Bible*. Camden, Nova Jersey: Thomas Nelson & Sons, 1967.

II. OUTROS LIVROS

ALBRIGHT, W. F. *From Stone Age to Christianity*. Baltimore: Johns Hopkins Press, 1940.

ARCHER, Gleason. *A Survey of Old Testament Introduction*. Chicago: Moody Press, 1964.

BROWN, Francis, DRIVER, S. R. e BRIGGS, Charles A. *A Hebrew and English Lexicon of the Old Testament*. Oxford: The Clarendon Press, 1907.

EICHRODT, Walther. "Theology of the Old Testament." *The Old Testament Library*, Vol. I. Filadélfia: The Westminster Press, 1961.

KAUFMANN, Yehezkel. *The Religion of Israel*. Traduzido para o inglês por Moshe Greenberg. Chicago: The University of Chicago Press, 1960.

McMILLEN, S. I. *None of These Diseases*. Westwood, Nova Jersey: Fleming H. Revell Company, 1963.

PAYNE, J. Barton. *The Theology of the Older Testament*. Grand Rapids: Zondervan Publishing House, 1962.

RINGGREN, Helmer. *Israelite Religion*. Traduzido para o inglês por David E. Green. Filadélfia: Fortress Press, 1966.

ROWLEY, H. H. *Worship in Ancient Israel*. Filadélfia: Fortress Press, 1967.

VAUX, Roland de. *Ancient Israel: Its Life and Institutions*. Nova York: McGraw-Hill Book Company, Incorporated, 1961.

III. ARTIGOS

BROCKINGTON, L. H. "Presence." *A Theological Dictionary of the Bible*. Editado por Alan Richardson (Nova York: The Macmillan Company, 1951).

MICHEL, O. "Mimneskomai." *Theological Dictionary of the New Testament*, Vol. IV. Editado por Gerhard Kittel. Traduzido para o inglês por Geoffrey W. Bromiley (Grand Rapids: William B. Eerdmans Publishing Company, 1967).

MOLLER, Wilhelm. "Leviticus." *The International Standard Bible Encyclopedia*, Vol. III. Editado por James Orr *et al.* (Grand Rapids: William B. Eerdmans Publishing Company, 1949).

MORRIS, L. L. "Blood." *The New Bible Dictionary*. Editado por J. D. Douglas *et al.* (Grand Rapids: William B. Eerdmans Publishing Company, 1962).

O Livro de
NÚMEROS

Lauriston J. Du Bois

Introdução

A. Nome e Escopo

Em nossa Bíblia, o título deste quarto livro do Antigo Testamento é Números, conforme o título dado pela Vulgata Latina: *Numeri*. É usado, sem dúvida, para destacar os dois censos registrados em seu texto. O primeiro fazia parte do programa organizacional do povo de Israel após a saída súbita e dramática do Egito. O outro tinha a ver com a preparação em pô-los em ordem de marcha para a viagem à Terra Prometida. Mas, na verdade, estas "numerações" ocupam pequena porção do livro, qual seja, os capítulos 1 a 4 e 26. Por conseguinte, de vez em quando surgem propostas de outros títulos mais apropriados.

Os hebreus tinham o costume de destacar uma palavra do início das frases do livro para intitularem a obra. Por conseguinte, às vezes Números é chamado "E ele falou" (*Vaidabber*), da sua primeira palavra. A maioria das Bíblias hebraicas dá o título "No deserto" (*Bemidbar*), que além de ser a quinta palavra hebraica do primeiro versículo, tem a ver com o cenário do corpo principal do livro.

No que diz respeito ao conteúdo, Números poderia ser designado o "Livro de Moisés".[1] Ao longo destas páginas, Moisés é retratado como homem de Deus de maneira mais incisiva que nos dois livros precedentes e, talvez até mais, que no livro seguinte. Ele domina a cena como legislador, intercessor, pacificador, provedor, conselheiro sábio, estadista astuto, general inteligente, líder íntegro e servo de Deus.

O Livro de Números também poderia ter o título "A História da Fidelidade de Deus". O enredo básico do livro é Deus trabalhando entre o povo.[2] Ele é a Coluna de Fogo, durante a noite, a Coluna de Nuvem, durante o dia, o Provedor de água e maná, o Capitão à frente dos exércitos, a Presença pairadora acima e ao redor de todo o acampamento. Por conseguinte, no decorrer dos séculos, Números tem contribuído de forma substancial para firmar a fé basilar dos israelitas em Deus.

O objetivo do livro seria identificado com mais precisão e clareza pelo título "Peregrinação". O versículo-chave não estaria no princípio, mas profundamente enraizado no cerne do registro: "Nós caminhamos para aquele lugar de que o SENHOR disse: Vo-lo darei; vai conosco, e te faremos bem; porque o SENHOR falou bem sobre Israel" (10.29).

Ou olhando o livro da posição vantajosa da história hebraica e cristã, poderíamos intitulá-lo "A Tragédia de um Povo Murmurador". O livro está salpicado de registros de murmuração e reclamação dos israelitas por causa dos sofrimentos pelos quais passavam. Contém, como centro histórico, o grande pecado de incredulidade em Cades-Barnéia, onde o povo passou da crítica aos líderes para a crítica ao próprio Deus.[3]

Embora haja quem julgue que este livro não seja tão detalhado ou tão autêntico quanto os outros livros históricos, contudo é significativo para a história de Israel e para a história dos procedimentos de Deus para com seu povo.[4]

B. Estrutura

De muitas maneiras, Números é singular na estrutura e no tratamento dos dados que apresenta. Não é um livro independente que carrega seu próprio significado característico, mas é, com Levítico, "a parte intermediária de uma história contínua que vai de Gênesis a Deuteronômio, e na verdade se estende até Josué. [...] Isto significa que [...] eles desempenham parte crucial no entendimento dos outros livros".[5] Dentro do livro, os dizeres que vão de 1.1 a 10.10 têm relação com Levítico e Êxodo e as experiências orientadas ao Egito, ao passo que a porção a partir de 10.11 aponta para frente, para as experiências orientadas a Canaã.

Números é composto de narrativa, instrução, leis, ritos religiosos e literatura épica. O arranjo destes tipos de composição dá a impressão de que o material veio de muitas fontes. Em certos lugares, por exemplo, a matéria legislativa, que está entremeada com narração, provém e mostra conexão natural com essa narrativa. Em outras ocasiões, porém, tal relação não é evidente.[6]

A narrativa em si é desigual e entrecortada. Não se desdobra numa história contínua e devidamente elaborada. Apresenta o registro de certos incidentes, alguns tratados com muita brevidade e outros com mais detalhes. Por exemplo, o livro dá atenção minuciosa aos preparativos para a partida do Sinai e às ocorrências que precederam a derrota espiritual em Cades. Dá menos atenção ao relato da marcha final para Canaã e aos acontecimentos que o cercam. Oferece apenas uma observação curta e pouquíssimas respostas às perguntas relativas aos 38 anos das "peregrinações no deserto".

O livro deve ser lido levando em conta esta natureza "retalhada". Pelo visto, não há padrão de organização que atenue as transições abruptas, explique os pontos ambíguos ou preencha as lacunas numerosas. Há muitos começos e muitos fins. Estes espaços vazios para entendermos com mais profundidade a estrutura de Números não enfraquecem sua posição no cânon das Santas Escrituras. Ainda permanece relato confiável desta famosa migração do povo israelita do Sinai para Canaã.

C. Achados Arqueológicos

É lamentável que não haja mais documentações da pesquisa arqueológica e campos relacionados que se apliquem às regiões e épocas que abrangem o Livro de Números. Os achados para datar o livro são limitados e poucos deles estão devidamente comprovados para não serem questionados.

Em conseqüência disso, é necessário depender bastante da tradição para questões como o trajeto da rota da viagem, os locais de muitos acontecimentos mencionados e outros dados não explicitados pelo registro bíblico. Estes locais importantes, como o monte chamado Sinai, os poços de Cades-Barnéia e muitos dos lugares em que pararam no caminho (33.1-37), não podem ser identificados com precisão em um mapa contemporâneo. Todo esforço em mostrar a rota da peregrinação é, na melhor das hipóteses, mera estimativa que espraia em muitas probabilidades.[7]

Há achados aos quais os arqueólogos dão certa importância. Evidências mostram que estas regiões desérticas nem sempre foram tão estéreis e improdutivas quanto são hoje. Talvez estas áreas proporcionassem certa medida de sustento alimentício para uma grande multidão de pessoas como a Bíblia registra, embora ainda fossem necessários os milagres que Deus fez para que pudessem sobreviver. Também há provas que indicam que a região do Sinai, durante aqueles tempos, ostentava a produção de metais (ferro, cobre e talvez outros). Estes fatos explicariam os nomes encontrados no registro deste período relativos a metais, fusão e coisas semelhantes. Apoiariam também a insinuação bíblica de que estas áreas não eram tão remotas e devastadas como denotam as condições atuais.[8]

Certos estudiosos[9] entendem que as melhores evidências da arqueologia sustentam a data "posterior" do Êxodo (por volta de 1300 a.C.). Duas destas evidências se revelam da máxima significação. 1) Existe datação mais exata da origem da dinastia dos hicsos no Egito, cujo começo acreditamos que coincide com os dias de José e a migração de Jacó e sua família para o Egito. 2) Certos indícios ratificam a idéia de um surgimento bastante súbito de cidades fundadas no sul da Palestina e na Transjordânia no século XIII a.C. Estas condições certamente eram pertinentes quando os israelitas estabeleceram contato com estas áreas no percurso da viagem.

Há especulações relativas à autoria de Números. Contudo, poucas evidências descobertas mudam a posição tradicional, que advoga ser Moisés o autor da maior parte do livro.[10] Podemos manter esta postura apesar da sugestão de interpolações feitas pelo compilador original ou por algum revisor posterior, e apesar da presença de composições da literatura épica um tanto quanto sem conexão, as quais seriam provenientes de outras fontes. Carecemos de provas incontestes que nos levem a atribuir a autoria básica a alguém que não Moisés.

Em sua maioria, os dados apoiadores que cobrem este período são limitados, mais até que os dados que cobrem os tempos do estabelecimento de Israel em Canaã. Por conseguinte, estas fontes externas oferecem muito pouco para preencher os espaços vazios e, basicamente, quase nada acrescentam às informações registradas no relato bíblico.

Esboço

I. PREPARAÇÕES NO SINAI, 1.1—10.10

    A. O Censo, 1.1—2.34
    B. As Providências para os Levitas, 3.1—4.49
    C. As Responsabilidades Sociais, 5.1-31
    D. O Voto Nazireu, 6.1-21
    E. A Bênção Sacerdotal, 6.22-27
    F. As Ofertas dos Príncipes, 7.1-89
    G. A Purificação dos Levitas, 8.1-26
    H. Na Véspera da Partida, 9.1—10.10

II. DO MONTE PARA O DESERTO, 10.11—14.45

    A. A Mudança do Acampamento, 10.11-36
    B. A Reclamação do Povo, 11.1-9
    C. O Fardo Pesado de Moisés, 11.10-17
    D. A Promessa de Deus de Carne para o Povo, 11.18-23

E. A Doação do Espírito, 11.24-30
F. A Chegada de Codornizes, 11.31-35
G. O Pecado de Miriã, 12.1-15
H. O Grupo de Espiões Inspeciona Canaã, 12.16—13.33
I. A Reação do Povo, 14.1-10
J. O Julgamento de Deus, 14.11-45

III. AS EXPERIÊNCIAS NO DESERTO, 15.1—19.22

    A. Os Anos de Obscuridade
    B. A Revisão de Certas Leis, 15.1-41
    C. A Insurreição de Corá, 16.1—17.13
    D. Os Deveres Levíticos e Sacerdotais, 18.1-32
    E. As Providências para a Purificação, 19.1-22

IV. DE CADES A MOABE, 20.1—22.1

    A. Os Acontecimentos em Cades, 20.1-21
    B. Para Canaã, Finalmente, 20.22—21.4
    C. A Serpente de Bronze, 21.4-9
    D. Os Incidentes na Marcha, 21.10—22.1

V. OS EPISÓDIOS DRAMÁTICOS DE BALAÃO, 22.2—24.25

    A. As Características Exclusivas da Seção
    B. O Convite de Balaque e a Resposta de Balaão, 22.2-41
    C. A Primeira Profecia, 23.1-13
    D. A Segunda Profecia, 23.14-26
    E. A Terceira Profecia, 23.27—24.13
    F. A Quarta Profecia, 24.14-25

VI. OS ACONTECIMENTOS EM MOABE, 25.1—32.42

    A. Os Fracassos Morais, 25.1-18
    B. Outro Censo, 26.1-65
    C. A Lei da Herança Universal, 27.1-11
    D. Josué é Escolhido, 27.12-23
    E. As Épocas Designadas de Adoração, 28.1—29.40
    F. Os Votos das Mulheres, 30.1-16
    G. Guerra Contra os Midianitas, 31.1-54
    H. O Estabelecimento Fora de Canaã, 32.1-42

VII. COLETÂNEA DE FATOS DIVERSOS, 33.1—36.13

    A. Os Acampamentos do Egito a Canaã, 33.1-56
    B. O Contorno das Fronteiras, 34.1-29
    C. As Cidades de Refúgio, 35.1-34
    D. Casamento e Herança, 36.1-13

Seção I

PREPARAÇÕES NO SINAI

Números 1.1—10.10

A cena introdutória do Livro de Números ocorre dez meses e meio depois da chegada do povo de Israel ao monte Sinai. Foi um mês após a conclusão do Tabernáculo[1] (Êx 40.1-33) e pouco mais de um ano a partir do início do Êxodo. O livro principia colocando Israel no meio das instituições centrais de sua existência nacional: o sacerdócio e a habitação de Deus no Tabernáculo.[2] Começa abruptamente com uma ordem de Deus para Moisés fazer a **soma** (2; "o recenseamento", NVI) de toda a congregação.

A. O Censo, 1.1—2.34

1. *O Propósito do Censo* (1.1-3)
Este censo (numeração) tinha relação estreita com outro censo feito anteriormente (Êx 30.11-16). O primeiro se concentrava em torno da necessidade de proventos para sustentar o santuário e era, de certo modo, a base para cobrar um imposto por cabeça. Levando em conta que o segundo censo era de natureza militar e não religiosa, muitos estudiosos acham que, no que diz respeito aos registros, era mera extensão do primeiro e que não houve duas numerações, mas só uma.[3] Este também estava relacionado com o censo feito mais tarde, em Moabe, antes da entrada dos israelitas em Canaã (cap. 26). Aquele censo tinha a ver com a designação territorial para as tribos.

John Wesley foi feliz ao expressar o propósito deste censo. Ele declarou que era, "em parte, para que o grande número de pessoas atribuísse ao louvor da fidelidade de Deus o cumprimento de suas promessas de multiplicá-lo; em parte, para a melhor arrumação do acampamento; e, em parte, para que esta contagem fosse comparada com a outra ao final do livro. Ali, verificamos que nenhum indivíduo de toda esta vasta multidão — exceto Calebe e Josué — sobreviveu, constituindo-se em exortação excelente para que todas as gerações futuras evitem se rebelar contra o Senhor".[4]

São registros exatos como estes que formaram a essência do conhecimento genealógico tão importante para a história secular e religiosa dos judeus. Serviram de "centro cadastral" da nação, preservando para a história detalhes que faltam em culturas de tantas outras nações. Considerando que os totais estavam em "números redondos", é perfeitamente evidente que os propósitos deste censo fossem atingidos com estas cifras gerais.

A ordem de Deus era: "Levantai o censo de toda a congregação dos filhos de Israel, segundo as suas famílias, segundo a casa de seus pais, contando todos os homens, nominalmente, cabeça por cabeça. Da idade de vinte anos para cima" (2,3a, ARA). **Conforme o número dos nomes de todo varão** (2) é melhor "alistando todos os homens" (NVI). Este censo dizia respeito ao serviço militar, pois envolvia **todos os que saem à guerra** (3). Neste sentido, não era diferente do recrutamento para o serviço militar comum a muitas nações dos dias de hoje. Todo israelita homem (exceto quem fosse da tribo de Levi) era soldado e tinha de servir nesta função à medida que Israel apertava o passo em direção a Canaã. Por vezes, alguns aventam que os velhos estavam isentos desse serviço militar, mas em nenhuma parte do texto há o registro de uma "idade de aposentadoria". Pelo que deduzimos, a deficiência física era a única exceção para tal serviço.

2. O Padrão do Censo (1.4-19)

Moisés e Arão tinham de realizar o censo com a ajuda de um homem **de cada tribo**, que fosse **cabeça da casa de seus pais** (4). É provável que fossem pessoas "comuns", em comparação ao censo anterior, no qual os levitas foram os assistentes. Talvez a diferença tenha sido ocasionada pelo fato de que este era um censo político e militar. Mesmo assim, os nomes dos assistentes na maioria das ocorrências incorporam alguma alusão a Deus e, pelo visto, indicam que o povo percebia que Deus estava presente com eles desde o início da peregrinação.[5] "Foram esses os escolhidos dentre a comunidade, líderes das tribos dos seus antepassados, chefes dos clãs de Israel" (16, NVI).

É lógico que Moisés, Arão e estes assistentes montaram postos aos quais os representantes das tribos e/ou das famílias das tribos se dirigiam. Considerando que fazia pouco tempo que o censo anterior fora feito, presumimos que os registros já estavam em ordem e só precisavam ser apresentados. Os representantes **declararam a sua descendência** (18; lit., "anunciaram ter nascido"). Foram alistados em três categorias: 1) Por tribo; 2) por família; e 3) pela casa paterna. A precisão de semelhante registro tornou possível que as gerações posteriores determinassem a genealogia de Jesus.[6]

3. Os Resultados do Censo (1.20-46)

Podemos identificar e analisar melhor os resultados do censo na forma de tabela. Para efeito de comparação, damos os números paralelos ao censo feito em Moabe (cap. 26).

Tribo	Censo no Sinai (caps. 1—2)	Censo em Moabe (cap. 26)
Rúben	46.500	43.730
Simeão	59.300	22.200
Gade	45.650	40.500
Judá	74.600	76.500
Issacar	54.400	64.300
Zebulom	57.400	60.500
Efraim	40.500	32.500
Manassés	32.200	52.700
Benjamim	35.400	45.600
Dã	62.700	64.400
Aser	41.500	53.400
Naftali	53.400	45.400
Total	603.550	601.730

Claro que estas cifras se referem apenas a "homens de guerra", adultos com vinte anos de idade ou mais. Várias regras foram usadas para determinar o número total da congregação, contando as mulheres, crianças, a "mistura de gente" e os levitas. O acréscimo sugere, no mínimo, dois milhões de pessoas e, no máximo, três milhões de pessoas. Em todo caso, era um grupo considerável para se aventurar em tal viagem.

Estudiosos liberais e conservadores não concordam quanto ao número de pessoas envolvidas. Os estudiosos liberais insistem em afirmar que o número mostrado está vergonhosamente errado. Seus argumentos não estão fundamentados em erros comprovados no registro ou em provas documentadas de fontes externas. O raciocínio se origina desta premissa: Milagres não são possíveis. A terra não podia sustentar tamanho grupo de pessoas sem a ocorrência de milagres. A "mente moderna" é forçada a desconsiderar o relato bíblico tachando-o de inexato. Por outro lado, os estudiosos conservadores se firmam resolutamente na confiança de que os milagres são possíveis e que Deus os fez conforme declaram os registros bíblicos. Persistem em dizer que ninguém conseguiu autenticar a sugestão de erro no cálculo destas cifras. Além disso, o relato concorda com outros registros bíblicos como Deuteronômio 29.5; Salmo 78.26-28 e 1 Coríntios 10.4, que apóiam a idéia de que os israelitas formavam número muito grande de pessoas quando viajaram do Egito para Canaã. Por conseguinte, os estudiosos conservadores acreditam que o total registrado deste censo está basicamente correto.[7]

O total final tabulado no censo feito em Moabe se aproxima do total obtido por aqueles que deixaram o Sinai, embora haja mudanças nos totais das tribos. Assim, houve uma "substituição" da velha geração pela nova, de acordo com a sentença de julgamento imposta por Deus em virtude da incredulidade da nação em Cades-Barnéia (14.27-37).

4. A Exclusão dos Levitas (1.47-54)

Os **levitas** (47) foram excluídos desta parte do censo e dos regulamentos exigidos para as outras tribos. O texto não apresenta o motivo de a tribo de Levi ter sido separada por Deus para o serviço especial. É muito provável que seja por causa do fato de

Levi ser a tribo à qual Moisés e Arão pertenciam ou porque esta tribo foi pronta em advogar a causa de Deus no incidente do bezerro de ouro (Êx 32.26). Pelo que deduzimos, o decreto era uma ratificação da política que já estava em vigor (cf. Lv 25.32). Em todo caso, Deus separou os levitas e lhes deu responsabilidades específicas. A ordem foi: **Tu, põe os levitas sobre o tabernáculo do Testemunho... e sobre tudo o que lhe pertence** (50). Os levitas foram submetidos a um censo separado (3.1—4.49) e cada família da tribo tinha responsabilidades específicas no cuidado da Tenda do Encontro. **Quando o tabernáculo partir** (51) é melhor "quando for a hora de a Habitação ser transportada" (VBB).

5. *A Posição das Tribos* (2.1-34)

Um dos principais propósitos do censo era organizar o acampamento em um plano de marcha. É neste ponto, talvez mais que em qualquer outro, que se evidenciam os primeiros passos na nacionalidade. Nesta organização, havia um esboço das relações intertribais; a estrutura de uma "cidade" com endereços onde as pessoas podiam ser localizadas; um plano de marcha, de forma que o transporte fosse feito em ordem; e um plano de adoração para que as atividades e questões religiosas e político-militares do povo não ficassem irremediavelmente separadas.[8] Um diagrama explica melhor o esboço do acampamento.

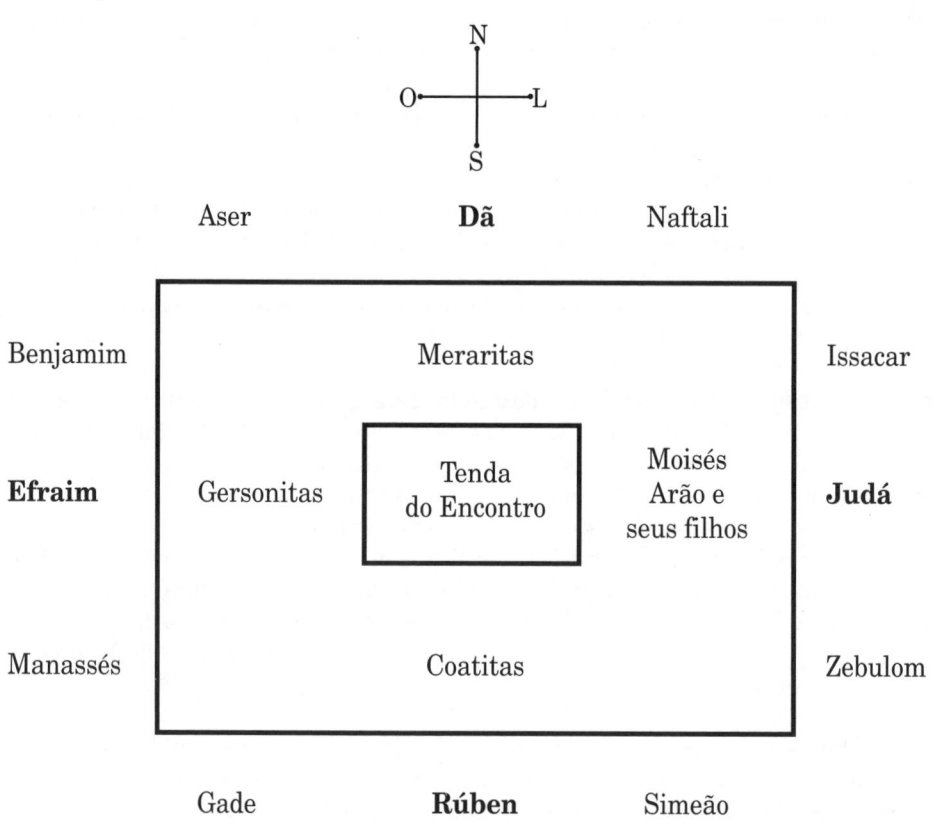

		Aser	**Dã**	Naftali	
Benjamim			Meraritas		Issacar
Efraim		Gersonitas	Tenda do Encontro	Moisés Arão e seus filhos	**Judá**
Manassés			Coatitas		Zebulom
		Gade	**Rúben**	Simeão	

A posição central da Tenda do Encontro era significativa para o alinhamento das tribos. O povo nunca devia esquecer que "Deus está no meio do seu povo". Também é digno de nota que cada tribo tinha de assentar **cada um debaixo da sua bandeira, segundo as insígnias da casa de seus pais** (2). Não temos registro exato do que seriam estas insígnias. Talvez houvesse somente quatro, representando a tribo "líder" de cada lateral do quadrado. A tradição judaica designa um *leão* para Judá, uma *cabeça humana* para Rúben, um *boi* para Efraim e uma *águia* para Dã.[9] **Segundo os seus esquadrões** (9,18) é melhor "segundo as suas companhias" (RSV) ou "segundo os seus batalhões" (Moffatt).

B. As Providências para os Levitas, 3.1—4.49

1. *Arão e Moisés* (3.1-4)

Arão e **Moisés** (1) pertenciam à tribo de Levi e, de certo modo, eram seus líderes. Pelo visto, os filhos de Moisés encontraram posições em seu grupo familiar (coatitas), ao passo que os **filhos de Arão** foram consagrados (3) ou ordenados[10] para levar avante os deveres sacerdotais. Só **Eleazar e Itamar** (4) estavam envolvidos nesta época, pois os outros dois filhos morreram ao oferecer sacrifícios profanos (Lv 10.1,2). Há evidências que apóiam a opinião de que os levitas ajudaram os sacerdotes, os **filhos de Arão** (3), nos deveres sacerdotais sagrados (cf. Jz 17.5,10,13).[11] Se for verdade, significa que foi em data posterior na história judaica que estas funções foram exclusivamente separadas para os sacerdotes. Esta seria a resposta à questão de como uma congregação tão grande pôde ser servida por número tão exíguo de sacerdotes.

2. *A Consagração dos Levitas* (3.5-13)

Como vimos em 1.47-54, Deus tinha um plano especial reservado para os levitas. Eles seriam os "assistentes dos sacerdotes". Deus ordenou que Moisés levasse a **tribo de Levi** e a pusesse **diante de Arão** (6). Este é um dos mais antigos relatos registrados sobre a consagração de pessoas ao Senhor, ato extremamente básico para a mais sublime relação do cristão com Deus (Rm 12.1,2). Esta consagração tinha propósitos santos: o **cuidado de todos os utensílios da tenda da congregação** e a administração do **ministério do tabernáculo** (8). Tratava-se de serviço de tempo integral para o Senhor no mais pleno significado do termo. Estas são as sementes de outra verdade: a consagração é exclusivamente para os filhos de Deus (Jo 14.17), pois o **estranho que se chegar morrerá** (10). O vocábulo **estranho** é usado (cf. tb. 1.51; 16.40) no sentido de "toda pessoa não autorizada"; ou na situação espiritual, "toda pessoa impura ou inepta".

O princípio da idéia de separar certas pessoas para a posse de Deus acha-se na Páscoa (Êx 13.2,11,12), quando Deus santificou **todo o primogênito em Israel, desde o homem até ao animal** (13). Mas em vez de requerer seu direito de **todo o primogênito que abre a madre** (12), Deus tomou para si todas as pessoas da tribo de Levi, inclusive os animais.

3. *O Censo dos Levitas* (3.14-39)

Era necessário, em harmonia com o plano geral do censo, enumerar a tribo de Levi, contando as crianças do sexo masculino de um mês de idade;[12] mas também enumerar os homens entre trinta e cinqüenta anos de idade, que realizariam o trabalho de cuidar do

Tabernáculo e ministrar sob a direção dos sacerdotes. O capítulo 3 relata os resultados do censo geral dos levitas e especifica o posicionamento das famílias em relação à Tenda do Encontro (ver Diagrama acima). O capítulo 4 faz uma lista total de quem estava apto para servir nestas tarefas diversas. Os resultados das duas tabulações são os seguintes:

Família	Crianças do sexo masculino de um mês para cima	Homens entre 30 e 50 anos	Posição
Gersonitas	7.500	2.630	Oeste
Coatitas	8.600	2.750	Sul
Meraritas	6.200	3.200	Norte
Moisés e Arão			Leste
Total	22.300	8.580	

A soma no versículo 39 fica em menos 300 do total de crianças do sexo masculino de um mês para cima segundo listagem por famílias, dando um total de 22.000. Alguns sugerem que pode ter havido um erro na transcrição do total. Outros entendem que os 300 seriam os "primogênitos" dos levitas que já eram do Senhor e, por conseguinte, não foram contados com aqueles que serviriam como "substitutos" dos primogênitos de outras tribos.

Para quem gosta de analisar meticulosamente estes números ainda ficam alguns problemas sem solução, mas não há métodos de cálculo que sejam melhores que estes. Em todo caso, a totalização (39) foi usada como base de cálculo para o número de pessoas a ser resgatadas por oferta. Para inteirar-se de uma descrição das tarefas das famílias levíticas, ver comentários no capítulo 4.

4. A Redenção dos Primogênitos de Israel (3.40-51)

Para que a troca dos levitas correspondesse ao número de todos os primogênitos (40) das outras tribos, Deus instruiu Moisés a contar os primogênitos e comparar as somas com os totais da tribo de Levi. Apareceu uma diferença de **duzentos e setenta e três** (46) pessoas. Para sanar esta diferença houve um "plano de redenção", ou seja, em vez de os primogênitos serem entregues ao serviço do Senhor, apresentaram uma oferta de **cinco siclos**[13] por cada um. A taxa de câmbio era estimada pelo **siclo do santuário** (47) de **vinte geras** (cf. Êx 30.13; Lv 27.25). É provável que o total de 1.365 siclos não tenha sido coletado das famílias, mas tirado das tesourarias tribais e entregue a Arão e seus filhos num montante total. **O número dos nomes** (40,43) é simplesmente "o número" (VBB).

Este plano de redenção é um vislumbre do grande plano de redenção em Cristo para todos os homens e também ressalta o direito que Deus tem dos primeiros produtos da vida e das posses do indivíduo.

5. Os Deveres das Famílias Levíticas (3.25,26,31,36; 4.1-49)

Cada uma das três famílias dos levitas recebeu deveres específicos a cumprir. Estas tarefas objetivavam tornar eficiente o cuidado da Tenda do Encontro e estipular o processo de montá-la e desmontá-la conforme a necessidade. Estes deveres são especificados nos capítulos 3 e 4 e divididos entre os coatitas, os gersonitas e os meraritas.

Os coatitas (alistados primeiramente no cap. 4), e de certo modo a elite dos levitas, tinham de cuidar[14] dos objetos sagrados relacionados à adoração: a **arca**, a **mesa**, o **castiçal**, os **altares**, os **utensílios**, o **véu** e todo o seu **serviço** (3.31; 4.5-15). Esta família estava sob a supervisão direta do sacerdote **Eleazar** (3.32), e sujeita a regulamentos mais rígidos que as outras (4.15). Contudo, havia certas exceções que precisavam ser levadas em conta, visto que os coatitas eram responsáveis em aprontar para a viagem estes elementos sagrados da Tenda do Encontro (4.17-20). Não há dúvida de que tinha de haver reverência pelos objetos sagrados, sentimento que deve sobrevir em todas as áreas de nossa vida.

Os gersonitas (alistados primeiramente no cap. 3) tinham de cuidar da tenda, das cortinas e das cobertas — os "artigos leves" da Tenda do Encontro (3.25,26; 4.25-28).

Os meraritas eram responsáveis pelas peças pesadas e incômodas do Tabernáculo: as **tábuas**, os **varais**, as **colunas**, as **bases** e os "artigos pesados" da estrutura (3.36,37; 4.31,32). Estavam **debaixo da mão** ("sob a supervisão", NVI; cf. ARA; NTLH) de **Itamar** (4.33), que também foi o supervisor durante a construção da Tenda do Encontro (Êx 38.21).

C. As Responsabilidades Sociais, 5.1-31

A viagem longa e difícil que estava à frente de Israel envolveria problemas sociais latentes que surpreenderiam a imaginação. Era de se esperar que certas leis anteriormente expostas fossem revistas na véspera da partida. Este capítulo menciona três leis que dizem respeito a áreas em que problemas mais sérios surgiriam: *higiene, honestidade* e *moralidade*.

1. Sérios problemas de *saúde* e *saneamento* ocorrem quando um grupo grande de pessoas se acampa em contigüidade muito próxima sem instalações adequadas conforme os padrões atuais. Claro que havia certas implicações religiosas nas leis relativas à lepra e, talvez, nas leis relativas ao contato com corpos mortos. O fato de doenças com outros sintomas também estarem envolvidas ressaltam a questão da higiene. Só precisamos imaginar a situação de saneamento que Moisés enfrentava, a possibilidade de epidemias e a ameaça constante à saúde das pessoas, para percebermos algumas razões para as regras rígidas aqui impostas.

O versículo 2 menciona três condições específicas: a lepra (Lv 13.3); a infecção (emissões sexuais, fluxos menstruais, feridas purulentas, etc.; Lv 15.2); e a impureza **por causa de contato com algum morto** (2; cf. Lv 21.1). Não há como equipararmos plenamente todos estes regulamentos com os conceitos hodiernos de causa e cura de doenças, mas não é difícil ver que a saúde das pessoas tinha de ser protegida. Mesmo com essas doenças para as quais era duvidosa a causa de contágio e/ou contaminação, o isolamento ainda era o procedimento prescrito. Pelo que deduzimos, as áreas **fora do arraial** (3) foram designadas como lugares aos quais as pessoas infectadas iam e onde recebiam certos cuidados.

Por outro lado, há a forte indicação de que a impureza é detestável a um Deus santo. As pessoas imundas tinham de ser retiradas de onde contaminariam outras e, também, não deveriam contaminar o acampamento, **no meio** (3) do qual o Deus santo habita. Esta é idéia integrante a esta questão, tão predominante nas passagens da lei: Deus quer que as pessoas entre as quais Ele habita sejam seu povo. A impureza moral e espiritual, bem como a física, não tem lugar lado a lado com um Deus santo. Nestas leis e nestes mandamentos estão as sementes de dois conceitos significativos abundantes na Palavra de Deus: a "idéia do santo" e a "idéia da família de Deus" (Lv 11.44; 26.12). Estas duas idéias condizem com o conceito de santidade cristã, o plano de Deus de um povo santo a quem Ele possa chamar seu.

2. A *segurança da propriedade pessoal* é outro problema sério quando há numerosas pessoas muito próximas entre si e a desonestidade não está sob controle. O direito de propriedade de todos deve ser protegido (5-10). A lei esboça os procedimentos para lidar com quem viola este direito.[15] Em linhas gerais, é isto: a restauração dos bens injustamente tomados com a adição do **quinto** (7) ou 20%. Ou no caso da impossibilidade de tal restituição, porque a pessoa que causou prejuízo não tem **resgatador** (8), a quantia deve ser levada ao **sacerdote** junto com o **carneiro da expiação**. Este é retrato exato, embora incompleto, relativo ao perdão de pecados. Há a necessidade de *arrependimento*, o teste da *restituição* e o fato da *reconciliação*.

3. Ainda outro problema diz respeito a *relacionamentos matrimoniais* (11-31). A questão aqui não se tratava de adultério comprovado, pois leis concernentes a esta condição eram claras e prescreviam a pena de morte (Lv 20.10). Este regulamento relacionava-se com situações em que não se podia comprovar a infidelidade (13,29) ou em que a conduta da esposa despertava suspeitas (cf. NTLH). **No feito não for apanhada** (13) é melhor "não foi apanhada no ato" (NTLH; cf. ARA; NVI).

Sob estas circunstâncias, o marido, com a esposa, podia ir ao sacerdote levando uma oferta. Este procedimento não é diferente do "julgamento por ordálio"* que vigorava em muitos povos primitivos, embora neste caso houvesse a bênção de Deus. Foi indubitavelmente sancionado por Ele à luz de possíveis práticas semelhantes conhecidas pelos israelitas. Não há exemplo registrado nas Escrituras em que o ordálio tivesse sido usado. De acordo com o Talmude, esta prescrição cessou 40 anos antes da destruição de Jerusalém; por conseguinte, durante a vida terrena de Jesus. Estes fatos dão crédito à opinião de que esta era prescrição interina para o deserto e, sendo assim, não tinha significação maior.[16]

No processo de preparar o povo para a viagem, esta prescrição e os princípios ligados à fidelidade matrimonial recebem lugar proeminente. Talvez a severidade da pena já servisse para o propósito em vista.

O ordálio se concentrava na **água santa** e no **pó** que houvesse **no chão do tabernáculo** (17). Estas prescrições devem ter impressionado todos os envolvidos com a

---

*Prova judiciária feita com a concorrência de elementos da natureza (fogo, ferro em brasa, água fervendo, duelo, etc.), cujo resultado decidia a inocência ou culpa de um acusado e era interpretado como um julgamento divino. (N. do T.)

preocupação de Deus sobre esse assunto. A **oferta de manjares dos ciúmes** (18) era feita pela mulher. Sua cabeça era descoberta; concordava com a lei e a pena, dizendo: **Amém! Amém!** (22); e bebia a **água amarga** (23) que dissolvera a tinta na qual a lei fora escrita em pergaminho. Se a mulher fosse culpada, a água amarga causaria sérias reações nos órgãos femininos. Se não fosse culpada, seria declarada limpa, e a água amarga a levaria a ser fecunda para gerar filhos.

Estas eram as prescrições referentes ao homem que acusava a esposa de infidelidade e à mulher, para que não fosse condenada injustamente. A pureza moral e a fidelidade matrimonial sempre devem ser os fundamentos de uma sociedade. A honestidade e a probidade na relação matrimonial têm de existir para que o casamento dê certo e tenha as bênçãos de Deus.

D. O Voto Nazireu, 6.1-21

1. O Plano para o Voto (6.1-8)

O **voto de nazireu** (2) era uma das prescrições exclusivas de Deus para o povo. Fala de todos que podiam fazer o voto, homens e mulheres de qualquer tribo e em qualquer momento da vida. Ao longo do Antigo Testamento há prescrições para os sacerdotes e levitas cumprirem antes de exercerem os serviços religiosos especiais. Este voto prepara o terreno para a universalidade do evangelho no Novo Testamento, que possibilita todas as pessoas que escolheram agir assim a entrarem na obra de Deus.

A palavra **nazireu** é derivada do hebraico *nazir*, que significa "separar". Mais tarde, na história hebraica, este voto era prática bastante comum representada por pessoas famosas como Sansão, Samuel e João Batista. O voto nazireu era extremamente severo, mais que os votos sob os quais os sacerdotes serviam.

a) O nazireu prometia se abster de **vinho** e **bebida forte** (3). O termo geral seria "bebidas inebriantes". O **vinagre** está incluso na lista de proibições, porque os hebreus o fabricavam de bebidas intoxicantes que tinham azedado.[17] Não podia tomar "suco de uvas" (NTLH; NVI) e nem comer **uvas frescas** ou **secas** (provavelmente, em bolos de passa). O nazireu tinha de se privar de tudo o que a videira produzisse, até da semente ou das cascas (4; cf. ARA) ou "uvas verdes ou gavinhas" (Smith-Goodspeed).

b) Durante o tempo do voto, o nazireu tinha de deixar o cabelo crescer; **sobre a sua cabeça não passará navalha** (5). Era como símbolo externo do seu voto a Deus e indicava, na linguagem dos rituais, que ele era limpo.

c) O nazireu não devia chegar perto do **corpo de um morto** (6), pois tal contato o tornaria cerimonialmente impuro. Esta determinação era tão rígida que ele não podia ajudar no enterro de pessoas do próprio parentesco (7).

O nazireu era uma pessoa "separada" (Tt 2.14), e durante o período do voto prestava serviços especializados a Deus. Também havia a implicação espiritual de que

todos os dias do seu nazireado ele tinha de ser **santo** ao **SENHOR** (8). O voto falava de limpeza física pessoal, de pureza cerimonial no que tange à lei e de disciplina moral forte. Os sinais externos davam evidência ao mundo de que o indivíduo era nazireu.

Vemos nesta relação uma previsão do propósito de Deus para todos os seus filhos, uma escolha pessoal e voluntária no sentido de serem pessoas separadas, um povo santo e dedicado ao serviço de Deus. Isto está claramente relacionado, em espírito e propósito, aos votos de consagração do Novo Testamento cristão (cf. 2 Co 6.14,16-18). Indica o desejo do coração de Deus de que todos os seus filhos sejam nazireus em espírito.

2. A Purificação da Contaminação (6.9-12)

Caso o nazireu inadvertidamente entrasse em contato com algo morto, ficaria cerimonialmente impuro. Para esta condição, Deus forneceu meios de limpeza. O indivíduo tinha de rapar a **cabeça** (9) e levar a oferta de **duas rolas ou dois pombinhos** (10) para o sacerdote fazer expiação por ele. Deus não faz exigências sem prover meios de cumprimento e uma expiação, quando necessária (1 Jo 2.1,2). A **cabeça do seu nazireado** (9) é figura de linguagem para se referir a "sua pessoa" (Moffatt).

3. A Conclusão do Voto (6.13-21)

O voto nazireu durava um período específico de tempo, como indica a expressão **os dias do seu nazireado** (13). Provavelmente, não era menos de um ano e poderia ser para toda a vida. Quando o período expirasse, o nazireu tinha de comparecer diante do sacerdote com **um cordeiro** para o **holocausto** (oferta da consagração); **uma cordeira** para a **expiação da culpa** ("oferta pelo pecado", ARA; a expiação pelos pecados cometidos durante o período dos votos vinha, na verdade, antes do holocausto); **um carneiro** para a **oferta pacífica** (14; "oferta de paz", NTLH; e **um cesto de bolos asmos** e **coscorões asmos**, junto com uma **oferta de manjares** e **suas libações** (15; para a oferta de louvores).

Esta era a série completa de todas as ofertas que Deus exigira (Lv 1—4). Mediante cerimônias apropriadas, o sacerdote desobrigaria o indivíduo do voto, que, então, estaria livre para seguir um curso habitual da vida. A cabeça raspada era o sinal de que ele cumprira o voto e não era mais nazireu.

E. A BÊNÇÃO SACERDOTAL, 6.22-27

1. Seu Lugar

Neste ponto do registro, sem referência particular ao contexto, encontramos inseridas as palavras aprazíveis da bênção conhecida por "Bênção Sacerdotal". Esta era a fórmula que os sacerdotes tinham de usar para abençoar um povo consagrado e santificado (Dt 21.5). Esforços em determinar a origem desta bênção, datando-a em período muito posterior, não se mostraram convincentes. E não há razões aceitáveis para acreditar que estas palavras rituais não foram usadas anteriormente (cf. Lv 9.22), ou que não foram formalizadas neste momento da história hebraica. Em todo caso, a

Bênção Sacerdotal foi extensivamente utilizada na adoração judaica ao longo dos séculos e, pelo menos em parte, foi empregada nos círculos cristãos.

2. Seu Valor
Pelo visto, nesta fase da história de Israel, os sacerdotes receberam autoridade para usar o nome divino. Eles abençoavam de maneira semelhante ao que o pai oriental fazia, quando abençoava seus filhos no nome de Deus. O grande valor do texto é a maneira na qual exalta o caráter de Deus diante do povo. A bênção consiste em três sentenças que tomam os versículos 24 a 26. Cada versículo é uma parelha de versos com a segunda porção apresentando a aplicação da graça sugerida na primeira.

3. Seu Texto

a) **O SENHOR te abençoe e te guarde** (24). "A bênção de Deus é a bondade de Deus em ação", disse João Calvino. Esta bênção é a garantia da *proteção* de Deus e de sua mão estendida sobre as pessoas que lhe pertencem. A bênção não abrangia apenas os aspectos físicos da vida (Sl 91), mas também dizia respeito às questões espirituais mais profundas (Jo 17.9-15; 1 Ts 5.23).

b) **O SENHOR faça resplandecer o seu rosto sobre ti e tenha misericórdia de ti** (25). O **rosto** de Deus é sua presença voltada em direção ao homem ou desviada dele. Os israelitas sempre foram incansavelmente lembrados do favor de Deus pela representação do rosto divino voltado em direção a eles e pela presença e glória celestiais em seu meio. Quando o rosto de Deus está voltado favoravelmente para o homem, há *perdão*; a graça de Deus é estendida para satisfazer a necessidade humana (Sl 21.6; 34.15).

c) **O SENHOR sobre ti levante o seu rosto e te dê a paz** (26). Este é o ser total de Deus que se põe em ação pela salvação do seu povo. O resultado é **paz**; o tipo de paz que vem, não pela disciplina da mente humana, mas pela presença do Espírito Santo de paz (Jo 14.26,27). "É mais que mera ausência de discórdia, pois expressa o bem-estar e segurança positivos daquele cuja mente está fixa em Deus."[18]

d) **Assim, porão o meu nome sobre os filhos de Israel, e eu os abençoarei** (27). O **nome** do Deus de Israel significa mais que meras letras formando a palavra. Seu nome faz parte do seu ser e não pode ser desassociado de sua natureza (Êx 3.13,14) nem do seu concerto (Êx 6.3). Por conseguinte, pôr o nome do Deus do concerto sobre o povo tinha verdadeiro significado. Não podia ser feito sem autoridade divina. Este fato declara verdade sublime; quando os israelitas aceitaram o nome de Deus como seu, estavam reconhecendo a paternidade divina e a qualidade de filhos. Estavam tomando para si a natureza e o sobrenome divinos. Isto possibilitava a bênção de Deus sobre eles e a bênção deles sobre o mundo. "Idéia semelhante é expressa pelo pensamento do Novo Testamento de a igreja ser o corpo de Cristo."[19]

Nos versículos 22 a 26, vemos "A Bênção de Deus". 1) A consagração de uma vida separada traz a bênção da proteção de Deus, 24; 2) O favor de Deus é mostrado na sua graça, 25; 3) A comunhão com Deus é experimentada na paz, 26 (G. B. Williamson).

F. As Ofertas dos Príncipes, 7.1-89

1. *O Equipamento para os Levitas* (7.1-9)
A prontidão da Tenda do Encontro e a proteção dos materiais e provisões para a adoração eram parte vital da preparação para a viagem do Sinai. Moisés montou o Tabernáculo (a Tenda do Encontro), o **ungiu, e o santificou, e todos os seus utensílios** (1).[20] Foi então que os príncipes das tribos levaram suas ofertas. As dádivas serviram de ato de adoração e supriram de equipamentos e materiais essenciais que os sacerdotes e levitas precisariam quando desempenhassem seus deveres no futuro. Como sempre devia ser, estas ofertas de adoração tiveram um valor prático na obra global de Deus.

Os seis **carros** e doze **bois** foram entregues aos clãs de **Gérson** (7) e **Merari** (8), de forma que pudessem transportar os materiais pesados que compunham a Tenda do Encontro. Dois carros foram para os **filhos de Gérson**, que cuidavam dos "artigos leves" (4.25), e quatro carros foram para os **filhos de Merari**, que tinham de transportar artigos mais pesados, como as tábuas, os varais, as colunas e as bases (4.31,32). Os **filhos de Coate** (9) não necessitavam de carros, porque sua tarefa era levar aos ombros a arca e os utensílios de adoração sagrados.

2. *As Ofertas das Tribos* (7.10-88)
Logo em seguida às dádivas iniciais de carros, os príncipes, cada um em dia sucessivo, levaram ofertas **para a consagração do altar** (11). Cada um a apresentou segundo a ordem à qual foram designados no acampamento, começando com a tribo de Judá. A oferta de cada príncipe era idêntica. Levaram também recipientes que seriam usados na adoração, inclusive um **prato de prata**, uma **bacia de prata** (13) e uma **taça** de **ouro** (14; "vasilha de ouro", NVI). Cada príncipe também levou os ingredientes para compor uma **oferta de manjares**, um **holocausto** (15), uma **expiação do pecado** (16; "oferta pelo pecado", ARA) e um **sacrifício pacífico** (17; "oferta de paz", NTLH). Pelo que deduzimos, nem todas estas provisões foram imediatamente usadas. Parte delas foi estocada para sacrifícios que seriam oferecidos depois. Presumimos que estas ofertas eram limpas e estavam à altura de cada especificação da lei (Lv 2.1; 3.1; 4.3).

Com a oferta do último príncipe, da tribo de Naftali, a **consagração do altar** estava completa (84). Estas ofertas supriram a preparação espiritual para a viagem. Como sempre, oferta significativa custa algo às pessoas. Junto com Davi, em data muito posterior, poderiam dizer em essência: "Não oferecerei ao SENHOR, meu Deus, holocaustos que me não custem nada" (2 Sm 24.24).

3. *A Resposta de Deus* (7.89)
Este tipo de sacrifício agrada a Deus. Quando o último dos príncipes tinha levado suas dádivas, Moisés entrou na Tenda do Encontro para falar com Deus. Ali, ouviu a **voz que lhe falava de cima do propiciatório** (89). Deus o notificou que, deste tempo em diante, ali no lugar santo, Moisés receberia as mensagens de Deus.[21] Adoração e sacrifício devem resultar em ouvir a mensagem de Deus (Is 6.1-8). Era um bom começo para a viagem à Terra Prometida.

G. A Purificação dos Levitas, 8.1-26

1. As Luzes (8.1-4)

A iluminação das **sete lâmpadas** (2) marcava, pelo visto, a conclusão da santificação dos sacerdotes (Êx 40.4). Era, neste sentido, sinal de que estavam prontos para oferecer sacrifícios a favor do povo. Nesta ocasião, era o passo final em preparação à purificação dos levitas e em sua prontidão aos deveres sagrados. A luz das lâmpadas era símbolo constante do poder e presença de Deus. Este simbolismo da luz também tem profunda significação espiritual para hoje, como ilustram as verdades espirituais do Novo Testamento (ver uma ilustração do **candeeiro** [4] no Diagrama A).

2. As Instruções para a Purificação (8.5-15)

Até este ponto, tudo que fora dito em relação ao serviço especial e santo dos levitas tinha projeção futura. Agora, chegava a hora de cumprir seus deveres. Mas antes de começar, os israelitas tinham de estar espiritual e pessoalmente preparados. Só um povo santo pode fazer uma obra santa. Por conseguinte, Deus ordenou: **Assim lhes farás, para os purificar** (7). Este era mais exatamente um rito de purificação do que meramente de consagração.[22]

Os passos estavam completos; envolvia uma limpeza física bem como uma purificação cerimonial e legal. Vemos aqui o primeiro uso registrado da **água da expiação** (7; "água da purificação", NTLH; NVI), cuja descrição está em 19.9,17,18. Pelo que deduzimos, este agente especial de purificação foi feito de antemão e estava disponível quando os sacerdotes precisavam. Esta é tremenda descrição do sangue de Cristo, do qual era tipo, imediatamente disponível quando preciso (Hb 9.13,14; 1 Jo 2.1,2).

Os passos na purificação dos levitas sugerem o plano divino para a purificação dos filhos de Deus hoje (cf. Is 52.11): 1) Provisão para a purificação (1 Jo 1.7); 2) Preparação para a purificação (Cl 3.5-8); 3) Cumprimento da purificação (Hb 10.22).

Além do ritual, a congregação (o texto não informa por quais representantes) impôs as **mãos sobre os levitas** (10). Este ato significava que os israelitas dedicavam os levitas a um serviço especial no lugar dos primogênitos de Israel. Pelo ato de impor as mãos, os israelitas se comprometiam em prover a subsistência dos levitas enquanto estes se ocupavam deste serviço santo.

3. O Plano de Deus para os Levitas (8.16-26)

Este plano de Deus para os levitas já apareceu várias vezes e, aqui, serve de recapitulação do que ocorreu antes. Talvez fosse um assunto melindroso ou não fora devidamente entendido. Em todo caso, era parte importante do esquema organizacional de Deus para Israel, e Moisés o repetia minuciosamente sempre que o assunto surgia em pauta. Com o término da cerimônia de purificação e expiação, os levitas passaram a exercer **o seu ministério** como o **SENHOR ordenara** (22). Assim foi posto em andamento o padrão que prevaleceu ao longo da história de Israel. Todos os levitas entre 25 e 50 anos de idade[23] do sexo masculino e fisicamente capazes (24,25) faziam este serviço ao Senhor. O versículo 26 fica mais inteligível com esta versão: "Depois disso, eles ajudarão seus colegas de trabalho na Tenda do Encontro de acordo com o ofício, mas não deixarão de desempenhar os deveres regulares" (VBB).

H. Na Véspera da Partida, 9.1—10.10

1. A Observação da Páscoa (9.1-14)

A **Páscoa** (2) era o evento central no padrão de adoração para os israelitas (Êx 12.1-27). Embora os procedimentos estipulados fossem minuciosos, contudo, na prática, havia discrepância considerável. Por exemplo, esta era a segunda observância pascal, apesar do transcurso de dois anos desde a primeira. Não há registro de outra observância exceto na chegada a Canaã (Js 5.10). Aqui, relacionada com as preparações para a viagem, Deus ordenou uma observância da Páscoa, **a seu tempo determinado**, conforme **todos os seus ritos** (3).[24] Com todas as provações que jaziam à frente, não há dúvida de que Israel precisava ser lembrado do grande poder de Deus.

Havia exceções às regras.[25] Quem estivesse **imundo por corpo morto ou** se achasse **em jornada longe** (10), podia observar a Páscoa um mês depois — **no segundo mês, no dia catorze** (11).[26] Esta prescrição de Deus visava obviamente quem fosse atingido por circunstâncias de força maior. No versículo 13, Deus fez advertências sérias sobre o uso destas circunstâncias como desculpa. Havia prescrição para o **estrangeiro** (14). Neste contexto, a palavra significa prosélito ou estrangeiro residente, alguém que lançara a sorte com os israelitas, mas não era nativo. Mesmo nestes primeiros dias dos procedimentos de Deus para com o povo, há cuidadosa combinação do espírito da lei com a letra da lei. A essência do pecado é a desobediência intencional e acintosa, não uma falha cometida sem saber.

2. A Nuvem e o Fogo (9.15-23)

A promessa da presença contínua de Deus e de sua orientação ininterrupta no transcurso de toda a viagem dos israelitas do Egito para Canaã é, a partir de então, manancial de bênçãos a todas as gerações. Desde que saíram do Egito, os israelitas desfrutavam, de dia, a coluna de nuvem e, de noite, a coluna de fogo (Êx 13.21). Mas aqui Deus lhes garantiu que a mesma presença pairadora estaria com eles enquanto viajassem. Depois do término de sua construção, a Tenda do Encontro se tornou o lugar de repouso da coluna de nuvem e da coluna de fogo quando a congregação se acampava. Além destes símbolos visíveis da presença de Deus, os filhos de Israel tinham a ordem direta do **dito do SENHOR** (18) para instruí-los enquanto viajavam. Ainda que o texto aqui reflita retrospecção, mostrando que foi editado à luz de tempo posterior, a promessa de Deus na véspera da partida estava garantida. Tais promessas realmente não se prendem a tempo (Jo 16.7,13; Hb 13.5).

3. As Trombetas de Prata (10.1-10)

Não era tarefa de pequena monta planejar o movimento de congregação tão vasta. O acampamento fora organizado minuciosamente para tornar esta ação mais fácil. Deus mandou que os israelitas fizessem **duas trombetas de prata** (2) que seriam tocadas pelos sacerdotes para chamar a assembléia e "levantar acampamento" (2, RSV). Tendo em vista que o material das trombetas era de prata, não eram as trombetas de chifres de carneiro conhecidas por *shofar*. Estas eram usadas em situações diferentes e na adoração judaica posterior. As trombetas de prata usadas nesta ocasião tinham provavelmente a forma de tubo longo e fino com a ponta em forma de sino. Cada trombeta emitia tom diferente, para que os sons produzidos por estes dois instrumentos fossem facilmente distinguíveis.²⁷

O sonido de ambas as trombetas sinalizava que a congregação inteira tinha de reunir-se (3). O sonido de **uma** trombeta chamava apenas **os príncipes** (4). O toque **retinindo** (5), "sons curtos e fortes" (NTLH; cf. NVI), indicava que os acampamentos tinham de se pôr em marcha. O primeiro sinal retinindo era para os **arraiais** da **banda do oriente**; o segundo era para os **arraiais** da **banda do sul** (6). Pelo que deduzimos, havia o terceiro e o quarto sinais que chamavam os arraiais situados no lado do oeste e do norte, em harmonia com as direções previamente determinadas (cap. 2).

Seguindo as instruções, há um monólogo sobre o lugar das **trombetas** (8) na vida de Israel. Elas seriam usadas para chamar os exércitos a **pelejar contra o inimigo** (9) e para ajudar a celebrar os dias festivos e os **sacrifícios** (10). O uso de trombetas tinha de ser **por estatuto perpétuo** nas **gerações** de Israel (8) e **por lembrança** diante de **Deus** (10).

Seção II

DO MONTE PARA O DESERTO

Números 10.11—14.45

A. A Mudança do Acampamento, 10.11-36

1. *O Começo da Viagem* (10.11-13)
Em vista de todas as preparações precedentes, não há dúvida de que o acampamento estava em polvorosa com a mudança. O povo ficara neste mesmo local quase um ano inteiro (Êx 19.1). O tempo decorrido mais a intensa concentração nos procedimentos de partida devem ter colocado a expectativa em grande agitação. Finalmente, o grande dia amanheceu! **A nuvem se alçou (11), as trombetas soaram (5) e os filhos de Israel partiram, segundo as suas jornadas do deserto do Sinai** (12; ver Mapa 3), na ordem de marcha que fora estabelecida.

2. *A Ordem das Tribos e seus Líderes* (10.14-28)
Aqui alistamos as tribos com os nomes dos líderes entre parênteses. Esta lista estabelecia a ordem da marcha: **Judá** (14; **Naassom**), **Issacar** (15; **Natanael**), **Zebulom** (16; **Eliabe**), os gersonitas e meraritas (17) saíam carregando a Tenda do Encontro, **Rúben** (18; **Elizur**), **Simeão** (19; **Selumiel**), **Gade** (20; **Eliasafe**), os coatitas (21) saíam levando os utensílios santos da Tenda do Encontro,[1] **Efraim** (22; **Elisama**), **Manassés** (23; **Gamaliel**), **Benjamim** (24; **Abidã**), **Dã**[2] (25; **Aiezer**), **Aser** (26; **Pagiel**) e **Naftali** (27; **Aira**).
Fechando (25) significa "formando a retaguarda" (ARA; cf. NVI). **Partiram** (28) seria "puseram-se em marcha" (ARA; cf. NVI). **Segundo os seus exércitos** (28) é melhor "grupo por grupo" (NTLH).

3. *O Apelo de Moisés a Seu Cunhado*³ (10.29-32)
O sogro de Moisés, Jetro (Reuel), se juntara ao acampamento israelita logo que este chegara ao Sinai (Êx 18.1-27), trazendo consigo a esposa de Moisés, Zípora, e seus dois filhos. Em seguida, voltou à sua terra de Midiã, mas fica claro que um de seus filhos, **Hobabe** (29; não mencionado no relato de Êxodo), permaneceu no acampamento. Enquanto se implementavam os planos de marcha para Canaã, Hobabe deu a entender que voltaria à sua **terra** (30). Moisés pediu que ele permanecesse com os israelitas, insistindo que precisariam dos seus serviços especializados como guia. O povo estava transitando pelo **deserto** (31), região com a qual Hobabe estava bem familiarizado (31). Por este serviço, ele receberia todas as bênçãos que Deus prometera a Israel (32). O registro não declara, mas parece evidente que Moisés foi atendido, pois a história mostra que os descendentes de Hobabe moravam em Canaã (Jz 1.16; 1 Sm 15.6, ATA).

"Não para Receber mas para Servir" é o tema dos versículos 29 a 32. 1) O convite para se beneficiar é recusado, 29,30; 2) O apelo para servir é aceito, 31 (G. B. Williamson).

4. *As Orações Cerimoniais* (10.33-36)
Pelo linguajar usado aqui, deduzimos que a **arca do concerto** (33) ia à frente da multidão, como ocorreu quando os israelitas cruzaram o rio Jordão tempos depois (Js 3.6). Nesta posição, simbolizava a presença de Deus, e quando parava, determinava o novo local de acampamento da companhia. É igualmente provável que a posição da arca referida aqui era religiosa e geográfica, ou seja, ia "à frente" do acampamento, porque era a mais proeminente.

Os procedimentos de mudança de acampamento refletiam o fato de que Deus estava no meio. Esta verdade é indicada pelas orações matinais e vespertinas de Moisés. Quando a arca partia, ele orava:

> *Ó SENHOR Deus, levanta-te*
> *e espalha os teus inimigos!*
> *E que fujam da tua frente os que te odeiam!* (35, NTLH; cf. NVI.)

Quando a arca repousava, ele orava:
> *Volta, ó SENHOR,*
> *para os milhares de milhares*
> *de Israel* (36, ARA.)

O tema de 10.35,36 é "A Santificação do Trabalho e do Descanso". 1) A efetivação e aspiração depois da Presença Divina: **Levanta-te, SENHOR. Volta, ó SENHOR**, 35,36; 2) A Presença Divina é Fonte de toda a força e vigor: **Levanta-te, SENHOR**, 35; 3) A Presença Divina nas horas de descanso: **Volta, ó SENHOR**, 36 (Alexander Maclaren).

B. A Reclamação do Povo, 11.1-9

1. *A Queima do Incêndio* (11.1-3)
A murmuração e queixa dos israelitas (1) não era novidade para Moisés (cf. Êx 14.11,12; 15.24,25). Nem esta seria a última vez que as ouviria. Em todas as ocasiões,

Deus tratou severamente de tais reclamações. Aqui, o **fogo do SENHOR ardeu entre eles**, consumindo alguns que estavam **na última parte do arraial**. O incêndio só **se apagou** (2) com a súplica de Moisés.

2. *O Choro por Carne* (11.4,5)

O apetite por outros tipos de alimento logo se revoltou contra a comida frugal e simples. Na situação extrema que os israelitas enfrentavam era inevitável que surgissem reclamações. Desta vez, a gula começou com os estrangeiros que viajavam com eles (cf. NTLH). Mas as reclamações se espalharam pelo corpo principal dos israelitas com o clamor: **Quem nos dará carne a comer?** Suas papilas gustativas foram estimuladas ao pensarem em **peixes, pepinos, melões, porros, cebolas** e **alhos** (5), os quais tinham em abundância no Egito.

3. *A Insuficiência do Maná* (11.6-9)

Mas a verdadeira questão não era a frugalidade e simplicidade do regime alimentar do deserto. A reclamação se concentrava na característica intragável do **maná** (6). A crítica era um golpe contra Deus, dizendo, em essência: "O que tu fazes por nós não é suficiente". Queixavam-se, apesar do fato de o maná ser o alimento milagroso que até aqui os mantivera vivos e que os sustentaria por todo o transcurso da viagem longa e difícil para Canaã (Êx 16.14-36; Js 5.12).

Este texto bíblico descreve que o maná (cf. Êx 16.14-31) era como o olho grande e redondo da **semente de coentro** e tinha **cor de bdélio** (7; "assemelhava-se a pérolas", Moffatt). Os israelitas o colhiam, o moíam, o cozinhavam e faziam bolos com ele. Tinha gosto de **azeite fresco** (8).[4] O maná era doce, e supria a necessidade dietética do povo nômade, que não podia obter frutas. Mas é claro que o gosto se tornara fastidioso.[5]

C. O Fardo Pesado de Moisés, 11.10-17

1. *O Povo Choroso e um Homem Intercessor* (11.10-15)

Mesmo com o castigo pelo incêndio (11.1), que tão recentemente se abatera sobre eles, o povo não deixou de reclamar. Neste momento, assumiu as proporções de uma "demonstração" organizada com um padrão unificado de queixa por todo o acampamento. Todo homem chorou **à porta da sua tenda** (10), para que fosse ouvido e todos vissem que ele estava a favor do protesto.

O som do choro entre o povo e, sem dúvida, o motivo que o propiciou provocaram a **ira do SENHOR grandemente**; também "pareceu mal aos olhos de Moisés" (10, ARA). Em conseqüência disso, Moisés expressou seu desespero a Deus. Chegou a sugerir que Deus o afligira por não ter achado **graça** (11) aos olhos santos. Sentia que Deus colocara o fardo de toda essa gente sobre ele. O clímax da oração expressava sua total dependência e impotência, o qual, no final das contas, caracteriza toda oração eficaz — **eu sozinho não posso levar a todo este povo** (14). A oração continua: "Se tem de ser assim, mate-me agora, para que eu não testemunhe o fracasso absoluto de meus esforços"[6] (15; cf. NVI). **Mata-me** (15) seria "mata-me agora mesmo" (NVI).

2. A Provisão para os Anciãos (11.16,17)

Para aliviar a carga de Moisés, Deus o instruiu a reunir **setenta homens dos anciãos de Israel** (16). Parte deste conselho já existia, pelo menos informalmente, durante um ano ou mais, mas o propósito de ter este grupo era mais espiritual do que o anterior (Êx 18.17-26). Pode ser que este grupo fosse formado pelos setenta anciãos que subiram a montanha com Moisés (Êx 24.9,10). Mais tarde, os judeus determinaram o padrão do Sinédrio por este evento, mas não há ligação histórica que apóie essa posição.[7]

D. Deus promete Carne para o Povo, 11.18-23

1. A Promessa e o Aviso (11.18-20)

As Escrituras (Êx 16.13; Sl 105.40) e a tradição afirmam que o surgimento milagroso de codornizes tinha o mesmo propósito que o maná — a sobrevivência do povo. Contudo, pelo menos nesta ocasião, as codornizes vieram como praga e foram usadas por Deus como castigo para a multidão queixosa. Talvez o povo tivesse em mente uma experiência anterior quando começou a reclamar por carne, mas a resposta que obtiveram não foi exatamente o que queriam. Ocorreu tragédia em vez de benefício (33).

Deus ordenou que o povo se preparasse como se fosse para um serviço religioso: **Santificai-vos para amanhã** (18). Mas esta preparação era para punição e julgamento. Não é difícil detectar certa ironia nas instruções de Deus: Tudo bem, vós tereis carne, mas não apenas por **um dia, nem dois dias, nem cinco dias, nem dez dias, nem vinte dias** (19), mas o bastante para **um mês inteiro** (20) e de uma só vez.

2. A Continuação do Diálogo (11.21-23)

Mesmo para Moisés, era difícil compreender tudo o que Deus tinha em mente. Ele levantou dúvidas relativas à proposição extravagante que Deus acabara de expor — carne para este enorme grupo de pessoas que dure **um mês inteiro** (21)! Moisés sentia novamente o fardo dos israelitas, pensando, é óbvio, que Deus esperava que ele de alguma maneira arranjasse toda essa carne. Claro que havia **ovelhas e vacas** (22), mas estes animais eram para sacrifícios e para o fornecimento de leite e derivados. Certamente faltariam animais para sustentar o povo de carne por um mês completo. O comentário de Moisés sobre **todos os peixes do mar** deve ser considerado como declaração feita por desespero, pois não havia peixes ali por perto.

O versículo 23 faz um desafio a Moisés. Não nos esqueçamos de que nossa fé é fraca: "Ter-se-ia encurtado a mão do SENHOR?" (ARA). **Agora verás se a minha palavra te acontecerá ou não.**

E. A Doação do Espírito, 11.24-30

1. Na Tenda do Encontro, 11.24,25

Moisés **ajuntou** os **setenta homens**, como fora previamente instruído (16,17), e **os pôs em roda da tenda** (24). Ali, o Senhor os visitou com uma capacitação do seu Espírito Santo, o mesmo **Espírito** que repousava em Moisés; **eles profetizaram; mas, de-**

pois, nunca mais (25). Este ato profético significa "ressoar os louvores de Deus e declarar sua vontade" (ATA). É o equivalente do testemunho que um grupo similar deu no Dia de Pentecostes (At 1.4-8; 2.4,6-18). A profecia dos setenta deve ter sido proclamações da fidelidade de Deus em vigor até ali na viagem e lembranças da libertação do Egito. Os **setenta anciãos** estavam, então, levantando o estado de ânimo do povo no acampamento a favor de Deus.

2. *Eldade e Medade* (11.26-28)

Por alguma razão, dois dos que foram convocados não estavam presentes na Tenda do Encontro. Apesar disso, o Senhor também derramou do seu Espírito **sobre eles** e eles testemunharam **no arraial** (26) da mesma maneira que os outros. Um **moço** (27) saiu às pressas para contar a Moisés. Em vista disso, **Josué** (28) recomendou que Eldade e Medade fossem proibidos de profetizar. Diante dessa sugestão, Moisés frisou uma lição válida em todos os tempos: Nem todos os que efetivamente servem a Deus são comissionados da mesma maneira, e nem todos vão sob a mesma bandeira (Lc 9.49,50).

3. *A Promessa do Pai é para Todos* (11.29,30)

Logo após este diálogo entre Moisés e Josué, Moisés fez a clássica proclamação, ressaltando, mesmo naqueles dias antigos, a universalidade do evangelho do Espírito: **Tomara que todo o povo do SENHOR fosse profeta, e que o SENHOR lhes desse o seu Espírito!** (29). Nesta proclamação, o servo do Senhor vê mais que o grupo imediato de pessoas que seria usado em missão especial na obra de Deus; ele projeta este derramamento como possibilidade para todos os filhos de Deus (Jl 2.28,29).[8]

F. A Chegada de Codornizes, 11.31-35

Então, soprou um vento do SENHOR, e trouxe codornizes do mar (31; do golfo de Áqaba). Exaustas pelo longo vôo ou por causa de uma possível mudança de vento, voavam somente a **quase dois côvados** (uns 90 centímetros) acima do chão. As codornizes vieram em tamanha quantidade, que se espalharam **quase caminho de um dia** em cada direção do acampamento. As pessoas as apanhavam facilmente com as mãos, derrubando-as com varas ou enredando-as com pedaços de pano. Cada pessoa teve todas as codornizes que quis; mesmo quem **menos tinha, colhera dez ômeres** (aproximadamente 2.360 litros).[9] O povo então procurou conservar as codornizes pegas espalhando-as **para si ao redor** para secar. Certos estudiosos sugerem que as pessoas enterravam as codornizes na areia quente, por curto período, para prepará-las para comer.

Não puderam aproveitar a carne. **Antes** que a carne **fosse mastigada,**[10] **se acendeu a ira do SENHOR**, e Ele feriu **o povo com uma praga muito grande** (33). O registro bíblico não define de que tipo de praga se tratava. A única indicação que temos é o aviso inicial de Deus para o povo (20). Em todo caso, muitos morreram, fazendo com que o nome do lugar fosse chamado **Quibrote-Hataavá** (34; "sepulturas do desejo sensual", ATA; cf. NTLH). O texto não declara quantos morreram com a praga; talvez todos no acampamento que comeram as codornizes foram atingidos ou quem sabe somente aqueles que comeram demais (ver Nota 10).

É importante entender que o pecado pelo qual o povo foi castigado era mais profundo que o pecado da murmuração ou o pecado do apetite descontrolado. Aqui, da mesma forma que seria em Cades-Barnéia, o verdadeiro pecado era o pecado da incredulidade. Os homens "rejeitaram o SENHOR" (20, NVI). Não acreditaram nas suas promessas nem atenderam a seus avisos. Não creram que Ele pudesse levá-los a Canaã. Amaram mais as necessidades básicas do Egito do que a vontade de Deus. Valorizaram mais o próprio julgamento e a própria perspectiva da situação do que o padrão que Deus delineara para eles.

G. O Pecado de Miriã, 12.1-15

1. A Acusação (12.1-3)

Pelo que deduzimos, a murmuração e a reclamação eram incontroláveis, pouco importando a severidade com que Deus as tratasse. Neste ponto, surgem nos escalões mais altos do acampamento, em **Miriã**, a profetisa (Êx 15.20), e **Arão**, o sacerdote. A passagem é bastante clara em mostrar que foi Miriã quem iniciou a crítica e que Arão, como sempre, foi mero porta-voz. A crítica que fizeram de Moisés era dupla: o desgosto por ele escolher uma esposa (1) e a questão sobre por que Miriã e Arão não deveriam ser reconhecidos, ao lado de Moisés, como competentes para receber as mensagens de Deus (2).

A primeira destas reclamações não tinha fundamento na transgressão moral ou legal, como seria caso tivesse Moisés se casado com uma cananéia (Dt 7.1-6). Pelo visto, brotou do coração de uma irmã ciumenta quanto ao que era o segundo casamento de Moisés; embora alguns afirmem que o termo **cuxita** ("etíope", NVI; cf. NTLH) se refira a Zípora, com quem Moisés estivera casado por muitos anos (Êx 2.21), talvez denotando uma mágoa que sua irmã tinha há muito tempo. Não há indicação de que Deus prestou atenção a esta reclamação.

A segunda reclamação tinha menos fundamento, existente somente na mente de Miriã e Arão. Miriã recebera certa posição invulgar de honra e respeito, destacando-se particularmente por sua liderança na canção de vitória logo após a travessia do mar Vermelho (Êx 15.20,21). Arão fora designado como porta-voz de Moisés (Êx 4.10-16) e, mais recentemente, se tornara o principal sacerdote dos israelitas (3.1-3). Não há que duvidar que Miriã e Arão ainda viam Moisés como o caçulinha e se ressentiam de sua posição de liderança com o povo e de seu favor com Deus.

A declaração parentética: **Era o varão Moisés mui manso** (3), mais do que todos, é interpretada de diversas maneiras pelos estudiosos. Alguns entendem que deve inevitavelmente ser uma interpolação de escritores posteriores, pois semelhante auto-elogio estava fora do caráter de Moisés. Outros estudiosos[11] destacam que a palavra hebraica traduzida por **manso** aparece repetidas vezes nos Salmos e, como aqui, é aplicada pelos próprios escritores (cf. Sl 10.17; 22.26). "Nestas palavras e nas passagens em que Moisés indiscutivelmente registra suas próprias falhas (20.12; Êx 4.24-26; Dt 1.37), ocorre a simplicidade que é testemunha, ao mesmo tempo, de sua autenticidade e inspiração."[12]

2. A Defesa (12.4-8)

O pecado de arruinar a influência do líder[13] de Deus e de questionar sua autoridade não podia ficar sem notificação ou sem objeção. Logo em seguida, Deus conclamou que os **três** comparecessem no pátio exterior[14] da Tenda do Encontro. A presença de Deus estava evidente pela **coluna de nuvem**, que se moveu para esta posição.

A defesa que o Senhor fez de Moisés foi completa. O ponto central da justificação lidou com a maneira na qual Deus se comunicava com seus servos. A profetas comuns ou de menor importância, Ele fala por **visão** ou **em sonhos** (6). Mas com Moisés, Deus falava **boca a boca** ("diretamente", ATA; "face a face", Dt 34.10), "claramente, e não por meio de comparações" (8, NTLH). A razão disso era que Moisés tinha uma relação singular com Deus (7). Na economia divina, ele era comparável ao próprio Cristo (Hb 3.2,5,6) na qualidade de enviado especial **em toda a minha casa**. Então Deus questionou com justiça Miriã e Arão: **Por que, pois, não tivestes temor de falar contra** ele? (8).

3. A Pena (12.9,10)

Como nas outras vezes, foi imediato o desgosto de Deus quando questionaram a posição de liderança do seu ungido. Quando terminou de falar, **a nuvem se desviou** (10; "afastou-se", ARA). Esta ação significava uma retirada divina, como um juiz que sai do tribunal depois de dar a sentença. Era diferente do *levantamento* da nuvem, que sinalizava hora de mudar de acampamento.[15]

O maior castigo pelo pecado, qualquer que seja sua manifestação em particular, é este afastamento de Deus.

Quando **Arão** se voltou para sua irmã, viu que ela fora atacada de lepra. Era um caso bem adiantado: "branca como neve" (10, ARA), já nos últimos estágios da doença. A lepra era uma doença repugnante que os israelitas conheceram no Egito e, para cujo controle, leis detalhadas foram elaboradas (Lv 13—14). Esta punição não está em desacordo com o caso, pois a lepra, na Palavra de Deus, é muita usada para tipificar o pecado. Miriã, que num momento se exaltara em orgulho próprio a ponto de pensar que deveria estar em posição proeminentemente co-igual com o líder de todo o Israel, no momento seguinte foi banida do acampamento nas circunstâncias mais humilhantes. Este é o resultado do pecado do orgulho (Pv 16.18; Is 10.33).

4. A Provisão de Restauração (12.11-15)

Assim que viu a situação aflitiva de Miriã, **Arão** iniciou sua súplica tratando **Moisés** de **senhor** (11). Era rápida inversão de atitude refletida pouco antes no versículo 2. Arão confessou que ele e Miriã tinham agido **loucamente** e **pecado**. Argumentou que esta condição de Miriã era pior do que se ela tivesse nascido natimorta (12). Mais uma vez, **Moisés** suplicou a Deus, que há muito provara ser um Deus de perdão: **Ó Deus, rogo-te que a cures** (13). A resposta de Deus foi que Miriã deveria ser castigada pelo menos tanto quanto alguém cujo **pai cuspira em seu rosto** (14). A pena foi isolamento do acampamento por sete dias. Todo o acampamento esperou pelo cumprimento da sentença para recolherem **Miriã** (15) devidamente punida, provavelmente humilhada e, temos de admitir, totalmente limpa.

H. O Grupo de Espiões Inspeciona Canaã, 12.16—13.33

1. *A Iniciação do Plano* (12.16—13.16)
Logo após terem chegado ao **deserto de Parã** (16; "a Cades-Barnéia", Dt 1.19; ver Mapa 3), os israelitas fizeram planos para enviar um grupo de espiões (ATA) a Canaã em missão de reconhecimento da **terra** (2). O grupo era formado por um homem de cada tribo, com **Efraim** (8) e **Manassés** representando a **tribo de José** (11). Considerando que a tribo de Levi não devia participar, a divisão da **tribo de José** em Efraim e Manassés resultou no número de 12 tribos.

O texto não é claro em mostrar como se originou o plano para os espiões. O relato em Deuteronômio 1.22 dá a entender que o povo insistiu em tal excursão espiã e indica que o pedido surgiu por relutância em aceitar os caminhos de Deus.

> Então, partimos de Horebe e caminhamos por todo aquele grande e terrível deserto [...] e chegamos a Cades-Barnéia (Dt 1.19, ARA). Ali eu disse a vocês: "Agora estamos na região montanhosa dos amorreus, a terra que o nosso Deus nos está dando. Portanto, vão e tomem posse dessa terra que está diante de vocês, como o SENHOR, o Deus dos nossos antepassados, mandou. Não tenham medo, nem se assustem" (Dt 1.20,21, NTLH). [Então], vocês todos vieram dizer-me: "Mandemos alguns homens à nossa frente em missão de reconhecimento da região, para que nos indiquem por qual caminho subiremos e a quais cidades iremos". A sugestão pareceu-me boa; por isso escolhi doze de vocês, um homem de cada tribo (Dt 1.22,23, NTLH).

Lógico que esta situação não exigia o envio de um "grupo de espias", no sentido militar. A garantia de sucesso não estava na precisão de relatórios da inteligência, mas no poder de Deus. Tudo o que povo precisava fazer era confiar em Deus e ir em frente.[16] Se é verdade que o povo foi o responsável pelo plano, o projeto era totalmente desnecessário. Na melhor das hipóteses, Deus permitiu para atender a reclamação do povo e para encorajá-lo a permanecer no plano básico de tomar posse de Canaã. Se esta posição estiver correta, o registro nos versículos 1 e 2 ignora o envolvimento do povo e descreve somente as instruções de Deus para executar o plano.

2. *A Implementação do Plano* (13.17-25)
Os batedores deviam entrar pela rota sul e seguir a "região montanhosa", a cadeia de montanhas que separa o planalto mediterrâneo do mar Morto e o vale do Jordão. Tinham de ver **que povo** era, se **forte ou fraco**, se **pouco ou muito** (18); **que terra** era, se **boa ou má** (19), se **grossa ou magra** (20; "se fértil ou estéril", ARA; cf. NTLH; NVI); se o povo era nômade ou não (habitava em **arraiais**, 19) ou se morava em **fortalezas** (cidades) ou não; e se os montes eram arborizados ou não. Ademais, tinham de trazer amostras **do fruto da terra** (20).

Estas instruções contêm nítidos traços humanos. Não havia verdadeira razão para Moisés precisar destas informações. Algumas ele tinha como obter, e as demais eram desnecessárias. Foi Deus que lhes prometera esta terra e a posse não dependia de um relatório de espias, mas somente de obedecer a Deus.

Os exploradores partiram, conforme instruções, indo pelo comprimento da **terra** até chegar a **Reobe**, "à entrada de Hamate",[17] a região mais ao norte da terra. Quando voltaram, cortaram um grande **ramo de vide** e colheram **romãs e figos** (22,23) em **Escol**, perto de **Hebrom**[18] (ver Mapa 3). Para proteger as uvas, levaram-nas em uma vara. No todo, a viagem dos espias levou **quarenta dias** (25), período de tempo que, nas Escrituras, ilustra comumente um trabalho feito por completo.

3. *Os Pontos Contra e a Favor do Relatório* (13.26-33)

Com o retorno dos espiões a **Cades** (ver Mapa 3), os representantes do povo se reuniram para ouvir o relatório. Canaã era verdadeiramente uma terra que manava **leite e mel** (27), confirmando que Deus era fiel em sua promessa (Êx 3.8). Mas também era uma terra ocupada por povos poderosos que moravam em cidades cercadas por muralhas (28).

O relatório ocasionou um "burburinho" entre a congregação, que foi acalmada temporariamente por **Calebe**. Ele procurou desafiar os israelitas: **Subamos animosamente e possuamo-la em herança; porque, certamente, prevaleceremos contra ela** (30). Mas seus companheiros de espionagem (todos, menos Josué) objetaram. **Não poderemos** (31). **Vimos ali gigantes... e éramos... como gafanhotos... aos seus olhos** (33).

Em essência, todos os espiões deram o mesmo relatório efetivo: havia coisas boas e havia coisas ruins. O debate entre Calebe e Josué e os outros dez espiões tinha a ver com a questão se Israel podia ou não, deveria ou não, ir e possuir a terra.

De 13.17-33, Alexander Maclaren pregou sobre "Medo de Gigantes". 1) As instruções e o envio dos espiões, 17-20; 2) A exploração feita pelos espiões, 21-25; 3) Os dois relatórios dos espiões, 26-33.

I. A REAÇÃO DO POVO, 14.1-10

1. *O Pretexto para Murmurar* (14.1-4)

A reação da congregação tem muitos sinais identificadores de um povo que procurava pretexto para reclamar. A referência da maioria dos espiões a gigantes e também à terra que devora **os seus moradores**[19] (32) estava baseada na observação de casos isolados.[20] Neste caso, o relatório era falso. É óbvio que nem todos os habitantes eram dessa altura e nem toda a terra era estéril e desolada. Tratava-se meramente de escolher a evidência que quisessem enfatizar.

Os israelitas estavam propensos a acompanhar o espírito pessimista lançado pelos dez espiões; começaram a murmurar como pessoas "rabugentas e descontentes" (Dt 1.27, ATA). Desta vez, a murmuração não foi somente contra Moisés e Arão, mas contra o próprio Deus: **Ah! Se morrêramos na terra do Egito! Ou, ah! Se morrêramos neste deserto!** (2). Temiam que as **mulheres** e **crianças** fossem mortas pela **espada** desses gigantes (3). Com medo, propuseram uns aos outros: **Levantemos um capitão e voltemos ao Egito** (4).

2. *Os Quatro Leais* (14.5-10)

Moisés,[21] Arão, Josué e Calebe argumentaram com a congregação, dizendo que olhasse os fatores positivos que apoiavam o ponto de vista de que era possível ocupar vitoriosamente Canaã. Para dar peso ao julgamento e como expressão de profunda preocupação, **Calebe e Josué rasgaram as suas vestes** (6), declarando: A terra é **muito boa** (7). Afirmaram que não havia razão para Israel não poder entrar: **Se o SENHOR se agradar de nós, então, nos porá nesta terra** (8). Somente a rebelião e o medo poderiam derrotar o povo de Deus (9), ao passo que a obediência, a coragem e a fé eram os segredos da vitória.

Mas o povo clamou que Calebe e Josué deveriam ser apedrejados. Esta é a recompensa que o mundo dá a muitos que, ao longo dos séculos, procuraram ser verdadeiros mensageiros de Deus (At 6.8—7.60). Nesta ocasião, a intervenção de Deus evitou o apedrejamento. Ele apareceu em sua **glória** diante da Tenda do Encontro, visível a toda a **congregação** (10).

O tema de 14.1-10 é "Pesado e Achado em Falta". 1) Os covardes incrédulos, 1-4; 2) Os quatro fiéis, 5-9; 3) O Deus onividente, 10 (Alexander Maclaren).

J. O JULGAMENTO DE DEUS, 14.11-45

1. A Proposta de Deus para Moisés (14.11-19)

Ao fazer o julgamento sobre a nação pelo pecado da incredulidade, as primeiras palavras que Deus falou foram dirigidas a Moisés: **Até quando me provocará este povo?** (11). "Até quando não vão crer em mim, embora eu tenha feito tantos milagres entre eles?" (NTLH). Em seguida, Deus faz uma proposta a Moisés. Ele destruiria o povo e substituiria Abraão por Moisés como cabeça da nação. Não era situação diferente da enfrentada por Moisés no monte Sinai (Êx 32.1-14) depois do incidente do bezerro de ouro.

Moisés pôs de lado a proposta, dando atenção à integridade de Deus. Os **moradores** (14) de Canaã estavam devidamente cientes da reputação de Deus em seu cuidado pelos israelitas. Destruir Israel agora seria destruir o respeito destas nações por Deus. Os cananeus diriam que "o SENHOR não conseguiu levar esse povo à terra que lhes prometeu em juramento" (16, NVI).

Moisés apelou ao caráter de Deus, que não permitiria tamanha destruição completa como fora sugerido. "Moisés argumenta que Deus poupe o povo em consideração dos seus Treze Atributos da Misericórdia e Perdão Divinos, anteriormente enumerados, auto-relevados (Êx 34.6,7) e aqui reproduzidos."[22] Entre as definições de Deus, estes atributos são destaques que o descrevem em termos éticos.[23] No final das contas, tais princípios devem prevalecer, não às custas da lei e da justiça de Deus, que não trata o culpado como se fosse inocente, mas castiga os filhos pela iniqüidade dos pais (18), mas por causa da cruz e da redenção provida por Deus. Os versículos 17 e 18 são traduzidos assim por Moffatt: "Ah, que o poder do meu Deus seja mostrado no cumprimento de tua promessa de que o Eterno é lento em ficar com raiva, rico em amor e que perdoa a iniqüidade e a transgressão".

2. A Condenação do Povo ao Deserto (14.20-38)

Deus perdoou este pecado da incredulidade, **conforme** a **palavra** de Moisés (20), mas tinha de haver uma punição.[24] "Tão certo como eu vivo", disse o Senhor, "e como toda a terra se encherá da glória do SENHOR [cf. Is 6.3; 11.9], nenhum dos homens que [...]

não obedeceram à minha voz [...] verá a terra" (21-23, ARA). **Dez vezes** (22) é expressão que sugere o número da completude ou da plenitude (VBB).

Isto significava que todos os que tinham **vinte anos** de idade ou mais morreriam no **deserto** (29) e **não** entrariam **na terra** (30). No versículo 28, disse Deus: **Como falastes aos meus ouvidos, assim farei a vós outros**. No versículo 2, o povo falara: **Se morrêramos neste deserto!** Agora a oração rebelde seria respondida. Claro que **Calebe** e **Josué** foram as exceções, pois os dois espiões apresentaram um "bom relatório".[25] O tempo deste castigo seria de 40 anos,[26] **segundo o número dos dias em que espiastes esta terra** (34), um ano para cada dia. Este também era o tempo mínimo de uma geração, o tempo que levaria, sob condições normais, para a geração antiga passar. Ainda que as crianças não tivessem sido totalmente atingidas pelo julgamento, a peregrinação sem rumo por 40 anos era, em sentido muito real, um castigo para elas também. **Meu afastamento** (34) é melhor "meu desagrado" (ARA; cf. NVI). Os dez espiões que **fizeram murmurar toda a congregação** (36) **morreram de praga** (37) imediatamente, como selo sobre o julgamento que Deus determinara.

"Cades versus Consagração" é o tema dos capítulos 13 e 14. 1) A sugestão de dúvida envia os espiões, 13.1,2 (cf. Dt 1.21,22); 2) A maioria fez um relatório que promoveu a incredulidade, 13.25-29,33; 3) Em vez de consagração e obediência totais, houve rebelião aberta — as conseqüências, 14.1-4,30 (G. B. Williamson).

A grande lição desta passagem não é compreendida caso seja considerada apenas como acontecimento histórico. As Escrituras ensinam com clareza (Hb 3.1-19) que este relato tem seu paralelo na relação pessoal com Deus. Existe uma "Canaã" pessoal, um "descanso" espiritual que é o destino, a terra prometida de todo o cristão. Nesta viagem pessoal, é comum haver lutas e lágrimas, fé e incredulidade em Cades-Barnéia. A tragédia da vida cristã é que muitos iniciam a caminhada a Canaã, mas não entram.

Em 14.17-23, vemos "Moisés, o Intercessor". 1) A base do perdão divino: A **tua benignidade**, 19; 2) A persistência do perdão divino: **Perdoaste... até aqui**, 19; 3) A maneira do perdão divino: O perdão, mas com as inevitáveis conseqüências, 20-23; 4) O veículo do perdão divino: Moisés, o intercessor, um tipo não muito perfeito de Cristo, 19 (Alexander Maclaren).

3. *A Tentativa do Povo Sem Deus* (14.39-45)

Quando a força total do julgamento de Deus foi entendida pelo povo, este **se contristou muito** (39; "choraram amargamente", NVI). Muito diferente do "choro" que ocorreu quando os israelitas ouviram o relatório dos espiões (1). O primeiro choro era de frustração e desespero, gerado pelo egocentrismo e autopiedade. O segundo era o lamento produzido pelo julgamento que se abatera sobre eles, a tristeza de ser pego e punido.

Quando sentiram a extensão do castigo, tentaram ir em frente mesmo assim.[27] Quiseram resgatar as oportunidades perdidas e ainda entrar. **Pela manhã de madrugada**,[28] **subiram ao cume do monte, dizendo: Eis-nos aqui e subiremos ao lugar que o SENHOR tem dito, porquanto havemos pecado** (40). Mas era tarde demais. Obedecer a uma ordem anterior, agora que Deus dera outra, não lhes expiaria o pecado. Moisés disse-lhes: **Não subais, pois o SENHOR não estará no meio de vós** (42), **porquanto vos desviastes do SENHOR, o SENHOR não será convosco** (43). O local do **monte** mencionado no versículo 40 é desconhecido.

Mas persistiram no plano e foram guerrear. Os **amalequitas** e os **cananeus** que habitavam na região montanhosa "derrotaram os israelitas e os rechaçaram" (45, ATA). **Horma** não foi especificamente localizado, mas consulte o Mapa 3 para um possível local. A assertiva poderia ser uma expressão idiomática, referindo-se à destruição total, um estado de *hormah*.

A experiência de Israel tem servido de lição pelos séculos sucessivos de que tentar fazer algo sem Deus nunca será bem-sucedido. O conflito com os habitantes das colinas do sul também determinou o curso da viagem dos israelitas. Tinham de evitar o sul da Palestina e entrar em Canaã por outra rota.

Seção III

AS EXPERIÊNCIAS NO DESERTO

Números 15.1—19.22

A. Os Anos de Obscuridade

1. *O Povo Peregrinante*
Com a batida do martelo do julgamento, Israel entrou num período de peregrinação no deserto que durou quase 38 anos.[1] Para complicar ainda mais os problemas históricos, daqui em diante há uma interrupção total de acontecimentos ocorridos durante este período. Nem as Escrituras nem os estudiosos explicam. É como se Moisés tivesse propositadamente puxado a cortina, sentindo que não se deveria contar a história de um povo sob tão severo julgamento divino.[2]

Em conseqüência disso, os historiadores são forçados a especular detalhes sobre esta geração. Pode ser que a palavra "peregrinação" seja suficientemente descritiva para dizer tudo que Deus queria mostrar sobre o que aconteceu. Talvez fosse melhor que a história completa e sofrida não fosse revelada.

2. *Algumas Sugestões*
Existem certas indicações que não devem ser negligenciadas. Moisés testemunha que durante este período Deus não abandonou completamente os israelitas. Ao longo de todo o tempo, tinham, para comer, o maná divinamente dado e, para vestir, as roupas divinamente conservadas. A roupa não envelheceu nem as sandálias se gastaram ou os pés incharam (Dt 8.2-6; 29.5,6). Josué nos oferece *insight* adicional, quando revela que o rito da circuncisão não foi observado durante esta época (Js 5.2-8). Presumimos que os outros ritos religiosos foram descontinuados. Está claro que a Páscoa não foi celebrada entre os anos em que os israelitas deixaram o Sinai e chegaram à terra de

Canaã (Js 5.10). Não há dúvida de que houve observância rígida de outras leis e ordenanças, como as pertinentes ao sábado (15.32-36).

As limitações na vida religiosa da comunidade não devem nos levar a crer que inexistam lições a aprender com estes anos de peregrinação. Moisés estava firme na convicção de que Deus tinha propósito para tudo (cf. Rm 8.28). Ele escreveu:

> Lembrem-se de como o SENHOR, o seu Deus, os conduziu por todo o caminho no deserto, durante estes quarenta anos, para humilhá-los e pô-los à prova, a fim de conhecer suas intenções, se iriam obedecer aos seus mandamentos ou não. Assim, ele os humilhou e os deixou passar fome. Mas depois os sustentou com maná, [...] para mostrar-lhes que nem só de pão viverá o homem, mas de toda palavra que procede da boca do SENHOR (Dt 8.2,3, NVI; cf. ARA; NTLH).

3. O Curso dos Acontecimentos

O registro em Deuteronômio 1.46 indica que, logo após a derrota humilhante às mãos dos exércitos da região montanhosa, os israelitas permaneceram em Cades por "muitos dias".[3] Só mais tarde seguiram a ordem de Deus: **Caminhai para o deserto** em direção ao **mar Vermelho** (14.25). Pelo que deduzimos, no decorrer dos anos que se seguiram não havia acampamento organizado. As famílias provavelmente se espalhavam de acordo com suas inclinações individuais. Mesmo assim, deve ter havido um centro, mudando-se de quando em quando, onde a arca ficava e onde Moisés e Arão ficavam. É indubitável que o acampamento não tinha todas as características organizacionais que foram estabelecidas no Sinai. Presumimos que a frase **toda a congregação** (20.1), que voltou a Cades ao término dos 38 anos, se referia, mais exatamente, a um reagrupamento e que alguns israelitas (se não todos) podem ter ficado perto de Cades durante o tempo inteiro.

Os assuntos tratados nesta seção (caps. 15—19) são o único registro que temos do que aconteceu no transcurso dos 38 anos. São informações extremamente limitadas e não alistadas em ordem cronológica ou datadas de qualquer modo. Por conseguinte, pouco ajudam na composição das ocorrências destes febris anos de julgamento.[4] Devem ser vistos como acontecimentos isolados que Moisés incluiu no registro pelo valor que prestam às lições que Deus queria que Israel aprendesse. As leis apresentadas ou repetidas eram prefaciadas pelas palavras: **Quando entrardes na terra das vossas habitações** (15.2). Tais dizeres projetavam intencionalmente os pensamentos do povo no futuro. Estes acontecimentos, embora tenham suas origens no cenário do deserto e ocorram sob circunstâncias de julgamento, são da maior significação quando revelam os incalculáveis valores espirituais e morais.

B. A REVISÃO DE CERTAS LEIS, 15.1-41

1. As Ofertas com Cheiro Suave (15.1-16)

Pelo que deduzimos, a razão para a repetição das instruções relativas às ofertas de sacrifícios (cf. Lv 1—3) — além da questão secundária de fixar a quantidade de óleo, farinha e vinho — era realçar a verdade de que todas as ofertas tinham de ser **um cheiro suave ao SENHOR** (3,7,10,13,14).

Esta razão expressa a idéia de que Deus sente o "suave cheiro" (Gn 8.21) sempre que uma oferta verdadeira lhe é apresentada.[5] O Novo Testamento retrata que Cristo é uma Oferta deste tipo (Ef 5.2). Também destaca que os cristãos devem dedicar a vida a Deus de maneira plena e total (Rm 6.13) e lhe apresentar seu serviço como "cheiro de suavidade" (Fp 4.18). A lição não dá margem a dúvidas: os elementos que Deus requer numa oferta para que lhe seja aceitável devem estar em primeiro lugar na mente humana.

Há a indicação de que, com este tipo de sacrifício (comparando com o holocausto), o próprio adorador participava de certa porção da oferta.[6] Por conseguinte, a preparação mais ampla do sacrifício, com providências para deixá-la saborosa, tornava o ato de adoração mais satisfatório e agradável para a pessoa envolvida. A verdadeira adoração dá ao indivíduo este senso de realidade. Quando isto ocorre, Deus é solto dos laços do ritualismo e é apreciado em companheirismo e comunhão. Pelo que deduzimos, Moisés estava ressaltando um dia futuro, quando, livre das limitações que o deserto impunha na adoração, Israel desfrutaria das agradáveis bênçãos da adoração de Deus. Este é o tipo de adoração que Jesus enfatizou séculos depois (Jo 4.5-15).

As leis e princípios de adoração tinham de ser universais. Aplicavam-se ao **estrangeiro** e ao **peregrino** (16), bem como ao israelita nativo.

2. A Mordomia em Casa (15.17-21)

Esta passagem não está muito clara. Pelo visto, a ênfase está na mordomia, sobretudo na oferta que vinha de casa. Comprovamos aqui o princípio da mordomia humana perante Deus: **Acontecerá que, quando comerdes do pão da terra, então, oferecereis ao SENHOR oferta**[7] (19). Quem tem o privilégio de desfrutar as bênçãos da vida recebidas diretamente das mãos de Deus precisa ter certas responsabilidades.

A lei da oferta das primícias da **eira** (20) já fora previamente definida com clareza (Lv 2.14). Neste texto, inclui também as **primícias das vossas massas** (21) de casa. Esta norma amplia a idéia de mordomia; além dos aspectos "industriais" e "agrícolas" da vida, abrange o indivíduo e a família.

A oferta das "primícias" também está identificada com o "dízimo" ou um décimo (Lv 27.30-33; Dt 26.1-15). Esta é a maneira ordenada por Deus na qual os filhos de Deus expressam a mordomia, sendo também o plano ordenado por Deus para sustentar sua obra.

3. A Responsabilidade Moral (15.22-36)

A maior preocupação de Moisés neste trecho era comparar dois tipos de pecado.

O primeiro é o pecado cometido **por erro** (24; "por ignorância", ARA; "sem intenção", NVI) sem o conhecimento da congregação. O texto descreve as providências que devem ser tomadas para que o "pecado de ignorância" seja posto sob a expiação de Deus: a favor da **congregação** (24-26) e a favor do indivíduo (27-29).

O segundo pecado é o cometido **à mão levantada** (30; "de propósito", NTLH), ou em atitude de desafio contra Deus e sua lei (cf. NVI). A pessoa que peca consciente e acintosamente **será extirpada do meio do seu povo** (30). Recebe esta pena porque **desprezou a palavra do SENHOR** (31). Temos ilustração desta norma quando **acharam um homem apanhando lenha no dia de sábado** (32). Tratava-se de caso extremamente fácil. Julgaram alguém que conhecia a lei (Êx 31.14,15; 35.2,3) e que indubitavelmente tivera ampla oportunidade de ver a lei em ação. Apesar disto, ele desprezou a lei e desafiou Deus. Em ação julgadora, **toda a congregação** o apedrejou **fora do arraial** (36). Nesta passagem, está nitidamente esboçado um princípio universal relacionado ao pecado. O pecado é *moral*, ou seja, se relaciona com a escolha do homem segundo o nível do seu conhecimento da lei e conforme o grau de sua *intencionalidade* ao desobedecer a Deus.

Os pecados alistados aqui ilustram os dois extremos. De um lado, temos o ato completamente inadvertido, no qual não havia conhecimento de que era pecado nem existia a vontade de cometê-lo. O outro extremo é o pecado que arruína a graça de Deus e desafia tudo o que Deus diz ou quer (cf. Rm 1.18-31; Hb 10.26-31; 2 Pe 2.20,21). No entremeio, há muitas nuanças e matizes de pecado, envolvendo mais ou menos conhecimento e mais ou menos graus de rebelião. Para todos estes pecados há perdão, exceto para a apostasia mais extrema: a blasfêmia contra o Espírito Santo (Mt 12.31,32; 1 Jo 5.16).

4. *O Testemunho Público* (15.37-41)

Deus ordenou que o povo fizesse **franjas** nas **bordas das suas vestes** (38). Estes enfeites tinham o propósito de fazer os israelitas lembrarem **de todos os mandamentos do SENHOR** para cumpri-los, **não** seguirem **após** o seu **coração** (39) e serem **santos** ao seu **Deus** (40).

"O judeu ortodoxo ainda usa o *talete* — um manto oblongo com um buraco no meio para passar a cabeça e uma borla em cada ponta."[8]

O testemunho visível e audível das experiências espirituais internas que o crente tem com Deus é parte importante do evangelho do Novo Testamento (At 1.8). Tinha sua contraparte cerimonial neste dia antigo. Os fariseus dos dias de Jesus aumentaram as borlas além das proporções razoáveis para que "testemunhassem" com mais ostentação.

C. A Insurreição de Corá, 16.1—17.13

1. *A Concorrência por Liderança* (16.1,2)

Levando em conta as manifestações que de vez em quando surgiam entre o povo (cf. 14.4), era inevitável que chegasse o momento em que a liderança de Moisés e Arão fosse frontalmente desafiada. Os capítulos 16 e 17 narram a insurreição chefiada por **Corá**, levita da família dos coatitas ("primo" de Moisés e Arão). Ele se uniu com três homens da tribo de **Rúben**:[9] **Datã**, **Abirão** e **Om**.[10]

2. *Os Desafios dos Amotinados* (16.3-19)

Corá[11] obteve o apoio de 250 líderes representativos da congregação (2), muitos dos quais eram da tribo de Levi (8,10). Este grupo confrontou Moisés com a acusação: **Demais é já** ("Basta!", ARA; "Agora chega!", NTLH); **pois que toda a congregação é santa** (3). Em sentido geral, estavam corretos ao dizer que todo o Israel fora consagrado ao Senhor. Contudo, estavam errados quando presumiram que o sacerdócio era um ofício ao qual poderiam se nomear à vontade. O sacerdócio foi ordenado por Deus, e Arão, o sumo sacerdote, fora ungido sob a direção divina (3.1-3). Estes levitas desempenhavam parte importante e sagrada no cuidado das coisas santas na Tenda do Encontro (8,9; 4.4-14). Tratava-se de presunção acreditar que tinham o direito de assumir, conforme critérios próprios, o ofício sacerdotal (5).

Moisés respondeu com as palavras exatas de Corá: **Baste-vos** (7; "basta-vos", ARA; "agora chega", NTLH; cf. 3). Moisés presumiu que, além das ambições destes levitas, o próprio Corá aspirava o ofício de sumo sacerdote no lugar de Arão (10). O desafio de Corá e seus companheiros era contra a liderança religiosa de Moisés e Arão.

Por outro lado, Datã e Abirão seguiam a linha política — era um tipo de movimento secular.[12] Culparam Moisés de inépcia. Acusaram que ele tirara o povo **de uma terra que mana leite e mel** (13; Egito),[13] e que, ainda por cima, não o levara a **uma terra que mana leite e mel**, nem lhe dera **campos e vinhas** (14; Canaã). Disseram que Moisés tinha cegado o povo e buscado se fazer ditador ("príncipe", ARA) sobre eles (13, **assenhoreias**). A defesa de Moisés foi: **Nem um só jumento tomei deles nem a nenhum deles fiz mal** (15). Sua liderança não era autoritária ou ditatorial. As acusações eram totalmente infundadas e constituíam, em essência, um motim. O grau do castigo que Deus infligiu (31-33) confirmou as afirmações de Moisés.

3. *O Castigo* (16.20-50)

Moisés não estava agindo em benefício próprio. Em contraste com as insurreições numa sociedade não-teocrática, Moisés tinha o apoio de Deus. Por conseguinte, estes desafios foram enfrentados, não com argumentos, mas com as manifestações da presença de Deus e com o seu castigo.

Os que reivindicavam o sacerdócio tinham de concordar, junto com Arão e seus filhos, em fazer um teste para provar o que afirmavam (5-7,16-18) — preparar "incensários" (vasos) e oferecer neles incenso diante do Senhor. **Corá** pareceu confiante quando ajuntou **toda a congregação à porta da tenda da congregação**, mas não avaliou devidamente a intervenção de Deus. **A glória do SENHOR apareceu** (19) com a proclamação de que haveria julgamento por fogo. A **congregação** (22) questionou a justiça da destruição de todos pelo pecado de um, e o **fogo... consumiu** (35) somente os 250 que tinham ilegalmente oferecido o incenso diante do Senhor (17).

Moisés já havia chamado Datã e Abirão, que se recusaram a obedecer. Por isso, ele mesmo foi ao acampamento.[14] Moisés pediu que todos os que não estavam envolvidos no caso saíssem (26) e anunciou que os rebeldes passariam por um teste. **Nisto conhecereis que o SENHOR me enviou a fazer todos estes feitos**, "porque não ajo por iniciativa própria" (28, ATA; cf. NTLH). O teste era: "Se estes homens tiverem morte natural" (29, NTLH), é porque são inocentes. **Mas**, disse Moisés, **se o SENHOR criar alguma coisa nova, e a terra abrir a sua boca e os tragar... então, conhecereis que estes homens irritaram ao SENHOR** (30). Quando parou **de falar**, a terra **se fendeu** (31), como acontece num terremoto, e **Datã**, **Abirão** e suas famílias (27) pereceram.

Opiniões divergem concernentes ao destino do próprio Corá[15] — estava com Datã e Abirão ou entre os 250 que morreram pelo fogo? Em todo caso, o julgamento de Deus caiu sobre ele por ser o líder da rebelião.[16]

Logo após a morte dos 250 pelo fogo, o Senhor ordenou que **Eleazar** juntasse os **incensários** que usaram e espalhasse as brasas, pois eram santas (37), ainda que a oferta tivesse sido feita por mãos de profanos. Os **incensários** (38) tinham de ser batidos para formar uma cobertura para o altar.

No dia seguinte, o povo acusou **Moisés** e **Arão** (41) de serem pessoalmente responsáveis por estes julgamentos. Em conseqüência disso, uma **praga** (46) de Deus se desencadeou entre o povo. A praga só foi detida depois que Arão **fez expiação pelo povo** (47), ficando **em pé entre os mortos e os vivos** (48). Mesmo assim, 14.700 pessoas **morreram** (49). Podemos ter certeza de que entre o pecado do homem e o julgamento de Deus estão as providências da graça divina.

4. O Teste Final (17.1-13)

No empenho de fazer **cessar as murmurações dos filhos de Israel** (5), foi engendrado um teste. Deus queria acabar com a disputa entre a tribo de Levi e as outras tribos, além de convencer a congregação de que a liderança espiritual de Arão era realmente de Deus. Uma **vara** (6), que representa autoridade tribal, foi tomada de cada uma das tribos, sendo que uma era por Arão e a tribo de Levi. As varas foram colocadas na Tenda do Encontro e ali passaram a noite. **Sucedeu... que a vara de Arão** floresceu, pois **produzira flores, e brotara renovos, e dera amêndoas** (8).[17] Moisés mostrou os resultados para toda a congregação, e ordenou que a **vara de Arão** fosse guardada (10). Sua intenção era que a presença deste objeto evitasse outra rebelião no futuro.

Temporariamente, pelo menos, o plano deu certo. Esta é declaração de uma congregação dominada e devidamente castigada: **Eis aqui... perecemos... Todo aquele que se aproximar do tabernáculo do SENHOR, morrerá** (12,13).

D. Os Deveres Levíticos e Sacerdotais, 18.1-32

1. As Responsabilidades Misturadas (18.1-7)

Não são novas as informações registradas neste lugar concernentes aos deveres dos sacerdotes e dos levitas (cf. 3.1—4.49). São repetidas para destacar o princípio que acabara de ser dramaticamente demonstrado: as coisas sagradas não devem ser profanadas. A repetição também serve para lembrar os sacerdotes e os levitas que junto com altos privilégios vêm sérias responsabilidades. Os sacerdotes eram responsáveis pelo santuário e os levitas tinham de ajudá-los. Mas os levitas não deviam tocar no altar ou em outra mobília sagrada e tinham de cuidar para que as pessoas não se aproximassem muito, pois caso isso ocorresse, sofreriam a pena de morte (17.13).

2. A Lista dos Benefícios dos Sacerdotes (18.8-20)

Considerando que os sacerdotes eram os servos espirituais do povo, não podiam trabalhar para ganhar a vida da mesma maneira que os outros. Por conseguinte, o sustento tinha de vir do corpo principal da congregação. A promessa de Deus para Arão era: "Agora estou te dando todas as ofertas especiais que forem trazidas a mim e que não forem queimadas como sacrifício. Eu dou essas ofertas a ti e aos teus descendentes como a parte a que vós tendes direito para sempre" (8, RSV). Em seguida, aparece uma lista das porções dos sacrifícios que pertenciam aos sacerdotes e instruções detalhadas sobre como deviam lidar com isso.

Concerto... de sal (19) era "um concerto indissolúvel" (VBB, nota de rodapé).

3. Os Deveres dos Levitas (18.21-32)

Os levitas tinham de receber o sustento dos dízimos dos israelitas. Em troca, administrariam o **ministério da tenda da congregação** (23) e assumiriam a responsabilidade pelas necessidades espirituais do povo. Justamente por isso, deviam dar aos sacerdotes o **dízimo dos dízimos** (26) que recebiam. Esta oferta seria considerada o equivalente do aumento do **grão da eira** e da **plenitude do lagar** (27) das outras tribos. Deus honra o dízimo e ninguém está isento da entrega propositada e sistemática do dízimo como parte vital da adoração. É o que Deus espera. Que ninguém seja tentado a guardar o que deve ser dado (32) e que ninguém roube a Deus (Ml 3.8-10).

E. As Providências para a Purificação, 19.1-22

1. A Ordem do Senhor (19.1,2)

O propósito desta passagem não é devidamente entendido se os detalhes tiverem precedência sobre o tema. Assim que "As Providências para a Purificação" são percebidas como tema, esta passagem se torna uma das mais importantes de todo o livro. O uso das palavras o **estatuto da lei** (2) é exclusivo e atribui extrema importância à lei prestes a ser apresentada.[18]

A grande necessidade do povo era de purificação. Esta necessidade se intensificou, sem dúvida, pelas circunstâncias particulares da peregrinação no deserto, pela indicação de morte imposta pelo julgamento de Deus e até pelos julgamentos especiais e pragas que surgiam de vez em quando (cf. 16.49). O contato com corpos mortos era a causa de contaminação cerimonial particularmente ressaltada aqui. Porém, existiam muitas outras situações que causariam contaminação física — as quais colocariam em nítido destaque o problema da impureza.

Devemos manter em mente que as duas[19] questões, a impureza higiênica e a impureza cerimonial, estavam estreitamente relacionadas. A questão higiênica era a mais imediata e óbvia. Estava ligada a contatos sociais e fazia parte da vida cotidiana. Contudo, as necessidades espirituais do povo, que a impureza cerimonial representava, eram igualmente reais. As necessidades religiosas tinham preponderância e eram, de fato, o objetivo central do propósito básico de Deus para ter um povo santo (limpo, puro). Na verdade, as questões higiênicas relativas à contaminação eram senão ilustrações desta contaminação espiritual mais séria.

A lei apresentada aqui pertence ao grupo de mandamentos já tratados anteriormente (Lv 12—15), os quais esboçam as providências para a purificação da impureza advinda por parto, por lepra e por emissões corporais. Mas neste texto em estudo a lei define a questão da impureza causada por contato com corpos mortos.[20]

O tema do capítulo é igual ao assunto que é central na Bíblia inteira — Deus fornece meios para a purificação moral e espiritual. Por conseguinte, as leis e princípios esboçados aqui devem ser avaliados à luz da totalidade do ensino bíblico, sobretudo no que se relaciona com a expiação de Jesus Cristo.

2. A "Água da Purificação" (19.2-10)

A preparação de uma **água da separação** (9) ou "água da purificação" (NVI; 8.7; cf. 31.23) era central a este plano. Esta água seria usada na **expiação** de quem estivesse cerimonialmente imundo. Era, sem dúvida, preparada de antemão para que estivesse pronta quando surgisse a necessidade. Tipifica claramente a expiação de Jesus Cristo, preparada de antemão e imediatamente disponível ao clamor do coração necessitado de purificação (1 Jo 1.7).

Deus ordenou que o povo de Israel levasse a Moisés **uma bezerra ruiva**[21] **sem defeito**, **sem mancha** e **sobre** a qual **não** tivesse sido colocado **jugo** (2). A bezerra era entregue a **Eleazar, o sacerdote**, que a mataria **fora do arraial** (3; Êx 29.14; Lv 4.11,12,21).[22] Depois da aspersão cerimonial do **sangue** da bezerra (4), o sacerdote tinha de queimá-la totalmente. Enquanto estivesse queimando, acrescentava ao fogo **um pedaço de madeira de cedro**, indicando fragrância e incorrupção; **hissopo**, denotando purificação; e "estofo" (ARA) **carmesim** (6), representando o pecado (Lv 14.4) e o sangue que traz o perdão de pecados. As cinzas desta queima se tornava a base à qual se adicionava água. Esta **água da separação** (9) servia "para tirar pecados" (NTLH). As pessoas que tomavam parte na preparação estavam imundas **até à tarde** (7,8).

3. *A Prevalência da Impureza* (19.11,14-16)

Estes versículos mostram o problema — havia muitos que ficavam impuros por terem entrado em contato com corpos mortos. Ficavam cerimonialmente impuros por sete dias. Esta não era questão incidental, como indica a severidade da pena para quem não se aproveitasse da provisão oferecida pela purificação. Para piorar a situação, havia, conforme indicam os versículos 14 a 16, outras maneiras de ocorrer impureza além do contato pessoal com corpos mortos.

Esta condição fala da prevalência da impureza no acampamento, e se relaciona, de modo mais amplo, com a impureza universal que infetou todo o gênero humano (Sl 51.5; Rm 3.10-23). Da mesma forma que a impureza provocada pelo pecado é universal em sua amplitude e atinge a vida de todas as pessoas, assim a expiação de Cristo está prontamente disponível a todos que receberem a purificação (Rm 5.12-21).

4. *Os Procedimentos para a Purificação* (19.12,17-19)

O ato da purificação tinha de ser feito no **terceiro dia** e no **sétimo dia** (12; cf. ARA). Pegava-se o **pó**, ou "cinza" (ARA), **da queima da expiação e sobre ele** punha-se **água viva**, ou "corrente" (ARA), **num vaso** (17). **Um homem limpo tomará hissopo,**[23] **e o molhará naquela água, e a espargirá sobre** quem estiver impuro (18). **No sétimo dia, o purificará; e lavará as suas vestes, e se banhará na água, e à tarde será limpo** (19).

Esta passagem, como outras da Bíblia, mostra nitidamente que a purificação era mais que cerimonial. Havia a limpeza física pessoal ocasionada pela lavagem das roupas e pelo banho. Justamente por isso, a purificação do coração dos filhos de Deus é real, pois extirpa a raiz do pecado, muda as inclinações interiores (Dt 6.4,5; 30.6), retira o coração de pedra e enche a vida com o Espírito de Deus (Ez 36.25-38).

5. *A Pena por Negligência* (19.13,20-22)

A declaração não dá margem a dúvidas, quando diz que quem **não se purificar, contamina o tabernáculo do SENHOR** (13). Estes dizeres sugerem que a impureza é pertinente à condição espiritual do indivíduo e à sua relação perante Deus. Um Deus santo não tolera a falta de santidade em seus filhos. Era passível de pena severa a pessoa que não aceitasse a aspersão da água da separação: **será extirpada de Israel** (13). Estas normas falam de diversas verdades universais: a expiação está disponível; o impuro deve recebê-la de boa vontade; tem de obedecer às exigências para que os pecados lhe sejam perdoados; findados os dias designados, não há recurso; a responsabilidade pela rejeição repousa no indivíduo; a separação da congregação de Deus é definitiva. A verdade válida em todos os tempos é clara, embora terrível — a graça de Deus é plena e completa, mas o coração que rejeita o plano que Deus providenciou para a purificação dos pecados estará perdido para sempre.

Seção IV

DE CADES A MOABE

Números 20.1—22.1

A. Os Acontecimentos em Cades, 20.1-21

1. *As Tribos se Reúnem* (20.1a)
Chegando os filhos de Israel, ficaram **em Cades** (1). As peregrinações no deserto terminaram. Israel pagara o preço total por seu pecado. A velha geração passara e a nova estava pronta para, depois de quase 38 anos de interrupção, retomar o plano de Deus. As tribos e famílias se reuniram novamente em Cades (ver Mapa 3), provavelmente no primeiro mês daqueles primeiros 40 anos desde que o grupo original saíra do Egito. De acordo com Deuteronômio 1.46, permaneceram em Cades "muitos dias", período que pode ter sido de três ou quatro meses. Este tempo era necessário por, no mínimo, três razões: reunir e orientar a nova geração segundo os planos de movimentação do acampamento (cap. 2), prantear a morte de Miriã e comunicar-se com os líderes de Edom.

2. *A Morte de Miriã* (20.1b)
Miriã morreu ali e ali foi sepultada (1). Miriã é reconhecida na história como uma das poderosas forças sob a mão de Deus no grande evento do Êxodo. Isto a despeito de seu ataque de ciúmes (cap. 12) e as resultantes desonra e humilhação. O fato principal no registro bíblico que conta especificamente sua influência foi a liderança tomada na comemoração de vitória depois que Israel atravessou o mar Vermelho (Êx 15.20-22). Pelo que deduzimos, ela deu apoio firme e consistente a Moisés e Arão e ao programa que Deus esboçara para Israel. Mesmo assim, o registro de sua morte não forma nem uma sentença completa. A causa de Deus é maior que o mais capaz e o mais célebre de seus obreiros. Sua obra continua mesmo quando eles são enterrados.

3. O Povo Chora por Água (20.2-8)

Não há menção de escassez de água em Cades. Talvez esta falta de água significasse que as fontes tinham secado, ou que o nível de água estava tão baixo que não havia água suficiente para prover as necessidades totais do povo. Ou quem sabe a água não era acessível a todas as pessoas, visto que o acampamento se espalhara sobre ampla área. Em todo caso, reclamaram porque **não havia água para a congregação** (2). Era o mesmo padrão que caracterizava as murmurações no passado. O mais recente exemplo ocorrera na rebelião de Corá (cap. 16).[1]

Os pontos da questão e o fraseado da reclamação eram muito iguais aos anteriores: **Antes tivéssemos expirado** (3). **Por que** nos **trouxestes** a **este deserto** (4)? **Por que nos fizestes subir do Egito** (5)? Claro que a geração mais jovem não desfrutara os prazeres do Egito nem sofrera plenamente as provações da viagem, mas, sem dúvida, ouviu as histórias. As reclamações neste momento poderiam ter sido lideradas pelos mais velhos, a quem estes acontecimentos do passado não eram tão remotos.[2] É evidente que a congregação estava inclinada a se prender a qualquer assunto que lhe desse ocasião para se queixar da dificuldade. A murmuração não se destaca por sua lógica nem está limitada a certo conjunto de circunstâncias ou a qualquer geração.

Em face da agitação incessante, **Moisés e Arão se foram** para a **porta da tenda da congregação** e caíram prostrados diante do Senhor. Como sempre, Deus se mostrou constante. **A glória do SENHOR lhes apareceu** (6). **E o SENHOR falou a Moisés** (7), dando-lhe instruções. Moisés tinha de pegar a vara,[3] reunir a congregação e "falar à rocha perante os seus olhos [da congregação] para que jorre água" (8, ATA). Mesmo que Moisés não tenha feito exatamente como Deus o instruíra, Deus foi fiel, e **saíram muitas águas; e bebeu a congregação e os seus animais** (11).

4. O Pecado de Moisés e Arão[4] (20.9-13)

Deus ficou descontente com a conduta de **Moisés** e **Arão** e lhes falou que eles **não** conduziriam **esta congregação** à **terra que lhes tenho dado** (12). O texto não descreve a natureza exata do pecado pelo qual estes dois líderes foram castigados. Mesmo quando o registro é lido sob a mais favorável interpretação, a resposta de Moisés não coincide com as ordens que Deus dera. Não há dúvida de que a verdadeira natureza do pecado reside nesta discrepância. Fazer uma comparação é revelador.

a) Deus mandou que Moisés *falasse à rocha* (8). Ao invés disso, Moisés **feriu a rocha** com a **vara** (11). Neste ponto, ele era culpado de não obedecer *explicitamente* à ordem de Deus. Seguiu apenas as linhas gerais da ordem e reverteu negligentemente a um padrão de conduta que usara em ocasião semelhante, embora com a aprovação de Deus (Êx 17.1-7). A acusação divina era que Moisés não tinha crido em Deus (12). A incredulidade de Moisés não se tratava de falta de fé no poder de Deus executar o milagre da maneira em que designara. Por causa dos seus desejos pessoais ou do estado de espírito do momento, Moisés não teve a inclinação de obedecer formalmente à vontade de Deus sem fazer modificações. Deus condenou Moisés e Arão por causa dessa rebelião à ordem divina (24). No mesmo momento em que Moisés dizia que os israelitas eram **rebeldes** (10), ele próprio estava recusando seguir a ordem simples e clara de Deus.

b) Deus ordenou que Moisés *ajuntasse a congregação e, diante dela, falasse à rocha* (8). Ao invés disso, Moisés proclamou antes de ferir a rocha: **Porventura, tiraremos água desta rocha para vós?** (10). **Moisés** e **Arão** foram culpados de dar proeminência a si mesmos e ao poder humano em vez de exaltar Deus diante do povo (12). Deus julgou estes líderes por não o santificarem **diante dos filhos de Israel**, como Deus ordenara (Lv 10.3) e como exigia sua natureza santa (Sl 99.5,9). Moisés e Arão eram culpáveis de pecado extremamente essencial e básico, sobretudo odioso para líderes espirituais: exaltar a si mesmo e não ao Senhor. Deus é extraordinariamente glorificado quando seus servos reconhecem com humildade que não é por suas mãos, mas pela mão de Deus que os milagres do Reino são realizados.

c) É verdade que Deus ordenou que Moisés *tratasse do problema da escassez de água*. O espírito e a disposição de Deus eram de paciência e amor e suas instruções foram dadas com calma e equilíbrio. Não há razão indicada para Moisés não ter obedecido conforme o mesmo padrão. Lamentavelmente, perdeu o controle da situação e de si mesmo. Com raiva, **feriu a rocha**, não uma, mas **duas vezes** (11). Nisto era culpado de grande pecado na liderança: perda de paciência com o povo a quem ele estava liderando e, neste caso em particular, perda de paciência com Deus.

Era igualmente culpado de violar a própria personalidade. Moisés era homem cuja vida refletia constantemente as qualidades de mansidão e paciência mesmo em face das circunstâncias mais adversas. De certo modo, estas qualidades eram a indicação de legitimidade do seu caráter (cf. 12.3). Este excesso de fúria e amargura era grave, porque violava o que Moisés era por causa da sua fé em Deus. É neste aspecto que o pecado foi corretamente rotulado de "incredulidade".

d) A ordem de Deus para Moisés *refletia amor e paciência com seus filhos, embora estivessem murmurando e reclamando*: Assim, **darás a beber à congregação e aos seus animais** (8). Moisés não só feriu a pedra com a vara, mas feriu verbalmente as pessoas, gritando: **Ouvi agora, rebeldes** (10). Aqui, era culpado do maior de todos os pecados em uma sociedade de seres humanos: depreciar a personalidade humana (Mt 5.22) e não reconhecer que aqueles com quem lidava também eram pessoas.

Pouco importando qual tenha sido a exata natureza dos atos de Moisés e Arão, Deus os chamou pecado — incredulidade e rebelião. Eram essencialmente pecados do espírito, que são os mais básicos e do tipo mais grave. A pena que Deus impôs demonstra a seriedade em que ele os considerava. **Por isso não metereis esta congregação na terra que lhes tenho dado** (12). Estes dois líderes poderosos sofreram julgamento semelhante ao que sobreviera à toda a geração mais velha. A tragédia do fracasso de Moisés e Arão é estabelecida quando consideramos a medida da grandeza desses homens e lembramos que, até aquele momento, tinham agido bem. O registro serve de lição para todas as gerações de que a fidelidade deve ser total e completa, chegando até ao fim da vida (Mt 24.13; Hb 3.6-19).

5. *O Pedido a Edom* (20.14-21)
Por causa da derrota desastrosa previamente sofrida (14.45), presumimos que o **caminho dos espias** (21.1) foi desacreditado como rota para Canaã. Por conseguinte, **Moisés** considerou a possibilidade de achar uma rota pelo leste. O trajeto mais curto

passaria por **Edom** (ver Mapa 3). Estes versículos falam da tentativa feita por Moisés de obter dos líderes edomitas uma "licença de viagem segura" para seguir por esta rota.

A mensagem que Moisés enviou chamou atenção ao fato de que Edom era descendente de Esaú, **irmão de Israel** (14). Em seguida, fez um relato curto da estadia dos israelitas no **Egito** (15) e a fuga que empreenderam (16). Moisés esboçou a situação atual dando a entender que lhes era vantajoso passarem pelo território mantido por Edom. Garantiu aos edomitas que Israel **não** passaria **pelo campo, nem pelas vinhas, nem** beberia **a água dos poços**, mas ficaria na **estrada real** (17).[5]

Edom recusou o pedido e fez uma ameaça: **Para que, porventura, eu não saia à espada ao teu encontro** (18). Moisés insistiu que os israelitas não fariam nada mais que marchar pela terra e que pagariam pela água que usassem (19).[6] Ao ouvir esta proposta, **saiu-lhe Edom ao encontro** (20) com demonstração de força bélica para se certificar de que Israel não ignorasse a recusa ao pedido e que fosse embora. **Assim, recusou Edom deixar passar a Israel pelo seu termo** (21; "território", NVI).

B. Para Canaã, Finalmente, 20.22—21.4

1. Um Novo Dia (20.22)

Muito tempo havia passado. A formação de expectativa fora intensa, embora esta fosse outra geração. A esperança constante durante os anos de peregrinação no deserto tinha de concluir o tempo de julgamento a fim de prosseguirem para Canaã. Nem a severidade da frustração, angústia e sofrimento poderia toldar esta esperança. Contudo, o registro é simples: **Então, partiram de Cades; e os filhos de Israel... vieram ao monte Hor** (22).

2. O Monte Hor (20.22)

O local exato e a identificação do monte Hor nunca foram completamente estabelecidos. As evidências da erudição[7] mais recente tendem a apoiar um local denominado Jebel Madurá, a uns 48 quilômetros a nordeste de Cades (ver Mapa 3), do que o local tradicional perto de Petros, a sudeste. Esta localização ainda qualificaria o local por estar na "fronteira de Edom" (23, NVI), mas o colocaria mais perto de Canaã. Este local torna mais inteligível o incidente registrado imediatamente a seguir (21.1-3), que tem a rota sul para Canaã como seu cenário e, por conseguinte, dá mais apoio à seqüência do texto.

3. A Morte de Arão (20.23-29)

No monte Hor, Deus lembrou a **Moisés e Arão** (23) que este último **não** entraria **na terra**, por causa da participação que teve no pecado junto às **águas de Meribá** (24). Assim, o terreno estava pronto para a transferência das funções sacerdotais de **Arão** para **Eleazar**, seu filho. Deus instruiu Moisés a levar os dois **ao monte Hor** (25) e ali realizar a cerimônia de transferência das vestes sacerdotais do mais velho para o mais moço. No monte **morreu Arão** de forma quieta, humilde e majestosa. Quando **Moisés** e **Eleazar** (28) desceram do monte, os israelitas, vendo os sinais do sacerdócio no filho de Arão, inferiram que o idoso sacerdote tinha morrido. **Choraram a Arão trinta dias** (29) antes de o povo prosseguir em viagem.

4. A Derrota e a Vitória (21.1-3)

A significação exata deste incidente não está clara. Talvez Moisés tivesse feito planos para entrar em Canaã pela rota sul, como fora originalmente planejado. Esta ação seria natural, em vista de Edom ter recusado a passagem dos israelitas para o leste. Porém, o **cananeu, o rei de Arade**[8] (1), ficou sabendo deste intento. Teve medo desse grande grupo de pessoas indo em sua direção, e atacou os israelitas com certo sucesso.

Em conseqüência disso, **Israel fez um voto ao SENHOR** (2): se Deus entregasse os cananeus nas mãos dos israelitas, estes destruiriam **totalmente as suas cidades**. Deus lhes deu notável vitória em **Horma** (3). Este talvez seja um determinado local (ver Mapa 3) ou significa, tão-somente, que os cananeus foram reduzidos a um estado de absoluta destruição (hb., *hormah*; cf. 14.45). Há indicação de que este relato, além de descrever uma única batalha ou grupo de batalhas, possa fazer parte de um trecho de profecia geral sobre a vitória última de Israel na conquista de Canaã (Jz 1.16,17).

5. A Rota para Moabe (21.4a)

Pelo que deduzimos, os israelitas, depois de não receberem permissão para passar por Edom, investigaram a possibilidade de entrar em Canaã pela rota sul. Depois, em face da resistência que encontraram ou por razões não registradas, desistiram da idéia de ir para Canaã por esta rota. Foi então que giraram em direção sul **pelo caminho do mar Vermelho** (4). Para evitar a fronteira sul de Edom, tiveram de viajar para o extremo norte do golfo de Áqaba, quase metade da distância de volta em direção ao monte Sinai. Em seguida, viraram em direção leste, passando perto do que hoje é o porto de Eilat (Eziom-Geber) para ficar a leste da terra de Edom (ver Mapa 3).

Certos estudiosos sugerem uma rota alternativa por ser mais lógica. Ela teria levado os israelitas ao sul do monte Hor, a um ponto a meio caminho entre o mar Morto e o golfo de Áqaba. De lá, teriam virado abruptamente para nordeste em direção a Purom, que se localizava dentro de Edom. Desse lugar, a rota seria a Obote, que eles localizam em direção à porção norte-central do Arabá. Percorreriam então a extremidade sul do mar Morto, onde o ribeiro de Zerede deságua do leste. Virando para leste, teriam seguido o ribeiro de Zerede, movendo-se entre os países de Edom e Moabe, circulando Moabe a leste e, daí, para o rio Arnom (ver os nomes dos lugares nos vv. 11-13).

C. A Serpente de Bronze, 21.4-9

1. A Praga das Serpentes (21.4-6)

Enquanto os israelitas se dirigiam para o sul, encontraram condições de viagem tediosas semelhantes às que seus pais experimentaram no passado. Em face destas condições desérticas, a murmuração do povo atingiu nova intensidade. **Aqui, nem pão nem água há** (5), reclamaram. Tinham razão, claro, pois não havia provisão natural de pão ou água da terra pela qual passavam. Estavam errados no que tange ao fato de que Deus supriria e estava suprindo milagrosamente as suas necessidades básicas. A reclamação levantou a questão da suficiência do que Ele estava lhes suprindo. Foi basicamente esta falta de fé que fez com que Deus se desgostasse deles.

Por causa desta murmuração, o Senhor enviou uma praga de **serpentes ardentes** (6). Esta descrição se deve, provavelmente, à natureza do veneno tóxico e à coloração, que era cor de cobre brilhante.[9]

2. A Serpente de Bronze[10] (21.7-9)

Em face das mortes pela praga, as pessoas se conscientizaram do erro da reclamação e foram a Moisés. Disseram: **Havemos pecado, porquanto temos falado contra o SENHOR e contra ti** (7). Imploraram que Moisés orasse **ao SENHOR** para que tirasse as **serpentes**. É digno de nota que a petição do povo a Moisés nesta ocasião, mais que em outras, requeresse a intercessão ao Senhor.

A instrução de Deus era que Moisés fizesse uma serpente de metal que seria colocada **sobre uma haste** (8).[11] Tinha de ser erguida bem alto sobre o acampamento, de forma que fosse vista por todas as pessoas. Quem fora mordido por uma serpente evitaria a morte simplesmente olhando para a **serpente de metal** (9).

Este relato é desacreditado por alguns críticos, mas os estudiosos conservadores percebem que tem de ser um dos grandes milagres do pré-Calvário do Antigo Testamento. A autoridade suprema para esta idéia é o próprio Cristo, que disse: "E, como Moisés levantou a serpente no deserto, assim importa que o Filho do Homem seja levantado, para que todo aquele que nele crê não pereça, mas tenha a vida eterna" (Jo 3.14,15).

A serpente de bronze era tipo de Jesus Cristo que, quando erguido na cruz, trouxe salvação e vida espiritual a todos que olham pela fé. Há também neste relato do Antigo Testamento a verdade de que "o semelhante cura o semelhante". Deus providenciou uma serpente milagrosa de metal para curar a infecção mortal causada pelo veneno das serpentes ardentes. A Escritura fala sobre Jesus: "Pelas suas pisaduras, fomos sarados. [...] O SENHOR fez cair sobre ele a iniqüidade de nós todos" (Is 53.5,6). Também diz: "Àquele que não conheceu pecado, [Deus] o fez [Cristo] pecado por nós; para que, nele, fôssemos feitos justiça de Deus" (2 Co 5.21; cf. Rm 8.3).

Nos versículos 4 a 9, G. B. Williamson prega sobre a verdade de "A Serpente de Bronze". 1) O pecado é racial e pessoal, 4-7; 2) A serpente e o Salvador foram erguidos, 8 (cf. Jo 3.14); 3) Há vida para quem olhar voluntariamente, com arrependimento e fé, 9 (cf. Jo 3.14,15).

3. De Onde Veio o Milagre?

Em todo este episódio deve haver a compreensão clara de que a salvação e a vida não vieram da serpente de metal em si. Estas bênçãos vieram do poder de Deus que foi liberado pela fé e pela aceitação pessoal do plano que Ele delineara. Mesmo naqueles dias havia o poder de uma cruz que ainda seria erguida para dar cura.

Deve ser firmado para sempre que não é o símbolo que redime, mas o Cristo por trás do símbolo. Mais tarde, os hebreus caíram no erro de adorar esta serpente de bronze (2 Rs 18.4). Por causa deste uso inadequado, Ezequias mandou tirar a serpente do Templo e despedaçá-la. Embora a serpente de bronze tivesse tido seu lugar no plano de Deus no cenário do deserto e, talvez, tivesse posição entre os itens de reverência nos arquivos de Israel, não era para se tornar objeto de adoração, nem devia ser venerado como algo que possuísse poder sobrenatural inerente em si.

D. Os Incidentes na Marcha, 21.10—22.1

1. *Alguns Pontos de Parada na Rota* (21.10-13,16,19,20)
O capítulo 33 apresenta a lista dos lugares onde os israelitas acamparam na viagem do Egito para Canaã. Aqui, neste texto, são indicados apenas os principais pontos de parada no trecho da viagem entre o monte Hor e Moabe. É como se o historiador quisesse pôr o leitor em movimento acelerado do deserto de Parã à bacia fértil das planícies de Moabe.[12]

Os lugares mencionados não são passíveis de determinação em mapas dos dias atuais. **Obote** (10) foi meramente identificado por "o planalto pedregoso a leste de Edom",[13] mas não há como localizá-lo com mais exatidão. O nome "Ijé-Abarim" (11, ARA; **outeiros de Abarim**) significa "as ruínas do outro lado" (cf. NTLH; NVI), e é tudo que temos sobre a identificação do lugar.[14] O **ribeiro de Zerede** (12) é o "vádi de Zerede que deságua no mar Morto, em sua extremidade sul".[15] **Dali, partiram e alojaram-se** ao lado norte do rio **Arnom**, que é a fronteira **entre Moabe e os amorreus** (13). É impossível localizar **Beer** (16, "o poço"), **Matana, Naaliel** e **Bamote** (19). **Pisga** diz respeito a um ou mais dos altos cumes do planalto moabita que se sobressai em relação ao mar Morto. É deste cume que "se avista o deserto" (20, NTLH; **à vista do deserto**) e se vê nitidamente os montes de Canaã.[16] O mais alto destes era o monte Nebo, no qual Moisés morreu (Dt 34.1).

2. *Trechos de História de Canção Folclórica* (21.14-18a)
Estes versículos apresentam fragmentos de registros típicos deste período da história. O **livro das Guerras do SENHOR** (14) não é mencionado em outro lugar da Bíblia. Mas o fato de estar aludido aqui, mesmo de maneira incompleta, indica que tais relatos foram guardados. São trechos de baladas populares ou canções folclóricas, registros de façanhas de pessoas ou acontecimentos importantes que eram cantados em redor de fogueiras ou em reuniões formais. Não são diferentes de registros descobertos que narram as proezas de reis e líderes militares deste período histórico. Em vez de desacreditar a validade da narrativa, a inclusão de tais registros, ainda que fragmentários, a confirma.

A primeira canção narra as vitórias de Israel **contra Vaebe em Sufa, e contra os ribeiros de Arnom** (14). A segunda conta os incidentes em **Beer**, onde cavaram um **poço** e cantaram uma canção (16). Ao longo dos séculos, esta canção antiga tem sido fonte rica de bênçãos para judeus e cristãos. Fala da combinação singular dos milagres de Deus com o trabalho do homem. Deus prometeu: **E lhe darei água** (16). Mas **os príncipes cavaram** o poço e o **escavaram os nobres do povo... com os seus bordões** (18). Talvez a alegria especial inerente na canção provenha exatamente desta combinação. Marcava uma transição na forma em que Deus lidava com seus filhos. Antes, vez ou outra, Deus lhes dava água milagrosamente. Agora, o povo tinha uma parte a fazer. Tratava-se, indubitavelmente, de uma transição em seu novo modo de vida e responsabilidade na conquista de Canaã.

3. *O Destino dos Amorreus* (21.21-32)
Os **amorreus** (21) estavam entre as principais tribos dos cananeus (Gn 10.16). O nome é freqüentemente usado de modo geral quando se quer aludir mais amplamente às nações cananéias (cf. Dt 1.7,19,27). Também é usado para denotar todos "os habitantes

da Síria antes do tempo do Êxodo".[17] Fazia pouquíssimo tempo que uma tribo dos amorreus, sob a liderança de **Seom**, se mudara vindo do norte da Palestina. Este povo tinha conquistado e tomado posse das cidades dos moabitas, parando no rio Arnom.

O território que Seom ocupava não estava incluído na promessa original de Deus a Abraão (34.2-12). Mas o fato de estar na posse de um povo cananeu agora o incluía (Gn 15.18-21; Dt 2.24).[18] Por conseguinte, Moisés não hesitou em estabelecer contato com Seom. **Mandou**-lhe **mensageiros** pedindo permissão para atravessar as terras e chegar aos vaus do Jordão, do outro lado de Jericó. Seom recusou o pedido e saiu com seus exércitos, fazendo com que Israel se defendesse. Embora os israelitas não fossem exército experiente, mostraram coragem, força e confiança. Deus lhes deu vitória e eles ocuparam **todas estas cidades** (25), as quais tiraram dos **amorreus** (cf. Dt 2.30-37).

Era acerca desta vitória total sobre os amorreus que cantavam **os que falam em provérbios** (27). A canção é uma combinação de regozijo na vitória e escárnio dos derrotados. Começa com a vitória de **Seom** (28) sobre os moabitas e chama a atenção à queda de **Quemos** (29), o deus de Moabe. Termina com o resumo simples da vitória dos israelitas sobre Seom (30). A canção coloca **Hesbom**,[19] a principal cidade dos amorreus, em lugar proeminente.

4. A Derrota de Ogue[20] (21.33—22.1)

Ainda que o relato contenha poucas palavras, a vitória sobre **Ogue** (33) é importante.[21] De certo modo, Ogue seria classificado como cananeu, mas se distinguia no ponto em que era um dos últimos de uma tribo de gigantes. Além de serem guerreiros formidáveis, os partidários de Ogue tinham cidades que eram quase inexpugnáveis. Os israelitas não as teriam conquistado caso estes exércitos tivessem permanecido atrás dos muros da cidade. Ao invés disso, **Ogue, rei de Basã, saiu contra eles**, e foi derrotado.

Além dos feitos vitoriosos, é importante notar que o território que Ogue controlava ia, no norte, a um ponto oposto ao mar da Galiléia. O fato de este território ter sido conquistado por Israel desencadeou o pedido das tribos de Rúben, Gade e a meia tribo de Manassés ficarem com esta região como herança, no lugar no que teriam recebido segundo a promessa original (cap. 32; Dt 3.15-17). •

Assim, **partiram os filhos de Israel e acamparam-se nas campinas de Moabe** (22.1), presumidamente, mesmo enquanto os exércitos estavam nos últimos lances da campanha contra Ogue, no norte. Estas **campinas de Moabe** formavam um vale úmido e fértil, abaixo do nível do mar, no outro lado do rio Jordão, à altura da cidade de Jericó. Este foi o primeiro gostinho da promessa de que os israelitas possuiriam uma terra que mana leite e mel. Era, sem dúvida, uma mudança de ambiente, deixando o cenário desértico vivido desde que saíram do Egito.

Seção V

OS EPISÓDIOS DRAMÁTICOS DE BALAÃO

Números 22.2—24.25

A. AS CARACTERÍSTICAS EXCLUSIVAS DA SEÇÃO

1. O "Livro de Balaão"[1]
Por qualquer medida que avaliemos, esta seção de Números é inigualável. Este fato levou muitos críticos a marcá-la como passagem inteiramente interpolada, com pouca ou nenhuma relação ao corpo do livro. Foi chamada competentemente o "Livro de Balaão". A principal razão para esta seção ser vista como segmento literário distinto está no fato de que o texto de 22.1 pode ser ligado a 25.1 sem ruptura no fluxo da narrativa histórica.

Em vista do cenário estar totalmente fora das fronteiras de Israel, levantou-se a pergunta: "Como Moisés conseguiu a história?" A resposta mais lógica é que Balaão fez um registro das ocorrências e, em data posterior, possivelmente quando Israel devastou Moabe, a história chegou às mãos de Moisés. Talvez nesta época o relato tenha sido editado para dar-lhe os distintivos matizes pró-Israel.

O espírito da história não é entendido, a menos que seja levada em conta sua distinta característica dramática. Contém muitos dos sinais identificadores de produção dramática. Se não é o tipo de obra que seria representada por atores, pelo menos os detalhes dramáticos estavam claramente na mente do autor. Ao todo, a história de Balaão representa uma das porções enigmáticas deste livro mais basicamente histórico.

2. O Homem Balaão
Os estudiosos estão longe de concordar sobre quem era Balaão. O relato menciona apenas que ele se chamava **Balaão, filho de Beor**, que era de **Petor** (22.5). O texto identifica que ele morava no oriente, um residente da mesma área geral da qual vieram

Abraão e os magos dos dias de Jesus. Esta era a região em que Labão vivia e à qual Jacó se dirigiu para obter uma esposa (Gn 29.1-35).

No empenho de determinar o caráter de Balaão, dois extremos de interpretação entram em cena. Há quem o estigmatize de salafrário, um feiticeiro pagão. Embora desempenhasse o papel de verdadeiro profeta ao abençoar Israel, antes de sair de cena, ele "sugere um meio peculiarmente repugnante de ocasionar a ruína de Israel".[2] Por outro lado, outros o elevam a alta posição como profeta nascido fora do tempo, não diferente do lugar outorgado a Melquisedeque (Gn 14.18,19).

Provavelmente, a verdadeira resposta não está nos extremos, mas em um ponto entre eles. Como Sansão, Balaão mostrou sinais de ser flexível à vontade de Deus, quando essa vontade lhe era clara. Não obstante, havia características de seu caráter que não passariam num padrão moral bíblico. É melhor não sermos muito severos ao criticar Balaão, pelo menos nas ações dos primeiros estágios da narrativa. Ele possuía luz muito limitada e informação fragmentária sobre quem era Israel.

Esta análise feita por certa fonte judaica oferece algumas explicações ao dilema desconcertante.[3]

> Por causa destas contradições fundamentais sobre o caráter, os críticos da Bíblia presumem que o relato bíblico de Balaão seja uma combinação de duas ou três tradições diversas pertencentes a períodos diferentes. Esta idéia é totalmente inconvincente. É como se tivéssemos de advogar que a história generalizada da vida de, por exemplo, Francis Bacon, devia-se ao fato da combinação de duas ou três tradições pertencentes a períodos diferentes da história inglesa, visto que ninguém pode ser ao mesmo tempo filósofo ilustre, grande estadista e "o pior da raça humana". Semelhante opinião trai um conhecimento superficial da complexidade apavorante da mente e alma do homem. É somente no reino da fábula que homens e mulheres exibem, como se fosse num único flash de luz, *um* dos aspectos da natureza humana. Na vida real é completamente diferente. "Enganoso é o coração, mais do que todas as coisas, e perverso; quem o conhecerá?" (Jr 17.9) é, lamento, o resumo mais absolutamente verdadeiro da psicologia humana.

Estudiosos aptos e competentes apresentam evidências bastante sensatas de ambos os lados da questão. Não é possível que o estudioso comum da Escritura chegue a uma conclusão inteiramente satisfatória sobre o assunto. Um rápido exame nos pontos a favor e contra talvez ajude a obtermos uma avaliação aproveitável do homem Balaão.

3. Os Pontos a Favor

As evidências que tendem a colocar Balaão sob luz favorável são as seguintes.

a) Balaão dispunha de acessibilidade a Deus muito acima da média e tinha o desejo básico de ouvir a voz de Deus (8,13,18), apesar da recaída que ocasionou a experiência da jumenta que falou (22.22-31).

b) Há profundidade de percepção na transmissão das verdades que Deus deu a Balaão, o que indica que ele não era novato nas coisas profundas do Espírito.

c) Pelo visto, na gangorra do bem e do mal na experiência de Balaão, o bem saiu vitorioso. Isto foi exato pelo menos nas fases iniciais do seu contato com Balaque e nas pressões que sofreu ou para abençoar ou para amaldiçoar Israel.

d) A despeito de outras evidências em contrário, Balaão foi usado por Deus para abençoar os israelitas e, assim, frustrar o plano engenhoso de Balaque de detê-los.

4. Os Pontos Contra
As evidências que colocam Balaão sob luz desfavorável são as seguintes.

a) De forma geral, a história judaica trata Balaão como homem mau, apesar da bênção que ele deu para Israel neste momento.

b) O registro bíblico se refere a ele sob ótica semelhante. Judas 11 fala da ganância de Balaão; Apocalipse 2.14 menciona sua deslealdade em fazer com que os israelitas "comessem dos sacrifícios da idolatria e se prostituíssem".

c) A acusação mais severa, e sobre a qual as outras se apóiam, acha-se na referência restrita em 31.8,16. Pelo que estes versículos indicam, Balaão, talvez para acertar as contas com Balaque, aconselhou-o a incentivar as mulheres do seu país a iludirem os homens de Israel (cap. 25).

d) Por fim, há a relutância em atribuir alta percepção espiritual a alguém cuja formação seja tão duvidosa. Parece contraditório atribuir a um "ocultista e adivinhador" a habilidade de falar a verdade divina como Balaão falou.

B. O Convite de Balaque e a Resposta de Balaão, 22.2-41

1. O Cenário (22.2-7)
Balaque... rei dos moabitas (4) estava ciente das vitórias de Israel sobre os amorreus e sobre Ogue. Desconhecendo o fato de que Moabe não estava marcado para ser conquistado, visto não ser uma nação cananéia, procurou evitar que suas cidades sofressem semelhante derrota. Ele não queria que seu país fosse "lambido" (4) como os outros. Achou que tinha um bom plano, o qual discutiu com os **anciãos dos midianitas**. Com a cooperação deles, enviou **mensageiros a Balaão** (5) para obter ajuda. **Eis que um povo saiu do Egito**, dizia a mensagem, e **parado está defronte de mim**. Rogou: **Vem, pois, agora... amaldiçoa-me este povo** (6), para que não devaste Moabe e seja lançado **fora da terra**. O pensamento de Balaque era igual ao que prevalecia em seus dias. Entendia que se contratasse um renomado adivinhador para amaldiçoar os israelitas, a maré de azar se abateria sobre eles.

Por conseguinte, **foram-se** os mensageiros, **os anciãos dos moabitas e os anciãos dos midianitas com o preço dos encantamentos nas mãos** — o pagamento pelo trabalho da "predição" (7) — e entregaram a mensagem a Balaão.

2. A Resposta de Balaão (22.8-14)

Balaão deu boas-vindas aos mensageiros, dizendo: **Passai aqui esta noite** (8). Garantiu que lhes daria uma resposta **como o SENHOR** lhe falasse. Em seguida, há uma conversa entre Deus e Balaão. Começou com a pergunta: **Quem são estes homens que estão contigo?** (9). Assim que Balaão explicou a missão que recebera (10,11), a conversa terminou com a ordem: **Não irás com eles, nem amaldiçoarás a este povo, porquanto bendito é** (12). Na manhã seguinte, **Balaão** retransmitiu as instruções aos **príncipes de Balaque** (13), os quais voltaram para casa.

"A Bênção de Balaão" é o tema dos capítulos 22 a 24. 1) A intenção de maldição do homem pode ser transformada na bênção de Deus, 22.5,6; 23.7-10; 2) A bênção do homem pode trazer a maldição de Deus, 25.3-5; 3) Pela graça e poder soberano de Deus, toda a maldição do pecado será mudada em bem-aventurança, 2 Pe 3.13 (G. B. Williamson).

3. A Persistência de Balaque (22.15-21)

Balaque não seria impedido por uma recusa simples de Balaão. Enviou **mais príncipes** a Balaão, em maior número e **mais honrados** (15) do que os anteriormente enviados. Ao chegarem, ofereceram a Balaão mais que dinheiro. Prometeram grande **honra** e carta branca no projeto. Balaque fizera uma oferta: **Farei tudo o que me disseres** (17).

Mas Balaão não se deixou comover pelas ofertas e expressou sua resposta em emocionante declaração de dedicação e propósito: **Ainda que Balaque me desse a sua casa cheia de prata e de ouro, eu não poderia traspassar o mandado do SENHOR, meu Deus, para fazer coisa pequena ou grande** (18). Em seguida, Deus deu permissão para Balaão ir com os príncipes de Balaque, sob a condição de que **farás o que eu te disser** (20). E assim Balaão "pôs a sela sobre a sua jumenta" (NVI; NTLH) e **foi-se com os príncipes** (21).

4. A Jumenta que Fala (22.22-35)

O texto não explica por que há discrepância entre as instruções e ações de Deus acerca de Balaão aceitar o pedido de Balaque (cf. 20,22). A resposta aceitável acha-se na mudança de atitude de Balaão. Contanto que Balaão estivesse propenso a dizer o que Deus queria que ele dissesse, Deus lhe dava permissão para ir. Provavelmente em algum ponto entre a noite e a manhã, a decisão de Balaão mudou. Por conseguinte, **a ira de Deus acendeu-se** (22) e tornou necessária a lição do anjo e da jumenta.

Houve três passos para fazer Balaão ver e ouvir. Estão expressamente descritos nos versículos 22 a 31. No primeiro lance, a jumenta, vendo que o Anjo[4] **estava no caminho, com a sua espada desembainhada na mão... desviou-se... do caminho e foi-se pelo campo** (23). Na segunda vez, o Anjo bloqueou o caminho enquanto Balaão passava por uma plantação de vinhas, onde havia um muro de pedra de cada lado do caminho. Vendo o **Anjo** no meio do caminho, a jumenta conseguiu passar por um lado, mas **apertou-se contra a parede** e, desta forma, acabou apertando **o pé de Balaão** (25). Novamente o **Anjo** impediu a passagem, desta feita **num lugar estreito** e, visto que não havia por onde passar, a jumenta **deitou-se debaixo de Balaão** (27). Com raiva, Balaão **espancou a jumenta com o bordão**, com mais fúria do que fizera nas duas ocorrências anteriores.

Diante disso, o **SENHOR abriu a boca da jumenta** (28), e ela falou com seu dono, reclamando do tratamento recebido dele. A jumenta perguntou: **Que te fiz eu, que me espancaste estas três vezes?** Balaão respondeu: "Porque caçoaste de mim e me provocaste; tivera eu uma espada na mão e agora mesmo te mataria" (29, ATA). A jumenta lembrou Balaão que ela nunca agira assim, fato que o homem reconheceu. Com isso, os **olhos de Balaão** foram abertos e ele também **viu o Anjo do SENHOR** (31) com a **espada desembainhada**. Ele **inclinou**-se e **prostrou-se sobre a sua face** diante do Senhor.

O anjo disse que lhe aparecera no caminho, porque o comportamento de Balaão era "intencionalmente obstinado e contrário" (32, ATA), e que se a jumenta não tivesse se desviado, ele teria matado Balaão. (33). Balaão reconheceu seu pecado e disse: **Agora, se parece mal aos teus olhos, tornar-me-ei** (34). Contudo, se Balaão garantisse ao Senhor que falaria "somente aquilo que eu te disser" (ARA), ele poderia prosseguir viagem a Moabe. Com este acordo, **Balaão foi-se com os príncipes de Balaque** (35).

5. *A Recepção de Balaque* (22.36-41)

Balaque saiu ao encontro de **Balaão** na fronteira do país (36). Repreendeu Balaão, presumivelmente por não ter ido ao primeiro convite. **Não posso eu na verdade honrar-te?** (37). Balaão respondeu que ele realmente tinha ido, mas avisou Balaque que ele não estava livre para dizer tudo que quisesse, mas **a palavra que Deus puser na minha boca, esta falarei** (38).

Em seguida, o grupo voltou a **Quiriate-Huzote** (39; localização desconhecida). O rei moabita fez sacrifícios e enviou porções **a Balaão e aos príncipes** (40). Depois, **Balaque** levou **Balaão** aos lugares **altos de Baal**, de onde podiam ver a parte mais próxima do acampamento israelita (41).

C. A Primeira Profecia,[5] 23.1-13

1. *Os Preparativos* (23.1-6)

Em preparação ao trabalho a ser feito, **Balaão** orientou **Balaque** a construir **sete altares**, sobre os quais fossem sacrificados **sete bezerros e sete carneiros** (1). Balaão ordenou então que Balaque ficasse **ao pé** do seu **holocausto** (3), enquanto ele se afastava sozinho, dizendo: "Talvez o SENHOR venha encontrar-se comigo" (3, NTLH). Deus se encontrou mesmo com Balaão e lhe deu uma mensagem. Quando voltou, encontrou Balaque esperando fielmente junto ao **holocausto** (6), e entregou a profecia que Deus lhe dera.

2. *A Revisão dos Acontecimentos* (23.7-9)

A primeira porção da profecia fala dos acontecimentos que trouxeram Balaão a esse lugar: **De Arã me mandou trazer Balaque... dizendo: Vem, amaldiçoa-me a Jacó** (7). Balaão então perguntou: **Como amaldiçoarei o que Deus não amaldiçoa? E como detestarei, quando o SENHOR não detesta?** (8). O profeta estava refletindo sobre a promessa que fizera ao Senhor, de que falaria somente o que Deus lhe mandasse.

3. Os Pontos Altos (23.9,10)

a) O primeiro *insight* aborda a solidão histórica de Israel: **Eis que este povo habitará só e entre as nações não será contado** (9).[6] Esta profecia não só falava da situação de Israel naqueles dias, mas via sua solidão ao longo dos séculos.

b) A segunda seção diz respeito ao cumprimento da profecia feita a Abraão: **Quem contará o pó de Jacó e o número da quarta parte de Israel?** (10). Uma vez mais, Balaão falava sobre o que vira do lugar alto e acerca do que estava vendo pelos olhos do espírito nos séculos vindouros.

c) A mensagem final é um *insight* maravilhoso a respeito do caráter daqueles a quem ele deveria amaldiçoar: **A minha alma morra da morte dos justos, e seja o meu fim como o seu.**[7] Balaão revelou o *insight* que Deus lhe dera: este povo era bom, não devia ser amaldiçoado, mas abençoado.

4. A Reação de Balaque (23.11-13)

A reação de Balaque foi imediata: **Que me fizeste? Chamei-te para amaldiçoar os meus inimigos, mas... os abençoaste**. Balaão apenas o lembrou do acordo de que só falaria **o que o SENHOR** lhe pusesse na **boca** (12). Diante disso, Balaque o levou a um lugar do qual poderiam ver só uma porção do acampamento israelita. Raciocinou, talvez, que Balaão poderia amaldiçoar melhor o acampamento quando não o visse tanto.

D. A Segunda Profecia, 23.14-26

1. A Preparação (23.14-17)

Como fez antes, Balaão **edificou sete altares e ofereceu um bezerro e um carneiro sobre cada altar** (14); depois, Balaão se afastou sozinho para se "encontrar com Deus, o SENHOR" (15, NTLH). Ao voltar com a **palavra** que recebera de Deus (16), encontrou os **príncipes dos moabitas** e Balaque ao lado da oferta queimada (17).

2. O Caráter de Deus (23.18-20)

A primeira parte desta profecia falava diretamente com **Balaque** (18) e o instruiu sobre o caráter de Deus. Ele tinha de entender que **Deus não é homem** (19). Deus não pode ser forçado a mentir, nem persuadido a mudar de opinião sobre um assunto como esse que eles tratavam. Deus queria mostrar a Balaque que Ele não podia ser persuadido a mudar de opinião, pouco importando quantas vezes fosse pedido que Balaão profetizasse. Como disse Balaão: **Eis que recebi mandado de abençoar; pois ele tem abençoado, e eu não o posso revogar** (20).

3. A Fonte da Força de Jacó (23.21-24)

A bênção de Balaão foi mais longe do que apresentar o caráter de Deus. Mostrou a Balaque que seria impossível predizer "desgraça" ou "sofrimento"[8] (NVI; cf. NTLH) para Israel, porque o Senhor o "perdoara" (ATA). Balaão continuou: **O SENHOR, seu Deus, é com ele e nele, e entre eles se ouve o alarido** (a glória) **de um rei** (o Senhor)[9] (21). Deus estava com Israel e provara por muitas evidências que Ele não desapontaria seu povo.

A lição era patente. Balaão disse: **Deus os tirou do Egito** e "os chifres [a força] deles são como os do boi selvagem" (22, RSV). Ressaltou ainda para Balaque que não havia "feitiçaria em Jacó, nem bruxaria se achava em Israel" (23, VBB).[10] "No devido tempo e mesmo hoje se dirá de Jacó e Israel: 'Vede só o que Deus tem feito!'" (ATA). Os israelitas possuíam força que vinha do Deus Todo-poderoso. De nada adiantava tentar angariar forças para derrotá-los.

Em seguida, Balaão destacou uma profecia que era bem conhecida por Israel e, sem dúvida, muito repetida nos círculos familiares (Gn 49.8,9): "Vede, [que] povo!" (24, RSV). Este **povo se levantará como leoa** e **não se deitará até que coma a presa**. A profecia predisse a vitória última de Israel sobre seus inimigos, justo a verdade que Balaque não queria ouvir.

4. O Desespero de Balaque (23.25,26)

Nesta altura, **Balaque** ficou desesperado. Ele não conseguia fazer com que Balaão falasse as palavras que ele queria ouvir. Então propôs ao profeta: **Nem totalmente o amaldiçoarás, nem totalmente o abençoarás** (25); no modo de falar de hoje: "Se você não pode dizer o que quero ouvir, não diga nada!" Mas Balaão se manteve firme à proposição original: **Tudo o que o SENHOR falar, aquilo farei** (26).

E. A Terceira Profecia, 23.27—24.13

1. O Prelúdio (23.27—24.2)

"Aí Balaque levou Balaão até o alto do monte Peor [outro lugar alto], no lado que dá para o deserto" (28, NTLH; cf. ARA). Fizeram o mesmo padrão de sacrifícios (29). Porém, **vendo Balaão que bem parecia aos olhos do SENHOR que abençoasse a Israel** (1), não se afastou, como fizera anteriormente, mas olhou para a "planície de Moabe onde Israel estava acampado" (VBB, nota de rodapé). Vendo a organização metódica e harmoniosa das tendas de Israel "tribo por tribo" (NTLH; cf. NVI), **veio sobre ele o Espírito de Deus**[11] (2).

2. O Homem do Oráculo (24.3,4)

Este poema é menos regular que os outros e contém dificuldades que os estudiosos não conseguiram solucionar. É diferente dos primeiros dois no ponto em que não é dirigido a Balaque, mas assume a forma de verdadeira "profecia" (NTLH) ou "oráculo" (NVI). Balaão começa apresentando suas credenciais: "São estas as palavras [o oráculo] do homem que pode ver claramente"[12] (3, NTLH; cf. NVI; "agora capaz de ver os propósitos e a vontade de Deus", ATA). Era a "palavra [o oráculo] daquele que ouve as palavras de Deus, daquele que vê a visão que vem do Todo-poderoso" (4, NVI). Balaão reivindicou autoridade divina para o que ia dizer, assumindo a postura dos profetas de dias posteriores.

3. *O Quadro de Israel* (24.5-9)

Balaão, vendo as carreiras das tendas de Israel ordenadamente acampadas na planície de Moabe, descreveu a cena em linguagem poética. **Que boas são as tuas tendas, ó Jacó! Que boas as tuas moradas, ó Israel!** (5). Comparou o alinhamento em ordem do acampamento com os **ribeiros** (6; "vales", ARA), uma série de amplas planícies férteis, **jardins ao pé dos rios**. Na mente de Balaão, este quadro era como os pomares do seu país nativo que se estendem ao longo do rio Eufrates, onde a árvore de aloés ou babosa era símbolo de magnificência verdejante. Mas, o que estava diante dele era a plantação do Senhor, não do homem. Havia uma fonte perpétua de vida, como as **árvores de sândalo** que têm as raízes **junto às águas**.

Em seguida, temos uma descrição do Israel do futuro. "Águas manarão de seus baldes"[13] (ARA) **e a sua semente estará em muitas águas** (7). Esta é indicação óbvia de prosperidade bem como de virilidade. A força da nação é ilustrada por sua supremacia sobre os inimigos: **O seu rei se exalçará mais do que Agague, e o seu reino será levantado**.

Balaão, então, continua com uma repetição aproximada de sua segunda profecia. Descreve a grandeza da nação que o Senhor **tirou do Egito**, "cujas forças são como as do boi selvagem" (ARA), que **consumirá as nações, seus inimigos, e quebrará seus ossos, e com as suas setas os atravessará** (8).

O quadro aqui retrata Israel como **leão** adormecido — sono do qual ninguém ousa despertá-lo —, satisfeito com sua incursão de caça. Esta descrição está em contraste com 23.24, que mostra o grande poder do leão em tempos de guerra. Longe de ser afetado por maldições ou bênçãos de outrem, Israel é que é o padrão: **Benditos os que te abençoarem, e malditos os que te amaldiçoarem** (9). A história confirmou o fato de que Deus, de maneira muito incomum, manteve a mão sobre este povo.

4. *O Despertar da Raiva de Balaque* (24.10-13)

Ao término da profecia, a **ira de Balaque** (10) ardeu. Como indicação de desprezo, bateu **palmas** (Jó 27.23) e aconselhou Balaão que fugisse para casa (11). Trata-se de *insight* impressionante da parte de Balaque, o fato de ter creditado **ao SENHOR** a obstrução de Balaão receber a **honra** que os moabitas queriam lhe dar. Mas Balaão não se deixou abater. Manteve-se fiel ao compromisso inicial: **Ainda que Balaque me desse a sua casa cheia de prata e ouro, não posso traspassar o mandado do SENHOR** (13).

F. A Quarta Profecia, 24.14-25

1. *Uma Palavra de Despedida* (24.14)

Antes de ir embora, de voltar a seu **povo**, Balaão fez uma profecia final, dizendo a Balaque o **que este povo** (Israel) **fará ao teu povo** (Moabe) **nos últimos dias**. Esta palavra veio sem os elaborados sacrifícios preliminares ou atos de adivinhação que tinham precedido as profecias anteriores. **Avisar-te-ei** é simplesmente "deixa-me te dizer" (Moffatt).

2. Suas Credenciais (24.15,16)

Numa repetição da terceira profecia, Balaão falou de si mesmo. Disse que era alguém cujos olhos são "perfeitos" (RSV, nota de rodapé; "vêem claramente", NVI; cf. NTLH), que "ouve as palavras de Deus", "possui o conhecimento do Altíssimo" e "vê a visão que vem do Todo-poderoso" (16, NVI).

3. A Estrela que Vem de Jacó (24.17-19)

Balaão teve a visão de uma **estrela** que **procederá de Jacó** (17), o Rei que reinará em **Israel** no futuro — **não agora... não de perto**. No decorrer dos séculos, esta profecia foi considerada como visão do Messias, cujo nascimento seria marcado pelo aparecimento de uma estrela do oriente (Mt 2.2). Balaão viu o surgimento de um **cetro** que "esmagará as frontes"[14] (NVI) **dos moabitas, destruirá todos os filhos de Sete** (17, "os filhos do orgulho"[15]) e **dominará** (19) sobre seus inimigos.

4. Os Oráculos Contra Certas Nações (24.20-25)

a) A primeira nação mencionada nas visões de Balaão foi **Edom** (18), que se tornaria **possessão** de Israel. Esta profecia se cumpriu no tempo de Davi.

b) Acerca dos amalequitas,[16] ele profetizou que este povo seria "destruído para sempre" (20, NTLH).

c) Quanto aos **queneus**, embora a **habitação** fosse **firme** (21), a profecia diz que este povo seria **consumido, até que Assur**[17] o levasse **prisioneiro** (22; "cativo", ARA).

d) E, por fim, a respeito de **Assur** e **Héber**, profetizou Balaão que eles, por sua vez, pereceriam (24, ARA). Seriam destruídos para sempre (NTLH) sob o poder de um povo que, proveniente **das costas de Quitim**, viria em **naus**.

Com o término desta profecia, Balaão **foi-se... ao seu lugar** (25). **Balaque se foi pelo seu caminho**, abandonando, finalmente, o plano que tramara para trazer maldição sobre Israel.

SEÇÃO VI

OS ACONTECIMENTOS EM MOABE

Números 25.1—32.42

A. OS FRACASSOS MORAIS, 25.1-18

1. O Grande Problema de Israel (25.1-5)

Ao longo das gerações, Israel achou difícil guardar o mandamento divino de não se casar com pessoas das terras aonde iam se fixar (Êx 34.12-16; Dt 7.1-6). Logo nos primeiros contatos com outras nações, "habitando Israel em Sitim,[1] começou o povo a prostituir-se com as filhas dos moabitas" (1, ARA). Esta mistura libertina levou os israelitas a pecar em sentido religioso e moral, visto que os fez sacrificar aos **deuses** de Moabe e a adorá-los.[2] Por causa disso, **a ira do SENHOR se acendeu contra Israel** (3). Ele ordenou que Moisés enforcasse "os chefes do povo" (4, NTLH; cf. NVI), que eram moralmente responsáveis. Também instruiu que os **juízes** matassem todo homem que tivesse se unido ao deus **Baal-Peor** (5).

2. Os Envolvimentos com os Midianitas (25.6-9,14,15)

Padrão semelhante se desenvolveu com relação às filhas dos midianitas, conforme representado por esta ocorrência. Um israelita trouxe, ousadamente, **uma midianita** para apresentar como esposa.[3] Esta ação foi feita descaradamente, **perante os olhos de Moisés e de toda a congregação**, mesmo enquanto havia súplicas e orações diante da Tenda do Encontro (6). As orações diziam respeito a uma **praga**[4] que estava em andamento. De modo ágil, **Finéias, filho de Eleazar**, o sacerdote, avaliando o grau de seriedade da situação, **se levantou**, "pegou uma lança" (7, NTLH) e **atravessou a ambos** (8). O nome do homem era **Zinri** e o nome da mulher era **Cosbi**. Ele era "príncipe" (ARA; cf. NTLH; NVI) da tribo de Simeão e ela era princesa de Midiã (14,15).

3. *Finéias é Recompensado* (25.10-13)
Por causa de sua agilidade, zelo, perspicácia espiritual e pronta intervenção a favor de Israel, Deus recompensou **Finéias** com o **concerto do sacerdócio perpétuo** (13).

4. *A Autorização de Guerra Contra Midiã* (25.16-18)
Por causa desta sedução dos homens israelitas pelas mulheres midianitas, Deus autorizou guerra contra a nação. **Afligireis os midianitas e os ferireis** (17), ordenou o Senhor. Esta ordem foi executada e registrada no capítulo 31. A severidade deste castigo, ao passo que os moabitas não receberam semelhante punição, pode ser explicada pelo fato de que os midianitas tentaram, de propósito, destruir os israelitas moralmente depois de não conseguirem destruí-los por oráculos. Pelo visto, Balaão patrocinou esta sedução (31.16).

B. Outro Censo, 26.1-65

1. *A Ordem do Censo* (26.1-4)
Depois daquela praga (1), Deus ordenou que fosse feita outra numeração **dos filhos de Israel** (2). Este foi o terceiro censo no registro bíblico até este ponto da história. O primeiro (Êx 30.12) tinha basicamente a finalidade de organizar a vida *religiosa* do povo. O segundo (caps. 1—2) era primariamente um censo *militar* para obter o número de **todos os que podiam sair à guerra** (1.28). Este terceiro censo, ainda que em parte militar, era também *político*. O propósito era preparar as tribos para a ocupação de suas respectivas heranças em Canaã.

2. *O Censo* (26.5-51)
Estes versículos narram este censo em detalhes e alistam, tribo por tribo, o total que cada uma continha de homens **da idade de vinte anos para cima** (4). A enumeração começou com a tribo de **Rúben** (5) e terminou com a tribo de **Naftali** (48). Os totais somaram 601.730, número ligeiramente menor ao obtido no primeiro censo.[5] A despeito das diferenças internas secundárias, o total da nova geração não era mensuravelmente diferente da anterior.

3. *Os Planos para a Divisão da Terra* (26.52-56)
Logo após o censo (e revelando parte da razão por tê-lo feito) o Senhor deu a Moisés os planos para a partilha da terra, na qual estavam prestes a entrar. Dois princípios foram determinados: Primeiro, a terra seria dividida **segundo o número dos nomes** (53), ou seja, pelo tamanho das tribos (54). Segundo, a terra tinha de ser repartida **por sortes** (55). Em vista da ausência de explicação específica da relação destas duas determinações, deduzimos que os israelitas receberam seus locais "por sorte". Por outro lado, a quantidade de território que cada tribo recebeu foi estabelecida pelas necessidades daquela tribo[6] em particular (cf. 33.54). Do ponto de vista hebreu, lançar sorte não era mero acaso, já que Deus "designou" os locais.

4. O Censo dos Levitas (26.57-62)

Como aconteceu no censo anterior, as famílias da tribo de Levi foram enumeradas separadamente, **porquanto lhes não foi dada herança entre os filhos de Israel** (62). As principais **famílias** são alistadas (57) conforme a seqüência dada no primeiro censo e sob as quais foram designados os deveres levíticos (caps. 3—4). Esta lista é por **famílias** (58)[7] uma geração depois, provavelmente apresentada assim por causa de sua proeminência ou porque as outras, nesta época, tinham desaparecido. Em seguida (59-61), ocorre uma curta genealogia de Moisés e Arão. O total dos levitas enumerados, de **todo o varão da idade de um mês para cima** (62), foi de 23.000, um aumento de aproximadamente 1.000 indivíduos em relação ao censo feito no Sinai.

5. Uma Nova Nação (26.63-65)

Os comentários finais do capítulo se voltam novamente ao fato de que se tratava mesmo de uma nova nação. **Entre estes nenhum houve dos que foram** (64) enumerados no censo do Sinai, **senão Calebe** e **Josué** (65). "O antigo Israel teve de ser refeito antes de entrar na Terra da Promessa, verdade que atinge nova profundidade, quando o próprio Jesus estabelece o Israel de Deus mediante sua vida, morte e ressurreição."[8]

C. A Lei da Herança Universal, 27.1-11

1. O Pedido (27.1-4)

Como parte do relato do censo e dos planos para a partilha da terra, temos o registro do pedido das **filhas de Zelofeade** (1). A implicância deste pedido ainda estava longe da situação imediata. Estas mulheres fizeram a solicitação na presença de **Moisés**, do **sacerdote** e dos **príncipes** (2). Visto que o **pai** delas morrera no **deserto** de causas naturais e que ele **não** tivera **filhos** (3), elas queriam receber a herança dele. **Morreu no seu próprio pecado** significa que ele foi "incluído na punição geral prescrita em Cades, mas não num grupo rebelde específico" (VBB, nota de rodapé). Era um pedido que estava fora das tradições em vigor naqueles tempos (cf. Dt 25.5-10), as quais autorizavam herança somente a filhos homens.

2. A Resposta (27.5-11)

E falou o SENHOR a Moisés, dizendo (6): Elas "têm razão" (7, NVI); "certamente, lhes darás possessão de herança entre os irmãos de seu pai" (7, ARA). Então, foi estipulada a lei da herança: a herança do indivíduo podia ser dada para sua **filha, irmãos**, tios ou **parente** (8-10).

3. Algumas Inferências

Esta lei tem mais pertinência do que aparenta. É, na verdade, a precursora de outras grandes leis e tradições. Com certeza a idéia de que as mulheres deveriam ter posição igual aos homens na sociedade, conceito tão proeminente na tradição judaico-cristã, acha impulso em leis antigas como esta. A emancipação da dignidade feminina e o voto da mulher estão relacionados com esta idéia. Ao lado dos conceitos sociais estão os religiosos — por exemplo, a universalidade do evangelho. Verdades do Novo Testamento, como

Gálatas 3.26-29, estavam em estado embrionário no bojo destas leis antigas: "Porque todos sois filhos de Deus pela fé em Cristo Jesus; porque todos quantos fostes batizados em Cristo já vos revestistes de Cristo. Nisto não há judeu nem grego; não há servo nem livre; não há macho nem fêmea; porque todos vós sois um em Cristo Jesus. E, se sois de Cristo, então, sois descendência de Abraão e herdeiros conforme a promessa".

D. Josué é Escolhido, 27.12-23

1. *A Chamada para a Mudança* (27.12-14)

Chegou a hora de Moisés abrir mão de seu cargo de líder de Israel. O Senhor o enviou ao **monte Abarim** para ver a **terra** que Deus dera **aos filhos de Israel** (12). Era um tipo de cerimônia. Deus deixou Moisés olhar a terra, mas lhe disse que, depois disso, ele seria **recolhido**, da mesma forma que foi **Arão**[9] (13). As coisas seriam assim, porque Moisés tinha sido rebelde ao **mandado** de Deus nas **águas de Meribá** (14; 20.1-13).

2. *A Escolha de Josué* (27.15-23)

Moisés falou com o **Deus dos espíritos de toda carne** (16) concernente à necessidade de um novo líder. Insistiu que a **congregação** não devia ser **como ovelhas que não têm pastor** (17). O novo líder tinha de ser alguém que exercesse o cargo como Moisés fizera — ser o general das questões militares e capaz de levar a termo todas as atividades.

Deus disse que o indicado era **Josué** (18). Moisés recebeu instruções para apresentá-lo diante do **sacerdote** e de **toda a congregação**, e dar-lhe **mandamentos aos olhos deles** (19). Durante esta cerimônia de ordenação, parte da **glória** e o "espírito de sabedoria" (11.25; Dt 34.9) que estiveram sobre Moisés viriam sobre Josué (20). O novo líder não teria a mesma autoridade que Moisés, pois Deus falava com Moisés "face a face". Josué, por outro lado, precisava ir à presença do sacerdote para que este consultasse **segundo o juízo de Urim**.[10] Mas mesmo com este acesso limitado ao conhecimento da vontade de Deus, a palavra de Josué teria força e influência na **congregação**. Conforme o **dito** ("palavra", ARA) de Josué, a congregação sairia e entraria (21).

E. As Épocas Designadas de Adoração, 28.1—29.40

1. *A Primazia da Adoração* (28.1,2)

A adoração é parte essencial da relação do homem com Deus. Como já fora ressaltado antes, houvera um descuido no padrão de adoração no deserto. Agora havia a necessidade de os israelitas serem lembrados do que se esperava deles. **O SENHOR** falou **a Moisés** (1) que ordenasse Israel a ser fiel em observar as ofertas de adoração a Deus **a seu tempo determinado** (2). Estes tempos determinados estariam em harmonia com o calendário das ofertas (Lv 23), que abrangiam observâncias diárias, semanais, mensais e anuais.

Estas leis nos parecem tão elaboradas e complicadas quanto totalmente confusas. Contudo, uma lição se destaca: existe uma oferta a Deus apropriada para cada tempo e para cada lugar. A verdade é universal, os filhos de Deus devem ser diligentes em adorá-lo a seu tempo determinado. Para o cristão do Novo Testamento esta é a oferta de uma vida consagrada vivida todos os dias, todas as semanas, todos os meses e ao longo de todos os nossos anos.

2. *As Ofertas Diárias e dos Sábados* (28.3-10)
As ofertas diárias eram as mais importantes no plano do Antigo Testamento. Certamente ressaltam a necessidade de fidelidade dia a dia a Deus e a necessidade de adoração regular. Esta oferta era de **dois cordeiros de um ano, sem mancha** (3), oferecidos um **pela manhã e o outro... de tarde** (4). Com estes cordeiros, tinha de haver uma **oferta de manjares** ("oferta de cereal", NVI) composta de **flor de farinha** misturada com **azeite moído** (5).[11] Haveria também uma **libação** (oferta "de vinho", NTLH) derramada **no santuário**, à base (ou em cima) do altar em oferta **ao SENHOR** (7). As ofertas da manhã e da tarde eram um **cheiro suave** (aceitável) **ao SENHOR** (8).

No dia de sábado (9), estas ofertas diárias eram dobradas, fato que expressa a necessidade de mais adoração no dia santo de Deus.

3. *As Ofertas Mensais* (28.11-15)
No primeiro dia de cada mês, tinha de ser oferecido um **holocausto** grande: **dois bezerros, um carneiro** e **sete cordeiros**, todos **de um ano** e **sem mancha** (11). As ofertas de cereal (**oferta de manjares**) e as ofertas **de vinho** (14, as **libações**) eram proporcionalmente maiores (12-14). Além disso, tinha de haver a oferta de um **bode, para expiação do pecado** (15).[12] Estas ofertas mensais eram valiosas em relação ao padrão de adoração dos israelitas para o transcurso do tempo, identificado por tantos povos com a mudança da lua. **Uma décima** (13,21,29) quer dizer um décimo do efa, pouco mais de 3,3 litros.

4. *As Observâncias para a Época da Páscoa* (28.16-25)
A **Páscoa do SENHOR** (16) não fora guardada durante as peregrinações no deserto, mas estava se aproximando o tempo em que seria observada uma vez mais. Por conseguinte, Deus lembrou os israelitas acerca do tempo marcado no calendário anual de adoração — **no primeiro mês, aos catorze dias do mês** (16; Êx 12.16; Lv 23.7,8).

Imediatamente após a Páscoa, ou seja, **aos quinze dias do mesmo mês**, tinha de começar a **festa** dos **pães asmos** (17; Lv 23.6-8). Devia durar **sete dias**. Esta era a oferta das primícias da colheita, o trigo do Pentecostes (Êx 34.22). No primeiro dia, tinha de haver uma **santa convocação** e **nenhuma obra servil** seria feita (18,25). Nos outros dias, tinham de ser oferecidos sacrifícios (19-24).

5. *A Festa das Semanas* (28.26-31)
Em relação a esta, também foram tomadas providências para a Festa das Semanas. As exigências eram as mesmas para os sacrifícios mensais e para a Festa dos Pães Asmos.

6. *As Ofertas de Meio de Ano* (29.1-38)
a) Na metade do ano, **no primeiro dia** do **sétimo mês**, devia haver a Festa das Trombetas. Chamava-se assim porque era um "dia do sonido de trombeta" (1, ARA; **um**

dia de jubilação). As ofertas eram similares, senão quase duplicatas das outras ofertas mensais. Em certo sentido, esta festa estava relacionada com as outras ofertas de "lua nova" de modo semelhante em que as ofertas do sábado estavam relacionadas com os sacrifícios diários. **Obra servil** seria "trabalho estrênuo" (VBB).

b) O **dia dez deste sétimo mês** (7) era um "dia de expiação". Tinha este nome porque nesta época a oferta era feita pela **expiação** dos pecados do povo (11; cf. Hb 9.24,25). A proporção da oferta era semelhante ao que era oferecido no primeiro dia.

c) **Aos quinze dias deste sétimo mês** tinha de haver uma festa que devia durar por **sete dias** (12). Os versículos 13 a 38 fazem uma lista das ofertas apropriadas para cada dia. Esta época era conhecida por Festa dos Tabernáculos (ou das Tendas) e as "ofertas eram as maiores do ano".[13] Era assim, porque nesta ocasião as pessoas não só expressavam sua gratidão a Deus por sua presença, mas também lhe agradeciam pelas colheitas que tinham acabado de fazer.

7. A Adoração Formal e Informal (29.39,40)

O esboço dos regulamentos de adoração se encerra com a advertência de que as pessoas devem ser fiéis nas suas **solenidades** (39; "festas fixas", ARA), além dos **votos** e **ofertas** individuais. A verdadeira adoração no cenário formal, ainda que emane da força da adoração pessoal, não deve ser substituta da adoração informal. Ambos os tipos de adoração são partes válidas e necessárias do culto do povo de Deus.

F. Os Votos das Mulheres, 30.1-16

1. O Juramento feito por Homens (30.1,2)

A ética do Antigo Testamento sublinha firmemente o fato de que o homem está de modo incondicional preso pelo voto verbal. Começa com os votos que ele faz a Deus e se estende aos feitos a outras pessoas. Em dias em que não existiam os modernos instrumentos comerciais como tabeliões, contratos, escrituras e ordens de pagamento, "a palavra do homem tinha de ser tão boa quanto sua obrigação moral". Com certeza era assim no que dizia respeito aos votos feitos a Deus; o **homem... não violará a sua palavra**, mas **segundo tudo o que saiu da sua boca, fará** (2).

Mas tal não era o caso com certas mulheres, pois nesta fase do desenvolvimento de Israel, o voto da mulher estava sujeito à ratificação do homem responsável por ela.

2. Os Dois Tipos de Votos (30.2)

Este versículo e o restante do capítulo tratam de dois tipos de votos, propostos pelas condições em que são usados. O primeiro é o **voto** (*neder*), que é termo geral para se referir a votos positivos de todo tipo. O segundo é a **obrigação** (*issar*), que fala especificamente de voto negativo ou de abstinência, como o feito pelos nazireus (cf. cap. 6). Existem também graus de votos. Um é o voto **com que ligar a sua alma** (9), ou seja, o voto feito seriamente e com premeditação. O outro é o voto que surge como o "dito irrefletido dos seus lábios" (8, ARA; cf. NVI), falado de supetão e sem premeditação.

3. O Voto da Moça (30.3-5)

O voto da moça que ainda morasse **em casa de seu pai** (3) estava sujeito à aprovação dele. Se ele **se calar para com ela, todos os seus votos serão válidos** (4). Porém, se ele **se opuser**, nenhum dos **seus votos e as suas obrigações... serão válidos** (5).

4. O Voto da Mulher Casada (30.6-8,10-16)

O mesmo padrão valia para a mulher que se colocasse sob voto e depois se casasse. **Seu marido** tinha de assumir a responsabilidade de ratificar ou anular o voto dela. Se ao tomar conhecimento do voto, o marido **se calar para com ela**, os **votos serão válidos** (7). Mas se o **marido lho vedar... e anular o seu voto** (8), não terá nenhum efeito.

Esta mesma regra se aplicava à mulher que fazia voto depois que estivesse **na casa de seu marido** (10), ou seja, depois de estar casada. O marido era responsável para aprovar (11) ou desaprovar (12). Em última instância, a esposa não ficava presa ao voto e **o SENHOR lho perdoará** (12).

5. O Voto da Viúva ou da Divorciada (30.9)

A exceção às leis de votos que regem as mulheres é citada no versículo 9. Diz respeito ao caso da **viúva** e da divorciada, que não estão sob a responsabilidade de algum homem. Estas mulheres estão sob as mesmas regras que os homens. Todo voto que fizerem **será válido**.

G. Guerra Contra os Midianitas, 31.1-54

1. A Convocação da Campanha Militar (31.1,2)

Deus instruíra Moisés previamente: "Afligireis os midianitas e os ferireis, porque eles vos afligiram a vós outros com os seus enganos" e "vos enganaram" (25.17,18). Pelo visto, Moisés retardara o cumprimento dessa ordem inicial, talvez para que o ataque pegasse os midianitas descuidados e desprevenidos, como de fato ocorreu. A ordem do Senhor foi para vingar o que fora uma tremenda maldade contra Israel pela sedução das mulheres midianitas. A correção desta injustiça seria o ato final de Moisés como líder de Israel. Quando esta ação fosse concluída, ele seria **recolhido ao seu povo** (2).

Esta narrativa bélica de vingança ordenada por um Deus que, em outros lugares da Bíblia, aparece como Deus de amor, apresenta seus problemas. Alguns consideram tais problemas insuperáveis e, conseqüentemente, não levam em conta o registro bíblico. Para que este relato tenha expressividade, certas coisas devem ser mantidas em mente.

a) Visto que Deus comandou a expedição, devem ter havido propósitos morais na empresa, alguns dos quais não são evidentes ao leitor fortuito.

b) Tratava-se de guerra de julgamento sobre os midianitas. Em termos de propósito, era comparável à praga, na qual 24.000 israelitas morreram por terem participado no pecado (25.9).

c) Os padrões éticos do Novo Testamento não devem ser usados como medida para estas situações do Antigo Testamento. Há muitas provas que sustentam que Deus permitiu e comandou certos modos de conduta compatíveis com a moral vigente naqueles dias. O nível mais alto de moral só foi possível depois que Cristo veio.

d) O relato proporciona a melhor interpretação para os dias atuais quando é espiritualizado. Todos os inimigos de Deus e todas as forças que corrompem o povo de Deus devem ser tratados com severidade. Jesus disse: "Se o teu olho te escandalizar, arranca-o, e atira-o para longe de ti" (Mt 18.9).

2. Os Preparativos para a Batalha (31.3-6)

Moisés orientou o povo: "Armem alguns dos homens para irem à guerra" (3, NVI). **Mil de cada tribo... enviareis à guerra** (4), formando um exército de 12.000 homens. Com o exército, Moisés enviou **Finéias,**[14] **filho de Eleazar, o sacerdote** (6). Enviou também certos **utensílios santos** (não identificados no texto) da Tenda do Encontro[15] e as **trombetas** que foram usadas nas convocações militares (10.9).

3. Os Resultados da Batalha (31.7-12)

Os resultados das batalhas foram rápidos e certeiros. Não há que duvidar que o exército de Israel pegou os **midianitas** (7) completamente de surpresa e desprevenidos. Mataram **todo varão**[16] dos midianitas que saiu para guerrear, bem como cinco dos seus **reis** ("anciãos", 22.4; ou "príncipes", Js 13.21).[17] Junto com estes **reis**, o profeta Balaão também foi morto **à espada** (8) como punição por aconselhar as mulheres de Midiã a seduzir os homens de Israel **no negócio de Peor** (16).[18] Os israelitas **queimaram a fogo todas as suas cidades** e **todos os seus acampamentos** (10). Levaram as **mulheres e crianças** como cativas e o **gado** e a **fazenda** (9) como espólio de guerra (11). **Trouxeram** estes **a Moisés e a Eleazar, o sacerdote, e à congregação... para o arraial, nas campinas de Moabe** (12).

4. O Julgamento é Ampliado (31.13-18)

Mas quando a situação foi avaliada pelos líderes (13), **indignou-se Moisés grandemente contra os oficiais** (14) responsáveis pela expedição militar, por terem preservado as **mulheres** (15) e crianças. A ordem para matar **todo varão entre as crianças** (17) e todas as mulheres adultas parece severa sob a ótica da atual moralidade cristã; contudo, Moisés destacou os perigos de deixá-las com vida. Foram as mulheres de Midiã que **deram ocasião aos filhos de Israel de prevaricar contra o SENHOR** (16). Não podiam ter a liberdade de ir e vir para não vitimarem o acampamento uma segunda vez. Além disso, permitir uma geração de crianças midianitas do sexo masculino ser criada sob os tetos de Israel seria convidar o desastre nacional. Só as meninas pequenas foram mantidas vivas para servirem de criadas nas casas das famílias israelitas (18).

5. A Purificação dos Homens de Guerra (31.19-24)

Em harmonia com as leis que regem a impureza cerimonial por contato com corpos mortos (cap. 19), os soldados receberam a ordem de se alojar **sete dias fora do arraial** (19). Tinham de purificar as roupas e todas as posses que estivessem com eles, as que fossem de **peles**, de **pêlos de cabras** e de **madeira** (20). **Eleazar, o sacerdote** (21), os instruiu que **toda coisa** que suportasse o **fogo** fosse passada **pelo fogo** para que ficasse **limpa** (23; cf. NVI). Todos estes objetos e os artigos que não resistissem ao **fogo** tinham de ser purificados com **a água da separação** (19.1-10). Vemos mais uma vez a relação subjacente entre a impureza cerimonial e a impureza espiritual. A cura para ambos é a água (Tt 3.5) e o fogo (Mt 3.10-12).

6. *A Divisão do Saque de Guerra* (31.25-54)

O Senhor ordenou a Moisés: "Faze a contagem" (26, ARA) do que fora capturado. **Eleazar, o sacerdote, e os cabeças das casas dos pais** o ajudaram. Vários princípios gerais foram usados na divisão do espólio.

a) O primeiro passo foi dividir o saque **em duas metades** (27; "em duas partes iguais", NTLH; cf. ARA). Uma metade seria dada aos "guerreiros" (NVI; "soldados", NTLH) que tinham combatido na luta, ao passo que a outra metade seria distribuída entre os "que ficaram com a bagagem" (1 Sm 30.24,25). Este princípio não é estabelecido aqui como regra, mas não resta dúvida de que se tornou prática reconhecida no decorrer das gerações. Revela que, no plano de Deus, há responsabilidade igual entre os que estão "na linha de frente" da causa divina e os que ficam atrás no "setor civil" para orar, contribuir e incentivar.

b) O segundo princípio dizia respeito a uma "oferta do SENHOR" (29, ARA). Tinha de ser **de cada quinhentos, uma alma** (28), ou seja, um quinto de um por cento, da porção que tocara aos **homens de guerra**. Isto foi dado **ao sacerdote Eleazar** (29).

c) O terceiro princípio se relacionava a uma oferta para os levitas. Esta era tirada da porção que pertencia à congregação. Tinha de ser dois por cento — **de cada cinqüenta, um** (30). Esta porção era maior, porque havia mais levitas que sacerdotes.

d) O quarto princípio envolvia uma oferta especial de agradecimento dos soldados (48-54). Os oficiais disseram: "Contamos os soldados [...], e não está faltando nenhum" (49, NTLH). **Trouxemos uma oferta ao SENHOR** (50). Esta oferta incluía todo tipo de **vasos de ouro**[19] ("objetos de ouro", ARA) que os homens tinham saqueado. Estes foram dados a Deus **para fazer propiciação pela nossa alma**. O total chegou a 16.750 **siclos** (52).[20] A oferta foi recebida por Moisés e Eleazar e colocada na Tenda do Encontro **por lembrança para os filhos de Israel perante o SENHOR** (54). Esta oferta seria lembrança constante da vitória considerável que Deus lhes dera.

H. O Estabelecimento Fora de Canaã, 32.1-42

1. *O Pedido das Duas Tribos* (32.1-15)

Estava se aproximando o momento em que os israelitas cruzariam o rio Jordão e entrariam em Canaã. Mas duas tribos, **Rúben** e **Gade**, unidos mais tarde pela metade da tribo de Manassés (39), tinham planos diferentes para si. Tratava-se de simples ques-

tão de economia. Eles **tinham muito gado em grande multidão**, e viram que as terras **de Jazer e... Gileade** eram **lugar de gado** (1). Era, basicamente, a região em **que o SENHOR feriu** (4) os amorreus e Ogue. As duas tribos pediram a Moisés que as deixasse ficar ali e não as fizesse **passar o Jordão** (5).
Superficialmente, era um pedido lógico e inocente. Não obstante, continha inúmeras falhas.

a) Tratava-se de pedido fundamentado inteiramente em fatores materiais. A terra que buscavam tinha rico potencial pastoril e estas tribos a queriam para alimentar melhor o gado e, por conseguinte, juntar riquezas e garantir a segurança para o futuro. Tudo isso sem consideração pela vontade de Deus, as promessas que Ele tinha para eles em Canaã ou o propósito espiritual divino para eles. Muitos, mesmo nos dias hodiernos, se estabelecem imediatamente ao lado de Canaã, sem entrarem, porque perdem de vista a primeira exigência de Deus de "possuir a terra".

b) Era um pedido que desconsiderava as responsabilidades destas tribos em ajudar as outras na conquista de Canaã. Quando pediram: "Não nos faça ir para o outro lado do rio Jordão" (NTLH), Moisés entendeu que elas queriam se livrar destas responsabilidades militares. Por conseguinte, sua resposta foi: **Irão vossos irmãos à peleja, e ficareis vós aqui?** (6). Ele percebia que ao assumirem tal posição, estas tribos estariam desanimando as outras (7), justamente como os dez espiões desanimaram a congregação quando voltaram de **Cades-Barnéia** (8-13) depois de espionarem Canaã. Moisés disse: **Eis que vós... vos levantastes em lugar de vossos pais** (14) para trazer julgamento igual em Israel. Há aqueles nos dias de hoje que ficam fora de Canaã por causa da relutância em assumir a responsabilidade da conquista. São um desânimo a incontáveis outros que lhes seguem o exemplo.

c) A terceira falha no pedido se relacionava ao propósito espiritual de Deus para todas as tribos de Israel. Canaã tinha de ser a herança exclusiva dos israelitas. Embora os povos que foram expulsos da região leste do Jordão fossem cananeus (amorreus; cf. 21.21-35), esta não era a Canaã propriamente dita. Estas tribos estavam dispostas a viver "imediatamente ao lado de Canaã". Na sua concepção, essas tribos não estavam "fora", mas na concepção de Deus elas não estavam "dentro". Certamente representam muitos cristãos que, por benefícios materiais e interesse próprio, vivem "deste lado do Jordão". Por causa desta posição desprotegida, estas duas tribos e meia foram as primeiras a ser levadas em cativeiro pelo rei da Assíria (1 Cr 5.26).

2. *As Promessas das Duas Tribos* (32.16-19)
Quando tomaram ciência dos temores de Moisés, as tribos foram rápidas em prometer: **Nós nos armaremos, apressando-nos diante dos** filhos **de Israel** (17). Não voltariam às suas **casas** até que todas as tribos tivessem recebido suas respectivas **heranças** (18). Queriam, primeiramente, tomar providências para a alimentação do **gado** e reconstruir suficientemente as **cidades** que foram capturadas para proporcionar proteção e cuidado às **crianças** (16).

3. A Permissão de Moisés (32.20-38)

Com base nestas promessas de Gade e Rúben, Moisés lhes assegurou que poderiam receber a terra que pediram. Chamou **Eleazar** e **Josué** (28) e confirmou perante eles o que estas tribos tinham de fazer. **E responderam os filhos de Gade e os filhos de Rúben, dizendo: O que o SENHOR falou a teus servos, isso faremos** (31). Assim, receberam o **reino de Seom, o reino de Ogue**, "toda a terra com as suas cidades e o território ao redor delas" (33, NVI). Nestas condições, estas tribos **edificaram** (34), ou melhor, reedificaram as **cidades** (34-38) dentro destas fronteiras.

4. A Inclusão de Manassés (32.39-42)

Há problemas relacionados com esta passagem e alguns dados ausentes quanto ao lugar exato que ocupa na história como um todo. É evidente que a metade da tribo de Manassés se uniu nesta herança a leste do Jordão (cf. Dt 3.12-17). Estava representada pelos **filhos de Maquir, filho de Manassés**, por **Jair**, o bisneto de Manassés por parte de mãe,[21] e por **Noba**, provavelmente um comandante subordinado. Receberam esta herança por causa da parte que desempenharam na conquista da terra (39,41,42).

Seção VII

COLETÂNEA DE FATOS DIVERSOS

Números 33.1—36.13

A. Os Acampamentos do Egito a Canaã, 33.1-56

1. *Introdução* (33.1-4)
Este capítulo faz uma lista dos "estágios" (RSV) das **jornadas dos filhos de Israel** (1) do Egito às planícies de Moabe, de onde entraram em Canaã sob o comando de Josué. Sem contar o ponto de partida e o último acampamento próximo do rio Jordão, há 40 lugares em que os israelitas pararam.
Não eram nomes de cidades existentes ou de marcos distintos. Eram, em muitos casos, nomes dados aos lugares na ocasião em que acamparam com o propósito conhecido apenas pela própria congregação.[1] Por conseguinte, a identificação dos locais em sua maioria foi logo apagada depois que levantaram acampamento. Pelos dados que temos não é possível refazer o itinerário certo ou detalhado destas viagens. Esta impossibilidade aflige o historiador hodierno que gosta de determinar com precisão todo lugar e toda ocorrência. Porém, o relato da viagem longa e difícil de Israel desde o Egito até Canaã é confiável e a rota pode ser suficientemente estabelecida para dar as direções gerais.
A tradição judaica proporciona ajuda considerável concernente ao propósito deste registro dos "estágios" da jornada.[2] Foi escrito para

> servir de memorial de interesse histórico e de profunda significação religiosa. Toda viagem e todo ponto de parada dão indicações de ensino, advertência ou incentivo para Israel. O Midrash diz: "Pode ser comparado a um rei que levou o filho doente a um lugar distante para ser curado. Na viagem de regresso, o rei recontaria afetuosamente ao rapaz todas as experiências por que passaram em cada um dos

lugares em que pararam. 'Neste lugar, dormimos; naquele, nos refrescamos do calor do dia; no outro, você teve terríveis dores de cabeça!' Israel é o filho de Deus de quem Ele tem compaixão, como um pai que se compadece do filho".

O crédito pelo registro é dado a **Moisés**, mas foi o **SENHOR** (2) o Comandante da viagem. O ponto de partida foi **Ramessés** (3; ver Mapa 3). A data foi **no dia quinze do primeiro mês**, no dia seguinte à **Páscoa**. A partida de Israel foi pública, feita **por alta mão**³ (cf. Êx 14.8), enquanto os **egípcios** estavam ocupados enterrando **a todo primogênito** (4). Além do golpe sofrido pelos egípcios, **seus deuses** (4) também foram humilhados.⁴ **Segundo os seus exércitos** (1) é com mais precisão "grupo por grupo" (NTLH).

2. A Caminhada rumo ao Sinai (33.5-15)
Houve 11 acampamentos neste trajeto da viagem. Este trecho está relacionado com o cenário histórico de Êxodo 12.37 a 19.2. Os acampamentos em **Dofca** e **Alus** (13) não são mencionados na narrativa em Êxodo (ver Mapa 3 para verificar os prováveis locais de algumas destas paradas).

3. A Jornada pelo Deserto (33.16-36)
Houve 21 acampamentos durante a viagem do Sinai até à chegada final em **Cades** (36). Muitos destes nomes, mais numerosos que os dos outros dois trechos da viagem, não são identificáveis em termos da geografia moderna. Treze dos lugares não são mencionados em outro lugar da Bíblia. Este período abrange a viagem inicial do **Sinai** (16) a Cades (provavelmente o mesmo que **Ritma**, 18; cf. 12.16; Dt 1.19). Contém os 38 anos de peregrinação até que os israelitas se reuniram em **Cades** (36; cf. 20.1). O diário das peregrinações no deserto levanta a questão de mapear a viagem com precisão e relacioná-la com outros registros (cf. Dt 10.6-7). Ver a subdivisão "Os Anos de Obscuridade" que introduz os comentários da seção III, "As Experiências no Deserto".

4. A Viagem a Moabe (33.37-49)
Esta seção começa com a repetição de 20.22-29. Acrescenta a informação da idade de **Arão** (39) quando morreu. Há diferenças entre esta passagem e o registro de 21.4-20, as quais não podem ser devidamente explicadas. É provável que o propósito inicial não fosse fazer um registro completo. Cada relato foi preparado de acordo com determinada estrutura conceitual, e ambos são necessários para compor a visão geral.

5. Ordens Sérias (33.50-56)
Na véspera da entrada de Israel em Canaã, o Senhor dá a ordem: **Tomareis a terra em possessão e nela habitareis; porquanto vos tenho dado esta terra, para possuí-la** (53). A pena por não a cumprir era séria: **Se não as lançardes fora**, então elas **serão por espinhos nos vossos olhos e por aguilhões nas vossas costas** (55). A história nos conta que o ideal não foi alcançado e esta profecia se tornou realidade. Deus fizera a Israel **como** (56) pensara fazer a Canaã. Esta é, provavelmente, referência ao cativeiro na Babilônia.

Parte vital desta ordem se relacionava com a destruição total dos instrumentos cananeus de adoração: as **figuras** ("pedras com figura", ARA), as **imagens de fundição** (supostamente feitas à semelhança dos seus deuses) e os lugares **altos** (52) de adoração. O sucesso em permanecer na terra e cumprir o propósito de Deus para eles dependia de se manterem livres da adoração idólatra dos povos aos quais conquistavam. A história nos informa que, em muitos casos, Israel também fracassou neste ponto.

Estas ordens se baseavam no fato de que Deus lhes dera a **terra para possuí-la** (53). Uma vez mais, Deus assegura que as **famílias** e as **tribos** ("as tribos e os grupos de famílias", NTLH) seriam estabelecidas por tamanho e por sorte em regiões de Canaã (cf. 26.52-56). Esta repetição, sem dúvida, era para que os israelitas se lembrassem das responsabilidades individuais e tribais que jaziam diante deles.

B. O Contorno das Fronteiras, 34.1-29

1. *A Determinação dos Limites* (34.1-15)
Deus ordenou que Moisés traçasse os limites das fronteiras da terra de Canaã (2). Foram determinados assim (cf. Gn 10.19):

a) Os limites que estabelecem a **banda do sul** (3; "a fronteira do Sul", NTLH) começavam na ponta sul do mar Morto, movendo-se com a fronteira oeste de **Edom** até chegar a **Cades-Barnéia** (4). De lá, virava a noroeste,[5] acompanhando o **rio do Egito** (5, o vádi el-Arish), mais um leito seco que um rio, que deságua no mar Mediterrâneo a uns 70 quilômetros a sudoeste de Gaza.

b) O **termo do ocidente** (6; "a fronteira do Oeste", NTLH) é o **mar Salgado** ("o mar Mediterrâneo", NTLH) "e sua região costeira" (RSV). Os estudiosos não concordam entre si acerca de quanto abrange esta região costeira. Considerando que o ponto de partida da fronteira do Norte não está claro, há diversas sugestões a respeito. Uma das mais comumente aceitas fixa os limites do **termo do ocidente** bem ao norte, ligeiramente acima do ponto em que o rio Leontes deságua no mar Mediterrâneo e pouco abaixo das montanhas do Líbano. As autoridades judaicas insistem que a leitura aqui significa a costa *inteira*, ou *todo* o flanco oriental do Mar Grande, da extremidade sudeste à extremidade nordeste. "Se o significado fosse em determinado ponto da região costeira, entre estas duas extremidades, é óbvio que o texto o teria indicado com clareza."[6] Este raciocínio leva a fronteira do Oeste à borda nordeste da baía de Alexandria.

c) O **termo do norte** ("a fronteira do Norte", NTLH) estendia uma linha do mar Mediterrâneo ao **monte Hor** (7).[7] Depois, passava por **Hamate**, **Zedade**, **Zifrom** e **Hazar-Enã** (8,9). Não há como identificar seguramente estes lugares, mas mapas de um período posterior mostram uma **Hamate** situada a uns 160 quilômetros ao norte de Damasco e uma **Zedade** localizada a meio caminho.[8] A localização de **Hazar-Enã** também é incerta, mas talvez esteja na parte superior do rio Jordão, pois o nome significa "recintos da nascente".[9] Na verdade, este limite seria uma fronteira do Nordeste. Se estes locais estiverem corretos, a tradição dos judeus recebe crédito por dar às nove tribos e meia uma faixa de toda a extensão da costa leste do Mediterrâneo e com larguras variando de uns 50 a 120 quilômetros.

d) A **banda do oriente** (10; "a fronteira do Leste", NTLH) se move de **Hazar-Enã** em direção sul ao **mar de Quinerete** (11; "lago da Galiléia", NTLH; ou lago de Genesaré). Os pontos intermediários alistados não são identificáveis. Do **mar de Quinerete**, a fronteira acompanha o rio Jordão e chega ao **mar Salgado** (12; "mar Morto", NTLH).

Os versículos 13 a 15 tratam da divisão dos territórios para as nove tribos e meia, a oeste do rio Jordão, e para as duas tribos e meia, a leste do rio Jordão.

Estas fronteiras limítrofes eram apenas ideais, pois Israel nunca ocupou totalmente este território. As passagens de Josué 15 a 19 e Ezequiel 47.13-20 e 48.28 as mencionam. O profeta Ezequiel ainda esperava, em seus dias, a ocupação factual da totalidade do território que Deus prometera a Israel.

2. *Os Assistentes Oficiais* (34.16-39)

Deus ordenou que fosse formado um comitê oficial para a tarefa de dividir a terra entre as tribos. **Eleazar e Josué** (17) estavam na direção da empresa. **Calebe** (19), por ter sido fiel em Cades-Barnéia, representava a **tribo de Judá**. Os outros, **de cada tribo um príncipe** (18), foram estes cujos nomes indicam que Deus estava com Israel. **Samuel** (20) quer dizer "nome de Deus"; **Elidade** (21) significa "Deus amou"; **Buqui** (22) tem o sentido de "provado" (por Deus); **Haniel** (23), "favor de Deus"; **Quemuel** (24), "exaltado por Deus"; **Elizafã** (25), "meu Deus protege"; **Paltiel** (26), "Deus é minha libertação"; **Aiúde** (27), "irmão da majestade"; e **Pedael** (28), "Deus libertou".[10] Grupo semelhante foi escolhido para dirigir o censo anterior (1.4-16).

C. AS CIDADES DE REFÚGIO, 35.1-34

1. *Cidades para os Levitas* (35.1-5,7,8)

Os levitas não participaram da partilha da terra. Deus então providenciou um expediente para que as tribos que receberam herança dessem aos levitas **cidades** (2) em que habitassem e **arrabaldes** ("terras de pastagens", NTLH) para os **gados, fazenda** e **animais** (3). Houve **quarenta e oito cidades** (7) separadas para este fim. Elas permaneceriam como **herança dos filhos de Israel**, mas deviam ser disponibilizadas aos levitas como moradias e seriam dadas com base na quantidade das heranças tribais (8).

Esta lei foi implementada parcialmente, segundo mostra o registro em Josué 21; nunca foi totalmente completada. O conceito geral se manteve básico ao longo da história de Israel.

2. *Cidades Especiais* (35.6,9-15)

Entre as **cidades** dadas aos **levitas**, seis tinham de ser separadas como **cidades de refúgio** (6).[11] Três ficavam no lado leste do rio Jordão e três em Canaã propriamente dita.[12] Estas serviam de proteção do homicida involuntário, aquele "que, sem querer ou por engano, tenha matado alguém" (11, NTLH; cf. NVI; *i.e.*, "homicídio culposo" na terminologia atual).

A necessidade de um plano de refúgio surgiu das práticas relacionadas com o **vingador** (12). Este costume foi reconhecido como princípio de execução de lei na primitiva fase da história de Israel (Gn 9.5).[13] Este princípio permitia o parente mais próximo de quem fora injustiçado a descarregar o castigo na pessoa que cometera a injustiça. Por isso, foi providenciada defesa para quem inadvertidamente tirasse a vida de outra pessoa. Mas essa defesa só valia até o momento em que o acusado fosse levado **perante a congregação** para interrogatório e "julgamento" (ARA). Este refúgio se aplicava a todos que estavam inseridos na sociedade de Israel: **para os filhos de Israel, e para o estrangeiro, e para o que se hospedar no meio deles** (15).

Este princípio é básico na idéia mais ampla de "santuário", conceito óbvio em muitas leis e regulamentos pelos quais as sociedades se governam. A idéia de **cidades de refúgio** também serve de tremenda ilustração do "refúgio", pela graça divina, que existe no Reino de Deus.[14]

3. Homicídio Culposo e Homicídio Doloso (35.16-25)

Como orientação a todos, são dados exemplos para mostrar a diferença entre homicídio culposo e homicídio doloso (assassinato premeditado). O homicídio culposo estava sujeito à cláusula das cidades de refúgio, ao passo que o homicídio doloso estava sujeito a outras leis e era punível com a morte.

A morte causada por instrumentos especificados era, à primeira vista, prova de que o assassinato fora planejado. Eram **instrumento de ferro** (16), **pedra** na mão (17) ou **instrumento de madeira** (18; "instrumento de pau", ARA) na mão. Quando a premeditação era patente, o **vingador** poderia matar o **homicida** (19) imediatamente. A mesma regra se aplicava se a vítima fosse ferida **por inimizade** (21), ou seja, por qualquer instrumento usado com a intenção de prejudicar outrem e com o propósito de matar.

Entretanto, mesmo naqueles dias se admitia que podia haver homicídio não intencional. Se **empurrar** (apunhalar) uma pessoa **de improviso, sem inimizade, ou contra ela lançar algum instrumento sem desígnio** (22), ou **sobre ela fizer cair alguma pedra sem o ver** e **nem procurava o seu mal** (23), o assassino estaria sujeito à lei de refúgio. A **congregação** (24) o julgaria e, se fosse inocente de assassinato premeditado, o livraria **da mão do vingador do sangue**. Mas o assassino tinha de ficar na cidade de refúgio, para a qual fugiu, **até à morte do sumo sacerdote** (25).

Esta lei destacava a importância da *intenção*[15] como ingrediente básico para determinar a natureza do crime. Este princípio é reconhecido na maioria dos países civilizados como fator importante na determinação da culpa ou inocência do suspeito. É também fator principal no conceito bíblico de pecado. É a "transgressão voluntariosa" e não o "deslize involuntário" que Deus julga como pecado.

4. Aplicações do Regulamento (35.26-34)

Se o **homicida**, mesmo depois de ser julgado, saísse dos limites **da cidade** (26,27), ele podia ser morto pelo vingador sem culpa por parte deste. O assassino estaria seguro se permanecesse dentro da cidade **até à morte do sumo sacerdote**. Depois, poderia voltar à sua casa, livre de toda a pena (28).

Estas leis foram dadas como "estatuto e ordenança" (RSV) para todas as **gerações** (29). O assassinato era punível de morte, mas era necessária mais de uma **testemunha** para estabelecer a culpa (30). Nenhum "resgate" (ARA) poderia ser pago por quem fosse **homicida** (31) doloso ou por quem saísse da **cidade do seu refúgio** antes da **morte** do sumo **sacerdote** (32). A pena de morte tinha de ser executada, porque a morte contaminava a terra **no meio da qual** (34) Deus habitava. Esta contaminação só podia ser limpa **com o sangue daquele que o derramou** (33).

D. Casamento e Herança, 36.1-13

1. *A Questão* (36.1-4)
Esta passagem completa o trecho de 27.1-11, no qual as filhas de Zelofeade apresentaram suas argumentações a favor da herança na ausência de irmão. Os **cabeças dos pais** (1) foram a Moisés e apresentaram o problema: Se as filhas deles se casassem **com algum dos filhos das outras tribos... então, a sua herança... se tiraria** (3) da tribo deles. Por conseguinte, mesmo na época do **jubileu** (4), a herança permaneceria com a tribo do marido.

2. *A Lei Dada* (36.5-9)
Moisés falou **segundo o mandado do SENHOR** (5), dizendo: "A tribo dos descendentes de José tem razão" (NVI; cf. NTLH). Então se estabeleceu a lei: As **filhas de Zelofeade** (6), como também todas as outras jovens, tinham de se casar dentro da tribo do pai delas. Esta regra significava que a **herança** de determinada tribo não passaria **de tribo em tribo** (7). A prescrição foi decretada para que cada um dos **filhos de Israel** possuísse a **herança de seus pais** (8). Para garantir isto, a herança de uma tribo não devia passar **de uma tribo a outra** (9).

3. *A Lei Obedecida* (36.10-13)
"As filhas de Zelofeade fizeram conforme o SENHOR havia ordenado a Moisés" (10, NVI; cf. NTLH), e "se casaram com os filhos de seus tios paternos". Assim, "a herança delas permaneceu na tribo da família de seu pai" (10-12, ARA).

Notas

INTRODUÇÃO

¹L. Elliott-Binns, "The Book of Numbers" (Introduction), *Westminster Commentaries* (Londres: Methuen & Company, 1927), pp. lvi-lx.

²John Marsh, "Numbers" (Introduction), *The Interpreter's Bible*, editado por George A. Buttrick *et al.* (Nova York: Abingdon Press, 1953), vol. II, p. 139.

³Olive M. Winchester, em suas aulas de história hebraica, dava forte ênfase nesta relação entre a murmuração e a incredulidade.

⁴IB, vol. II, p. 138.

⁵James L. Mays, "The Book of Leviticus, the Book of Numbers", *The Layman's Bible Commentary*, editado por Balmer H. Kelly *et al.* (Richmond, Virgínia: John Knox Press, 1959), vol. IV, p. 8.

⁶Thomas Whitelaw, "Introduction to Numbers", *Pulpit Commentary*, editado por Joseph S. Exell (Nova York: Funk & Wagnalls, s.d.), p. 11.

⁷Jesse Lyman Hurlbut, *A Bible Atlas* (Nova York: Rand McNally & Company, 1938), pp. 26ss. (cf. Mays, *op. cit.*, p. 9).

⁸J. A. Thompson, *Archaeology and the Old Testament* (Grand Rapids: William B. Eerdmans Publishing Company, 1959), p. 55.

⁹G. Ernest Wright, *Biblical Archaeology*, edição abreviada (Filadélfia: The Westminster Press, 1960), pp. 34-43. John Elder, *Prophets, Idols and Diggers* (Indianápolis: Bobbs-Merrill, 1960), p. 57. Kathleen M. Kenyon, *Archaeology in the Holy Land* (Londres: Ernest Benn, Limited, 1960), p. 206.

¹⁰Ver comentários sobre a autoria no artigo "O Pentateuco".

SEÇÃO I

¹Ou "Tenda do Encontro" (NVI) ou *Tenda do Encontro Secreto*, assim chamado porque era onde Deus se encontrava com Moisés (Êx 25.22). "É importante distinguir entre o termo *ohel*, *i.e.*, a 'tenda', e o termo *mishkan*, *i.e.*, o 'tabernáculo' — que era a estrutura de madeira de cetim, com as cortinas, que estava dentro da tenda" (Charles J. Ellicott, "Numbers", *Ellicott's Commentary on the Bible — The Layman's Handy Commentary Series*, editado por Charles J. Ellicott [Grand Rapids: Zondervan Publishing House, 1961], p. 23).

²John Marsh, "Numbers" (Exegesis), *The Interpreter's Bible*, vol. II, editado por George A. Buttrick *et al.* (Nova York: Abingdon Press, 1953), p. 143.

³Ellicott, *op. cit.*, pp. 22, 36.

⁴John Wesley, *Explanatory Notes upon the Old Testament*, vol. II (Bristol: William Pine, s.d.), p. 449.

⁵IB, vol. II, p. 144.

⁶Ellicott, *op. cit.*, p. 24.

⁷Quanto aos detalhes contra e a favor desta questão, consulte comentários maiores.

⁸G. Campbell Morgan, *Exposition of the Whole Bible* (Westwood, Nova Jersey: Fleming H. Revell Company, 1959), p. 61.

⁹IB, vol. II, p. 150.

¹⁰Esta palavra significa, lit., "encher a mão" (cf. v. 3).

[11] IB, vol. II, p. 153.

[12] Em nítido contraste com as outras tribos, que foram recenseadas contando os homens de mais de 20 anos.

[13] Os israelitas usavam amplamente os padrões de medida babilônicos durante este período da história. O emprego de valores em peso (**siclos, geras,** 47) significava que se tratava de prata não cunhada. Levando em conta que o termo *siclo* não se referia uniformemente a um peso fixo (variava de pouco mais de 230 gramas a quase 490 gramas), não é possível relacionar com exatidão este peso a valores equivalentes aos dias de hoje.

[14] A passagem de 4.5-15 apresenta a natureza complicada e sacra destas responsabilidades.

[15] Certa lei previamente dada (Lv 6.1-7) trata do restabelecimento de propriedades furtadas. Esta lei é suplementar àquela (IB, vol. II, p. 167).

[16] R. Winterbotham, "Numbers" (Exposition), *Pulpit Commentary* (Nova York: Funk & Wagnalls, s.d.), p. 41.

[17] IB, vol. II, p. 170.

[18] *Ib.*, p. 174.

[19] *Ib.*

[20] O ato de ungir e santificar aplicava-se a objetos, sacrifícios e pessoas. Este fato realça a metade do significado do termo "santificar", *i.e.*, separar. É a prática geral no Antigo Testamento, sobretudo em relação a coisas. Diversos elementos estão inerentes no significado: 1) O relacionamento com Deus; 2) a exclusão do secular; 3) a dedicação positiva a Deus ou usos sacros. Esta verdade se referia à Tenda do Encontro, aos sacrifícios, às primícias e a tudo que ficava santificado por esta separação para uso sacro. Ver George Allen Turner, *The More Excellent Way* (Winona Lake, Indiana: Light & Life Press, 1952), p. 26; e, do mesmo autor, *The Vision Which Transforms* (Kansas City: Beacon Hill Press, 1964), pp. 21, 22.

[21] David W. Kerr, "Numbers", *The Bible Expositor*, editado por Carl F. H. Henry (Filadélfia: A. J. Holman Company, 1960), p. 158.

[22] *Ib.*, p. 159.

[23] São diferentes a idade inicial de serviço apresentada aqui (25 anos) e a idade inicial declarada em 4.3 (30 anos). Boa explicação é a sugestão de que, com a idade de 25 anos começava o aprendizado e que o serviço pleno só iniciava aos 30 anos de idade.

[24] Indícios levam a concluir que, neste cenário desértico e nômade, havia permissão para modificar as prescrições.

[25] Vemos no v. 8, o padrão que Moisés procurou seguir ao longo da viagem, *i.e.*, quando em dúvida, buscava o parecer de Deus. Trata-se de bom procedimento para qualquer dia e para todas as pessoas (Js 1.5).

[26] A data da observação da Páscoa foi duas semanas depois da ordem de numerar o povo (1.1). É provável que a menção desta prática neste ponto esteja relacionada com as exceções feitas para quem não pôde observá-la antes.

[27] IB, vol. II, p. 189.

SEÇÃO II

[1] Na marcha, os coatitas, com a mobília do Tabernáculo, ficavam bem atrás para que a Tenda do Encontro, que ia à frente, tivesse tempo de ser montada (21) e estivesse pronta para receber os instrumentos sagrados de adoração quando chegassem ao local do novo acampamento.

²A tribo de **Dã**, e provavelmente a de **Aser** e **Naftali**, receberam a responsabilidade de formar a retaguarda. Isto significava que buscariam os dispersos, se encarregariam de quem desfalecesse pelo caminho e procurariam e devolveriam objetos perdidos (*The Pentateuch and Haftorahs*, editado por J. H. Hertz [Londres: Soncino Press, 1952], p. 612).

³Este texto afirma que Hobabe é cunhado de Moisés. Provavelmente, este é o verdadeiro parentesco, embora outra passagem (Jz 4.11) declare que ele é sogro de Moisés e a tradição rabínica assevere que Hobabe e Jetro eram a mesma pessoa.

⁴O dr. F. S. Boderheimer, da Universidade Hebraica, descreve que o maná é uma "secreção doce de vários pulgões, cigarras e cochonilhas que se alimentam de tamargueiras no deserto. Os insetos segregam o excesso de carboidrato na forma de maná de substância doce, formando partículas que se assemelham a geada branca. Esta excreção evapora" (*Harper's Bible Dictionary*, editado por Madeleine S. Miller e J. Lane Miller [Nova York: Harper & Brothers, 1954], p. 417).

⁵A verdadeira natureza do pecado da reclamação estava na *direção* a qual a vontade de comer apontava. Não era plano de Deus que eles comessem maná indefinidamente. O desejo divino era que logo o trocassem por uvas, romãs, figos e outros alimentos nutritivos e suculentos de Canaã. Em vez de olharem *para frente*, às coisas boas que Deus prometera, os israelitas olhavam *para trás*, ao cardápio do Egito. O pecado, a mente carnal, é em qualquer tempo prontamente identificado por esta direção do desejo.

⁶Paráfrase minha.

⁷Winterbotham, *op. cit.*, p. 111.

⁸É estudo proveitoso determinar pelas Escrituras os conceitos de "povo de Deus" e de "filhos de Deus", verificando as referências ao derramamento do Espírito Santo. Deus sempre desafia os que lhe pertencem a serem pessoas em quem seu Espírito habita.

⁹Os estudiosos não concordam entre si sobre o equivalente moderno do ômer. As mais recentes evidências de fontes arqueológicas apóiam cálculos mais conservadores, fixando o ômer em cerca de 230 litros (medida de capacidade para líquidos) e aproximadamente 240 litros (medida de capacidade para secos). (George A. Arrois, "Weights and Measures, Hebrew", *Twentieth Century Encyclopedia of Religious Knowledge — An Extension of the New Schaaf-Herzog Encyclopedia of Religious Knowledge* [Grand Rapids: Baker Book House, 1955], pp. 1.165, 1.166.) Outros estudiosos (como os da VBB) calculam que o ômer seja pouco mais que 370 litros.

¹⁰Lit., "antes que fosse cortada" ou "estivesse no fim" (LXX). Isto se ajusta melhor ao que se segue: que o castigo veio principalmente sobre aqueles que se fartaram de carne (Elliott-Binns, *op. cit.*, p. 74).

¹¹Hertz, editor, *op. cit.*, p. 618 (cf. *Speaker's Bible, ad loc*).

¹²*Ib.*

¹³Existe a sugestão de que, entre os vv. 1 e 2, Miriã e Arão emitiram a primeira crítica no acampamento e, quando o povo se levantou em defesa de Moisés, Miriã e Arão fizeram a segunda crítica em defesa da posição deles (cf. Winterbotham, *op. cit.*, p. 130).

¹⁴Primeiro, para o pátio exterior (4) e, depois, para a **porta** do santuário (5; cf. Ellicott, *op. cit.*, p. 90).

¹⁵*Ib.*, p. 91.

¹⁶Existem estudiosos que entendem que a vitória dos israelitas sobre o rei de Arade no extremo sul de Canaã (21.1-3) aconteceu nesta época. Isto explicaria os ânimos com que o povo enfrentou Moisés e o aparente cuidado em pedir que um grupo de espiões fosse enviado imediatamente (cf. Hertz, editor, *op. cit.*, p. 623).

[17]Ellicott, *op. cit.*, p. 95 (cf. RC).

[18]Talvez Moisés tivesse tido acesso aos arquivos de **Zoã** ou recebido dados dos seus mestres egípcios. Esta menção (22) à relação de **Hebrom** com **Zoã** aparece como "nota de rodapé", um *"flashback"*, e não como item de importância no registro. "Não há ninguém, senão Moisés, a quem possamos determinar a declaração [...]; um escritor posterior não teria meios autorizadores para fazer a declaração, nem razão plausível para inventá-la" (Winterbotham, *op. cit.*, p. 144).

[19]Esta especificação pode ser alusão à esterilidade de porções da terra ou ao fato de que as lutas e discórdias entre as tribos sobre a posse da terra tornavam o lugar precário para habitação (cf. Ellicott, *op. cit.*, p. 98).

[20]Winterbotham, *op. cit.*, p. 145.

[21]Cf. Dt 1.29-34.

[22]Hertz, editor, *op. cit.*, p. 627.

[23]*Ib.*, pp. 364, 365.

[24]Cf. Dt 1.35-40.

[25]Certos estudiosos presumem que a exceção também incluía os levitas que não estavam entre os "enumerados" no censo principal (Ellicott, *op. cit.*, pp. 103, 104).

[26]Contando o ano e meio que já tinha passado desde que saíram do Egito.

[27]Cf. Dt 1.41-46.

[28]Contrário à ordem do v. 25.

SEÇÃO III

[1]Em muitas ocasiões, a expressão "40 anos" é usada com referência ao tempo do julgamento no deserto. Temos de entender que se trata de número aproximado, visto que os 40 anos cobrem o tempo decorrido entre o êxodo do Egito e a reunião das tribos em Cades, em preparação ao reinício da viagem para Canaã (20.1).

[2]Whitelaw, *op. cit.*, "The Thirty-seven Years Chasm", pp. ii-iv.

[3]A expressão significa um "tempo indefinido".

[4]Ellicott, *op. cit.*, p. 107.

[5]IB, vol. II, pp. 215, 216.

[6]*Ib.*, p. 215.

[7]Tirando o adjetivo "alçada", como faz a ARA, fica mais claro.

[8]IB, vol. II, p. 219.

[9]"A tribo que outrora possuía o 'direito de primogenitura' em Israel, estava, pelo que deduzimos, se desgastando pela recuperação dessa primazia" (Hertz, editor, *op. cit.*, p. 638).

[10]**Om** sai de cena imediatamente, não havendo registro do seu envolvimento na insurreição. Certos estudiosos entendem que o nome é meramente uma ditografia no texto hebraico e que deveria ser omitido (cf. Elliott-Binns, *op. cit.*, p. 109).

[11]É lógico que Corá era a mola mestra desta tentativa de golpe (cf. 27.3; Jd 11; Winterbotham, *op. cit.*, p. 201).

[12]Esta era provavelmente a razão de não estarem envolvidos na confrontação de Moisés com Corá e os 250 (cf. v. 12).

¹³Os dissidentes ligaram ao Egito a expressão que fora consistentemente aplicada apenas a Canaã.

¹⁴A frase **habitação de Corá** (24,27) indica que Corá tinha estabelecido um lugar (*i.e.*, a sua tenda) para fazer concorrência com a Tenda do Encontro; ou significa que somente a tenda de Corá servia de sede da insurreição.

¹⁵Há certas indicações (cf. 32; 26.10) que mostram que Corá estava com Datã e Abirão no julgamento destes, embora a conexão não esteja clara. Uma mudança de pontuação em 26.10 apóia a posição de que ele estava com os 250 que morreram pelo fogo. Em outros textos, quando Datã e Abirão são mencionados, não aparece o nome de Corá (Dt 11.6; Sl 106.7). Além disso, os filhos de Corá não foram incluídos no julgamento de seu pai, ao passo que as famílias dos outros dois colaboradores não escaparam.

¹⁶"O Grande Motim se encravou profundamente na memória das gerações vindouras de Israel. Para os rabinos, todo este movimento, do qual Corá era o principal porta-voz, tipifica todas as controvérsias que têm sua origem em motivos pessoais" (Hertz, editor, *op. cit.*, p. 638).

¹⁷A amendoeira é símbolo do brotamento da primavera (cf. Jr 1.11).

¹⁸Ellicott, *op. cit.*, p. 129.

¹⁹"Há duas opiniões distintas com respeito às leis da pureza e impureza; uma advoga que são higiênicas; a outra afirma que são 'levíticas', *i.e.*, puramente religiosas. [...] Porém, ainda que nenhuma [...] das duas responda total e isoladamente por todos os fatos, as duas opiniões não são mutuamente exclusivas" (Hertz, editor, *op. cit.*, p. 459).

²⁰"É antiga e muito propagada a crença de que contato com corpos mortos tornava a pessoa imunda ou a colocava em perigo. Não é possível determinar sua origem, embora seja improvável que tenha surgido em Israel. Trata-se de uma das crenças comuns da mente primitiva, que adveio talvez do costume de adorar os antepassados, ou da convicção de que o espírito de quem morre fica perto do cadáver. Embora a crença no poder de os corpos mortos ocasionarem contaminação seja geral no mundo antigo, em nenhum outro lugar encontramos a reprodução exata da reparação prescrita neste capítulo." Há pouca dúvida, mas a principal razão de "o contato com corpos mortos" estar relacionado tão universalmente com a contaminação cerimonial na lei mosaica era por causa da relação da morte com o pecado (IB, vol. II, p. 234).

²¹Segundo Matthew Henry, o ato de queimar a **bezerra ruiva** (ou "novilha vermelha", ARA) tem várias referências significativas com o sacrifício de Cristo. A bezerra não tinha defeito nem marca. Era ruiva (ou "vermelha"; Hb 9.14; 1 Pe 1.19), como Cristo era Filho da terra vermelha, vermelho em seu vestuário, vermelho com o seu sangue (Is 63.1) e vermelho com o sangue dos seus inimigos. Tinha de ser totalmente queimada, tipificando o sofrimento extremo de Cristo (Is 53.1-12). As cinzas tinham de ser guardadas para a posteridade (por quase mil anos, dizem os judeus) e eram suficientes para todo o povo (Hb 2.9,10,14-18) (*An Exposition of the Old and New Testament*, Vol. I [Nova York: Fleming H. Revell Company, s.d.]).

²²Matava fora do acampamento, porque o ato tinha relação com a oferta pelo pecado e a impureza da morte (Ellicott, *op. cit.*, p. 130; cf. tb. Hb 13.12).

²³Cf. Sl 51.7.

SEÇÃO IV

¹Certos críticos posicionam a rebelião de Corá no fim dos anos de peregrinação. Deste modo, estaria mais próxima desta insurreição sob estudo.

²Cf. Ellicott, *op. cit.*, p. 134.

³Não está claro se esta era a vara de Arão que floresceu (17.6-10) ou a vara que, no passado, fora o símbolo do poder de Deus na mão de Moisés (Êx 4.1-5; 7.9-12,17).

⁴Segundo deduzimos pelo fato de Arão ter sido incluído na pena é que ele estava envolvido neste pecado tanto quanto Moisés. O registro não declara especificamente qual foi seu envolvimento.

⁵A **estrada real** seria meramente a rota principal que as caravanas seguiam. Não se tratava de estrada construída de terra compactada e pedras como, mais tarde, fizeram os romanos, ou como atualmente a conceberíamos.

⁶Estas condições de viagem pelo território de outrem eram muito comuns naqueles dias.

⁷Cf. IB, vol. II, p. 240. Ver tb. "Monte Hor", *Harper's Bible Dictionary*, p. 267.

⁸Arade estaria somente a curta distância a noroeste do monte Hor.

⁹Este fato é estabelecido pelo uso da palavra hebraica *saraph*, traduzida por "serpente", que parece significar "aquele que queima, que arde". Quando usada em Is 6.2,6; 14.29; Ez 1.7, *saraph* transmite a idéia de que os seres simbólicos tinham um brilho metálico. Este conceito também é apoiado pelo fato de que a serpente que Deus ordenou Moisés fazer era de metal brilhoso (Winterbotham, *op. cit.*, p. 272).

¹⁰Não está clara qual era a composição exata desta serpente. Poderia ter sido de metal, cobre ou bronze.

¹¹Seria um dos estandartes ou bandeiras usadas para marcar a posição das tribos, ou uma haste especial e mais longa especialmente feita para a ocasião.

¹²Cf. outros locais sugeridos em comentários sobre o v. 4a.

¹³Cf. Dt 2.1-12.

¹⁴IB, vol. II, p. 243.

¹⁵Hertz, editor, *op. cit.*, p. 660.

¹⁶IB, vol. II, pp. 244, 245.

¹⁷Hertz, editor, *op. cit.*, p. 662.

¹⁸Isto em contraste com a terra ocupada pelos amorreus, moabitas, midianitas e edomitas, os quais eram de origem semítica, que determinam sua descendência de Tera (cf. Dt 2.1-25). A ação militar contra estes povos (cf. cap. 31) foi ocasionada por outras razões.

¹⁹**Hesbom**, "cidade das filhas ou a cidade-mãe". Nesta região, cidades permanentes eram algo comparativamente novo. Os arqueólogos apuraram que, muito subitamente e sem explicação, os povos destas regiões abandonaram o padrão de vida nômade e construíram cidades permanentes e muradas. Esta situação ocorreu não muito tempo antes do surgimento de Israel em sua migração para Canaã. Temos de presumir que muitas cidades estavam "no processo" de formação, ainda sem muros, até no caso das cidades de Ogue (Dt 3.5). Estas cidades sem muralhas ou parcialmente construídas dependiam da "cidade-mãe" para obter proteção.

²⁰Cf. Dt 3.10-17.

²¹É de tanta importância, que o evento é mencionado muitas vezes no decurso do Antigo Testamento (Dt 1.4; 3.1-13; Js 2.10; 9.10; 12.4; 13.12-31; 1 Rs 4.19; Ne 9.22; Sl 135.11; 136.20).

SEÇÃO V

¹Como provavelmente era conhecido este segmento literário nos dias antigos (Hertz, editor, *op. cit.*, p. 668).

²*Ib.*

³Ib.

⁴Como no caso da sarça ardente (Êx 3.1-6) e da experiência de Josué (Js 5.13-15), o **Anjo**, sem dúvida, era o próprio Senhor.

⁵Ler estas profecias em versões bíblicas que estejam na forma poética, contribui para a clareza e facilidade de entendimento (cf. ARA).

⁶Os estudiosos judeus apóiam esta leitura: "Israel é um povo que habita só e não conspira contra as nações" (Hertz, editor, *op. cit.*, p. 674).

⁷Este desejo não se realizou (31.8,15). Teria sido melhor ele dizer: "A minha alma viva a vida dos justos".

⁸"'Desgraça' e 'sofrimento' são preferíveis a 'iniqüidade' e 'maldade' (RC). Não só concordam com a LXX, mas também são tradução mais precisa do hebraico" (IB, vol. II, p. 257).

⁹Ou: "Bradam com louvores a um Rei" (VBB; cf. NTLH). Trata-se de reconhecimento da teocracia que, um dia, eles rejeitariam (1 Sm 8).

¹⁰Possivelmente, contra o desejo de Balaque invocar presságio sobre Israel.

¹¹Aqui encontramos um avanço para uma forma mais pessoal e espiritual da revelação de Deus ao homem. Era a forma na qual os verdadeiros servos de Deus recebiam suas mensagens.

¹²**Olhos abertos** no sentido de "olhos perfeitos", *i.e.*, "olhos que vêem perfeitamente" (IB, vol. II, p. 259).

¹³A versão judaica tem: "Águas fluirão de seus ramos". Em ambos os casos, fala de águas abundantes, que num país árido é símbolo dos mais ricos recursos.

¹⁴Ou: "perfurará as têmporas" (cf. NTLH).

¹⁵IB, vol. II, p. 261 (cf. NVI; NTLH).

¹⁶**O primeiro das nações** (20) não significa em termos de origem ou poder, mas o **primeiro** povo a atacar Israel (Êx 17.8-16).

¹⁷Não estão claras a identidade destas nações e a identificação dos acontecimentos profetizados neste e nos versículos seguintes. A melhor interpretação favorece este glossário: **Assur** (Pérsia), **Quitim** (Chipre; cf. NTLH) e **Héber** (traduzido na LXX por "os hebreus", mas povo desconhecido; significa o povo "do outro lado", presumivelmente do outro lado do rio Eufrates) (IB, vol. II, p. 263).

SEÇÃO VI

¹Sitim foi o último acampamento antes de os israelitas cruzarem o rio Jordão. Foi daí que Josué enviou os espiões a Canaã.

²Pelo que deduzimos, muitos israelitas foram convidados a se unir numa festa sacrifical. Esta adoração ao deus Baal-Peor estava associada e consistia nos mais licenciosos ritos (Hertz, editor, *op. cit.*, p. 68).

³Ou, talvez, estivesse pavoneando sua associação imoral com a mulher à vista de Moisés e de todo o Israel.

⁴Esta **praga**, sem dúvida, era resultado justamente desta lassidão moral que tomou conta do povo (3-6).

⁵Ver análise e tabelas nos caps. 1—2.

⁶Pelo menos em dois casos, com as duas tribos e meia (cap. 32) e com Calebe (Js 15.13-19), foi dada certa consideração às preferências e necessidades tribais.

⁷Os **libnitas** (58) pertenciam ao clã de Gérson (3.21); os **hebronitas** eram do clã de Coate (3.19,27); e os **malitas** e os **musitas** faziam parte do clã de Merari (3.20,33; cf. Êx 6.16-25).

⁸IB, vol. II, pp. 270, 271.

⁹"Os rabinos explicam que isto significa que, como Arão, ele tinha de morrer 'pela boca do Senhor', *i.e.*, ele também teria 'morte pelo beijo divino'" (Hertz, editor, *op. cit.*, p. 692).

¹⁰**Urim** e Tumim eram pequenos objetos que ficavam nas vestes sacerdotais usados para o lançamento de sorte sagrada. Eram consultados quando o sacerdote desejava receber uma palavra de Deus (Êx 28.30).

¹¹O **efa** (medida de capacidade para secos) tinha aproximadamente 30 litros. O **him** (medida de capacidade para líquidos) tinha quase 5,3 litros.

¹²"[O bode era] oferecido em todas as festas (menos no sábado) como sacrifício expiatório para expiar todo pecado de impureza levítica cometida involuntariamente e pertinente ao Santuário ou a seus utensílios sagrados" (Hertz, editor, *op. cit.*, p. 695).

¹³IB, vol. II, p. 278.

¹⁴Provavelmente como símbolo da presença de Deus e para dar apoio espiritual, e não para atuar como líder ativo.

¹⁵Existem certas evidências que apontam que, entre os utensílios, estava a arca do concerto, como mais tarde foi usada para propósito semelhante (Js 6.4).

¹⁶É quase certo que os israelitas atacaram somente certos acampamentos ou cidades precariamente construídas. Levando em conta que dois séculos depois Midiã é alistada como nação forte (Jz 6), é provável que a morte de todos os homens se refira apenas aos que foram encontrados.

¹⁷Considerando que Josué 13.21 fala que estes reis são "príncipes de Seom", deduzimos que ocupavam a região oriental superior do Jordão e que estavam dentro do escopo da ordem divina de expulsar os cananeus e possuir sua terra. Era este território que logo seria dado às duas tribos e meia (cap. 32).

¹⁸Cf. nos caps. 22—24 a análise dos problemas complexos relativos ao caráter de Balaão.

¹⁹Os midianitas se destacavam eminentemente por possuírem objetos de valor deste tipo (cf. Jz 8.26).

²⁰Não há como saber o valor monetário em dinheiro de hoje.

²¹**Jair** era filho de Segube, filho de Hezrom, que se casou com a filha de Maquir, filho de Manassés (1 Cr 2.21,22). Por conseguinte, ele estava entre os israelitas a quem consideramos pertencente a essa tribo (Ellicott, *op. cit.*, p. 202).

SEÇÃO VII

¹A designação do nome Quibrote-Hataavá, que significa "sepulturas do desejo sensual" (11.31-35; 33.17), sugere uma das histórias mais dramáticas do trajeto israelita rumo à Canaã.

²Hertz, editor, *op. cit.*, p. 714.

³Israel saiu do Egito com confiança e intrepidez, não às furtadelas.

⁴"Ao ferir o primogênito de todos os seres vivos, homens e animais, Deus também atingia os objetos de adoração egípcios. Nem sequer uma única deidade do Egito deixou de ser representada por algum animal" (Êx 12.12; *ib.*, p. 255).

⁵A localização dos outros lugares mencionados é desconhecida.

⁶Hertz, editor, *op. cit.*, p. 717.

[7] Não se conseguiu identificar satisfatoriamente este **monte Hor** que ficava na região norte. Logicamente, não era o monte Hor mencionado em 20.22, onde Arão morreu.

[8] G. Ernest Wright e Floyd V. Filson, editores, "The Kingdoms of Israel and Judah in Elijah's Time", Ilustração VI, *Harper's Bible Dictionary* (Nova York: Harper & Brothers, 1954).

[9] IB, vol. II, p. 300.

[10] *Ib.*, p. 302.

[11] Cf. Dt 19.1-10.

[12] As cidades escolhidas foram: Bezer, Ramote-Gileade e Golã, do lado leste do rio Jordão; e Hebrom, Siquém e Cades, do lado oeste.

[13] Israel usou cada vez menos a prática de vingar sangue. Este fato se deu à medida que Israel entendia os conceitos éticos mais sublimes que Deus constantemente lhes passava, e à proporção que se fortaleciam os princípios e leis de procedimentos que regiam o homicídio culposo e não intencional.

[14] Especificamente, distinguir o crime involuntário do crime intencional. Ressalta a distinção entre estes tipos de pecado e o reconhecimento por Deus de que o ato não intencional não é pecado no mesmo sentido que o outro. O pecado não intencional é protegido pelas providências da expiação.

[15] A narrativa em Deuteronômio 19.1-10 dá mais ênfase à intenção do que ao instrumento.

Bibliografia

I. COMENTÁRIOS

CLARKE, Adam. *The Holy Bible with a Commentary and Critical Notes*, Vol. I. Nova York: Abingdon Press, s.d.

CLARKE, W. K. Lowther, *Concise Bible Commentary*. Nova York: The Macmillan Company, 1953.

ELLICOTT, Charles J. "Numbers." *Ellicott's Commentary on the Bible — The Layman's Handy Commentary Series*. Editado por Charles J. Ellicott. Grand Rapids: Zondervan Publishing House, 1961.

ELLIOTT-BINNS, L. "The Book of Numbers" (Introduction). *Westminster Commentaries*. Londres: Methuen & Company, 1927.

GORE, Charles, GOUDGE, H. L. e GUILLAUME, Alfred. *A New Commentary on the Holy Scriptures*. Nova York: The Macmillan Company, 1945.

GRAY, George Buchanan. *A Critical and Exegetical Commentary on the Book of Numbers*. "The International Critical Commentary." Editado por Charles A. Briggs *et al.* Nova York: Charles Scribner's Sons, 1903.

GRAY, James C. e ADAMS, George M. *The Bible Encyclopedia*, Vol. I. Cleveland: F. M. Barton, 1903.

HENRY, Matthew. *Commentary on the Whole Bible*, Vol. I. Nova York: Fleming H. Revell Company, s.d.

HERTZ, J. H., editor. *The Pentateuch and Haftorahs*. Londres: Soncino Press, 1952.

KEIL, C. F. e DELITZSCH, F. *Commentary on the Pentateuch*, Vol. III. Edimburgo: T. & T. Clark, s.d.

KERR, David W. "Numbers." *The Bible Expositor*. Editado por Carl F. H. Henry. Filadélfia: A. J. Holman Company, 1960.

MARSH, John. "Numbers" (Introduction and Exegesis). *The Interpreter's Bible*, Vol. II. Editado por George A. Buttrick *et al.* Nova York: Abingdon Press, 1953.

MAYS, James L. "The Book of Leviticus, the Book of Numbers." *The Layman's Bible Commentary*. Editado por Balmer H. Kelly *et al.*, Vol. IV. Richmond, Virgínia: John Knox Press, 1959.

MORGAN, G. Campbell. *Exposition of the Whole Bible*. Westwood, Nova Jersey: Fleming H. Revell Company, 1959.

NEIL, William. *Harper's Bible Commentary*. Nova York: Harper & Row, 1962.

WADE, George W. "Numbers." *A Commentary on the Bible*. Editado por Arthur S. Peake. Nova York: Thomas Nelson & Sons, 1962.

WATSON, Robert A. "The Book of Numbers." *The Expositor's Bible*. Nova York: A. C. Armstrong & Son, 1903.

WESLEY, John. *Explanatory Notes upon the Old Testament*, Vol. I. Bristol: William Pine, s.d.

WHITELAW, Thomas. "Introduction to Numbers." *Pulpit Commentary*. Editado por Joseph S. Exell. Nova York: Funk & Wagnalls, s.d.

WINTERBOTHAM, R. "Numbers" (Exposition). *Pulpit Commentary*. Nova York: Funk & Wagnalls, s.d.

II. OUTROS LIVROS

ALBRIGHT, William F. *Archaeology of Palestine and the Bible*. Westwood, Nova Jersey: Fleming H. Revell Company, 1935.

ARROIS, Georges A. "Weights and Measures, Hebrew." *Twentieth Century Encyclopedia of Religious Knowledge*. Grand Rapids: Baker Book House, 1955.

ELDER, John. *Prophets, Idols and Diggers*. Indianápolis: Bobbs-Merrill, 1960.

GEIKIE, Cunningham. *Hours with the Bible*, Vol. II. Nova York: James Pott & Company, 1893.

HURLBUT, Jesse Lyman. *A Bible Atlas*. Nova York: Rand McNally & Company, 1938.

KENYON, Kathleen M. *Archaeology in the Holy Land*. Londres: Ernest Benn, Limited, 1960.

MILLER, Madeleine e MILLER, J. Lane. *Harper's Bible Dictionary*. Nova York: Harper & Brothers, 1954.

OWEN, G. Frederick. *Archaeology and the Bible*. Westwood, Nova Jersey: Fleming H. Revell Company, 1961

PURKISER, W. T. et al. *Exploring the Old Testament*. Kansas City: Beacon Hill Press, 1955.

THOMPSON, J. A. *Archaeology and the Old Testament*. Grand Rapids: William B. Eerdmans Publishing Company, 1959.

TURNER, George Allen. *The More Excellent Way*. Winona Lake, Indiana: Light & Life Press, 1952.

UNGER, Merrill F. *Archaeology and the Old Testament*. Grand Rapids: Zondervan Publishing House, 1954.

WRIGHT, G. Ernest. *Biblical Archaeology* (Edição Abreviada). Filadélfia: The Westminster Press, 1960.

WRIGHT, G. Ernest e FILSON, Floyd V. "The Kingdoms of Israel and Judah in Elijah's Time." Plate VI. *Harper's Bible Dictionary*. Nova York: Harper & Brothers, 1954.

O Livro de
DEUTERONÔMIO

Jack Ford

A. R. G. Deasley

Introdução

A. Autor e Data

O Livro de Deuteronômio é composto quase que inteiramente de discursos atribuídos a Moisés. Há também breves seções históricas consideradas da lavra de Moisés. Quando o Antigo e o Novo Testamento citam a lei de Moisés, referem-se, em sua maioria, a este livro do Pentateuco. Por estas e outras razões, os estudiosos conservadores conferem sua autoria ao grande legislador de Israel. Isto não significa que não haja comentários e dados de informação histórica editados e inseridos por outros escritores. Mas, este ponto de vista leva a sério as declarações exaradas no livro e o testemunho geral pontilhado no restante da Bíblia concernente à autoria mosaica.

Os estudiosos que adotam o, digamos, ponto de vista de Wellhausen, sustentam, com várias modificações, que Deuteronômio é uma composição que contém algum material antigo, parte do qual derivado de Moisés, mas produzido por um profeta ou escola de profetas pouco antes de 621 a.C. Neste ano, o livro da lei foi descoberto por Hilquias, no Templo, e lido na presença do rei Josias. Este episódio desencadeou uma série de reformas que os estudiosos deste ponto de vista declaram que foi baseada em Deuteronômio (2 Rs 22.8—23.25; 2 Cr 34.14—35.19). Ponto de destaque entre estas reformas foi a retirada dos altares idólatras e dos altares erigidos ao Senhor nos lugares altos. Os reformadores também insistiram que os sacrifícios deviam ser oferecidos somente no santuário central em Jerusalém.

Estes estudiosos asseveram que a perspectiva de Deuteronômio é semelhante ao Livro de Jeremias, aos dois livros de Reis e a outra literatura profética de fins do século VIII a.C. a início do século VII a.C. Afirmam que a idéia de um santuário central exclusivo era desconhecida a tais dignitários como Samuel e Elias. Estas são algumas das principais razões apresentadas para imputar a autoria de Deuteronômio a um profeta ou escola profética mais ou menos no começo do século VII a.C.

A evidência para este ponto de vista não é bastante forte para ocasionar um consenso geral entre os estudiosos. E. Robertson atribui a edição de Deuteronômio a Samuel. Por outro lado, Hölescher imputa esta tarefa ao período pós-exílico.

Ademais, se o livro foi escrito para corrigir a prática de adoração nos lugares altos, é surpreendente que tal costume não seja especificamente mencionado. Supomos que um autor escrevendo em princípios do século VII a.C. fizesse alusão a Jerusalém ser o santuário central, se um dos propósitos primários do autor (ou autores) fosse centralizar todos os sacrifícios ali. A semelhança em perspectiva entre este livro e a literatura profética pode ser explicada pela influência de Deuteronômio nos escritores proféticos.

O fato de a leitura de Deuteronômio ter ocasionado certas reformas não é indicação segura de que foi escrito nos dias de erros de adoração, mais do que a Bíblia foi escrita pouco antes da Reforma protestante.

Contribuição importante ao assunto é o *Treaty of the Great King* (Tratado do Grande Rei).[1] Kline afirma que a estrutura e o conteúdo de Deuteronômio se ajustam ao padrão de tratados redigidos entre uma suserania e seu vassalo. Estes tratados começavam com um preâmbulo que identificava o estado suserano (cf. 1.1-5), seguido por um prólogo histórico (cf. 1.5—4.49). Depois, vinham as estipulações do tratado (cf. caps. 5—26), sucedidas por uma exposição de maldições, no caso de não observância, e de bênçãos, na observação fiel (cf. caps. 27—30). O tratado era concluído com a listagem das testemunhas (cf. 31.16-22; 31.28—32.45), instruções sobre onde guardá-lo e suas proclamações recorrentes e periódicas (cf. 31.9-13), e providências para a sucessão dinástica (cf. caps. 31—34, *passim*). Kline alega que a estrutura de Deuteronômio tem afinidade mais estreita com os tratados do segundo milênio a.C. Sua tese dá impulso ao ponto de vista de que Deuteronômio é uma unidade pertencente à era mosaica.

O assunto da autoria é vasto e complicado, e não é o propósito deste comentário analisá-lo em detalhes. Esta breve exposição serve para indicar algumas das principais questões relacionadas à autoria e data, e explicar a razão para tratar Deuteronômio como substancialmente mosaico.

B. Características

É provável que o título "Deuteronômio" tenha sido retirado da expressão grega *deuteronomion touto*, tradução que a Septuaginta faz da frase: "um traslado desta lei" (17.18), literalmente, "esta segunda lei". Levando em conta que a maior parte do livro consiste em reformulações da lei feitas por Moisés na véspera da travessia do rio Jordão para entrar em Canaã, este título foi aceito por ser apropriado.

Em sua maioria, Deuteronômio é uma série de discursos feitos por Moisés. Estão na linguagem do povo e são dirigidos a todo o Israel. O propósito é lembrar os velhos e informar os jovens acerca do concerto com o Senhor e das leis que o compõem.

As exigências são lealdade absoluta ao Senhor e separação de todos os falsos deuses e sua adoração (7.5). Neste sentido, o Senhor é um Deus ciumento, que não tolera rivais e repudia a lealdade dividida (5.7-10). Nada que tenha a probabilidade de desviar seus filhos de adorá-lo ou de corromper-lhes o caráter e a conduta deve subsistir (7.5). Os cananeus licenciosos devem ser destruídos para que não contaminem o povo santo com as práticas pecaminosas destes povos (7.1-4; 20.16-18). Os éditos terríveis nos fazem estremecer, mas a degradação da raça eleita para o advento do Messias teria efeitos ainda mais medonhos.

Mas o livro também contém composições aprazíveis e majestosas. Neste livro, mais que em qualquer outro do Pentateuco, Deus declara o amor por seus filhos (7.13; 10.15; 23.5) e o desejo que lhes devota (6.5; 30.6). Deus ensina seu povo a ser misericordioso e generoso para com os órfãos, as viúvas, os pobres e os estrangeiros (10.18; 15.7).

Há insistência inflexível na justiça. A justiça deve ser feita indiscriminadamente aos ricos e aos pobres, aos grandes e aos pequenos (1.16,17), e ir a ponto de corrigir pesos e regular medidas (25.13-16).

Deuteronômio é um livro "amistoso e prestativo". Encontrando animais extraviados pertencentes ao vizinho, o israelita deve restituí-los ao dono e, se vir animais de terceiros em dificuldade, deve prestar ajuda (22.1-4).

A obediência a Deus é comparada à vida e bênção; a desobediência, à morte e maldição (11.26-28; 30.19). Este fato deu origem à expressão o "estilo de vida deuteronômico": a bondade ocasiona prosperidade, e a maldade ocasiona adversidade e sofrimento. Há quem advogue que esta interpretação da história percorre os livros históricos da Bíblia. Seus críticos admitem que este ponto é verdadeiro, mas declaram que existem severas limitações. Defendem que Isaías mostra maior *insight* ao perceber que o sofrimento vicário é muito maior que a justiça florescente. O Livro de Jó foi provavelmente escrito em contradição direta a uma aplicação por demais canhestra do ponto de vista deuteronômico. Mas a passagem de 8.2,3 constata o valor da disciplina do sofrimento. O próprio Moisés é notável exemplo do justo que sofre voluntariamente por causa de sua identificação com um povo rebelde (3.26; 9.18,19).

C. Importância

Não há o que questionar sobre o valor permanente de Deuteronômio. Os estudiosos liberais e conservadores são prontos em reconhecer a parte que o livro desempenha no desenvolvimento da religião israelita. A história de Israel é escrita do ponto de vista deuteronômico e seus monarcas são pesados nas balanças deste livro. Foi plausivelmente lido na leitura da lei quando da reforma efetuada por Esdras e Neemias depois do retorno do exílio, e é provável que figurava com proeminência nos festivais culturais.

É óbvio que nosso Senhor meditou profundamente em Deuteronômio e enfrentou a investida tripla de Satanás com uma defesa tripla retirada do arsenal deste livro (8.3; 6.13,16). Citou parte do *Shema* (6.4,5) quando perguntou sobre o maior mandamento (Mc 12.28-30). O apóstolo Paulo, quando se estendeu em suas considerações sobre a simplicidade e acessibilidade da lei, aplicou ao evangelho a descrição feita por Moisés (Rm 10.6-8; cf. Dt 30.11-14).

D. Deuteronômio e Santidade

Que elucidações Deuteronômio proporciona para a doutrina da santidade? Os expositores, influenciados por Hebreus 3.1-11 e outros textos do Novo Testamento, vêem na terra de Canaã um tipo da experiência do enchimento do Espírito e de total santificação (cf. At 26.18). Deuteronômio é profuso em promessas pertinentes à terra e em exortações a possuir a herança divinamente providenciada (*e.g.*, 1.8; 7.1; 11.8,9).

Além desta significação tipológica, Deuteronômio nos lembra que a experiência religiosa genuína é validada pela conduta íntegra. O êxtase religioso é espúrio se não se manifesta em relações justas e sociáveis, e na justiça comercial e social.

Deuteronômio nos ensina que a lealdade a Deus é a essência da verdadeira espiritualidade. Este princípio não permite acordo com nada que seja contrário a Deus e exige separação de todas as relações e práticas ilegítimas.

A essência da santidade é o amor. O *Shema* (6.4-9) resume o dever supremo do homem em tais termos. Deus ama seu povo e busca ser amado por ele. Seu desejo é que seus filhos o sirvam com alegria. Ele possibilita este amor retirando tudo que o impeça, de forma que amemos o Senhor de todo o nosso coração (30.6).

Esboço

I. **Discurso Introdutório: Revisão**, 1.1—4.43

    A. Tempo e Lugar, 1.1-5
    B. De Horebe a Cades-Barnéia, 1.6-46
    C. Procedimentos para com Edom, Moabe e Amom, 2.1-23
    D. A Conquista de Seom e Ogue, 2.24—3.29
    E. Exortação Final, 4.1-40
    F. A Designação das Cidades de Refúgio, 4.41-43

II. **Discurso Principal: A Lei**, 4.44—26.19

    A. Introdução, 4.44-49
    B. Os Dez Mandamentos, 5.1—11.32
    C. Outros Mandamentos, 12.1—26.19

III. **Discursos Finais: O Concerto**, 27.1—30.20

    A. A Cerimônia de Ratificação, 27.1-26
    B. A Sanção do Concerto, 28.1-68
    C. O Juramento do Concerto, 29.1—30.20

IV. **A Perpetuação do Concerto**, 31.1—32.47

    A. Proteções Preparatórias, 31.1-30
    B. Procedimento de *Impeachment*: O Cântico do Testemunho, 32.1-47

V. **A Morte de Moisés**, 32.48—34.12

    A. A Bênção de Moisés, 32.48—33.29
    B. A Morte de Moisés e a Sucessão por Josué, 34.1-12

Seção I

DISCURSO INTRODUTÓRIO: REVISÃO

Deuteronômio 1.1—4.43

A. Tempo e Lugar, 1.1-5

Estas são as palavras, ou "discursos" (NTLH), **que Moisés falou a todo o Israel** (1). Deuteronômio era essencialmente um livro para o laicato, da mesma forma que Levítico era um manual para os sacerdotes e levitas. É improvável que todas as pessoas pudessem ouvir Moisés de uma vez só, mas os representantes da nação estavam presentes.

Além do Jordão é, literalmente, *eber*, "a travessia" ou "vale" do Jordão. É termo usado para se referir ao lado leste (4.41,49) e ao lado oeste (3.20,25; 11.30). Ainda que não haja expressão qualificativa para indicar de que lado se quer dizer, é surpreendente que possa ser entendido como alusão ao *lado oposto* do qual o autor escreveu. Neste caso, o palavreado mostraria que os versículos iniciais foram escritos na terra de Canaã como explicação editorial do lugar onde os discursos foram feitos. Adam Clarke sugere que as palavras poderiam ter sido adicionadas por Josué ou Esdras.[1] Mas certos estudiosos consideram que a expressão hebraica *eber Yorden* é descrição técnica do lado leste do rio Jordão.

Em hebraico, a palavra traduzida por **deserto** representa qualquer área de terra desabitada, não necessariamente um deserto. A **planície** é "Arabá" (ARA), o vale profundo que vai de norte a sul do mar Morto. Há muito que a identificação dos outros lugares — **Parã, Tofel, Labã, Hazerote** e **Di-Zaabe** — é tema de discussão entre os estudiosos. Alguns os consideram indicações da rota **desde Horebe** (2, outro nome do monte Sinai) até à fronteira da terra de Canaã. Sendo assim, a menção desses locais é histórica e dramática, bem como geográfica. A depressão da Arabá, onde os discursos foram feitos, se estendia até ao golfo de Áqaba (mar Vermelho; ver Mapa 3), e ao longo do seu lado oeste acha-se a rota para Sinai, onde a lei foi proclamada. Outros críticos esposam que a menção é a um lugar chamado **Sufe** (1) e não ao mar Vermelho (*yam suph*). Completam dizendo que os outros nomes são de lugares que não podem mais ser identificados no vale do Jordão, defronte de Bete-Peor, na terra de Moabe (cf. 4.46).

O escritor acrescenta um comentário significativo: **Onze jornadas há desde Horebe, caminho da montanha de Seir** (a rota leste que margeia as fronteiras de Edom) **até Cades-Barnéia** (2). Só 11 dias de viagem, mas que levou quase 40 anos! Quantos se condenam a anos de peregrinação no deserto, vivendo uma vida abaixo do melhor, quando poderiam estar desfrutando a plenitude da bênção da santificação total de Deus (cf. Hb 4.1-11)!

Como Jacó (Gn 49), Josué (Js 24), Samuel (1 Sm 12), Davi (1 Rs 2) e nosso Senhor (Jo 14—16), Moisés fez um discurso exortativo ao final da vida. Sua liderança terminou com uma marca de vitória obtida nas batalhas contra **Seom** (4; cf. 2.24-37) e **Ogue** (cf. 3.1-22).

Depois da indicação cuidadosa do tempo e lugar, o registro nos informa que **Moisés falou aos filhos de Israel, conforme tudo o que o SENHOR lhe mandara acerca deles** (3). A base do discurso final foi a revelação que Deus já lhe tinha dado, embora algumas leis sejam mencionadas aqui pela primeira vez e outras, já anteriormente entregues, tenham sido modificadas. Tratava-se essencialmente de sua exposição final da lei, pois este é o significado do verbo **declarar** (5).

No hebraico, o termo "lei" é *torah*. "A palavra *torah* se refere à orientação moral ou a um único ensino específico, como em Provérbios 1.8: 'Não deixes a doutrina [*torah*] de tua mãe'. É aplicada a um conjunto de preceitos ou ensinos religiosos — como a porção central do livro (Dt xii—xxvi). Denota a totalidade da doutrina e vida religiosa de Israel — a *Torah* de Moisés."[2] A lei (*Torah*) veio a ser o nome hebraico para aludir ao Pentateuco (Ed 7.6) e, às vezes, a todo o Antigo Testamento (Rm 3.19).

B. DE HOREBE A CADES-BARNÉIA, 1.6-46

O primeiro discurso é primariamente uma revisão histórica dos procedimentos do Senhor com Israel. As investigações estabelecem que a estrutura de Deuteronômio corresponde estreitamente aos tratados redigidos pelas nações daqueles dias entre um estado suserano e seu vassalo. Estes começavam com uma narração histórica, e depois havia uma lista de cláusulas que delimitavam os termos do concerto. Concluíam com um pronunciamento de bênção, na observância fiel das cláusulas, e anátemas, no caso de infidelidade (ver "Introdução", subdivisão "Autor e Data"). A forma de Deuteronômio é um testemunho de sua unidade e antiguidade.

1. *A Conclamação para Possuir a Terra* (1.6-8)

Revelação requer ação. Não era para Israel ficar acampado indefinidamente em Horebe. O Senhor chamou a nação para possuir a terra de Canaã, sobre a qual faz descrição minuciosa (7). A **planície** é a região norte da Arabá, o vale do Jordão, terminando no mar Morto. A montanha é a cadeia de montanhas central. O **vale** é o Sefelá, os contrafortes entre a cadeia de montanhas central e a planície marítima. A **ribeira do mar** é a planície que se estende para dentro da costa do Mediterrâneo a uma distância de seis a

24 quilômetros. O **Sul** é o Neguebe, região de estepe seca ao sul de Judá. A cadeia de montanhas do **Líbano**, ao norte, e o rio **Eufrates**, a leste, são fronteiras naturais ideais. Duas nações importantes são identificadas com a terra. Os **amorreus** constituíam nação poderosa que entraram na Palestina pelo norte e se instalaram na região montanhosa. Os **cananeus**, que ocupavam a planície, eram provavelmente de origem fenícia.

O versículo 8 introduz um tema que ocorre periodicamente ao longo do livro. **Eis aqui esta terra, eu a dei diante de vós; entrai e possuí a terra que o SENHOR jurou a vossos pais, Abraão... que a daria a eles e à sua semente depois deles**. A terra é um presente divino a ser possuído pela fé na promessa divina; esta é condição válida para todas as gerações de crentes.

2. *A Nomeação de Príncipes Assistentes* (1.9-18)

O crescimento traz seus problemas. Quem dera que todos os nossos problemas fossem deste tipo! Deus prometera a Abraão que tornaria sua semente tão numerosa **como as estrelas dos céus** (10), promessa que tem seu cumprimento aqui (cf. Gn 15.5). No versículo 12, Moisés menciona as dificuldades de governar um número tão grande de pessoas. As **moléstias** ("peso", ARA) e **cargas** se referem às responsabilidades gerais de liderança, e as **diferenças** ("contenda", ARA), às disputas entre grupos e indivíduos. Logo Moisés percebeu que precisava de assistentes. A sugestão foi feita primeiramente por Jetro, seu sogro (cf. Êx 18.13-27), mas é possível que certa solução semelhante já lhe tivesse ocorrido. Adotou-a e a propôs às tribos. Primeiro, estipulou as qualificações para a liderança — **homens sábios, inteligentes e experimentados** (13; cf. NTLH). Depois, Moisés deu aos israelitas a oportunidade de apresentar candidatos que lhes fossem aceitáveis, e ele os nomeou para o ofício. O Novo Testamento descreve arranjo semelhante na escolha dos primeiros diáconos (At 6.1-6).

Estes homens são chamados **cabeças** (15; *rashim*), **capitães** (*sarim*; "chefes", ARA) e **governadores** (*shoterim*; "oficiais", ARA). Os **governadores** eram aqueles que faziam cumprir as ordens de um superior ou eram magistrados. A palavra **juízes** (16) diz respeito aos **cabeças** (13) em sua função judicial. A imparcialidade e a compaixão, que são características de Deuteronômio, seriam mostradas quando julgassem **justamente**. **Não atentareis para pessoa alguma em juízo**, ou seja, os juízes tinham de ser imparciais ao lidar com **o pequeno** e com o **grande** (17), com o **irmão** israelita e com o **estrangeiro** (16). Os líderes não deviam temer os homens, porque eles eram os representantes de Deus (17). Moisés deu orientações gerais (18) e era a autoridade última (17).

Há orientações para "A Liderança da Igreja": 1) A responsabilidade da liderança, 12; 2) O compartilhamento e qualificação para a liderança, 13,15; 3) A execução da liderança, 16,17.

3. *A Exploração da Terra* (1.19-25)

Recordações pungentes estão resumidas no versículo 19. O atual conflito entre Israel e as nações árabes exibiu ao mundo o calor e a desolação cruéis daquele **grande e tremendo deserto** — a península do Sinai. Mas nos dias acerca dos quais Moisés fala, a nação estava em marcha a uma terra que mana leite e mel. É impossível identificar com certeza **Cades-Barnéia**, mas sabemos que se situava próximo da fronteira sul de Canaã (ver Mapa 3).

Moisés falou com realismo e fé — ótima combinação. Levou em conta a **montanha** e os **amorreus** (20), mas viu a terra como presente e possessão. Exortou o povo israelita: **Sobe e possui-a... não temas e não te assustes** (21). O verbo *possuir* (*yarash*) significa "entrar na posse de uma terra ou propriedade expulsando ou tomando o lugar de seus ocupantes anteriores, quer pela conquista ou pelo processo de herança. Este verbo ocorre não menos que 52 vezes em Deuteronômio."[3]

O versículo 22 fornece mais esclarecimentos sobre a exploração que os espiões fizeram na terra. Em Números 13.1,2, Deus manda Moisés enviar homens para espiar a terra. Os rabinos judeus enfatizam que o termo hebraico é *leka*, que quer dizer "envia para ti mesmo", frase que interpretam como: "Se tu queres enviar os espiões, envia". Em outras palavras, Deus permite sem aprovar. Esta pode ser indicação de que a iniciativa partiu do povo, como está expressamente declarado aqui. Moisés aprovou (23), confiante de que a inspeção não mostraria nada de errado com a terra. Repare no cuidado em verificar que cada tribo fosse representada na investigação (23). Foram os espiões que deram este nome ao **vale de Escol** ("cacho", 24). Ficava perto de Hebrom (ver Mapa 3). Quando voltaram, os espiões fizeram um excelente relatório inicial. Mostraram o **fruto da terra** e atestaram sua boa qualidade (25). Mas desastrosamente fracassaram ao resvalar na linguagem da incredulidade.

4. *A Recusa em Entrar* (1.26-33)

A recusa dos israelitas em possuir a terra é declarada de modo enfático e condenada nos termos mais categóricos. Primeiramente, não quiseram **subir** (26). Em segundo lugar, murmuraram nas **tendas** (27). Ficaram em casa e se recusaram a tomar parte na marcha à frente. E, finalmente, acusaram Deus de ter raiva deles. E tudo aconteceu porque as pessoas que fizeram o relatório aumentaram as dificuldades e ignoraram as possibilidades (28). Quanto aos **gigantes** (28), ver comentários em 2.21. Era verdade que as **cidades** eram **grandes e fortificadas**, mas Deus podia derrubar as muralhas — como de fato fez mais tarde em Jericó (Js 6.20). Os cananeus eram mais fortes e maiores que Israel; mas, como Moisés corretamente lembrou os israelitas, o **SENHOR** já os livrara dos egípcios, nação muito mais poderosa que qualquer uma de Canaã, e Ele ia **adiante** (30) deles para lutar por eles.

Em resposta à acusação absurda de que o Senhor os odiava, Moisés fala ternamente do cuidado paternal do Senhor **no deserto** (31). Ele imagina Deus indo à frente deles como um pastor a fim de achar o lugar para eles armarem as tendas, revelando sua presença de **noite** e de **dia** (33).

5. *O Julgamento do Senhor* (1.34-40)

O Senhor ficou descontente por terem os israelitas se recusado a entrar na Terra Prometida, do mesmo modo que ficou quando fizeram o bezerro de ouro (cf. Nm 14.11,12). A recusa deliberada em receber as bênçãos de Deus pode ser tão desastrosa quanto a transgressão positiva.

A sentença irrevogável foi pronunciada: **Nenhum dos homens desta maligna geração verá esta boa terra que jurei dar a vossos pais** (35). Podemos arriscar nossa utilidade e felicidade futura em um momento de incredulidade e rebelião. As pessoas se deserdaram e atrasaram o propósito de Deus em abençoar uma geração inteira.

Mas houve exceções. **Calebe e Josué**, sob risco de vida, não cederam diante do movimento de rebelião (Nm 14.10). Por esta causa, Deus os excluiu da sentença dos rebeldes e lhes prometeu um lugar na terra. **Calebe** é mencionado em primeiro lugar. Que menção mais honrosa podemos receber do que o Senhor nos dizer que insistimos em segui-lo (36)? "Só homens que acreditam cegamente no que Deus diz, como Josué e Calebe, e sabem que contra seu poder não há quem possa, perseveram em *seguir a Deus* e recebem a altura, o comprimento, a largura e a profundidade da salvação de Deus."[4]

Calebe obteve, para sua descendência, a porção da terra que ele inspecionara (36; cf. Js 14.9,12). **Josué** (38) recebeu o privilégio de conduzir toda a segunda geração à Terra Prometida. O que fazemos e somos não afeta somente a nós mesmos; afeta os outros também.

Há uma nota de tragédia pessoal neste discurso de Moisés: **Também o SENHOR se indignou contra mim por causa de vós** (37). **Por causa de vós**: "A palavra hebraica (*galal*) é derivada de um radical que significa 'rolar', e tem o sentido primário de reviravolta nos acontecimentos, numa circunstância, numa ocasião ou razão".[5]

A sentença que Deus determinou ao povo rebelde lembrou Moisés da sentença de exclusão que há muitos anos ele mesmo incorrera em Cades. Provocado pelas reclamações dos israelitas, ele se comportara de modo a desagradar ao Senhor. O texto bíblico descreve que o deslize de Moisés foi: 1) Incredulidade que resultou em falha em santificar ao Senhor (Nm 20.10-12); 2) ruptura de fé no Senhor e falta de respeito a sua santidade (Dt 32.51, NTLH); e 3) espírito amargo e palavras irrefletidas (Sl 106.33). Em sentido muito real, este sofrimento foi vicário; pois se Moisés não tivesse se identificado tão inteiramente com os queixosos, ele teria consentido com a destruição deles e se tornado o progenitor de outra nação (Êx 32.10; Nm 14.12). "Indignaram-no também junto às águas da contenda, de sorte que sucedeu mal a Moisés, por causa deles; porque irritaram o seu espírito, de modo que falou imprudentemente com seus lábios" (Sl 106.32,33).

Vemos indicação da estatura moral de Moisés quando Deus o comissionou com a tarefa de encorajar seu jovem assistente, Josué, a fazer o trabalho que lhe fora proibido de fazer. O amor de Moisés pelo rebanho ferido era tão grande que de boa vontade empreendeu a missão de preparar o homem que levaria os israelitas à terra à qual ele foi proibido de entrar. Não é de admirar que ele seja um tipo do Messias (cf. 18.18,19; At 3.22,23)!

Vossos meninos, de que dissestes: Por presa serão... eles a possuirão (39). Deus sempre está interessado no bem-estar de nossos filhos mais do que nós. Fazer as coisas do jeito de Deus talvez signifique impor sobre nossos filhos certas restrições, mas sempre é o melhor para eles e para nós. Note a incumbência que Deus coloca sobre quem não é moralmente responsável. Em hebraico, o termo traduzido por **meninos** (*tappim*) significa aqueles que caminham a passos curtos. Estas "crianças" (NTLH; NVI) não tinham a capacidade de chegar a uma decisão certa em tal questão. Mesmo os jovens de até 20 anos de idade teriam dificuldade em discernir as questões morais envolvidas, quando todas as pessoas mais velhas — exceto Moisés, Arão, Josué e Calebe — eram unânimes em recusar entrar na terra.

A solidariedade da nação é proeminente nesta passagem. Moisés estava discursando essencialmente para os filhos dos atores principais na peça dramática que ele estava ensaiando. Mas estas crianças foram tratadas como parte da nação que passava por estas experiências. As crianças maiores de 12 anos e até as mais novas teriam certas lembranças pessoais dos eventos.

6. O Preço da Arrogância (1.41-46)

É característico da natureza humana, sobretudo da natureza humana caída, não apreciar algo bom até que seja perdido. Esta é uma das principais dores angustiantes do inferno. Quando os israelitas ficaram sabendo que não deveriam fazer o que tinham recusado fazer, resolveram imediatamente fazer. Provavelmente se deram conta de que não havia alternativa à terrível experiência de 40 anos em "todo aquele grande e tremendo deserto" (19). Qualquer coisa era melhor que isso.

Há um elemento de desatenção moral na atitude das pessoas. "É freqüente tentarmos compensar o fracasso moral de não fazer a coisa certa, no momento certo, procurando afoitamente fazer agora, no momento errado, o que deveríamos ter feito antes."[6]

Teimar em fazer a coisa certa, no momento errado, é tanta rebelião quanto fazer a coisa errada, no momento certo (43). Apesar do aviso de que o Senhor não estava **no meio de vós** (42) eles insistiram em subir. O termo **vos ensoberbecestes** (43) é palavra muito forte no original hebraico. Significa "agir com insolência, impetuosidade, perniciosidade". Só poderia haver um resultado. Os **amorreus** os perseguiram **como fazem as abelhas** (44). O texto de Números 14.45 menciona os amalequitas e os cananeus. Este é exemplo de como os termos "amorreu" e "cananeu" eram, às vezes, usados intercambiavelmente. Os amalequitas não pensaram duas vezes em aproveitar a oportunidade de vitória (cf. 25.17,18). **Horma** ("destruição") se situava no extremo sul, provavelmente pouco ao norte de Cades-Barnéia (ver Mapa 3). Os israelitas foram perseguidos até quase ao acampamento. Não é de admirar que chorassem! Mas, pelo que deduzimos, era mais remorso que arrependimento, pois o **SENHOR não os ouviu** (45).

O versículo 46 é exemplo de expressão idiomática semítica empregada por um escritor que ou não sabe ou não tem motivo para falar explicitamente:[7] **Assim, em Cades estivestes muitos dias, segundo os dias que ali estivestes**.

Na história de Israel em Cades-Barnéia, vemos que "Obediência Significa Progresso". A idéia fundamental está em 2.3. 1) A desobediência ocasionou atraso: 38 anos de frustração e futilidade. A obediência os teria levado à Terra Prometida em apenas 11 dias, 1.2,26-28; 2) A desobediência sempre resulta em atividade impaciente e cansativa, sem progresso, 2.1ss.; 1.34,35; 3) A obediência é resultado de um senso de direção certa no cumprimento, 2.3,4 (G. B. Williamson).

C. Procedimentos para com Edom, Moabe e Amom, 2.1-23

Depois que descreve a rebelião em Cades-Barnéia e seu resultado trágico, Moisés se volta para o período que precede a época do seu discurso. Há somente breve referência aos longos anos passados no deserto pela região de Cades-Barnéia e do monte Seir.

Antes de mencionar as vitórias sobre Seom e Ogue, Moisés fala sobre os procedimentos dos israelitas para com quem tinham relações de sangue. "A amizade mostrada a Edom, Moabe e Amom como 'irmãos' é característico das eras patriarcal e mosaica, e serve de testemunho do teor contemporâneo da narrativa. Nos dias do reino, dava ensejo a guerras constantes, e profecias de guerras ferrenhas".[8]

1. Edom (2.1-8a)

Depois de **muitos dias** (1) em Cades-Barnéia (1.46), os israelitas viajaram em direção sudeste ao longo da fronteira de Edom para o **mar Vermelho** (golfo de Áqaba). Principalmente nesta região, a maior parte dos 40 anos foi gasta com, talvez, uma ou mais visitas a Cades-Barnéia (cf. 14). De acordo com o relato em Números 20.14-21, deduzimos que, viajando de Cades-Barnéia, os israelitas pediram permissão para atravessar o território de Edom. Quando o pedido foi negado, acompanhado por ameaças de guerra, eles marginaram as fronteiras de Edom e viajaram em direção sul ao mar Vermelho (golfo de Áqaba; Nm 21.4). Daqui, segundo a narrativa deste capítulo deuteronômico, Deus lhes ordenou: **Virai-vos para o norte** (3), indo pelas cercanias a leste da terra de Edom (4).

Não era para tomarem posse dessa região, pois o Senhor a dera aos descendentes de **Esaú** (5), irmão de Jacó. Os israelitas deviam possuir somente o território que o Senhor lhes designara; não tinham de ser mera nação de conquistadores. Deus lhes ordenou que comprassem comida ou água de que precisassem (6). O **SENHOR**, que dera a ordem, possibilitara o cumprimento ao abençoá-los mesmo quando peregrinavam pelo **deserto** (7). O Plano B de Deus é mais bem sucedido que o Plano A do mundo.

Passamos pelos **filhos de Esaú**, por **Elate** e por **Eziom-Geber** (8). Elate e Eziom-Geber são dois nomes para o mesmo lugar ou dois lugares muito próximos situados na extremidade norte do golfo de Áqaba (ver Mapa 3). Pelo visto, Israel se manteve pelas periferias do território edomita. As fronteiras do Leste não estavam provavelmente tão bem definidas como a fronteira do Oeste e não eram tão facilmente defendidas.

2. Moabe (2.8b-15)

Acerca de Moabe, o Senhor deu precisamente as mesmas instruções que dera concernente a Edom.

A maior parte deste parágrafo é considerada nota histórica relativa aos antigos habitantes de **Ar** (8), a principal cidade. As informações podem ter sido acrescentadas mais tarde como nota explicativa depois que Israel se estabelecera na terra (cf. 12b). Em hebraico, o termo traduzido por **gigantes** (11) é "refains" (ARA; cf. NTLH). Os refains eram uma raça aborígine gigantesca que habitava partes da Palestina. Tinham nomes diferentes em localidades diferentes. **Emins** (10) pode ser derivado do termo *emah*, que quer dizer "terror". Os **anaquins** eram notórios por sua estatura alta. A palavra hebraica *anak* pode ter o significado de "o [povo] de pescoço longo".

A narrativa prossegue mencionando a destruição que os edomitas infligiram nos antigos habitantes do monte **Seir** (12; ver Mapa 3). Há duas vertentes sobre quem eram os **horeus**. Uma diz que eram moradores das cavernas, possível significado do termo *horim* (cf. Is 42.22, onde o termo é traduzido por "cavernas"). Opinião mais recente afirma que eram os poderosos e civilizados hurrianos, alguns dos quais se instalaram na Palestina.[9]

Subjacente a estas referências está a filosofia da soberania divina na história humana. Entre os movimentos e conflitos das nações, em que predominam motivos e esforços humanos, Deus executa seu propósito. A batalha nem sempre é do forte. Há outro fator na história.

Levantai-vos agora e passai o ribeiro de Zerede (13). **O ribeiro de Zerede** é uma torrente de montanha, que forma um rio em tempos de chuva e que seca em outras épocas (*i.e.*, era um vádi). Deságua na extremidade sudeste do mar Morto e antigamente estabelecia a fronteira entre Edom e Moabe (ver Mapa 2). O texto de Números 21.12 nos informa que os israelitas se acamparam neste vale. Daí a ordem para se levantarem (13). Esta era fase definida da viagem que empreenderam ao longo das fronteiras de Edom e Moabe em direção a Amom.

O período entre a saída de **Cades-Barnéia** (14) e a travessia do **ribeiro de Zerede** é fixado em **trinta e oito anos**. O propósito de Deus teve de ser detido até que fossem afastadas as pessoas que lhe eram contra.

3. *Amom* (2.16-23)

Os **amonitas** (20) ocupavam o território entre os rios Arnom e Jaboque (ver Mapa 2) a oeste dos territórios dos reis amorreus, Seom e Ogue. À medida que os israelitas percorriam ao longo da fronteira leste de Moabe, talvez cruzando-a perto de Ar, eles iriam "chegar perto da fronteira dos amonitas" (19, NVI; cf. NTLH). Por conseguinte, o Senhor os avisa mais uma vez a não tomar posse deste território. Os amonitas tinham de ser tratados como irmãos, da mesma forma que os israelitas trataram Edom e Moabe.

Os habitantes originais de Amom também foram os "refains" (ARA; cf. NTLH), a quem chamavam **zanzumins** (20). Este nome "tinha relação com o termo árabe *zamzamah*, que significa 'um barulho distante e confuso', e com a palavra *zizim*, o som do *jinn* ouvido à noite no deserto. A palavra pode ser traduzida por 'cochichadores', 'murmuradores' e denota o espírito dos gigantes que supostamente assombravam os montes e ruínas da Palestina Oriental".[10]

Era do conhecimento de todos que os irmãos dos israelitas em Edom e Moabe conseguiram expulsar os gigantes dos territórios que Deus lhes dera para possuírem. Este fato torna ainda mais culpável a incredulidade dos israelitas concernente ao poder divino de lhes dar a terra de Canaã apesar dos **gigantes** (21; "anaquins", ARA; cf. NTLH).

Existe outra nota histórica, desta feita acerca dos **aveus, que habitavam em aldeias até Gaza** (23; cf. ARA). Estes foram destruídos pelos **caftorins** (os filisteus), que vieram de **Caftor** (Creta). Talvez este povo seja mencionado aqui porque pertencia aos refains, ou porque foi desapossado de modo semelhante por invasores.

Estas notas históricas têm suas lições. Os versículos 10 a 13 e 20 a 24 sugerem que: 1) O presente pode aprender com o passado. A história, sacra e secular, é tremenda influência na formação de pessoas de caráter da raça viva. 2) A igreja pode aprender com o mundo. A nação santa é estimulada ao identificar o que os outros povos fizeram na busca das ambições seculares. 3) O fracasso pode aprender com o sucesso. Temos de nos cientificar que não somos os primeiros a ter de enfrentar gigantes.[11]

D. A Conquista de Seom e Ogue, 2.24—3.29

Moisés agora se volta para as recentes vitórias obtidas sobre os dois reis amorreus. Estas conquistas fizeram história. Não foram as primeiras vitórias que Deus dera ao povo israelita (cf. Êx 17.8-13; Nm 21.1-3). Mas este foi o começo da posse da terra.

DISCURSO INTRODUTÓRIO   DEUTERONÔMIO 2.24—3.1

1. Seom de Hesbom (2.24-37)

O primeiro passo na conquista de Seom foi a chamada de Deus à ação apoiada pela garantia de vitória. A vitória e a terra eram dos israelitas por presente de Deus, mas tinham de ser possuídas e conquistadas metro por metro. Deve haver um começo para que haja a vitória. O moral é fator vital na guerra. Deus promete que Ele começará a **pôr um terror e um temor de ti diante dos povos que estão debaixo de todo o céu** (25). A influência é tão imprescindível no serviço quanto o moral é na guerra. Temos de depender de Deus se queremos afetar corretamente o coração daqueles a quem procuramos ganhar para Ele.

Embora ciente de qual seria a provável resposta, Moisés se apresentou a **Seom, rei de Hesbom** (26), com uma proposta de paz e bom senso. Temos de agir de acordo com os princípios da justiça e moral ainda que saibamos que nosso vizinho fará o oposto. Pelo que inferimos da proposta de Moisés, alguns edomitas e moabitas tiveram relações comerciais com os israelitas enquanto viajavam ao longo das fronteiras do Leste (28,29). Será que havia comerciantes entre eles que não queriam perder negócio, ou o povo bondoso ficou comovido com as necessidades de Israel?

Como no caso de Faraó, o registro bíblico diz que Deus endureceu o **espírito** de Seom e lhe tornou o **coração** obstinado para entregá-lo na **mão** (30) de Israel. Em sentido muito real, todos os processos da vida, material e moral, são atribuíveis à soberania de Deus. Quanto mais os homens resistem a Deus e ao bem, mais propensos serão em agir assim, por causa do caráter que estão formando, e menos facilidade terão em escolher o que é certo. Talvez no caso de Seom e Faraó tenha havido um endurecimento judicial como clímax ao trajeto de rebelião deliberada e vontade própria. "A quem os deuses destroem eles primeiro o deixam furioso." Seom, acintosa e deliberadamente, colocou a si e a seu povo numa trajetória que desencadeou julgamento merecido sobre eles. A iniqüidade da nação agora estava cheia (cf. Gn 15.16) e tinham de dar lugar a um povo que expulsaria o mal da terra.

A batalha foi empreendida em **Jaza** (32), que provavelmente estava na rota de **Hesbom** (26), a capital. Moisés atribui ao **SENHOR, nosso Deus** (33), a vitória decisiva de Israel. Todas as cidades com todos os habitantes foram postos sob maldição (*cherem*), ou seja, foram totalmente destruídos (34; cf. 20.16-18). Esta ação não foi feita por avidez de sangue ou carnificina cruel, mas para que os habitantes não ensinassem os israelitas "a fazer conforme todas as suas abominações, que fizeram a seus deuses" (20.18). Entre as abominações incluíam-se sacrifícios de crianças, prostituição ritual e sodomia. Não obstante, nosso coração dói ao pensar na destruição total de homens, mulheres e especialmente criancinhas. E deve mesmo doer. Mas o pecado é algo repugnante com resultados repugnantes, e às vezes, só a morte pode deter seu curso. Na cruz, o próprio Filho de Deus morreu para acabar com o pecado.

Israel conquistou a totalidade do reino de Seom **desde Aroer, que está à borda do ribeiro de Arnom... até Gileade** (36). Esta conquista deu posse aos israelitas junto à fronteira de **Amom**, cujo território deixaram intacto, e até a **borda do ribeiro de Jaboque** (37), a fronteira de Ogue, para quem a história agora se volta.

2. Ogue de Basã (3.1-29)

O capítulo 3 trata da derrota de Ogue e, depois, lida com a distribuição do seu território. Termina com o pedido que Moisés fez a Deus para entrar na terra a oeste do rio Jordão, agora que a posse começara no lado leste.

a) *A conquista* (3.1-11). **Ogue** era o **rei de Basã**, reino que se situava ao norte do território de Seom. Ficava acima do ribeiro de Jaboque, tendo **Edrei** (1) e "Astarote" (1.4) como capitais. O próprio rei era um tremendo concorrente, sendo da gigantesca raça dos refains. Mas Israel, animado pela vitória sobre **Seom** (2) e encorajado por Deus, invadiu o território de Ogue e o derrotou completamente em Edrei. Estas duas vitórias causaram profunda impressão na consciência nacional de Israel e foram celebradas em discursos (Ne 9.22) e canções (Sl 135.11; 136.19,20). Viver no passado é sinal de decadência, mas aprender as lições do passado e criar coragem é o segredo do sucesso futuro.

Esta narrativa faz parte do discurso de Moisés. Sua repetição do número de cidades e suas fortificações contém algo a nos ensinar: **Fortificadas com altos muros, portas e ferrolhos** (5). Os espiões tinham insistido na impossibilidade de possuir Canaã por causa de suas "cidades [...] grandes e fortificadas até aos céus" e os gigantes anaquins (1.28). Mas confiando em Deus, Israel pudera capturar as cidades solidamente fortalecidas de Basã e derrotar o seu rei gigante.

Mais uma vez as **cidades** (5,6) foram postas sob maldição (*cherem*). Parece-nos terrível matar as pessoas e poupar o **gado** (7). Mas o homem, muito mais que os animais, pode descer tanto que sua presença constitui ameaça que, de certo modo, a presença de animais não ameaça.

O versículo 8 fornece a extensão da posse territorial recentemente conquistada: **desde o rio Arnom**, a fronteira de Moabe (ver Mapa 2), até **ao monte Hermom** no norte, distância de cerca de 190 quilômetros. Na fronteira leste estava o território de Amom. Assim Moisés, antes de morrer, teve permissão de ver Israel na posse de considerável território. Note os nomes para o monte **Hermom** (9), visível da maior parte da Terra Prometida. Todos os nomes são descritivos: **Hermom**, "o cume alto"; **Siriom** e **Senir**, o "peitoral" brilhante de gelo. O versículo 10 enumera os ganhos em termos de **cidades**: "todas as cidades do planalto" (ARA), **Edrei**, a cidade real, e **Salca**, no extremo oeste. **Gileade** e **Basã** eram excelentes terras pastoris.

Os estudiosos estão divididos sobre um quesito do versículo 11: Refere-se à armação do **leito de ferro** de Ogue ou ao seu caixão de pedra (sarcófago)? Nessa região, há muitos desses caixões de pedra feitos de basalto preto contendo certa porcentagem de ferro. As medidas eram de 4,10 metros por 1,82 metro.[12] Pelo visto, os amonitas tomaram posse desse objeto e o mantiveram em sua capital, **Rabá**.

b) *A distribuição do território* (3.12-22). Pelo que deduzimos, a melhor porção do território, embora não a maior, era a que ficava entre os ribeiros de **Arnom** e **Jaboque**. Esta região foi dada às duas tribos, Rúben e Gade (12,16). O restante do território norte foi dado **à meia tribo de Manassés** (13). **Jair** (14), descendente **de Manassés**, tomou posse da parte norte do território de Ogue, chamado **Argobe**, até as fronteiras dos **gesuritas e maacatitas** ("Gesur e Maacá", NTLH), duas tribos sírias localizadas a leste do Hermom. Chamou as aldeias segundo seu nome, "Havote-Jair" (ARA), ou seja, "aldeias da tenda" de Jair. **Maquir** (15) era o nome dos manassitas que possuíram Gileade ou se tratava de outro nome da tribo de Manassés. A fronteira leste das duas tribos e meia era o lado oriental do vale do Jordão, **desde Quinerete** (17, cidade que deu nome ao mar de Quinerete, o mar da Galiléia) ao **mar Salgado** (o mar Morto).

Moisés lembrou às duas tribos e meia da obrigação que lhes cabia. Tinham de ajudar as nove tribos e meia a possuir a herança à oeste do Jordão, assim como as outras

DISCURSO INTRODUTÓRIO   DEUTERONÔMIO 3.18—4.1

tribos as capacitaram a possuir o território à leste. As **mulheres, crianças** e **gado** poderiam permanecer no território recentemente adquirido, mas os homens não seriam dispensados da obrigação até que os **irmãos** tivessem entrado na herança (18-20).

Com esta vista do Jordão, Moisés incentivou **Josué** a ser corajoso no futuro pelos triunfos do passado (21,22).

Estes versículos revelam "As Qualidades de um Líder": 1) O reconhecimento dos triunfos divinos do passado, 21a; 2) A efetivação da ajuda futura, 21b; 3) A recusa em temer, 22.

c) *O pedido de Moisés* (3.23-29). Moisés não disfarça seu desejo intenso de entrar na Terra Prometida. Os textos onde ele menciona este desejo não realizado estão entre os trechos mais tristes de Deuteronômio. A tragédia é que a pessoa que mais desejava entrar na terra achou-se impedida por uma atitude de incredulidade, que não lhe era típica, e ato de loucura de sua parte. Talvez não entendamos bem este impedimento, mas é ilustração clara do princípio de que mais luz implica em maior responsabilidade.

Rogo-te que me deixes passar, para que eu **veja esta boa terra** (25). **Porém o SENHOR indignou-se muito contra mim, por causa de vós** (26). Certos estudiosos entendem que estas palavras significam sofrimento puramente vicário de Moisés a favor do povo. De comum acordo, no hebraico, a expressão **por causa de vós** é diferente da expressão "por causa de vós" que aparece em 1.37. Pelo visto, um pensamento semelhante está presente em ambos os lugares.

O SENHOR... não me ouviu; antes, o SENHOR me disse: Basta; não me fales mais neste negócio. Há quem considere que **basta** é uma ordem para parar de pedir; outros reputam que Moisés já desfrutava de muitos privilégios e não precisava pedir mais.

Contudo, a metade da oração foi respondida. Foi-lhe permitido ver a terra desde o cume do Pisga, perto, ainda que não pudesse entrar. E foi-lhe garantido que o empreendimento que ele começara teria uma conclusão bem-sucedida por **Josué** (28).

Esta não foi a última vez que Moisés viu a terra. "Em um 'monte santo' (Hermom ou Líbano) Moisés e Elias estavam com o Salvador do mundo, e conversaram acerca de uma conquista muito mais gloriosa que Josué: 'a partida de Jesus, que estava para se cumprir em Jerusalém' (Lc 9.31, NVI)."[13]

Este parágrafo nos dá *insights* sobre "Os Princípios da Oração": 1) A oração deve começar com louvor, 24; 2) A oração deve ser feita com desejo veemente, 25; 3) A oração exige fé e conduta obediente, 26; 4) A oração é respondida do jeito de Deus, 27,28.

E. EXORTAÇÃO FINAL, 4.1-40

Tendo concluído a revisão histórica, Moisés passa a fazer sua exortação final. Esta também está entremeada de apelos às experiências do passado da nação para dar força à substância do apelo.

1. *O Privilégio da Revelação de Israel* (4.1-8)

Moisés começa a peroração estendendo-se sobre o grande privilégio de Israel ser o recebedor da revelação divina. Esta revelação requer resposta prática. Tem de ser atendida e traduzida em obediência ativa: **Ouve** (1). Certos estudiosos não fazem distinção entre **estatutos** (*chuqqim*) e **juízos** (*mishpatim*). Outros consideram que **estatutos** são revelações de validade permanente (*choq* significa "esculpido ou inscrito") e sancionadas por Deus e pela consciência. Por outro lado, **juízos** são regras de lei "formuladas por autoridade ou estabelecidas por costume antigo, pelas quais o juiz (*mishpat*) deve se guiar em certos casos específicos".[14] De acordo com a tradição judaica, **estatutos** são os preceitos, a razão da observância negativa que inculca disciplina e obediência — por exemplo, as leis dietéticas (cf. 14.3-20).[15] **Mandamentos** (2, *mitswoth*) é termo mais geral para designar qualquer coisa que seja mandada por Deus, incluindo regulamentos temporários como a colheita do maná (Êx 16.28).

Nada deve ser acrescentado ou tirado da lei de Deus (2). A idéia principal é que não deve haver tentativas de perverter o significado claro da lei divinamente dada. Jesus acusou os fariseus de invalidar a palavra de Deus pela tradição que eles mesmos inventavam e transmitiam (Mc 7.13). A lei deve ser reverentemente preservada e igualmente observada. Guardar a palavra de Deus significa vida; desobedecer-lhe significa morte, como testifica o destino daqueles que morreram em conseqüência de sucumbirem às seduções das moabitas para adorar **Baal-Peor** (3; cf. Nm 25.1-9). Baal quer dizer "senhor". Entre as nações em Canaã e circunvizinhanças, cada localidade tinha seu deus ou baal local. A imoralidade fazia parte regular da adoração de Baal, na qual havia oferecimentos de sacrifícios de crianças. **Baal-Peor** era o nome da deidade da cidade de Peor. Bete-Peor (3.29; "casa de Peor") seria o local do seu templo. O verbo **vos chegastes** (4) denota forte submissão (cf. At 11.23).

Observe os termos **ensino** (1) e **ensinado** (5). O próprio Deuteronômio é uma exposição das leis dadas, já tendo em vista as novas condições na Terra Prometida. O cumprimento destas leis impressionaria os **povos** adjacentes com a **sabedoria** e o **entendimento** (6) de Israel. De certa forma, quando a igreja cristã leva a sério a Palavra de Deus, o mundo a respeita. O parágrafo se encerra com uma exclamação relativa à grandeza de Israel. Não havia outra nação contemporânea, nem mesmo a maior, cujo deus esteve tão perto **como o SENHOR** (7) esteve de Israel, perto o bastante para ouvir todas as vezes que o chamava. Não havia outra **gente** (8) que fosse exaltada por leis tão justas.

2. O Perigo da Idolatria (4.9-31)

O grande privilégio da revelação de Deus a Israel trazia consigo uma responsabilidade especial.

a) *A revelação original tem de ser lembrada* (4.9-14). Em Deuteronômio, repetidas vezes Moisés leva a nação de volta à revelação histórica de Deus em **Horebe** (10). Os principais fatos devem ser firmemente lembrados e ensinados às gerações subseqüentes. Moisés enfatizava sobretudo a ausência de forma que desse base à idolatria. Os israelitas ouviam uma **voz** (12) que dava os mandamentos e fazia um concerto, apelando à consciência e fé, mas não havia **semelhança** ("forma", NVI; "aparência", ARA) alguma. Moisés foi delegado a lhes ensinar **estatutos e juízos** (14), para com isso validar a revelação divina dada a um homem escolhido. Mas nada que podia ser visto ou tocado estava visível em Horebe, para que a adoração não fosse materializada e sensualizada e a matéria se exaltasse acima do espírito. Como se deu com Israel, assim ocorre com cristãos; temos de recorrer constantemente à revelação original concedida no Novo Testamento e manter nossa fé e serviço puros.

b) *A revelação original não deve ser corrompida com idolatria* (4.15-24). Este parágrafo apresenta várias formas de idolatria. Os israelitas foram advertidos a se manter longe de **escultura** (16; *pesel*, "imagem esculpida", cf. ARA). Não deviam copiar figura ou forma. A **figura de macho ou de fêmea** pode se referir à adulação sexual na adoração pagã, na qual os órgãos sexuais eram adorados com ritos obscenos. Eram os egípcios e outras nações que adoravam animais, pássaros, insetos, répteis e **peixe** (17,18).

O versículo 19 proibia Israel de adorar o **sol**, a **lua** ou as **estrelas**, que eram influência dominante na religião babilônica. Qual é o significado de: **Àqueles que o SENHOR, teu Deus, repartiu a todos os povos debaixo de todos os céus** (19)? Certos expositores julgam que significa que esta forma de adoração era permitida por Deus para as nações que não tinham a revelação especial de Israel como estágio para a verdadeira adoração (cf. At 14.16,17; 17.30). Mas para os israelitas, inclinar-se a esses elementos significava apostasia e repúdio ao **concerto do SENHOR** (23) que os libertara. **Do forno de ferro** (20) é metáfora para designar aflição severa (cf. 1 Rs 8.51; Is 48.10; Jr 11.4). **Um fogo que consome, um Deus zeloso** (24), indica o amor ardente que não tolera rivais e destrói tudo que seja contrário à natureza divina. Moisés se refere de novo à raiva que o Senhor teve do patriarca, excluindo-o da Terra Prometida (21,22). O propósito era avisar o povo que não se deve brincar com Deus e exortá-los a não se esquecerem do concerto, quando Moisés já não estivesse com eles para fazer cumprir suas reivindicações.

c) *Deus tratará de Israel com base na revelação original* (4.25-31). Se os israelitas menosprezarem a revelação singular dada por Deus, Ele os castigará; mas caso se arrependerem e se voltarem a Ele segundo as condições do concerto, Ele os restabelecerá.

Moisés previu o risco de as gerações futuras se esquecerem do concerto. Quanto mais nos afastamos dos dias do concerto original, maior o perigo de decadência espiritual, a não ser que o concerto seja renovado em novos enchimentos do Espírito. O envelhecimento, idéia contida na palavra hebraica traduzida por **vos envelhecerdes** (25), pode ocorrer até a quem entra na Canaã da santidade de coração. Pelo fato de o concerto não ser renovado, nossa experiência envelhece e perdemos a herança.

Moisés toma **o céu e a terra... por testemunhas** (26). Ou se tratava de um apelo a testemunhas celestes e humanas ou de apelo poético aos fenômenos fixos da natureza que sobrevivem ao envelhecimento das gerações dos homens. Ele afirma que julgamento inevitavelmente ocorrerá a toda forma de idolatria transgressora do concerto. Haverá reversão completa das bênçãos da observância fiel: os israelitas serão desapropriados da **terra** prometida, e seu **número** (27) diminuirá. Novamente estarão em escravidão a nações idólatras e, ao servi-las, serão escravos dos seus deuses artificiais, cegos, mudos e inanimados.

Mas o Deus que é um fogo consumidor também é um **Deus misericordioso**, que não se esquece **do concerto** (31). No exílio, Ele ouvirá o clamor dos seus se o buscarem **de todo o... coração e de toda a... alma** (29), voltarem-se a Ele e obedecerem-lhe a **voz** (30).

Moisés, como "o primeiro e o maior profeta da longa sucessão de profetas",[16] revelou este *insight* sobre o caráter de Deus e a fragilidade do povo para que estabelecesse o padrão dos acontecimentos futuros. Ao lado disto, como outro dos profetas, ele teve indubitavelmente visões extáticas do futuro.

3. *O Privilégio de Ser o Eleito de Deus* (4.32-40)
O discurso de Moisés atinge agora um clímax magnífico neste parágrafo.

a) *Um privilégio único* (4.32-34). Estes versículos estão na forma de perguntas retóricas. Moisés convida o tempo (32a) e o espaço (32b), a história e a geografia, para fornecer outro exemplo de nação que tenha a experiência de Deus como Israel teve. Nenhuma outra nação tinha ouvido Deus falar **do meio do fogo** (33) e sobreviver. Nenhum outro deus tinha separado para si um **povo** do domínio de outro **povo** (34) maior. Há estudiosos que afirmam que as **provas** se refiram a Faraó, ao passo que outros dizem que são os testes aos quais Deus submeteu Israel. Provavelmente ambos os pontos de vista estão certos. **Sinais** são atos significativos; **milagres** ("maravilhas", NVI), ações sobrenaturais; **peleja**, a ruína do exército egípcio no mar Vermelho. **Mão forte** ("mão poderosa", ARA) e **braço estendido** ("braço forte", NVI) representam a onipotência divina em ação. **Grandes espantos** são demonstrações terríveis do poder divino. A redenção de Israel estava fundamentada na história, e a nossa também está, na cruz e na ressurreição. Das três palavras gregas usadas no Novo Testamento para aludir a milagres, duas são encontradas aqui na Septuaginta: *semeion*, "sinal", e *teras*, "milagre". A terceira é *dynamis*, "obra de poder" (cf. Hb 2.4).

b) *O propósito do privilégio* (4.35-38). Deus escolheu os israelitas **porque amava** seus **pais** (37). Foi uma eleição baseada no amor e graça divinos; mas não devemos menosprezar a atitude de fé e obediência por parte dos patriarcas, notavelmente por Abraão. Porque amou, Deus deu a Israel seu poder e sua presença (cf. Êx 33.14,15). E seu propósito em tudo era que, primeiramente, soubessem **que o SENHOR é Deus; nenhum outro há, senão ele** (35). Davies declara que os versículos 35 e 39 "ensinam o monoteísmo absoluto".[17] Em segundo lugar, que fossem ensinados (ou disciplinados, cf NVI) nos caminhos divinos (36); e, em terceiro, para que ele os estabelecesse na Terra Prometida (37,38).

c) *A obrigação do privilégio* (4.39,40). Os israelitas não eram os favoritos mimados de um Deus indulgente. Tal concepção é um insulto ao caráter divino. Ser o povo eleito de Deus trazia consigo a obrigação de honrá-lo no **coração** (39) como supremo e guardar os **seus estatutos** (40). Só assim as coisas lhes iriam **bem**. Há uma verdade vital na ênfase deuteronômica. No final das contas, somos guardados ao guardar a Palavra de Deus ou quebrados ao quebrá-la.

F. A Designação das Cidades de Refúgio, 4.41-43

Pelo visto, esta ação foi empreendida entre o primeiro e o segundo discurso. O relato talvez tenha sido escrito por Moisés ou tenha qualidade de nota editorial. Quanto à finalidade das cidades de refúgio, ver comentários em 19.13 e também em Números 35.6,11-34.

É impossível localizar estas três cidades com certeza. Pensamos que **Bezer** (43) ficava exatamente a leste do lugar do discurso no território de Rúben. Consideramos que **Ramote** é o mesmo que Ramote-Gileade. Porém, ficava no território de Manassés e não em Gade. Julgamos que **Golã** se situava no norte do território de Manassés. Todas as cidades foram escolhidas por serem de fácil acesso para a maioria da população, a fim de que o assassino não intencional tivesse a chance de declarar sua inocência. **Daquém do Jordão** (41) é referência clara à margem leste do rio Jordão (cf. comentários em 1.1).

Seção II

DISCURSO PRINCIPAL: A LEI

Deuteronômio 4.44—26.19

A principal seção do livro é dedicada a uma exposição da lei de Deus. Começa com os Dez Mandamentos e, em seguida, passa a tratar de outras leis religiosas, civis e sociais.

A. Introdução, 4.44-49

Os termos que aqui descrevem a lei são **testemunhos** (45), **estatutos e juízos** ("ordenanças", NVI). Quanto a **estatutos e juízos**, ver comentários em 4.1. **Testemunhos** é tradução literal da palavra hebraica *edoth*. Neste texto representa "declarações solenes da vontade de Deus sobre questões de dever moral e religioso".[1]

O lugar **daquém do Jordão** (46) é o mesmo que está indicado em 1.1,5 e 3.29. As referências anteriores definem que os israelitas estão na terra de Moabe, ao passo o texto sob estudo declara que estão no território recentemente conquistado de **Seom, rei dos amorreus**. Mas outrora, esta parte do reino de Seom pertencera aos moabitas (cf. Nm 21.26).

Quanto à conquista de Seom e Ogue (46-49), ver comentários em 2.26 a 3.17. O nome do monte Hermom, **Siom** (48; "exaltar, erguer"), não deve ser confundido com o monte Sião, "montanha ensolarada".

B. Os Dez Mandamentos, 5.1—11.32

1. *Cenário, Conteúdo e Comunicação* (5.1-33)

a) *Cenário* (5.1-5). Este capítulo começa com uma exposição dos Dez Mandamentos. São tratados como a base do **concerto** (2) entre Deus e Israel. O concerto é feito

DISCURSO PRINCIPAL: A LEI

DEUTERONÔMIO 5.1-15

não só com as pessoas da geração passada, que infelizmente não cumpriram seus deveres, mas também com as pessoas a quem Moises discursa. Muitas destas, como as crianças e os adolescentes, estavam presentes em Horebe (2,3).

O padrão literário do Decálogo tem afinidade com o padrão em que se faziam os tratados internacionais daqueles dias, sobretudo os tratados entre um poder superior e estados vassalos.[2]

b) *Conteúdo* (5.6-21). Devemos comparar esta exposição dos Dez Mandamentos com a que aparece em Êxodo 20.1-17. Há poucas diferenças, mas as duas narrativas são substancialmente as mesmas. Há quem pense que as palavras originais escritas nas tábuas de pedra continham apenas os mandamentos em sua forma concisa e que Moisés, mais tarde, acrescentou interpretações inspiradas.[3] As interpretações em Deuteronômio são particularmente adequadas para a vida em Canaã.

O primeiro mandamento começa com a menção do nome divino (6; cf. Êx 3.13,14). Nenhum outro deus deve se intrometer entre o Senhor e o seu povo redimido.

O segundo mandamento proíbe a idolatria (8,9), sendo seqüência natural do primeiro. Esta proibição inclui a fabricação de imagens de outros deuses e a representação do Senhor na forma de criaturas celestiais, terrenas ou marinhas, como provavelmente foi o motivo de o povo ter feito o bezerro de ouro. Os versículos 8 e 9 devem ser considerados juntos. Não se trata de proibição de esculpir estátuas ou pintar telas, mas de fazê-las com o objetivo de adoração.

É um fato da vida os **filhos** sofrerem pelos pecados dos pais. Por outro lado, também se beneficiam da fidelidade dos pais. Esta é a vida como Deus a fez, parte do seu vínculo social. Como é séria a responsabilidade dos pais em deixar um bom legado aos filhos a quem amam! Ezequiel deixa claro que Deus prontamente recebe os filhos arrependidos de pais maus (Ez 18.14-17). E considerando que a **maldade dos pais** é visitada na **terceira e quarta geração** (9), a **misericórdia** ("amor firme", RSV) do Senhor se estende a **milhares** de gerações de quem o ama e guarda seus **mandamentos** (10).

O terceiro mandamento (11) está especificamente relacionado a juramentos: tomar o **nome do SENHOR, teu Deus**, levianamente nos lábios ou em falsidade. Uma das marcas de fidelidade a uma deidade era usar seu nome em juramentos (cf. 6.13). Usar o nome sagrado para apoiar uma falsa declaração é o máximo da incredulidade cínica. **O SENHOR não terá por inocente** o indivíduo que assim proceder. O terceiro mandamento tem o desígnio de apregoar reverência e verdade.

O quarto mandamento (12-15) se relaciona a guardar (Êx 20.8, "lembra-te") **o dia de sábado**. As duas idéias principais são descanso (*shabbath*, "sentar-se, cessar") e santidade (12). A ordenação de Deus é o trabalho de seis dias e o descanso de um dia. Haveria menor necessidade de tranqüilizantes e menos colapsos nervosos se observássemos esta lei de higiene espiritual e física. Êxodo 20.11 cita o exemplo do Senhor e relaciona o mandamento ao seu trabalho criativo. Aqui a ênfase é dada no descanso para toda a casa (14). O mandamento é imposto pela lembrança da servidão severa **na terra do Egito** (15) e pela libertação graciosa dada pelo Senhor. Quase que ouvimos Jesus dizer: "De graça recebestes, de graça dai" (Mt 10.8).

Paulo cita o quinto mandamento (16) dizendo que é "o primeiro mandamento com promessa". Ele aplica a promessa de vida longa e bem-estar aos cristãos que o observarem (Ef 6.2,3). Este mandamento acha-se na fundação da verdadeira religião e bem-estar nacional. Está associado aos primeiros quatro mandamentos que tratam da devoção a Deus, porque, no que diz respeito aos filhos, os pais ficam no lugar de Deus.

Os outros cinco mandamentos têm a ver com a justiça social; estão unidos pela conjunção hebraica traduzida por "e". O Senhor é um Deus justo e exige procedimentos justos nas relações humanas. Os primeiros cinco mandamentos contêm cláusulas explicativas, advertências ou promessas. Os últimos cinco são curtos e auto-explicativos. A consciência e nossa experiência suprem a análise racional.

Não matarás (17) é mais bem traduzido por: "Não cometerás assassinato". O termo hebraico *ratsach* sempre é usado com este sentido no Antigo Testamento.

Não adulterarás (18). Este é o pecado contra o cônjuge no casamento, e se há filhos, contra eles também. É desumano e cruel.

Não furtarás (19). Estes três últimos mandamentos têm relação entre si. Assassinar é tomar a vida de um homem; adulterar é tomar a esposa de um homem (ou o marido de uma mulher) e roubar é tomar a propriedade de um homem. Em cada caso, o transgressor exalta desejos e exigências próprias acima dos direitos dos outros, julgando-se de mais valor que o irmão. Agir assim é pecar contra Deus.

O nono mandamento trata do pecado dos lábios: O **falso testemunho contra o teu próximo** (20). Abrange não só o perjúrio, mas toda a mentira prejudicial a nosso semelhante. O ideal de Deus é uma sociedade na qual todo homem fale a verdade com o próximo (Ef 4.25).

O décimo mandamento lida com o pecado do coração (21). Foi este mandamento que fez Paulo ver sua necessidade de uma salvação que lhe mudasse o coração (Rm 7.7). Em Êxodo 20.17, a **casa** é mencionada antes da **mulher**, ao passo que aqui a ordem está invertida. Talvez, no primeiro texto, a palavra "casa" seja usada no sentido de "os indivíduos pertencentes a casa ou família", ao passo que no texto deuteronômico esteja em mente a residência ou o bem imóvel. Por isso, a esposa é mencionada em primeiro lugar em ordem de importância.

Os Dez Mandamentos detêm uma categoria própria: **E nada acrescentou** (22). São fundamentais para a vida correta e o pensamento correto. A nação que almeja ser grande não os ignora. O cristão não quer quebrá-los. Não obstante, todos transgredimos em motivo e espírito. Precisamos de um Salvador que nos resgate da maldição da lei e nos dê a promessa do Espírito pela fé (Gl 3.13,14). Assim, teremos a lei escrita em nosso coração (Hb 10.16) e nos alegraremos no fato de que o amor é o cumprimento da lei (Rm 13.9,10).

c) *Comunicação* (5.22-33). Esta passagem ressalta a ocasião histórica em que Israel recebeu a lei com todos os acompanhamentos impressivos de sua comunicação. Acentua o **monte**, o **fogo**, a **nuvem**, a **escuridade**, a **grande voz** e as **duas tábuas de pedra** escritas pela mão divina (22).

A majestade imponente de toda essa cena era esmagadora. Os líderes de Israel, inteiramente convencidos da autenticidade da revelação, pediram que Moisés agisse como intermediário entre eles e Deus, para que não morressem (23-27). Neste aspecto, Moisés é tipo do único "mediador entre Deus e os homens, Jesus Cristo" (1 Tm 2.5). Há inumeráveis referências bíblicas ao efeito dominante do sobrenatural sobre o natural (*e.g.*, Dn 10.5-19; Mt 28.2-4; At 9.3-9; Ap 1.17). Esta é uma das razões por que Deus se comunica com o espírito do homem e não pelos cinco sentidos. No caso de Moisés, havia tamanha relação espiritual profunda entre ele e Deus, que ele pôde se aproximar da glória de Deus de certo modo impossível para os outros. Mesmo assim, houve limites a esta aproximação (cf. Êx 33.20).

O Senhor atendeu ao pedido dos líderes, sobretudo tendo em vista a promessa que fizeram de ouvir e fazer **tudo** o que o **SENHOR** (27) dissesse a Moisés. A exclamação divina (29) é característica do teor do livro: reverência de coração, que é conseqüência de guardar **todos** os **mandamentos** para **sempre**, resultando no bem-estar deles e de seus filhos.

As pessoas tiveram permissão de voltar às suas **tendas** (30), mas o homem de Deus não foi dispensado; teve de esperar em Deus para receber a revelação completa (31). Todo cristão nesta dispensação tem acesso direto a Deus. Mas, na prática, quem é ordenado ao ministério tem a obrigação especial de esperar em Deus para receber a palavra para o rebanho. Não há quantidade de atividade que substitua esse dever.

No encerramento do parágrafo, Moisés faz um lembrete (32,33) sobre a obrigação das pessoas manterem a promessa feita pela nação na ocasião da comunicação histórica da lei divina.

Nesta "segunda vez em que a lei é dada" não houve nenhum dos fenômenos sobrenaturais anteriores. A essência desta ocasião era a comunicação da vontade de Deus aos israelitas. A verdade divina perdurou e foi apresentada a eles por Moisés. Não havia necessidade de mais outra autenticação. Exigia apenas obediência, e a bênção de Deus automaticamente se seguiria. Semelhantemente, erramos se necessitamos de fenômenos externos. O dom interior do Espírito está acessível a todos que pedem, crêem e obedecem (Lc 11.13; At 5.32; 15.8,9). Sua plenitude habitadora é a essência do cristianismo do Novo Testamento.

2. *A Dedicação que os Mandamentos de Deus Merecem* (6.1-25)

Neste capítulo, os Dez Mandamentos ainda são o tema principal, visto que são a base do concerto com Deus e o núcleo da Torá (lei).

a) *Dedicação interior e exterior* (6.1-9). O versículo 2 resume o conteúdo do capítulo inteiro. A reverência a Deus se expressa em guardar **todos os... mandamentos... todos os dias** de nossa vida e ensinar nossos filhos a fazer o mesmo.

Os versículos 4 e 5 fazem parte do que chamamos Shema (hb. "ouve"). Este é o credo do judaísmo. **O SENHOR, nosso Deus, é o único SENHOR** ou "O Senhor é o nosso Deus, o Senhor é um" são traduções válidas. Os judeus consideram a palavra hebraica *Yahweh** muito sagrada para ser pronunciada e, por isso, a substituem pela palavra *Adonai*, "meu Senhor". *Yahweh* quer dizer, literalmente, "Ele é" ou "Ele se torna, Ele vem

---

* A RC traduz por "JEOVÁ" ou "SENHOR" (assim, em letras maiúsculas) todas as vezes que, no original, ocorre a palavra hebraica *Yahweh*. (N. do T.)

a ser". Moffatt a traduz por "o Eterno". Os dizeres do versículo 4 declaram que o Senhor é o Deus de **Israel**, que ele é o único Deus e que ele é o mesmo em todos os lugares. Esta descrição estava em oposição aos deuses das nações circunvizinhas, particularmente a Baal que era adorado de diferentes formas e com diferentes ritos em diversas localidades. A palavra **único** não é incompatível com a doutrina cristã da Trindade, ou seja, três Pessoas da mesma substância em uma deidade. Com efeito, a palavra **Deus** está, via de regra, na forma plural nas Bíblias hebraicas como também neste versículo.

Em seguida à confissão de fé há uma exortação para amar. Este padrão ocorre dez vezes em Deuteronômio, e em nenhum outro lugar do Pentateuco.[4] Este amor tem de abranger a personalidade total: **coração, alma** e **poder** (5). Estes três termos envolvem o homem inteiro, sua vida interior e exterior, sua mente, vontade, desejo, emoções psíquicas, energia mental e física, e até suas posses. Quando lhe perguntaram qual era o primeiro mandamento da lei, Jesus citou o Shema, acrescentando "entendimento" (Mc 12.30; Lc. 10.27). Fez isso provavelmente para pôr em relevo o vocábulo grego *dianoia*, que significa "entendimento", usado pela Septuaginta. Também acrescentou Levítico 19.18: "Amarás o teu próximo como a ti mesmo". As pessoas que têm o Antigo Testamento em baixa estima deveriam lembrar que, de suas páginas, o Filho de Deus definiu a religião vital em termos de amor. "A resposta de Jesus estava em concordância com o melhor pensamento judaico sobre o assunto. Em conseqüência disso, os judeus e cristãos consideram esta lei a exigência primária de Deus, o resumo de todas as outras exigências."[5]

As Escrituras declaram: **Estas palavras... estarão no teu coração** (6). O centro da religião está no coração. Mas não deve se limitar a isso. Tem de entrar em circulação nas atividades cotidianas da vida. A palavra de Deus deve ser ensinada aos **filhos**, mencionada em **casa** e pelo **caminho** (7), o último item antes de dormir e o primeiro pela manhã. Até que ponto esta ordem deve ser interpretada literalmente, cada um de nós tem de decidir. Jesus disse: "A boca fala do que está cheio o coração" (Lc 6.45, ARA). Devemos prestar atenção e perceber se o que reputamos estar em primeiro lugar em nossa vida goza de suficiente proeminência em nossas conversas.

As opiniões divergem acerca dos versículos 8 e 9 quanto à literalidade. Driver declara: "Levando em conta a totalidade, é mais provável que a prescrição deva ser interpretada literalmente".[6] Por outro lado, há pouca evidência bíblica ou extrabíblica de ter sido colocada em prática até o tempo dos Macabeus (c. 167 a.C.). A partir do século II d.C., os judeus costumavam usar quatro trechos da lei: Êxodo 13.1-10; 13.11-16; Deuteronômio 6.4-9 e 11.13-21. Punham estas passagens em caixinhas de couro amarradas por correias à mão esquerda e na testa antes das preces matinais. Chamam-se *tefilins*, "orações", ou *filactérios*, provavelmente "meio de proteção". Em um estojo de metal ou de vidro, os judeus também punham os textos de 6.4,5 e 11.13-21 e o fixavam no batente do lado direito da entrada externa de cada compartimento na casa. Chama-se *mezuzá*, "ombreira da porta, batente". Não foi porque usavam filactérios que Jesus censurou os fariseus, mas porque os exibiam pomposamente. Esta ostentação era parte do trágico engano de exaltar as ornamentações da religião acima da atitude do coração.

O tema dos versículos 4 a 11, segundo G. B. Williamson, é "Deus é o Único Senhor". 1) O Senhor na experiência pessoal, 5,6; 2) O Senhor na vida familiar, 7-9; 3) O Senhor da provisão abundante para o céu na terra, 10,11 (cf. 11.21).

b) *Dedicação constante* (6.10-19). Os mandamentos e o concerto do Senhor requerem dedicação constante. Isto será provado sobretudo pela prosperidade. A própria bondade de Deus, se não for aceita em espírito de humildade e gratidão, pode ser fonte de tentação. Imagine só o que **grandes e boas cidades** (10), **casas cheias de todo bem... poços... vinhas e olivais** (11) significariam para uma nação que tinha passado 40 anos no deserto. E tudo era um presente. Na fartura, o homem logo se esquece da adversidade e, lamentavelmente, do que ocasionou a mudança. Havia também a tentação de adotar os **outros deuses** (14) das nações agrícolas circunvizinhas, agora que Israel se tornara um povo agrícola. Mas o **SENHOR** (15) não tolera rivais. Jesus citou o versículo 13 quando foi tentado a adorar Satanás (Mt 4.10; Lc 4.8). Será que ele considerou que a tentação significava conformar-se com os métodos do mundo? No versículo 13, Jesus interpretou o verbo "temer" por *adorar*.

Cristo citou o versículo 16 quando foi tentado a forçar a mão de Deus a operar um milagre (Mt 4.7; Lc 4.12). Ele deve ter meditado muito neste capítulo. É um privilégio seguir seu exemplo. Quanto a **Massá**, ver Êxodo 17.1-7. Deus liberta e supre as necessidades de quem **diligentemente** guarda **os mandamentos** (17) e faz **o que é reto e bom aos olhos do SENHOR** (18).

c) *Dedicação comunicada* (6.20-25). O concerto não foi planejado só para uma geração. Como parte da dedicação, quem recebera a lei e o concerto tinha de comunicá-los aos filhos.

Quando o povo guardasse as leis divinas, Deus esperava que essa observância fiel chamasse a atenção dos filhos (20). Não há preceito que valha muito, a menos que seja reforçado pelo exemplo. Por outro lado, supunha-se que os pais estivessem familiarizados com a história da libertação de Deus para instruir os filhos nos fundamentos da fé. Deuteronômio destaca periodicamente o fato de que os mandamentos divinos são para benefício humano (24). Sua vontade e nosso maior bem são a mesma coisa.

Com relação à declaração **será para nós justiça** (25), Clark escreve: "[A observância da lei é] a *prova* de que estamos sob a influência do temor e amor de Deus. Moisés não diz que esta justiça podia ser produzida sem a influência da misericórdia de Deus, nem diz que [os israelitas] deveriam comprar o céu com ela; mas Deus exigia que eles fossem conformados à vontade divina em todas as coisas para que fossem santos de coração e justos em cada área da conduta moral".[7]

3. *A Separação Exigida pela Lei* (7.1-26)

Há um lado negativo e outro positivo em guardar os mandamentos e o concerto de Deus. No concerto matrimonial, o homem se separa de todas as outras mulheres para ser o marido leal de uma mulher. Este capítulo indica a divisão que tem de haver entre Israel e os cananeus por causa do concerto com Deus.

a) *A separação das nações que contaminam* (7.1-5). A derrota e desaposse das nações em Canaã são atribuídas a Deus. A vitória é dele. Os **heteus** (1), ou filhos de Hete, eram uma nação poderosa e civilizada que dominaram a Síria e a Ásia Menor de 1800 a 900 a.C. Os **jebuseus** eram um povo cananeu que habitava os montes em torno de Jebus (Jerusalém). Pouco se sabe a respeito dos **girgaseus** (no hb., este termo sempre está no singular), a não ser que parece terem povoado certa região de Canaã a oeste do rio Jordão (Js 24.11). Os **heveus** se situavam ao norte, no Líbano e em Hermom (Jz 3.3; Js 11.3), e ao sul, em Quiriate-Jearim e Beerote (Js 9.17). Foi este povo em Gibeão que, ardilosamente, fez paz com os israelitas (Js 9.17). Quanto aos **amorreus** e aos **cananeus**, ver comentários em 1.7. Todos estes seis povos aparecem na relação da linhagem de Canaã, neto de Noé (Gn 10.15-18). Pelo visto, os **ferezeus** viviam principalmente na região montanhosa. Em Josué 17.15, são associados com os refains ou gigantes.

Todos os povos pertencentes a estas nações tinham de ser totalmente destruídos — "postos sob maldição" (*cherem*) —, para que não contaminassem os israelitas (2,4). Os filhos de Israel não deviam contrair matrimônio com esses povos (3; cf. Nm 25.1-9). Todos os objetos de culto deviam ser eliminados (5). Os **bosques** eram árvores ou postes de madeira montados como símbolos sagrados, talvez imagens de Asera, deusa cananéia do mar, a consorte de El ou Baal.[8]

Há vários quesitos que devemos levar em consideração ao lermos passagens como estas. Primeiramente, este mandamento de Deus foi dado a uma nação em particular. Este povo foi escolhido para receber a revelação divina e ser treinado a gerar o Messias e preparar a mente dos homens para o ministério dele (cf. Rm 9.4,5). Esta nação precisava de uma lição prática sobre os resultados medonhos da idolatria e licenciosidade. Em segundo lugar, a ordem de destruir dizia respeito a nações que se tornaram um câncer podre na raça humana, praticando sacrifícios de crianças, sodomia, bestialidade, idolatria e feitiçaria (cf. 7.5; 18.9-12; Lv 18.21-25). Em terceiro lugar, a ordem foi dada em um estágio na cultura do povo escolhido em que a distinção entre a misericórdia aos derrotados e a transigência a seus costumes errados não era nitidamente entendida.

O escritor da Epístola aos Hebreus deixa claro que o Antigo Testamento é o registro de uma revelação progressiva que atinge sua expressão plena com a encarnação do Filho de Deus (Hb 1.1-3). Aplicar estas ordens às guerras de hoje seria emprego errôneo e grosseiro da Escritura. Não há que duvidar que, munido com o evangelho e dotado com o Santo Espírito, Paulo teria entrado em Canaã, como entrou em Corinto, para mostrar o triunfo de Deus sobre o mal nas vidas transformadas (cf. 1 Co 6.9-11). Não obstante, há um princípio permanente nos julgamentos deuteronômicos. Deus, como o Senhor da história, sempre julga as nações que ignorantemente quebram suas leis. Ele usou a Assíria como vara (Is 10.5), Nabucodonosor como servo (Jr 25.9) e as legiões de Roma como arautos do seu julgamento (Lc 21.22; cf. Mt 22.7).

b) *A separação para o Deus que abençoa e dá vitória* (7.6-26). Deus fala que Israel é **povo santo**, separado e santificado; o **seu povo próprio** ("o seu tesouro pessoal", NVI; cf. Tt 2.14). **Próprio** é o mesmo adjetivo hebraico que Davi usa para descrever sua riqueza pessoal em distinção da tesouraria estatal sobre a qual ele tinha controle como rei (1 Cr 29.3, "particular").

Os versículos 6 a 8 sugerem o tema "Escolhidos por Deus": 1) Para sermos santos, 6a; 2) Para sermos dele, 6b; 3) Para sermos humildes, 7; 4) Para sermos herdeiros, 8.

Deus não foi atraído ao povo de Israel por causa de sua numerosidade. Quando chamou Abraão, este não tinha filhos, e tomou para si seus descendentes quando eram minoria como escravos no Egito. A causa da escolha divina achava-se no seu amor (8; cf. Rm 5.6,8; 1 Jo 4.10). O resultado da escolha foi a libertação da **servidão** egípcia, fato que demonstrou a fidelidade e amor divinos. Deus é o **Deus fiel** (9), confiável, firme e coerente. Ele é o Único em quem os crentes obedientes e fiéis podem contar que manterá o concerto terminantemente. É Aquele que os inimigos terão de inevitavelmente encontrar para serem julgados (9-11). "Considera, pois, a bondade e a severidade de Deus" (Rm 11.22).

Nos versículos 12 a 15, as promessas de abençoar fluem como rio sobre um povo fiel e obediente. Tinha a ver com a multiplicação da nação: filhos férteis, terras produtivas e animais fecundos (13,14). Também incluía a promessa de liberdade de **toda enfermidade** (15). O Egito se caracterizava por suas condições de insalubridade. Plínio o descreve como "a mãe das piores doenças".[9] Canaã, caso fosse obediente, seria notório por sua saúde.

O fato que Deus abençoa seu povo obediente e fiel está exarado em todas as páginas da Bíblia. É natural que esta situação se manifeste nas nações de modo visível e material. No caso de indivíduos, é comum a retenção das bênçãos materiais para que recebam bênçãos maiores e mais permanentes. Foi o que ocorreu com o melhor e mais amado de todos: o próprio Cristo. Contando que esta verdade seja considerada, a mensagem de Deuteronômio é autêntica e eterna.

Os versículos 16 a 26 lidam com o poder de Deus para tornar seu povo vitorioso. O Deus que arrancou seu povo do poder de **Faraó** arrancará Canaã do domínio daqueles que a contaminaram. A fim de fortalecer a fé na execução do empreendimento futuro, Moisés chama a atenção para as libertações feitas por Deus no passado (17-19). O patriarca exorta: **Não deixes de te lembrar** (18). A vitória de Deus será estratégica como também grandiosa. Os **vespões** (20) ajudarão Israel, mas as **feras do campo** (22; "animais selvagens", NTLH) serão contidas. Certos estudiosos julgam que os vespões, que eram o distintivo de Tutmoses III e seus sucessores, são referência a invasões egípcias que enfraqueceram a resistência dos cananeus.

O propósito deste discurso era fortalecer a moral de um povo medroso (18,21). Não devia haver outro fiasco como ocorreu em Cades-Barnéia. Deus pode tirar a confiança do coração dos inimigos e colocá-la no coração dos seus servos.

Assim que a vitória é ganha, não deve haver acordo com o mal derrotado (16,24-26). Os cananeus perecerão por causa de sua **abominação** (25). O mesmo destino se apossará dos israelitas se fizerem acordo com o mal devastador (25,26). Deus não está retirando uma nação para dar espaço aos seus favoritos. Ele tem um propósito coerente ao purgar a terra do mal indizível.

4. *O Perigo de Esquecer os Mandamentos* (8.1-20)
Os mandamentos são a base de todas as bênçãos que Deus tem em reserva para Israel. A fim de nunca esquecê-los é necessário manter em mente as lições do passado.

a) *Não se esqueça das lições da disciplina divina* (8.1-6). Deus nos prepara para suas bênçãos. Não há quem possa permanecer no sucesso sem a necessária disciplina divina. Muitos teriam mais êxito se se submetessem ao aprendizado necessário. Ao passo que, com outros, o treinamento é prolongado desnecessariamente, porque "reprovam nas provas". Foi o que sucedeu com Israel. Foram 40 vezes mais longo do precisava ter sido.

Mas a disciplina foi algo bom. **Humilhou** e provou (3). Revelou os verdadeiros motivos do **coração** (2). Tinha a forma de dieta alimentar incomum, para a qual os israelitas dependiam literalmente de Deus todos os dias. Certos estudiosos pensam que o **maná** (3) era a excreção de dois tipos de insetos escamosos que se alimentam de tamargueiras.¹⁰ Se foi assim, e na verdade não temos como obter certeza, então a referência a humilhar é muito apropriada! Este cardápio era uma comida que nem os israelitas nem seus pais tinham previamente conhecido. Mas, sobretudo, Deus humilhou os filhos de Israel para torná-los dependentes dos mandamentos e das promessas divinas. A condição mais importante na vida é ter um relacionamento correto com Aquele que alimenta a alma e o corpo (cf. Mt 4.4; Lc 4.4).

Certos expositores entendem que a declaração: **Nunca se envelheceu a tua veste sobre ti** (4), quer dizer que as roupas dos israelitas não se desgastaram durante os 40 anos. É mais provável que signifique que, pela provisão de Deus, eles fizeram outras roupas, mesmo sendo nômades peregrinando pelo deserto. Pelo mesmo cuidado divino, os pés não incharam. No versículo 5, a ênfase não está na palavra **castiga**, mas no termo **seu filho** (cf. Hb 12.7,8). A lição da disciplina é aplicada: **E guarda os mandamentos do SENHOR, teu Deus** (6).

Os versículos 1 a 6 sugerem o tema "Para que não Esqueçamos": 1) As provas do passado, 2; 2) As lições do passado, 3; 3) O cuidado paternal, 4,5.

b) *Não se esqueça de quem foi que deu a terra* (8.7-20). Temos descrição fiel de como era Canaã no tempo de Moisés (7-9). Charles Wesley descreve a experiência do amor perfeito em termos da terra de Canaã:

> *A land of corn and wine and oil*
> *Favoured with God's peculiar smile*
> *And every blessing blessed...**

O **ferro** (9) é menção à pedra de basalto preta com aproximadamente 20% de teor de ferro. Quanto a **cobre** é tradução correta (cf. NTLH). Na atualidade, a riqueza mineral de Canaã tem sido explorada como nunca.

O tema dos versículos 6 a 10, "Viva pela Palavra de Deus", é sugerido no versículo 3b. 1) Viva pela obediência aos mandamentos de Deus, 6; 2) Viva pela aceitação das disciplinas de Deus, 5 (cf. Hb 12.5-11); 3) Viva pela fé nas promessas de Deus, 7-10 (G. B. Williamson).

É característico da natureza humana passar da escassez para a abundância com uma gratidão inicial, a qual, depois de certo tempo, dá lugar a um espírito de congratulação própria, autocontentamento e, às vezes, rebelião arrogante. Estes versículos apresentam esta tendência e indicam as coibições. **Guarda-te para que ... havendo tu comido, e estando farto... se não eleve o teu coração, e te esqueças do SENHOR** (11-14), **e não digas no teu coração: A minha força** (17) me adquiriu **este poder**. Feliz o homem que sabe equilibrar um estômago cheio com um coração grato e humilde. É extremamente comum a tendência a descambar para outra direção. O coração arrogante inibe a memória da bondade do Senhor e explica a prosperidade em termos de capacidade

---

* Uma terra de trigo, vinho e azeite / Favorecida com o sorriso peculiar de Deus / E abençoada com todas as bênçãos... (N. do T.)

DISCURSO PRINCIPAL: A LEI   DEUTERONÔMIO 8.17—9.11

humana e boa sorte. O resultado triste é nos afastar de nosso Benfeitor e transferir nossa lealdade a uma forma menos exigente de religião, que dê maior amplitude aos desejos mais vis. Esta propensão é copiosamente ilustrada pela história de Israel. Nas palavras gráficas da canção de Moisés: "Engordando-se Jesurum, deu coices" (32.15).

Moisés dá uma prescrição certa para a prevenção de tal eventualidade. Os israelitas devem se lembrar do Senhor ao guardarem **mandamentos** divinos, e nunca se esquecer da libertação do **Egito** (11,14). Devem recordar a orientação, a proteção e a provisão divinas no deserto. Jamais devem esquecer que por trás de toda a capacidade em adquirir **poder** ("riquezas", ARA) acha-se a **força** (18) de Deus. Por fim, a apostasia aos falsos deuses trará sobre Israel o mesmo destino das **gentes** ("nações", ARA) que eles desapossam (19,20).

5. *A Graça Divina por trás da Lei* (9.1—10.11)

É freqüente a lei e a graça serem colocadas em posição de contraste. Vemos aqui o concerto de Deus com Israel baseado nos Dez Mandamentos e arraigado na graça divina.

a) *Aviso contra a justiça própria* (9.1-6). Em 7.17-24, Moisés encorajou os medrosos. Aqui, depois de garantir a vitória do Senhor sobre os cananeus, ele avisa para não se orgulharem quando o empreendimento aparentemente impossível for realizado. Moisés não está prevendo que os israelitas imediatamente atribuirão a vitória à bravura deles. Serão propensos a dizer que o Senhor os usou como executores do propósito divino por causa da **justiça** (4) própria. O orgulho pode se insinuar por meios tortuosos, mas Moisés tomou providências para evitar a entrada desse sentimento. Não foi por causa da **justiça** (*tsedeqah*, "retidão de conduta") ou **pela retidão** do **coração** (*yosher*, "retidão de motivo e propósito") dos israelitas que o **SENHOR** lhes deu vitória; mas **pela impiedade das nações** (5). Portanto, a conquista de Canaã seria um tipo de aviso constante aos israelitas sobre o perigo da impiedade, perigo ao qual sucumbiram mais de uma vez.

b) *Lembrança da rebelião de Israel* (9.7-29). A apostasia infame do bezerro de ouro recebe muita atenção na própria época do estabelecimento do concerto (8-21; cf. Êx 32—33). **Pois, em Horebe** (8) é mais bem traduzido por "até mesmo em Horebe" (NVI). O relato é substancialmente igual ao registro em Êxodo, levando em consideração que foi feito quase 40 anos depois e em forma condensada. Não está claro se Moisés jejuou **quarenta dias e quarenta noites** duas vezes ou se os versículos 9 e 25 se referem ao mesmo evento.

Na opinião de Kline, as **duas tábuas de pedra** (11) eram duas tábuas separadas, cada uma contendo todos os Dez Mandamentos, escritos na frente e atrás (Êx 32.15). Segundo ele, os tratados entre suseranias e vassalos eram habitualmente redigidos em duplicata conforme este procedimento. Uma cópia ficava com o estado suserano e a outra, com o estado vassalo. Cada parte guardava sua cópia no santuário do seu deus. No caso de Israel, ambas as cópias foram depositadas na arca, que estava no santuário do Tabernáculo, porque o Senhor era o Suserano e o Deus de Israel. Nesta interpretação, o ato de Moisés quebrar as tábuas quando viu o bezerro de ouro não foi mero ímpeto de raiva — embora fosse compreensível que estivesse com raiva (Êx 32.19). Tratava-se de ação simbólica da quebra do **concerto** (cf. 15). Certos comentaristas, mesmo discordando da opinião de Kline, interpretam deste modo a quebra das tábuas (Hertz, Alexander, Waller *et al.*).[11]

Moisés lembrou os israelitas da intercessão que fez a favor deles. O **SENHOR** (12) sabia de tudo que estava acontecendo ao pé da montanha. Sua ameaça: **Deixa-me que os destrua** (14), era na realidade um convite à intercessão. O texto em Êxodo declara que Moisés intercedeu imediatamente pelo povo e Deus o ouviu. Mesmo assim, teve pressa em descer **do monte** (15) e tomar providências para deter o pecado do povo. Se vivêssemos suficientemente perto de Deus para tremer o **furor** da sua **ira** (19) contra o pecado, como seria mais eficaz nossa intercessão! A essência da intercessão de Moisés dizia que Israel era o povo e herança do Senhor (apelo ao amor de Deus); que Ele tinha prometido a terra aos patriarcas (apelo à fidelidade de Deus, 27); e que os egípcios entenderiam mal a ação divina (apelo à honra do nome de Deus, 28).

A intercessão de Moisés sugere o tema "Pedidos Persuasivos": 1) **Não destruas o teu povo**, 26; 2) **Lembra-te dos teus servos**, 27; 3) Protege o teu nome, 28.

Os outros incidentes referidos por Moisés ocorreram em: **Taberá** (22; "queima, incêndio"), onde o povo murmurou (cf. Nm 11.1-3); **Massá** ("tentação, prova"; cf. comentários em 6.16); **Quibrote-Hataavá** ("sepulturas do desejo intenso"), onde o povo desejou carne avidamente (Nm 11.4-35); e **Cades-Barnéia** (23; cf. comentários em 1.19-46).

c) *Renovação divina dos mandamentos* (10.1-11). Pelo visto, o Senhor forneceu as primeiras tábuas de pedra para a inscrição dos mandamentos (Êx 24.12). Depois que os israelitas quebraram o concerto, eles, por meio de Moisés, tiveram de fornecer as **duas tábuas de pedra** (1) para a renovação do concerto. Em ambas as ocasiões, o Senhor escreveu os mandamentos nas pedras. A **arca de madeira** diz respeito à arca feita por Bezalel (Êx 37.1) ou a uma arca provisória até que a arca permanente ficasse pronta. A expressão **ali estão** (5) se encaixa muito bem com um discurso feito por Moisés. O concerto fora renovado.

Os quatro versículos seguintes estão na forma de inserção histórica, embora tenham relação direta com o contexto. Os israelitas partiram **de Beerote-Benê-Jaacã** (6; ou "poços dos filhos de Jaacã, cf. NTLH; NVI) a **Mosera** ("castigo, punição"), onde Arão morreu. O texto de Números 33.30 menciona "Moserote" (forma plural), mas entendemos que esta narrativa em Números se refira a uma visita feita certo tempo antes da morte de Arão. Pelo que inferimos, na peregrinação pelo deserto os israelitas passavam pelos mesmos lugares mais de uma vez. **Mosera** ficava provavelmente ao pé do monte Hor (ver Mapa 3). A morte de Arão é mencionada para apresentar a sucessão sacerdotal. Compare **Gudgoda** (7) com "Hor-Hagidgade" (Nm 33.32,33); e note que **Jotbatá** está na lista em Números 33.33,34; estes lugares estavam na mesma vizinhança como **Beerote-Benê-Jaacã** e **Mosera**.

No mesmo tempo (8) é expressão que diz respeito, não à morte de Arão, mas à rebelião em Horebe, quando os levitas atenderam ao chamado de Moisés (Êx 32.26). O registro em Números 3.25,26,30,31,36,37 apresenta os deveres dos levitas. Além de cuidar do Tabernáculo, tinham de ajudar os sacerdotes e, provavelmente em data posterior, participar de corais na adoração. O dever dos levitas era servir o Senhor. Para exercer esta função, eles estavam isentos de cultivar a terra, sendo sustentados com os dízimos das outras tribos. Este é o significado da frase: **O SENHOR é a sua herança** (9).

Embora fosse povo rebelde, Deus perdoou Israel por causa da intercessão de Moisés: **O SENHOR me ouviu... não quis o SENHOR destruir-te** (10). Apesar do episódio escandaloso do bezerro de ouro, Deus renovou a promessa de dar a **terra** (11). A história do concerto era uma história do fracasso do povo e da incessante graça de Deus.

6. *Exortações Finais* (10.12—11.32)
A subdivisão de 5.1 a 11.32 atinge seu clímax nesta exortação magnífica.

a) *As exigências de Deus* (10.12-22). Moisés e Miquéias fizeram a mesma pergunta indireta: **Que é o que o SENHOR, teu Deus, pede de ti...** Miquéias respondeu em termos de justiça, misericórdia e devoção humilde (Mq 6.8). Moisés dá extremo destaque à relação com Deus. É necessário dar uma resposta plena e fazer cinco coisas: 1) temer, o respeito reverente à deidade de Deus; 2) andar, a atividade nos caminhos de Deus; 3) amar, o afeto pessoal; 4) servir, a dedicação ao serviço de Deus; (5) guardar, a observância dos mandamentos de Deus (12,13). Este conjunto de ações resultaria em bem para quem o fizesse e para os outros. As ordens de Deus levam ao bem-estar pessoal e social para nós como levou para Israel.

Imensidão e condescendência estão ligados nos versículos 14 e 15. Os **céus**, remotos e misteriosos, e a **terra**, muito próxima e exigente, estão sob a soberania de Deus. Contudo, Ele está suficientemente interessado em "libertar seu coração em amor sobre" (RSV) indivíduos e nações e os escolher para cumprir seu propósito. Os israelitas tinham de reagir deixando de lado a obstinação e circuncidando o **prepúcio** do **coração** (16). Deus indica claramente que o homem pode satisfazer as exigências divinas entregando totalmente o coração a Deus e confiando nele para a retirada dos obstáculos (cf. 30.6).

Que tremenda revelação de Deus os versículos 17 e 18 apresentam! Temos soberania, imensidão, poder, reverência e eqüidade. Como seria terrível se o poder e a eqüidade se separassem! "Esta ordem de amar o estrangeiro não tem paralelo na legislação de outro povo da antigüidade."[12] A vida de Cristo é um comentário do versículo 18. As pessoas desafortunadas e desterradas sempre suscitam compaixão divina. Note a relação entre Deus e seu povo. Porque *Ele* ama o **estrangeiro** (18), assim *o seu povo* deve amar, assistido pela memória da experiência vivida no **Egito** (19). Quanto ao versículo 20, ver comentários em 5.11 e 6.13.

Ele é o teu louvor (21) significa "o objeto de teu louvor" (cf. NVI) ou "a tua honra e glória". "Trata-se de uma honra eterna a alma estar em relação de amizade com Deus."[13] A exortação se encerra com um apelo à história e experiência (22). Quanto a **setenta almas**, ver comentários em Gênesis 46.8-27.

(b) *As manifestações do poder de Deus* (11.1-7). O amor e a obediência genuínos aos **mandamentos** de **Deus** (1) são inseparáveis. Israel tinha boas razões para amar e obedecer àquele que demonstrara seu amor em **sinais** e **feitos** (3). Moisés fez distinção entre os indivíduos que eram suficientemente velhos para se lembrar dos fatos sobre os quais ele estava a ponto de falar e os **filhos** (2) que nasceram no deserto. **Instrução** ("disciplina", ARA) tem o significado de educação e correção.

Moisés menciona dois atos miraculosos de Deus: a derrota do **exército dos egípcios** (4) e a ruína de **Datã** e **Abirão** (6). Estas vitórias representam os inimigos externos e os inimigos internos. **Até ao dia de hoje** (4) dá a entender que os egípcios não empreenderam outro ataque contra Israel, mas foram decisivamente derrotados. Corá não é mencionado, embora fosse um dos líderes da rebelião (cf. Nm 16.1-35). Esta omissão se deve, talvez, ao fato de seus filhos não terem morrido com ele (Nm 26.11), como no caso de Datã e Abirão. Portanto, a mesma destruição total não colheu sua família. Também pode ser que, pelo motivo de seus descendentes estarem presentes enquanto Moisés discursava, este quis poupá-los, não mencionando o nome do pai deles.

(c) *A bênção ou a maldição* (11.8-32). O tema que percorre todo o livro é proeminente ao final desta subdivisão: a obediência traz bênção, e a desobediência traz maldição (cf. cap. 28). Aqui, este tema está especialmente relacionado com a **terra**. Se os **mandamentos** forem observados, Israel possuirá a **terra** (8) e ali prolongará seus **dias** (9). O Egito é notoriamente uma terra seca onde a irrigação é um grande problema. **E a regavas com o teu pé** (10) se refere à formação de sulcos de água com o pé, ou ao uso do pé para fazer funcionar o mecanismo de irrigação. Canaã, com seus **montes** (11), em contraste com as planícies do Egito, tem chuvas abundantes. A chuva **temporã** ("as primeiras" chuvas, ARA) cai em outubro e novembro, logo depois da plantação das sementes. A chuva **serôdia** ("as últimas" chuvas, ARA) ocorre em março e abril para fazer crescer os grãos (11,12,14,15).

Temos um esboço sobre "A Terra de Canaã": 1) Terra de abundância, 9; 2) Terra com uma diferença, 10; 3) Terra sob o favor dos céus, 11,12.

A declaração de que as chuvas são condicionais à obediência (13-17) causa certa dificuldade. Em primeiro lugar, Jesus declarou que Deus envia o sol e a chuva sobre justos e injustos (Mt 5.45). Há também o fato de que bons fazendeiros cristãos sofrem por causa da seca. Talvez Deus tenha usado métodos especiais na educação da raça eleita. A maioria dos estudiosos admite que a obediência e o bem-estar têm relação entre si, e que até a natureza trabalha a favor de propósitos morais. A fé afirma que a bênção vem depois da obediência, e se a prosperidade material é detida, serve somente para que a bênção seja dada de forma mais profunda e duradoura (cf. comentários em 7.12-15).

Pela razão de as leis de Deus serem as leis da sobrevivência, todos os meios devem ser envidados para garantir que não sejam esquecidas (18-20; cf. comentários em 6.7-9). Se fossem obedecidas, onde quer que os israelitas colocassem os **pés** seria possessão deles, e as fronteiras seriam suficientemente amplas para desafiar a fé (24; cf. comentários em 1.7).

Nos versículos 22 a 25, vemos o tema "Tomar Posse da Terra". 1) A condição para a conquista bem-sucedida é a obediência a Deus, 22,23; 2) Obediência incessante significa posse permanente, 24; 3) Aqueles que se identificam com Deus são o terror dos inimigos. A resistência se derrete na presença divina, 25 (G. B. Williamson).

Para fazer cumprir a alternativa de bênção e maldição, tinha de ser encenada uma peça dramática nacional, com o **monte Gerizim** representando a bênção e o **monte Ebal**, a maldição (29; cf. comentários em 27.11-26). Estes montes seriam bem visíveis de onde Moisés falava. Eles ocupavam uma posição central na terra **defronte de Gilgal** (30; claro que não a Gilgal perto de Jericó, mas a Gilgal nas proximidades de Siquém) **junto aos carvalhais de Moré**. Foi aqui que Deus disse a Abraão: "À tua semente darei esta terra" (Gn 12.7). A **campina** seria uma região plana e aberta (cf. ARA; NTLH).

C. Outros Mandamentos, 12.1—26.19

A segunda divisão da seção principal do livro trata de outros mandamentos que, junto com o Decálogo, formavam a coleção completa de leis para a terra. As palavras iniciais do capítulo 12 deixam claro que está sendo apresentada outra etapa do assunto.

1. Leis Relativas a Religião (12.1—16.17)

Encabeçando estas leis, estão os regulamentos concernentes ao santuário central, sobre o qual se concentra a principal controvérsia dos estudiosos em relação a Deuteronômio.

a) *O santuário central* (12.1-32). As **altas montanhas** e os **outeiros** (2) eram os lugares prediletos de adoração entre os cananeus. Eram escolhidos por causa de sua suposta acessibilidade aos deuses celestes. A **árvore verde** ofereceria sombra, além de ser considerada sagrada. Estes locais foram uma cilada para os israelitas e se tornaram lugares de adoração irregular e — o que é mais sério — idólatra. Tais práticas foram veementemente condenadas pelos profetas (cf. Jr 2.20; Ez 18.6; Os 4.13). Todos os indícios da adoração cananéia tinham de ser destruídos, inclusive os **bosques** (3; cf. comentários em 1.5) e as **estátuas** ("colunas", ARA; *mazzebah*, lit., algo "levantado"). Estes objetos eram símbolos pagãos dos cananeus (7.5; Êx 23.24), sendo erigidos dentro ou perto dos templos de Baal (2 Rs 3.2; 10.26,27) e nas proximidades dos aserins, símbolos da deusa cananéia Asera (traduzido por "imagens do bosque" em 1 Rs 14.23; 2 Rs 17.10).[14] É possível que a estátua ou coluna representasse a deidade masculina e o bosque (hb., *asherah*), a deidade feminina. Contudo, a palavra *mazzebah* pode se referir a um monumento perfeitamente legítimo (*e.g.*, Gn 28.18; Êx 24.4; Is 19.19).

Assim não fareis para com o SENHOR, vosso Deus (4). Esta ordem diz respeito à multiplicação de santuários pelos cananeus, como esclarece o versículo seguinte. Certos rabinos julgam que se refere a destruir os nomes dos falsos **deuses** (3) e entendem que significa que o nome do Senhor não deve ser destruído do mesmo modo que os nomes das deidades pagãs. É por isso que os livros hebraicos, nos quais ocorre o nome sagrado, são reverentemente enterrados em vez de serem destruídos quando já não podem ser usados.

Os israelitas tinham de ir ao **lugar que o SENHOR** escolhesse **de todas as tribos, para ali pôr o seu nome** (5). A este lugar, deviam levar **holocaustos** e **sacrifícios** (Lv 1—7), **dízimos** (cf. comentários em 14.22-29), **oferta alçada** (*terumah*, a porção sacerdotal dos sacrifícios, *e.g.*, Êx 29.27,28; Lv 7.14,32), **votos** ("ofertas votivas", ARA), **ofertas voluntárias** (como indica o nome, "ofertas feitas por vontade própria", NTLH) e os **primogênitos** das **vacas** e das **ovelhas** (6; Êx 13.12,13). Esta passagem pressupõe o ensino dos outros livros do Pentateuco concernente aos itens mencionados no versículo 6.

Nada seria mais natural que o ensino deste capítulo relativo ao santuário central. Este assunto nunca apresentara problema. Desde a libertação do Egito, a nação desfrutara de unidade sob a liderança de Moisés. Agora o líder sairia de cena e os israelitas teriam de entrar na terra e conquistá-la, deixando as mulheres e crianças de três tribos no lado leste do Jordão. As campanhas militares contra Seom e Ogue e as providências relativas às mulheres e crianças de Rúben, Gade e da meia tribo de Manassés já haviam interrompido a vida normal da nação e o padrão estreitamente entrelaçado de governo e adoração. Este é provavelmente o significado do versículo 8. Moisés conjeturou que haveria certo lapso de tempo antes que fosse possível cumprir regularmente os regulamentos do santuário central. **Mas passareis o Jordão** e quando o **SENHOR** vos der **repouso de todos os vossos inimigos em redor** (10), **então, haverá um lugar** (11) que será o centro da adoração, bem como tribunal de apelação e lugar de orientação. Esta idéia já estava sob consideração desde o começo dos primeiros dias do concerto. Em sua configuração inicial, pressupunha o comparecimento de todo homem perante o Senhor três vezes por ano: na Páscoa, no Pentecostes e na Festa dos Tabernáculos (Êx 23.14-17; 34.18-23). Agora, na véspera de Israel entrar na terra, Deus esclarece os pormenores.

As ocasiões das visitas tinham de ser festas de alegria e relações sociais. A alegria é uma das características de Deuteronômio (14.26; 16.11; 26.11). Estes tempos de confraternização santa fortaleceriam a fé do indivíduo e a unidade da nação. Também seria expediente de proteção contra a apostasia e os falsos deuses. O maior perigo que os israelitas incorriam era cair nas práticas dos cananeus, usar seus santuários, construir altares nas localidades e adorar o Senhor, ou até o Baal local, com os ritos dos cananeus (cf. 29-31). Foram por estas e outras razões que a adoração sacrifical regular foi confinada ao santuário central (13,14).

Até aqui, o ato de matar animais para comerem era feito junto ao Tabernáculo. A carne não fazia parte da dieta diária dos israelitas; era algo circunstancial quando comiam. Quando o Tabernáculo era de fácil acesso, isto não apresentava problema. Agora o regulamento é atenuado, permitindo a matança de animais exclusivamente para comida e não como ato de sacrifício (17,18,26,28): **Degolarás e comerás carne... dentro de todas as tuas portas** (15). A única e importantíssima restrição era abster-se de comer **sangue** (16). **O sangue é a vida** (23). Não deviam comê-lo, porque o sangue pertencia a Deus e lhe era oferecido no altar. Para que não fosse oferecido num altar pagão, Deus ordenou que fosse derramado **na terra** como **água** (24). Esta era a prática vigente no caso de animais selvagens, como o **corço** (22; "gazela", NTLH; NVI) e o **veado**. Também podiam comer os animais domésticos mortos dessa maneira, tanto o **limpo** quanto o **imundo**, visto que não eram oferecidos em sacrifício (15,22).

Até que ponto esta lei do santuário central proibia sacrifícios em outros lugares? Com certeza proibia o indivíduo comum de erigir um altar de acordo com seu bel-prazer (13). Mas na primeira configuração do concerto havia instruções referentes à construção de "um altar de terra" para "holocaustos" e "ofertas pacíficas" ("ofertas de paz", NTLH). E Deus deu a garantia de que, em todo lugar onde Ele fizesse celebrar a memória do seu nome, Ele viria e abençoaria (Êx 20.24). No caso de "um altar de pedras", tinha de ser de pedra ao natural (Êx 20.25). Em 27.5-7, Moisés ordenou que, no monte Ebal, os israelitas construíssem um altar com estas especificações para nele oferecerem "holocaustos" e "ofertas pacíficas" ("ofertas de paz", NTLH). O Tabernáculo com o altar de bronze ainda existiam e estes indubitavelmente faziam parte do santuário central.

Pelo que deduzimos, ainda que fosse proibido ao israelita comum erigir altares de acordo com inclinação própria, um profeta inspirado ou líder autorizado podia erigir um e usá-lo em circunstâncias especiais. Era o que acontecia no caso de teofania (uma aparição especial de Deus; cf. Jz 6.25,26; 13.15-20; 2 Sm 24.17,18). Na ausência do santuário central em Siló, houve tempo em que Samuel sacrificou em diferentes altares (1 Sm 7.9; 9.12; 16.5). Nos dias do reino dividido, Elias reconstruiu um altar no monte Carmelo (1 Rs 18.30,31).

Identificamos nas regulamentações do santuário central certas condições imprescindíveis para o seu cumprimento adequado: **Repouso de todos os inimigos em redor para que os israelitas morassem seguros** (10). As Escrituras declaram que esta situação ocorreu três vezes em Israel: ao final das conquistas sob o comando de Josué (Js 23.1); no tempo de Davi (2 Sm 7.1); e nos dias de Salomão (1 Rs 5.4), em cujo reinado construíram o Templo. Infelizmente, o reino foi dividido no reinado do seu filho.

Como declaramos na "Introdução", os estudiosos que seguem uma forma modificada da hipótese de Wellhausen insistem que os regulamentos explícitos para o santuário central são uma melhoria distinta dos dizeres de Êxodo 20.22 a 23.33 e se contradizem. Afirmam que a explicação é que Deuteronômio foi escrito muitos séculos depois da passagem de Êxodo, a qual é designada ao que chamam fonte eloísta. Hoje em dia, os estudiosos que advogam este ponto de vista tendem a ver semelhança muito maior entre os textos de Êxodo 20.22 a 23.33 e Deuteronômio 12 que antigamente. Reconhecem que desde o início havia a idéia e existência de um santuário central em Israel. Esta parece ser tendência na direção certa.

A interpretação dada acima está de acordo com os estudiosos da escola conservadora, leva em conta o caráter geral das Escrituras e dá elevada proeminência à sua inspiração.[15]

b) *A apostasia* (13.1-18). Este capítulo trata de três casos de possível apostasia.

(1) O *primeiro caso de possível apostasia* é por intermédio de um **profeta ou sonhador de sonhos** (1-5). Estes dois eram classes de pessoas por quem o Senhor comunicava sua vontade ao povo (cf. Nm 12.6). Também existiam nas religiões pagãs. Em Israel, como no caso sob consideração, havia falsos profetas que por razões várias falavam o oposto da vontade do Senhor (cf. 1 Rs 22.6,8,20-23; Jr 6.13; 28.1-17). O texto admite que era possível o falso profeta dar um **sinal ou prodígio** que se cumpriria; em outras palavras, fazer algo que parecesse sobrenatural ou milagroso.

O Senhor permitiria esta ocorrência para testar o amor e a lealdade do seu povo (3). A prova que tinham de aplicar ao profeta não era se ele podia fazer o fato espetacular, mas se ele se mantinha fiel à lei de Deus (2). Podemos levar a sério esta prova do verdadeiro profeta (cf. Is 8.19,20). O registro bíblico previne o perigo com uma advertência negativa (3) e o reforça por uma ordem positiva: **Após o SENHOR, vosso Deus, andareis, e a ele temereis, e os seus mandamentos guardareis, e a sua voz ouvireis, e a ele servireis, e a ele vos achegareis** (4). A verdadeira proteção contra a apostasia é o compromisso total com Deus. O termo **SENHOR** vem no começo da sentença no original hebraico e o pronome **ele** está na primeira posição em cada frase. A ênfase da vida deve estar *nele*. Uma vida inteiramente consagrada, limpa e cheia do Espírito é a melhor defesa contra o pecado, assim como um corpo ativo e saudável é a melhor defesa contra a doença.

O texto também nos adverte a não termos uma atitude muito crédula aos que detêm cargos oficiais. Os que estão em posição de destaque na igreja têm o direito de serem respeitados e sustentados na medida que são leais a Deus e sua Palavra. Mas Deuteronômio, o manual do leigo, esclarece que até o indivíduo cujo ofício requer respeito pode falhar em sua responsabilidade (cf. Arão, 9.20,21). Se ele se afasta da vontade revelada de Deus, sua autoridade tem de ser rejeitada.

O falso **profeta** ou **sonhador de sonhos** devia morrer, porque era culpado de tentar desviar as pessoas da lealdade a seu Deus e seu Redentor. Os falsos líderes procuram **apartar** as pessoas do **caminho** do **SENHOR** (5), ou seja, do estilo de vida de Deus ("ensinou rebeldia contra o Senhor, vosso Deus", RSV; cf. ARA). Kline declara que nos tratados de suserania antigos (cf. "Introdução" e comentários em 9.7-17), o vassalo tinha de se comprometer em não ser conivente com palavras maldosas ditas contra o suserano. No caso de rebelião ativa, o suserano tomava medidas militares contra os ofensores. Em tais casos, o vassalo tinha de manifestar fidelidade ao seu senhor, pouco importando quem fosse o ofensor, quer príncipe ou parente próximo.[16]

(2) Isto nos leva ao *segundo caso possível de apostasia*: por um parente ou amigo (6-11). Primeiramente, o texto considerou a tentação que vem de alguém em posição de autoridade religiosa. Estes versículos tratam de exemplos de sedução por meio de afeto natural. Pelo visto, esta foi a causa da queda de Adão. Ele não foi enganado pela mentira da serpente (cf. 1 Tm 2.14), mas aceitou como sua a crença da esposa que amava (cf. a **mulher do teu amor**, 6). Note a intimidade das relações: o **filho da tua mãe**, relação muito mais próxima que o filho do mesmo pai, mas de mães diferentes no caso de várias esposas; o **teu amigo, que te é como a tua alma**. O profeta *diz* (2); o ente querido *incita* (6).

Pouco importando qual seja o grau da tentação, esta deve ser rejeitada. Ao longo das páginas de Deuteronômio, a maior ameaça são as falsas religiões da terra (cf. 6.14; 7.1-5; 12.2,3; 20.15-18). Os falsos deuses, onde quer que estejam, dividem a dedicação que pertence unicamente ao Senhor e, por isso, devem ser totalmente repelidos. Não só o ato externo deve seja recusado, mas também o consentimento interior (8) ou o mais leve indício de demonstração simpatizante. Caso se trate de escolha entre repudiar Deus ou a pessoa que mais amamos, não devemos hesitar. Temos de nos achegar a Deus (4) e desmascarar o parente ou amigo querido. Este procedimento dá a entender que o parente ou amigo persiste na apostasia, pois é claro que a pessoa que sofreu a tentação procure, antes de denunciá-lo, ganhar quem o tentou de volta ao Deus de Israel. Mesmo que se saiba que a denúncia signifique morte, devemos aceitar a morte de um amado em vez de sermos coniventes na infidelidade contra Deus. **Com pedras o apedrejarás** (10) era a forma habitual de execução entre os hebreus.

Jesus faz a mesma exigência suprema na lealdade dos seus discípulos como Deus faz nestes versículos (cf. Mt 10.34-39). Esta é uma das evidências de sua deidade, pois só Deus tem este direito supremo. Como Criador, suas reivindicações têm precedência sobre todos os seus dons na criação: materiais, mentais ou pessoais.

(3) A *terceira fonte de possível apostasia* era por meio dos **filhos de Belial** (13), ou seja, "filhos da inutilidade". "O termo [é] repetidamente usado nas Escrituras para se referir a criminosos devassos, *vis* em palavras, pensamentos e ações."[17] Neste caso, não há desculpa. É um despojamento arrogante da prudência e a aceitação insolente de uma religião que favorece os desígnios mais escusos ou as paixões mais ignóbeis da natureza. Esta ação está muito em evidência hoje em dia, quando práticas más pertencentes às

eras sombrias da raça humana são descaradamente defendidas por quem assevera pontos de vista "avançados". No caso em questão, presumimos que a **cidade** inteira consente espontaneamente com esta rebelião petulante contra o Deus de Israel.

(4) *A execução da justiça* (14-18). Fato particularmente interessante neste caso é o cuidado meticuloso para a confirmação indubitável da ocorrência da apostasia antes da execução do julgamento. Os israelitas tinham de inquirir, informar-se e perguntar com diligência (14). Somente após a comprovação verdadeira e certa da acusação é que deveriam tomar ação radical. Se ao ouvirmos fofocas sobre nossos irmãos fôssemos escrupulosamente justos com eles e nos recusássemos a acreditar em tudo que fosse prejudicial ao seu caráter (a menos que a história fosse indubitavelmente comprovada), os caluniadores estariam perdendo tempo.

O destino prescrito para a **cidade** (15) apóstata é terrível. Tinha de ser "posta sob maldição" (*cherem*), "destruindo-a completamente e tudo o que nela" houvesse (ARA).

Dois pontos são dignos de observação. Primeiro, não se devia dar proeminência aos executores da sentença. A função de caçadores de heresia não tinha de se tornar ocupação lucrativa, como lamentavelmente ocorreu na Idade Média. **Também nada se pegará à tua mão do anátema** (17; cf. Acã, Js 7). Segundo, os israelitas tinham de administrar o mesmo tratamento severo ao seu pessoal como impunham aos cananeus, se as próprias comunidades israelitas se identificassem com as práticas dos cananeus (cf. o destino de Gibeá e cidades circunvizinhas, Jz 20.37,48).

Três razões são dadas para a tomada de ação drástica contra os apóstatas inveterados. Primeiramente, **tirarás o mal do meio de ti** (5). Em segundo lugar, como meio de intimidação aos outros: **Para que todo o Israel o ouça e o tema, e não se torne a fazer segundo esta coisa má no meio de ti** (11). Ação firme e destemida, no momento certo, pode cortar o mal logo no início. Dizem que Kerensky, o líder liberal russo, poderia ter debandado os bolcheviques com um tiro de canhão caso tivesse disparado no momento psicológico. Em terceiro lugar: **Para que o SENHOR se aparte do ardor da sua ira, e te faça misericórdia... e te multiplique** (17). Se desejamos a bênção de Deus, temos de eliminar de nosso meio as coisas que lhe causam tristeza.

O cenário deste capítulo se ajusta devidamente aos dias de Moisés e ao período pré-monárquico. Esta é outra evidência da autenticidade do livro.

c) *Os alimentos limpos e imundos* (14.1-21). O propósito desta subdivisão está indicado nos dois versículos iniciais. Por serem **filhos... do SENHOR, vosso Deus** (1), os israelitas deviam evitar práticas incompatíveis com tal relação privilegiada. O ato de cortar o corpo e o cabelo da testa (ARA) em relação aos mortos "tinha associações pagãs e, talvez, visava concluir o concerto com o defunto, em cuja sepultura ofereciam o sangue derramado ou o cabelo cortado".[18]

De forma semelhante, o texto descreve que Israel é o **povo santo ao SENHOR**, que o **escolheu** para ser **o seu povo próprio** (2). Portanto, os israelitas não deviam comer "coisa alguma abominável" (3, ARA).

Certos animais alistados eram impróprios para consumo humano e, neste caso, as regras são leis dietéticas para proteger a saúde do povo do Senhor. Em outros casos, a razão para a proibição não é tão facilmente entendível. Além das razões de saúde, os judeus consideravam que a observância das leis dietéticas tinha mais dois motivos importantes. Primeiro, as leis os separavam das outras nações e evidenciavam o caráter de povo eleito. Segundo, davam oportunidade para exercitar a fé e a obediência aos estatutos divinos, os quais transcendiam o raciocínio humano. Na dispensação do Novo Testamento, essas leis não têm mais aplicação (Mc 7.19; Rm 14.14; 1 Tm 4.4), embora o bom senso no cuidado do corpo, o templo do Espírito Santo (1 Co 6.19), dite abstinência de alimentos que fazem mal.

Os animais limpos eram os que têm **unhas fendidas** (6) e remoem. Os israelitas tinham permissão para comer peixe **que tem barbatanas e escamas** (9). A lista começa com os animais domesticados e depois classifica as caças permissíveis para consumo humano. Os versículos 7 e 8 relacionam os animais proibidos. Os versículos 12 a 18 mencionam as aves proibidas, e o versículo 19 trata dos répteis (cf. a lista na NTLH). Nem todos os animais apresentados na lista podem ser categoricamente determinados.

Por óbvias razões de saúde, os israelitas deviam evitar todo animal que tivesse tido morte natural (21; cf. NTLH). Pelo visto, havia estrangeiros dentro e fora das fronteiras de Israel que não se prendiam a este detalhe.

Certos expositores entendem que a proibição de cozinhar o **cabrito com o leite da sua mãe** (21) esteja baseada em princípios humanitários. Outros são propensos à opinião de que se refere a um ritual cananeu, provavelmente um feitiço de fertilidade.

d) *Os dízimos* (14.22-29). Nestes versículos, as regulamentações sobre dizimar são claras e diretas. A cada ano, a **novidade** da **semente** plantada nos campos tinha de ser dizimada pelos israelitas, ou seja, a décima parte era separada para propósito especial. Esta porção, com os **primogênitos** das **vacas** e das **ovelhas**, tinha de ser levado ao santuário central e comido num banquete religioso **perante o SENHOR, teu Deus** (23). Se o santuário central estivesse muito longe da casa do dizimador (24), este tinha permissão de vender o décimo de sua produção agrícola e o primeiro filhote das vacas e das ovelhas e, com o dinheiro, comprar tudo que desejasse para o banquete no santuário (25,26). Deste banquete, os levitas tomavam parte (27).

A cada três anos, os **dízimo**s (28) e os primogênitos eram recolhidos para dentro das **portas** do dizimador para proporcionar um banquete para o **estrangeiro**, o **órfão** e a **viúva** (29).

Levando em conta que todo sétimo ano a terra não era cultivada (Lv 25.1-7), não haveria dízimo durante aquele ano.

A passagem de Números 18.21,24 declara nitidamente que os levitas receberiam o dízimo dos irmãos israelitas. Surge a questão: Como conciliar os regulamentos de Deuteronômio com esta declaração? Falando em termos gerais, há dois pontos de vista. Há críticos que acham que os regulamentos em Deuteronômio se referem à apresentação oficial do dízimo. Este ato ocorre em um banquete cerimonial, o qual o dizimador e sua família compartilham com os levitas. Este banquete é feito na cidade do dizimador a cada três anos, no qual também participam o **estrangeiro**, o **órfão** e a **viúva**. Em cada ocasião, o levita fica com a maior parte do dízimo que sobra do banquete religioso.

A concepção judaica é que as providências nestes versículos dizem respeito a um segundo dízimo além do primeiro, que, de acordo com Números 18.21,24, era dado inteiramente aos levitas. Isto significa que quase um quinto da renda é dado em dízimos, embora a maior parte do segundo dízimo, não considerando todo terceiro ano, é consumido pelo dizimador e sua família. Esta não só é uma opinião teórica sobre a passagem, mas é uma prática entre os judeus.

Se os judeus que vivem sob a lei reconhecem a soberania de Deus na disponibilidade da renda, com muito mais disposição os cristãos devem dar regular, proporcional e alegremente levando em conta o Dom indizível de Deus!

e) *O perdão para os devedores* (15.1-11). A palavra **remissão** (2) significa perdoar ou cancelar uma dívida, como aqui, ou deixar os campos sem cultivo, como em Êxodo 23.11. Estes dois procedimentos tinham de ser feitos no sétimo ano.

O perdão das dívidas nesta ocasião limitava-se ao israelita: o **próximo** e o **irmão**. Este privilégio não se estendia ao **estranho** (3; *nokri*, membro de outra nação, que neste caso tem relações comerciais com Israel). O **estranho** é diferente do **estrangeiro** (*ger*) citado em 14.29. Este "estranho" pertence a outra raça, mas fez de Israel seu lar.

O contexto destes versículos refere-se às condições de uma comunidade agrícola, na qual a dívida é contraída por causa de pobreza. Não se aplica a uma nação comercial, onde o crédito faz parte essencial da economia. Quando as condições mudaram, Hillel, no século I d.C., modificou os regulamentos para terem aplicabilidade em uma comunidade comercial.

Certos expositores advogam que estas providências objetivam apenas que o credor não deve exigir seu direito ao pagamento da dívida durante o sétimo ano, quando a terra do devedor teria de ficar sem cultivo.[19] Mas os intérpretes judeus entendem que a lei é quitação total da dívida; neste parecer, eles são apoiados pela maioria dos estudiosos. Pelo que presumimos, se as circunstâncias mudassem, o devedor estaria livre para pagar a quantia que lhe fora emprestada, mas o credor não poderia cobrá-la.

Não há inconsistência entre o versículo 4: **Somente para que entre ti não haja pobre**, e o versículo 11: **Pois nunca cessará o pobre do meio da terra**. Observe como Moffatt traduz os versículos 4 e 5: "Embora não deva haver pobre entre vós (pois o Eterno, vosso Deus, vos fará prosperar na terra que o Eterno, vosso Deus, vos designar como vossa própria posse), contanto que presteis atenção à voz do Eterno, teu Deus, e estejais atentos a obedecerdes todos estes mandamentos apresentados por mim hoje" (cf. NTLH). Idealmente, não haveria pobres na terra, se Israel fosse totalmente obediente. Mas a experiência de Moisés o leva a duvidar do cumprimento das condições, por isso elabora leis a favor dos pobres. Se de todo o coração Israel obedecesse aos mandamentos do Senhor, além de não haver pobres na terra, a nação israelita seria credora — **emprestarás a muitas nações** (6). Esta promessa se cumpriu em eras como os reinados de Davi e Salomão. Quando os israelitas passaram da agricultura para as finanças, exerceram grande poder como financistas, embora até que ponto esta condição se deveu a obediência à lei seja questão de debate.

Duas características de Deuteronômio estão presentes nestes versículos: preocupação pelos pobres e ênfase na atitude do coração. **Não endurecerás o teu coração, nem fecharás a tua mão a teu irmão que for pobre** (7). Como diz Matthew Henry: "Mão fechada é sinal de coração endurecido".[20]

Moisés estava pronto em antecipar a tentativa dos egoístas em frustrar os benefícios desta legislação humanitária. Há indivíduos que não se importarão com a necessidade do irmão, mas privilegiarão a possibilidade de pagamento. A recusa em emprestar, porque o **ano da remissão** (9) se aproximava, é atribuído a um "pensamento vil no teu coração" (ARA). O pensamento vil cogitado no coração pode resultar em ato vil, trazendo culpa perante Deus e plantando a semente de um caráter vil. Dar voluntariamente e de bom grado desencadeia bênçãos divinas sobre todos os nossos trabalhos (10).

Talvez Jesus tivesse este capítulo em mente quando proferiu as palavras registradas em Lucas 6.30-36.

Nestes versículos, vemos "Coração e Atitude". 1) Coração endurecido e mão fechada, 7; 2) Coração mau e olhos maus, 9; 3) Coração generoso e mão-aberta e abençoada por Deus, 10,11.

f) *O perdão para os escravos* (15.12-18). A escravidão fazia parte do cenário contemporâneo, mas a legislação mosaica modificou seus rigores e tomou providências para seu fim em condições generosas. Estes versículos são uma amplificação da passagem de Êxodo 21.1-6. A lei rege escravos e escravas (Êx 31.7-11 se refere ao caso especial de um pai vender a filha para noivado).

Depois de servir por **seis anos** (12), o escravo receberia alforria no **sétimo**. Pelo visto, esta não é menção ao ano sabático como no caso de dívidas, mas a qualquer período de sete anos a contar do início do serviço. De acordo com o versículo 14, com os presentes do **rebanho**, da **eira** e do **lagar** do seu senhor, o escravo liberto começaria a vida com o suficiente para ter independência. Há três motivos para o senhor do escravo fazer assim: primeiro, porque ele próprio é tratado generosamente pelo **SENHOR** (14); segundo, ele, ou antes, seus antepassados, foram escravos no **Egito** e o **SENHOR os resgatou** (15); e terceiro, tendo o ex-escravo como membro permanente da casa, ele recebeu duas vezes o benefício de um **jornaleiro** (18; "empregado", NTLH; "trabalhador contratado", NVI), que trabalhava somente em horários ajustados.

Se o escravo desejasse ficar, havia meios para isso (16,17). Neste caso, em confissão de amor por seu senhor e sua casa, ele recebia a marca vitalícia de escravidão por amor na **porta** da casa do seu senhor. Este costume valia para o escravo e para a escrava — **também assim farás à tua serva** (17). Talvez Paulo estivesse se referindo a este costume quando disse: "Trago no meu corpo as marcas do Senhor Jesus" (Gl 6.17). Há cicatrizes que podem ser recebidas no serviço do Mestre.

Há três características do "Escravo de Deus por Amor". 1) Sua determinação: **Não sairei de ti**; 2) Seu motivo: **Porquanto te ama a ti e a tua casa**; 3) Sua razão: **Por estar bem contigo**, 16.

g) *Os primogênitos* (15.19-23). Esta passagem enfatiza que todo o **macho** primogênito das **vacas** e das **ovelhas** tinha de ser dedicado ao **SENHOR** (19), para emprego conforme suas ordens. Os israelitas não deviam fazer uso indevido do animal dedicado, colocando o primogênito do **boi** no trabalho da fazenda ou tomando a lã do primogênito da ovelha para uso doméstico. Se o filhote primogênito tivesse **algum defeito** (21), devia ser tratado como os animais comuns de uma fazenda. Podiam comer a carne do animal, contanto que observassem esta condição única: despejar o **sangue** na **terra** (23; cf. 12.23). Assim, o povo do Senhor é ensinado a consagrar só o melhor para Deus e a consagrá-lo por inteiro.

Perante o SENHOR, teu Deus... comerás (20) o primeiro filhote macho dos animais. Em Números 18.17,18, os primogênitos são dados aos sacerdotes, e há interpretes que opinam que as palavras **tu e a tua casa** se refiram àqueles.[21] Outros entendem que estas palavras dizem respeito ao segundo dízimo (ver comentários em 14.22-29).
Comerás os primogênitos **de ano em ano**. "Ou seja, a oferta não deve ser adiada para o ano seguinte. Esta normativa não está em desacordo com a declaração em Êxodo 22.29,30: 'Ao oitavo dia mos darás', pois o Mechilta explica que esta condição significa do oitavo dia em diante (cf. Lv 22.27)."[22]

h) *As reuniões nacionais* (16.1-17). As festas descritas neste capítulo são as três que tinham de ser celebradas no santuário central, depois que Israel se instalasse na terra. Os dizeres do versículo 16 são semelhantes aos termos usados em Êxodo 23.14-17 e 34.18-23. Para inteirar-se da lista completa das festas, ver Levítico 23.1-44 e Números 28.16 a 29.40.

(1) *A Páscoa e a Festa dos Pães Asmos* (1-8). A palavra **abibe** (1) significa "as espigas verdes de cereal". Depois do exílio babilônico, o nome do mês foi mudado para *nisã*. É equivalente a março-abril em nosso calendário. O propósito da **Páscoa** era lembrar os israelitas da noite fatal no Egito, quando o Senhor feriu os primogênitos dos egípcios e salvou os primogênitos de Israel pelo sangue de um cordeiro. A referência a **ovelhas** (2) e **vacas** diz respeito ao cordeiro ou cabrito para o sacrifício da Páscoa e aos bois para o sacrifício festivo (cf. Nm 28.16-19). Contudo, certos estudiosos pensam que, ainda que a primeira Páscoa especifique um cordeiro ou um cabrito, a regra foi relaxada em Deuteronômio. **Cozerás** (7) é o significado geral do termo hebraico *bishshel*, embora tenha o sentido restrito de *assar*. O foco do texto de Êxodo 12.8 está no cordeiro que é assado. Na celebração da Páscoa registrada em 2 Crônicas 35.1-19, temos a declaração: "Assaram [o mesmo verbo hebraico usado em Dt 16.7] o cordeiro da Páscoa no fogo, segundo o rito; as ofertas sagradas [os bois] cozeram [mesmo verbo hebraico] em panelas, em caldeirões e em assadeiras" (2 Cr 35.13, ARA; cf. NTLH; NVI).
A Páscoa tinha de ser comida com **pães asmos** (3), rememorativo da **aflição** da escravidão egípcia e da pressa com que saíram da terra. As palavras: **Seis dias comerás pães asmos, e no sétimo dia é solenidade** (8), significam que os israelitas comiam pães asmos por sete dias no todo, ou seja, seis dias mais o sétimo (cf. 3,4).
Na primeira Páscoa, o cordeiro foi morto e seu sangue aplicado nas vergas das portas e janelas das habitações. Porém, quando se estabeleceram na terra de Canaã, os israelitas tinham de se reunir no santuário central para celebrar a Páscoa (2,5,6).
Quanto à significação da Páscoa para o cristão, ver 1 Coríntios 5.6-8.

(2) *A Festa das Semanas* (9-12). Esta festa ocorreria **sete semanas** (50 dias, daí a palavra grega *Pentecostes*, que significa "cinqüenta") depois do início da colheita da cevada. O cálculo começava com a apresentação do molho das primícias no dia 16 de abibe (cf. Lv 23.4-11). Tinha de ser ocasião de agradecimento, alegria e dádivas compassivas, com a mente voltada para passado a fim de promover a gratidão e a obediência (12). A festa seria observada no santuário central — o **lugar que escolher o SENHOR, teu Deus** (11).

(3) *A Festa dos Tabernáculos* (13-15). Esta festa celebrava o final da colheita, não só da cevada e do trigo, mas também dos vinhedos e árvores frutíferas (13). Durante **sete dias** (13) celebravam uma festa de regozijo e ação de graças, a mais alegre das festas de Israel. Todos deviam participar: o **levita**, o **estrangeiro**, o **órfão** e a **viúva** (14). Os versículos 16 e 17 recapitulam o ensino dos versículos anteriores.

Nesta subdivisão, notamos o "Padrão das Reuniões Religiosas": 1) Devem lembrar as verdades fundamentais, 1,3,6,12; 2) Devem ser tempos de alegria grata, 11,14; 3) Devem ser oportunidades de dádiva grata, 10,17.

2. *Leis Relativas a Governo* (16.18—21.23)
Das leis religiosas, o tema do livro passa a tratar das leis relativas a governo. Começa com as pessoas que têm de administrar a lei.

a) *Os servidores públicos* (16.18—18.22). Já fomos informados sobre o dever dos juízes (1.16-18). Agora é dada informação adicional.

(1) *Os juízes* (16.18—17.7). Há diretivas para a nomeação de **juízes e oficiais** (18; ver comentários em 1.15) em várias localidades da terra. A porta era o lugar onde os anciãos da cidade se sentavam e tratavam de assuntos importantes. Mas aqui, a frase **em todas as tuas portas** significa não mais que uma cidade ou aldeia (cf. 5,11,14). O registro bíblico não declara qual era o método de nomeação, mas estaria no princípio observado em 1.13-15. A passagem de 1.16,17 dá instruções semelhantes aos juízes como ocorre aqui. O texto em estudo dá ênfase especial à recusa de subornos, o maior mal para deturpar a administração da justiça. Os subornos podem cegar e perverter até os **sábios** (19) e os **justos** (ou subverter "a causa dos justos", ARA). Note como Moffatt traduz a primeira parte do versículo 20: "A justiça, a justiça tu tens de visar".[23] Isto resume o caráter das mensagens do Antigo Testamento concernentes às relações civis e sociais.

Logo após a ordem para designar juízes, ocorrem três casos de violação religiosa. O primeiro caso é a proibição de estabelecer "poste-ídolo [ou Asera; cf. comentários em 7.5], plantando qualquer árvore junto ao altar do SENHOR, teu Deus, que fizeres para ti" (21, ARA; cf. comentários em 12.3). O versículo 21 é fatal à teoria de que Deuteronômio foi escrito no século anterior ao reavivamento de Josias, com vistas a centralizar toda a adoração em Jerusalém. Aqui, é óbvia a permissão para edificar outros altares além do santuário central.

A segunda violação religiosa mencionada é o sacrifício ao Senhor de **boi ou gado miúdo** (17.1; "novilho ou ovelha", ARA; cf. NVI) com **defeito** (cf. comentários em 15.19-23).

A terceira violação é o caso de apostasia (17.2-7). As questões religiosas não são tratadas por juízes civis, mas numa teocracia em que Deus é o Rei, as violações religiosas são uma afronta ao Soberano, e os transgressores ficam sujeitos à pena de morte. Por conseguinte, estavam sob a jurisdição do juiz. No caso de apostasia, tinham de tomar o cuidado de certificar-se de que a acusação era comprovadamente certa (4; cf. comentários em 13.14). O testemunho era necessariamente firmado por **duas ou três testemunhas** (6; cf. 1 Tm 5.19), as quais assumiam séria responsabilidade (7).

(2) *O supremo tribunal* (17.8-13). Se os juízes locais não conseguissem chegar a uma decisão, tinham de ir ao santuário central — **ao lugar que escolher o SENHOR, teu Deus** (8). Podiam ser questões de **sangue e sangue** (homicídios), **demanda e demanda** (ações civis) ou **ferida e ferida** (agressões). No santuário central, os **sacerdotes levitas** (cf. comentários em 18.1) e o **juiz** (9; o presidente do supremo tribunal, *e.g.*, Josué, Gideão, Samuel) julgariam o caso e dariam o veredicto de acordo com a lei (cf. 2 Cr 19.5-11). Este veredicto era final e todo aquele que arrogantemente se recusasse a aceitá-lo era culpado de pecado capital (12; cf. comentários em 1.43).

(3) *O rei* (17.14-20). Esta passagem se ajusta ao tempo de Moisés na véspera de entrar na **terra** (14) na mesma proporção em que não se ajusta em outro tempo. A monarquia é tratada como instituição permitida, pois não é estado ordenado; era uma concessão ao desejo de os israelitas serem como as **nações** ao **redor**. Pela maior parte de sua história, Israel existiu como nação sem rei. O **rei** (15) devia evitar os vícios dos monarcas orientais: amor ao poder (16), às mulheres e à riqueza (17). Foi o segundo destes itens que causou a queda de Salomão (1 Rs 11.1-13), e pela multiplicação de **cavalos** (16) ele entrou em relações comerciais com o Egito (cf. 1 Rs 10.28,29). O rei tinha de escrever para si uma cópia da lei, provavelmente Deuteronômio mas, possivelmente, todo o Pentateuco. Tinha de lê-lo constantemente e observá-lo, para que tivesse um reinado longo e seus filhos o sucedessem. Seria escolhido dentre seus **irmãos** (15) e permanecer irmão, embora fosse rei (20). Era Deus quem fazia a escolha (15), expressa por intermédio de seus servos, os profetas, e endossado pelo povo (cf. 1 Sm 10.24; 16.11-13; 2 Sm 5.1-3; 2 Rs 9.1-13).

(4) *Os sacerdotes e levitas* (18.1-8). A análise de diversos servidores responsáveis em administrar a vontade divina por toda a nação continua com os **sacerdotes** e os **levitas** (1). Os **sacerdotes** são apropriadamente incluídos em tal contexto. A atual distinção entre sacro e secular era alienígena ao antigo israelita que considerava que a totalidade vida estava fundamentada no Senhor e, portanto, submissa ao controle divino. Isto explica a desconcertante facilidade com que o livro passa dos assuntos religiosos para os regulamentos civis e vice-versa. Esta passagem ilustra esta característica geral — o sacerdote está em parceria com o juiz na administração da justiça (17.9).

Este e vários outros textos deuteronômicos (e.g., 17.9,18; 21.5; 24.8; 27.9) descrevem que os sacerdotes são **sacerdotes levitas** (1) ou "sacerdotes os filhos de Levi". É ponto padrão com Wellhausen[24] e seus seguidores que esta nomenclatura indica que todos os levitas eram sacerdotes. Esta posição é contestação material ao restante do Pentateuco (*e.g.*, Lv 1.5-9), segundo o qual os sacerdotes eram somente dos filhos de Arão. Todos os sacerdotes eram levitas, mas nem todos os levitas eram sacerdotes. Esta suposta "discrepância" é usada por Wellhausen para apoiar a conclusão de que os levitas foram rebaixados da posição que mantinham em Deuteronômio e, por conseguinte, a lei levítica deve ser posterior e não contemporânea a Deuteronômio como afirma ser.

De comum acordo, há obscuridades na relação entre os sacerdotes e os levitas. Aqui, como em outras partes, a lei nem sempre era observada ao pé da letra, quer por rematada desobediência ou por causa das exigências políticas da época. Por conseguinte, é perigoso procurar deduzir a lei pela prática israelita.[25]

Nada no contexto imediato impõe a conclusão de que todos os levitas eram sacerdotes. A frase em si — **os sacerdotes levitas** — não impõe, e o fato de o texto passar a elaborar leis exclusivas às necessidades dos **levitas (6)** demonstra que na mente do autor os dois papéis eram distintos. O uso dos outros escritores do Antigo Testamento que reconheciam a distinção confirma a idéia (*e.g.*, 2 Cr 30.27; cf. 25; Ml 3.3). Por conseguinte, a segunda frase no versículo 1: **Toda a tribo de Levi**, deve ser interpretada não como equivalente, mas como ampliação da primeira frase: **Os sacerdotes levitas** (cf. ARA; NVI).[26] Do campo da arqueologia, depois de exame minucioso dos dados pertinentes, Albright conclui: "Não temos justificativa [...] para descartar a tradição padrão israelita concernente aos sacerdotes e aos levitas".[27]

O propósito desta passagem (18.1-8) é estipular normas para o sustento material dos sacerdotes e de toda a tribo de Levi. Considerando que esta tribo foi dedicada ao serviço de Deus, Levi não foi aquinhoado com região territorial na Palestina como as outras tribos, mas recebeu o **SENHOR (2)** por **herança**. Na prática, o significado disso era que os levitas tinham parte nas ofertas feitas ao Senhor.

Tendo apresentado o princípio geral (1,2), o autor define sucessivamente as respectivas porções dos sacerdotes e dos levitas. As partes dos sacrifícios designadas aos sacerdotes diferem das indicadas em Levítico 7.30-34. Não há nada inerentemente surpreendente neste fato. Como é amplamente reconhecido hoje em dia, o padrão básico de Deuteronômio é de um antigo tratado de suserania.[28] Seu cenário de vida é a renovação do concerto entre Deus e Israel em vista da morte iminente do mediador, Moisés. Em tais renovações, "as partes preparavam novos documentos, nos quais atualizavam as estipulações precedentes. Deuteronômio é um documento de renovação de concerto; daí sua repetição com modificações atualizadas da legislação anterior".[29] Quanto à razão para esta alteração em particular, é plausível sugerir que objetivava evitar confusão com a prática pagã cananéia, segundo a qual o ombro direito do sacrifício era a porção sacerdotal.[30]

Apesar do caráter subordinado dos seus deveres (ver 10.8), o **levita (6)**, que servia junto ao altar do Senhor, recebia proventos semelhantes ao sacerdote.[31] O suprimento vinha totalmente fora da renda proveniente da venda de herança **(8)** pessoal (em contraposição à herança tribal; cf. Jr 32.6-15).

É significativo que tão cedo na história do povo de Deus houvesse providências para o sustento dos seus ministros. Paulo apelou para esta lei quando apoiou seus direitos ao sustento, embora recusasse exercê-los (1 Co 9.8-18). A passagem em consideração estabelece: 1) O princípio, 1,2; 2) O método, 3,4; e 3) A medida, 8, desse sustento.

(5) *O profeta* (18.9-22). A pergunta crucial ao longo da história da religião é: Como saber a vontade de Deus? Era pergunta particularmente importante que os israelitas respondessem antes de entrarem em Canaã, porque, depois, achariam muitas outras respostas que não se harmonizariam com a crença que agora defendiam. Mantendo em mente este plano de fundo, faremos três observações importantes.

(a) Na questão sobre como saber a vontade de Deus, os israelitas não deviam ser guiados por prática cananéia vigente (9-14). Os exemplos convenientemente alistados ilustram a fossa abismal na qual essas **nações (9)** tinham caído.[32] Havia sacrifícios de crianças — fazer **passar pelo fogo o seu filho ou a sua filha** (10; cf. 12.29-31) —, feitiçaria e necromancia. Nos quesitos em que a razão não proporcionava orientação, os homens buscavam esclarecimento no não-racional. Mas o Deus de Israel é o Deus da racionalidade, que elucida sua vontade de maneira moral e não mágica.

(b) O modo no qual o **SENHOR** (15) guia seu povo é por meio de seus servos, os profetas (15-19). Da mesma forma que Moisés foi o intermediário divino em **Horebe** (16), assim ele será sucedido por outros que desempenharão o mesmo papel. Não se trata de sucessão de profetas, mas de ser um único indivíduo, fato que está claro pelo teste do verdadeiro **profeta** (20-22). O texto deixa claramente implícito mais de um profeta. A tarefa do profeta é ser o porta-voz de Deus: ele **falará tudo o que eu lhe ordenar** (18; cf. Êx 7.1,2). No mesmo ato, o mediador do concerto também é o revelador da vontade divina. Com freqüência os profetas são apresentados nesta função, conclamando Israel de volta à lealdade a Deus (ver 1 Sm 11.14—12.25; 1 Rs 18.19-39).[33]

Contudo, a promessa é mais que mera sucessão de profetas. Este fato é esclarecido em 34.10, que, logicamente, rememora esta passagem.[34] Outros profetas surgiram desde a morte de Moisés, mas nenhum conheceu o Senhor de forma tão direta quanto ele. Desse tempo em diante, Israel sempre estava a procurar "o profeta" (*e.g.*, Jo 1.21; 7.40). Não o encontraram até que acharam Aquele, cuja glória era "como a glória do Unigênito do Pai" (Jo 1.14), que era o próprio "resplendor da sua glória, e a expressa imagem da sua pessoa" (Hb 1.3; cf. At 3.22,23).

(c) Se havia maneiras verdadeiras e falsas de buscar o conhecimento da vontade divina, também havia verdadeiros e falsos profetas. Como saber a diferença? Com um teste: o não cumprimento de predição é marca distintiva de falso profeta: **Quando... tal palavra se não cumprir, nem suceder... o SENHOR não falou** (22). Na realidade, esta não é a única marca. A questão já surgira e o princípio fundamental já fora estabelecido: Todo profeta que fizesse esforços para liderar Israel a seguir outros deuses era falso (ver 13.1-5). Para Moisés, a principal parte na revelação da vontade divina consistia em guiar a vida da comunidade. Mas outra parte do ministério profético (tb. relacionada com a primeira) dizia respeito ao descobrimento das coisas futuras, como ocorreu com Moisés. Para este quesito, mais outro teste seria necessário.

A palavra de Deus para seu povo antigo ainda é grandemente pertinente à nossa situação. O verdadeiro tema destes versículos é a antiqüíssima pergunta: Como o homem encontra Deus? Ao respondermos, faremos duas observações: 1) A frustração da busca do homem a Deus, 9-14. "As coisas encobertas são para o SENHOR, nosso Deus" (29.29), e não é procurando que o homem as encontra. 2) A auto-revelação de Deus ao homem, 15-19: de forma parcial e progressiva pelos profetas, de maneira completa e cabal pelo Filho (At 3.22,23; Hb 1.1,2). Particularmente surpreendente é a revelação do padrão que Deus espera do homem: **Perfeito serás, como o SENHOR, teu Deus** (13). É impossível melhorar o comentário de Manley: "Recebemos a ordem de sermos perfeitos (Gn 17.1; Mt 5.48), porque Deus não pode exigir menos que isso. A perfeição absoluta é inacessível ao pecador, mas é possível ter um coração perfeito (1 Rs 11.4; Cl 2.10)".[35]

b) *Leis para a nação e a família* (19.1—21.23). Tendo tratado dos administradores da justiça, Moisés se volta à tarefa de demonstrar aplicabilidades detalhadas. Estas leis são uma mistura de "estatutos" e "juízos" (4.1). Nos *estatutos*, os verbos estão no futuro do presente, na forma positiva ou negativa. Os *juízos*, ou leis estabelecidas por precedente legal, têm o fraseado: "Quando um homem (ou alguém)..." Estes fraseados são comuns em concertos e leis que estão na forma de tratados que vigoravam no antigo Oriente Próximo.[36]

(1) *Justiça para os indefesos* (19.1-21). Os três exemplos não têm a mesma extensão no enunciado, mas são igualmente importantes. Refletem as necessidades e padrões de uma sociedade primitiva.

(a) *Justiça para o assassino culposo, ou seja, para quem matou por negligência, imprudência ou imperícia* (1-13). No antigo Israel, como em outras sociedades nas quais a organização estatal encontrava-se em fase embrionária, o direito de vingar o sangue era da família do defunto. Longe de ser vingança, esta era proteção da santidade da vida. Nesta função, esta lei não estava preocupada em abolir o ato vingativo — o assassino doloso ou premeditado tinha de morrer às mãos **do vingador do sangue** (12). Esta legislação estava relacionada a restringir aplicações injustas da vingança de sangue. A principal delas era a possibilidade de o parente enfurecido exigir a desforra de um assassino culposo ou involuntário (4-6).

Para prevenir semelhante erro judicial, havia lugares de refúgio onde o assassino acharia santuário até que o caso fosse investigado. Nos tempos mais primitivos, o altar era esse lugar (Êx 21.14). Mas nas circunstâncias outras de Canaã, nas quais o indivíduo poderia estar há muitos quilômetros do altar central (ver o v. 6), faziam-se necessárias outras providências. Este Deus tinha prometido (Êx 21.13;[37] Nm 35.9-29) e, em parte, suprido o que prometera (Dt 4.41-43). São ordens para a separação de **três cidades** (2,3,7) de refúgio, com a possibilidade de acrescentar **outras três cidades** (9). Contudo, não haveria proteção para o assassino doloso, ou seja, para quem quis o resultado ilícito ou assumiu o risco de o produzir (11-13). Em tais casos, os **anciãos** da **cidade** do criminoso fariam justiça, entregando-o para ser executado (12).

(b) *Justiça para o proprietário de terras* (14). Numa sociedade em que a base da riqueza estava em propriedades de terra, era importante, sobretudo para os pobres, que a posse tivesse garantias. Isto era feito por meio de marcos de divisa nos quais se inscreviam os limites da propriedade. Remover estes marcos divisórios era arruinar os direitos e meio de vida do proprietário. Por conseguinte, Deus ordenou: **Não mudes o marco do teu próximo**.

(c) *Justiça para o acusado* (15.21). O testemunho de, pelo menos, duas testemunhas para sustentar acusação de crime de pena capital, era regra já anteriormente estabelecida (17.6). Aqui, a lei é ampliada, abrangendo **qualquer iniqüidade** ou **qualquer pecado** (15). Além disso, é apresentado um meio de intimidação contra o perjúrio provocado com a intenção de prejudicar o acusado. Quando há suspeita disso, a evidência deve ser investigada cuidadosamente. Se condenado, o perjuro deve sofrer a pena que quis ocasionar em **seu irmão** (18). **Bem inquirirão** significa "examinarão o caso com todo o cuidado" (NTLH; cf. NVI).

Estas três leis são uma janela muito interessante que mostra o espírito e temperamento da antiga sociedade israelita. Três fatores são especialmente dignos de nota.

(i) *O contexto mental das leis e a base última da justiça é Deus*. Esta verdade emerge claramente da Lei das Testemunhas, na qual um caso em disputa é julgado **perante o SENHOR, diante dos sacerdotes e dos juízes** (17). Mas não está ausente da Lei do Refúgio. Kline ressalta que as cidades de refúgio eram cidades levíticas (cf. Js 20.7,8 com 21.11,21,32) e o período de refúgio era permanente ao longo da vida do sumo sacerdote (Nm 35.25). "As cidades de refúgio eram extensões do altar como lugar de asilo. Tudo isso aumenta o destaque que esta seção legislativa dá à importância judicial do sacerdócio e do altar central."[38] Este ponto é excelente ilustração do tema contínuo de Deuteronômio: Todas as coisas da vida pertencem a Deus e a injustiça é um ataque contra Deus tanto quanto a quem sofre o ataque.

(ii) *Em comparação com leis semelhantes que vigoravam em outras nações, estas mostram elevado grau de perspicácia ética*. Em outras nações, o assassino doloso podia comprar sua vida para não ser morto, mas em Israel, ele tinha de morrer. Diferente dos babilônios, os hebreus davam mais valor à vida que à propriedade.[39]

(iii) *O repúdio ao dó (13,21) e a ordenação de vingança (19,21) não contradizem isso*. É verdade que estas duas regras são contrárias ao padrão cristão (Mt 5.38-48). Mas neste cenário do Antigo Testamento, representam um avanço no padrão primitivo de vingança ilimitada. São exemplos de Deus tomar os homens no nível em que estão e apresentar-lhes um elemento mais alto, pelo qual só ele é responsável.[40]

(2) *Justiça e guerra* (20.1-20). A justiça de Deus tinha de caracterizar os assuntos internos de Israel e orientar suas relações com outras nações, mesmo quando estas eram inimigas. A adoração e a guerra tinham de ser santas. A apresentação da guerra como instituição sagrada soa esquisito aos ouvidos cristãos, contudo, permeia toda a história de Israel.[41] Seu Deus era um Deus de guerra (Êx 15.3), e quando os israelitas saíssem **à peleja** (1), Ele não só os conduziria (1 Cr 13.12), mas Moisés prometeu: Ele lutará **convosco... contra os vossos inimigos** (4). Por conseguinte, os israelitas não deviam pôr a confiança em armas ou na capacidade humana, mas em Deus (Os 1.7). Quando saíssem, sairiam com a bênção de Deus (1 Sm 30.7), e tudo que ganhassem na peleja lhe pertenceria (Js 6.17-19). Este é tema proeminente em Deuteronômio (6.18,19; 7.1,2,16-26; 9.1-6; 11.22-25; 12.29; 19.1; 31.3-8).[42] Este capítulo expõe a idéia e estabelece as regras para sua execução.

(a) *A presença de Deus na batalha e suas implicações* (1-9). Particularmente nos primitivos anos em Canaã, os israelitas careciam de organização militar e armas características de nações mais desenvolvidas. Um exército voluntário liderado por um líder carismático empregando táticas de surpresa (ver 1 Sm 11.1-11) estava mais ao gosto israelita que enfrentar **cavalos, e carros** (1) nas batalhas intensas. Porém, mesmo nestas circunstâncias, os israelitas não precisavam temer, pois o Senhor que os tirara **da terra do Egito** estava com eles. O **sacerdote** lembraria as tropas deste fato do passado enquanto se enfileirassem para a **peleja** (2-4).

Como prova do amparo de Deus, e também por questões de justiça, certas classes de pessoas estariam isentas do serviço militar. A princípio, esta isenção dizia respeito a indivíduos que empreenderam certas responsabilidades e ainda não tinham desfrutado os privilégios advindos dos seus esforços: o **homem** que edificara **casa nova** (5), plantara uma **vinha** (6) ou desposara uma **mulher** (7). Também todo o **homem medroso e de coração tímido** (8) seria enviado para casa (cf. Jz 7.3). Depois que os **oficiais** (9; *shoterim*) tivessem reunido o exército dentre as tribos, eles designariam os **maiorais** ("capitães", ARA; *sarim*) para comandar as tropas. Todos estes dados pressupõem claramente uma data antiga.[43]

(b) *Regras para a conduta de guerra* (10-20). Os israelitas devem impor tratamento diferente entre as **cidades que estiverem mui longe** (15) e as **cidades destas nações** (16). As primeiras receberiam a opção de **paz**, sob a condição de se tornarem tributárias (11; sujeitas "a trabalhos forçados", ARA) a Israel. Se rejeitassem a paz, seriam destruídas, embora a maldição (**passarás ao fio da espada... todo varão**, 13) fosse imposta e executada somente contra os homens (14). Mas os israelitas não deviam dar tais considerações às **cidades destas nações** (16, os cananeus). Estas tinham de ser totalmente destruídas, pois constituíam ameaça à conservação da fé de Israel (16-18; cf. 7.1-6).

A lei final relacionada à guerra proibia a destruição do **arvoredo** (19; "árvores frutíferas", NTLH), política comum entre os invasores. A razão desta proibição estava em que tudo que sustenta a vida humana devia ser preservado. Este é o significado mais provável da observação parentética: **pois o arvoredo do campo é o mantimento do homem** (cf. 24.6).

Para a mentalidade hodierna, este capítulo soa curiosa mistura de humanitarismo culto e selvageria primitiva. A mente cristã examinará particularmente a noção de santidade da guerra. O ensino deuteronômico aqui e em outros lugares deve ser visto no contexto amplo do caráter progressivo da revelação divina.

Aqui, o significado da guerra não passa de instrumento de política divina. Considerando a condição vigente naquela sociedade, Israel não poderia ter sobrevivido sem esse recurso. Mas isso não indica aprovação permanente. Mesmo no Antigo Testamento, Deus negou a Davi o privilégio de construir o Templo, porque as mãos do rei estavam manchadas de sangue (1 Rs 5.3). Ademais, o Reino Messiânico é visto como envolvendo a abolição de guerra (Is 2.4; Mq 4.3). O fato de hoje esta sociedade ainda recorrer à guerra não prova nada, exceto que os homens são terrivelmente resistentes à graça de Deus. O reconhecimento de neutralidade e a repulsa contemporânea contra a guerra, em contraste com a glorificação da guerra nos dias primitivos, indicam que alguns passos foram dados em direção ao ideal bíblico.

Quanto ao problema moral inerente à ordem de exterminar os cananeus, ver comentários em 7.1-6. Hertz escreve: "Os cananeus foram postos sob maldição, não porque criam em falsos deuses, mas porque suas ações eram vis; por causa dos sacrifícios humanos e imoralidade repugnante dos seus cultos hediondos. A extirpação judicial dos cananeus é outro exemplo do fato de que os interesses do progresso moral humano exigem, ocasionalmente, o emprego de métodos austeros e inexoráveis".[44]

É legítimo interpretar este capítulo tipologicamente acerca do avanço da justiça de Deus. Ele está ativo no mundo por meio do seu povo nos interesses do seu Reino (1-4);

quem se submete a Ele recebe a proposta de paz (10,11); sobre quem resiste vem o julgamento (12-18), um julgamento que é total e final sobre quem obstinadamente persiste no pecado (17,18).

(3) *Justiça na nação e na família* (21.1-23).

(a) *Assassinos desconhecidos* (1-9). Levando em conta que o derramamento de sangue inocente devia ser vingado (Gn 4.10; Nm 35.33), vítimas de assassinos desconhecidos constituíam problema peculiar. Na ausência do criminoso, era da responsabilidade coletiva da **cidade** mais próxima fornecer um substituto na forma de uma **bezerra** (3), que levaria a pena do assassino. Não se tratava de oferta pelo pecado, pois o ritual prescrito para tal oferta não era observado (Lv 4.1-21; cf. Êx 13.13). Mas a santidade estava ligada a este procedimento. A cerimônia devia ocorrer em um **vale áspero** (4; área virgem, não tocada pelo homem; cf. ARA) e com uma bezerra "que nunca foi usada no trabalho" (3, NVI; cf. NTLH). Com o ato de lavar as **mãos sobre a bezerra** (6) e declarar que são inocentes (7), os anciãos garantiam o perdão para o **povo** (8).

O papel desempenhado pelos vários servidores é de interesse particular. Os **anciãos** (2; *zeqenim*) das cidades adjacentes faziam um tipo de assembléia municipal (19.12).[45] Eram acompanhados pelos **juízes** (ver comentários em 16.18-20); estes seriam os sucessores dos anciãos designados por Moisés (Êx 18.13-26; Dt 1.9-17). O juiz garantiria que não haveria trapaça em determinar qual era a cidade mais próxima da cena do crime.[46] Depois disso, a iniciativa ficava com os **anciãos daquela cidade** (4) e os **sacerdotes, filhos de Levi** (5). Estes eram reconhecidos como os principais servidores judiciais: "E, por sua palavra, decidirem toda demanda e todo caso de violência" (5, ARA). Mais uma vez está implícita a unidade última da justiça e da fé, da lei e da religião (ver comentários em 19.15-21); em destaque estão a seriedade do pecado e a provisão de perdão.

(b) *Casamento com mulheres cativas* (10-14). Visto que o casamento com cananéias foi expressamente proibido (7.3), as mulheres bonitas (11) em questão devem ser de nações mais distantes (20.14,15). Mesmo que estas mulheres fossem parte do saque de guerra, tinham de ser tratadas com respeito. Não podiam se casar imediatamente. Primeiro, tinham de romper formalmente com o paganismo: rapar a **cabeça** (12), cortar as **unhas** e tirar as **vestes** de **cativeiro** (13; cf. Lv 14.8; Nm 8.7). Depois — e por questão de humanidade —, teriam um **mês inteiro** para chorar por seus pais e se ajustar ao novo ambiente (13; cf. Nm 20. 29).

Se tempos depois, o marido deixasse de gostar dela, ela não podia mais voltar ao *status* de escravo, do qual o casamento com o conquistador a libertara (14). **Se te não contentares dela** é melhor "se não cuidares mais dela" (Moffatt). Kline comenta que "o caso da mulher cativa é usado como exemplo característico para estabelecer os direitos da esposa, talvez porque seja óbvio que o princípio se aplicaria com muito mais razão no caso da esposa israelita".[47]

(c) *Herdeiros não desejados* (15-17). Da mesma maneira que os versículos 10 a 14 legislam contra o tratamento arbitrário de mulheres, assim os versículos 15 a 17 proíbem o tratamento arbitrário de herdeiros. A poligamia, aqui tolerada como o divórcio o foi nos versículos anteriores (cf. Mt 19.8), é fértil em debates. O desafeto que o homem sente pela mãe do seu **primogênito** poderia instigá-lo a transferir o direito de primogenitura, que acarretava porção dobrada da herança (17; Gn 48.22; 2 Rs 2.9). No antigo Israel, não havia tal instrumento como testamento por escrito;[48] a divisão dos bens era indicada antes da morte (cf. Gn 24.36). Quando era feita, tinham de observar o rígido direito de primogenitura (16,17). **O princípio da sua força** (17) é melhor "a primeira pujança da virilidade do seu pai" (Moffatt).

(d) *Filhos malvados* (18-21). Até no caso de filhos malvados, os direitos que o pai e a mãe tinham de castigar eram limitados. Se a disciplina familiar se mostrasse ineficaz, então deviam recorrer às autoridades legais devidamente constituídas, os **anciãos** (19) que se reuniam à porta da cidade. Só estes poderiam impor a pena de morte, que seria executada pelos **homens da sua cidade** (21).

Talvez seja severa a pena de morte imposta neste caso e em outras transgressões não capitais (*e.g.*, 22.20-27). Porém aqui, como em outros lugares (ver os comentários finais sobre o cap. 19), a comparação com o resto do antigo Oriente Próximo mostra a superioridade do código israelita. A lei israelita, ao contrário de outras nações, restringia a pena de morte a transgressões contra a pureza do culto, a santidade da vida e as relações sexuais. Como destaca Vaux,[49] este é o resultado da ligação entre a lei e a religião. Além destas áreas, a lei de Israel se distinguia pela humanidade de suas sentenças.

(e) *Criminosos pendurados* (22,23). A pena de **morte** (22) seria agravada pela exposição dos corpos. Pendurar não era meio de execução, mas sinal de desgraça, uma declaração pública de que o criminoso quebrara a lei do concerto e, portanto, era **maldito de Deus** (23; cf. Nm 25.4; 2 Sm 4.12). Da mesma forma que a terra, em sentido figurado, era perdoada pelo derramamento do sangue da bezerra (9), assim podia ser contaminada pela exibição do cadáver de um criminoso amaldiçoado. Por conseguinte, tais corpos **não** permanecerão no **madeiro**. Quanto à aplicação cristã destas idéias, ver João 19.31 e Gálatas 3.13.

3. *Leis Relativas a Comunidade do Concerto* (22.1—25.19)
Esta subdivisão de Deuteronômio lida com a prática da justiça dentro dos limites da comunidade do concerto e entre seus membros.

a) *O concerto e as instituições divinas* (22.1-30). Da implementação da justiça de Deus na sociedade, agora o autor se volta às instituições divinas nas quais a sociedade — na verdade, a própria vida —, se alicerça. Aqui também a ordem divina deve ser reconhecida e respeitada. Mas, primeiramente, é apresentado um grupo de leis que ilustra que o vínculo de união da comunidade do concerto é o amor sociável e prestativo.

(1) *A base da obediência — o amor* (1-4). Na posição central da seção legal do livro, esta série de injunções exemplifica o fato de que as leis, em si, são de vasta inutilidade quando inexiste um espírito obediente à lei. Nos exemplos dados, não há como afirmar se a propriedade perdida em questão foi ou não deliberadamente negligenciada. Só a atitude básica de boa vontade ao próximo garante a observância da lei. Este fator indica a

pressuposição do livro deuteronômico: A religião e a lei são o mesmo e "a verdadeira comunidade é dependente da adoração apropriada".⁵⁰ Nas leis paralelas em Êxodo 23.4,5, a propriedade perdida é a do inimigo. George Adam Smith ressalta que "a substituição do termo irmão amplia a lei em vez de estreitá-la".⁵¹ O termo "inimigo" se referia a um inimigo particular e não a inimigo estrangeiro. Estas leis são preconcepções notáveis de Mateus 5.44, e demonstra que o antigo concerto se preocupava com a atitude interior tanto quanto com as ações externas, embora pouco pudesse fazer para curar a primeira (Jr 31.31-34). **Não te esconderás** (1,3,4) significa "não negarás tua ajuda" (RSV; cf. NVI; NTLH).

(2) *O concerto e a ordem da natureza* (5-12). O Senhor do Concerto declara que a justiça prevalecerá em sua comunidade. Na função de Criador, Ele decreta que a justiça caracterizará a atitude para com essas instituições, sem as quais a comunidade e a própria vida seriam impossíveis. O mundo natural, sendo dele, deve ser usado conforme as leis de quem o criou: Deus.

Este é o princípio demonstrado pelos exemplos nos versículos 5 a 11. Pelo visto, indicam os abusos da natureza cometidos pelos pagãos; como raciocina Welch: "É conclusão legítima que nos poucos casos em que não é possível determinarmos a origem, o mesmo princípio esteja em ação".⁵² O uso de **trajo** (5) peculiar ao sexo oposto é proibido por embaraçar a distinção entre os sexos. Na prática pagã, este fato levava a repulsivas indecências morais.⁵³ Não há razão ritual conhecida quanto a poupar a mãe dos **passarinhos** (6,7). George Adam Smith observa que, por bondade, era proibido apanhar a ninhada inteira.⁵⁴ Talvez estivesse em consideração o equilíbrio da natureza. Os pássaros na Palestina são importantes para o controle de pestes.

O **sangue** (8) humano é de maior valor na ordem da criação. O **telhado** plano, muito usado para desfrutar o espaço aberto, tinha de ter um **parapeito** para prevenir o derramamento de sangue por acidente.

Os versículos 9 a 11 proíbem a mistura de mais de uma variedade de **semente**, a aradura com um **boi** e um **jumento** juntos e a combinação de tipos de tecido numa roupa. A passagem de Oséias 2.5,9 sugere que os cananeus atribuíam diferentes produtos a diferentes baalins, em cujo caso roupas com tecido misturados poderiam ter significado pagão.⁵⁵ A mistura de sementes era proibida por razões religiosas, porque a conseqüência seria a contaminação da colheita. "Para que a produção toda não seja confiscada para o santuário" (9, RSV; cf. NVI, nota de rodapé), isto é, não seja colocada sob maldição. Desconhecemos a explicação exata, mas, no final das contas, está relacionado com a distinção de espécies conforme Deus as criou (Gn 1.11). Deduzimos explicação similar para o versículo 10. O uso de **franjas** (12) ou borlas nas **quatro bordas** da roupa exterior era sinal de submissão à lei de Deus (ver Nm 15.37-41).

(3) *O concerto e a instituição do casamento* (13-30). Da mesma forma que o povo do concerto tinha de observar os limites divinamente ordenados na natureza, assim tinham de observar os limites divinamente ordenados no casamento. Este texto trata de várias transgressões destas leis e do estabelecimento das apropriadas penas.

A primeira lei se relaciona com acusações contra uma **mulher** (13), que é esposa ou noiva. Se o homem se casasse por razões puramente sensuais e, passando a odiar a esposa (cf. 2 Sm 13.15), procurasse se divorciar alegando relações pré-matrimoniais da parte dela, o caso seria levado a julgamento. No Oriente Próximo, **os sinais da virgindade da moça** (15) eram as roupas de cama manchadas de sangue da noite de núpcias, guardadas depois disso como evidência pelo pai da noiva. Fossem estes apresentados, o marido seria castigado (açoitado), condenado (multado) e privado do direito ao divórcio (18,19). Porém, caso a acusação fosse verdadeira (20), a mulher seria apedrejada **à porta da casa de seu pai** (21), porque o tinha desgraçado. A segunda lei diz respeito ao adultério, cuja pena era a morte de ambas as partes (22).

As próximas três leis têm a ver com a sedução de mulheres solteiras. As primeiras duas são pertinentes a virgens noivas. Estas são tratadas separadamente, porque o noivado equivalia ao casamento, visto que o dote de noiva já fora pago (ver o v. 24, onde a donzela é chamada **a mulher do seu próximo**, e Mt 1.20). Se a mulher não oferecesse resistência, simbolizada pelo fato de não pedir ajuda, a qual lhe era acessível na **cidade** (23), **ambos** (24) deviam morrer. Se, contudo, ela fosse atacada no **campo** (25), onde não havia ajuda, só o agressor teria de morrer (25-27). Caso fosse descoberto o sedutor de uma **virgem** (28), **moça** não **desposada**, ele teria de pagar o dote de noiva, **cinqüenta siclos de prata** (29), e casar-se com ela, além de perder o direito ao divórcio.

A última dessas três leis proíbe tomar a madrasta como esposa (30). Descobrir a **ourela** (barra da roupa) da mulher significava tomá-la como esposa (cf. Rt 3.9). Moffatt traduz o versículo claramente: "Nenhum homem se casará com a esposa de seu pai ou terá relações sexuais com ela" (cf. NTLH). Em Levítico 18.6-17, há uma lista e outras relações nas quais o casamento é proibido. Talvez este tipo de relacionamento tenha sido escolhido entre os outros como representante ou indício da prevalência de tais uniões, as quais eram conhecidas até o tempo de Ezequiel (Ez 22.10). Pelo visto, este relacionamento era considerado prova do direito de herdar a propriedade do pai (2 Sm 3.7; 16.22; 1 Rs 2.22). Isto explica a freqüência de sua ocorrência.

Este capítulo fala com refinada sobriedade em uma época como a nossa, na qual as leis não são respeitadas. a) Em uma geração que explora os recursos naturais com apavorante eficácia e distinções há muito escarnecidas, fala da ordem divina na natureza (5-12). Ignorá-la é por nosso exclusivo risco. Este capítulo não pode ser usado para justificar o preconceito bitolado; por outro lado, as conseqüências finais de toda inovação científica nem sempre são vistas com antecedência e é fato que muitas inovações levam, no final das contas, a um colapso. b) Em dias em que se tolera cada vez mais a exploração de seres humanos como elementos de pouca importância no jogo do sexo, este capítulo fala da ordem divina entre os homens (13-30). Há a exigência do reconhecimento da santidade no casamento. As pessoas não são meros corpos com que jogamos. c) Em tempos em que a intenção é livrar-se de todas as restrições, este capítulo fala da base de um mundo ordeiro (1-4). Esta base não é a lei, mas o respeito à lei, manifestada numa atitude de cuidado fraterno ao próximo e sua propriedade. Desafiar esta ordem é cortejar não só com a liberdade, mas também com a anarquia. "Não podemos quebrar as leis de Deus; só podemos nos quebrar contra elas."

Em 22.8, há um tema sugerido: "Proteja Sua Casa". 1) Construa um parapeito de influências no lar (bons livros e revistas, filmes, música, rádio e televisão); 2) Construa um parapeito de exemplo parental; 3) Construa um parapeito de altares familiares; 4) Construa um parapeito de amor com disciplina e paciência (G. B. Williamson).

b) *A justiça e a congregação do concerto* (23.1-18). Vemos, agora, a justiça que Deus requer à medida que ela regula a entrada na comunidade do concerto e administra sua permanência.

(1) *A filiação à congregação* (1-8). Várias categorias de pessoas são permanentemente excluídas da **congregação do SENHOR** (Israel). "Permanentemente" é o significado de **nem ainda a sua décima geração** (2,3). Primeiro, aqueles que foram castrados por qualquer método (1), porque tais mutilações faziam parte da adoração pagã. Segundo, o **bastardo** (2, *mamzer*), o qual provavelmente significa o filho de casamento incestuoso (cf. 23.30). Terceiro, o **amonita** ou o **moabita**, por causa do tratamento hostil que deram aos israelitas quando fugiram do **Egito** (3-6). Esta proibição não contradiz 2.29, como parece à primeira vista. Driver comenta: "A expressão usada sugere que os moabitas não se apressaram em lhes oferecer comida em um espírito de amizade (cf. Is 21.14). Também não é necessariamente incompatível com o fato de lhes terem vendido alimentos, talvez por coação, em troca de pagamento em dinheiro".[56]

Estes regulamentos específicos são aplicações do princípio subjacente de que Deus exige que seu povo seja perfeito (cf. 18.13). Estes impedimentos físicos não desqualificam permanentemente seus portadores da comunhão espiritual do povo de Deus, onde "o espírito é o que vivifica, a carne para nada aproveita" (Jo 6.63; cf. Is 56.4,5; At 8.27,38). O **edomita** e o **egípcio** (7) não seriam excluídos depois da segunda **geração** (8). **Abominarás** (7) era "detestarás ou rejeitarás". Os edomitas, a despeito de demonstrações de inimizade (*e.g.*, Nm 20.18-21), eram parentes de Israel (Gn 36.1). Os egípcios, apesar da escravização dos filhos de Israel, salvaram a família de Jacó em tempos de falta extrema de víveres (Gn 42.1ss.). Para que estes estrangeiros entrassem na congregação, é claro que teriam de professar a fé de Israel.

(2) *A pureza do acampamento* (9-14). Quando a nação estivesse em processo de guerra santa (ver comentários no cap. 20), tinha de tomar medidas para assegurar que o acampamento fosse santo. Fora do acampamento, os israelitas deviam tomar providências para as necessidades fisiológicas alistadas nos versículos 10 a 13 (cf. Lv 15.16,17). Embora estas leis também tivessem valor sanitário, o propósito principal era demonstrar reverência a Deus, que liderava seu povo na batalha. Deus não queria **coisa feia em ti** (14; lit., a nudez de qualquer coisa). Não queria ver nada indecente no acampamento.

(3) *Dois exemplos* (15-18). A justiça da congregação é ilustrada no tratamento de escravos fugitivos (15,16) e na proibição de prostituição (17,18). **O servo que se acolher a ti** (15), em comparação com o tratamento severo outorgado pelas nações circunvizinhas, podia permanecer livre em Israel.[57] A prostituição, masculina e feminina, era característica principal do culto pagão. Não devia ter lugar em **Israel**; nem seus proventos, o **salário de rameira** ou o **preço de cão** (18), deviam caber na **casa** do **Deus** de Israel. **Cão**, aqui, denota o prostituto.

Este, em suma, é o caráter do povo de Deus: 1) O povo tem de ser um povo santo, 1-8; 2) O povo tem de ser santo, porque é o beneficiário de uma Presença Santa, 14; 3) A santidade do povo tem de ser demonstrada em seu estado pessoal e na prática santa,

15-18. A justiça exigida do antigo povo de Deus pressagia a justiça exigida da igreja, pela mesma razão e com conseqüências semelhantes (2 Co 6.14—7.1; Ef 5.25-27; Tt 2.14).

c) *A justiça e os membros do concerto* (23.19—25.18). A justiça que condiciona a entrada na congregação deve caracterizar o tratamento dos membros entre si. O texto tece considerações acerca de grupos diversos.

(1) *Os vizinhos* (23.19-25). Os procedimentos para com os vizinhos tinham de ser regidos pelo amor prestativo e sociável (cf. 22.1-4). O texto de Êxodo 22.25 proíbe cobrar juros (**usura**) de empréstimos feitos a israelitas em situações difíceis — lei que Levítico 25.35-37 estende a estrangeiros residentes. O versículo 19 repete a lei de Êxodo, proibindo juros de qualquer empréstimo, quer em dinheiro quer em mercadorias ou serviços. O versículo 20 não contradiz a lei de Levítico, pois aqui estão em vista empréstimos comerciais e não empréstimos pessoais. As taxas de juros nos países vizinhos eram elevadas, chegando até 50%. Para os pobres, esta cifra seria altíssima, e nenhum israelita deve causar a bancarrota do seu irmão.

Os versículos 24 e 25 ordenam sociabilidade semelhante a quem passa por vinhedos ou campos de outrem. A fome pode ser satisfeita, mas a ganância não; os direitos de propriedade devem ser respeitados. Os fariseus violaram o espírito e a letra desta lei quando acusaram os discípulos de fazer a colheita no sábado (Mc 2.24).

Intercalado entre estas leis, temos a lei dos votos (21-23). Se os israelitas tinham de manter a lealdade ao concerto no que tange ao seu vizinho, quanto mais ao seu **Deus** (21). Ninguém era obrigado a **votar** (22), mas, se o fizesse, teria de manter a palavra (23).

Nos versículos 21 a 23, encontramos o tema "Cumpra Seus Votos". 1) Considere suas possibilidades de pagamento antes de prometer, 22; 2) Pague seus votos a Deus, 21; 3) Cumpra suas promessas feitas de forma irrefletida e imprudente ou obtenha liberação honrada. Aprenda a fazer votos com a devida consideração, 23 (G. B. Williamson).

(2) *As esposas* (24.1-5). Esta não é uma lei que institui o divórcio. Nenhuma lei do Antigo Testamento promove o divórcio. Encontramos a atitude do divórcio em Malaquias 2.14-16. Esta é uma lei que restringe a prática do divórcio, aqui considerado como fato, no caso particular de uma mulher divorciada duas vezes ou da divorciada viúva.

Havia certas formalidades exigidas em todos os divórcios. O propósito dessas restrições era impedir o marido de precipitar-se em exercer o direito ao divórcio (só o homem podia pedir divórcio). Assim: a) Tinha de ter uma causa séria. **Coisa feia** (1) é expressão vaga, a qual, segundo Driver, "é muito natural entendermos que se trate de comportamento insolente ou indecente"[58] (cf. ARA). Não significa adultério, pois era punível com a morte (cf. 22.20,21). b) Tinham de observar devidamente o procedimento legal: a mulher recebia o **escrito de repúdio** e era formalmente despedida da casa do marido. Mas caso a mulher fosse divorciada duas vezes, ou se divorciasse uma vez e depois ficasse viúva do segundo marido, ela não podia se casar de novo com o primeiro marido **depois** que fora **contaminada** (3,4). A segunda união a colocou em relação adúltera com o primeiro marido (cf. Lv 18.20; Nm 5.13,14,20, onde é usado verbo "contaminar" para expressar o mesmo resultado). C. F. Keil comenta: "O casamento da mulher divorciada é implicitamente tratado como equivalente a adultério, aprontando o caminho para o ensino de

Cristo sobre a questão matrimonial".[59] A concessão ao divórcio pressuposta neste texto deuteronômico, Jesus a remove em Mateus 19.7-9. O versículo 5 mostra a alta consideração reputada ao casamento, ao isentar os homens do serviço militar e de outros serviços públicos durante o primeiro ano de casamento (cf. 20.5-9).

(3) *Os necessitados* (24.6-22). As pessoas incapazes de cuidar de si mesmas, tinham de receber cuidado especial. As leis nesta passagem tratam de três temas principais.

(a) *Os bens dados em penhor* (6,10-13,17,18). Ainda que fosse proibido cobrar juros de empréstimos (23.19,20), era permissível tomar um **penhor** (6, garantia de pagamento). Contudo, os muito pobres só possuiriam as coisas necessárias para a sobrevivência. Tomar garantia de pagamento deles por um empréstimo significaria pôr em risco a continuação da existência deles. Por conseguinte, há duas diretrizes. A primeira é que nada que pusesse a vida em risco podia ser tomado como garantia de pagamento. Por isso, das duas pedras redondas do moinho usadas para moer cereais, não deviam tomar a **de cima**, pois esta ação acabaria com a produção de alimentos. **As duas mós** é melhor "as duas pedras de moinho" (NTLH; NVI) ou "o moinho manual" (Moffatt). Se tomassem a roupa que se usa por cima, não deveriam mantê-la durante a noite (12,13,17), visto que o camponês, que a usava como cobertor, morreria de frio (Êx 22.26,27; Am 2.8). A segunda diretiva é que a escolha do **penhor** tinha de ser feita pelo tomador de empréstimo e não por quem emprestava. Era proibido o emprestador entrar na **casa** (10,11) de quem fazia o empréstimo. Era fácil a investigação para avaliar a situação financeira do tomador de empréstimo se tornasse em exame que humilha e envergonha.

(b) *A segurança das pessoas* (7-9,16). A vida humana era sagrada em Israel. Por conseguinte, o seqüestro de um patrício israelita para vendê-lo em escravidão era proibido sob pena de morte (7). Do mesmo modo, durante as epidemias de **lepra** (8), os israelitas tinham de tomar extremo cuidado em observar as leis para contê-la (Lv 13—14; cf. Mc 1.44). Estas leis foram exemplificadas na ocasião em que, sob expressas ordens divinas, **Miriã** (9) foi excluída do acampamento quando foi atacada de lepra (Nm 12.10-15). A **lepra** é um termo usado na Bíblia para designar várias doenças de pele, além da própria lepra.[60]

Por fim, ocorre a declaração do princípio da responsabilidade individual — **cada qual morrerá pelo seu pecado** (16). Em muitos países do antigo Oriente Próximo, em vez do indivíduo era a família a unidade da sociedade, de forma que se um membro cometesse um crime a família inteira era punida (Et 9.13,14; Dn 6.24). A repetida ênfase na responsabilidade pessoal no Antigo Testamento (*e.g.*, 2 Rs 14.6; Jr 31.29,30; Ez 18.19,20) sugere que Israel estava em perigo de cair presa desta concepção; daí, a razão desta lei.[61] O repúdio legal da concepção dessa culpa coletiva de nenhuma maneira anula a realidade do sofrimento coletivo que o pecado de um indivíduo ocasiona. É este sofrimento coletivo que é expresso no terceiro mandamento (5.9). Mas os processos inevitáveis da vida não devem se tornar os princípios da lei.

(c) *O cuidado com os pobres* (14,15,19-22). Não se devia tirar vantagem do **jornaleiro** (14; "empregado", NTLH) **pobre e necessitado**. Tinham de lhe pagar o **salário** (15) quando o tivesse ganhado. No tempo da colheita, os donos não podiam rebuscar o **campo**

(19) ou a **oliveira** (20) ou a **vinha** (21). Tudo que não fosse colhido tinha de ser deixado **para o estrangeiro, para o órfão e para a viúva**.

Estas leis relativas aos necessitados são notáveis, não só pelo interesse humanitário, mas também pelo modo humanitário em que esse interesse tinha de ser expresso. Não é suficiente estarmos preparados para ajudar os necessitados; devemos estar prontos a ajudá-los de forma a facilitar eles aceitarem a ajuda. Manley escreve: "Estas normas são ilustrações da 'benignidade' que é fruto do Espírito, pois inculcam respeito pelos sentimentos e pelas necessidades de quem toma emprestado".[62] O emprestador não deve entrar na casa do tomador do empréstimo (10,11); o empregado necessitado não tem de ser forçado a pedir seu salário (14,15), como também o pobre, as sobras da colheita (19-22). Estes indivíduos estão no seu direito e devem ser tratados de acordo, apesar da pobreza. O mesmo espírito foi transportado ao cristianismo, onde Paulo suplica aos homens irem a Cristo, ainda que o apóstolo tivesse a dignidade de embaixador (2 Co 5.20). Para usar a frase de Denney, temos de "pregar o evangelho no espírito do evangelho".[63]

(4) *Os desamparados* (25.1-19). Agora, a atenção se volta a situações nas quais os indivíduos estão em grande parte ou totalmente à mercê dos outros. Dizem que o tratamento dos desamparados é o padrão de aferimento da civilização. É verdade, sobretudo porque o inverso também é verdade: o exercício de poder é um dos testes mais minuciosos do caráter. Como disse Lord Acton: "O poder tende a corromper, e o poder absoluto corrompe de modo absoluto". Mais uma vez, o tom imponentemente moral de Deuteronômio brilha radiantemente por meio destes versículos.

(a) *Castigo justo aos culpados* (1-4). Os prisioneiros condenados estão particularmente vulneráveis em nações, como o antigo Israel, em que não há prisão e o castigo corporal é mais freqüente. Daí, o estabelecimento de condições rígidas para a administração da punição. Primeiro, o castigo tinha de ocorrer só depois de julgamento feito por **juízes** (1; cf. At 16.22-24,37-39) autorizados. Segundo, devia ser administrado na presença do **juiz... diante de si** (2). Terceiro, a punição tinha de ser por **quanto** bastasse pela **injustiça** cometida (proporcional ao crime; "de acordo com o crime que cometeu", NTLH) e havia um número determinado de açoites, uma proteção contra administração feita com raiva. E quarto, o número de açoites não devia exceder a **quarenta** (3). Para evitar o erro neste último ponto, tornou-se tradicional no judaísmo que a quantidade máxima de fustigadas ficasse restrita a 39 (2 Co 11.24).

O propósito destas restrições era evitar a humilhação do prisioneiro. Cunliffe-Jones diz com pertinência: "A personalidade do transgressor deve ser respeitada mesmo no ato em que se aplica o castigo. O código penal não deve ofender nem criticar, levando-o a ter prazer na desgraça do seu irmão, ou ser criminoso, levando-o a perder o respeito próprio, que é o fundamento da humanidade do indivíduo".[64] É interessante observar que embora o transgressor esteja entre os injustos (1), ele ainda é **teu irmão** (3). **Não fique envilecido** é melhor "não fique aviltado" (ARA; ou humilhado, cf. NTLH; NVI).

Anexado a esta, temos a lei sobre não amordaçar o **boi** (4). Esta regra amplia o princípio da importância respeitosa dada aos animais irracionais. Amarrar a boca do **boi**, ao mesmo tempo em que seus cascos separavam o grão das espigas, seria o requinte da crueldade. Em 1 Coríntios 9.9,10, o comentário de Paulo sobre esta lei força mais do que comumente permite a língua hebraica. Por meio dessa imposição, o apóstolo faz uma comparação em termos de contraste absoluto.⁶⁵

(b) *Tratamento justo aos mortos* (5-10). O costume do levirato (termo derivado do latim, *levir*, o irmão do marido) era amplamente praticado no mundo antigo. Sua formação variava de nação a nação. No antigo Israel, centralizava-se no temor da extinção da linhagem familiar (Rt 4.5,10; 1 Sm 24.21; 2 Sm 14.7). Talvez este receio existisse por causa da revelação incompleta do caráter da vida após a morte. Esta concepção tornava o fato de não ter filhos um revés para o defunto. Isto é confirmado pela idéia concomitante de perpetuar a herança do morto não se casando fora da família (5; Rt 4.5,10). A alienação da propriedade do falecido pelo casamento da viúva com um estranho significaria a perda da sua parte ganha na Terra Prometida. Por conseguinte, se o homem morresse sem filhos, era dever do seu irmão desempenhar o papel de marido para a viúva dele. Todo filho dessa união era considerado descendência do defunto (Gn 38.6,9).

A lei expressa aqui tem várias características distintivas. Em primeiro lugar, aplicava-se somente se os **irmãos** (5) morassem **juntos**, ou seja, tivessem um estabelecimento comum; e se o primeiro casamento não tivesse filho ou filha, ao invés da ausência de descendente masculino (conceito deduzido pelo fator implícito que há no direito de herança de filhas [Nm 27.4-11]).⁶⁶ Em segundo lugar, só o **primogênito** (6) tinha de levar o nome do defunto; os filhos subseqüentes levariam o nome do pai biológico. Em terceiro lugar, ao contrário de prática anterior (Gn 38.8-10), o irmão poderia rejeitar a responsabilidade, embora fosse considerada séria falta de cumprimento do dever fraternal. Neste caso, depois que informassem os **anciãos** (7) e os esforços para dissuadi-lo fossem malsucedidos (8), o irmão renunciaria formalmente sua obrigação na presença deles. Esta formalidade era simbolizada pelo ato de a mulher retirar a sandália do renunciante. Levando em conta que a pessoa ocupava a terra andando sobre ela, o **sapato** tornou-se símbolo de tomar posse; tirar o calçado representava perda ou rejeição. Este repúdio ao dever envolvia desgraça duradoura (10).

(c) *Tratamento justo às vítimas* (11,12). A **mulher** (11) que interfere a favor do marido, atacando indecentemente o agressor, deve sofrer esta pena: **Cortar-lhe-ás a mão** (12). "O ato proibido inclui o desrespeito pelo sinal do concerto e não se trata apenas de indecência. Esta idéia é sugerida pelo caráter similar da punição e do sinal, pois ambos acarretam em mutilação."⁶⁷ Este ponto de vista é apoiado por Vaux. Este estudioso considera que, na lei israelita, esta pena é a única aplicação física — e na forma simbólica — da Lei de Talião (19.21).⁶⁸

(d) *Pesos e medidas justos* (13-16). O freguês estava à mercê do vendedor que poderia usar peso **grande** (13), para a compra, e peso **pequeno**, para a venda. Esta prática não era desconhecida (Am 8.5), embora os padrões oficiais para os pesos fossem estabelecidos nos dias de Davi (2 Sm 14.26). Este costume era uma **abominação** aos homens e a **Deus**, conforme mostrada pela bênção ligada ao **peso inteiro e justo** (15) e pela maldição a **todo aquele que faz injustiça** (16).

Nos versículos 13 a 16, identificamos "Rígida Honestidade". 1) A honestidade é toldada pela desonestidade, 13,14; 2) A honestidade perfeita é recompensada, 15; 3) A desonestidade é condenada, 16 (G. B. Williamson).

(e) *Procedimento justo aos amalequitas* (17-19). Depois das ilustrações feitas por exemplos, a subdivisão conclui com uma ilustração feita por advertências. O tratamento vergonhoso que os israelitas sofreram às mãos dos amalequitas, quando saíram **do Egito** (17), estava indelevelmente gravado na memória dos hebreus. A passagem de Êxodo 17.8-16 registra a batalha. Há especial amargura na descrição deuteronômica do ataque de tocaia feito aos **fracos** (18), cansados e afadigados, pela retaguarda israelita (cf. 1 Sm 15.2). Ninguém que temesse a Deus teria feito isso, mas os amalequitas fizeram. A mesma justiça que ordena tratamento justo aos necessitados implica em condenação de quem deixa de fazê-lo (19; ver comentários em 20.17,18).

Vamos organizar o pensamento desta subdivisão (23.19—25.19) procurando sua mensagem para nós hoje. A fé de Deuteronômio não era obviamente pietismo individualista com exaustão de forças ao alcançar a aceitação pessoal. Pelo contrário, a tônica desta subdivisão é que fé santa tem de resultar em ação santa; o efeito da santificação da alma é a santificação da sociedade. Os israelitas não deviam ser indivíduos meramente santos; tinham de ser uma nação santa (7.6). Daí as aplicações sociais da santidade apresentadas de forma intensamente concreta nesta subdivisão. O cristianismo se fundamenta na mesma tradição. Nas célebres palavras de Wesley, citamos: "O cristianismo é essencialmente uma religião social, e torná-la religião que não se adapta à sociedade é destruí-la. [...] O evangelho de Cristo não sabe o que é religião senão a religião social; não sabe o que é santidade senão a santidade social. [...] A fé que trabalha por amor é a largura, o comprimento, a altura e a profundidade da perfeição cristã".

Esta subdivisão nos sugere "Quatro Maneiras de Mostrar a Justiça Cristã". 1) Pela prática da sociabilidade cristã, 23.19-25. Levando em conta que Deuteronômio distingue as várias categorias de próximo (*e.g.*, "irmão" e "estranho", 23.19,20), a definição cristã de próximo é dada categoricamente na Parábola do Bom Samaritano (Lc 10.25-37). Nosso próximo é toda pessoa a quem estamos em posição de ajudar. 2) Pelo respeito ao casamento cristão, 24.1-5. Uma vez mais Jesus ultrapassa a posição deuteronômica, mesmo com sua aceitação limitada de divórcio, voltando à instituição original da criação quando a ordem era que o casamento fosse vitalício (Gn 2.23,24; Mt 19.3-9). 3) Pelo cuidado cristão aos necessitados, 24.6-22. De acordo com Josué 1.27, este tema está no âmago da pura religião. 4) Pela caridade cristã aos desamparados, 25.1-19. A preocupação pelos culpados diante da lei é repreensão particular aos nossos dias, que testemunham o retorno da tortura e a astúcia da lavagem cerebral. Nas palavras de Cunliffe-Jones: "O castigo deve se restringir ao mínimo possível compatível com a defesa da afirmação de que a lei justa deve ser obedecida; este é princípio de grande importância e permanente aplicação".[69]

A extensão na qual a sociedade contemporânea reflete estas características é a extensão da influência da fé deuteronômica e de sua sucessora cristã. A extensão na qual a sociedade não é assim, ou está se afastando de sê-lo, é a medida de nosso desafio.

4. *Liturgias que Reconhecem Deus como Senhor* (26.1-15)

A seção legal deste documento, que contém as condições do concerto entre Deus e Israel, se encerra com dois rituais. Estas são liturgias para serviços nos quais as pessoas reconhecem Deus como Benfeitor e declaram que observam as condições do concerto.

a) *Liturgia para a oferta das primícias* (26.1-11). Depois que tivessem entrado na terra, os israelitas tinham de, no devido tempo, tomar **das primícias de todos os frutos da terra** (2), colocá-las em um **cesto** e levá-lo ao santuário. Tinham de comparecer diante do **sacerdote** (3) e declarar que a promessa do concerto de Deus (1.8) se cumpriria. Em seguida, o sacerdote colocaria o cesto **diante do altar** (4) e o adorador relataria as grandiosas libertações que Deus dera, as quais o possibilitaram chegar onde estava. Como exemplos, Moisés cita a libertação de Jacó, que servia Labão, e a libertação de Israel, que era escravo do Egito. O texto diz que Jacó era **sírio** (5; "arameu", ARA), pois sua mãe era da cidade de Naor (Gn 24.10) e por muitos anos ele ficou servindo Labão naquela região (Gn 29—31). Os adoradores tinham de contar a **dura servidão** (6) a que foram sujeitos no **Egito**, de onde foram libertos pelo **SENHOR** (7,8). Agora, em reconhecimento de que a nova terra era o dom de Deus, os adoradores apresentavam o cesto das primícias, colocando-o diante do altar, de onde o tinham apanhado (cf. 4), recitando a liturgia (5-10).[70] Após o ritual, havia um banquete sagrado no qual os levitas e os estrangeiros se reuniam com a família ofertante (11).

De acordo com Números 18.12,13 e Deuteronômio 18.4, as primícias pertenciam aos sacerdotes, embora não haja prescrição do ritual de apresentação. Esta falta é corrigida aqui — bastante conveniente, visto que, nas palavras de Welch, Deuteronômio "não é um manual de orientação dos sacerdotes. [...] É um tratado sobre leis voltado para o laicato".[71] Não é possível determinar se o cesto continha todas as primícias ou apenas uma amostra,[72] pois a maior parte era usada no banquete (11). A liturgia tinha o desígnio de ressaltar que o crédito pela fertilidade da terra pertencia ao **SENHOR, teu Deus** (repetido nove vezes),[73] não a um dos baalins cananeus.

Esta passagem incorpora todos os temas principais de Deuteronômio: a providência divina na história da nação, e a conseqüente ação de graças simbolizada pelo pagamento dos tributos e dons de Deus aos pobres. É o padrão caracteristicamente bíblico da graça e gratidão (ver, *e.g.*, Rm 12.1).

b) *Liturgia depois da distribuição dos dízimos* (26.12-15). Considerando que os **dízimos** (12) do primeiro e do segundo ano eram usados para as festas sagradas (14.22-27), no **terceiro** eram dados aos levitas e aos pobres (14.28,29). Quando este ato era devidamente feito, os adoradores compareceriam perante o Senhor no santuário (14.23; 15.20) e declaravam abertamente que foram obedientes aos **mandamentos** (13) divinos. Afirmariam particularmente que evitaram contaminar o dízimo, preservando-o de três fontes específicas: comendo dele na **tristeza** (14), procedimento que o tornaria cerimonialmente imundo (Os 9.4); distribuindo parte dele quando eles estavam ritualmente imundos; ou oferecendo parte dele aos mortos — possível indicação ao costume funerário cananeu de consagrar parte da oferta à deidade da vegetação.[74] Com base nesta obediência declarada, ele rogava pela continuação das bênçãos divinas.

Da mesma forma que em Números as primícias são destinadas aos sacerdotes, assim os **dízimos** são destinados inteiramente aos levitas (Nm 18.21-32). A explicação judaica tradicional desta discrepância entre Números e Deuteronômio é dizer que Deuteronômio fala de um segundo dízimo.[75] É mais provável que seja explicado como emenda em vista da mudança de condições ao entrarem em Canaã. No deserto, somente os dízimos do gado podiam ser pagos, como dá a entender Números 18.27,30, e nas circunstâncias limitadas do deserto os levitas os exigiriam todos. Na terra da abundância, onde o produto do campo seria abundante, haveria mais do que o suficiente, e os adoradores e os pobres tomariam parte nessa superabundância.

Podemos acrescentar os seguintes pensamentos: 1) A lei fundamental do dízimo em Levítico 27.30-33 não faz descrições concernentes à sua distribuição. Estabelece o princípio básico das coisas que "santas são ao SENHOR" (Lv 27.30), princípio respeitado em todas as leis do dízimo. 2) O fato de Deuteronômio determinar que os levitas recebessem uma parte, e não todo o dízimo, está, talvez, indicado na distinção entre o dízimo e a oferta alçada (*terumah*, "contribuição da mão", 12.6,11,17), sendo a oferta alçada a parte do dízimo para os levitas. Neste caso, a oferta alçada exerce a mesma relação com o dízimo assim como o cesto em relação à totalidade das primícias (26.2,11). 3) Podemos explicar os discrepantes destinos dos dízimos ressaltados em Números e em Deuteronômio pelas formações históricas diferentes e públicos diferentes dos dois livros. O Livro de Números estabelece determinações aos servidores religiosos levando em conta o ambiente rústico do deserto. O Livro de Deuteronômio fornece orientações aos adoradores leigos com vistas ao cenário mais amplo da Terra Prometida[76] (ver comentários em 14.22-29).

Não há que duvidar que os detalhes do procedimento eram mais inteligíveis aos israelitas do que a nós hoje. O que está bastante claro é o principal propósito da liturgia. Servia para declarar abertamente que os dízimos eram usados para os fins aos quais foram santificados por Deus, e não para a prática de ritos de fertilidade cananeus.

5. Conclusão: Declarações de Lealdade (26.16-19)

Embora a palavra *concerto* não seja usada nestes versículos, o pensamento que entretece as palavras é a conclusão de um contrato entre Deus e Israel. Tendo em vista que houve somente um concerto — aquele que foi firmado no Sinai (Êx 24.7) —, o cenário era de renovação de concerto. Naquele **dia** (16), as cláusulas do concerto foram lidas em sua totalidade. Entre elas havia **estatutos** (*huqqim*), leis por força de consciência; **mandamentos** (*mizwoth*), ordens sujeitas a pleno cumprimento; e **juízos** (*mishpatim*), leis estabelecidas por precedente legal — em suma, todo o conteúdo do livro (16,17; cf. 12.1).[77]

Israel se comprometera em observar as leis e, com isso, se prendera com Deus para ser o seu Deus. Esta é a força do termo **declaraste** (17,18), que significa "levar a reconhecer". É termo técnico e legal usado pelas partes contratantes em um concerto. Por outro lado, Deus levara os israelitas a reconhecer que eles eram o **povo seu próprio** (18; peculiar, particular). Contudo, este reconhecimento não era uma prisão, mas um privilégio, o cumprimento da promessa divina de fazer deles um **povo santo** (19). A santidade de coração é mais que obrigação; é uma honra.

Este capítulo considera que Israel está na Terra Prometida (1), desfrutando seus benefícios (9,15). Para que a prosperidade não fizesse com que os israelitas se esquecessem do Deus que os levara para lá, eles tinham de cumprir "Três Atos de Adoração para um Povo Bem-sucedido": 1) A adoração pelo testemunho, 1-11; 2) A adoração pelo dízimo, 12-15; 3) A adoração pela nova dedicação, 16-19.

Agora que chegamos ao fim da principal seção legal de Deuteronômio (12.1—26.19), é proveitoso fazermos algumas observações gerais sobre a organização das leis. Em muitos pontos, é difícil perceber por que determinada lei ocorre onde ocorre, e é fácil sugerir um lugar melhor para ela. As palavras de 19.14 não têm ligação óbvia com o contexto; ao passo que as passagens de 21.10-14 e 23.9-14 teriam colocação mais apropriada no capítulo 20. Os exemplos são numerosos quanto são as confissões desesperadoras de estudiosos e comentaristas, que afirmam que o problema da ordem organizacional de Deuteronômio é insolúvel.[78]

Entretanto, mesmo que ainda não se conheça solução satisfatória e cabal, há fatores que oferecem orientação. O reconhecimento amplamente aceito de que Deuteronômio foi elaborado na forma de concerto, conforme mostrado por Mendenhall,[79] significa que o plano e desenvolvimento básico do livro são claros. Por sua vez, este fato proporciona mais uma pista. Se, nas cerimônias de renovação, o concerto era passível de atualização e acréscimo,[80] pode ser que este processo explique a ordem das leis na forma que as conhecemos. Quando se trata de acréscimos, Daube mostrou a alta freqüência com que são feitas no final, quer tenham ou não levado em consideração o tema da última lei do código existente.[81]

O antigo Oriente Próximo apresenta provas comparativas que mostram que, se uma lei era substituída por outra com efeito diferente ou oposto, a lei original não era necessariamente extirpada.[82] Portanto, devemos ser condescendentes com "a lei da mudança na Bíblia",[83] por meio da qual o código basicamente mosaico foi modificado e ampliado para atender as necessidades de uma situação em constante mudança.

Nas palavras de F. F. Bruce: "Pouco importando com quantas revisões paralelas ou sucessivas as suas leis poderiam ser atualizadas e, de vez em quando, de novo promulgadas, e pouco importando como poderiam ser ampliadas e aplicadas nas condições variáveis da vida, na forma escrita ou na tradição oral, a lei de Israel nunca deixaria de ser conhecida por a lei de Moisés. Esta é conclusão correta: Os princípios estabelecidos em seus dias, antes da conquista de Canaã, permaneceram os mesmos princípios da lei de Israel ao longo de todos os séculos futuros".[84] Portanto, é correto procurar interpretar Deuteronômio como um todo coerente e também abster-se de forçar ligações onde obviamente não existem.

Seção III
DISCURSOS FINAIS: O CONCERTO

Deuteronômio 27.1—30.20

A exposição das cláusulas do concerto terminara. Restava o povo se comprometer formalmente com o concerto. Nos concertos característicos do antigo Oriente Próximo em vigor no tempo de Moisés, esta cerimônia, com seus vários elementos, eram o clímax habitual da conclusão de um concerto.[1] Os capítulos 27 a 30 incorporam este procedimento de ratificação. As características principais são a repetição das bênçãos e maldições que se aplicarão, respectivamente, na observância e infração do concerto (28); e a efetiva cerimônia de juramento (29,30).

A. A Cerimônia de Ratificação, 27.1-26

O conquistador impunha sobre seu vassalo um concerto que, em geral, era renovado em dois estágios. O primeiro ocorria antes da morte do suserano, e o segundo, depois da ascensão do seu sucessor. Pelo que deduzimos, este é o padrão que aparece aqui, visto que Moisés está a ponto de morrer e ser sucedido por Josué. Pelo visto, este capítulo reúne o ritual para a segunda ocasião (o registro do cumprimento está em Js 8.30-35). O fato de interromper a seqüência entre 26.19 e 28.1 se deve, talvez, porque leva em conta esta ocasião posterior. De maneira nenhuma a ordem das partes nesses tratados antigos era constante.[2] Este fato explicaria por que Moisés se sentia livre para se afastar de uma ordem mais lógica, sobretudo quando essa ação lhe permitiria ordenar a obediência a Deus nos dias futuros, quando ele já não estaria liderando o povo de Deus.

1. A Escrita Cerimonial da Lei (27.1-8)

Assim que chegassem à Terra Prometida, os israelitas tinham de reunir **umas pedras grandes**, caiá-las e escrever **nelas todas as palavras desta lei** (2,3). O ato de entalhar leis em pedras era comum no mundo antigo. O código de Hamurábi, o famoso rei babilônico do século XVIII a.C., tem cerca de 8.000 palavras esculpidas em um bloco de diorito. O código Persa, entalhado na pedra de Behistun, é duas vezes mais longo que Deuteronômio 12 a 26. O método de entalhe ordenado aqui é egípcio. Em vez de esculpir, envolvia aplicar uma camada de estuque na superfície da pedra e escrever com um pigmento preto.

Mais importante que o método de escrita da lei era sua significação. A publicação da lei implicava em proclamá-la lei da terra onde era publicada. O ato público de escrever o concerto de Deus com Israel, no momento da chegada a Canaã, significava que a nação a aceitava como norma de vida na nova terra. As pedras inscritas seriam testemunho permanente desta solenidade e do conteúdo da lei.

Fato que confirma este significado da escrita da lei é a ordem de oferecer sacrifício, parte habitual do procedimento de ratificação do concerto (cf. Gn 15.9-18; Jr 34.18).[3] Os israelitas tinham de erigir um altar no **monte Ebal** (4) feito de **pedras inteiras** (6), ou seja, pedras ao natural, não tocadas por ferramenta de **ferro** (5). Em hebraico, a palavra traduzida por **inteiras** (*shelemoth*) provém do mesmo radical que *shalom* ("paz"). O caráter físico das pedras indica sua função e efeito espiritual. Como ocorreu no Sinai (Êx 24.5,11), a "assinatura" do concerto seria acompanhada por um banquete sacrifical, no qual as pessoas se alegrariam **perante o SENHOR** (7).

É digno de nota que Moisés não achou incongruência entre a edificação de um altar no monte Ebal e a lei do santuário central vigente em 12.1-14. Pelo contrário, como diz Manley, ele "usa as mesmas palavras de Êxodo 20.24 que, imagino, Deuteronômio as revoga".[4] Esta é forte indicação de que, ainda que 12.1-14 anteveja um santuário central, a lei permite a adoração do verdadeiro Deus em qualquer lugar autorizado (ver comentários em 12.1-14).

2. A Lembrança Solene (27.9,10)

No meio de orientações para o futuro, há a inserção desta lembrança: **Israel** (9) sempre deve ser o **povo** do **SENHOR... Deus**. O concerto precisaria ser ratificado mais tarde, embora já estivesse em processo de ratificação enquanto Israel ouvia suas cláusulas da boca de Moisés nas campinas (ou planícies) de Moabe (ver Mapa 3). A obediência **à voz do SENHOR, teu Deus** (10), era obrigação atual e futura (10). Rad observa que estes versículos mostram notavelmente que o concerto é o dom gratuito de Deus. Não era a recompensa da obediência de Israel, pois até agora não tiveram oportunidade de obedecer às suas condições de vida em Canaã. A obediência é, de fato, uma exigência, mas é a conseqüência e não a causa do concerto.[5]

Esta seção mostra uma semelhança, em termos de linguagem e conteúdo, com a passagem de 26.16-19 e o capítulo 28. Longe de interromper a seqüência, serve para unir estes capítulos.

3. As Bênçãos e Maldições (27.11-13)

O pensamento aqui se volta para a cerimônia de ratificação no futuro, depois que os israelitas tivessem entrado na terra. As bênçãos e maldições são as sanções do concerto

(11.26-28). O capítulo 28 indica o conteúdo do concerto. Dos trechos de 11.29 e Josué 8.30-35, deduzimos, pelo menos em parte, a forma precisa do ritual de abençoar e amaldiçoar. Seis tribos tinham de ficar no **monte Gerizim** (12) para abençoar, e as outras seis, no **monte Ebal** para **amaldiçoar** (13) o povo. O texto não é claro em dizer se as tribos recitariam as bênçãos e maldições ou se alguém as recitaria para elas. No meio deste anfiteatro natural ficavam os sacerdotes com a arca do concerto. A substância das bênçãos e maldições é omitida aqui, presumivelmente por causa de sua inclusão no capítulo 28.

Pelo visto, o princípio no qual as tribos foram divididas entre o monte da bênção e o monte da maldição é genealógico. Os filhos das esposas legítimas de Jacó foram designados para abençoar, e os filhos das concubinas, para amaldiçoar. Porém, Rúben, que perdeu seu direito de primogenitura (Gn 49.4), e Zebulom, o filho mais novo de Léia (Gn 30.19,20), foram transferidos ao segundo grupo para que ambos os grupos tivessem números pares. Ao mesmo tempo, não é impossível estabelecer uma base geográfica. O primeiro grupo, com a exceção duvidosa de Issacar, são tribos que se estabeleceram ao sul de Esdraelom. O segundo grupo, inclusive Rúben e Gade da Transjordânia, se instalaram ao norte (ver Mapa 4).

4. O Juramento do Concerto (27.14-26)

Estes versículos revelam um ritual distinto de bênção e maldição. O procedimento é evidente pelo fato de que, aqui, os **levitas** (14) pronunciam as maldições e **todo o povo** (15), em vez de apenas a metade, responde. Esta cerimônia contém somente maldições. O juramento formal de obediência fazia parte da conclusão de um tratado no antigo Oriente Próximo e da leitura de suas condições ou do pronunciamento de suas sanções.[6]

É provável que esta característica, na qual o vassalo invocava maldições sobre si mesmo caso quebrasse as cláusulas do tratado, esteja agregada nestes versículos.[7] Os textos de Êxodo 24.7 e Josué 24.16,21,24 se referem, provavelmente, ao mesmo tipo de cerimônia. À medida que as maldições eram lidas em voz alta, o povo indicava seu consentimento respondendo com o **Amém!** (15).[8] Quanto a outras ocorrências bíblicas, ver Números 5.22; 1 Reis 1.36 e Neemias 5.13.

Todas as contravenções amaldiçoadas aqui são condenadas em outros textos do Pentateuco, embora não em uma única passagem. Fazer **imagem de escultura ou de fundição** (15) é proibido em Êxodo 20.4; **desprezar a seu pai ou a sua mãe** (16), em Êxodo 20.12 e Deuteronômio 21.18-21; **arrancar o termo** (17), em 19.14; fazer o **cego** (18) errar de **caminho**, em Levítico 19.14; **perverter** (19) a justiça, em 24.17; várias formas de incesto (20,22,23), em Levítico 18.8,9,17; praticar bestialidade (21) — rito pagão para obter fertilidade —, em Levítico 18.23; cometer homicídio (24), em Levítico 24.17; receber suborno para assassinar (25), em Êxodo 23.8 e Deuteronômio 16.19.

Elemento notável sobre esta coletânea de males, e que lhe dá coesão, é o caráter secreto destes pecados. Esta característica é explícita nos versículos 15 e 24, e implícita nos versículos 16, 17, 18 e 25, bem como na vasta área de pecados sexuais (20-23). Estas transgressões poderiam escapar dos olhos humanos e evitar a justiça humana, mas não fugiriam da visão e justiça de Deus. "Há algo esplêndido", diz Rad, "sobre o modo em que Israel [...] reconhece que a vontade de *Yahweh* [...] está vinculada a essas ocasiões, quando o homem pensa que está sozinho."[9] Como constatou o salmista (Sl 139), não havia parte de sua vida interior que fosse desconhecida a Deus.

Como este capítulo e a cerimônia que o descreve falou para Israel acerca do reconhecimento do senhorio divino, assim nos fala de "A Vinda do Reinado de Deus". Há: 1) O reconhecimento do reinado de Deus, 1-8, que é o segredo da bênção, 3; 2) A graça do reinado de Deus, 9,10; sua vontade em abençoar requer obediência, mas como conseqüência e não como condição prévia. 3) A esfera do reinado de Deus, 11-26 — tudo até as fontes secretas; se Ele for o Senhor do coração, Ele será o Senhor de tudo o mais.

B. A Sanção do Concerto, 28.1-68

Agora que foi tratado o segundo estágio da renovação do concerto, Moisés se volta para o primeiro. Ele se preocupa com a submissão dos israelitas a Deus **hoje** (1), enquanto fala com eles nas planícies de Moabe. Em mente, 28.1 é a seqüência de 26.19 e 27.9,10. A exposição das bênçãos e maldições que seguiriam a obediência ou a desobediência às cláusulas do concerto era uma das características principais desta cerimônia de submissão.[10] Estas bênçãos e maldições, reunidas no capítulo 28, constituíam as sanções exclusivas do concerto, outra indicação de que o povo era diretamente responsável a Deus.

Em comparação com as seções paralelas de outros concertos antigos, o capítulo 28 tem várias características destacáveis. Primeiramente, considerando que a organização habitual é maldições e depois bênçãos, aqui a ordem está invertida. "Este fato", diz Kitchen, "talvez fosse característica específica do Antigo Testamento, não sem relação com a diferença no tipo de testemunhas envolvidas."[11] O Deus de Israel vem primeiro para abençoar. Em segundo lugar, e aparentemente incoerente ao primeiro ponto, há muito mais maldições (15-68) que bênçãos (1-14). Ainda que provavelmente tenha analogias em outros tratados antigos,[12] a explicação desta desproporção está na tendência de Israel a desviar-se. Esta tendência já fora categoricamente comprovada durante a jornada israelita pelo deserto.

1. *As Bênçãos* (28.1-14)

A obediência à **voz do SENHOR, teu Deus** (1) e a **todos os seus mandamentos** expressos no concerto trará **estas bênçãos** (2). Estas são minuciosamente explicadas nos versículos a seguir. Primeiro, há uma série de seis beatitudes — **Bendito serás** (3-6). São promessas de bênçãos em todas as áreas da vida. As últimas três indicam especificamente sua abrangência. Há a promessa de prosperidade no **cesto** e na **amassadeira** (5; gamela). O **cesto** era usado para armazenar e a gamela para preparar o produto da terra para comer. O versículo 6 significa que o trabalho seria abençoado do começo ao fim.

Depois desta bênção geral, três áreas são especificadas, nas quais há a promessa de mais bênçãos. Estas se tornam o tema do restante do capítulo. Se for obediente, a nação vencerá os **inimigos** (7). Ainda que formem um único exército e avancem valentemente contra a nação, os inimigos serão afugentados em todas as direções. Israel gozará de bênçãos nos seus **celeiros** (8), ou seja, terá prosperidade material. Os israelitas também conhecerão a felicidade espiritual e moral no fato de que Deus os estabelecerá como seu **povo santo** (9). Estas bênçãos são repetidas em ordem inversa nos versículos 10 a 14. No versículo 10, a frase: **Verão que és chamado pelo nome do SENHOR**, é mais corretamente traduzida por: "Verão que o nome do Senhor é chamado em ti". Estas palavras expressam propriedade divina, como ocorre no versículo 9.[13] Os versículos 11 e 12 prometem prosperidade material. **O seu bom tesouro** (12) se refere à **chuva... no seu tempo**. O versículo 13 corresponde ao versículo 7, oferecendo a expectativa de poder e influência em formação. Por toda a passagem, é enfatizada a dependência desta bênção à obediência (1,9,13,14).

2. *As Maldições* (28.15-68)

Depois das bênçãos, vêm seis grupos de maldição. O primeiro (15-19) consiste na reversão das bênçãos apresentadas nos versículos 3 a 6. Em seguida, ocorrem três ciclos de maldições (20-26, 27-37 e 38-48) conforme o padrão das bênçãos dos versículos 7 a 14. A nação pode ser abençoada no âmbito militar, material e espiritual, mas será amaldiçoada nestas mesmas áreas se quebrar o concerto. A mais horrenda destas maldições — a derrota militar — é destacada e exposta como maldição isolada (49-57). O capítulo termina com uma maldição de advertência que resume todas as outras (58-68). Esta série de maldições é uma das mais solenes e eloqüentes na Bíblia. Gera grande parte do seu efeito pela repetição.

a) *A reversão das bênçãos do concerto* (28.15-19). A obediência ocasiona bênçãos (8); a desobediência ocasiona **todas estas maldições** (15). Esta ordem é notavelmente expressa no fato de que estes versículos são inversão exata dos benefícios anteriormente prometidos. O versículo 15 corresponde ao versículo 1; os versículos 16 a 19, com pequena mudança, seguem a ordem dos versículos 3 a 6.

b) *As maldições no homem e na natureza: ciclo um* (28.20-26). Os versículos 20 a 24 descrevem a maldição nos reinos físicos e materiais. O homem e a natureza são ambos atingidos — o homem com doenças[14] e a natureza com pestilência e seca. A **destruição das sementeiras** (22) diz respeito ao efeito destruidor do ardente vento oriental do deserto (cf. NTLH). O versículo 23 se refere à retenção de chuvas. Não haverá nuvens — os **céus** serão tão brilhantes quanto o **bronze**. A **terra** será seca e formará uma crosta tão dura quanto o **ferro**. A retenção de chuvas leva o autor a unir, no versículo 24, os pensamentos da **destruição das sementeiras** (22) e da seca. A única **chuva** que cairia seria de **pó** trazido pelo vento oriental que chegava inesperadamente das areias do deserto, enchendo totalmente o ar. Os versículos 25 e 26 descrevem a derrota militar. O versículo 25 é a inversão do versículo 7. A última frase do versículo 25: **E serás espalhado por todos os reinos da terra**, é mais bem traduzida por: "E serás motivo de horror para todos os reinos da terra" (ARA; cf. NVI). O pensamento é o que consta em Jeremias 18.15-17. A derrota na batalha seria tamanha que ocasionaria o extermínio da nação. A indignidade final seria que o homem, feito para ter domínio sobre as criaturas da terra (Gn 1.26), se tornaria sua infeliz presa. Nem mesmo haveria alguém para os expulsar (26).

O fato de estes desastres virem da mão do **SENHOR** (20-22,24,25) indica que Ele repudiou Israel como seu povo (9,10).

c) *As maldições no homem e na natureza: ciclo dois* (28.27-37). O mesmo tema continua nesta subdivisão, embora a maldição sobre o homem tenha predominância (27-35).

A rejeição de Deus é mais explícita que no ciclo precedente (36,37). Kline observa[15] que, das quatro formas de maldição mencionadas nos versículos 27 a 35 — a doença, a loucura, a opressão e a frustração —, as primeiras três levam à quarta, depois da qual são repetidas em ordem inversa, ou seja, o arranjo é invertido.

A maldição afeta o homem fisicamente. Talvez "as úlceras do Egito, [...] tumores, [...] sarna e [...] prurido de que não possas curar-te" (27, ARA), sejam formas de praga. A maldição também afeta o homem mentalmente, resultando em **loucura** (28, confusão) pior que a cegueira física (29a). O versículo 29b deixa claro que um dos agentes do julgamento divino é o invasor estrangeiro — **serás oprimido** ("serão perseguidos", NTLH). Por conseguinte, a vida social do homem também ficará um caos. A fim de evitar certas decepções, os homens foram dispensados do serviço militar (20.5-7). Mas são exatamente estas decepções que inexoravelmente sobrevirão sobre eles (30). A propriedade será desapropriada diante dos seus **olhos** (31). Os filhos serão vendidos como escravos enquanto os pais estiverem olhando, imóveis, por não poderem fazer absolutamente nada para impedir (cf. 32-34). Os versículos 33 a 35 repetem estes mesmos julgamentos em ordem inversa.

O clímax deste ciclo é o fato de o **SENHOR** (36) rejeitar seu povo, simbolizado pelo exílio nacional e pela adoração de **outros deuses, feitos de madeira e de pedra**.

d) *As maldições no homem e na natureza: ciclo três* (28.38-48). A maldição material ocupa os versículos 38 a 44, embora a nota de derrota militar esteja presente no versículo 41. O tema básico é que o julgamento na forma de pestes e ferrugem reduzirá os israelitas à pobreza. Em processo de inversão da promessa dos versículos 12 e 13, eles terão de pedir emprestado do **estrangeiro** (43,44). A causa destas **maldições** (45,46) materiais é a deserção espiritual. **Deus** (47) rejeitará a nação israelita, ato que será marcado pela entrega de Israel aos seus **inimigos** (48).

e) *A maldição da ruína nacional* (28.49-57). Neste trecho, a mais pavorosa de todas as maldições — a derrota militar — é ampliada na forma de maldição isolada. Esta constitui o clímax, visto que não havia maior marca de desaprovação divina que a destruição da nação.

Os horrores que a acompanham serão tão ruins quanto a própria maldição. Estes horrores virão de dentro e de fora. De fora, virá o inimigo invasor de tal reputação que causará terror. Será uma **nação... que voa como a águia** (49, abutre), que fala uma **língua** estrangeira e desconhecida e que não tem o mínimo de piedade (50). Além de saquear a **terra** (51), "sitiará" (52, NVI; cf. ARA) e destruirá as cidades. Em conseqüência do **cerco** (53), a privação será tamanha que os israelitas sitiados recorrerão ao canibalismo. O **homem mais mimoso e mui delicado** (54; "o homem mais educado e carinhoso", NTLH; cf. NVI) se rebaixará a tal dilema que não dividirá, nem mesmo com a **mulher** e **filhos** sobreviventes, a **carne de seus filhos** (55) que estiver consumindo agora. Nem mesmo os instintos maternos ou o decoro feminino se oporão à intensa privação. A senhora de posição, que não se aventuraria a **pôr a planta de seu pé sobre a terra** (56), por estar acostumada a ser levada na liteira, comeria suas **páreas** (57, secundinas) e os **filhos** nascidos durante o assédio. Mas ela agiria **às escondidas**, a fim de não ter de compartilhar esta comida horrível com o marido e os outros **filhos** (56,57).

f) *Uma advertência de maldição sumária* (28.58-68). Atê este ponto, a grande maioria das maldições estava no modo indicativo. Agora, no início da série final, o texto retoma o modo condicional — **se não tiveres cuidado de guardar** (58) — com o qual começara (15). Este recurso é para lembrar Israel que estes resultados drásticos não são inevitáveis, mas que só acontecerão por desobediência. O tema deste grupo final é aproximadamente o mesmo que o primeiro (15-19), isto é, a inversão das bênçãos do concerto. Contudo, aqui as bênçãos com que as maldições são comparadas são as da promessa do concerto original a Abraão (Gn 12.2), subseqüentemente confirmado na libertação milagrosa do Egito.

A obediência ocasionou a isenção das pragas do Egito (Êx 8.22,23; 9.4,6,7,26; 10.23; 11.7). Em contraste, a desobediência não só traria estas **pragas** (59), mas outros julgamentos que não estão escritos no concerto (61). **Maravilhosas** (59) é melhor "extraordinárias" (RSV). Se a obediência possibilitou os israelitas de se multiplicarem mesmo sob opressão (Êx 1.12), os julgamentos divinos os dizimariam (62). Se a obediência os levou à Terra Prometida (Gn 12.1), a desobediência os expulsaria da **terra** (63). Eles se tornariam um remanescente disperso, rebaixados à servidão pagã (64). Mesmo no exílio não teriam sossego (65). Vendo a vida **como suspensa** (66; "em perigo", NTLH; "em constante incerteza", NVI), seriam vítimas constantes da ansiedade (67). O texto descreve o transporte dos israelitas em **navios** (68) de traficantes de escravos de volta ao **Egito**, uma escravidão pior que a dos seus antepassados. Lá, sofreriam a indignidade última de serem indesejados como escravos e escravas.

Profecia e maldição se misturam quando a pena por desobediência assume a forma de banimento da **terra** (63,64). Não há inconsistência entre isto e a ameaça de retorno ao Egito, que se tornou símbolo de rejeição divina (Os 8.13).

Este capítulo é a exposição mais apoiadora no livro de uma das doutrinas centrais de Deuteronômio: a obediência ocasiona a prosperidade e a desobediência, a desgraça. De acordo com muitos estudiosos, esta opinião é peculiar ao que identificamos por teologia deuteronômica. Trata-se de uma teologia pragmática que "ensina que o sucesso imprevisto dos israelitas refletirá, inevitavelmente, sua lealdade religiosa. Ensina também que, quando forem fiéis e puros em sua adoração e vida, a prosperidade marcará seu estilo de vida, ao passo que a decadência religiosa será seguida por desgraça e maldição".[16] Sob a luz do ensino do Novo Testamento, tal parecer é, na melhor das hipóteses, meia-verdade, visto que em muitos casos a fidelidade a Deus ocasiona o inverso da prosperidade.

O autor de Deuteronômio não teria negado esta declaração. Na verdade, George Adam Smith ressalta que há, pelo menos, uma passagem no livro que explica o sofrimento em termos didáticos e não em termos corretivos ou em cláusulas punitivas (8.2,3).[17] Entretanto, não é esta a lição que o livro precisava ou queria destacar. Na época em que os israelitas estavam prestes a entrar em Canaã, onde encarariam as mais diversas tentações, o ponto de destaque primordial era que a desobediência ocasionaria a ruína.

Ainda que nem todos os sofrimentos sejam explicados com tais palavras, parte importante pode. Se o universo foi criado e ordenado por Deus, refletirá — embora caído — o caráter divino. Por conseguinte, a vida verdadeiramente "natural" é a vida vivida de acordo com a vontade de Deus. Viver de outro modo é viver contra a natureza da vida, é abordar a vida de modo errado. Este não é o caminho à paz ou prosperidade. Baines Atkinson resume o assunto ponderadamente, quando diz: "A questão é que há uma medida de prosperidade material prometida por Deus ao seu povo",[18] conclusão que certamente é justificada pelas palavras de nosso Senhor em Mateus 6.33.

Dentro desta área, o capítulo ensina "As Bênçãos e o Julgamento na Vida Humana". 1) A intenção primária de Deus é abençoar. A precedência das bênçãos sobre as maldições, em contraste com a ordem inversa nos concertos seculares, é impressionante. Vriezen tem razão ao protestar contra a descrição enganosa do Deus do Antigo Testamento como um Deus de julgamento em comparação ao Deus de misericórdia do Novo Testamento.[19] Oséias 11.8,9 e Lamentações 3.32,33 são passagens típicas do Antigo Testamento que falam com a mesma voz que João 3.17 e 12.47. 2) O caminho para abençoar é a obediência. 3) A punição da desobediência é o julgamento. Este princípio, cuja operação Deuteronômio mostra no âmbito temporal, também alcança o eterno. As pessoas que não receberem Cristo como Salvador o enfrentarão como Juiz (Jo 3.18,36).

C. O Juramento do Concerto, 29.1—30.20

Fim da apresentação do teor do concerto, inclusive dos benefícios por obedecer-lhe e das penalidades por quebrá-lo. Resta, agora, selar o concerto fazendo o juramento. É este ato e seus efeitos secundários que são o assunto dos capítulos 29 e 30. Para ressaltar a solenidade do juramento, ocorre a repetição resumida dos principais elementos do concerto, de forma que, até certo ponto, estes capítulos são uma recapitulação de todo o concerto. Assim, o texto de 29.1-9 corresponde ao prólogo histórico registrado em 1.6 a 4.49; a passagem de 29.16-29 condiz com as sanções de 28.1-68; e os trechos de 30.8,10-14 aludem às estipulações do concerto reunidas em 5.1 a 26.19; ao passo que 30.15-20 contém a convocação ao juramento e a citação das testemunhas, até agora não mencionadas, mas partes integrantes do padrão comum de tratado.[20] Aqui, como por todo o Deuteronômio, há forte característica exortativa. O livro não é meramente um concerto legal, mas a compilação de material para a proclamação pública de um concerto. Poderíamos intitulá-lo "concerto pregado" — daí, o forte elemento exortativo.

1. *A Exortação Fundamentada na História* (29.1-9)

No texto hebraico, o versículo 1 é considerado como 28.69. Gramaticalmente, estas palavras podem ser a assinatura do capítulo 28 ou o sobrescrito do capítulo 29. As **palavras do concerto** (1,9) referem-se, talvez, às cláusulas dos capítulos 5 a 26, ou mais provavelmente às palavras que Moisés está a ponto de falar (cf. 4.45; 5.1).[21]

O **concerto** (1) feito em **Horebe** está prestes a ser renovado em **Moabe**. Ao entrarem neste concerto, **Moisés** lembra os israelitas das bênçãos que receberam do **SENHOR** (2). Três bênçãos são recordadas. A primeira é a libertação da escravidão egípcia (2,3). **Grandes provas** (3) é boa tradução. A segunda é a provisão milagrosa no **deserto** (5,6); e a terceira, as vitórias sobre **Seom** e **Ogue** (7,8; 2.30—3.11), cujas terras agora ocupam. Contudo, a despeito destas demonstrações de poder sobrenatural dadas para evocar fé em **Deus** (6; cf. 8.2-4), Israel ainda estava desconfiado (4). "Ao atribuir a Jeová a dureza de coração de Israel, Moisés está meramente adotando o modo de pensar que percorre todo o Antigo Testamento: atribuir todas as coisas a Jeová como fonte última."[22] No que diz respeito a este **concerto** renovado, as coisas deviam ser diferentes (9).

2. Os Partícipes do Concerto (29.10-15)

Moisés conclamou o povo para fazer o juramento do concerto: os líderes (10), as crianças, as **mulheres** (11), os estrangeiros, os servos — ninguém ficou de fora. Nem só os que estavam vivos na ocasião faziam parte do juramento. O concerto se estendia a quem ainda não havia nascido — **aquele que hoje não está aqui conosco** (15). O propósito é duplo, como são os partícipes: Israel seria o **povo** (13) de Jeová e Ele, o seu Deus (cf. 26.17,18). Na verdade, o ato de Israel jurar lealdade a Deus é senão o cumprimento do ato de Deus ter jurado aos seus pais fundadores (Gn 17.7).

3. A Exortação Baseada nas Sanções do Concerto (29.16-29)

O concerto tinha de ser observado por causa das bênçãos de Deus já recebidas e por causa das tremendas conseqüências da desobediência. A principal ameaça para Israel seria a idolatria. Esta subdivisão começa com uma advertência dupla, embora não esteja muito clara na maioria das traduções. No começo dos versículos 16 e 18 algumas palavras como "prestai atenção" têm de ser acrescentadas (cf. o v. 18 na NVI). Pouco importando a intensidade do fascínio da adoração idólatra, os resultados seriam desastrosos. A **raiz** (18) venenosa daria fruto amargo. Esta apostasia poderia ocorrer inclusive por parte de quem imaginou que a **maldição** (19; "juramento", NTLH; NVI) garantiria segurança incondicional. Longe disso, a infração do concerto ocasionaria a destruição da nação inteira. Quanto à expressão: **Para acrescentar à sede a bebedice** (19), leia: "Isto levaria à ação de tomar de roldão secos e molhados" (RSV), provérbio que indica ruína geral (cf. NTLH; NVI).

Nos versículos 21 a 29, a perspectiva se amplia e se alonga. Nos versículos 18 a 21, a tônica se concentra no indivíduo traiçoeiro. O efeito de seu ato sobre a nação é mencionado de modo incidental (19). Agora, porém, ele é tratado como fonte de contaminação para a nação inteira, e o tom muda de advertência para predição. As conseqüências medonhas são descritas em um diálogo dramático entre os **vossos filhos, que se levantarem depois de vós** (22; os israelitas do futuro), e o **estranho**, alusão aos visitantes estrangeiros a quem Israel se tornou horrível atração turística, uma segunda **Sodoma** (23; cf. Gn 14.2; 19.29). E até os surpresos pagãos entenderão a causa do abandono: **Porque deixaram o concerto do SENHOR** (25). Os próprios pagãos se sentiam ligados aos seus deuses, mesmo sendo falsos. O Israel incrédulo mostrara uma deslealdade que nem mesmo os pagãos conseguiam igualar (26); daí a razão da ruína e exílio (27,28). A advertência é, então, repetida. As **coisas encobertas** (29) do futuro estão somente na mente de **Deus**. O dever de Israel é viver pelo que sabe hoje — a **lei**, o concerto, a vontade de Deus.

4. A Obediência é a Cura para a Ruína Nacional (30.1-10)

O tom agora é inconfundivelmente profético. O exílio não é uma ameaça, mas uma certeza — **sobrevindo-te todas estas coisas** (1). Esta passagem olha além da **bênção** e da **maldição**, tratando do período de restauração. Nesta qualidade, é seqüência adequada de 29.16-29. Embora a ligação imperfeita dos assuntos seja, *talvez*, explicada por deslocamento do texto, o caráter deuteronômico de "pregação da lei" também pode ser fator contribuinte. Como diz Manley: "A fluência das palavras flui, como é próprio a discursos, com várias mudanças de direção, e não como em um documento formal. [...] A organização seqüencial é regida pelo dominante motivo religioso do legislador e pelos diversos assuntos que requeriam sua atenção. Devemos ter o cuidado de não rebaixamos ou eliminarmos passagens por considerarmos inserções tardias, quando podem ser meras divagações".[23]

A ruína futura da nação não tem de ser necessariamente final. Se a idolatria ocasiona a calamidade, a obediência ocasiona a restauração. Os propósitos de Deus são misericordiosos e Ele "mudará a tua sorte, e se compadecerá de ti" (3, ARA). Da **extremidade do céu** (4), Ele os trará de volta à **terra** (5) prometida, abençoando-os com prosperidade (9) e amaldiçoando os **inimigos** (7) de outrora. Contudo, este procedimento é condicional à obediência sincera (2,8,10), u ma obediência que o próprio Deus os capacitará a cumprir. O sinal do concerto de Israel era a circuncisão da carne. No seu devido tempo, Deus os visitará com uma circuncisão espiritual, por meio da qual, de corações renovados e dispostos, eles prestarão a obediência voluntária que o Senhor exige (Jr 31.31-34; Ez 36.26-28; Rm 2.28,29; Cl 2.10,11).

5. *A Convocação para a Decisão* (30.11-20).

O segredo desta obediência futura se mostrará em sua naturalidade e comodidade. Mas com este pensamento, a mente do legislador se volta para o presente e para todos que estão "hoje perante o SENHOR, vosso Deus" (29.10). Para eles, a obediência também é possível. As exigências divinas são fáceis de apurar e entender. Sua disponibilidade é a principal característica da lei divina: está **na tua boca e no teu coração, para a fazeres** (14).

Por conseguinte, passou o tempo para a exposição da lei. Agora é o momento de decisão. As alternativas são apresentadas inflexivelmente: **a vida e o bem** (15) são dependentes da obediência; **a morte e o mal** são resultantes da desobediência (15-18). **Denuncio** (18) quer dizer "declaro" (ARA; NVI; cf. NTLH). Estas alternativas são a essência da teologia do livro deuteronômico. Como toque de solenidade, **os céus e a terra** (19) são intimados para testemunhar que a oportunidade para a livre escolha foi oferecida. O discurso se encerra com uma exortação para escolher a **vida** e seus benefícios concomitantes (19,20).

Destes capítulos, é fácil derivar as "Lições Modernas da Antiga Fé". O novo concerto suplanta o velho no sentido de cumpri-lo e não de anulá-lo. Cristo é o Cumprimento da promessa feita a Abraão (Gn 12.3; Gl 3.29), e os princípios do procedimento de Deus com os homens são imutáveis. Três lições são particularmente destacadas aqui: 1) A condicionalidade da segurança, 29.16-29 (esp. os vv. 19,20). O concerto só garante bênçãos sob a condição da obediência (cf. Am 9.10). 2) A possibilidade da obediência interior, 30.1-14 (esp. o v. 6). Para nós, por meio de Cristo, a devoção de todo o coração a Deus, sem parcialidade, tornou-se possibilidade prática. Esta é a essência do novo concerto. 3) A necessidade de decisão, 30.15-20.

Nos versículos 15 a 20, identificamos o tema "Faça Sua Escolha". 1) Deus deixa claro as alternativas, 15-18; 2) O homem toma a decisão, 19; 3) As conseqüências finais são certas, 17,18,20 (G. B. Williamson).

Seção IV

A PERPETUAÇÃO DO CONCERTO

Deuteronômio 31.1—32.47

As providências para a sucessão, estabelecidas pela ação de depositar uma cópia do concerto no Templo e pela proclamação de ordens para sua leitura pública regular, eram elementos importantes em muitos antigos documentos de concerto. Havia, também, uma lista de testemunhas que garantiriam o concerto, e um esboço dos procedimentos a tomar caso o vassalo se rebelasse. Não é por casualidade que precisamente estes elementos estejam presentes nesta seção final de Deuteronômio. Claro que a seqüência organizacional dos elementos difere da apresentada em muitos tratados seculares, mas, como ressaltou Mendenhall,[1] estes mesmos tratados mostram variação em ordem seqüencial, omissão, etc., de forma que o padrão não era rígido.

Estes capítulos mantêm o tom exortativo observado em outros lugares de Deuteronômio. Esta característica mostra que o livro não é um mero documento legal, mas uma apresentação simultânea do concerto e da exortação em obedecer-lhe. Pelo visto, é justo considerarmos que estes capítulos indicam uma renovação do concerto de Deus com Israel em virtude da morte iminente de Moisés, que, em sua pessoa, unia os papéis de mediador divino e representante e chefe nacional.

A. Proteções Preparatórias, 31.1-30

1. *A Nomeação do Sucessor* (31.1-8)

A morte de Moisés estava se aproximando. Por dois motivos, ele não podia liderar os israelitas na conquista de Canaã. Primeiro, a idade exaurira sua capacidade de liderança. Já não podia **sair e entrar** (1; mas cf. 34.7). Segundo, ele fora divinamente proibido por Deus de cruzar o rio **Jordão** por causa de um pecado cometido (cf. 4.21,22; Nm 20.12). Deus, então, lhe indicara o sucessor. Já ordenado como líder da nação (Nm 27.18-23; Dt 1.38), **Josué** (3) foi a pessoa divinamente nomeada para o cargo. Mas o próprio Deus seria o verdadeiro Líder dos israelitas, os quais poderiam esperar vitórias no futuro como as obtidas sobre **Seom** e **Ogue** (4,5; cf. 2.32—3.10). Josué não precisava ter medo (6), e pela mesma razão: o **SENHOR, pois, é aquele que vai adiante de ti** (6-8).

2. *As Ordens para a Leitura do Concerto* (31.9-13)

O concerto de Israel tinha de ser lido **ao fim de cada sete anos,**[2] no **ano da remissão** (10; cf. 15.1-15), durante a **Festa dos Tabernáculos** (cf. 16.13-15). A responsabilidade da leitura foi dada conjuntamente aos **sacerdotes** e **anciãos** (9), ou seja, as autoridades religiosas e civis. Levando em conta que só os homens tinham de comparecer à festa (16.16), no sétimo ano **todo o Israel** tinha de se reunir: **homens, mulheres, meninos** ("crianças", NTLH) e os **estrangeiros** (11,12). Todos que desfrutam os benefícios do concerto também devem estar cientes de suas obrigações. Embora esta não fosse a única ocasião em que haveria ensinos sobre fatos e significados do concerto (cf. 6.6,7,20-25), esta seria uma lembrança dramática e memorável para a nação inteira.

3. *A Incumbência de Josué e uma Predição* (31.14-23)

Dois temas estão combinados nestes versículos, o comissionamento de Josué e a composição do Cântico de Moisés. Certos estudiosos advogam que estes versículos estão mal organizados. Por esta e outras razões,[3] eles os atribuem a uma fonte independente e incompatível. Mas o modo em que Moisés e Josué estão associados na cerimônia de comissionamento (14) e na escritura do cântico (19; cf. 32.44), indica, talvez, que Josué está sendo especialmente comissionado no pleno conhecimento da rebelião futura de Israel.

A **tenda da congregação** (14) ou Tenda do Encontro (cf. NVI) era o lugar de encontro pessoal com Deus (Êx 25.22; 29.42; 30.36). Aqui, **Josué**, que já fora comissionado por Moisés (7,8; Nm 27.18-23), teve o comissionamento confirmado pela presença imediata do **SENHOR** (15,23). Além disso, foi-lhe deixado claro que, como o futuro líder de Israel, a nação abandonaria Deus e anularia o **concerto** (16) divino. Junto com Moisés, ele foi encarregado de escrever um **cântico** do testemunho e ensiná-lo aos **filhos de Israel** (19). Esta canção desempenharia a função de testemunha do concerto (ver comentários em 32.1). Quando Israel traiu o concerto, o cântico, por sua existência e por seu teor, testificaria que a nação conscientemente estava quebrando sua palavra (20,21).

4. *A Colocação do Documento junto à Arca* (31.24-27)

A arca já era conhecida por **arca do concerto** (25), porque continha as tábuas do concerto feito no Sinai. Nesta ocasião, porém, o concerto tinha de ser colocado **ao lado** (26) e não dentro da arca. Aqui, cumpriria o papel de **testemunha** do concerto junto com o cântico.

É interessante a referência à atividade de Moisés **escrever** (24) a lei (cf. 9,22; Êx 17.14; Nm 33.2). Ainda que tais dizeres não signifiquem necessariamente que ele tenha sido o verdadeiro escritor de todas as passagens deuteronômicas, não há razão para duvidar que em sentido fundamental ele foi o arquiteto e o autor do Livro de Deuteronômio.

5. *A Leitura Pública do Cântico* (31.28-30)

Duas testemunhas já foram nomeadas: o cântico (19-21) e o documento do concerto colocado ao lado da arca (26). Mas o cântico ainda tinha de ser lido publicamente (28) para que, quando no futuro Deus castigasse os israelitas por serem desobedientes (29), ninguém alegasse ignorância como desculpa. O próprio cântico era uma testemunha, mas Moisés também chamou **os céus e a terra** (28) como testemunhas contra eles. Ele conclamou todo o universo criado para testemunhar que fora feito um concerto entre Israel e Deus.[4]

As ordens centrais neste capítulo — que o concerto seja lido regularmente, que o Cântico do Testemunho seja escrito e ensinado para Israel e que o documento do concerto seja colocado ao lado da arca — englobam um único temor: que Israel se esqueça da promessa feita e a quebre. Era e ainda é um perigo constante. John Wesley acreditava que um importante "meio de promover a religião séria, que era praticada por nossos antepassados e ligada a bênçãos eminentes",[5] era renovar, "em cada circunstância, o concerto que o Senhor seja o nosso Deus".[6] Wesley fez seu primeiro Culto do Concerto no dia 11 de agosto de 1755, e, desde o primeiro domingo de 1782, tem marcado o início de cada ano-novo para os metodistas de todo o mundo. A recordação de nossas promessas a Deus é um complemento necessário para recordarmos as promessas que Ele nos fez. Recordar coletivamente ensina nossos filhos (13); recordar individualmente, nos anima.

> *High heaven that heard that solemn vow*
> *That vow renewed shall daily hear*
> *Till in life's latest hour I bow,*
> *And bless in death a bond so dear.**
>
> — P. Doddridge

B. Procedimento de *Impeachment*: O Cântico do Testemunho, 32.1-47

O típico tratado do Oriente Próximo continha uma lista de testemunhas das cláusulas do concerto. Outra característica era a determinação dos procedimentos a tomar em ação contra o vassalo rebelde.[7] Continha muitos dos elementos do próprio concerto, mas reformulados na forma de ação judicial.[8] O Cântico de Moisés une estes dois elementos: testemunhas e ação judicial.

Há quem assevere que a forma de Deuteronômio 32 é mais que ação judicial normal, pois pondera sobre a restauração depois do julgamento (26-43). Por esta razão, dizem que o capítulo é reformulação posterior do padrão de ação judicial com o propósito de confissão e ensino.[9] Contudo, Deuteronômio não é mero documento legal. Quando se serve de formatos legais, usa-o para finalidades próprias. E não há motivo para ter se adaptado ao padrão de ação judicial secular para transmitir sua mensagem. A linguagem e a estrutura poética tendem a confirmar esta concepção.[10] Mais tarde, esta ação

---

* Os altos céus que ouviram o voto solene / Continuarão a ouvir diariamente a renovação do voto / Até que, no último momento de vida, eu me curvar / E bendizer na morte um laço tão querido.

judicial ou padrão controverso se tornou arma legal nas mãos dos profetas para acusar Israel de violação da fé (cf. Is 1.2; Os 4.1; 12.2; Mq 6.2).[11]

1. *A Convocação das Testemunhas* (32.1-3)

O procedimento para levar os rebeldes a julgamento começa com a convocação das testemunhas do concerto, os **céus** e a **terra** (1), para testificarem que o pacto foi feito de forma legal. Mas a convocação também implica em uma afirmação da probidade do concerto. A **doutrina** (2) ou "ensino" (NTLH; NVI) do concerto tem o efeito que a **chuva** faz na vegetação, porque é a palavra de Deus. Deve ser recebida neste princípio vital (3). O termo **doutrina** (2, *leqah*) é usado somente na literatura sapiencial, como, por exemplo, em Provérbios 1.5; 4.2; Jó 11.4 e Isaías 29.24.

2. *A Declaração Preliminar da Acusação* (32.4-6)

O Deus de Israel é a **Rocha** (4; cf. 15,18,30,31,37), a essência da estabilidade e confiança. Sua administração política do mundo é **perfeita, porque todos os seus caminhos** são justos. Esta perfeição de desempenho governamental é mera expressão da perfeição do seu caráter, que é "fiel e correto" (NTLH), **justo e reto**. Seu povo apresenta um triste contraste, e com o versículo 5 inicia a acusação. "Seus filhos têm agido corruptamente para com Ele, já não são seus filhos, por causa da mancha que possuem" (5, RSV). No versículo 6, a acusação é imposta interrogativamente. Onde está a sabedoria em repudiar **teu Pai**, que salvou a nação da escravidão no Egito? (Cf. 8.1-5.) **Não é ele** que **te fez e te estabeleceu?**

3. *A Acusação em Detalhes* (32.7-18)

A acusação contra os israelitas é que eles retribuíram a Deus com maldade pelas suas múltiplas bênçãos recebidas. Esta idéia, esboçada nos versículos 4 a 6, agora é minuciosamente desenvolvida, recontando a bondade de Deus nos versículos 7 a 14. Os versículos 15 a 18 descrevem a ingratidão de Israel. A benevolência de Deus data dos **dias da antiguidade** (7), na verdade, desde o estabelecimento das **nações** (8), quando cada uma recebeu sua **herança**. Naqueles tempos antigos, as nações foram dispostas de modo a deixar espaço adequado para **Israel** (cf. Gn 10.32). O povo de Israel se tornou a **porção do SENHOR** (9).[12]

No versículo 10, o pensamento avança para as peregrinações no deserto — deixando de lado a libertação do Egito para enfatizar o cuidado divino. Israel foi encontrado no **deserto**, como uma criança abandonada (10; Ez 16.3-6). Deus cuidou dessa criança como **a menina do seu olho**. Considerando que Deus está constantemente cuidando de Israel, sua imagem está refletida na pupila dos olhos divinos. A metáfora da **águia** (11, abutre) que empurra as avezinhas recém-emplumadas para fora do ninho para lhes ensinar a voar, mas paira por perto para sustentá-las se caírem, enfatiza ainda mais o cuidado de Deus. A próxima acusação é prevista pela afirmação de que **só** Deus conduziu os israelitas sem a ajuda de qualquer **deus estranho** (12).

A terceira marca do favoritismo de Israel é a ocupação da Terra Prometida, "que mana leite e mel". A posse das **alturas da terra** (13) dá a entender propriedade incontestável. Depois do parco regime alimentar no deserto, ainda que tivesse sido suficiente, o produto suculento dos campos e rebanhos era mesmo abençoador (13,14).

Como prova de que o cântico não era mosaico, certos expositores afirmam que os versículos 7 a 14 rememoram o Êxodo e a ocupação da terra do ponto de vista de acontecimentos do passado remoto. Esta interpretação visa menosprezar ou negar seu elemento profético, como nas passagens anteriores nas quais estão baseados (*e.g.*, 28.15-68; 9.16—30.10).

Nos versículos 8 a 14, vemos o cuidado de Deus para com seu povo na descrição "Como Águias". 1) Deus empluma o ninho, 8-10,12-14; 2) Deus agita o ninho, 11a; 3) Deus ensina os filhotes a voar segundo a natureza, 11b; 4) Deus sustenta os que caem, 11c (G. B. Williamson).

O esplendor da beneficência divina serve apenas para realçar a baixeza da resposta de Israel. O vocábulo **Jesurum** (15, "ereto, íntegro") vem do mesmo radical que a palavra "Israel", à qual é uma opção. Pode ser um nome carinhoso. Há grande ironia em seu uso aqui. Israel reagiu à bondade de Deus como um animal superalimentado, ficando teimoso e até desdenhoso do **Deus que o fez**. Não satisfeito em ignorá-lo (18), Israel se voltou a **deuses estranhos** (16) e às **abominações** que vinham com eles (cf. 18.9-12). Estes deuses são chamados **diabos** (17). No Salmo 106.37, a única outra ocorrência no Antigo Testamento da palavra, eles são os recebedores dos sacrifícios humanos. Estes eram **deuses** que eles nunca **conheceram**; **novos deuses** de quem **seus pais** nunca tinham ouvido falar. Qualquer deus era suficientemente bom e não muito ruim para Israel servir (16,17), ao passo que o Deus "que os gerou" e "os fez nascer" (18, NVI) foi ignorado.

4. A Sentença (32.19-25)

Chegou a hora da sentença, dada em duas partes. Os versículos 19 a 21 enfatizam o princípio; os versículos 22 a 25 acrescentam pormenores. O princípio é a justiça rígida. Visto que seus filhos o ignoraram (18), Ele esconderia **deles** o **rosto** (20). Visto que querem seguir os próprios caminhos, Ele os deixará para ver **qual será o seu fim**. Note a fórmula periódica em Romanos 1.24,26,28: "Deus os entregou [abandonou]". Dodd escreve: "Paulo [...] vê que o fato realmente terrível é cair das mãos divinas, e ser deixado a si mesmo em um mundo onde a escolha do mal ocasiona a própria vingança moral".[13] Visto que Israel provocara Deus com um não-**Deus** e ídolos inúteis, Ele os provocará com um não-**povo** e uma **nação louca** (21; "insensata", NVI). Preferem a insensatez; eles a terão. A perfeita combinação com um deus que é a negação de tudo que é divino é um povo que é a negação de tudo que é civilizado — uma horda de bárbaros selvagens. Tendo tudo o que se quer, como descobriu Midas, é uma boa definição de inferno. Este abandono judicial por Deus, longe de ser sinal de desdenho da responsabilidade de sua parte, é um **fogo** (22) aceso contra o pecado que engloba o universo e alcança as profundezas do mundo inferior.[14] O **mais profundo do inferno** é, aqui, o "Sheol" (NVI), a sepultura; não é o domicílio eterno dos ímpios, como no Novo Testamento.

A segunda parte da sentença expõe o modo no qual a pena será estabelecida: a imposição das maldições do concerto (cf. 28.15-68). Como caçador em franca perseguição, Deus esgotará as suas **setas** contra **eles** (23). A **fome** (24), a **peste** e a praga serão o ponto culminante na invasão. A guerra de ruas não poupará o **jovem**, a **virgem**, a **criança de mama** ou o **homem de cãs** (25).

5. A Promessa de Misericórdia (32.26-43)

A sentença, que obviamente está a ponto de ser dada na morte e aniquilação de Israel, é subitamente encurtada. É detida pelo temor divino do efeito que esse fim causaria no invasor. **Por todos os cantos os espalharia** (26) é melhor "para longe os espalharia" (RSV). Na estupefação do triunfo sobre Israel, o **inimigo** (27) deduziria que fora seu poder que lhe trouxera vitória. **A ira do inimigo** quer dizer "a provocação do inimigo" (ARA; cf. NVI). **Não estranhem** significa "entendesse[m] mal" (NVI), ou seja, não vissem a verdade. Longe de revelar a glória de Deus, tal reação a colocaria em dúvida.

Esta interpretação enganosa da vitória inimiga pelos conquistadores de Israel é desenvolvida nos versículos 28 a 35. Se tivessem perspicácia, eles perceberiam que o julgamento último seria **o seu fim** (29; cf. 34,35). A derrota dos exércitos de Israel obtida pelos adversários fracos teria somente uma explicação: Deus tinha abandonado Israel (30). Com certeza não podia ser explicada pela superioridade moral dos inimigos, cuja **vinha é a vinha de Sodoma** (32). Se é que eles são piores que os israelitas. Por conseguinte, o julgamento é inevitável. A colheita mortal está selada nos depósitos de Deus (34). Logo virá a hora da **vingança** (defesa) divina quando sobrevier a **ruína** (35).

O pensamento agora se volta diretamente para os israelitas (36-43). À beira da destruição total, no último instante eles vêem a maré virar. No momento de abandono, quando não houver **fechado nem desamparado** (36; "escravo nem livre", ARA; NVI), Deus interferirá para fazer **justiça ao seu povo** e se arrepender **pelos seus servos**. Ele defenderá seu povo e lhe mostrará compaixão. A profundidade do fundo do poço em que os israelitas se encontrarem os compelirá a reconhecer o poder divino. Os **deuses** em quem ternamente confiavam — a **rocha** (37), como são ironicamente chamados — os decepcionaram. Há apenas um Deus, o Único que tem o poder da vida e da morte (39). E agora Ele jura que afiará a sua **espada** (41) e dará aos **adversários** o que merecem. Ele ergue a **mão**, fazendo um juramento que, como **eu vivo para sempre**, assim a justiça será feita (40,41). No versículo 42, a espada entra em ação. "Embriagarei as minhas setas de sangue (a minha espada comerá carne), do sangue dos mortos e dos prisioneiros, das cabeças cabeludas do inimigo" (42, ARA). Os cabelos compridos caracterizavam a aparência feroz e desleixada ou indicavam a dedicação religiosa à guerra (Sl 68.21).

O cântico termina com uma convocação a todas as **nações** (43): Elas devem se alegrar na intervenção justa de Deus. A salvação dos israelitas é causa de alegria, pois por eles todas as nações da terra serão abençoadas (Gn 12.3). A ocasião de alegria é, primeiramente, a exibição da justiça, e em segundo lugar, o exercício da misericórdia. **Terá misericórdia** tem o sentido de "fará expiação" (ARA; cf. NVI; NTLH). O mesmo Deus que se vinga do pecado, o perdoa e limpa; Ele é ao mesmo tempo "Deus justo e Salvador" (Is 45.21), a um só tempo "justo e justificador daquele que tem fé em Jesus" (Rm 3.26).

6. A Exortação de Moisés (32.44-47)

Como indicado pelo texto de 31.14,19, Josué estava associado com Moisés em escrever o cântico e ensiná-lo para Israel. **Oséias** (44, Salvação) era o nome original que Moisés mudou para Josué (Jeová é Salvação, Nm 13.8,16). A ocorrência de Oséias aqui é provavelmente erro de ortografia, criado pela omissão de um til (cf. Mt 5.18). Moisés exorta que **todo o Israel** (45) preste atenção a **todas as palavras** (46) do cântico, de forma que ele as ensine à geração em formação. Esta mensagem não é **vã** (47, insignificante, inútil; cf. NVI), pois a **vida** de Israel está em jogo.

O Cântico de Moisés é grandiosa exposição da doutrina do julgamento de Deus na história, visto que a história de Israel é exemplo notável disso. A doutrina bíblica do senhorio divino da história — do qual o julgamento é apenas um aspecto — é, aqui, dramaticamente afirmada. Se Deus tem um acordo com o povo de Israel para abençoá-lo, também tem um procedimento concordante para autuá-lo em caso de pecado e rebelião. Deus não fica, como pensou Carlyle, sentado no céu sem fazer nada. Há momentos e lugares que parece que o certo é desconsiderado e o erro fica impune, de forma que é difícil "justificar os caminhos de Deus aos homens". Em tais ocasiões, unindo-nos com Forsyth, "confiemos em Cristo" nos quesitos que não podemos "investigar acerca dos acontecimentos".[15] Moisés, primeiro, e Israel, depois, descobriram que a justificação de Deus no ato pelo qual Ele perdoou o pecado, também o condenou (32.43). Na mais ampla medida, podemos descobrir que por esse ato semelhante Ele fez o mesmo pelo mundo inteiro. Foi demonstração sublime de sua justiça e amor na cruz do seu Filho (Rm 3.21-26).

Seção V

A MORTE DE MOISÉS

Deuteronômio 32.48—34.12

Com o Cântico do Testemunho, a forma-padrão de tratado em Deuteronômio chega ao fim. Os dois capítulos restantes estão relacionados com a morte de Moisés. O capítulo 33 registra a bênção que ele deu às tribos de Israel, e o capítulo 34, sua morte misteriosa. A seção termina com uma reflexão feita por outro escritor sobre a grandeza inigualável de Moisés (34.10-12). Estes capítulos são mais que "mero suplemento para registrar o fim de Moisés",[1] um remate para concluir convenientemente a história e satisfazer a curiosidade sobre o que aconteceu com o grande líder. É difícil resistir à conclusão de que, além de relatar a morte de Moisés, estes capítulos reputam que esta ocorrência tem significação para o concerto como um todo. Há quem assevere que Deuteronômio reúne o concerto entre Deus e Israel que foi renovado nas campinas de Moabe em vista da morte iminente de Moisés. Se este pensamento for verdade, conclui-se que a morte de Moisés é equivalente à ativação do concerto.

O falecimento de um líder e a sucessão do seu herdeiro designado, Josué, é prova da fidelidade da nação ao que ela prometera. Pelo que deduzimos, a inclusão do ritual para a ratificação do concerto (cap. 27), a incumbência de Josué (31.1-8,14-23) e muitas características dos capítulos 33 e 34 apóiam esta opinião. Por conseguinte, a Bênção de Moisés e o relato de sua morte, enquanto completam a biografia de um grande homem de Deus, também têm direta importância para o concerto.

A. A Bênção de Moisés, 32.48—33.29

1. *A Morte Iminente de Moisés* (32.48-52)
O passamento de Moisés estava mais imediato do que fora percebido. **Naquele mesmo dia** (48), ele foi chamado ao **monte de Abarim, o monte Nebo** (49; a ARA não faz boa

tradução: "monte de Abarim, ao monte Nebo"), para morrer. **Abarim** significa provavelmente "a montanha das regiões fronteiriças" e denota uma cadeia de montanhas da qual Nebo é o cume mais alto.² Moisés não vai morrer sem ver a Terra Prometida. Se "ver" tem o sentido legal sugerido nos comentários em 34.1-4, então, em sentido legal, Moisés estava recebendo posse de Canaã como representante de Israel. Contudo, esta posse legal não lhe seria efetiva em sentido pessoal. Como aconteceu com seu irmão **Arão** (50), ele tinha de morrer sem entrar em Canaã (Nm 33.37-39). E pela mesma razão: pecado — em seu caso nas **águas da contenção, em Cades** (50,51; "águas de Meribá, em Cades", NVI; cf. 1.37). **Pois me não santificastes no meio dos filhos de Israel** (51) é melhor "pois vós não me venerastes como santo no meio do povo de Israel" (RSV; cf. NVI).

2. A Bênção de Moisés: Introdução (33.1-5)

A bênção sobre a descendência daqueles prestes a morrer era procedimento comum em muitas sociedades antigas. Ademais, era importante, porque as sociedades nômades não tinham o costume de escrever, tornando obrigatória falar a bênção.³ Este ato tinha a validade de última vontade e testamento (cf. Gn 27.34-38). Como Jacó (Gn 49.1-27), Moisés **abençoou os filhos de Israel antes da sua morte** (1). As bênçãos (6-25) estão dispostas em uma estrutura (1-5,26-29) que se refere a Moisés na terceira pessoa. Os versículos 1 e 4, como a narrativa de sua morte, foram evidentemente escritos por outra pessoa. Mas as bênçãos mostram todos os indícios de serem mosaicas. Aludem a ocorrências contemporâneas (8,9,21), e a forma das palavras, a dicção poética e a estrutura requerem uma data antiga.⁴

A afirmação que diz que muitas das bênçãos individuais inferem acontecimentos ou circunstâncias depois do tempo de Moisés, por exemplo, os versículos 6 e 7, ignora o elemento profético de tais bênçãos (cf. Lc 2.28-35). Em seu teor, as bênçãos contêm uma referência teocrática, se as compararmos com o tom predominantemente secular das bênçãos de Jacó. Também contrastam notavelmente com o tom do Cântico do Testemunho. Se ameaças e avisos fazem parte do concerto, as bênçãos serão a última palavra.

Os versículos introdutórios das bênçãos constituem um poema em louvor da grandeza e bondade do **SENHOR** (2), o Deus de Israel, particularmente por Ele haver dado a lei. O texto pinta Deus como um amanhecer resplandecente sobre o **Sinai**, figura comum no Antigo Testamento (Jz 5.4; Hc 3.3). Ele é escoltado por **dez milhares de santos**, cuja descrição ocorre na última frase dos versículos 2 e 3. Estes versículos são mais bem traduzidos assim: "À sua direita surgem os poderosos, os guardiões dos povos. Todos os santos estão na tua mão, eles se prostram a teus pés e executam tuas decisões".⁵ A doação da **lei** (concerto) por **Moisés** (4) e sua ratificação pela assembléia de **Israel** (5) eram o reconhecimento de Deus como o Rei de Israel.

3. As Bênçãos Individuais (33.6-25)

Moisés invoca bênçãos sobre cada uma das tribos, exceto sobre Simeão, que logo seria absorvido por Judá (Js 19.2-9). O número 12 é mantido contando José por dois (17). As tribos dos filhos das esposas de Jacó são abençoadas em primeiro lugar, vindo em seguida as tribos dos filhos das servas.

O primeiro a ser abençoado é **Rúben** (6), como fez também Jacó. Esta oração repete o termo modificador "não" (Gn 49.4) para que a tribo **não** seja extinta. A bênção de **Judá**

(7) é difícil de interpretar; pode ser uma oração profética revelando que Deus sanará a discórdia entre **Judá** e as tribos do norte (1 Rs 12.16-20). A bênção de **Levi** (8-11) é confirmação da tribo na função com que já fora investida. Espalhados por todo o Israel nas palavras de Jacó (Gn 49.5-7), os filhos de Levi foram elevados à posição de tribo sacerdotal. Eram os guardiões do **Tumim** e **Urim** (8), o peitoral sagrado pelo qual a vontade de Deus era revelada (ver comentários em Êx 28.30). Em **Massá** e **Meribá**, Levi, nas pessoas de Moisés e Arão, foi provado e fracassou (Êx 17.1-7; Dt 6.16). A prova que os *levitas* fizeram de Deus foi a revelação da própria incredulidade e foi, também, a prova que Deus fez *deles*. Não obstante, no episódio do bezerro de ouro, eles permaneceram leais a Deus mesmo à custa de repudiar os **irmãos** (9; cf. Êx 32.26-29). Conseqüentemente, ensinarão **os teus juízos a Jacó** (10), exercendo as funções do sacerdócio: ensinar a lei e fazer sacrifícios. Moisés oferece uma oração em prol da **obra das suas mãos** (11) e pela destruição dos inimigos.

Tendo abençoado a tribo do primogênito de Jacó e as tribos da realeza e do sacerdócio, Moisés agora se dedica às tribos dos filhos de Raquel. **Benjamim** (12), o filho da velhice de Jacó, é abençoado em termos que condizem com seu lugar no afeto do pai. Além de serem guardados e protegidos, o próprio Deus **morará entre** os **ombros** dos benjamitas. O verbo hebraico traduzido por **morará** vem da palavra hebraica que designa a habitação de Deus entre seu povo. Em hebraico, o vocábulo **ombros** é usado para se referir ao monte em Jerusalém, no qual seria levantado o Templo (Js 15.8; 18.16, RSV). O significado é que o Templo seria construído nas terras de Benjamim.

A mais longa das bênçãos é reservada para **José** (13-17; cf. Gn 49.22-26). Nos versículos 13 a 16, Moisés invoca a prosperidade material sobre esta tribo. O versículo 14 concebe que a **lua** contribui para o crescimento das plantas. Aquele que **habitava na sarça** (16) é referência à manifestação do próprio Deus a Moisés (Êx 3.2). O poder militar é o assunto do versículo 17, sendo as **pontas** ("chifres", NVI, de boi selvagem) símbolo de força. **Efraim** e **Manassés**, filhos de José, receberam a porção dobrada tirada de Rúben (a quem pertencia por ser o primogênito) e dada por Jacó a José (Gn 48.22).

Zebulom e **Issacar** compartilham a próxima bênção (18,19). Gênesis 49.13 descreve que Zebulom é uma tribo ligada ao mar, e os dois versículos seguintes apresentam Issacar se dedicando à agricultura. Estas carreiras são confirmadas pelas **saídas** de Zebulom e pelas **tendas** de Issacar (18). Ambas as tribos chamarão outros **povos** (19) para suas festas religiosas, nas quais também haveria comércio. Os **tesouros escondidos na areia** (19) se referem, provavelmente, ao fabrico de vidro, atividade que se sabe ter ocorrido nas regiões arenosas de Aco.

As demais bênçãos são dadas sobre os filhos de Zilpa e Bila, respectivamente as criadas de Léia e Raquel. **Gade** é abençoado (20,21) por causa de sua bravura militar. Sendo a primeira das tribos a escolher uma herança, ela se instalou na Transjordânia (Nm 32.1-5). "Escolheu para si o melhor; a porção do líder lhe foi reservada" (21, NVI). Embora os gaditas houvessem recebido herança própria, Moisés tinha certeza de que, conforme a palavra que deram (Nm 32.6-33), eles lutariam ao lado das outras tribos até que todas recebessem suas respectivas heranças (21b). **Dã** (22) é creditado com a capacidade de ataque surpresa, demonstrado na vitória esplendorosa obtida sobre Laís, em **Basã**, onde depois se estabeleceram (cf. Js 19.47; Jz 18.27). **Naftali** (23), cuja sorte era a parte norte da Galiléia, será tão favorecido pela natureza quanto pelas bênçãos do

Senhor. A tradução **Ocidente** (23) é um erro. A palavra hebraica significa "lago" (cf. ARA). **Naftali** possuirá "o lago da Galiléia até o Sul" (NTLH). A bênção final é sobre **Aser** (24), situada na fronteira Noroeste de Israel. Sobre esta tribo é invocada prosperidade expressa em população, popularidade e riqueza. Usar **azeite** nos pés era sinal de fartura. O território de Aser era notável para sua riqueza natural (cf. Gn 49.20). Por causa da exposição que denotava sua posição geográfica, havia a promessa de **força** (25). Esta **força** se expressaria em armamentos e número de homens.

Vale a pena estudar as características das bênçãos. Primeiro, devemos compará-las com as bênçãos registradas em Gênesis 49.1-27. A comparação revela que, enquanto certas tribos permaneceram nas garras de suas fraquezas ou imoralidade (*e.g.*, Rúben), outras passaram por uma transformação (*e.g.*, Levi). As bênçãos em si são importantes, pois mostram as qualidades que Deus deseja para o seu povo: adoração (Levi), trabalho honesto (Zebulom e Issacar), abnegação (Gade), segurança (Benjamim) e força (Aser). Cada tribo não tinha as mesmas necessidades, mas pouco importando quais fossem, Deus podia satisfazê-las. Do ponto de vista grupal, as bênçãos são significativas, pois mostram a completa ausência do tom de severidade e maldição, presente nas bênçãos de Jacó. Apesar do fato e adequação das advertências e ameaças dos capítulos anteriores, Deuteronômio demonstra seu caráter final nas bênçãos de Deus. "Não esmagará a cana quebrada e não apagará o morrão que fumega, até que faça triunfar o juízo" (Mt 12.20; Is 42.3).

4. A Bênção de Moisés: Conclusão (33.26-29)

Os versículos introdutórios da bênção recordam a criação da nação no Sinai (1-5). Estes versículos finais têm tamanha confiança na ocupação bem-sucedida da terra, que os verbos hebraicos dos versículos 27 e 28 estão no passado (e não em outros tempos verbais como nas traduções; contudo, ver o v. 27b na ARA). O fundamento desta confiança é o único e incomparável Deus de Israel, que **cavalga sobre os céus** (26) para ajudar a nação israelita. Ele é a **habitação** (Sl 90.1 [cf. RC, nota de rodapé: "morada"]) do seu povo, e o seu sustento (27) é tão eterno quanto sua pessoa — os **braços** de Deus nunca se cansam. Ele tratará dos **inimigos** (28) de Israel para que este goze de segurança e prospere. A **fonte de Jacó** (28) se refere à população israelita. Pelo fato de Deus ser seu Deus único, **Israel** (29) é um povo único. É **salvo** (vitorioso) pelo **escudo** e **espada** do Senhor. Os **inimigos** bajularão os israelitas, ou seja, lhes prestarão obediência dissimulada. Israel ocupará **suas alturas** (os imponentes lugares altos do território).[6]

Nos versículos 26 a 29, vemos "O Deus Incomparável". 1) Deus é um Refúgio eterno, 27; 2) Deus é um Apoio seguro, 26; 3) Deus é a Fonte de suprimento abundante para toda necessidade, 28 (cf. Fp 4.19) (G. B. Williamson).

B. A MORTE DE MOISÉS E A SUCESSÃO DE JOSUÉ, 34.1-12

O capítulo 34 registra a obediência de Moisés à ordem recebida em 32.48-52, de onde esta narrativa é a continuação. Pelo menos em parte, os acontecimentos recontados aqui têm o desígnio de mostrar que, com o falecimento de Moisés, Israel permaneceu fiel à promessa que fizera no concerto, e que o sucessor designado por Deus foi devidamente reconhecido. É impossível dizer quanto tempo depois da morte de Moisés este relato foi escrito. Os versículos 10 a 12 dão a entender que, desde então, suficientes profetas se levantaram para tornar uma comparação possível.

1. A Morte de Moisés (34.1-8)

Chegou a hora de Moisés morrer, mas ele não subiu ao monte apenas para isso. Em primeiro lugar, foi-lhe mostrada a Terra Prometida. Do monte **Nebo** (1), do topo da cordilheira serrilhada ou *pisga*[7] das montanhas a leste de Jericó, "está em panorama a parte principal do oeste da Palestina".[8] **Toda a terra** foi mostrada a Moisés, e não somente parte dela (1-3). A Oeste, ele viu **Judá, até ao mar último** (2; o "mar ocidental", ARA; *i.e.*, "o mar Mediterrâneo", NTLH). Ao **Sul** estava **Jericó**, famosa por suas **palmeiras** até **Zoar** (3). Esta era a terra prometida aos patriarcas, e Moisés estava vendo-a por inteiro. Daube, com base em analogia legal, propõe que no pensamento hebraico olhar era símbolo de aquisição, por cujo ato a propriedade se tornava legalmente, senão de fato, de quem olhava (cf. Gn 13.14,15).[9] Desta forma, Moisés estava aceitando de Deus a propriedade da Terra Prometida em nome de todo o povo de Israel. Mas isto só acrescenta sentimento de aflição à tragédia inevitável da situação. Ele a vê mas nunca a possuirá de verdade. Por causa de pecado próprio, embora ocasionado pelo pecado de outrem (3.24-29), ele foi permanentemente excluído.[10] **Assim, morreu... Moisés, servo do SENHOR** (5) até à morte, e foi enterrado em sepultura desconhecida (6). Ninguém vai adorar junto ao túmulo do mediador do antigo concerto nem do Mediador do novo. O registro bíblico enfatiza que, apesar de idade avançada, **seus olhos nunca se escureceram** (7). Esta observação reforça que ele viu a terra em sua totalidade e, assim, entrou em plena posse legal.[11] A frase: **Nem perdeu ele o seu vigor**, dá a entender que sua morte não foi natural, mas ocorreu **conforme o dito do SENHOR** (5). O versículo 8 registra o período de **trinta dias** de luto oficial.

2. A Sucessão de Josué (34.9-12)

O líder da nação que representara Deus ao povo e o povo a Deus falecera, mas não houve crise de obediência. Os líderes mudam, mas a obra de Deus avança (Js 1.1). A nação, em obediência à ordem de Moisés (31.1-8), confirmou a sucessão de **Josué** (9).

Embora Josué fosse o sucessor de Moisés, não lhe era igual. Na verdade, de todos os profetas que desde então surgiram, nenhum foi **como Moisés** (10; cf. 18.15-19; Nm 12.6-8). O Livro de Deuteronômio termina com um olhar para o futuro. Relembrando 18.15-19 e afirmando que até então nenhum profeta como Moisés surgira, são fatores que apontam para Aquele que, séculos mais tarde, ofereceu aos seus seguidores reunidos o cálice do novo concerto selado com o seu próprio sangue (Mc 14.23,24).

Notas

INTRODUÇÃO

[1] M. G. Kline, *Treaty of the Great King* (Michigan: William B. Eerdmans Publishing Company, 1963).

SEÇÃO I

[1] Adam Clarke, *The Holy Bible with a Commentary and Critical Notes*, vol. I (Londres: William Tegg & Company, 1854), p. 749.

[2] J. H. Hertz (editor), "Deuteronomy", *The Pentateuch and Haftorahs* (Londres: Soncino Press, 1938), p. 737.

[3] G. T. Manley, "Deuteronomy", *The New Bible Commentary*, editado por F. Davidson (Londres: InterVarsity Fellowship, 1954), p. 199.

[4] Clarke, *op. cit.*, vol. I, pp. 678, 679.

[5] W. L. Alexander, "Deuteronomy", *The Pulpit Commentary*, editado por H. D. M. Spence e Joseph S. Exell (Londres: Funk & Wagnalls, 1907), p. 18.

[6] H. Cunliffe-Jones, "Deuteronomy", *Torch Bible Commentaries*, editado por J. Marsh *et al.* (Londres: Student Christian Movement, 1951), p. 34.

[7] S. R. Driver, "Deuteronomy", *The International Critical Commentary*, editado por S. R. Driver *et at.* (Edimburgo: T. & T. Clark, 1895), p. 31.

[8] Manley, NBC, p. 200.

[9] D. J. Wiseman, "Horites, Horim", *The New Bible Dictionary*, editado por J. D. Douglas *et al.* (Londres: InterVarsity Fellowship, 1962), p. 537.

[10] W. F. Boyd, "Zamzummim", *Dictionary of the Bible*, editado por James Hastings *et al.* (Edimburgo: T. & T. Clark, 1929), p. 983.

[11] PC, *loc. cit.*

[12] Cf. Driver, *op. cit.*, p. 53.

[13] C. H. Waller, "Deuteronomy", *A Bible Commentary*, editado por Charles John Ellicott, vol. II (Londres: Marshall Brothers, s.d.), p. 18.

[14] Manley, NBC, p. 201.

[15] Hertz, editor, *op. cit.*, p. 756.

[16] F. F. Bruce, *Israel and the Nations* (Exeter: Paternoster Press, 1963), p. 14.

[17] T. W. Davies, "Deuteronomy", *A Commentary on the Bible*, editado por Arthur S. Peake (Londres: T. Nelson & Sons, 1948), p. 234.

SEÇÃO II

[1] Hertz, editor, *op. cit.*, p. 764.

[2] Bruce, *op. cit.*, p. 16.

[3] Manley, NBC, p. 204.

[4] J. Battersby-Harford, "Deuteronomy", *A New Commentary on Holy Scripture*, editado por Charles Gore *et al.* (Londres: Society for Promoting Christian Knowledge, 1928), p. 156.

[5] G. Ernest Wright, "Deuteronomy", *The Interpreter's Bible*, editado por George A. Buttrick *et al.*, vol. II (Nova York: Abingdon-Cokesbury Press, 1951), p. 372.

[6] Driver, *op. cit.*, p. 93.

[7] Clarke, *op. cit.*, p. 769.

[8] Para informar-se de uma análise mais completa sobre este assunto, ver Driver, *op. cit.*, pp. 201ss.

[9] Hertz, *op. cit.*, p. 780.

[10] Wright, IB, vol. II, p. 386.

[11] Kline, *op. cit.*, p. 74.

[12] Hertz, *op. cit.*, p. 790.

[13] Clarke, *op. cit.*, p. 778.

[14] Cf. Driver, *op. cit.*, pp. 203, 204.

[15] Para cientificar-se de uma declaração ótima e concisa sobre a posição conservadora, ver G. Ch. Aalders, *A Short Introduction to the Pentateuch* (Londres: Tyndale Press, 1949), cap. xi, e Hertz, *op. cit.*, pp. 939-941. Para inteirar-se da posição modificada de Wellhausen, ver Driver, *op. cit.*, pp. 136-150, e Gerhard von Rad, *Studies in Deuteronomy* (Londres: SCM Press, 1966), pp. 89-94.

[16] Kline, *op. cit.*, p. 84.

[17] Hertz, *op. cit.*, p. 807 (acerca do v. 17, cf. tb. a p. 808).

[18] W. J. Moulton, "The Social Institutions of Israel", *A Commentary on the Bible*, editado por Arthur S. Peake (Londres: T. Nelson & Sons, 1948), p. 110.

[19] Cf. Alexander, *op. cit.*, p. 253.

[20] Matthew Henry, "Deuteronomy", *An Exposition of the Old and New Testament*, vol. I (Londres: James Nisbet & Company, 1857), p. 787.

[21] Hertz, *op. cit.*, p. 814.

[22] *Ib.*

[23] Cf. nota extensa sobre a noção hebraica de justiça. *Ib.*, pp. 820, 821.

[24] J. Wellhausen, *Prolegomena to the History of Ancient Israel* (Nova York: Meridian Books, 1957), cap. iv.

[25] Para inteirar-se de um exame das supostas violações da lei, ver W. H. Green, *The Higher Criticism of the Pentateuch* (Londres: Richard D. Dickinson, 1895), pp. 150-154.

[26] Esta tradução está perfeitamente de acordo com o hebraico (ver Wright, IB, vol. II, p. 444).

[27] W. F. Albright, *Archaeology and the Religion of Israel*, terceira edição (Baltimore: The Johns Hopkins Press, 1953), p. 110. Para inteirar-se de comentários mais minuciosos sobre a relação dos sacerdotes e levitas, ver James Orr, *The Problem of the Old Testament* (Londres: James Nisbet & Company, 1907), pp. 184-190; e D. A. Hubbard, "Priest and Levites", NDB, pp. 1.028-1.034.

[28] Ver, *e.g.*, Kline, *op. cit.*, cap. 2; E. W. Nicholson, *Deuteronomy and Tradition* (Oxford: Basil Blackwell, 1967), pp. 78, 79.

[29] Kline, *op. cit.*, p. 20.

[30] *Ib.*, p. 100. Para inteirar-se de outras possíveis explicações, ver Driver, *op. cit.*, pp. 215, 216.

[31] Quanto ao significado da frase **ao lugar que o SENHOR escolheu** (6), cf. comentários em 12.5.

³²"Pelo visto, a cultura sedentária que os israelitas encontraram no século XIII a.C. retratava o mais baixo nível religioso de toda a história cananéia" (Albright, *op. cit.*, p. 94).

³³Para inteirar-se da documentação relativa à função de concerto que os profetas exerciam, ver Nicholson, *op. cit.*, pp. 78, 79.

³⁴Ver Bruce, "Messiah", NDB, pp. 812-814, acerca do Messias como antítipo de Moisés.

³⁵Manley, NBC, p. 213.

³⁶K. A. Kitchen, *Ancient Orient and the Old Testament* (Londres: Tyndale Press, 1966), p. 147.

³⁷"Meu altar" (Êx 21.14) não é o "lugar" para onde "ordenar-te-ei" (Êx 21.13). Ver Adam C. Welch, *The Code of Deuteronomy* (Londres: James Clarke, 1924), pp. 138, 139.

³⁸Kline, *op. cit.*, p. 102.

³⁹M. Greenberg, "Some Postulates of Biblical Criminal Law", *The Yehezkel Kaufmann Jubilee Volume* (Jerusalém: Magnes Press, The Hebrew University, 1960), pp. 5-28.

⁴⁰Sobre o tema do caráter progressivo da revelação, ver os comentários incisivos de Orr, *op. cit.*, pp. 465-477.

⁴¹Para inteirar-se de um relato de Guerra Santa em Israel, ver Roland de Vaux, *Ancient Israel, Its Life and Institutions*, segunda edição (Londres: Darton, Longman & Todd, 1965), pp. 258-267.

⁴²Ver o comentário feito por Gerhard von Rad, em *Studies in Deuteronomy* (Londres: SCM Press, 1966), cap. 4.

⁴³G. T. Manley, *The Book of the Law* (Londres; Tyndale Press, 1957), pp. 112, 113.

⁴⁴Hertz, *op. cit.*, p. 833.

⁴⁵Vaux, *op. cit.*, p. 138.

⁴⁶Welch, *op. cit.*, pp. 147, 148.

⁴⁷Kline, *op. cit.*, p. 107.

⁴⁸Vaux, *op. cit.*, p. 53.

⁴⁹*Ib.*, p. 149.

⁵⁰Wright, IB, vol. II, p. 329.

⁵¹George Adam Smith, "The Book of Deuteronomy", *The Cambridge Bible* (Cambridge: University Press, 1918), p. 259.

⁵²Welch, *op. cit.*, p. 202.

⁵³Ver a nota de Driver, *op. cit.*, p. 250.

⁵⁴Smith, *op. cit.*, p. 250.

⁵⁵Wheeler Robinson diz: "Talvez a união das deidades masculinas e femininas estivesse tacitamente reconhecida por este tecido (egípcio?)" ("Deuteronomy and Joshua", *The Century Bible* [Edimburgo: T. & T. Clark, s.d.]), p. 168.

⁵⁶Driver, *op. cit.*, p. 43.

⁵⁷Vaux, *op. cit.*, p. 87.

⁵⁸Driver, *op. cit.*, pp. 270, 271.

⁵⁹Citado em Driver, *op. cit.*, p. 272.

⁶⁰Waterson, "Disease and Healing", NBD, p. 314.

⁶¹Os expositores afirmam, sobretudo com base em Js 7.24,25 e 2 Sm 21.1-9, que este ponto de vista também prevalecia em Israel. Driver ressalta que os exemplos citados são excepcionais e não apóiam uma conclusão geral (*op. cit.*, p. 277). Para inteira-se de uma análise que sustenta que nem sempre esses elementos sociais e individuais estavam presentes no pensamento israelita, ver Th. C. Vriezen, *An Outline of Old Testament Theology* (Oxford: Basil Blackwell, 1958), pp. 324, 325. É interessante destacar que Vriezen advoga que a alternação da forma de tratamento entre o singular e o plural, característica marcante em Deuteronômio, é prova do seu argumento.

⁶²Manley, NBC, p. 216.

⁶³J. Denney, "The Second Epistle to the Corinthians", *The Expositor's Bible* (Londres: Hodder & Stoughton, 1894), p. 216.

⁶⁴H. Cunliffe-Jones, "Deuteronomy", *Torch Bible Commentaries*, editado por J. Marsh *et al.* (Londres: Student Christian Movement Press, 1951), p. 140.

⁶⁵Ver os comentários de E. E. Ellis em seu livro *Paul's Use of the Old Testament* (Grand Rapids: William B. Eerdmans Publishing Company, 1957), pp. 46, 47.

⁶⁶Wright e Thompson, "Marriage", NBD, p. 789.

⁶⁷Kline, *op. cit.*, p. 118.

⁶⁸Vaux, *op. cit.*, p. 159.

⁶⁹Cunliffe-Jones, *op. cit.*, p. 140.

⁷⁰Hertz, *op. cit.*, p. 860.

⁷¹Welch, *op. cit.*, p. 93.

⁷²No v. 2, o termo hebraico *min* (que significa "de", tradução que aparece na palavra **das** [contração da preposição *de* com o artigo definido plural *as*]) pode ser enfático (ver RSV; NVI). Talvez a refeição sagrada (11) seja aquela que acompanha a Festa das Semanas (16.11), na qual as primícias poderiam ter sido oferecidas (ver Driver, *op. cit.*, p. 290).

⁷³A expressão **o SENHOR, teu Deus** é usada 299 vezes em Deuteronômio, muitas delas com associações ao Êxodo e ao Sinai. "'Yahweh, teu Deus', expressa uma relação pessoal e exclusiva entre *Yahweh* e Israel, e indica a consciência de que há diferença fundamental entre o Deus de Israel e os deuses das nações" (Manley, *The Book of the Law*, p. 41).

⁷⁴Manley, *The Book of the Law*, pp. 108, 109.

⁷⁵Para informar-se de um relato sobre este ponto de vista e suas objeções, ver Driver, *op. cit.*, pp. 170, 171.

⁷⁶Para inteirar-se de uma exposição mais profunda sobre este ponto de vista (embora com certas variações), ver A. H. Finn, *The Unity of the Pentateuch* (Londres: Marshall Brothers, s.d.), pp. 196-199.

⁷⁷Ver Manley, *The Book of the Law*, pp. 71-73.

⁷⁸Como exemplo de confissão de insolubilidade do problema organizacional de Deuteronômio, ver Nicholson, *op. cit.*, pp. 32, 33.

⁷⁹G. E. Mendenhall, *Law and Covenant in Israel and the Ancient Near East* (Pittsburgh, Pensilvânia: The Biblical Colloquium, 1955), pp. 31-35. O reconhecimento de que o *todo* de Deuteronômio é responsável por este padrão abrange todas as nuanças do espectro teológico sustentado por Rad, no lado liberal (*e.g.*, Rad, *Studies in Deuteronomy*, pp. 14, 15), e por Kline, no lado conservador (Kline, *Treaty of the Great King*, pp. 27-44), que aplica a idéia com grande eficácia.

⁸⁰Segundo Kline, *op. cit.*, p. 20.

⁸¹D. Daube, *Studies in Biblical Law* (Cambridge: University Press, 1947), cap. 2, "Codes and Codas".

⁸²Cf. Kitchen, *op. cit.*, p. 128, nota de rodapé n.º 63; pp. 134, 135, 148, 149; Greenberg, *op. cit.*, pp. 5-7.

⁸³A frase é título do cap. 2 do livro de H. M. Wiener, *Early Hebrew History* (Londres: Robert Scott, 1924). No capítulo, ele mostra que Moisés não considerava que suas leis fossem imutáveis em todos os tempos. Ele próprio as modificou (cf. Nm 27.1-11, que modifica a regra de que só os filhos homens têm direito a herança). Também deu espaço para que outros a modificassem, quando previu a monarquia (Dt 17.14-20) com suas inseparáveis mudanças, e a sucessão de profetas que ocupariam seu lugar (Dt 18.9-22). O critério de tais alterações é que não deviam promover a apostasia (cf. Dt 13.1-5; 18.20).

⁸⁴F. F. Bruce, *Israel and the Nations* (Exeter: Paternoster Press, 1963), p. 16.

SEÇÃO III

¹Para inteirar-se de um resumo e comparação, ver Kitchen, *op. cit.*, pp. 90-99.

²Mendenhall, *op. cit.*, p. 32. Ver tb. J. A. Thompson, *The Ancient Near Eastern Treaties and the Old Testament* (Londres: Tyndale Press, 1964), p. 15.

³Thompson, *op. cit.*, pp. 25, 26.

⁴Manley, *The Book of the Law*, p. 134.

⁵Rad, "Deuteronomy", p. 166.

⁶Cf. Kitchen, *op. cit.*, pp. 92-94; Thompson, *op. cit.*, p. 14.

⁷Segundo Kline, *op. cit.*, p. 124; Kitchen, *op. cit.*, p. 98.

⁸Cf. J. B. Pritchard, *Ancient Near Eastern Texts* (Princeton, Nova Jersey: Princeton University Press, 1950), pp. 353ss.

⁹Rad, "Deuteronomy", pp. 168, 169.

¹⁰Ver F. C. Fensham, "Malediction and Benediction in Ancient Near Eastern Vassal-Treaties and the Old Testament", *Zeitschrift Für Die Alttestamentliche Wissenschaft*, Heft 1 (Berlim: Töpelmann, 74 Band, 1962), pp. 1-8.

¹¹Kitchen, *op. cit.*, p. 97, nota de rodapé n.º 39.

¹²*Ib.*, nota de rodapé n.º 41.

¹³Ver a nota de Driver, *op. cit.*, p. 306.

¹⁴Para inteirar-se de identificações médicas das doenças alistadas nos vv. 21,22, ver Smith, *op. cit.*, p. 311.

¹⁵Kline, *op. cit.*, p. 127.

¹⁶H. H. Rowley, *The Growth of the Old Testament* (Londres: Hutchinson's University Library, 1956), p. 27.

¹⁷Smith, *op. cit.*, p. xxxviii.

¹⁸J. Baines Atkinson, *The Beauty of Holiness* (Londres: The Epworth Press, 1953), p. 131. Todas as suas considerações de a prosperidade ser um de "Os Frutos do Amor Perfeito" (pp. 128-131) são feitas com refinado equilíbrio.

[19]Vriezen, *op. cit.*, pp. 274-276.

[20]Mendenhall, *op. cit.*, pp. 32ss.

[21]Manley, *The Book of the Law*, pp. 151, 152.

[22]Manley, NBC, p. 218.

[23]Manley, *The Book of the Law*, p. 68.

SEÇÃO IV

[1]Mendenhall, *op. cit.*, p. 32.

[2]Entre os hititas, a cujos tratados Deuteronômio tem a mais estreita semelhança, os concertos eram lidos publicamente a cada três anos (Mendenhall, *op. cit.*, p. 40).

[3]Ver o resumo de Driver, *op. cit.*, pp. 337, 338.

[4]Um típico tratado hitita entre suserano e vassalo alista "as montanhas, os rios, as fontes, o grande Mar, os céus e a terra, os ventos e as nuvens para serem testemunhas deste tratado e seu juramento" (Pritchard, *op. cit.*, pp. 203-205).

[5]J. Wesley, *Journal*, 6 de agosto de 1755, Edição Padrão, editado por Neemiah Curnock, vol. IV (Londres: The Epworth Press, 1938), p. 126.

[6]Wesley, *Journal*, 25 de dezembro de 1747, vol. III (*ed. cit.*), p. 328.

[7]Mendenhall, *op. cit.*, pp. 35ss.

[8]Ver Julien Harvey, "Le 'Rib-Pattern,' Réquisitoire Prophétique Sur La Rupture de L'Alliance", *Biblica*, vol. XLIII (1962), pp. 172-196. Devemos muito a esta obra o padrão exegético apresentado ao cap. 32.

[9]G. Ernest Wright, "The Lawsuit of God: A Form-Critical Study of Deuteronomy 32", *Israel's Prophetic Heritage, Essays in Honour of James Muilenburg*, editado por Bernhard W. Anderson e Walter Harrelson (Londres: SCM Press, 1962), pp. 26, 27, 40, 41, 54-58.

[10]Quanto à linguagem, ver W. F. Albright, "Some Remarks on the Song of Moses in Deuteronomy 32", *Vetus Testamentum*, vol. IX (1959), pp. 339-346. Quanto à estrutura poética, ver Patrick W. Skehan, "The Structure of the Song of Moses in Deuteronomy", *Catholic Biblical Quarterly*, vol. XIII, n.º 4 (Outubro de 1951), pp. 153-163.

[11]Mendenhall, *op. cit.*, pp. 44ss.

[12]Há quem sugira uma explicação alternativa aos vv. 8,9 com base no texto da última frase do v. 8 conservada no Antigo Testamento grego e no texto de Deuteronômio encontrado na Caverna 4 em Qumran. Lê-se: "Conforme o número dos filhos de Deus" (cf. NVI, nota de rodapé). Considera-se que os "filhos de Deus" sejam o concílio dos seres sobrenaturais, mas inferiores, que Deus tem nos céus, por quem ele administra o universo (cf. 1 Rs 22.19-22; Jó 1.6). Então, o significado seria que as outras nações são governadas pelos subordinados de Deus, ao passo que Israel é de responsabilidade direta de Deus.

[13]C. H. Dodd, "The Epistle of Paul to the Romans", *The Moffatt New Testament Commentary* (Londres: Hodder & Stoughton, 1932), p. 29.

[14]Compare com a versão de Dodd sobre a ira de Deus, que não é como "a atitude de Deus ao homem", mas como "o inevitável processo de causa e efeito no universo moral" (*op. cit.*, p. 23).

[15]P. T. Forsyth, *The Justification of God* (Londres: Independent Press, 1948), p. 192.

SEÇÃO V

¹Kitchen, *op. cit.*, p. 128, nota de rodapé n.º 63.

²Manley, *The Book of the Law*, p. 60.

³C. H. Gordon, em "Biblical Customs and the Nuzu Tablets" (*Biblical Archaeologist*, vol. III, n.º 1, Fevereiro de 1940, p. 8), cita um exemplo de Nuzu ou Nuzi no nordeste do Iraque do século XV a.C., no qual uma bênção oral foi confirmada em tribunal.

⁴F. M. Cross e D. N. Freeman, "The Blessing of Moses", *Journal of Biblical Literature*, vol. LXVII (1948), pp. 191, 192.

⁵*Ib.*, p. 193. Por outro lado, a NTLH parece entrever que as pessoas dos vv. 2 e 3 são grupos diferentes.

⁶Kitchen interpreta que o significado é "pisar sobre as suas costas [dos inimigos]" (*op. cit.*, p. 164).

⁷**Pisga** é um substantivo comum com o provável significado como indicado (cf. Nm 21.20; 23.13,14 para dois outros exemplos, e Manley, *The Book of the Law*, pp. 61, 62).

⁸Smith, *op. cit.*, p. 378.

⁹Daube, *op. cit.*, pp. 24-35.

¹⁰Para inteirar-se de uma exploração exaustiva acerca da tragédia de Moisés e de suas lições espirituais, ver H. H. Farmer, "Life's Frustrations", *The Healing Cross* (Londres: James Nisbet & Company, 1949), pp. 65-75.

¹¹Daube, *op. cit.*, p. 39.

Bibliografia

I. COMENTÁRIOS

ALEXANDER, W. L. "Deuteronomy." *The Pulpit Commentary*. Editado por H. D. M. Spence e Joseph S. Exell. Londres: Funk & Wagnalls, 1907.

BATTERSBY-HARFORD, J. "Deuteronomy." *A New Commentary on Holy Scripture*. Editado por Charles Gore *et al*. Londres: Society for Promoting Christian Knowledge, 1928.

CLARKE, Adam. *The Holy Bible with a Commentary and Critical Notes*, Vol. I. Londres: William Tegg & Company, 1854.

CUNLIFFE-JONES, H. "Deuteronomy." *Torch Bible Commentaries*. Editado por J. Marsh *et al*. Londres: Student Christian Movement Press, 1951.

DAVIES, T. W. "Deuteronomy." *A Commentary on the Bible*. Editado por Arthur S. Peake. Londres: T. Nelson & Sons, 1948.

DRIVER, S. R. "Deuteronomy." *The International Critical Commentary*. Editado por S. R. Driver *et at*. Edimburgo: T. & T. Clark, 1895.

HENRY, Matthew. "Deuteronomy." *An Exposition of the Old and New Testament*, Vol. I. Londres: James Nisbet & Company, 1857.

HERTZ, J. H. (editor). "Deuteronomy." *The Pentateuch and Haftorahs*. Londres: Soncino Press, 1938.

MANLEY, G. T. "Deuteronomy." *The New Bible Commentary*. Editado por F. Davidson. Londres: InterVarsity Fellowship, 1954.

MOULTON, W. J. "The Social Institutions of Israel." *A Commentary on the Bible*. Editado por Arthur S. Peake. Londres: T. Nelson & Sons, 1948.

RAD, Gerhard von. "Deuteronomy." *The Old Testament Library*. Londres: SCM Press, 1966.

ROBINSON, H. Wheeler. "Deuteronomy and Joshua." *The Century Bible*. Edimburgo: T. & T. Clark, s.d.

SMITH, George Adam. "The Book of Deuteronomy." *The Cambridge Bible*. Cambridge: University Press, 1918.

WALLER, C. H. "Deuteronomy." *A Bible Commentary*. Editado por Charles John Ellicott, Vol. II. Londres: Marshall Brothers, s.d.

WRIGHT, G. Ernest. "Deuteronomy." *The Interpreter's Bible*. Editado por George A. Buttrick *et al.*, Vol. II. Nova York: Abingdon-Cokesbury Press, 1951.

II. OUTROS LIVROS

AALDERS, G. Ch. *A Short Introduction to the Pentateuch*. Londres: Tyndale Press, 1949.

ALBRIGHT, W. F. *Archaeology and the Religion of Israel*, Terceira Edição. Baltimore: The Johns Hopkins Press, 1953.

ANDERSON, G. W. *A Critical Introduction to the Old Testament*. Londres: Gerald Duckworth & Company, 1959.

ATKINSON, J. Baines. *The Beauty of Holiness*. Londres: The Epworth Press, 1953.

BRUCE, F. F. *Israel and the Nations*. Exeter: Paternoster Press, 1963.

DAUBE, D. *Studies in Biblical Law*. Cambridge: University Press, 1947.

DENNEY, J. "The Second Epistle to the Corinthians." *The Expositor's Bible*. Londres: Hodder & Stoughton, 1894.

DODD, C. H. "The Epistle of Paul to the Romans." *The Moffatt New Testament Commentary*. Londres: Hodder & Stoughton, 1932.

ELLIS, E. E. *Paul's Use of the Old Testament*. Grand Rapids: William B. Eerdmans Publishing Company, 1957.

FARMER, H. H. *The Healing Cross*. Londres: James Nisbet & Company, 1949.

FINN, A. H. *The Unity of the Pentateuch*. Londres: Marshall Brothers, s.d.

FORSYTH, P. T. *The Justification of God*. Londres: Independent Press, 1948.

GREEN, W. H. *The Higher Criticism of the Pentateuch*. Londres: Richard D. Dickinson, 1895.

KITCHEN, K. A. *Ancient Orient and the Old Testament*. Londres: Tyndale Press, 1966.

KLINE, M. G. *Treaty of the Great King*. Michigan: William B. Eerdmans Publishing Company, 1963.

MANLEY, G. T. *The Book of the Law*. Londres: Tyndale Press, 1957.

MENDENHALL, G. E. *Law and Covenant in Israel and the Ancient Near East*. Pittsburgh, Pensilvânia: The Biblical Colloquium, 1955.

NICHOLSON, E. W. *Deuteronomy and Tradition*. Oxford: Basil Blackwell, 1967.

ORR, James. *The Problem of the Old Testament*. Londres: James Nisbet & Company, 1907.

PRITCHARD, J. B. *Ancient Near Eastern Texts*. Princeton, Nova Jersey: Princeton University Press, 1950.

RAD, Gerhard von. *Studies in Deuteronomy*. Londres: SCM Press, 1963.

ROWLEY, H. H. *The Growth of the Old Testament*. Londres: Hutchinson's University Library, 1956.

THOMPSON, J. A. *The Ancient Near Eastern Treaties and the Old Testament*. Londres: Tyndale Press, 1964.

VAUX, Roland de. *Ancient Israel, Its Life and Institutions*, Segunda Edição. Londres: Darton, Longman & Todd, 1965.

VRIEZEN, Th. C. *An Outline of Old Testament Theology*. Oxford: Basil Blackwell, 1958.

WELCH, Adam C. *The Code of Deuteronomy*. Londres: James Clarke, 1924.

WELLHAUSEN, J. *Prolegomena to the History of Ancient Israel*. Nova York: Meridian Books, 1957.

WESLEY, J. *Journal*. Edição Padrão. Editado por Neemiah Curnock. Londres: The Epworth Press, 1938.

WIENER, H. M. *Early Hebrew History*. Londres: Robert Scott, 1924.

YOUNG, E. J. *An Introduction to the Old Testament*. Londres: Tyndale Press, 1960.

III. ARTIGOS

ALBRIGHT, W. F. "Some Remarks on the Song of Moses in Deuteronomy 32." *Vetus Testamentum*, Vol. IX (1959), pp. 339-346.

BOYD, W. F. "Zamzummim." *Dictionary of the Bible*. Editado por James Hastings et al. (Edimburgo: T. & T. Clark, 1929), p. 983.

BRUCE, F. F. "Messiah." *The New Bible Dictionary*. Editado por J. D. Douglas (Londres: InterVarsity Fellowship, 1962), pp. 812-814.

CROSS, F. M. e FREEMAN, D. N. "The Blessing of Moses." *Journal of Biblical Literature*, vol. LXVII (1948), pp. 191, 192.

FENSHAM, F. C. "Malediction and Benediction in Ancient Near Eastern Vassal-Treaties and the Old Testament." *Zeitschrift Für Die Alttestamentliche Wissenschaft*, Heft 1 (Berlim: Töpelmann, 74 Band, 1962), pp. 1-8.

GORDON, C. H. "Biblical Customs and the Nuzu Tablets." *Biblical Archaeologist*, vol. III, n.º 1 (Fevereiro de 1940), p. 8.

GREENBERG, M. "Some Postulates of Biblical Criminal Law." *The Yehezkel Kaufmann Jubilee Volume* (Jerusalém: Magnes Press, The Hebrew University, 1960), pp. 5-28.

HARVEY, Julien. "Le 'Rib-Pattern,' Réquisitoire Prophétique Sur La Rupture de L'Alliance." *Biblica*, vol. XLIII (1962), pp. 172-196.

HUBBARD, D. A. "Priest and Levites." *The New Bible Dictionary*. Editado por J. D. Douglas (Londres: InterVarsity Fellowship, 1962), pp. 1.028-1.034.

KLINE, M. G. "Ten Commandments." *The New Bible Dictionary*. Editado por J. D. Douglas (Londres: InterVarsity Fellowship, 1962), pp. 1.251, 1.252.

MANLEY, G. T. "Book of Deuteronomy." *The New Bible Dictionary*. Editado por J. D. Douglas (Londres: InterVarsity Fellowship, 1962), pp. 307-310.

MOTYER, J. A. "Prophecy, Prophets." *The New Bible Dictionary*. Editado por J. D. Douglas (Londres: InterVarsity Fellowship, 1962), pp. 1.036-1.046.

SKEHAN, Patrick W. "The Structure of the Song of Moses in Deuteronomy." *Catholic Biblical Quarterly*, vol. XIII, n.º 4 (Outubro de 1951), pp. 153-163.

STEWART, R. A. "Passover." *The New Bible Dictionary*. Editado por J. D. Douglas (Londres: InterVarsity Fellowship, 1962), pp. 936-938.

THOMPSON, R. J. "Sacrifice and Offering. 1. In the Old Testament." *The New Bible Dictionary*. Editado por J. D. Douglas (Londres: InterVarsity Fellowship, 1962), pp. 1.113-1.122.

THOMSON, J. G. S. S. "Tithes." *The New Bible Dictionary*. Editado por J. D. Douglas (Londres: InterVarsity Fellowship, 1962), p. 1.284.

WATERSON, A. P. "Disease and Healing." *The New Bible Dictionary*. Editado por J. D. Douglas (Londres: InterVarsity Fellowship, 1962), p. 314.

WISEMAN, D. J. "Horites, Horim." *The New Bible Dictionary*. Editado por J. D. Douglas (Londres: InterVarsity Fellowship, 1962), p. 537.

WRIGHT, G. Ernest. "The Lawsuit of God: A Form-Critical Study of Deuteronomy 32." *Israel's Prophetic Heritage, Essays in Honour of James Muilenburg*. Editado por Bernhard W. Anderson e Walter Harrelson (Londres: SCM Press, 1962), pp. 26-67.

WRIGHT, J. S. e Thompson, J. A. "Marriage," *The New Bible Dictionary*. Editado por J. D. Douglas (Londres: InterVarsity Fellowship, 1962), p. 789.

Mapa 1

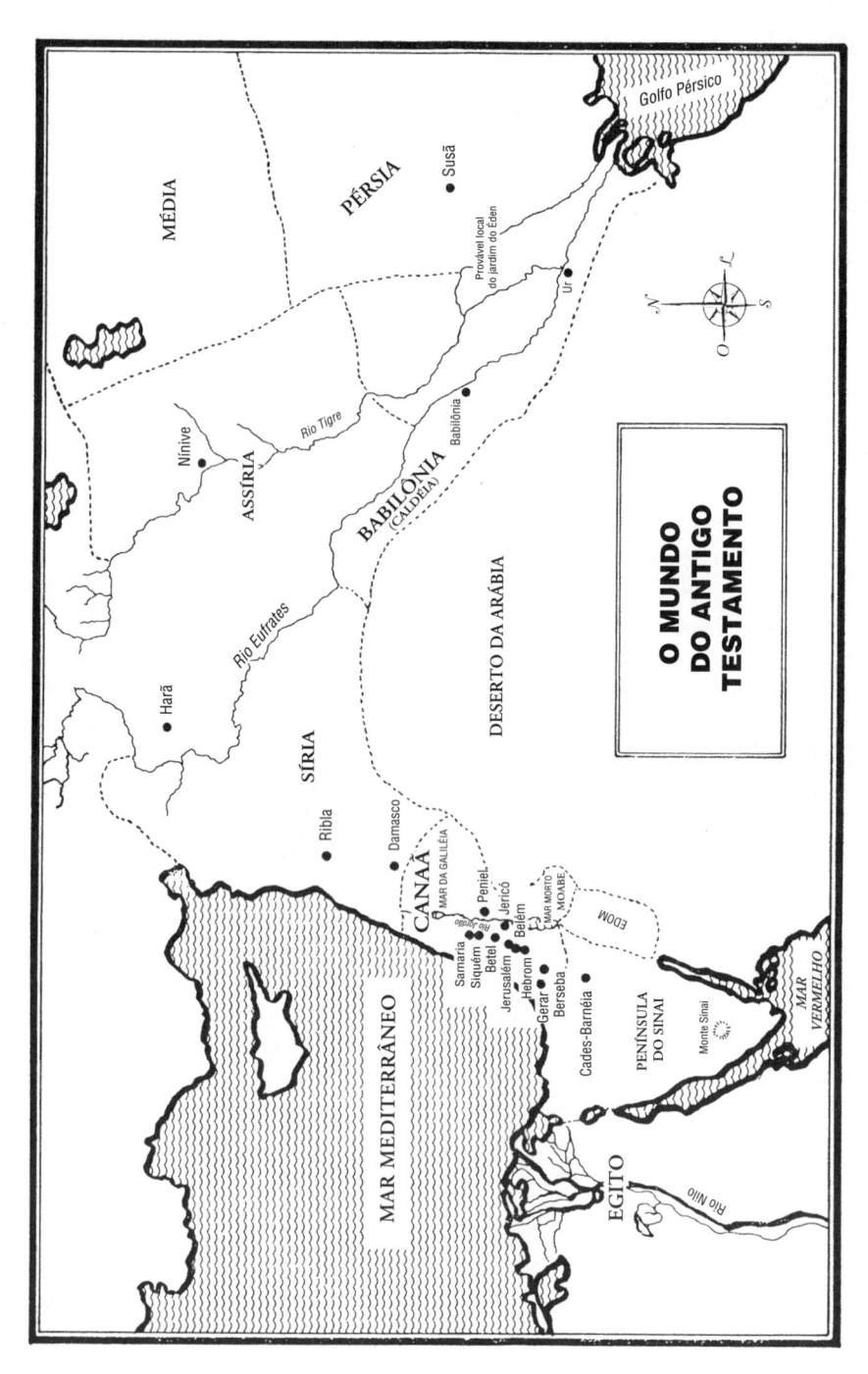

Mapa 2

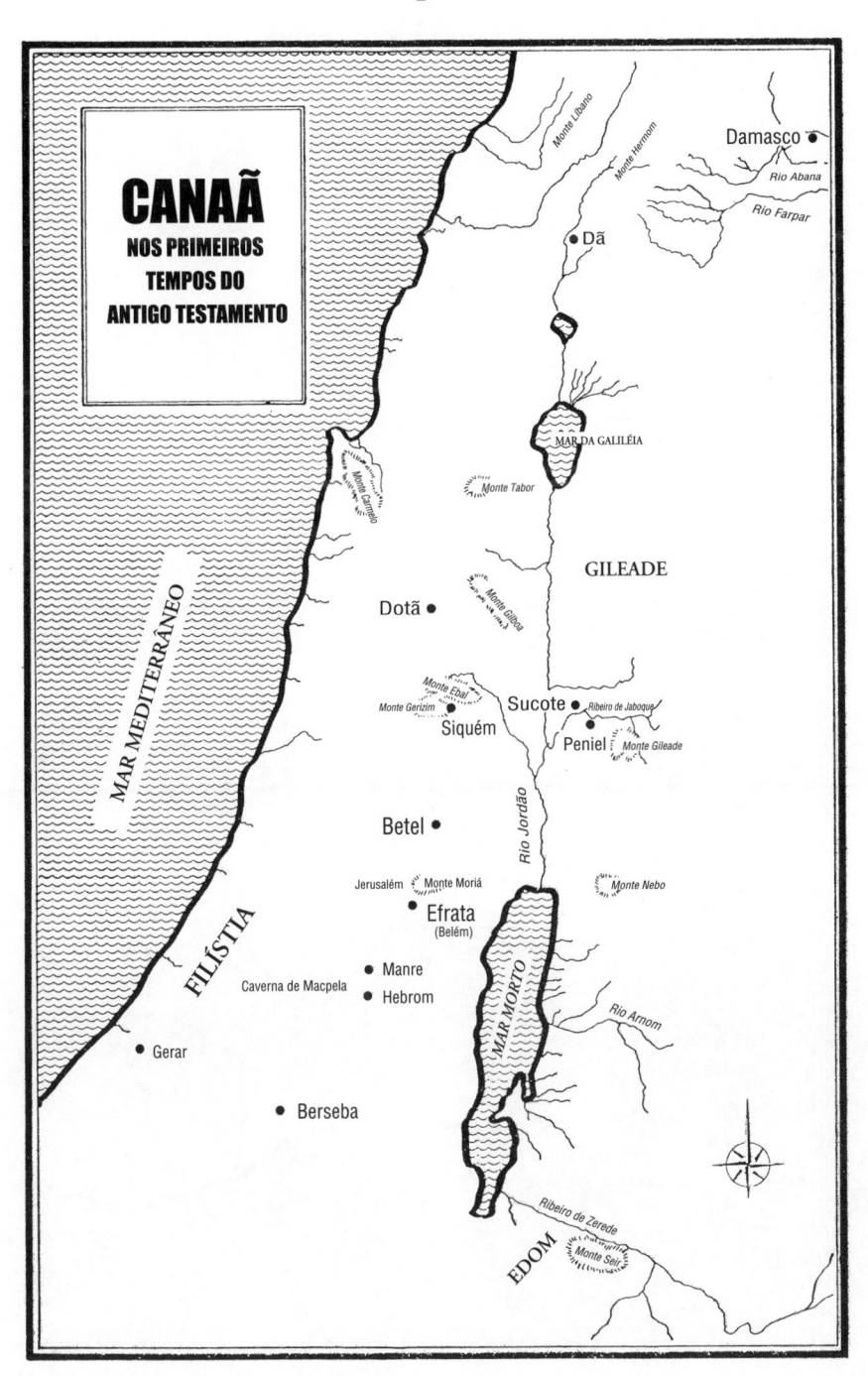

CANAÃ NOS PRIMEIROS TEMPOS DO ANTIGO TESTAMENTO

Mapa 3

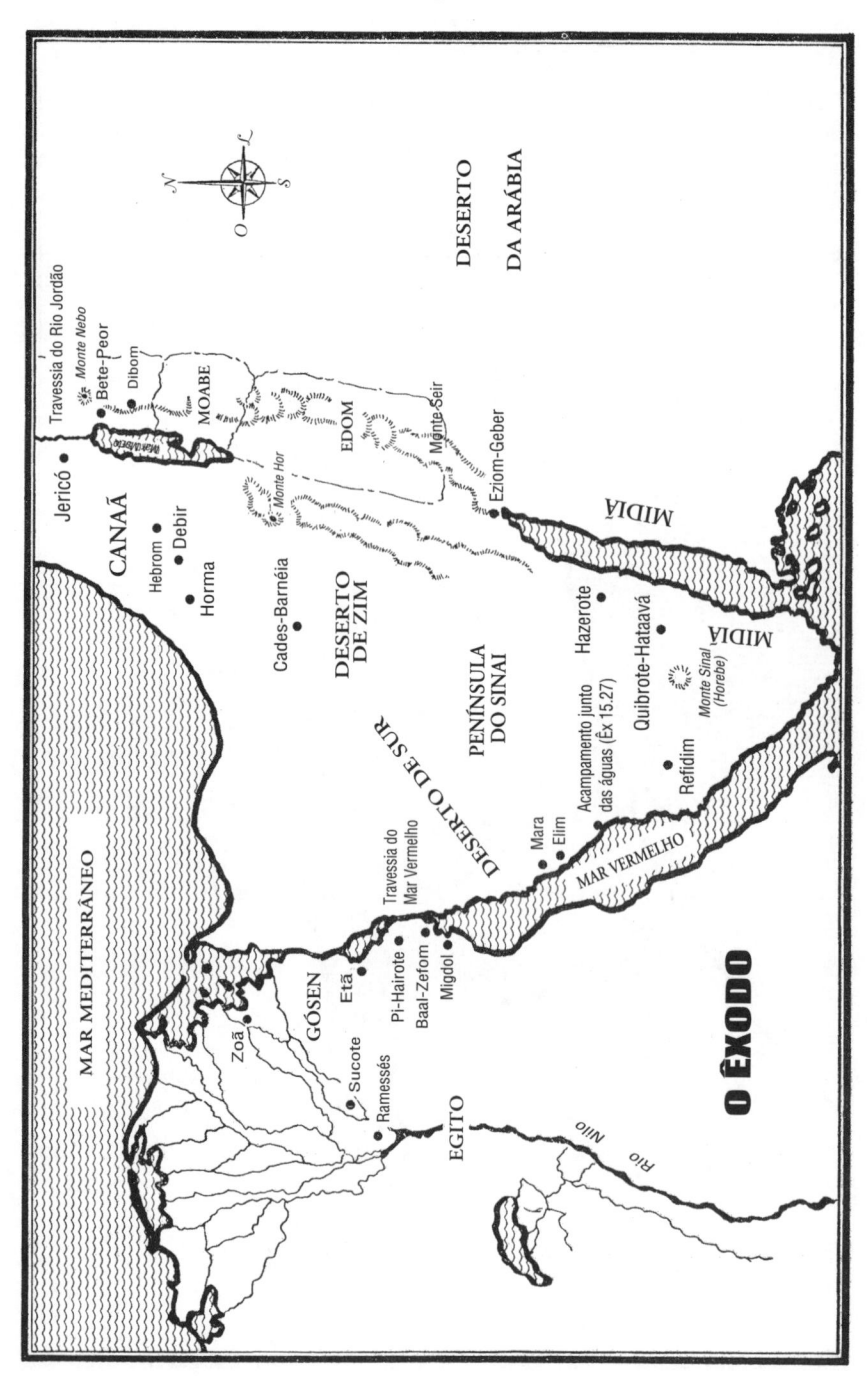

Mapa 4

A PALESTINA NOS TEMPOS DOS JUÍZES

Diagrama A

A PLANTA DO TABERNÁCULO NO DESERTO
30 x 10 x 10 côvados (13,5 x 4,5 x 4,5 m)

A Porta

O SANTO LUGAR
20 x 10 x 10 côvados
(9 x 4,5 x 4,5 m)

A Mesa dos Pães da Proposição
2 x 1 x 1,5 côvados
(90 x 45 x 67,5 cm)

O Castiçal de Ouro
De Sete Braços

O Altar do Incenso
1 x 1 x 2 côvados
(45 x 45 x 90 cm)

O Véu

O Propiciatório e
a Arca do Concerto
2,5 x 1,5 côvados
(1,125 m x 67,5 cm)

O SANTO DOS SANTOS
O Lugar Santíssimo
10 x 10 x 10 côvados
(4,5 x 4,5 x 4,5 m)

A MESA DOS PÃES DA PROPOSIÇÃO

O CASTIÇAL DE OURO

O ALTAR DO INCENSO

A ARCA DO CONCERTO

Diagrama B

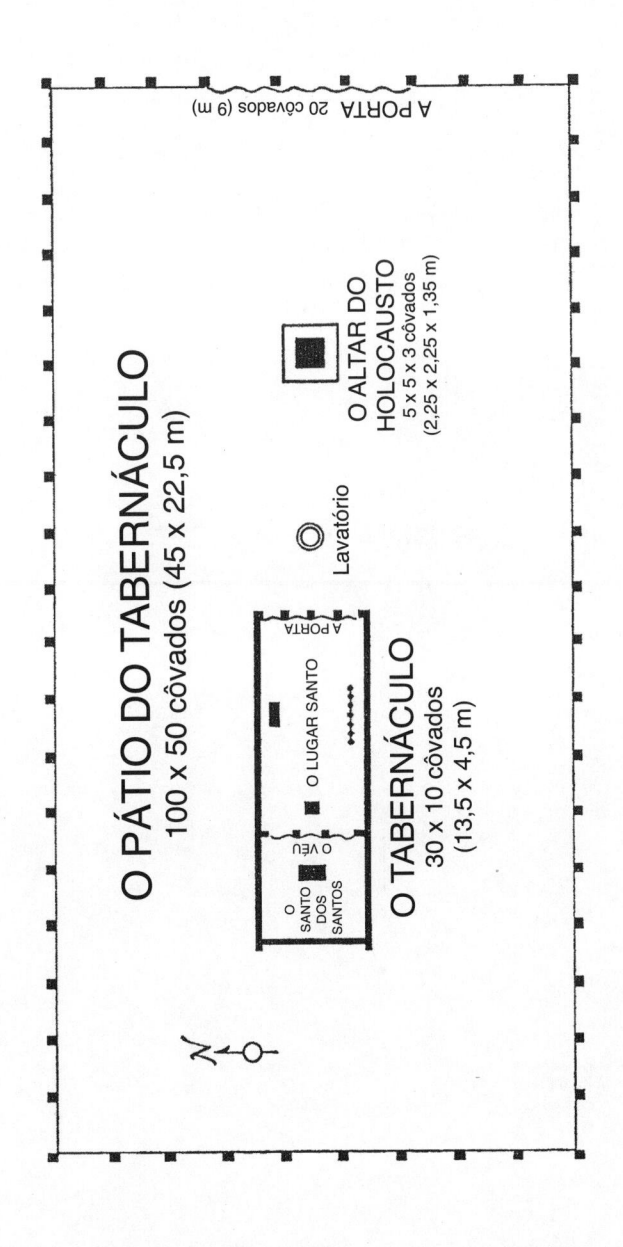

O PÁTIO DO TABERNÁCULO
100 x 50 côvados (45 x 22,5 m)

A PORTA 20 côvados (9 m)

O ALTAR DO HOLOCAUSTO
5 x 5 x 3 côvados
(2,25 x 2,25 x 1,35 m)

Lavatório

O TABERNÁCULO
30 x 10 côvados
(13,5 x 4,5 m)

O SANTO DOS SANTOS

O VÉU

O LUGAR SANTO

A PORTA

N

Autores deste volume

GEORGE HERBERT LIVINGSTON
Professor de Antigo Testamento, Asbury Theological Seminary, Wilmore, Ky. B.A. em Religião, Wessington Springs College; A.B. Kletzing College; B.D., Asbury Theological Seminary; Ph. D. Drew University.

LEO G. COX
Professor de Teologia e Novo Testamento e Diretor de Educação Ministerial, Marion College, Marion, Ind. B.Rel., A.B., B.D., Marion College; M.A., Ph.D., Universidade de Iowa.

DENNIS F. KINLAW
Reitor, Asbury College, Wilmore, Ky. A.B., Asbury College; B.D., Asbury Theological Seminary; M.A., Ph.D., Brandeis University. Estudos graduados, Princeton Theological Seminary e University of Edinburgh.

LAURISTON J. DU BOIS
Capelão e Professor de Filosofia do Northwest Nazarene College, Nampa, Idaho. A.B., D.D., Northwest Nazarene College; M.A., Universidade de Idaho.

JACK FORD
Reitor, British Isles Nazarene College, Manchester, Inglaterra. Treinamento Ministerial em Cliff College; B.D., Ph. D., Universidade de Londres.

A. R. G. DEASLEY
Deão e preletor de estudos bíblicos, British Isles Nazarene College, Manchester, Inglaterra. B.A., M.A., Universidade de Cambridge, Inglaterra.

COMENTÁRIO BÍBLICO BEACON

Em Dez Volumes

Volume I. Gênesis; Êxodo; Levítico; Números; Deuteronômio

Volume II. Josué; Juízes; Rute; 1 e 2 Samuel; 1 e 2 Reis; 1 e 2 Crônicas; Esdras; Neemias; Ester

Volume III. Jó; Salmos; Provérbios; Eclesiastes; Cantares de Salomão

Volume IV. Isaías; Jeremias; Lamentações de Jeremias; Ezequiel; Daniel

Volume V. Oséias; Joel; Amós; Obadias; Jonas; Miquéias; Naum; Habacuque; Sofonias; Ageu; Zacarias; Malaquias

Volume VI. Mateus; Marcos; Lucas

Volume VII. João; Atos

Volume VIII. Romanos; 1 e 2 Coríntios

Volume IX. Gálatas; Efésios; Filipenses; Colossenses; 1 e 2 Tessalonicenses; 1 e 2 Timóteo; Tito; Filemom

Volume X. Hebreus; Tiago; 1 e 2 Pedro; 1, 2 e 3 João; Judas; Apocalipse